JEFFREY ARCHER

DAS SPIEL DER MÄCHTIGEN

ROMAN

Aus dem Englischen
von Lore Strassl

Bearbeitet von Barbara Häusler

WILHELM HEYNE VERLAG
MÜNCHEN

Die Originalausgabe THE FOURTH ESTATE
erschien erstmals 1996 bei HarperCollins, London

Der Roman erschien in Deutschland bereits
unter dem Titel *Imperium* im Lübbe-Verlag.

Dieses Buch ist auch als E-Book erhältlich.

Verlagsgruppe Random House FSC® N001967

Vollständige deutsche Erstausgabe 06/2019

Redaktion: Barbara Häusler

Printed in Germany
Umschlaggestaltung: DAS ILLUSTRAT, München,
unter Verwendung eines Motivs von
Getty Images / UpperCut Images und Shutterstock / amophoto_au
Satz: KompetenzCenter, Mönchengladbach
Druck und Bindung: GGP Media GmbH, Pößneck
ISBN: 978-3-453-47158-0

www.heyne.de

Für Michael und Judith

Im Mai 1789 berief König Ludwig XVI. die sogenannten Generalstände ein. Der erste Stand umfasste 300 Adelige. Der zweite Stand umfasste 300 Geistliche. Der dritte Stand umfasste 600 Bürger und Bauern. Diese Stände sollten die Verteilung des Stimmrechts abbilden.

Einige Jahre nach der Französischen Revolution begab sich Folgendes. Bei einer Versammlung im englischen House of Commons deutete der Philosoph Edmund Burke zu der Galerie hinüber, die für die Vertreter der Presse vorgesehen war, und sprach: »Seht, dort drüben sitzt der vierte Stand – und er hat mehr Macht als alle anderen drei Stände zusammen!«

Extrameldung:

Schlacht der Medienzare um ihre Imperien

1

THE GLOBE

5. November 1991

Armstrong vor dem Bankrott

Die Aussichten standen schlecht für Richard Armstrong. Doch schlechte Aussichten hatten Armstrong bisher nie Kopfzerbrechen bereitet.

»*Faites vos jeux, mesdames et messieurs!* Machen Sie Ihre Einsätze!«

Armstrong starrte auf den grünen Filz. Der Berg roter Jetons war in der kurzen Zeit von nur zwanzig Minuten zu einem einzigen kleinen Stapel geschrumpft. An diesem Abend hatte er bereits vierzigtausend Franc verspielt – aber was waren schon vierzigtausend Franc, wenn man in den letzten zwölf Monaten eine Milliarde Dollar verschleudert hatte?

Er lehnte sich vor und schob sämtliche übrig gebliebenen Jetons auf die Null.

»*Les jeux sont faits. Rien ne va plus*«, sagte der Croupier. Er setzte die Drehscheibe in Bewegung und ließ die kleine Elfenbeinkugel vom oberen Rand in den Kessel laufen. Sie flitzte im Kreis herum, ehe sie klappernd in die winzigen schwarzen und roten Fächer hinein- und wieder heraushüpfte.

Armstrong starrte ins Leere. Er senkte nicht einmal den Blick, nachdem die Kugel schließlich zur Ruhe gekommen war.

»*Vingt-six*«, verkündete der Croupier und machte sich sogleich daran, alle Jetons mit dem Rechen zu sich zu ziehen, außer denen auf der Sechsundzwanzig.

Ohne dem Croupier einen Blick zu gönnen, verließ Armstrong seinen Platz. Er schlurfte an den vollbesetzten Backgammon- und Roulette-Tischen vorbei zur Flügeltür, die aus der Welt des Glücksspiels in die Wirklichkeit hinausführte. Ein hochgewachsener Mann in blauer Livree öffnete dem weit bekannten Spieler die Tür und lächelte ihn in Erwartung des gewohnten 100-Franc-Trinkgelds an. Doch nicht einmal das war an diesem Abend drin.

Armstrong fuhr sich mit der Hand durch sein dichtes schwarzes Haar, schritt die üppig bepflanzten Terrassengärten des Casinos hinunter und vorbei am Springbrunnen. Seit der hastig einberufenen Vorstandssitzung in London waren vierzehn Stunden vergangen, und bei Armstrong machte sich die Erschöpfung bemerkbar.

Trotz seiner Körpermassen – Armstrong war seit Jahren nicht mehr auf eine Waage gestiegen – hielt er seinen schnellen, gleichmäßigen Schritt bei, als er über die Promenade eilte, bis er zu seinem Lieblingsrestaurant mit Blick über die Bucht gelangte. Er wusste, dass jeder Tisch seit mindestens einer Woche im Voraus reserviert war, und der Gedanke an den Ärger, den er bereiten würde, ließ ihn zum ersten Mal an diesem Abend lächeln.

Armstrong schob die Tür des Restaurants auf. Ein großer, hagerer Ober drehte sich um und versuchte seine Überraschung zu verbergen, indem er sich tief verbeugte.

»Guten Abend, Mr. Armstrong. Wie schön, Sie zu sehen. Wird sich Ihnen jemand anschließen?«

»Nein, Henri.«

Der Oberkellner führte den unerwarteten Gast durch das nahezu voll besetzte Lokal zu einem kleinen Tisch in einer Nische. Als Armstrong Platz genommen hatte, reichte ihm der Ober die große, ledergebundene Speisekarte.

Armstrong schüttelte den Kopf. »Nicht nötig, Henri. Sie wissen ja genau, was ich mag.«

Der Ober runzelte kaum merklich die Stirn. Weder Angehörige des europäischen Hochadels noch Hollywoodstars, ja, nicht einmal italienische Fußballprofis brachten ihn aus der Fassung, doch jedes Mal, wenn Richard Armstrong das Restaurant besuchte, überkam ihn ein leichter Anflug von Panik. Und jetzt sollte er, Henri, auch noch das Dinner für Armstrong auswählen. Zum Glück war wenigstens der Stammtisch dieses berühmten Gastes noch frei. Wäre Armstrong nur wenige Minuten später gekommen, hätte er an der Bar warten und sich auf das Improvisationstalent des Personals verlassen müssen.

Ehe Henri eine Serviette auf Armstrongs Schoß legte, schenkte der Weinkellner ihm bereits ein Glas seines Lieblingschampagners ein. Armstrong starrte durchs Fenster in die Ferne, doch er nahm die große Jacht gar nicht wahr, die am Nordende der Bucht vor Anker lag. Seine Gedanken befassten sich mit seiner Familie, seiner Frau und den Kindern, die viel weiter weg waren, einige Hundert Meilen entfernt. Was würden sie tun, wenn sie die Neuigkeit erfuhren? Der Ober servierte Armstrong eine Hummercremesuppe – nicht zu heiß, sodass er sie sofort essen konnte. Armstrong hasste es zu warten, bis irgendetwas abkühlte.

Zur Verwunderung des Oberkellners nahm der Gast den Blick nicht vom Horizont, als sein Glas zum zweiten Mal gefüllt wurde.

Wie schnell werden meine Kollegen im Vorstand, diese Strohmänner mit Titeln und Beziehungen, wohl anfangen ihre Spuren zu verwischen und sich von mir zu distanzieren, sobald ich erst die Zwischenbilanz der Gesellschaft vorgelegt habe, fragte sich Armstrong und konnte sich ein ironisches Lächeln nicht verkneifen. Lediglich Sir Paul Maitland würde seinen Ruf vermutlich retten können.

Armstrong nahm den Löffel, tauchte ihn in die Suppe und löffelte die Schale mit schnellen, kreisenden Bewegungen aus.

Gäste an den Nachbartischen blickten hin und wieder in seine Richtung und wisperten verstohlen mit ihrer Begleitung.

»Einer der reichsten Männer der Welt«, vertraute ein einheimischer Bankier der jungen Dame an, die er an diesem Abend zum ersten Mal ausführte. Sie wirkte angemessen beeindruckt. Normalerweise sonnte sich Armstrong in seiner Berühmtheit. Doch an diesem Abend hatte er keinen Blick für die anderen Gäste. In Gedanken befand er sich wieder im Sitzungssaal der Schweizer Bank, wo die Entscheidung gefallen war, den letzten Vorhang fallen zu lassen – und das alles wegen läppischer fünfzig Millionen Dollar.

Die leere Suppenschale wurde umgehend abserviert, während sich Armstrong mit der Leinenserviette die Lippen tupfte. Der Ober wusste nur zu gut, dass dieser Mann Pausen zwischen den Gängen nicht ausstehen konnte.

Gewandt wurde eine bereits entgrätete Dover-Seezunge – Armstrong verabscheute überflüssige Arbeit – vor ihn hingestellt, daneben eine Schüssel seiner geliebten besonders groß geschnittenen Pommes frites sowie eine Flasche Ketchup – die einzige in der Küche für den einzigen Gast, der sie je verlangte. Abwesend schraubte Armstrong den Verschluss ab, stülpte die Flasche auf den Kopf und schüttelte sie kräftig. Ein rotbrauner, breiiger Klumpen klatschte mitten auf die Seezunge. Armstrong griff nach dem Messer und verteilte den Ketchup gleichmäßig auf dem weißen Fischfleisch.

Die Vorstandssitzung am Vormittag war beinahe in ein Chaos ausgeartet, nachdem Sir Paul den Vorsitz niedergelegt hatte. Als der Tagesordnungspunkt »weitere geschäftliche Unternehmungen« abgehakt war, hatte Armstrong das Vorstandszimmer rasch verlassen und den Lift hinauf zum Dach genommen, wo sein Hubschrauber auf ihn wartete.

Der Pilot lehnte am Geländer und rauchte genüsslich eine Zigarette, als Armstrong erschien und »Heathrow!« bellte, ohne auch nur einen Gedanken an die Abfertigungsformalitäten zu vergeuden oder an die Frage, ob man momentan überhaupt eine Starterlaubnis bekommen konnte. Der Pilot drückte schnell seine Zigarette aus und rannte zum Landeplatz. Während der Helikopter über den Finanzdistrikt von London flog, dachte Armstrong darüber nach, was in den nächsten Stunden über ihn hereinbrechen würde, falls sich die fünfzig Millionen Dollar nicht noch wundersamerweise beschaffen ließen.

Fünfzehn Minuten später setzte der Hubschrauber auf dem privaten Landeplatz auf, der denen, die sich seine Benutzung leisten konnten, als Terminal Five bekannt war. Armstrong duckte sich aus dem Hubschrauber und schritt gemächlich zu seinem Privatjet hinüber.

Ein weiterer Pilot, der bereits auf Armstrongs Anweisungen wartete, begrüßte seinen Chef am Ende der Einstiegstreppe und erkundigte sich nach dessen Befinden.

»Danke, gut«, sagte Armstrong, ehe er sich auf den Weg in den hinteren Teil der Passagierkabine machte, während der Pilot sich ins Cockpit begab. Er ging davon aus, dass »Käpt'n Dick« auf seine Jacht nach Monte Carlo wollte, um ein paar Tage auszuspannen.

Die Gulfstream hob ab in Richtung Süden. Während des zweistündigen Flugs tätigte Armstrong nur einen Anruf; er sprach mit Jacques Lacroix in Genf. Doch sosehr Armstrong ihn auch bekniete, stets lautete die Antwort: »Sie haben noch bis zum heutigen Geschäftsschluss Zeit, die fünfzig Millionen zurückzuzahlen, Mr. Armstrong. Andernfalls bleibt mir keine andere Wahl, als die Angelegenheit unserer Rechtsabteilung zu übergeben.«

Außer dem Anruf bestand Armstrongs einzige Aktivität an Bord der Gulfstream darin, den Inhalt des Ordners zu zerreißen, den Sir Paul auf dem Konferenztisch des Sitzungssaales zurückgelassen hatte. Anschließend verschwand Armstrong auf die Toilette des Jet und spülte die kleinen Papierfetzen hinunter.

Als die Düsenmaschine auf der Landebahn des Flughafens von Nizza ausrollte, glitt sofort ein Mercedes heran, der von einem livrierten Chauffeur gelenkt wurde. Kein Wort wurde gewechselt, als Armstrong in den Wagen stieg und sich auf dem Rücksitz niederließ. Der Chauffeur brauchte seinen Chef gar nicht erst nach dessen Ziel zu fragen. Auf der Fahrt von Nizza nach Monte Carlo sprach Armstrong kein einziges Wort; sein Fahrer war schließlich nicht in der Lage, ihm fünfzig Millionen Dollar zu pumpen.

Als der Mercedes in den Jachthafen einbog, stand der Kapitän von Armstrongs *Sir Lancelot* stramm und wartete darauf, seinen Herrn und Meister an Bord willkommen zu heißen. Zwar hatte Armstrong niemanden wissen lassen, was er vorhatte, doch die dreizehnköpfige Besatzung der Jacht war bereits benachrichtigt worden, dass der Chef unterwegs sei. »Aber wohin er will, wissen nur er und der liebe Gott«, hatte seine Sekretärin hinzugefügt.

Sobald Armstrong beschloss, dass es an der Zeit sei, zum Flughafen zurückzukehren, würde man sie umgehend darüber informieren. Nur auf diese Weise konnte jeder seiner Untergebenen, die über die ganze Welt verstreut arbeiteten, darauf hoffen, länger als eine Woche in seinem Job überleben.

Der Kapitän machte sich Sorgen. Man hatte den Chef erst in drei Wochen wieder an Bord erwartet – zu einer vierzehntägigen Urlaubskreuzfahrt mit seiner Familie. Als am Vormittag der Anruf aus London gekommen war, hatte der Kapitän sich in der Werft aufgehalten, um auf erhebliche Kosten ein paar kleinere Reparaturen an der *Sir Lancelot* durchführen zu lassen. Doch es war ihm gelungen, die Jacht aus der Reparaturwerft und an ihren Anlegeplatz zu steuern – Minuten bevor sein Chef in Frankreich eingetroffen war.

Armstrong stieg die Gangway hinauf und schritt an vier strammstehenden und salutierenden Männern in blütenweißer, gestärkter Uniform vorüber. Er schlüpfte aus den Schuhen und stieg zu seiner privaten Kabinenflucht hinunter. Als er die Kajütentür öffnete, stellte er fest, dass man bereits mit seiner Ankunft gerechnet hatte: Mehrere Faxe lagen ordentlich übereinandergelegt auf dem Nachttisch.

Hatte Jacques Lacroix vielleicht seine Meinung geändert und gewährte ihm einen Zahlungsaufschub? Doch Armstrong ließ diese Hoffnung sofort wieder fahren. Nach jahrelangen Geschäftsbeziehungen mit den Schweizern hatte er sie nur zu gut kennengelernt. Sie waren und blieben Bürger eines fantasielosen Staates – Menschen, deren Bankkonten sich stets auf der Habenseite zu befinden hatten und in deren Wörterbüchern das Wort »Risiko« nicht vorkam.

Armstrong strich das Faxpapier glatt, das die Eigenart besaß, sich immer wieder zusammenzurollen, und blätterte die Mitteilungen durch. Das oberste Fax stammte von seinen New Yorker Bankiers, die ihm mitteilten, dass die Aktien von Armstrong Communications an der Börse weiter gefallen waren. Er überflog die Seite, bis sein Blick auf der gefürchteten Zeile haften blieb: »Keine Käufer, nur Verkäufer. Falls dieser Trend noch länger anhält, wird der Bank nichts anderes übrig bleiben, als die Konsequenzen zu ziehen.«

Armstrong fegte die Faxe zu Boden und ging zu dem kleinen Safe, der hinter einem großen gerahmten Foto versteckt war, auf dem die Queen ihm leutselig die Hand schüttelte. Er drehte die Nummernscheibe vor und zurück, bis sie bei der Ziffernfolge 10-06-23 stehen blieb. Die schwere Tür schwang auf, und Armstrong nahm mit beiden Händen sämtliche dicken Geldscheinbündel heraus: dreitausend Dollar, zweiundzwanzigtausend Franc, siebentausend Drachmen und ein besonders dicker Packen italienischer Lire. Kaum hatte er das Geld eingesteckt, ging er von Bord der Jacht und machte sich auf den direkten Weg zum Spielcasino, ohne jemandem von der Besatzung mitzuteilen, wohin er ging oder wann er vermutlich zurückkommen würde. Der Kapitän befahl einem Besatzungsmitglied, Armstrong zu beschatten, damit sie nicht überrascht wurden, sobald der Chef sich durch den Hafen auf den Rückweg zur Jacht machte.

Eine große Portion Vanilleeis wurde vor ihn hingestellt. Der Oberkellner goss heiße Schokoladensoße darüber; da Armstrong dem Mann nicht sagte, dass er aufhören solle, goss er so lange weiter, bis die silberne Sauciere leer war. Erneut setzten die hastigen, kreisenden Bewegungen des Löffels ein und endeten erst, als auch der letzte Tropfen Schokolade vom Becherrand verschwunden war.

Eine Tasse dampfenden schwarzen Kaffees nahm den Platz des leeren Bechers ein. Armstrong schaute weiterhin hinaus auf die Bucht. Falls bekannt wurde, dass er nicht mal eine so lächerliche Summe wie fünfzig Millionen aufbringen konnte, würde in Zukunft keine Bank der Welt auch nur in Erwägung ziehen, Geschäfte mit ihm zu machen.

Wenige Minuten später kehrte der Ober zurück und stellte erstaunt fest, dass der Kaffee unangetastet war. »Sollen wir Ihnen eine andere Tasse bringen, Mr. Armstrong?«, erkundigte er sich leise in respektvollem Ton.

Armstrong schüttelte den Kopf. »Nur die Rechnung, Henri.« Er leerte das Sektglas zum letzten Mal. Der Ober eilte davon und kam kurz darauf mit einem gefalteten weißen Blatt auf einem silbernen Tablett zurück. Armstrong war ein Gast, der auf gar nichts warten wollte, nicht einmal auf die Rechnung.

Er entfaltete das Blatt, zeigte jedoch kein sonderliches Interesse daran. Siebenhundertundzwölf Franc, *service non compris*. Armstrong unterschrieb und rundete den Betrag auf tausend Franc auf. Zum ersten Mal an diesem Abend erschien ein Lächeln auf dem Gesicht des Oberkellners – ein Lächeln, das ihm allerdings vergehen würde, wenn er erst erfuhr, dass das Restaurant der letzte in einer langen Reihe von Gläubigern war.

Armstrong schob den Stuhl zurück, warf die zerknüllte Serviette auf den Tisch und verließ das Restaurant ohne ein weiteres Wort. Blicke aus mehreren Augenpaaren verfolgten seinen Abgang; ein weiteres beobachtete ihn, als er auf den Bürgersteig trat. Er bemerkte das junge, vielversprechende Besatzungsmitglied seiner Jacht nicht, das in die Richtung der *Sir Lancelot* rannte.

Armstrong rülpste, als er die Promenade entlangschritt, vorbei an Dutzenden von Booten, die für die Nacht dicht nebeneinander vertäut am Steg lagen. Für gewöhnlich genoss er das Gefühl, dass die *Sir Lancelot* mit an Sicherheit grenzender Wahrscheinlichkeit die größte Jacht in der Bucht war; es sei denn, der Sultan von Brunei oder König Fahd waren im Laufe des Abends eingetroffen. Heute jedoch überlegte Armstrong, welchen Preis er bei einem möglichen Verkauf für die *Sir Lancelot* erzielen könnte. Doch sobald die Wahrheit bekannt war – würde da überhaupt noch jemand eine Jacht erwerben wollen, die Richard Armstrong gehört hatte?

Sich an die Haltetaue klammernd, zog er sich die Gangway hinauf, wo ihn der Kapitän und der erste Offizier bereits erwarteten.

»Sofort in See stechen!«

Armstrongs Befehl überraschte den Kapitän nicht. Er wusste, dass sein Chef nicht länger im Hafen bleiben wollte als nötig. Selbst in tiefster Nacht konnte nur das sanfte Schaukeln des Schiffes Armstrong in den Schlaf wiegen.

Der Kapitän erteilte seine Befehle, während Armstrong seine Schuhe abstreifte und unter Deck verschwand.

Beim Betreten seiner Kajüte erwartete ihn ein neuerlicher Stapel Faxe. Er griff danach, noch immer von der leisen Hoffnung erfüllt, dass es vielleicht doch einen Ausweg gab. Die erste Nachricht stammte von Peter Wakeham, dem stellvertretenden Vorstandsvorsitzenden von Armstrong Communications. Offenbar saß Wakeham trotz der späten Stunde immer noch an seinem Schreibtisch in London. BITTE ANRUFEN. DRINGEND! stand auf dem Fax. Die zweite Nachricht war aus New York eingetroffen. Die Aktien des Unternehmens hatten einen neuen Tiefstand von 2,23 Dollar erreicht, sodass es Goldman & Sachs, Armstrongs Börsenmakler, »wenngleich widerstrebend für nötig erachtet« hatten, ihre eigenen Armstrong-Aktien auf den Markt zu werfen. Das dritte Fax stammte von Jacques Lacroix aus Genf, der »bedauerlicherweise feststellen« musste, dass die fünfzig Millionen Dollar zum vereinbarten Termin nicht eingegangen waren, weshalb ihm keine Wahl geblieben war, als …

In New York war es jetzt siebzehn Uhr zwölf Ortszeit, in London zweiundzwanzig Uhr zwölf, und in Genf dreiundzwanzig Uhr zwölf. Morgen um neun Uhr früh würde Armstrong nicht einmal mehr Einfluss auf die Schlagzeilen seiner eigenen Zeitung haben, geschweige denn auf die Zeitung von Keith Townsend.

Langsam zog er sich aus und ließ seine Sachen achtlos zu Boden fallen. Dann nahm er eine Flasche Cognac aus dem Sideboard, schenkte sich einen großen Schwenker ein und streckte sich auf dem Doppelbett aus. Ganz still lag er da, während die Maschinen aufheulend zum Leben erwachten.

Augenblicke später hörte er, wie der Anker aus dem Wasser gezogen wurde. Langsam manövrierte die Jacht aus dem Hafen.

Stunde um Stunde verging, doch Armstrong rührte sich nicht – außer um den Cognacschwenker hin und wieder nachzufüllen –, bis er die kleine Uhr neben dem Bett vier Mal schlagen hörte. Er stemmte sich auf und wartete einen Augenblick; dann setzte er die Füße auf den flauschigen Teppich, erhob sich auf etwas unsicheren Beinen und tappte quer durch die unbeleuchtete Kajüte zum Bad. Als er die offene Tür erreichte, griff er zum Kleiderhaken und nahm einen weiten, cremefarbenen Morgenrock herunter, auf den mit Goldfäden die Worte *Sir Lancelot* aufgestickt waren. Dann schlurfte er zur Kajütentür, öffnete sie leise und trat barfuß auf den schummrig beleuchteten Gang. Er zögerte, ehe er die Tür hinter sich verschloss und den Schlüssel in die Tasche des Morgenrocks steckte. Dann blieb er regungslos stehen, bis er sicher war, nur noch die vertrauten Geräusche der Schiffsmotoren zu hören.

Armstrong wankte den schmalen Gang entlang und hielt kurz inne, als er die Treppe erreichte, die zum Deck führte. Dann stieg er langsam die Stufen hinauf, wobei er sich an den dicken Kordeln festhielt, die sich zu beiden Seiten an den Wänden befanden. Auf der obersten Stufe angelangt, schaute er nach links und rechts. Niemand zu sehen. Es war eine klare, kühle Nacht – nicht anders als neunundneunzig von hundert Nächten in dieser Gegend und zu dieser Jahreszeit.

Leise ging Armstrong weiter, bis er sich über dem Maschinenraum befand, dem lautesten Teil des Schiffes.

Er wartete einen Augenblick, bevor er die Gürtelkordel löste, den Morgenrock abstreifte und aufs Deck fallen ließ.

Dann stand er nackt in der warmen Nacht, starrte hinaus aufs dunkle Meer und fragte sich: Heißt es nicht, dass in einem solchen Augenblick das ganze Leben wie im Zeitraffertempo an einem vorüberzieht?

2

The Citizen

5. November 1991

Townsend vor dem Bankrott

»Irgendwelche Anrufe?«, erkundigte sich Keith Townsend, als er am Schreibtisch seiner Sekretärin vorbei zu seinem Büro ging.

»Der Präsident hat aus Camp David angerufen, kurz bevor Sie in die Maschine gestiegen sind«, antwortete Heather.

»Über welche meiner Zeitungen hat er sich diesmal geärgert?«, wollte Townsend wissen und setzte sich.

»Den *New York Star.* Ihm ist zu Ohren gekommen, dass Sie auf der morgigen Titelseite seinen Kontostand veröffentlichen wollen.«

»Es ist wahrscheinlicher, dass *mein* Kontostand morgen Schlagzeilen macht.« Townsends australischer Akzent war ausgeprägter als sonst. »Was noch?«

»Margaret Thatcher hat ein Fax aus London geschickt. Sie hat sich mit Ihren Bedingungen für einen Vertrag über zwei Bände einverstanden erklärt, obwohl Armstrongs Angebot höher lag.«

»Da kann ich nur hoffen, dass auch mir jemand sechs Millionen Dollar bietet, wenn ich *meine* Memoiren schreibe.«

Heather rang sich ein schwaches Lächeln ab.

»Sonst noch jemand?«

»Gary Deakins wird mal wieder vor den Richter zitiert.«

»Weshalb diesmal?«

»Auf der gestrigen Titelseite der *Truth* hat er den Erzbischof von Brisbane der Vergewaltigung beschuldigt.«

»Die Wahrheit, die reine Wahrheit und nichts als die Wahrheit«, meinte Townsend lächelnd. »Solange sie die Auflage steigert.«

»Bedauerlicherweise hat sich herausgestellt, dass die Frau, die Seine Eminenz angeblich vergewaltigt hat, eine sehr bekannte Laienpredigerin ist – und seit Langem eine gute Freundin der erzbischöflichen Familie. Da steht Gary wohl ein Gang nach Canossa bevor.«

Townsend lehnte sich in seinem Sessel zurück und hörte sich weiter die unzähligen Probleme anderer Menschen rund um den Erdball an: die üblichen Beschwerden von Politikern, Geschäftsleuten und sogenannten Persönlichkeiten des öffentlichen Lebens, die seine sofortige Stellungnahme erwarteten und verlangten, dass Townsend ihre unverzichtbaren Karrieren rettete. Morgen um diese Zeit würden die meisten von ihnen sich wieder beruhigt haben und durch ein anderes Dutzend gleichermaßen aufgeregter, gleichermaßen unverschämter Primadonnen verdrängt worden sein. Townsend wusste, dass jeder dieser selbsternannten VIPs sich diebisch freuen würde, wenn er wüsste, dass Townsends Karriere am Rande des Zusammenbruchs stand – und das, nur weil der Direktor einer kleinen Bank in Cleveland verlangte, dass ein Kredit von fünfzig Millionen Dollar bis zum Ende des Tages zurückbezahlt wurde.

Während Heather mit der Anrufliste fortfuhr – die meisten stammten von Leuten, deren Namen Townsend nichts sagten –, schweiften seine Gedanken zu der Rede zurück, die er am vergangenen Abend gehalten hatte. Eintausend seiner Spitzenkräfte aus der ganzen Welt hatten sich zu einer dreitägigen Konferenz auf Honolulu eingefunden. Bei seiner Schlussrede hatte Townsend ihnen versichert, dass die Global Corporation »optimal auf die Herausforderungen der neuen Medienrevolution vorbereitet« sei. »Unser Unternehmen ist der Konkurrenz überlegen, denn wir sind am besten dafür qualifiziert, die Medien ins einundzwanzigste Jahrhundert zu führen«, waren die letzten, von allen Anwesenden minutenlang bejubelten Worte seiner Rede gewesen. Beim Blick hinunter in den dicht gefüllten Saal voller zuversichtlicher Gesichter hatte Townsend sich gefragt, wie viele von diesen Trotteln ahnten, dass die Global in Wahrheit kurz vor der Pleite stand.

»Was soll ich wegen des Präsidenten unternehmen?«, fragte Heather bereits zum zweiten Mal.

Die Frage riss Townsend in die Wirklichkeit zurück. »Welcher Präsident?«

»Der Präsident der Vereinigten Staaten.«

»Warten Sie, bis er noch mal anruft. Bis dahin hat er sich vielleicht ein bisschen beruhigt. Ich werde inzwischen mit dem Herausgeber des *Star* telefonieren.«

»Und Mrs. Thatcher?«

»Schicken Sie ihr einen Blumenstrauß mit einem Briefchen. Wortlaut: ›Wir machen Ihre Memoiren zur Nummer eins auf den Bestsellerlisten – von Moskau bis New York.‹«

»Sollte ich nicht auch London hinzufügen?«

»Nein. Dass sie die Nummer eins in London wird, kann sie sich selbst denken.«

»Und was soll ich wegen Gary Deakins machen?«

»Rufen Sie den Erzbischof an, und versprechen Sie ihm, dass wir ihm das so dringend benötigte neue Dach für seine Kathedrale finanzieren. In einem Monat schicken wir ihm dann einen Scheck über 10 000 Dollar.«

Heather nickte, klappte ihren Block zu und fragte: »Möchten Sie irgendwelche Anrufe entgegennehmen?«

»Nur den von Austin Pierson.« Townsend machte eine Pause. »Stellen Sie ihn bitte sofort durch, wenn er sich meldet.«

Heather nickte wieder und verließ das Zimmer.

Townsend drehte seinen Sessel und blickte aus dem Fenster. Er versuchte sich an das Gespräch mit seiner Finanzberaterin zu erinnern, als sie ihn in seinem Privatjet auf dem Rückflug von Honolulu angerufen hatte.

»Die Bank in Zürich hat Ihrem Angebot zugestimmt.«

»Gott sei Dank«, hatte er erleichtert hervorgestoßen und einige Sekunden nachgedacht, ehe er die Frage aller Fragen stellte. »Und wie schätzen Sie meine Überlebenschancen ein?«

»Im Augenblick nicht höher als fifity-fifty-fifity-fifty.«

»Aber jetzt, da die anderen Banken kompromissbereit sind, kann Pierson doch nicht ...«

»Er kann, und möglicherweise wird er auch. Vergessen Sie nicht, dass er Direktor einer kleinen Bank in Ohio ist. Es interessiert ihn nicht die Bohne, worauf Sie sich mit anderen Banken geeinigt haben. Und nach der schlechten Presse, die Sie in den vergangenen Wochen hatten, ist derzeit nur eines wichtig für ihn.«

»Und was?«

»Keine weiteren Risiken einzugehen«, erwiderte sie.

»Aber ist ihm denn nicht klar, dass die anderen Banken allesamt abspringen, wenn er nicht mitmacht?«

»O ja, durchaus. Doch als ich ihn darauf hinwies, zuckte er nur die Schultern und sagte: ›In diesem Fall werde ich das gleiche Risiko eingehen wie die anderen auch.‹«

Townsend hatte losgeflucht, als Miss Beresford hinzufügte: »Aber eins hat er mir versprochen.«

»Was denn?«

»Dass er sofort anruft, wenn der Ausschuss seine Entscheidung getroffen hat.«

»Wie zuvorkommend von ihm. Tja, was soll ich tun, wenn es schiefgeht?«

»Die Presseerklärung herausgeben, auf die wir uns geeinigt haben.«

Townsend hatte geschluckt. »Gibt es denn keine andere Möglichkeit? Kann ich denn gar nichts tun?«

Miss Beresfords Antwort war deutlich gewesen. »Überhaupt nichts. Warten Sie auf Piersons Anruf. – Tja, wenn ich den nächsten Flug nach New York kriegen will, muss ich jetzt los. Ich dürfte gegen Mittag bei Ihnen sein.« Dann hatte sie aufgelegt.

Townsend grübelte weiter über ihre Worte nach, während er sich nun erhob und im Zimmer auf und ab ging. Vor dem Spiegel über dem Kaminsims blieb er stehen und begutachtete den Sitz seiner Krawatte – er hatte keine Zeit gehabt, sich umzuziehen, seit er aus dem Flugzeug gestiegen war, und das sah man. Unwillkürlich musste er zum ersten Mal daran denken, dass er älter aussah als seine dreiundsechzig Jahre. Das war allerdings nicht weiter verwunderlich – nach allem, was Miss Beresford ihn in den letzten sechs Wochen hatte durchmachen lassen. Doch Townsend musste sich eingestehen, dass er jetzt nicht vom Anruf des Direktors einer kleinen Bank in Ohio abhängig wäre, hätte er sich Miss Beresfords Rat ein bisschen früher eingeholt.

Wie ein Hypnotiseur starrte Townsend auf das Telefon, doch es klingelte nicht. Er machte keine Anstalten, sich mit dem Stapel Briefe zu beschäftigen, die Heather ihm zur Durchsicht und Unterschrift auf den Schreibtisch gelegt hatte. Er wurde erst aus seinen Gedanken gerissen, als die Tür aufging und Heather ins Zimmer trat. Sie reichte ihm ein Blatt Papier: eine Liste alphabetisch geordneter Namen. »Ich dachte, Sie könnten die Liste vielleicht brauchen«, sagte Heather. Sie arbeitete seit fünfunddreißig Jahren für Townsend und wusste, dass es ihm gewaltig gegen den Strich ging, untätig herumzusitzen und zu warten.

Ungewohnt langsam fuhr Townsend mit dem Finger die Namensliste hinunter. Drei Namen waren mit einem Sternchen versehen, was bedeutete, dass die betreffenden Personen einmal für die Global gearbeitet hatten. Derzeit standen siebenunddreißigtausend Angestellte in Townsends Diensten, von denen er sechsunddreißigtausend nie zu Gesicht bekommen hatte. Doch auf dieser Liste gab es drei Personen, die irgendwann einmal bei ihm beschäftigt gewesen waren und inzwischen für den *Cleveland Sentinel* arbeiteten, eine Zeitung, von der Townsend noch nie gehört hatte.

»Wem gehört der *Sentinel?*«, fragte er in der Hoffnung, den Besitzer ein bisschen unter Druck setzen zu können.

»Richard Armstrong«, antwortete Heather dumpf.

»Das hat mir gerade noch gefehlt.«

»Leider gehört Ihnen nicht eine einzige Zeitung im Umkreis von hundert Meilen um Cleveland«, fuhr Heather fort. »Bloß eine Rundfunkstation südlich der Stadt.«

In diesem Moment hätte Townsend ohne Bedenken den *New York Star* gegen den *Cleveland Sentinel* eingetauscht. Wieder blickte er auf die drei Namen mit den Sternchen, doch sie sagten ihm auch jetzt noch nichts. Er schaute zu Heather auf. »Ob einer von denen wohl noch was für mich übrig hat?« Er bemühte sich um ein Lächeln.

»Barbara Bennett bestimmt nicht«, entgegnete Heather. »Sie ist die Moderedakteurin des *Sentinel*. Nachdem Sie das Lokalblatt von Seattle übernommen hatten, für das Barbara arbeitete, wurde sie nach wenigen Tagen gefeuert. Sie hat auf rechtswidrige Entlassung geklagt und behauptet, ihre Nachfolgerin habe eine Affäre mit dem Herausgeber. Wir mussten uns schließlich auf einen Vergleich einlassen. In der Verhandlung hat Barbara Sie als ›einen gewinnsüchtigen Pornohöker‹ bezeichnet. Daraufhin haben Sie die Anweisung erteilt, dass sie bei keiner Ihrer Zeitungen mehr eingestellt werden dürfe.«

Townsend wusste, dass auf dieser Liste die Namen von wahrscheinlich über tausend Leuten standen, von denen jeder Einzelne mit Freude seine Feder in Blut tauchen würde, um für die nächste Morgenausgabe seinen Nachruf zu verfassen.

»Mark Kendall?«, fragte er.

»Leitender Gerichtsreporter«, erklärte Heather. »Er hat einige Monate für den *New York Star* gearbeitet, aber es gibt keinen Beleg dafür, dass Sie ihm je begegnet sind.«

Townsend las einen weiteren Namen, der ihm nichts sagte, und wartete darauf, dass Heather ihm Einzelheiten dazu nannte. Er wusste, dass sie den besten Kandidaten für zuletzt aufgehoben hatte: Selbst Heather genoss es, ihren Boss ein bisschen in der Hand zu haben.

»Malcolm McCreedy, leitender Redakteur beim *Sentinel.* Hat von 1979 bis 1984 beim *Melbourne Courier* für die Corporation gearbeitet. Damals erzählte er jedem bei der Zeitung, Sie wären früher sein Saufkumpan gewesen. McCreedy wurde gefeuert, weil er seine Artikel ständig zu spät ablieferte. Offenbar galt sein Hauptaugenmerk nach der morgendlichen Redaktionskonferenz dem Whisky und nach dem Mittagessen allem, was Röcke trug. Doch trotz seiner Behauptungen konnte ich rein gar nichts finden, was beweisen könnte, dass Sie ihm jemals begegnet sind.«

Townsend staunte, wie viele Informationen Heather in so kurzer Zeit hatte beschaffen können. Anderseits war ihm klar, dass ihre Verbindungen, nachdem sie so lange für ihn arbeitete, fast genauso gut waren wie die seinen.

»McCreedy war zweimal verheiratet«, fuhr Heather fort. »Beide Ehen wurden geschieden. Mit seiner ersten Frau hatte er zwei Kinder – die jetzt siebenundzwanzigjährige Jill und Alan, vierundzwanzig Jahre alt. Alan arbeitet für die Corporation; er ist beim *Dallas Comet* in der Anzeigenabteilung.«

»Könnte nicht besser sein.« Townsend nickte. »McCreedy ist unser Mann. Er wird gleich einen Anruf von einem alten Freund bekommen, von dem er lange nichts gehört hat.«

»Ich wähle sofort seine Nummer. Hoffen wir, dass er nüchtern ist.«

Townsend nickte, und Heather kehrte in ihr Büro zurück. Der Besitzer von zweihundertsiebenundneunzig Zeitungen und Zeitschriften mit einer Gesamtleserschaft von über einer Milliarde weltweit wartete darauf, zum Redakteur eines Lokalblattes in Ohio – Auflage fünfunddreißigtausend – durchgestellt zu werden.

Townsend erhob sich und schritt wieder auf und ab. Dabei überlegte er sich, welche Fragen er McCreedy stellen wollte und in welcher Reihenfolge. Während er durchs Zimmer ging, schweifte sein Blick über die gerahmten Ausgaben seiner Zeitungen mit den aufsehenerregendsten Schlagzeilen:

Der *New York Star* vom 23. November 1963: »J. F. KENNEDY IN DALLAS BEI ATTENTAT GETÖTET«

Der *Continent* vom 30. Juli 1981: »Ewiges Glück!« über einem Bild von Charles und Diana am Tag ihrer Hochzeit.

Der *Globe* vom 17. Mai 1991: »Geständnis einer Jungfrau: Richard Branson raubte mir die Unschuld«

Ohne zu zögern, hätte Townsend eine halbe Million Dollar gegeben, hätte er schon jetzt die Schlagzeilen der morgigen Zeitungen lesen können.

Das Telefon auf seinem Schreibtisch klingelte schrill. Townsend eilte zu seinem Drehsessel zurück und griff nach dem Hörer.

»Malcolm McCreedy ist jetzt am Apparat«, meldete Heather und stellte ihn durch.

Kaum hörte er das Klicken, sagte Townsend: »Malcolm, bist du es?«

»Ja, sicher, Mr. Townsend«, antwortete eine erstaunte Stimme mit unverkennbar australischem Akzent.

»Ist lange her, Malcolm, alter Knabe. Zu lange, finde ich. Wie geht's dir denn so?«

»Gut, Keith. Sehr gut.« Die Stimme klang allmählich selbstsicherer.

»Und wie geht's den Kindern?«, fragte Townsend und blickte auf den Zettel, den Heather ihm auf den Schreibtisch gelegt hatte. »Jill und Alan, wenn ich mich recht entsinne. Arbeitet Alan nicht in Dallas für die Corporation?«

Ein längeres Schweigen trat ein, sodass Townsend sich schon fragte, ob sie unterbrochen worden waren. Schließlich sagte McCreedy: »Stimmt, Keith. Beiden geht's sehr gut, danke. Und Ihren?« Offenbar erinnerte er sich weder an ihre Anzahl noch an ihre Namen.

»Ebenfalls sehr gut. Danke, Malcolm«, ahmte Townsend ihn mit voller Absicht nach. »Und? Wie gefällt dir Cleveland?«

»Na ja, ganz gut, aber ich wäre lieber wieder in Australien. Mann, wie gern würde ich an einem Samstagnachmittag mal wieder die Tigers spielen sehen.«

»Tja, das ist einer der Gründe, weshalb ich anrufe«, behauptete Townsend. »Aber zuerst hätte ich gern deinen Rat.«

»Selbstverständlich, Keith. Du kannst dich immer auf mich verlassen«, versicherte McCreedy. »Aber vielleicht sollte ich lieber meine Bürotür zumachen. Moment, bitte«, fügte er hinzu, nachdem er sicher sein konnte, dass inzwischen jeder Journalist auf dem Stockwerk wusste, wer am anderen Ende der Leitung war.

Townsend wartete ungeduldig.

»Also, was kann ich für dich tun, Keith?« Die Stimme klang nun ein wenig außer Atem.

»Sagt dir der Name Austin Pierson etwas?«

Wieder setzte längeres Schweigen ein. »Der ist ein großes Tier in der hiesigen Finanzwelt, oder? Ich glaube, der Chef einer Bank oder Versicherungsgesellschaft. Warte kurz, ich hol mir den Mann mal auf meinen Computer.«

Wieder wartete Townsend. Hätte mein Vater vor vierzig Jahren die gleiche Frage gestellt, ging es ihm durch den Kopf, hätte es Stunden, vielleicht sogar Tage gedauert, ehe einem jemand Auskunft hätte geben können.

»Ich hab' den Burschen«, sagte der Mann aus Cleveland schon Augenblicke später. Er machte eine Pause, dann: »Jetzt weiß ich, warum mir der Name bekannt vorkam. Wir haben vor vier Jahren einen Bericht über ihn gebracht, als er Vorsitzender der hiesigen Handelskammer wurde.«

»Was kannst du mir über ihn sagen?«, fragte Townsend, der nicht gern noch mehr Zeit mit Nebensächlichkeiten vergeuden wollte.

»Nicht sehr viel«, antwortete McCreedy, während er den Monitor vor sich studierte und hin und wieder weitere Tasten drückte. »Scheint ein mustergültiger Staatsbürger zu sein. Hat sich in der Bank von ganz unten hochgearbeitet. Ist Schatzmeister des hiesigen Rotary Club, Laienprediger der Methodisten, seit einunddreißig Jahren mit derselben Frau verheiratet. Drei Kinder, die alle hier in der Stadt wohnen.«

»Kannst du mir irgendwas über die Kinder sagen?«

McCreedy drückte auf weitere Tasten, ehe er antwortete. »Ja. Der Älteste unterrichtet Biologie an der hiesigen Highschool. Die Tochter ist Oberschwester im städtischen Krankenhaus von Cleveland, und der Jüngste wurde erst vor Kurzem als Partner in die namhafteste Anwaltskanzlei dieses Staates aufgenommen. Falls du ein Geschäft mit Mr. Austin Pierson machen willst, Keith – es dürfte dich freuen, dass er einen makellosen Ruf genießt.«

Townsend freute sich ganz und gar nicht. »Es gibt also nichts in seiner Vergangenheit, das ...«

»Nichts, von dem ich wüsste, Keith«, erwiderte McCreedy. Rasch überflog er die fünf Jahre alten Notizen – in der Hoffnung, vielleicht doch einen kleinen Leckerbissen für seinen ehemaligen Chef zu finden. »Ah, ja, jetzt fällt mir alles wieder ein. Der Mann war unglaublich geizig. Er hat nicht mal erlaubt, dass ich ihn während der Arbeitszeit interviewte. Als ich dann am Abend zu ihm nach Hause kam, hat er mir nichts weiter als einen verwässerten Ananassaft vorgesetzt.«

Townsend gelangte zu der Ansicht, dass er sowohl bei Pierson als auch bei McCreedy in einer Sackgasse angelangt war und es nichts bringen würde, das Gespräch fortzusetzen. »Danke, Malcolm. Du hast mir sehr geholfen. Ruf mich bitte an, falls du noch auf weitere Informationen über Pierson stößt.«

Er wollte gerade auflegen, als sein ehemaliger Angestellter fragte: »Was war denn die andere Sache, über die du mit mir reden wolltest, Keith? Weißt du, ich hatte gehofft, du könntest mir eine freie Stelle in Australien anbieten, vielleicht sogar beim *Courier.*« Er machte eine kurze Pause. »Glaub mir, Keith, ich würde sogar ein niedrigeres Gehalt in Kauf nehmen, wenn ich wieder für dich arbeiten dürfte.«

»Ich werde an dich denken, falls mal was frei wird, Malcolm, und dir sofort Bescheid geben.«

Townsend legte auf. Er war sicher, nie wieder mit diesem Mann zu sprechen. Er hatte von McCreedy lediglich erfahren, dass Mr. Austin Pierson ein Ausbund an Tugend war – nicht gerade die Sorte Mensch, mit der Townsend viel gemein hatte. Ja, er wusste nicht einmal, ob er mit so jemandem überhaupt umgehen konnte. Wie üblich erwies sich Miss Beresfords Rat als richtig. Ihm blieb gar nichts anderes übrig, als herumzusitzen und zu warten. Townsend lehnte sich in seinem Sessel zurück und schlug die Beine übereinander.

Es war elf Uhr zwölf in Cleveland, sechzehn Uhr zwölf in

London und fünfzehn Uhr zwölf in Sydney. Ab achtzehn Uhr würde er wahrscheinlich nicht einmal mehr Einfluss auf die Schlagzeilen seiner eigenen Zeitungen nehmen können – geschweige denn auf die Zeitungen von Richard Armstrong.

Das Telefon läutete erneut. Ob McCreedy doch noch etwas Interessantes über Austin Pierson ausgegraben hatte? Townsend konnte durch nichts und niemanden von der Meinung abgebracht werden, dass jeder eine Leiche im Keller hatte.

Er nahm den Hörer ab.

»Ich habe zwei Anrufe für Sie, Mr. Townsend. Einen vom Präsidenten der Vereinigten Staaten und einen von Mr. Austin Pierson aus Cleveland, Ohio. Welchen wollen Sie zuerst annehmen?«

FRÜHAUSGABE

Geburten, Hochzeiten und Todesfälle

3

THE TIMES

6. Juli 1923

Kommunistische Kräfte am Werk

Es hat seine Vorteile, aber auch viele Nachteile, als ruthenischer Jude geboren zu sein, doch es dauerte lange, bis Lubji Hoch wenigstens *einige* der Vorteile entdeckte.

Lubji war in einer kleinen Feldsteinhütte am Rand von Douski zur Welt gekommen, einer winzigen Stadt in einem Landeswinkel, der damals unmittelbar an den Grenzen zur Tschechoslowakei, Rumänien und Polen lag. Lubjis genaues Geburtsdatum ließ sich nie ermitteln; denn seine Familie besaß keine Dokumente wie Geburtsurkunden und dergleichen. Jedenfalls war er ungefähr ein Jahr älter als sein Bruder und ein Jahr jünger als seine Schwester.

Als seine Mutter, Zelta, den kleinen Lubji in den Armen hielt, hatte sie gelächelt. Das Kind war vollkommen, bis hin zum leuchtend roten Muttermal unter dem rechten Schulterblatt – genau an der gleichen Stelle, an der auch sein Vater eines hatte.

Die winzige Hütte, in der die Familie wohnte, gehörte Lubjis Großonkel, einem Rabbi. Der Rabbi hatte Zelta mehrmals gebeten, Sergei Hoch, den Sohn eines einheimischen Viehhändlers, nicht zum Mann zu nehmen. Das junge

Mädchen hatte sich zu sehr geschämt, ihrem Onkel zu gestehen, dass sie bereits ein Kind von Sergei erwartete. Obwohl Zelta die Bitte des Rabbi enttäuscht hatte, überließ dieser dem frisch vermählten Paar die Hütte als Hochzeitsgeschenk.

Als Lubji das Licht der Welt erblickte, waren die vier Zimmer schon übervoll, und als er seine ersten Schritte tat, hatte er bereits einen zweiten Bruder und noch eine Schwester.

Lubjis Vater bekam die Familie kaum zu Gesicht. Jeden Tag verließ er kurz nach Sonnenaufgang ihr Zuhause und kehrte erst bei Einbruch der Dunkelheit zurück.

Lubjis Mutter erklärte, dass er zur Arbeit ginge.

»Und was macht er?«, wollte Lubji wissen.

»Er hütet das Vieh, das dein Großvater ihm hinterlassen hat.« Lubjis Mutter versuchte gar nicht erst, sich und den Kindern vorzumachen, die paar Kühe mit ihren Kälbern wären eine Herde.

»Und wo arbeitet Vater?«

»Auf den Weiden auf der anderen Seite der Stadt.«

»Was ist eine Stadt?«.

Zelta beantwortete weiter seine Fragen, bis das Kind schließlich in ihren Armen eingeschlafen war.

Der Rabbi sprach zu Lubji nie über seinen Vater, doch bei vielen Gelegenheiten erzählte er dem Jungen, dass seine Mutter als junge Frau von vielen Verehrern umschwärmt worden war und als schönstes und klügstes Mädchen der Stadt galt. »Wenn man diese Vorzüge bedenkt, hätte sie Lehrerin an der hiesigen Schule werden sollen«, erklärte der Rabbi dem Jungen. Jetzt musste sie sich damit begnügen, ihr Wissen an ihre ständig wachsende Familie weiterzugeben.

Doch von allen Kindern sprach allein Lubji auf ihre Bemühungen an. Er saß zu Füßen seiner Mutter, verschlang jedes ihrer Worte und die Antworten auf seine zahllosen Fragen. Im Laufe der Jahre zeigte der Rabbi Interesse an den Fortschritten Lubjis – und machte sich Sorgen darüber, welche Seite der Familie wohl größeren Einfluss auf den Charakter des Jungen haben würde.

Dieser Gedanke war dem Rabbi zum ersten Mal gekommen, als Lubji ins Krabbelalter kam und die Haustür entdeckte. Von da an galt die Aufmerksamkeit des Kindes nicht bloß seiner an Haus und Herd geketteten Mutter, sondern auch dem Vater und dem Rätsel, wohin er eigentlich ging, wenn er jeden Morgen das Haus verließ.

Sobald Lubji stehen konnte, drückte er die Türklinke herunter, und kaum vermochte er zu laufen, trat er hinaus auf den Gehweg und in die große weite Welt außerhalb des Hauses, in der sein Vater unterwegs war. Einige Wochen genügte es Lubji, an der Hand des Vaters über die kopfsteingepflasterten Straßen des schlafenden Städtchens zu der Wiese zu trippeln, auf der dieser das Vieh hütete.

Doch bald schon langweilten ihn die Kühe, die bloß kauend herumstanden und immer nur darauf warteten, gemolken zu werden und dann und wann Kälber zur Welt zu bringen. Lubji wollte herausfinden, was sich in der Stadt abspielte, die gerade erst erwachte, wenn er morgens mit dem Vater hindurchging.

Douski als Stadt zu bezeichnen war eigentlich eine Übertreibung. Der Ort bestand lediglich aus ein paar Reihen Steinhäusern, einem halben Dutzend Läden, einem Gasthof, einer kleinen Synagoge – zu der Lubjis Mutter jeden Samstag die ganze Familie mitnahm – und einem Rathaus, in dem Lubji noch nie gewesen war, das er jedoch für das aufregendste Gebäude der Welt hielt.

Eines Morgens band sein Vater ohne Erklärung zwei Kühen einen Strick um den Hals und führte sie in die Stadt. Glücklich trottete Lubji neben ihm her und bombardierte ihn mit Fragen, was er mit den Tieren vorhatte. Doch anders als die Mutter war der Vater nicht sonderlich mitteilsam, und seine Antworten waren nur selten aufschlussreich.

Lubji gab es schließlich auf, seinen Vater mit Fragen zu löchern, da er immer nur ein mürrisches »Wart's ab« zu hören bekam. Als sie den Stadtrand von Douski erreichten, wurden die Kühe mit viel gutem Zureden durch die Straßen zum Markt geführt.

An einer wenig belebten Straßenkreuzung blieb der Vater plötzlich stehen. Lubji hielt es für sinnlos, ihn zu fragen, weshalb er ausgerechnet hier angehalten hatte, weil er Junge sicher war, dass er sowieso keine Antwort bekam. Also standen Vater und Sohn mit ihren Rindviechern schweigend da. Es dauerte eine ganze Weile, ehe sich jemand für die beiden Kühe interessierte.

Fasziniert beobachtete Lubji, wie die Leute langsam und mit prüfenden Blicken um die Tiere herumgingen. Einige berührten sie, andere gaben offenbar irgendwelche Angebote ab – in Sprachen, die Lubji noch nie zuvor gehört hatte. Ihm wurde klar, wie sehr sein Vater im Nachteil war, weil er sich hier, in diesem Vielvölkerstaat, nur in einer einzigen Sprache verständlich machen konnte. Er schaute die meisten Leute, die nach Begutachtung der hageren Kühe irgendetwas sagten, nur verständnislos an.

Als sein Vater schließlich ein Angebot in der einzigen Sprache erhielt, die er verstand, besiegelte er den Verkauf der Kühe sofort per Handschlag, ohne auch nur den Versuch zu unternehmen, um den Preis zu feilschen. Mehrere bunte Papierblätter wechselten von einer Hand in die andere, die Kühe wurden ihrem neuen Besitzer übergeben, und Lubjis Vater marschierte auf den Markt, wo er einen Sack Getreide erstand, eine Kiste Kartoffeln, einige geräucherte Fische, verschiedene Kleidungsstücke, ein Paar getragene Schuhe, die dringend neu besohlt werden mussten, und weitere Sachen, darunter einen Schlitten und eine große Messingschnalle, die – wie der Vater offenbar glaubte – irgendjemand in seiner Familie benötigte. Lubji fand es merkwürdig, dass sein Vater stets die verlangte Summe bezahlte, ohne mit den Händlern zu feilschen, wie die anderen Leute es taten.

Auf dem Heimweg ging der Vater in den einzigen Gasthof der Stadt und ließ Lubji draußen auf dem Erdboden sitzen, mit dem Auftrag, ihre Neuerwerbungen zu bewachen. Erst als die Sonne bereits hinter dem Rathaus untergegangen war und Lubjis Vater mehreren Flaschen Sliwowitz den Garaus gemacht hatte, kam er taumelnd aus dem Gasthof. Lubji bekam neue Aufgaben zugewiesen: mit einer Hand musste er den schweren Schlitten ziehen, der mit den Einkäufen beladen war, und mit der anderen Hand musste er den Vater stützen und nach Hause führen.

Als Lubjis Mutter die Haustür öffnete, taumelte der Vater an ihr vorbei und sank auf die Matratze. Augenblicke später schnarchte er.

Lubji half seiner Mutter, die Einkäufe in die Hütte schleppen. Doch so begeistert ihr ältester Sohn sich über die Waren ausließ – Zelta schien gar nicht erfreut darüber zu sein, was ihr Gatte als Gegenleistung für die Arbeit eines ganzen Jahres erworben hatte. Sie schüttelte den Kopf, während sie überlegte, was mit den verschiedenen Sachen geschehen sollte.

Den Sack Getreide stellte sie aufrecht in eine Ecke der Küche; die Kartoffeln ließ sie in ihrer Holzkiste, und den Fisch legte sie ans Fenster. Dann überzeugte Zelta sich von der Größe der Kleidungsstücke, ehe sie entschied, welches ihrer Kinder was davon bekommen sollte. Die Schuhe kamen neben die Tür für denjenigen, der sie gerade benötigte. Die Messingschnalle legte Zelta in eine kleine Pappschachtel, die sie dann, wie Lubji sah, unter einem losen Fußbodenbrett neben dem Bett des Vaters versteckte.

In dieser Nacht, während der Rest der Familie schlief, gelangte Lubji zu der Einsicht, dass er von nun an nichts mehr auf den Viehweiden zu suchen hatte. Als sein Vater am nächsten Morgen aufstand, ging Lubji zur Tür und schlüpfte in die neuen Schuhe, die ihm viel zu groß waren, und folgte dem Vater aus dem Haus. Diesmal jedoch begleitete er ihn nur bis zum Stadtrand und versteckte sich hinter einem Baum. Er schaute seinem Vater nach, bis dieser nicht mehr zu sehen war. Der Vater ging davon, ohne sich ein einziges Mal umzublicken, um festzustellen, ob der Erbe seiner kargen Besitztümer ihm folgte.

Lubji machte kehrt und rannte zurück zum Markt. Den ganzen Tag verbrachte er damit, zwischen den Buden und Ständen herumzuschlendern und sich anzuschauen, was es dort zu kaufen gab. Einige Händler boten Obst und Gemüse feil, während andere sich auf Möbel und Haushaltsgeräte spezialisiert hatten. Doch die meisten waren bereit, mit allem Möglichen zu handeln, sofern sie sich Gewinn davon versprachen. Es machte Lubji Spaß, die verschiedenen

Methoden zu studieren, welche die Händler im Umgang mit ihren Kunden anwendeten; manche versuchten es mit Einschüchterung, andere mit Beschwatzen – und fast alle logen, was die Qualität ihrer Ware betraf. Besonders aufregend für Lubji war, dass die Leute sich der unterschiedlichsten Sprachen bedienten. Rasch erkannte er, dass die meisten Kunden – wie auch sein Vater – übers Ohr gehauen wurden. Im Laufe des Nachmittags hörte Lubji genauer zu und schnappte einige Brocken in anderen Sprachen als der eigenen auf.

Als der Junge an diesem Abend nach Hause kam, bombardierte er seine Mutter erneut mit Fragen. Zum ersten Mal machte Lubji die Erfahrung, dass es Fragen gab, die sogar seine Mutter nicht beantworten konnte. Ihr abschließender Kommentar zu der letzten unbeantworteten Frage an jenem Abend lautete: »Es wird Zeit, dass du zur Schule gehst, mein Kleiner.« Die Sache hatte nur einen Haken: In Douski gab es keine Schule für ein Kind in Lubjis Alter. Zelta beschloss, mit ihrem Onkel darüber zu reden, sobald sich die Gelegenheit bot. Es war ja immerhin möglich, dass ihr Sohn aufgrund seines brillanten Verstands einmal Rabbi wurde.

Am nächsten Morgen stand Lubji auf, noch bevor sein Vater erwachte. Wieder schlüpfte er in das eine Paar Schuhe und schlich aus dem Haus, ohne seine Brüder und Schwestern zu wecken. Er rannte den ganzen Weg bis zum Markt; dann schlenderte er wieder zwischen den Buden und Ständen herum und schaute den Händlern dabei zu, wie sie ihre Waren auslegten. Er lauschte, wie sie feilschten, und er verstand immer mehr von dem, was sie sagten. Allmählich erkannte Lubji, was seine Mutter meinte, als sie gesagt hatte, er habe eine von Gott gegebene Sprachbegabung. Dass er überdies ein unglaubliches kaufmännisches Talent besaß, das sich hier und jetzt zu entwickeln begann, wusste sie allerdings nicht.

Gebannt schaute Lubji zu, wie jemand ein Dutzend Kerzen gegen ein Hühnchen eintauschte, während ein anderer sich für zwei Sack Kartoffeln von einer Kommode trennte. Er stapfte weiter und beobachtete, wie eine Ziege für einen abgetretenen Teppich geboten wurde, und ein Karren Holz für eine Matratze. Lubji hatte den sehnlichen Wunsch, sich die Matratze leisten zu können, die breiter und dicker war als die eine, auf der seine ganze Familie schlief.

Morgen für Morgen kehrte er zum Marktplatz zurück. Er erkannte, dass die Tüchtigkeit eines Händlers nicht nur von seiner Ware abhing, sondern vor allem von seiner Fähigkeit, den Kunden zu überzeugen, dass er diese Ware benötigte. Lubji brauchte nur wenige Tage, um zu erkennen, dass diejenigen, die mit diesen bunten Scheinen handelten, nicht nur besser gekleidet waren als die anderen, sondern sich ohne Zweifel auch in der besseren Position befanden, ein gutes Geschäft zu machen.

Als Lubjis Vater die Zeit für gekommen hielt, die nächsten zwei Kühe zum Markt zu zerren, war der Sechsjährige bestens darauf vorbereitet, das Feilschen zu übernehmen. Auch an jenem Abend musste der junge Händler seinen Vater wieder von der Gaststube nach Hause führen. Doch nachdem der Betrunkene auf die Matratze gesunken war, starrte Zelta diesmal sprachlos auf den Berg von Gegenständen, den der Sohn vor ihr auftürmte.

Lubji verbrachte mehr als eine Stunde damit, der Mutter zu helfen, die Sachen unter den Familienangehörigen aufzuteilen. Er verschwieg ihr jedoch, dass er immer noch ein

Stück buntes Papier mit einer »10« darauf hatte. Er wollte herausfinden, was er sonst noch damit erwerben konnte.

Am nächsten Morgen rannte Lubji nicht direkt zum Markt. Stattdessen begab er sich zum ersten Mal in die Schullstraße, um sich ein Bild davon zu machen, was in den Läden verkauft wurde, die sein Großonkel hin und wieder besuchte. Er betrachtete die Schaufenster eines Bäckers, eines Fleischers, eines Töpfers, eines Textilgeschäfts und schließlich das eines Juweliers, das einzige Geschäft, über dessen Tür in Goldbuchstaben ein Name prangte: Herr Lekski. Lubji starrte auf eine Brosche, die mitten im Schaufenster lag. Sie war sogar noch schöner als jene, die seine Mutter einmal im Jahr zu Rosch ha-Schana trug, dem jüdischen Neujahrsfest; Zelta hatte Lubji einmal erzählt, die Brosche sei ein Familienerbstück.

Als er an diesem Abend nach Hause kam, stellte er sich ans Feuer, während seine Mutter den Eintopf zubereitete. Er erzählte ihr, dass die Läden nichts weiter seien als Buden, die nicht abgebaut würden und Fenster an den Vorderseiten besäßen, und dass er – die Nase an die Glasscheibe gedrückt – gesehen habe, dass fast alle Kunden mit Papierscheinen bezahlten und gar nicht erst versuchten, mit den Ladenbesitzern zu feilschen.

Am nächsten Tag kehrte Lubji zur Schullstraße zurück. Er nahm sein buntes Papier aus der Tasche und betrachtete es eine Zeit lang. Er wusste immer noch nicht, was er im Tausch dafür bekam. Nachdem er ungefähr eine Stunde durchs Schaufenster der Bäckerei gestarrt hatte, marschierte er voller Selbstvertrauen in das Geschäft und reichte dem Mann hinter dem Ladentisch den Schein. Der Bäcker nahm ihn und zuckte die Schultern. Hoffnungsvoll zeigte Lubji auf einen Laib Brot im Regal hinter ihm, und der Ladenbesitzer reichte ihn dem Jungen. Zufrieden mit diesem Tausch, wandte Lubji sich zum Gehen, doch der Bäcker rief ihm nach: »Vergiss dein Wechselgeld nicht!«

Unsicher, was der Mann damit meinte, drehte Lubji sich um und beobachtete, wie der Bäcker den Schein in eine Metallschachtel legte, ein paar Münzen herausnahm und sie ihm über den Ladentisch hinweg reichte.

Wieder draußen auf der Straße, betrachtete der Sechsjährige die Münzen mit großem Interesse. Auf einer Seite waren Zahlen eingeprägt, auf der anderen Seite der Kopf eines Mannes, den er nicht kannte.

Durch diesen Handel ermutigt, betrat Lubji den Laden des Töpfers und erstand im Tausch gegen die Hälfte seiner Münzen eine Schüssel, von der er hoffte, dass seine Mutter sie brauchen konnte.

Als Nächstes blieb er vor Herrn Lekskis Laden stehen, dem Juweliergeschäft, wo sein Blick sich sofort auf die wunderschöne Brosche richtete, die in der Mitte des Schaufensters lag. Lubji schob die Tür auf und marschierte zum Ladentisch, hinter dem ein alter Mann in Anzug und Krawatte stand.

»Was kann ich für dich tun, kleiner Mann?«, fragte Herr Lekski und beugte sich über den Tresen, um zu seinem Kunden hinunterzublicken.

»Ich möchte die Brosche für meine Mutter kaufen.« Lubji deutete zum Schaufenster und hoffte, dass seine Stimme selbstsicher genug klang. Dann öffnete er die Faust, um Herrn Lekski die drei kleinen Münzen zu zeigen, die ihm nach seinen morgendlichen Geschäften noch geblieben waren.

Der alte Mann lachte nicht; stattdessen erklärte er Lubji freundlich, dass er sehr viel mehr Münzen bräuchte, ehe er darauf hoffen könne, die Brosche zu erstehen. Lubji lief rot an, schloss die Faust wieder um die Münzen und wandte sich rasch zum Gehen.

»Aber komm morgen ruhig noch einmal her«, schlug der alte Mann ihm vor. »Vielleicht kann ich doch etwas für dich finden.« Mit hochrotem Gesicht rannte Lubji auf die Straße, ohne sich umzudrehen.

In dieser Nacht fand er keinen Schlaf. Immer wieder sprach er im Geist jene Worte, die Herr Lekski zu ihm gesagt hatte. Am nächsten Morgen stand er wieder vor dem Juwelierladen – lange bevor der alte Mann erschien und die Ladentür öffnete. An diesem Tag erhielt Lubji von Herrn Lekski die erste Lektion. Sie lautete: Leute, die es sich leisten können, Schmuck zu kaufen, stehen nicht schon vor dem ersten Hahnenschrei auf.

Herr Lekski, ein Stadtältester, war von der *Chuzpe* des Sechsjährigen sehr beeindruckt gewesen. Immerhin hatte der kleine Kerl den Mut aufgebracht, mit einer Handvoll nahezu wertloser Münzen sein Geschäft zu betreten. Im Laufe der nächsten Wochen verwöhnte Herr Lekski den Sohn des Viehhändlers damit, dessen unaufhörlichen Strom von Fragen zu beantworten. Es dauerte nicht lange, und Lubji kam jeden Nachmittag auf ein paar Minuten ins Juweliergeschäft. Wenn der alte Mann jemanden bediente, wartete er jedes Mal vor dem Laden. Sobald der Kunde gegangen war, stürmte Lubji durch die Tür und rasselte seine Fragen herunter, die er sich in der vergangenen Nacht überlegt hatte.

Anerkennend stellte Herr Lekski fest, dass Lubji die gleiche Frage nie ein zweites Mal stellte und sich jedes Mal, wenn ein Kunde den Laden betrat, rasch in die Ecke zurückzog und sich hinter der Tageszeitung des alten Mannes versteckte. Obwohl er die Seiten umblätterte, konnte Herr Lekski nie sicher sein, ob der Junge las oder nur die Bilder ansah.

Eines Abends, nachdem Herr Lekski den Laden abgeschlossen hatte, nahm er den Jungen mit hinter das Geschäft, um ihm sein Auto zu zeigen. Lubji riss die Augen weit auf, als er erfuhr, dass dieses wundersame Ding sich bewegen konnte, ohne von einem Pferd gezogen zu werden. »Aber es hat doch keine Beine!« rief er ungläubig. Er öffnete die Wagentür und kletterte neben Herrn Lekski ins Innere. Als der alte Mann auf einen Knopf drückte, um den Motor anzulassen, empfand der Junge gleichermaßen Übelkeit wie Angst. Doch obwohl er kaum über das Armaturenbrett schauen konnte, wollte er schon kurz darauf mit Herrn Lekski den Platz tauschen und sich hinters Lenkrad setzen.

Herr Lekski fuhr Lubji durch die Stadt und setzte ihn vor seiner Hütte ab. Der Junge stürmte sofort in die Küche und rief seiner Mutter zu: »Eines Tages hab' ich auch ein Auto!« Zelta lächelte bei dem Gedanken und verschwieg ihrem Sohn, dass sogar der Rabbi nur ein Fahrrad besaß. Dann fütterte sie ihr jüngstes Kind weiter – und schwor sich wieder einmal, dass es das letzte sein würde. Dieser neuerliche Familienzuwachs hatte zur Folge gehabt, dass sich der schnell wachsende Lubji nicht mehr zu seinen Schwestern und Brüdern auf die Matratze zwängen konnte. Seit einiger Zeit musste er mit den alten, in der Feuerstelle ausgelegten Zeitungen des Rabbi vorliebnehmen.

Sobald es dunkel wurde, balgten sich die Kinder um

einen Platz auf der Matratze; die Hochs konnten es sich nicht leisten, ihren geringen Vorrat an Kerzen zur Verlängerung des Tages zu vergeuden. Nacht für Nacht lag Lubji in der ausgepolsterten Feuerstelle, dachte an Herrn Lekskis Auto und versuchte eine Möglichkeit zu finden, seiner Mutter zu beweisen, dass sie im Irrtum war. Dann erinnerte er sich an die Brosche, die sie nur zu Rosch ha-Schana trug. Er zählte die Tage an den Fingern ab und kam zu dem Ergebnis, dass er noch sechs Wochen warten musste, bevor er den Plan, den er sich ausgedacht hatte, in die Tat umsetzen konnte.

Den größten Teil der Nacht vor Rosch ha-Schana lag Lubji wach. Kaum hatte seine Mutter sich am nächsten Morgen angezogen, folgte ihr Lubjis Blick – beziehungsweise vielmehr der Brosche, die sie trug.

Nach dem Gottesdienst, als sie die Synagoge verlassen hatten, fragte sich Zelta, weshalb ihr Sohn auf dem gesamten Heimweg ihre Hand nicht losließ. Seit seinem dritten Geburtstag hatte er das nicht mehr getan. Sobald sie in ihrer kleinen Hütte waren, setzte sich Lubji mit übereinandergeschlagenen Beinen in die Ecke des Zimmers, in der sich die Feuerstelle befand, und beobachtete, wie seine Mutter das winzige Schmuckstück von ihrem Kleid löste. Einen Augenblick betrachtete Zelta das Erbstück; dann kniete sie nieder, hob die lose Bodendiele neben der Matratze an und legte die Brosche behutsam in die alte Pappschachtel, ehe sie das Bodenbrett zurückschob.

Während Lubji der Mutter zuschaute, verhielt er sich so still, dass Zelta sich Sorgen machte und ihn fragte, ob er sich nicht wohlfühle.

»Mir geht's gut, Mama«, beruhigte er sie. »Aber heute ist

Rosch ha-Schana, und da hab' ich darüber nachgedacht, was ich im neuen Jahr tun soll.«

Seine Mutter lächelte, denn sie hegte noch immer die Hoffnung, dass sie ein Kind geboren hatte, aus dem vielleicht ein Rabbi wurde. Lubji schwieg, weil er über das Problem mit der Schachtel nachdenken musste. Er verspürte keinerlei Gewissensbisse, dass er in den Augen seiner Mutter eine Sünde beging, wenn er seinen Plan verwirklichte; schließlich hatte er sich fest vorgenommen, bis zum Ende des Jahres alles an seinen alten Platz zurückzulegen, sodass niemand je etwas davon erfahren würde.

In dieser Nacht, als die anderen Familienmitglieder sich auf die Matratze geklettert waren, kuschelte sich Lubji in die Feuerstelle und tat so, als würde er schlafen, bis er sicher war, dass alle anderen es taten. Er wusste, dass für die sechs unruhigen, dicht aneinander gedrängten Leiber – zwei Köpfe oben, zwei unten, und Mutter und Vater an den Rändern – der Schlaf ein Luxus war, der selten länger als ein paar Minuten dauerte.

Als Lubji glaubte, dass außer ihm niemand mehr wach war, kroch er vorsichtig an den Wänden des Zimmers entlang, bis er zur gegenüberliegenden Seite der Matratze gelangte. Sein Vater schnarchte dermaßen laut, dass Lubji befürchtete, jeden Moment müsse eines seiner Geschwister aufwachen und ihn entdecken.

Er hielt den Atem an, als er suchend über die Bodendielen tastete, um festzustellen, welche sich hochheben ließ.

Die Sekunden dehnten sich zu Minuten, doch plötzlich bewegte sich eine der Dielen leicht. Indem er die rechte Hand auf ein Ende drückte, konnte Lubji sie langsam anheben. Dann schob er die linke in die kleine Vertiefung und ertastete den Rand eines Gegenstandes. Er ergriff ihn und zog behutsam die Pappschachtel hervor. Anschließend schob er das Bodenbrett wieder an Ort und Stelle zurück.

Lubji verharrte völlig regungslos, bis er sicher sein konnte, dass niemand etwas bemerkt hatte. Einer seiner jüngeren Brüder drehte sich auf die Seite, woraufhin seine Schwestern aufstöhnten und dem Beispiel des Bruders notgedrungen folgten. Lubji nutzte die Gunst des Augenblicks und beeilte sich, an der Wand entlang zurückzuhuschen, bis er zur Haustür gelangte.

Vorsichtig erhob er sich von den Knien und tastete nach der Türklinke. Sein schweißnasser Handteller bekam sie zu fassen, und langsam drückte er sie hinunter. Die Angel knarrte laut, wie es Lubji nie zuvor aufgefallen war. Er schlich hinaus auf den Gehweg, stellte die Pappschachtel auf den Boden, hielt den Atem an und schloss die Tür hinter sich.

Die kleine Schachtel an die Brust gedrückt, rannte Lubji fort von der Hütte. Er schaute nicht zurück; deshalb sah er nicht, dass sein Großonkel ihn aus seinem Haus beobachtete, das gleich hinter der elterlichen Hütte stand. »Genau wie ich befürchtet habe«, murmelte der Rabbi vor sich hin. »Er schlägt ganz nach der Familie seines Vaters.«

Sobald Lubji von der Hütte aus nicht mehr gesehen werden konnte, schaute er zum ersten Mal in die Schachtel, konnte den Inhalt trotz des Mondscheins aber nicht richtig erkennen. Er huschte weiter, noch immer in Furcht, jemand könne ihn entdecken. Als er die Ortsmitte erreicht hatte, setzte er sich zitternd vor Erregung auf die Stufen eines wasserlosen Springbrunnens. Es dauerte mehrere Minuten, bis er all die Schätze, die in der Schachtel gehütet lagen, deutlich zu erkennen vermochte.

Da waren zwei Messingschnallen, mehrere einzelne Knöpfe – darunter ein großer, glänzender – und eine alte Münze mit dem Kopf des Zaren. Und dort, in einer Ecke der Schachtel, lag das begehrte wertvollste Stück von allen: eine kleine runde Silberbrosche, ringsum mit winzigen Steinen verziert, die in der Sonne des frühen Morgens funkelten.

Als die Rathausuhr sechsmal schlug, klemmte sich Lubji die Schachtel unter den Arm und marschierte zum Markt. Als er sich inmitten der Händler befand, setzte er sich zwischen zwei Marktstände und nahm alles aus der Schachtel heraus. Dann stellte er sie mit dem Boden nach oben vor sich hin und legte ihren Inhalt auf die flache graue Pappoberfläche; die Brosche lag als Prunkstück in der Mitte. Kaum war Lubji damit fertig, blieb ein Mann mit einem Sack Kartoffeln über der Schulter vor ihm stehen und betrachtete die Schätze des Jungen.

»Was willst du dafür haben?«, fragte er auf Tschechisch und deutete auf den großen glänzenden Knopf.

Der Junge musste daran denken, dass Herr Lekski eine Frage nie mit einer Antwort erwiderte, sondern stets mit einer Gegenfrage.

»Was hast du dafür zu bieten?«, gab Lubji in der Muttersprache des Mannes zurück.

Der Bauer stellte den Sack auf den Boden.

»Sechs Erdäpfel.«

Lubji schüttelte den Kopf. »So was Wertvolles wie das hier«, er hob den Knopf in die Sonne, damit der Interessent ihn besser sehen konnte, »muss mindestens zwölf dicke Kartoffeln bringen.«

Unwillig zog der Bauer die Brauen zusammen.

»Neun«, bot er schließlich.

»Zu wenig«, entgegnete Lubji fest. »Und du solltest bedenken, dass mein erstes Angebot immer das günstigste ist.« Er hoffte, dass er sich wie Herr Lekski anhörte, wenn der mit einem unentschlossenen Kunden verhandelte.

Der Bauer schüttelte den Kopf, hob den Sack Kartoffeln auf, warf ihn sich über die Schulter und stapfte Richtung Ortsmitte. Lubji fragte sich, ob es wohl ein dummer Fehler gewesen war, die ihm angebotenen neun Kartoffeln nicht genommen zu haben. Er fluchte und legte seine Ware so auf dem Boden der Schachtel aus, dass sie besser zur Geltung kam. Die Brosche ließ er in der Mitte.

»Und wie viel willst du dafür?«, fragte ein anderer Kunde und deutete auf die Brosche.

»Was hast du denn dafür zu bieten?« Lubji wechselte ins Ungarische.

»Einen Sack von meinem besten Weizen«, antwortete der Bauer. Stolz hob er einen Sack von einem schwer beladenen Esel und setzte ihn vor Lubji ab.

»Und warum willst du die Brosche?«, fragte Lubji, sich an eine andere Verkaufstaktik von Herr Lekski erinnernd.

»Meine Frau hat morgen Geburtstag«, erklärte der Ungar, »und voriges Jahr hab' ich vergessen, ihr was zu schenken.«

»Dieses wunderschöne Erbstück ist seit mehreren Generationen in meiner Familie.« Lubji hob die Brosche in die Höhe, damit der Mann sie sich genau anschauen konnte. »Ich tausche es gegen den Ring an deinem Finger …«

»Mein Ring ist aus Gold«, entgegnete der Bauer lachend, »deine Brosche aber nur aus Silber.«

»… und einen Sack von deinem Weizen«, fuhr Lubji fort, als wäre er nicht dazu gekommen, seinen Satz zu beenden.

»Du bist ja verrückt!«, schimpfte der Bauer.

»Die Brosche hat mal eine Herzogin getragen, bevor sie ihren ganzen Besitz verlor. Ist die Mutter deiner Kinder das Schmuckstück etwa nicht wert?« Lubji hatte natürlich keine Ahnung, ob der Mann überhaupt Kinder hatte, bohrte aber unbeirrt weiter: »Oder soll sie wieder ein Jahr leer ausgehen?«

Der Ungar schwieg, während er sich die Worte dieses aufgeweckten Jungen durch den Kopf gehen ließ. Lubji legte die Brosche auf die Schachtel zurück, ließ sie jedoch nicht aus den Augen. Am Ring des Mannes schien er kein Interesse mehr zu haben.

»Den Ring kannst du bekommen«, sagt der Bauer schließlich. »Aber nicht den Weizen noch dazu.«

Lubji runzelte die Stirn, während er so tat, als würde er über das Angebot nachdenken. Wieder hob er die Brosche in die Höhe und betrachtete sie im Sonnenlicht. »Na gut.« Er seufzte. »Aber nur, weil deine Frau Geburtstag hat.« Herr Lekski hatte ihn gelehrt, dem Kunden immer das Gefühl zu geben, er habe das bessere Geschäft gemacht. Rasch streifte der Bauer den schweren goldenen Ring vom Finger und griff nach der Brosche.

Kaum war dieser Handel abgewickelt, kehrte Lubjis erster Interessent mit einem alten Spaten zurück. Er ließ den halbvollen Sack Kartoffeln vor dem Jungen zu Boden plumpsen.

»Ich hab's mir überlegt«, sagte der Tscheche. »Ich geb' dir zwölf Kartoffeln für den Knopf.«

Doch Lubji schüttelte den Kopf. »Jetzt will ich fünfzehn«, erklärte er, ohne aufzublicken.

»Vorhin wolltest du nur zwölf!«

»Stimmt, aber jetzt hast du die Hälfte deiner Kartoffeln – und offenbar die größere Hälfte – für den Spaten hergegeben«, sagte Lubji.

Der Bauer zögerte.

»Wenn du morgen wieder zu mir kommst, will ich zwanzig Kartoffeln«, erklärte Lubji.

Wieder zog der Tscheche finster die Brauen zusammen; aber diesmal hob er seinen Sack nicht auf, um davonzustapfen. »Einverstanden«, brummte er verärgert und nahm ein paar Kartoffeln aus dem Sack.

Wieder schüttelte Lubji den Kopf.

»Was willst du denn jetzt noch?« brüllte der Bauer den Jungen an. »Ich dachte, wir wären uns einig!«

»Du hast meinen Knopf gesehen«, sagte Lubji, »aber ich hab' noch keinen Blick auf deine Kartoffeln geworfen. Da ist es doch gerecht, dass ich sie mir selbst aussuche.«

Der Tscheche zuckte die Schultern, öffnete den Sack und ließ den Jungen tief hineingreifen, damit er sich fünfzehn Kartoffeln auswählen konnte.

An diesem Tag machte Lubji kein weiteres Geschäft. Als die Händler ihre Buden und Stände abbauten, packte er seine alte und neue Habe zusammen und verließ den Marktplatz. Erst jetzt machte er sich Gedanken darüber, dass seine Mutter herausfinden könnte, was er getan hatte.

Er durchquerte die Stadt bis zum anderen Ende und blieb stehen, wo die Straße sich in zwei schmale Wege gabelte. Einer führte zu der Weide, auf der sein Vater tagsüber die Kühe hütete, der andere in den Wald. Lubji schaute zurück, um sich zu vergewissern, dass ihm niemand gefolgt war, und verschwand dann ins Unterholz. Nach kurzer Zeit machte er

Halt bei einem Baum, den er mit Sicherheit wiedererkennen würde, wenn er zurückkehrte. Zwischen den Wurzeln buddelte er mit den Händen ein Loch und vergrub die Schachtel sowie zwölf Kartoffeln.

Als er einigermaßen überzeugt war, dass niemand das Versteck entdecken konnte, ging er langsam zur Straße zurück und zählte dabei die Schritte. Zweihundertsieben. Er warf einen flüchtigen Blick über die Schulter zum Waldrand; dann rannte er, ohne noch einmal stehen zu bleiben, durch die Stadt, bis er zur elterlichen Hütte gelangte. Nachdem er einige Sekunden vor der Tür verschnauft hatte, trat er ein.

Seine Mutter schöpfte bereits die dünne Rübensuppe in die Teller. Lubji wich der unangenehmen Frage aus, weshalb er so spät nach Hause kam, indem er rasch die drei übrig gebliebenen Kartoffeln auf den Tisch legte. Seine Geschwister kreischten begeistert, als sie sahen, was er da mitgebracht hatte.

Zelta ließ die Schöpfkelle in den Topf fallen und blickte Lubji in die Augen. »Hast du die gestohlen?«, wollte sie wissen und stemmte die Hände in die Hüften.

»Nein, Mutter«, versicherte Lubji, und Zelta wirkte erleichtert. Sie nahm die Kartoffeln und wusch eine nach der anderen in einem Eimer, der leckte, wenn er mehr als halb voll war. Sie entfernte die Erde von den Kartoffeln und schälte sie geschickt mit den Fingernägeln. Dann schnitt sie jede in acht Stücke und verteilte sie, wobei ihr Mann eine Extraportion bekam. Sergei dachte nicht einmal daran, seinen Sohn zu fragen, wie er an die besten Nahrungsmittel gekommen war, die seit Tagen auf den Tisch des Hauses kamen.

Erschöpft von seinem ersten Arbeitstag als Händler,

schlief Lubji an diesem Abend ein, noch ehe es dunkel wurde.

Am nächsten Morgen verließ er das Haus, bevor sein Vater erwachte. Er rannte den ganzen Weg bis zum Wald, zählte zweihundertsieben Schritte, blieb am Fuß des Baumes stehen und fing zu graben an. Als er die Pappschachtel hervorgeholt hatte, kehrte er in die Stadt zurück, um den Händlern beim Aufbau ihrer Stände zuzuschauen.

An diesem Tag kauerte Lubji sich zwischen zwei Buden am hinteren Ende des Marktplatzes, doch bis die wenigen Kunden zu ihm gelangten, hatten sie ihre Geschäfte entweder schon beendet oder kein Interesse mehr. An diesem Abend erklärte Herr Lekski ihm die drei wichtigsten Regeln für einen Händler: der richtige Standort, der richtige Standort, der richtige Standort. Lubji begriff es sehr schnell.

Am nächsten Morgen bot er seine Ware unweit des Eingangs zum Marktplatz feil. Rasch stellte er fest, dass viel mehr Leute als am Tag zuvor bei ihm stehen blieben, um zu sehen, was er anzubieten hatte. Mehrere Interessenten erkundigten sich, was er für den Goldring haben wolle. Einige probierten ihn sogar an, doch trotz verschiedener Angebote konnte Lubji kein Geschäft abschließen, das ihm gewinnbringend erschien.

Er versuchte gerade, zwölf Kartoffeln und drei Knöpfe gegen einen Eimer einzutauschen, der keine Löcher hatte, als er einen vornehmen Herrn in langem schwarzem Mantel bemerkte, der an einer Seite stand und geduldig wartete, dass Lubji den Handel abschloss.

Als der Junge aufblickte und sah, wer der Mann war, erhob er sich rasch, sagte: »Guten Morgen, Herr Lekski«, und winkte einen anderen Kunden hastig weiter.

Der alte Mann trat einen Schritt vor und sah sich die Sachen an, die auf der Schachtel lagen. Lubji konnte kaum fassen, dass der Juwelier sich für seine Ware interessierte. Zuerst betrachtete Herr Lekski die alte Münze mit dem Zarenkopf; er nahm sie zwischen die Finger und studierte sie eingehend. Lubji erkannte, dass der Juwelier sich gar nicht ernsthaft für die Münze interessierte: Es war lediglich eine List, die Lubji den alten Herrn oftmals hatte anwenden sehen, bevor dieser nach dem Preis des Gegenstands fragte, auf den er es in Wirklichkeit abgesehen hatte. »Lass dir nie anmerken, worauf du tatsächlich aus bist«, hatte er dem Jungen mindestens hundertmal gesagt.

Lubji wartete geduldig, bis der alte Mann seine Aufmerksamkeit der Mitte des Schachtelbodens zuwandte.

»Was verlangst du dafür?«, fragte der Juwelier schließlich und nahm den goldenen Ring in die Hand.

»Was hast du dafür zu bieten?«, entgegnete der Junge, wie er es von dem alten Mann gelernt hatte.

»Hundert Kronen«, erwiderte Herr Lekski.

Lubji wusste nicht recht, was tun. Niemand hatte ihm je mehr als zehn Kronen für irgendetwas geboten. Dann erinnerte er sich an den Grundsatz seines Lehrmeisters: »Verlange den dreifachen Preis, und schlag beim doppelten ein.« Lubji blickte zu seinem Mentor auf. »Dreihundert Kronen.«

Der Juwelier bückte sich und legte den Ring auf die Mitte des Schachtelbodens zurück. »Zweihundert. Höher gehe ich nicht.« Seine Stimme klang entschieden.

»Zweihundertfünfzig«, sagte Lubji hoffnungsvoll.

Herr Lekski schwieg eine Zeit lang, betrachtete stumm den Ring. »Zweihundertfünfundzwanzig«, erklärte er schließlich, »aber nur, wenn du die alte Münze drauflegst.«

Lubji nickte sofort und gab sich Mühe, seine Freude über das Ergebnis dieses Geschäfts zu verbergen.

Herr Lekski holte eine Börse aus der Innentasche seines Mantels, reichte Lubji die zweihundertfünfundzwanzig Kronen und steckte die Münze und den Goldring ein. Der Junge blickte zu dem alten Mann empor und fragte sich, ob er überhaupt noch etwas von ihm lernen konnte.

An diesem Nachmittag schloss Lubji kein weiteres Geschäft mehr ab; deshalb packte er seine Pappschachtel schon früh zusammen und ging zur Ortsmitte, mit sich und seinem Tagwerk zufrieden. In der Schullstraße erstand er für zwölf Kronen einen nagelneuen Eimer, für fünf ein Hühnchen und für eine Krone einen Laib frisches Brot.

Der junge Händler pfiff vergnügt vor sich hin, während er die Hauptstraße entlangspazierte. Als er an Herrn Lekskis Geschäft vorbeikam, schaute er in die Auslage, um sich zu vergewissern, dass die wunderschöne Brosche noch da war, die er seiner Mutter zu Rosch ha-Schana kaufen wollte.

Fassungslos ließ Lubji den neuen Eimer fallen. Seine Augen wurden immer größer. Nicht mehr die Brosche war Mittelpunkt der Auslage, sondern eine alte Münze mit einem Etikett darunter. Es besagte, dass sie 1829, während der Regierungszeit des Zaren Nikolaus I. – dessen Bild auf der Münze prangte – geprägt und in Umlauf gebracht worden war. Lubji blickte auf das Kärtchen mit dem Preis:

Eintausendfünfhundert Kronen.

4

Melbourne Courier

25. Oktober 1929

Krise an der Wall Street: Der große Börsenkrach

Als Australier der zweiten Generation geboren zu sein hat viele Vorteile und einige Nachteile. Es dauerte nicht lange, bis Keith Townsend einige der Nachteile erkannte.

Keith hatte am 9. Februar 1928 um 14 Uhr 37 in einem großen Herrenhaus im Kolonialstil das Licht der Welt erblickt. Der erste Anruf, den seine Mutter noch aus dem Wochenbett tätigte, galt dem Direktor von St. Andrews, einem humanistischen Gymnasium; Lady Townsend erklärte dem Direktor, dass sie ihren Sohn für das Schuljahr 1941 in St. Andrews anmelden wollte. Der erste Anruf seines Vaters, den dieser von seinem Büro aus tätigte, galt dem Vereinsdirektor des Kricket-Klubs von Melbourne, um Keith als neues Mitglied eintragen zu lassen; denn um in diesen exklusiven Klub aufgenommen zu werden, musste man eine Wartezeit von fünfzehn Jahren in Kauf nehmen.

Keith' Vater, Sir Graham Townsend, stammte ursprünglich aus Dundee in Schottland, doch um die Jahrhundertwende waren seine Eltern mit ihrem Sprössling auf einem Viehdampfer nach Australien ausgewandert. Wenngleich Sir Graham der Besitzer des *Melbourne Courier* und der

Adelaide Gazette war und obwohl der König ihn im vergangenen Jahr in den Adelsstand erhoben hatte, wurde er von der Melbourner Gesellschaft nicht akzeptiert. Einige Familien waren fast schon ein Jahrhundert im Land und wurden es nie leid, Leute wie die Townsends mit der Nase darauf zu stoßen, dass *sie* weder als arme Einwanderer ins Land gekommen waren, noch von Strafgefangenen abstammten. Man ignorierte oder sprach nur in der dritten Person über ihn.

Doch Sir Graham scherte sich nicht um die Meinung dieser Herrschaften – und falls doch, ließ er es sich nie anmerken. Am liebsten verkehrte er mit Leuten, die bei der Zeitung arbeiteten, und wer zu Sir Grahams Freunden zählte, verbrachte wie er selbst mindestens einen Nachmittag in der Woche auf der Rennbahn. Ob dabei Pferde oder Windhunde um die Wette liefen, war Sir Graham egal.

Keith' Mutter hingegen konnte von der Melbourner Gesellschaft nicht so leicht übergangen werden. Sie stammte in direkter Linie von einem hohen Marineoffizier der Ersten Flotte ab. Wäre sie eine Generation später geboren, hätte vielleicht sie und nicht ihr Sohn im Mittelpunkt dieser Geschichte gestanden.

Da Keith der einzige Sohn war – er war der mittlere von drei Geschwistern –, betrachtete Sir Graham es von der Geburt des Jungen an als gegeben, dass dieser ihm später ins Zeitungsgeschäft folgen würde, und entsprechend wurde Keith erzogen. Mit drei Jahren besuchte er zum ersten Mal den Verlag seines berühmten Vaters und wurde sofort süchtig nach dem Tintengeruch, dem Klappern der Schreibmaschinen und dem Rattern der Druckerpressen. Von diesem Augenblick an begleitete er seinen Vater in die faszinierende Welt des *Melbourne Courier,* wann immer er die Gelegenheit bekam.

Sir Graham förderte die Interessen seines Sohnes. Er nahm ihn sogar fast jedes Mal mit zur Rennbahn, wenn er an den Samstagnachmittagen dorthin verschwand – sehr zum Unwillen Lady Townsends, die darauf bestand, dass Keith am nächsten Tag die Morgenmesse besuchte. Doch zu ihrer Enttäuschung zeigte ihr Sohn schon bald mehr Interesse an den Buchmachern als an den Geistlichen.

Um diesem frühen sittlichen Verfall Einhalt zu gebieten, entwickelte Lady Townsend eine solche Entschlossenheit, dass sie eine Gegenoffensive startete. Als Sir Graham sich auf einer längeren Geschäftsreise in Perth befand, stellte sie ein Kindermädchen namens Florrie ein, dessen einzige Aufgabe darin bestand, die Kinder zu beaufsichtigen. Doch Florrie, eine Witwe in den Fünfzigern, erwies sich dem vierjährigen Keith nicht gewachsen. Schon nach wenigen Wochen versprach sie ihm, es seiner Mutter nicht zu verraten, wenn der Vater ihn mit zur Rennbahn nahm. Als Lady Townsend dieses Komplott entdeckte, wartete sie ab, bis ihr Gemahl seine alljährliche Geschäftsreise nach Neuseeland unternahm; dann ließ sie auf der Titelseite der Londoner *Times* eine Annonce aufgeben. Drei Monate später ging im Hafen von Melbourne eine gewisse Miss Steadman von Bord eines Schiffes und meldete sich in Toorak zum Dienst. Sie erwies sich als genau das, was ihre Zeugnisse versprochen hatten.

Die in St. Leonard in Dumfries aufgewachsene Tochter eines schottischen presbyterianischen Geistlichen wusste, was man von ihr erwartete. Florrie liebte die Kinder auch weiterhin so sehr, wie die Kinder sie liebten; Miss Steadman hingegen schien nur ihren Beruf zu lieben und das, was sie für ihre heilige Pflicht hielt.

Sie bestand darauf, dass sie stets und von jedem – egal, welchen Standes – mit »Miss Steadman« angeredet wurde, und ließ alle deutlich spüren, wo sie auf ihrer gesellschaftlichen Leiter standen. Der Chauffeur fügte der Anrede an sie stets eine knappe Verbeugung hinzu, selbst Sir Graham konnte der resoluten ältlichen Jungfer seinen Respekt nicht versagen.

Gleich am ersten Tag organisierte Miss Steadman die Erziehung der Kinder auf eine Weise, die sogar einen Offizier der Militärakademie in Sandhurst beeindruckt hätte. Keith versuchte alles – über Schmeicheln und Schmollen bis hin zum Heulen –, um sich Miss Steadman gefügig zu machen, musste jedoch rasch einsehen, dass sie eisern bis ins Mark und durch nichts zu erweichen war. Sein Vater wäre ihm zu Hilfe gekommen, hätte nicht seine Gemahlin Miss Steadmans Lob in den höchsten Tönen gesungen – vor allem, was ihre Bemühungen betraf, dem jungen Herrn korrektes Englisch beizubringen.

Mit fünf begann Keith' Schulzeit, und am Ende der ersten Woche klagte er Miss Steadman sein Leid, dass die anderen Jungen nicht mit ihm spielen wollten. Sie war der Ansicht, es sei nicht ihre Aufgabe, dem Jungen zu erklären, dass sein Vater sich im Laufe der Jahre viele Feinde gemacht hatte.

Die zweite Woche erwies sich als noch schlimmer; denn Keith wurde ständig von einem Jungen namens Desmond Motson gepiesackt, dessen Vater vor Kurzem in einen Betrug um Schürfrechte verwickelt gewesen war, welcher im *Melbourne Courier* mehrere Tage Schlagzeilen gemacht hatte. Dass Motson fünf Zentimeter größer und gut drei Kilo schwerer war als Keith, machte ihm die Sache auch nicht gerade leichter.

Oft dachte Keith daran, mit seinem Vater über dieses Problem zu sprechen. Da sie einander jedoch nur an den Wochenenden sahen, gab Keith sich damit zufrieden, ihn an den Sonntagvormittagen in seinem Arbeitszimmer zu besuchen und sich seine Meinung über den Inhalt von *Courier* und *Gazette* der vergangenen Woche und seinen anschließenden Vergleich mit der Konkurrenz.

»›VOLKSFREUND UND DIKTATOR‹ – eine schwache Schlagzeile«, erklärte sein Vater eines Sonntagmorgens beim Blick auf die Titelseite der *Adelaide Gazette* vom Vortag. Um kurz darauf hinzuzufügen: »Und eine noch schwächere Story. Von diesen Leuten dürfte keiner jemals wieder auch nur in die Nähe einer Titelseite kommen.«

»Aber es steht doch nur ein einziger Name da«, stellte Keith fest, der seinem Vater aufmerksam zugehört hatte.

Sir Graham lachte. »Stimmt, mein Junge. Aber vergiss nicht, dass die Schlagzeile von einem Redakteur stammt und nicht vom Verfasser des Artikels.«

Keith blickte verwirrt drein, bis sein Vater ihm erklärte, dass Schlagzeilen häufig geändert wurden – manchmal Augenblicke bevor die Zeitung in Druck ging. »Man muss die Aufmerksamkeit der Leser erregen, sonst machen sie sich erst gar nicht die Mühe, den Artikel zu lesen.«

Dann begann Sir Graham einen Text über den neuen deutschen Reichskanzler vorzulesen. Bei dieser Gelegenheit hörte Keith zum ersten Mal den Namen Adolf Hitler. »Aber ein verflixt gutes Foto«, fügte sein Vater schließlich hinzu und deutete auf das Bild eines kleinen Mannes mit einem

Schnurrbart, der Keith an eine Zahnbürste erinnerte. Mit selbstzufriedener Miene und erhobener rechter Hand posierte der Mann vor seinen Anhängern und den Fotografen. »Vergiss nie das uralte Klischee, mein Junge: ›Ein Foto ist so viel wert wie tausend Worte.‹«

An der Tür war ein scharfes Klopfen zu hören. Beide wussten, dass nur die Fingerknöchel von Miss Steadman ein solches Geräusch verursacht haben konnten. Sir Graham vermutete, dass der Zeitpunkt ihres sonntäglichen Klopfens sich höchstens um einige Sekunden verschoben hatte, seit sie in die Dienste der Townsends getreten war.

»Herein«, rief er mit seiner strengsten Stimme. Er drehte sich um und zwinkerte seinem Sohn zu. Keiner der männlichen Townsends ließ sonst jemanden wissen, dass sie Miss Steadman hinter ihrem Rücken »Gruppenführer« nannten.

Miss Steadman trat ins Arbeitszimmer und beglückte Vater und Sohn mit den gleichen Worten wie jeden Sonntag seit einem Jahr: »Es wird Zeit für Master Keith, sich zum Kirchgang bereit zu machen, Sir Graham.«

»Großer Gott, Miss Steadman, ist es schon so spät?«, entgegnete er jedes Mal, ehe er seinen Sohn Richtung Tür stupste. Nur widerstrebend verließ der Junge das Arbeitszimmer seines Vaters, die einzige sichere Zuflucht, und folgte Miss Steadman hinaus.

»Wissen Sie, was mir mein Vater gerade gesagt hat, Miss Steadman?«, fragte Keith mit betont australischem Akzent, weil er wusste, dass er sie damit ärgern würde.

»Ich habe nicht die leiseste Ahnung, Master Keith«, antwortete Miss Steadman. »Aber was es auch war – hoffen wir, dass es dich nicht daran hindert, dich auf Reverend Davidsons Predigt zu konzentrieren.« Keith verfiel in düsteres Schweigen, während sie die Treppe zu seinem Zimmer hinaufstiegen. Er gab keinen Laut mehr von sich, bis er bei seinem Vater und seiner Mutter auf dem Rücksitz des Rolls saß.

Keith wusste, dass er sich auf jedes Wort des Geistlichen konzentrieren musste, denn bevor er und seine Schwestern zu Bett gingen, wurden sie von Miss Steadman bis in die winzigsten Einzelheiten zu der Predigt befragt. Sir Graham schätzte sich glücklich, dass Miss Steadman ihn nicht der gleichen Prüfung unterzog.

Drei Nächte allein im Baumhaus – das Miss Steadman kurz nach ihrer Ankunft hatte errichten lassen – waren die Strafe für jedes Kind, das es im Nachplappern der Predigt auf weniger als achtzig Prozent brachte. »Das fördert die Charakterbildung«, erklärte sie den Kindern immer wieder. Keith gestand Miss Steadman nie, dass er hin und wieder mit Absicht falsche Antworten gab; denn drei Nächte im Baumhaus waren eine wahre Erlösung von ihrer Tyrannei.

Als Keith elf war, traten zwei Ereignisse ein, die sein ganzes Leben beeinflussen sollten – und beide Ereignisse ließen ihn in Tränen ausbrechen.

Nach der Kriegserklärung an Deutschland erhielt Sir Graham einen Sonderauftrag der australischen Regierung, für den er viel unterwegs und daher selten zu Hause sein würde, wie er seinem Sohn erklärte. Das war das erste Ereignis.

Das zweite trat nur wenige Tage später ein, nachdem Sir Graham nach London gereist war. Keith wurde ein Platz am St. Andrews angeboten – einem humanistischen Gymnasium mit Internat am Stadtrand von Melbourne.

Keith wusste nicht, welches dieser beiden Ereignisse ihm größeren Kummer bereitete.

In seiner ersten langen Hose wurde der schluchzende Junge zum ersten Schultag nach St. Andrews gefahren. Seine Mutter vertraute ihn einer Matrone an, die so aussah, als wäre sie aus dem gleichen Holz geschnitzt wie Miss Steadman. Der erste Junge, den Keith erblickte, als er durch die Eingangstür trat, war Desmond Motson, und zu seinem Entsetzen erfuhr Keith kurz darauf, dass er und Motson nicht nur das Klassenzimmer, sondern auch den Schlafsaal teilten. In der ersten Nacht tat Keith kein Auge zu.

Am nächsten Morgen stand er ganz hinten in der Aula und lauschte der Ansprache seines neuen Rektors, Mr. Jessop, der aus Winchester stammte, einem Ort irgendwo in England. Schon nach wenigen Tagen machte Keith die Erfahrung, dass Mr. Jessops Vorstellung von Spaß und Freude ein 10-Meilen-Querfeldein-Lauf war, gefolgt von einer kalten Dusche. Dies gehörte zu Mr. Jessops Erziehungsprogramm für die braven Jungen, von denen man zudem erwartete, dass sie sofort nachdem sie sich umgezogen hatten und wieder auf ihren Zimmern waren, Homer im Original lasen. Keith' Lesestoff hatte in letzter Zeit fast ausschließlich aus den Berichten über »unsere tapferen Kriegshelden« und ihren Einsatz an vorderster Front bestanden, die im *Courier* zu lesen waren. Nach einem Monat in St. Andrews wäre er gern bereit gewesen, mit den Frontkämpfern zu tauschen.

Während seiner ersten Ferien sagte Keith zur Mutter, sollte die Schulzeit tatsächlich die glücklichste Zeit seines Lebens sein, sähe er in der Zukunft keine Hoffnung für sich sähe. Selbst Keith' Mutter war klargeworden, dass er nur wenige Freunde hatte und sich zum Einzelgänger entwickelte.

Der einzige Tag der Woche, auf den Keith sich freute, war der Mittwoch; dann nämlich war ab Mittag Ausgang, und die Schüler mussten erst zur Schlafenszeit zurück sein. Sofort nach dem Läuten der Schulglocke radelte Keith die sieben Meilen zur nächsten Rennbahn, wo er sich einen glücklichen Nachmittag lang zwischen der Tribüne und den Ställen herumtrieb. Mit zwölf hielt er sich für einen echten Kenner des Pferderennsports und wünschte sich sehnlichst, mehr eigenes Geld zu haben, um wirklich lohnende Wetten abschließen zu können. Nach dem letzten Rennen des Nachmittags radelte er dann zum *Courier* und schaute zu, wie die erste Ausgabe druckfrisch aus der Presse kam. Zur Schule kehrte er immer erst im letzten Augenblick zurück.

Genau wie sein Vater fühlte sich Keith mit den Zeitungsleuten und den bunten Vögeln von der Rennbahn viel wohler als mit den Söhnen der Melbourner High Society. Aus tiefstem Herzen sehnte er sich danach, dem für die Berufsberatung zuständigen Lehrer zu gestehen, dass er nach seinem Schulabschluss Reporter für den *Sporting Globe* werden wollte, eine weitere Zeitschrift, die seinem Vater gehörte. Doch nie vertraute er sein Geheimnis jemandem an, aus Angst, es könnte seiner Mutter hinterbracht werden, die offensichtlich ganz andere Pläne für seine Zukunft hatte.

Wenn Keith seinen Vater hatte zur Rennbahn begleiten dürfen – ohne seiner Mutter oder Miss Steadman je mitzuteilen, wohin sie gingen –, hatte er beobachtet, wie vor jedem Rennen riesige Summen gesetzt wurden. Auch sein Vater wettete gern und schob seinem Sohn hin und wieder eine Sixpence-Münze zu, damit auch er sein Glück versuchen konnte. Anfangs setzte Keith auf dieselben Pferde wie sein Vater, doch zu seiner Verwunderung hatte dies fast immer zur Folge, dass er mit leeren Taschen nach Hause kam.

Nach mehreren solcher Mittwochnachmittagsausflüge

zur Rennbahn – und nachdem er hatte feststellen müssen, dass seine Sixpences meist im dicken Lederbeutel eines Buchmachers verschwanden –, beschloss Keith, einen Penny die Woche in den *Sporting Globe* zu investieren. Aus der Fachzeitschrift erfuhr er nun einiges über den Victoria Racing Club und ob die Pferde und Jockeys gut in Form waren und was die Trainer und Besitzer über die Gewinnchancen zu sagen hatten. Doch selbst mit diesem neu erworbenen Wissen verlor er genauso oft wie vorher. Nicht selten hatte er schon in der dritten Woche des Trimesters sein ganzes Taschengeld verwettet.

Keith' Leben änderte sich, als er auf der Werbeseite des *Sporting Globe* die Anzeige für ein Buch mit dem Titel *Wie man den Buchmacher austrickst* entdeckte, verfasst von einem gewissen »Lucky Joe«. Er überredete Florrie, ihm eine halbe Crown zu leihen, und schickte eine Bestellung an die in der Anzeige angegebene Adresse. Jeden Morgen ging er dem Postboten entgegen, bis das Buch neunzehn Tage später endlich eintraf. Von dem Moment an, da Keith die erste Seite aufschlug, löste Lucky Joe bei den abendlichen Lesestunden Homer als Pflichtlektüre ab. Nach zweimaligem Lesen des Buches war Keith davon überzeugt, ein System entdeckt zu haben, das ihn immer gewinnen lassen würde. Am folgenden Mittwoch raste er zur Rennbahn und fragte sich kopfschüttelnd, weshalb sein Vater nie Lucky Joes unfehlbare Methode angewendet hatte.

Am Abend radelte Keith ohne sein mitgebrachtes Taschengeld für das gesamte Trimester wieder zurück. Doch gab er nicht Lucky Joe die Schuld an seiner Pleite; stattdessen vermutete er, dass er das System einfach nicht richtig verstanden hatte. Nachdem er das Buch zum dritten Mal gelesen hatte, wurde ihm sein Fehler klar. Wie Lucky Joe auf Seite 71 erklärte, musste man über ein bestimmtes Anfangskapital verfügen, sonst brauchte man sich gar nicht erst der Hoffnung hinzugeben, den Buchmacher überlisten zu können. Auf Seite 72 nannte Lucky Joe den Mindestbetrag – zehn Pfund –, doch da Keith' Vater sich immer noch im Ausland befand und seine Mutter aus Prinzip kein Geld verlieh, hatte Keith keine Möglichkeit, umgehend zu beweisen, dass Lucky Joe recht hatte.

Keith kam deshalb zu dem Schluss, dass er irgendwie an eine Summe herankommen musste, die zehn Pfund möglichst überstieg; da es jedoch gegen die Schulordnung verstieß, während der Trimester Geld zu verdienen, blieb ihm nichts anderes übrig, als sich damit zufriedenzugeben, Lucky Joes Buch noch ein weiteres Mal zu lesen. Keith hätte eine Eins im Trimesterabschlusszeugnis bekommen, wäre *Wie man den Buchmacher austrickst* die Pflichtlektüre gewesen.

In den nächsten Ferien kehrte Keith nach Toorak zurück und sprach mit Florrie über seine finanziellen Probleme. Sie erzählte ihm, wie ihre Brüder sich während der Schulferien zusätzliches Taschengeld verdient hatten. Keith befolgte Florries Rat und begab sich am nächsten Samstag wieder zur Rennbahn, diesmal aber nicht, um Wetten abzuschließen – dazu fehlte ihm noch immer das nötige Kapital –, sondern um hinter den Stallungen Pferdeäpfel in einen Zuckersack zu schaufeln, den Florrie ihm gegeben hatte. Mit dem schweren Sack auf der Lenkstange radelte er nach Melbourne zurück und verteilte den Dung auf den Blumenbeeten seiner Verwandten. Nach zehn Tagen und siebenundvierzig solcher Fahrradtouren zur Rennbahn und zurück hatte Keith dreißig Shilling eingenommen, den Düngerbedarf seiner gesamten Verwandtschaft befriedigt und obendrein die Düngerversorgung ihrer unmittelbaren Nachbarn übernommen.

Am Ende der Ferien hatte er fast vier Pfund beisammen. Nachdem seine Mutter ihm schließlich sein Taschengeld von einem Pfund für das kommende Trimester ausgehändigt hatte, konnte Keith es gar nicht erwarten, sein Glück wieder auf der Rennbahn zu versuchen. Das einzige Problem bestand darin, dass Lucky Joe bei seinem narrensicheren System auf Seite 72 ausdrücklich darauf hinwies: »Versuchen Sie dieses System nicht mit weniger als zehn Pfund zu spielen«, was auf Seite 73 wiederholt wurde.

Keith wollte *Wie man den Buchmacher austrickst* gerade ein neuntes Mal lesen, als ihn Mr. Clarke, der Aufseher seines Hauses im Internat, während der Lesestunde dabei ertappte, wie er darin herumblätterte. Nicht nur, dass sein kostbarster Besitz beschlagnahmt und wahrscheinlich vernichtet wurde – Keith musste auch noch die Demütigung über sich ergehen lassen, vor versammelter Schülerschaft vom Rektor Prügel zu beziehen. Während er sich über den Tisch beugte, starrte er auf Desmond Motson in der vordersten Reihe, der seine Schadenfreude nicht verhehlen konnte.

Mr. Clarke erklärte Keith an diesem Abend, ehe das Licht ausgeschaltet wurde, ohne seine Fürsprache wäre er zweifellos der Schule verwiesen worden. Keith wusste, das hätte seinem Vater gar nicht gefallen – Sir Graham war zurzeit auf dem Rückweg von einem Ort namens Jalta auf der Krim –, genauso wenig wie seiner Mutter, die bereits davon sprach, dass ihr Sohn nach dem Schulabschluss eine Universität namens Oxford in England besuchen sollte. Doch für Keith war es immer noch wichtiger, eine Möglichkeit zu finden, wie er aus seinen knapp vier Pfund zehn Pfund machen konnte.

In der dritten Woche des neuen Trimesters kam Keith eine Idee, wie sein Geld sich auf eine Weise verdoppeln ließ, die niemals auffliegen würde.

Der Süßwarenstand der Schule war jeden Freitag zwischen siebzehn und achtzehn Uhr geöffnet und blieb dann bis zur gleichen Zeit in der darauffolgenden Woche geschlossen. Bereits am Montag hatten die meisten Jungen ihren gesamten Süßigkeitenbestand verschlungen, sich durch ihren Vorrat an Kartoffelchips gemampft und zahllose Flaschen Limonade in sich hineingeschüttet. Obwohl sie im Augenblick genug davon hatten, bezweifelte Keith keinen Augenblick, dass es sie schon bald wieder danach gelüsten würde. Er überlegte sich, dass unter den gegebenen Umständen die Zeit zwischen Dienstag bis Donnerstag ideal für einen Handel damit wäre. Er benötigte lediglich einen gewissen Bestand der gängigsten Artikel aus dem Süßwarenstand, um sie dann mit Gewinn zu verscherbeln, sobald die Jungen ihre Wochenration aufgegessen hatten.

Als der Süßwarenstand am folgenden Freitag öffnete, stand Keith an der Spitze der langen Schlange. Der Lehrer, der die Aufsicht führte, staunte nicht schlecht, als der junge Townsend für insgesamt drei Pfund einen großen Karton Pfefferminzstangen, einen noch größeren mit sechsunddreißig Packungen Chips, zwei Dutzend Riegel mit Kirschcreme gefüllter Schokolade sowie zwei Kästen Limonade à zwölf Flaschen kaufte. Er meldete es Keith' Hausaufseher. Mr. Clarkes einzige Bemerkung dazu war: »Das wundert mich, dass Lady Townsend dem Jungen so viel Taschengeld gibt.«

Keith schleppte seine Einkäufe in den Umkleideraum, wo er alles in seinem Spind versteckte. Jetzt hieß es nur noch, geduldig bis zum Beginn der nächsten Woche zu warten.

Am Samstagnachmittag radelte er zur Rennbahn, obwohl er beim Spiel der Kricketmannschaft des Internats gegen das Team der Geelong Grammar School hätte zuschauen sollen. Der Nachmittag verlief frustrierend für Keith, weil er selbst keine Wetten abschließen konnte. Komisch, ging es ihm durch den Kopf, dass man immer dann einen Sieger nach dem anderen tippt, wenn man kein Geld zum Wetten hat.

Nach dem sonntäglichen Gottesdienst schaute sich Keith in den Gemeinschaftsräumen der älteren und jüngeren Schüler um und stellte erfreut fest, dass ihre Vorräte an Süßigkeiten und Getränken bereits knapp wurden. In der Vormittagspause am Montag beobachtete er, wie seine Klassenkameraden auf dem Korridor herumstanden, ihre letzten Süßigkeiten austauschten, die letzten Tafeln Schokolade auswickelten und die letzten Schlückchen Limonade hinunterkippten.

Am Dienstagvormittag sah er die vielen leeren Flaschen, die bei den Mülltonnen in der Ecke des Hofes aufgereiht waren. Am Nachmittag war er bereit, seine Theorie in die Praxis umzusetzen.

Während der Sportstunde schloss er sich in die kleine Druckerei der Schule ein, deren Einrichtung sein Vater im vergangenen Jahr gestiftet hatte. Obwohl die Druckerpresse ziemlich alt und nur von Hand zu bedienen war, genügte sie für Keith' Bedürfnisse.

Eine Stunde später kam er mit dreißig Kopien seines ersten Druckerzeugnisses heraus. Es verkündete die Neueröffnung eines alternativen Süßwarenstandes. Ort: der Umkleideraum der älteren Schüler. Öffnungszeiten: Mittwoch zwischen siebzehn und achtzehn Uhr. Auf der Rückseite waren die Artikel und ihre neuen Preise aufgeführt.

Zu Beginn der letzten Unterrichtsstunde dieses Nachmittags verteilte Keith das Blatt an jeden Klassenkameraden und war genau in dem Moment damit fertig, als der Erdkundelehrer das Klassenzimmer betrat. Keith plante bereits eine Neuauflage mit leichtem Preisanstieg für die nächste Woche, falls der morgige Verkauf sich als Erfolg erwies.

Als Keith sich kurz vor siebzehn Uhr am folgenden Nachmittag im Umkleideraum einfand, stellte er erfreut fest, dass bereits mehr als zwanzig Interessenten vor seinem Spind warteten. Lange vor Ende der Verkaufsstunde hatte Keith sämtliche Waren an den Mann gebracht. Die Preiserhöhung von gut fünfundzwanzig Prozent für die meisten Artikel brachte ihm einen Gewinn von gut einem Pfund.

Desmond Motson allerdings, der von einer Ecke aus beobachtet hatte, wie das Geld die Besitzer wechselte, empörte sich über die unverschämten Preise. Die lakonische Antwort des jungen Unternehmers lautete bloß: »Du kannst es dir aussuchen. Entweder, du stellst dich an, oder du wartest bis nächsten Freitag.« Versteckte Drohungen vor sich hin murmelnd, verließ Motson den Umkleideraum.

Am Freitag stand Keith erneut an der Spitze der Schlange vor dem Süßwarenstand und kaufte ein, was auf seiner Liste stand – er hatte sich notiert, in welcher Reihenfolge ihm seine Waren am ersten Verkaufstag ausgegangen waren.

Als Mr. Clark informiert wurde, dass Townsend diesmal mehr als vier Pfund am Süßwarenstand ausgegeben hatte, verblüffte es ihn nun doch, und er beschloss, mit dem Rektor über die Sache zu reden.

An diesem Samstag fuhr Keith nachmittags nicht zur Rennbahn, sondern nutzte die Zeit, hundert Blatt der zweiten Ausgabe seiner Verkaufsliste zu drucken, die er am Montag verteilte – diesmal nicht nur an die eigenen Klassenkameraden, sondern auch an die Schüler der beiden Klassen unter ihnen.

Am Dienstagvormittag, während einer Unterrichtsstunde über die britische Geschichte von 1815 bis 1867, rechnete Keith auf der Rückseite des »Reformierten Gesetzesentwurfs« von 1832 aus, dass er bei gleichbleibender Gewinnspanne noch drei Wochen brauchte, bis er die zehn Pfund beisammen hatte, die er benötigte, um Lucky Joes unfehlbares System ausprobieren zu können.

Doch im Lateinunterricht am Mittwochnachmittag begann Keith' eigenes unfehlbares System zu versagen. Unerwartet kam der Rektor ins Klassenzimmer und forderte Townsend auf, ihm unverzüglich auf den Flur zu folgen. »Und bring den Schlüssel zu deinem Spind im Umkleideraum mit«, fügte er unheilvoll hinzu. Während sie schweigend über den langen grauen Flur marschierten, reichte Mr. Jessop Keith ein Blatt Papier. Keith studierte die Liste, die er besser auswendig kannte als die Konjugationstabellen in seinem Lateinbuch. »Pfefferminzstangen 8 Pence, Chips 4 Pence, gefüllte Schokolade 4 Pence, Limonade 1 Shilling. Verkauf von 17–18 Uhr am Mittwoch vor Spind 19. Unser Motto: Wer zuerst kommt, mahlt zuerst.«

Keith schaffte es, eine gleichmütige Miene beizubehalten, während er über den Flur eskortiert wurde.

Als sie den Umkleideraum betraten, sah Keith seinen Hausaufseher und den Sportlehrer bereits vor seinem Spind stehen.

»Schließ die Tür auf, Townsend«, befahl der Rektor barsch.

Keith schob den kleinen Schlüssel ins Schloss und drehte ihn langsam; dann schwang er die Tür auf, und alle vier blickten in den Spind. Mr. Jessop war sichtlich verblüfft, nichts weiter darin zu erblicken als einen Kricketschläger, ein Paar alte Kniepolster und ein zerknittertes weißes Hemd, das offenbar seit Wochen nicht mehr getragen worden war.

Der Rektor sah verärgert aus, der Hausaufseher verdutzt und der Sportlehrer verlegen.

»Könnte es sein, dass Sie den Falschen verdächtigt haben?«, fragte Keith mit Unschuldsmiene.

»Mach die Tür wieder zu, und geh sofort in den Unterricht zurück, Townsend«, wies der Rektor ihn an. Keith gehorchte mit einem frechen Kopfnicken und schlenderte über den Flur zurück.

Als er wieder an seinem Pult saß, wurde ihm klar, dass er sich entscheiden musste, welche Vorgehensweise nun anstand. Sollte er seine Ware in Sicherheit bringen und seine Investition retten? Oder sollte er einen kleinen Hinweis geben, wo die Ware vielleicht gefunden werden könnte, und auf diese Weise ein für alle Mal eine alte Rechnung begleichen?

Desmond Motson drehte sich um und starrte Keith an. Er war sichtlich überrascht und enttäuscht, dass Townsend wieder an seinem Platz saß.

Keith bedachte ihn mit einem breiten Lächeln und wusste mit einem Mal, für welche der beiden Möglichkeiten er sich entscheiden musste.

5

The Times

9. März 1936

Deutsche Truppen im Rheinland

Als die Deutschen die entmilitarisierte Zone des Rheinlandes vertragswidrig besetzt hatten, hörte Lubji zum ersten Mal den Namen Adolf Hitler.

Seine Mutter war jedes Mal zutiefst entsetzt, wenn sie in der Wochenzeitschrift des Rabbi von den Untaten des Führers las. Sobald Zelta mit einer Seite fertig war, reichte sie diese ihrem ältesten Sohn. Sie hörte erst zu lesen auf, wenn es zu dunkel für sie wurde, um die Worte entziffern zu können. Lubji konnte für gewöhnlich noch einige Minuten länger lesen.

»Müssen wir alle den gelben Judenstern tragen, falls Hitler über unsere Grenze kommt?«, fragte er.

Zelta tat so, als wäre sie eingeschlafen.

Seit einiger Zeit konnte sie es vor den anderen Familienmitgliedern nicht mehr verbergen, dass sie von allen ihren Kindern Lubji am liebsten hatte – und das, obwohl sie ihn verdächtigte, für das Verschwinden ihrer kostbaren Brosche verantwortlich zu sein. Voller Stolz hatte sie verfolgt, wie er zu einem großen, gut aussehenden jungen Burschen herangewachsen war. Doch in einem Punkt blieb Zelta eisern:

Trotz Lubjis Erfolgen als Händler, von denen zugegebenermaßen die ganze Familie profitierte, musste er Rabbi werden. Sie selbst mochte ihr Leben vergeudet haben, doch Lubji sollte seine Chance nutzen.

Während der vergangenen sechs Jahre hatte Zeltas Onkel, der Rabbi, Lubji jeden Vormittag in seinem Haus auf dem Hügel unterrichtet. Gegen Mittag entließ er ihn dann, damit er zum Markt zurückkehren konnte, wo er inzwischen einen eigenen Stand erworben hatte. Einige Wochen nach Lubjis Bar Mizwa-Feier hatte der alte Rabbi Zelta einen Brief ausgehändigt, in dem Lubji ein Stipendium an der jüdischen Oberschule in Ostrau zugesichert wurde. Es war der glücklichste Tag in Zeltas Leben. Sie wusste, dass ihr Sohn klug war, vielleicht sogar außerordentlich klug, doch ihr war auch klar, dass sie eine solche Zusage nur dem Einsatz und dem guten Ruf ihres Onkels zu verdanken hatten.

Als Lubji von diesem Stipendium erfuhr, versuchte er sich seine Bestürzung nicht anmerken zu lassen. Obwohl er sich nur noch an den Nachmittagen auf dem Markt aufhalten durfte, machte er bereits so viel Gewinn, dass er jedem in seiner Familie ein Paar Schuhe hatte kaufen können; überdies konnten sie sich jetzt regelmäßig zwei Mahlzeiten am Tag leisten. Am liebsten hätte Lubji seiner Mutter klipp und klar gesagt, dass es sinnlos war, Rabbi zu werden, wo sein größtes Ziel doch darin bestand, ein Geschäft auf dem leeren Grundstück neben Herrn Lekskis Laden zu errichten.

Herr Lekski schloss das Geschäft und nahm sich den Tag frei, um den angehenden Oberschüler mit dem Wagen nach Ostrau zu bringen. Auf der langen Fahrt sagte Herr Lekski, er hoffe, Lubji werde nach dem Schulabschluss das Juweliergeschäft übernehmen – worauf Lubji sofort wieder zurück nach Hause wollte. Erst nach langem Zureden nahm er seine kleine lederne Reisetasche, seinem letzten Tauschhandel am Tag zuvor, und schritt durch den großen steinernen Torbogen, der zur Oberschule führte. Hätte Herr Lekski zum Schluss nicht hinzugefügt, er werde Lubji sein Geschäft nur dann anvertrauen, wenn dieser seine fünfjährige Schulzeit absolvierte, wäre der Junge umgehend wieder in den Wagen gesprungen.

Schon bald stellte Lubji fest, dass es auf der Oberschule keine anderen Schüler gab, die aus so ärmlichen Verhältnissen stammten wie er. Einige seiner Klassenkameraden ließen es Lubji direkt oder indirekt spüren, dass sie nicht unbedingt mit ihm verkehren wollten. Im Verlauf der nächsten Wochen musste Lubji zudem erkennen, dass die Fähigkeiten, die er sich als Händler auf dem Markt erworben hatte, auf einer solchen Lehranstalt nur wenig von Nutzen waren – obwohl selbst die gegen ihn am Voreingenommensten nicht bestreiten konnten, dass Lubji eine natürliche Begabung für Sprachen besaß. Und lange Arbeitszeiten, wenig Schlaf und strenge Disziplin machten dem Jungen aus Douski ohnehin nichts aus.

Am Ende seines ersten Jahres in Ostrau schloss Lubji in den meisten Fächern überdurchschnittlich gut ab. In Mathematik war er der Beste, in Ungarisch – jetzt seine zweite Sprache – der Drittbeste. Dem Direktor der Oberschule entging allerdings nicht, dass sein begabtester Schüler kaum Freunde hatte und zu einem Einzelgänger geworden war. Immerhin war der Direktor erleichtert, dass niemand mehr versuchte, den oft unbeherrschten Jungen zu schikanieren – der Einzige, der dies einmal gewagt hatte, war auf der Krankenstation gelandet.

Als Lubji für die Ferien nach Douski zurückkehrte, war er erstaunt darüber, wie klein die Stadt ihm nun vorkam, wie arm seine Familie tatsächlich war und wie sehr sie sich daran gewöhnt hatte, sich ganz auf ihn zu verlassen.

Jeden Morgen, nachdem sein Vater zur Viehweide aufgebrochen war, stieg Lubji wieder den Hügel hinauf zum Haus des Rabbi, um seine Studien fortzusetzen. Der alte Gelehrte staunte, wie gut der Junge Fremdsprachen beherrschte; er gab sogar zu, dass er in Mathematik nicht mehr mit Lubji Schritt halten konnte. Nach dem Unterricht beim Rabbi begab Lubji sich auf den Markt, wie früher, und brachte an guten Tagen genug Lebensmittel mit, um die ganze Familie satt zu bekommen.

Er versuchte seinen Brüdern das Geschäftemachen beizubringen, damit sie vormittags und während seiner Abwesenheit den Stand übernehmen konnten. Allerdings musste er rasch einsehen, dass es hoffnungslos war. Er wünschte sich, seine Mutter würde ihm erlauben, zu Hause zu bleiben und sich ein Geschäft aufzubauen, von dem sie alle profitieren könnten. Doch Zelta zeigte kein Interesse daran, was Lubji auf dem Markt trieb, sondern fragte ihn nur nach seinen schulischen Leistungen. Wieder und wieder las sie sein Zeugnis und hätte die Noten wahrscheinlich im Schlaf aufsagen können, noch ehe die Ferien zu Ende waren – was immerhin Lubjis Entschluss stärkte, ihr mit dem nächsten Zeugnis noch bessere Noten nach Hause zu bringen.

Als die sechswöchigen Ferien endeten, packte Lubji widerstrebend seine kleine lederne Reisetasche, und Herr Lekski fuhr ihn abermals nach Ostrau. »Mein Angebot steht weiterhin«, versicherte ihm der alte Mann, »doch erst musst du deinen Abschluss haben.«

Während Lubjis zweitem Jahr auf der Oberschule fiel in Gesprächen der Name Adolf Hitler fast so oft wie der von Moses. Jeden Tag kamen Juden über die Grenze, die vor den Schrecken des Naziregimes in Deutschland flüchteten, und Lubji fragte sich, was dieser Hitler als Nächstes vorhatte. Er las jede Zeitung, die er in die Finger bekommen konnte, gleich welcher Sprache und wie alt.

HITLER BLICKT NACH OSTEN, lautete die Schlagzeile der *Ostrava*. Als Lubji Seite sieben aufschlagen wollte, um den dazugehörigen Artikel zu lesen, stellte er fest, dass die Seite fehlte – was ihn jedoch nicht davon abhielt, sich zu fragen, wie lange es noch dauern würde, bis die Panzer des Führers in die Tschechoslowakei einrollten. Und eines stand für Lubji fest: Zur Rasse von Hitlers Herrenmenschen gehörten er und seinesgleichen ganz bestimmt nicht.

An diesem Vormittag äußerte er in der Geschichtsstunde seine Besorgnis, doch der Lehrer konnte offenbar nicht weiter als bis zu Hannibal denken und ob der es über die Alpen schaffte. Lubji klappte sein altes Geschichtsbuch zu und marschierte, ohne die Konsequenzen zu bedenken, aus dem Klassenzimmer und den Flur hinunter zu den Privaträumen des Direktors. Vor einer Tür, durch die er bisher noch nie getreten war, zögerte er kurz, dann klopfte er entschlossen an.

»Herein!«, rief eine Stimme.

Lubji öffnete langsam die Tür und betrat das Arbeitszimmer des Schulleiters. Der gottesfürchtige Mann trug seine Amtsroben in Rot und Grau, und auf seinen langen schwarzen Ringellocken saß ein schwarzes Käppchen. Er blickte von seinem Schreibtisch auf. »Ich nehme an, dich führt eine Angelegenheit von außerordentlicher Dringlichkeit zu mir, Hoch?«

»Ja, Herr Direktor«, versicherte Lubji. Dann verlor er den Mut.

»Nun?«, drängte der Direktor, nachdem eine Weile verstrichen war.

»Wir müssen uns darauf vorbereiten, von einem Moment zum anderen zu fliehen«, platzte es plötzlich aus Lubji heraus. »Wir müssen davon ausgehen, dass es nicht mehr lange dauern wird, bis Hitler …«

Der alte Mann lächelte den Fünfzehnjährigen an und machte eine wegwerfende Handbewegung. »Hitler hat hundertmal erklärt, dass er kein Interesse daran hat, Gebiete zu besetzen, die nicht zum Deutschen Reich gehören«, erklärte er, als würde er einen unbedeutenden Fehler verbessern, der Lubji in einer Geschichtsprüfung unterlaufen war.

»Entschuldigen Sie, dass ich Sie belästigt habe, Herr Direktor.« Lubji erkannte, dass er einen so weltfremden Mann nicht überzeugen konnte, und wenn er seinen Fall noch so überzeugend darlegte.

Doch im Laufe der nächsten Wochen mussten zuerst Lubjis Klassenlehrer und schließlich auch der Direktor zugeben, dass vor ihren Augen Geschichte geschrieben wurde.

An einem warmen Septemberabend forderte der Direktor die Schüler bei seiner täglichen Runde auf, ihre Sachen zu packen, da sie im Morgengrauen des kommenden Tages das Schulgebäude verlassen würden. Er wunderte sich nicht, als er feststellte, dass Lubjis Zimmer bereits geräumt war.

Wenige Minuten nach Mitternacht überquerte eine deutsche Panzerdivision die Grenze und rückte, ohne auf Gegenwehr zu stoßen, gegen Ostrau vor. Die Soldaten durchstöberten die Oberschule noch bevor die Frühstücksglocke läutete, und zerrten sämtliche Schüler auf wartende Lastwagen. Nur einer meldete sich beim Anwesenheitsappell nicht: Lubji Hoch, der die Schule in der Nacht zuvor verlassen hatte.

Nachdem er seine Habseligkeiten in die kleine Lederreisetasche gestopft hatte, schloss Lubji sich dem Flüchtlingsstrom zur ungarischen Grenze an. Er hoffte inständig, dass seine Mutter nicht nur die Zeitungen gelesen, sondern auch Hitlers Absicht vorhergesehen und mitsamt der Familie die Flucht ergriffen hatte. Erst vor Kurzem waren Lubji Gerüchte zu Ohren gekommen, dass die Deutschen sämtliche Juden zusammentrieben und in Internierungslager sperrten. Er versuchte, gar nicht erst daran zu denken, was seiner Familie im Fall einer Gefangennahme widerfahren mochte.

Nachdem Lubji sich in dieser Nacht aus dem Eingangstor der Oberschule gestohlen hatte, konnte er die Einheimischen beobachten, die von Haus zu Haus eilten, um ihre Verwandten zu warnen, während andere ihr Hab und Gut auf Pferdewagen luden, die ganz sicher auch vom langsamsten deutschen Panzer eingeholt werden würden. Jetzt ist nicht die Zeit, sich Sorgen um seine Habseligkeiten zu machen, hätte Lubji den Leuten am liebsten zugerufen, Möbel und Kleider kann man nicht erschießen. Doch niemand blieb lange genug stehen, um dem hochgewachsenen, muskulösen jungen Mann mit den langen schwarzen Ringellocken zuzuhören, der die Einheitskleidung der jüdischen Oberschule trug. Als die deutschen Panzer das Schulgebäude umzingelten, hatte Lubji bereits mehrere Kilometer auf der Straße zurückgelegt, die nach Süden zur Grenze führte.

An Schlaf dachte er nicht einmal. Er konnte bereits das Donnern von Geschützen hören, als die anrückenden deutschen Truppen sich von Westen her der Stadt näherten. Unentwegt marschierte Lubji weiter, vorbei an jenen, die viel zu langsam vorankamen, weil sie all ihre Habe zogen oder schoben, die sie im Laufe des Lebens angesammelt hatten. Er überholte schwer beladene Esel, Karren, deren Räder dringend repariert werden mussten, und Familien mit kleinen Kindern, greisen Frauen und Männern, die kaum eine Chance hatten, sich rechtzeitig in Sicherheit zu bringen. Er sah, wie Mütter ihren Söhnen die Locken abschnitten und sich von allem trennten, was sie als Juden erkennbar machen könnte. Gern wäre er stehen geblieben, um ihnen deshalb Vorhaltungen zu machen, wollte jedoch keine kostbare Zeit verlieren. Er schwor, sich durch nichts auf der Welt dazu bringen zu lassen, jemals seinen Glauben preiszugeben.

Die Disziplin, die man Lubji in den vergangenen zwei Jahren auf der Oberschule gelehrt hatte, machte es ihm leichter, ohne Essen, Trinken und Rast bis zum Tagesanbruch weiterzumarschieren. Schließlich aber musste er sich ein wenig Schlaf gönnen: beim ersten Mal hinten auf einem Karren, beim zweiten Mal auf dem Beifahrersitz eines Lastwagens. Er war fest entschlossen, ein befreundetes Land zu erreichen und sich auf dem Weg dorthin durch nichts und niemanden aufhalten zu lassen.

Obgleich die ersehnte Freiheit keine zweihundert Kilometer entfernt war, sah Lubji die Sonne dreimal auf- und untergehen, ehe er endlich die Rufe jener Menschen hörte, die an der Grenze zum freien, unabhängigen Ungarn angelangt waren. Irgendwann blieb er am Ende einer schier endlosen Schlange hoffnungsvoller Einwanderer stehen. Drei Stunden später waren die Wartenden nur ein paar Hundert

Meter vorangekommen, und die Flüchtlinge, die vor Lubji standen, ließen sich für die Nacht nieder. Besorgte Augen blickten in die Runde und sahen dunklen Rauch in den Himmel steigen, und alle vernahmen das Donnern von Geschützen, als die Deutschen ihren unerbittlichen Vormarsch fortsetzten.

Lubji wartete, bis es stockdunkel war, dann ging er lautlos an den schlafenden Familien vorbei, bis er die Lichter des Grenzpostens deutlich sehen konnte. So unauffällig wie möglich legte er sich in den Straßengraben und benutzte seine Reisetasche als Kopfkissen. Als der Grenzbeamte am Morgen die Schranke hob, wartete Lubji an der Spitze der Schlange. Als die Wartenden hinter ihm erwachten und den unentwegt Psalmen murmelnden jungen Mann in seiner Schuluniform sahen, dachte nicht einer daran, ihn zu fragen, wie er nach vorn in die Warteschlange gekommen war.

Der Grenzbeamte vergeudete nicht viel Zeit mit der Durchsuchung der kleinen Reisetasche. Nachdem Lubji über die Grenze war, hielt er sich auf der Straße nach Budapest, der einzigen ungarischen Stadt, von der er gehört hatte. Von großzügigen Familien, die erleichtert waren, den Deutschen entkommen zu sein, mit Nahrungsmitteln versorgt, erreichte Lubji nach weiteren zwei Tagen und Nächten am 23. September 1939 die Außenbezirke der ungarischen Hauptstadt.

Beim Anblick Budapests glaubte Lubji, seinen Augen nicht zu trauen. Bestimmt war dies die größte Stadt der Welt. Seine ersten Stunden verbrachte er damit, einfach nur durch die Straßen zu spazieren, und jeder Schritt berauschte ihn mehr. Schließlich ließ er sich erschöpft auf der Freitreppe einer großen Synagoge nieder. Als er am nächsten

Morgen erwachte, galt seine erste Frage dem Weg zum Marktplatz.

Beinahe ehrfürchtig starrte Lubji auf die schier endlosen Reihen von Ständen und Buden – so weit, wie das Auge reichte. An einigen Verkaufsständen wurde ausschließlich Gemüse oder Obst angeboten, an anderen alte Möbel und in einer Bude nur Bilder, von denen einige sogar gerahmt waren.

Obwohl Lubji ihre Sprache fließend beherrschte, lautete die einzige Frage der Händler, wenn er ihnen seine Dienste anbot: »Hast du was zu verkaufen?« Zum zweiten Mal in seinem Leben sah Lubji sich mit dem Problem konfrontiert, dass er nichts besaß, womit er einen Tauschhandel hätte tätigen können. Deshalb konnte er nur zuschauen, wie andere Flüchtlinge kostbare Familienerbstücke für nicht mehr als einen Laib Brot oder einen Sack Kartoffeln hergaben. Rasch wurde ihm klar, dass man im Krieg mit einigem Geschick ein Vermögen anhäufen konnte.

Lubji wollte gerade weitergehen, als ein junger Mann, nur wenige Jahre älter als er, zu einem Kiosk schlenderte, sich ein Päckchen Zigaretten und eine Schachtel Streichhölzer geben ließ und davonging, ohne zu bezahlen. Die Besitzerin des Kiosks versuchte, dem jungen Burschen nachzulaufen; sie fuchtelte mit den Armen und schrie: »Dieb! Dieb!« Doch der junge Mann zuckte bloß die Schultern und zündete sich eine Zigarette an. Lubji rannte ihm die Straße entlang nach und legte ihm eine Hand auf die Schulter. Als der Bursche sich umdrehte, sagte Lubji: »Du hast die Zigaretten nicht bezahlt.«

»Hau ab, verdammter Slowak«, knurrte der Mann und stieß ihn zur Seite, ehe er weiter die Straße entlangschlenderte. Lubji folgte ihm erneut und packte ihn diesmal am Arm. Wieder drehte der Kerl sich um und schlug ohne Vorwarnung nach seinem Verfolger. Lubji duckte sich, und die Faust zischte über seine Schulter hinweg. Als der Mann vom Schwung des eigenen Schlages nach vorn gerissen wurde, versetzte ihm Lubji einen derart wuchtigen Fausthieb in die Magengrube, dass der Bursche rückwärts taumelte, schwer auf den Boden prallte und Zigaretten wie Streichhölzer fallen ließ. Lubji hatte wieder etwas entdeckt, das er von seinem Vater geerbt haben musste.

Seine Körperkraft hatte ihn dermaßen erstaunt, dass er einen Augenblick zögerte, ehe er sich bückte und die Zigaretten und Streichhölzer aufhob. Er ließ den Kerl, der sich die Hände auf den schmerzenden Leib presste, auf der Straße sitzen und rannte zum Kiosk zurück.

»Vielen Dank«, sagte die alte Frau, als Lubji ihr die Ware zurückbrachte.

»Ich bin Lubji Hoch«, stellte er sich vor und verbeugte sich tief.

»Und ich bin Frau Cerani«, sagte sie.

Als die alte Dame an diesem Abend nach Hause ging, schlief Lubji auf dem Pflaster hinter dem Kiosk. Am folgenden Morgen sah Frau Cerani überrascht, dass der junge Mann immer noch da war – er saß auf einem Stapel neuer Zeitungen.

In dem Moment, als Lubji sah, wie die alte Dame die Straße herunterkam, machte er sich daran, die zusammengeschnürten Zeitungspacken zu öffnen. Dann beobachtete er die Frau, wie sie die Zeitungen sortierte und übersichtlich in Ständern zur Schau stellte, sodass sie den Leuten, die zu dieser frühen Stunde zur Arbeit eilten, ins Auge fielen. Im

Laufe des Tages erzählte Frau Cerani ihrem jungen Helfer von den verschiedenen Zeitungen und beobachtete staunend, in wie vielen Sprachen Lubji lesen konnte, und mehr noch: Bald stellte sie fest, dass er sich mit jedem Flüchtling zu unterhalten vermochte, der an den Kiosk kam, um sich über Neuigkeiten aus seiner Heimat zu informieren.

Am nächsten Morgen hatte Lubji – schon lange, bevor Frau Cerani kam – sämtliche Zeitungen in ihre Ständer einsortiert. Einige hatte er sogar schon an frühe Kunden verkauft. Gegen Ende der Woche döste Frau Cerani so manche Stunde glücklich in einem Winkel ihres Kiosks und brauchte nur hin und wieder mit einem Rat auszuhelfen, wenn Lubji die Frage eines Kunden einmal nicht beantworten konnte.

Nachdem Frau Cerani am Freitagabend den Kiosk geschlossen hatte, bedeutete sie Lubji, mit ihr zu kommen. Schweigend schritten die beiden dahin, bis sie nach etwa anderthalb Kilometern vor einem Häuschen hielten. Die alte Frau forderte Lubji auf, mit ihr hineinzukommen, und führte ihn ins Wohnzimmer, wo sie ihn ihrem Mann vorstellte. Herr Cerani erschrak zuerst beim Anblick des schmutzstarrenden jungen Hünen; dann aber stieg Mitleid in ihm auf, als er erfuhr, dass Lubji ein jüdischer Flüchtling aus Ostrau war. Er lud ihn ein, zum Abendessen zu bleiben. Seit seiner Flucht von der Oberschule war es das erste Mal, dass Lubji wieder an einem Tisch saß.

Während des Essens erfuhr Lubji, dass Herr Cerani einen großen Zeitungsladen betrieb, der auch den Kiosk seiner Frau belieferte. Lubji stellte seinem Gastgeber eine Reihe von Fragen über Remittenden, Ladenhüter, Sonderausgaben, Gewinnspanne und Warenbestand. Es dauerte nicht lange, und der Zeitungshändler wusste, weshalb die Einnahmen des Kiosks in der vergangenen Woche in die Höhe geschnellt waren. Als Lubji den Abwasch besorgte, besprachen sich Herr und Frau Cerani in einer Ecke des Wohnzimmers. Schließlich winkte Frau Cerani Lubji herbei. Er vermutete, dass es nun ans Abschiednehmen ging. Doch statt Lubji zur Tür zu führen, stieg Frau Cerani die Treppe hinauf, drehte sich um und winkte ihm erneut, ihr zu folgen. Oben angelangt, öffnete sie die Tür zu einer Kammer. Es lag kein Teppich auf dem Boden, und die einzigen Möbel waren ein schmales Bett, eine wacklige Kommode und ein Tischchen. Traurig blickte die alte Frau auf das leere Bett; dann deutete sie darauf und verließ die Kammer ohne ein weiteres Wort.

In den nächsten zwei Wochen verdoppelte sich der Umsatz des kleinen Kiosks beinahe, so viele Einwanderer aus so vielen Ländern kamen, um sich mit dem jungen Mann – der anscheinend jede Zeitung gelesen hatte – darüber zu unterhalten, was in ihrer Heimat vor sich ging. Am Monatsletzten händigte Herr Cerani Lubji seine erste Lohntüte aus. Und beim Abendessen an diesem Tag ließ er den jungen Mann wissen, dass er ihn ab Montag in seinen eigenen Laden mitnehmen wolle, damit er mehr über die Zeitungsbranche lerne. Frau Cerani war sehr enttäuscht, obwohl ihr Mann ihr versicherte, dass er ihr Lubji nur für eine Woche entführen wollte.

Im Laden merkte der Junge sich rasch die Namen der Stammkunden, welche Zeitungen und Zeitschriften sie kauften und ihre bevorzugten Zigarettenmarken. In der zweiten Woche fiel Lubji ein gewisser Herr Farkas auf, der auf der gegenüberliegenden Straßenseite ebenfalls einen Zeitungsladen führte. Doch da weder Herr noch Frau Cerani je seinen Namen erwähnten, brachte Lubji es nicht zur Sprache. Am Sonntagabend erklärte Herr Cerani seiner Frau, Lubji ganz bei sich im Laden zu behalten. Es schien sie nicht zu überraschen.

Jeden Morgen stand Lubji um vier Uhr auf, um den Laden zu öffnen. Es dauerte nicht lange, bis er bereits den Kiosk belieferte und die ersten Kunden bediente, noch bevor das Ehepaar Cerani zu Ende gefrühstückt hatte. Im Laufe der nächsten Wochen kam Herr Cerani fast jeden Tag ein bisschen später ins Geschäft, und wenn er am Abend abgerechnet hatte, drückte er Lubji oft die eine oder andere Münze in die Hand.

Lubji stapelte die Münzen auf dem Tischchen neben seinem Bett. Jedes Mal, wenn er zehn beisammenhatte, wechselte er sie gegen einen grünen Schein. In den Nächten lag er manchmal wach und malte sich aus, Laden und Kiosk zu übernehmen, wenn Herr und Frau Cerani in den Ruhestand gingen. Seit Kurzem behandelten sie ihn, als wäre er ihr Sohn: Sie machten ihm kleine Geschenke, und Frau Cerani umarmte ihn sogar, bevor er zu Bett ging, was Lubji schmerzlich an seine Mutter erinnerte.

In Lubji keimte die Hoffnung, dass sein Wunsch in Erfüllung ginge, als Herr Cerani sich zunächst einen Tag, später ein ganzes Wochenende frei nahm und bei seiner Rückkehr erfreut feststellte, dass der Umsatz schon wieder gestiegen war.

An einem Samstagmorgen hatte Lubji auf dem Rückweg von der Synagoge das Gefühl, dass ihm jemand folgte. Er blieb stehen, drehte sich um und sah Herrn Farkas, die Konkurrenz von der anderen Straßenseite. Abwartend verharrte der Mann nur ein paar Schritte hinter Lubji.

»Guten Morgen, Herr Farkas.« Lubji lüpfte den breitkrempigen schwarzen Hut.

»Guten Morgen, Herr Hoch.« Bis zu diesem Moment hatte Lubji sich noch nie als »Herr Hoch« gesehen. Aber er hatte ja schließlich erst vor Kurzem seinen siebzehnten Geburtstag gefeiert, und in diesem Alter pflegte man noch nicht so angesprochen zu werden.

»Möchten Sie mit mir reden?«, fragte er.

»Ja, Herr Hoch.« Herr Farkas kam die paar Schritte heran und trat nervös von einem Fuß auf den anderen. Lubji erinnerte sich an Herrn Lekskis Rat: »Du darfst nie etwas sagen, wenn ein Kunde einen nervösen Eindruck macht.«

»Ich würde Ihnen gern eine Stellung in einem meiner Geschäfte anbieten.« Jetzt blickte Herr Farkas zu ihm auf.

Zum ersten Mal wurde Lubji klar, dass Herr Farkas mehr als nur einen Laden hatte. »Als was?«, erkundigte er sich.

»Als stellvertretender Geschäftsführer.«

»Und mein Gehalt?« Als Lubji den Betrag gehört hatte, schwieg er, obwohl hundert Pengő die Woche fast doppelt so viel war, wie Herr Cerani ihm zahlte.

»Und wo würde ich wohnen?«

»Über dem Laden gibt es ein Zimmer«, antwortete Herr Farkas. »Ich glaube, es ist viel größer als die Dachkammer, die Ihnen die Ceranis zur Verfügung gestellt haben.«

Lubji blickte zu ihm hinunter. »Ich werde mir Ihr Angebot durch den Kopf gehen lassen, Herr Farkas.« Und wieder lüpfte er den Hut. Als er am Haus der Ceranis anlangte, hatte er beschlossen, Herrn Cerani von diesem Gespräch zu erzählen, ehe es jemand anderes tat.

Der alte Mann zupfte an seinem dichten Schnurrbart und seufzte, als Lubji geendet hatte. Doch er sagte nichts.

»Ich habe ihm natürlich zu verstehen gegeben, dass ich nicht daran interessiert bin, für ihn zu arbeiten«, fügte Lubji hinzu und wartete auf eine Reaktion seines Chefs. Doch Herr Cerani schwieg weiterhin. Erst beim Abendessen brachte er das Thema zur Sprache. Lubji lächelte, als er erfuhr, dass er zum Wochenende eine Lohnerhöhung erwarten dürfe. Doch am Freitag war er sehr enttäuscht; ein Blick in das kleine braune Kuvert zeigte ihm, wie gering diese Erhöhung war.

Als Herr Farkas sich am nächsten Samstag bei Lubji erkundigte, ob er sich entschieden habe, antwortete der junge Mann lediglich, dass er mit seinem derzeitigen Lohn zufrieden sei. Er verbeugte sich tief, ehe er davonschritt – und hoffte, den Eindruck hinterlassen zu haben, erst bei einem *noch* höheren Angebot interessiert zu sein.

Während Lubji in den nächsten Wochen seiner Arbeit nachging, blickte er hin und wieder zu dem großen Zimmer über dem Zeitschriftenladen auf der anderen Straßenseite hinauf. Und nachts, wenn er wach im Bett lag, malte er sich aus, wie es wohl im Inneren dieses Zimmers aussah.

Nach einem halben Jahr bei den Ceranis hatte Lubji fast seinen gesamten Lohn sparen können. Seine einzigen größeren Ausgaben waren die für einen zweireihigen Anzug, zwei Hemden und eine getupfte Krawatte gewesen, alles aus zweiter Hand; diese Sachen hatten erst kürzlich seine Schulkleidung ersetzt. Doch ungeachtet seiner materiellen Sicherheit machte er sich immer größere Sorgen darüber, in welches Land die Deutschen als Nächstes einfallen würden. Nach Hitlers Blitzkrieg in Polen hatte der deutsche Diktator dem ungarischen Volk in wiederholten Reden versichert, es als Verbündeten zu betrachten. Doch nach Hitlers bisherigem Vorgehen zu schließen, hatte das Wort »Verbündeter« in Deutschland vielleicht eine andere Bedeutung als in Polen.

Lubji versuchte die Gedanken an eine neuerliche Flucht zu verdrängen, doch mit jedem Tag wurde ihm schmerzhafter bewusst, dass er Jude war; die Leute ließen es ihn spüren, und Lubji entging nicht, dass so mancher Bürger Budapests sich offenbar darauf vorbereitete, die Nazis willkommen zu heißen.

Eines Morgens, auf dem Weg zur Arbeit, spuckte ein Passant Lubji an. Er war wie vom Donner gerührt. Doch schon im Laufe der nächsten Tage häuften sich derartige Vorfälle. Dann wurden die ersten Steine auf Herrn Ceranis Auslage geworfen, und einige Stammkunden kauften von nun an auf der gegenüberliegenden Straßenseite bei Herrn Farkas ein. Dennoch wies Herr Cerani unerschütterlich darauf hin, Hitler habe kategorisch erklärt, die ungarische Gebietshoheit niemals zu verletzen.

Lubji erinnerte seinen Chef daran, dass der Führer sich genau dieser Worte bedient hatte, bevor er in Polen eingefallen war.

Lubji wusste, dass sein bisher gespartes Geld nicht reichte, eine weitere Grenze zu überqueren; deshalb ging er am nächsten Montag, noch ehe die Ceranis zum Frühstück heruntergekommen waren, entschlossen über die Straße und betrat den Laden der Konkurrenz. Herr Farkas konnte seine Verwunderung nicht verhehlen, als er Lubji durch die Tür kommen sah.

»Gilt Ihr Angebot noch, mich zum stellvertretenden Geschäftsführer zu machen?«, fragte Lubji sofort, da er nicht gern auf der falschen Straßenseite ertappt werden wollte.

»Nicht für einen Juden, o nein«, antwortete Herr Farkas und blickte ihn an, ohne im Mindesten verlegen zu werden. »Und wenn Sie noch so tüchtig sind. Sobald Hitlers Wehrmacht nach Ungarn kommt, übernehme ich sowieso Ihren Laden.«

Lubji ging, ohne ein weiteres Wort zu verlieren. Als Herr Cerani eine Stunde später in sein Geschäft kam, erzählte Lubji ihm, dass Herr Farkas ihm ein neuerliches Angebot gemacht habe. »Aber ich habe ihm gesagt, dass ich mich nicht kaufen lasse.« Herr Cerani nickte, schwieg jedoch auch diesmal. Lubji wunderte sich allerdings nicht, als er am Freitag in seiner Lohntüte ein kleines bisschen mehr Geld vorfand.

Lubji sparte auch weiterhin seine gesamten Einkünfte Dann wurden die ersten Juden wegen irgendwelcher Bagatellen verhaftet, und Lubji überlegte sich einen Fluchtweg. Jede Nacht, sobald die Ceranis zu Bett gegangen waren, schlich er die Treppe hinunter, um in Herrn Ceranis kleinem Arbeitszimmer den alten Atlas zu studieren. Er ging die verschiedenen Möglichkeiten mehrmals durch. Auf keinen Fall durfte er Jugoslawien durchqueren oder auch nur betreten, denn zweifellos dauerte es nicht mehr lange, bis auch dieses Land das gleiche Schicksal erlitt wie Polen und die Tschechoslowakei. Italien kam ebenso wenig in Frage wie Russland. So entschied sich Lubji schließlich für die Türkei. Obwohl er keine amtlichen Papiere besaß, beschloss er, sich Ende der Woche zum Bahnhof zu begeben und irgendeinen Zug ausfindig zu machen, der durch Rumänien und Bulgarien nach Istanbul fuhr. Kurz nach Mitternacht klappte Lubji die alten Europakarten zum letzten Mal zu und kehrte in seine kleine Dachkammer zurück.

Er wusste, dass er den Ceranis bald Bescheid sagen musste, entschied sich jedoch, damit zu warten, bis er am kommenden Freitag seine Lohntüte erhalten hatte. Er stieg ins Bett. Bevor er einschlief, versuchte er sich vorzustellen, wie das Leben in Istanbul sein würde. Ob es dort einen Markt gab? Und waren die Türken ein Volk, das gern Handel trieb und feilschte?

Laute Schreie und Klopfgeräusche rissen Lubji aus tiefem Schlaf. Er sprang aus dem Bett, rannte zu dem kleinen Fenster. Auf der Straße wimmelte es von bewaffneten Soldaten. Einige hämmerten mit den Kolben ihrer Gewehre an Türen. Es konnte sich nur noch um Minuten handeln, bis sie das Haus der Ceranis erreichten. Hastig schlüpfte Lubji in seine Kleider, holte das Geldbündel unter der Matratze hervor, stopfte es sich in den Hosenbund und zog den Gürtel fester.

Er rannte zum ersten Stock hinunter und ins Badezimmer, das er mit den Ceranis teilte. Mit dem Rasiermesser des alten Mannes schnitt er sich rasch seine schwarzen Ringellocken ab, die ihm bis auf die Schultern hingen, warf sie in die Toilettenschüssel und spülte sie hinunter. Dann nahm er Herrn Ceranis Pomade aus dem Arzneischrank, klatschte sich eine Handvoll aufs Haar und verrieb sie in der Hoffnung, auf diese Weise würde weniger auffallen, dass es erst kürzlich so unfachmännisch gestutzt worden war.

Lubji warf einen raschen letzten Blick in den Spiegel und betete inbrünstig, dass ihn die Invasoren in seinem hellgrauen Zweireiher mit dem breiten Revers und dem weißen Hemd mit dem getupften blauen Binder für einen ungarischen Geschäftsmann auf Besuch in der Hauptstadt halten würden. Zumindest sprach er jetzt ein akzentfreies Ungarisch. Als Lubji die Treppe hinunterhuschte, hörte er, dass bereits gegen die Tür des Nachbarhauses gehämmert wurde. Rasch warf er einen Blick ins Wohnzimmer, doch die Ceranis waren nicht da. Er ging weiter in die Küche, wo er das alte Ehepaar eng umschlungen unter dem Tisch kauernd vorfand. Solange die sieben Kerzen Davids in der Zimmerecke standen, konnten die Ceranis schlecht verheimlichen, dass sie Juden waren.

Wortlos lief Lubji auf Zehenspitzen zum Küchenfenster, das auf den Garten hinter dem Haus hinausging. Vorsichtig steckte er den Kopf hinaus. Hier war von Soldaten nichts zu sehen. Lubji schaute nach rechts und sah eine Katze einen Baum hinaufklettern. Er blickte nach links – direkt in die Augen eines Soldaten. Neben ihm stand Herr Farkas. Der nickte und sagte: »Das ist er.«

Lubji lächelte hoffnungsvoll, doch der Soldat schmetterte ihm brutal den Gewehrkolben ans Kinn. Kopfüber stürzte Lubji aus dem Fenster auf den Gartenweg.

Als er aufschaute, sah er auf ein Bajonett, dessen Spitze knapp über seiner Nasenwurzel schwebte.

»Ich bin kein Jude!« rief er. »Ich bin kein Jude!«

Vielleicht wäre der Soldat überzeugter gewesen, hätte Lubji die Worte nicht auf Jiddisch gebrüllt.

6

Daily Mail

8. Februar 1945

Jalta: Die Konferenz der Großen Drei

Als Keith für sein letztes Schuljahr ins St.-Andrews-Internat zurückkehrte, wunderte sich niemand, dass der Direktor ihm gar nicht erst die Möglichkeit gab, Vertrauensschüler zu werden.

Allerdings gab es einen anderen verantwortungsvollen Posten, den Keith vor seinem Abschluss erlangen wollte, auch wenn ihm keiner seiner Schulkameraden auch nur die geringste Chance einräumte, dieses Ziel zu erreichen.

Keith wollte Redakteur des *St. Andy* werden, der Schülerzeitschrift, wie es seinerzeit bereits sein Vater gewesen war. Sein einziger Rivale für diesen Posten war ein Junge aus seiner eigenen Klasse, »Swotty« Tomkins, der im vergangenen Jahr stellvertretender Redakteur gewesen war und den der Direktor für geeignet hielt. Man ging davon aus, dass Tomkins – der bereits einen Studienplatz in Cambridge in der Tasche hatte, wo er Englisch studieren wollte – von den dreiundsechzig wahlberechtigten Schülern der sechsten Klasse klar favorisiert wurde. Doch zu diesem Zeitpunkt ahnte noch niemand, wie weit Keith gehen würde, um sich den Posten zu sichern.

Kurz bevor die Wahl stattfinden sollte, besprach Keith das Problem mit seinem Vater, während sie einen Spaziergang über den Landsitz der Familie machten.

»Wähler ändern ihre Absicht oft im letzten Augenblick«, sagte Sir Graham, »und die meisten lassen sich bestechen oder einschüchtern. Ich jedenfalls habe diese Erfahrung gemacht, sowohl in der Politik wie im Geschäftsleben. Ich kann mir nicht vorstellen, dass das bei der sechsten Klasse von St. Andrews anders ist.« Sir Graham blieb stehen, als sie zur Hügelkuppe gelangten, von der aus man über ihr Anwesen schauen konnte. »Und vergiss nicht«, fuhr er fort, »dass du einen Vorteil hast, den die meisten Kandidaten bei anderen Wahlen nicht haben.«

»Was für einen?,« erkundigte sich der Siebzehnjährige, als sie auf dem Rückweg zum Haus den Hügelhang wieder hinunterschlenderten.

»Bei so wenigen Wählern kennst du jeden einzelnen persönlich.«

»Das könnte ein Vorteil sein, wenn ich beliebter wäre als Tomkins«, entgegnete Keith. »Bin ich aber nicht.«

»Nur wenige Politiker verlassen sich ausschließlich auf ihre Beliebtheit, wenn sie gewählt werden wollen«, versicherte ihm sein Vater. »Würden sie das tun, wäre mindestens die Hälfte der führenden Politiker dieser Welt nicht im Amt. Das beste Beispiel dafür ist Churchill.«

Auf dem Rückweg zum Haus hörte Keith seinem Vater aufmerksam zu.

Nach seiner Rückkehr nach St. Andrews blieben Keith nur zehn Tage, die Ratschläge seines Vaters zu befolgen, bevor die Wahl stattfanden. Er bediente sich jedes vertretbaren Mittels, die Wähler für sich zu gewinnen: mit Eintrittskarten für das Fußballstadion, mit Bier, mit den verbotenen Zigaretten. Einem Wähler versprach er sogar eine Verabredung mit seiner älteren Schwester. Doch wann immer er auszurechnen versuchte, wie viele Stimmen er sich verschafft hatte – nie war er sicher, die Mehrheit für sich zu gewinnen. Es gab nun einmal keine Möglichkeit, mit Sicherheit vorherzusagen, wie jemand bei einer geheimen Wahl abstimmte. Und es war auch keine Hilfe für Keith, dass der Direktor keinen Hehl daraus machte, wer sein Favorit war.

Achtundvierzig Stunden vor der Stimmabgabe ließ Keith sich die zweite von seinem Vater empfohlene Taktik durch den Kopf gehen – Einschüchterung. Doch solange er nachts auch wach lag und darüber nachgrübelte, ihm fiel nichts Brauchbares ein.

Am Nachmittag des nächsten Tages besuchte ihn Duncan Alexander, der neu ernannte Schulsprecher. »Ich brauche zwei Karten für das Spiel Victoria gegen South Australia im MCG-Stadion.«

Keith blickte von seinem Schreibtisch auf. »Und was bekomme ich dafür?«

»Meine Stimme«, erwiderte der Schulsprecher. »Ganz zu schweigen von meinem Einfluss auf andere Wähler.«

»Bei einer geheimen Wahl?«, entgegnete Keith. »Das soll wohl ein Witz sein.«

»Willst du damit andeuten, dass mein Wort dir nicht genügt?«

»Da liegst du gar nicht so verkehrt.«

»Und was würdest du davon halten, wenn ich dir ein paar pikante Einzelheiten über Cyril Tomkins erzähle, die du nach Belieben verwenden kannst?«

»Hängt davon ab, ob diese pikanten Einzelheiten genug Gewicht haben.«

»Auf jeden Fall so viel, dass er seine Kandidatur zurückziehen müsste.«

»Wenn das stimmt, kriegst du zwei Plätze auf der Ehrentribüne, und ich werde dich jedem Spieler der Mannschaft vorstellen, den du persönlich kennenlernen möchtest. Aber bevor ich die Karten rausrücke, muss ich natürlich wissen, was du da über Tomkins hast.«

»Erst will ich die Karten sehen«, verlangte Alexander.

»Willst du damit sagen, dass mein Wort dir nicht genügt?« Keith grinste.

»Da liegst du gar nicht so verkehrt.« Jetzt grinste auch Alexander.

Keith zog die oberste Lade seines Schreibtischs auf und holte eine kleine Metallschatulle heraus. Dann steckte er den kleinsten der Schlüssel, die an seiner Kette befestigt waren, ins Schloss, drehte ihn, klappte den Deckel hoch und kramte in der Schatulle, bis er zwei lange, schmale Karten zum Vorschein brachte.

Er hielt sie so, dass Alexander sie genau betrachten konnte.

Nachdem sich ein zufriedenes Lächeln auf dem Gesicht des Schulsprechers ausgebreitet hatte, fragte Keith: »Also, was weißt du über Tomkins? Was könnte ihn zwingen, seine Kandidatur aufzugeben?«

»Er ist schwul.«

»Das weiß doch jeder.« Keith winkte ab.

»Ja. Aber nicht jeder weiß, dass er im letzten Halbjahr fast von der Schule geflogen wäre.«

»Ich doch auch«, erwiderte Keith. »Das ist doch nichts von Bedeutung.« Er legte die zwei Karten in die Schatulle zurück.

»Aber vielleicht, dass er mit dem kleinen Julian Wells aus der unteren Klasse auf dem Klo erwischt wurde.« Alexander machte eine Pause. »Beide mit runtergelassenen Hosen.«

»Wenn die Sache wirklich so drastisch war – wieso ist Tomkins dann noch hier?«

»Weil die Beweise nicht ausreichten. Ich hab' gehört, dass der Lehrer, der die beiden entdeckt hat, die Tür einen Moment zu spät geöffnet hat.«

»Oder einen Moment zu früh«, meinte Keith.

»Außerdem weiß ich aus sicherer Quelle, dass der Direktor diese Art von öffentlicher Aufmerksamkeit zur Zeit bestimmt nicht als förderlich für das Ansehen der Schule betrachtet – vor allem, wenn man bedenkt, dass Tomkins ein Stipendium für Cambridge in der Tasche hat.«

Keith lächelte nun breit, griff wieder in die Schatulle und holte eine Karte heraus.

»Du hast mir beide versprochen!«, protestierte Alexander.

»Die andere bekommst du morgen – wenn ich gewählt werde. So kann ich wenigstens halbwegs sicher sein, dass du dein Kreuz ins richtige Kästchen machst.«

Alexander nahm die Karte. »Die andere hole ich mir morgen.«

Nachdem der Schulsprecher die Tür hinter sich geschlossen hatte, blieb Keith an seinem Schreibtisch sitzen und fing wie rasend an zu tippen. In kürzester Zeit schaffte er vier Seiten auf der kleinen Remington, die sein Vater ihm zu Weihnachten geschenkt hatte. Nachdem er seinen Text fertiggestellt hatte, las er ihn durch, nahm ein paar Korrekturen vor und ging dann zur Druckerpresse der Schule, um eine limitierte Extraausgabe herzustellen.

Fünfzig Minuten später kam Keith wieder zum Vorschein – mit einer Testtitelseite in der Hand, frisch aus der Presse. Er schaute auf die Uhr. Cyril Tomkins gehörte zu den Schülern, die zwischen siebzehn und achtzehn Uhr immer brav über ihren Hausarbeiten saßen. Wahrscheinlich war es auch an diesem Tag nicht anders. Keith ging über den Flur und klopfte leise an Tomkins' Tür.

»Herein!«, rief Tomkins.

Als Keith eintrat, blickte der fleißige Schüler von seinem Schreibtisch auf. Er konnte sein Erstaunen nicht verbergen, denn Townsend hatte ihn bisher noch nie besucht. Ehe Tomkins fragen konnte, was Keith zu ihm führte, begann dieser bereits: »Ich dachte, du würdest vielleicht gern die erste Ausgabe der Schülerzeitschrift unter meiner Federführung sehen.«

Tomkins schürzte die wulstigen Lippen. »Ich glaube, du wirst feststellen, dass ich die morgige Wahl locker gewinnen werde – wenn ich eine deiner viel zu häufig benutzten Redewendungen gebrauchen darf.«

»Nicht, wenn du vorher deine Kandidatur zurückziehst«, sagte Keith.

»Warum sollte ich?« Tomkins nahm seine Brille ab und putzte sie mit dem Ende seiner Krawatte. »*Mich* kannst du nicht bestechen, wie du es bei den anderen Schülern der sechsten Klasse versucht hast.«

»Stimmt«, gab Keith zu, »aber ich hab' trotzdem das Gefühl, dass du deine Kandidatur zurückziehen wirst, wenn du erst das hier gelesen hast.« Er schob ihm die Titelseite hin.

Tomkins setzte die Brille wieder auf, kam jedoch nicht über die Schlagzeile und einige Worte des ersten Absatzes hinaus, ehe er sich übergab, sodass das Erbrochene auf seine Bücher und Schulhefte klatschte.

Keith musste zugeben, dass diese Reaktion weitaus besser war, als er sich erhofft hatte. Er war sich sicher, sein Vater würde ihm darin beigepflichtet haben, dass er sich mit der Schlagzeile der Aufmerksamkeit des Lesers versichert hatte: DIE HOSEN UNTEN! *Schüler der sechsten Klasse mit Freund auf dem Klo erwischt. Leugnen macht alles nur schlimmer.*

Keith nahm die Titelseite zurück und zerriss sie gemächlich, während der kreidebleiche Tomkins versuchte, seine Fassung wiederzugewinnen. »Natürlich würde ich mich freuen, wenn du stellvertretender Redakteur bleibst, solange du deine Kandidatur rechtzeitig vor der Wahl zurückziehst.«

EINE LANZE FÜR DEN SOZIALISMUS, lautete die Schlagzeile der ersten Ausgabe der *St. Andy* unter ihrem neuen Redakteur.

»Papier und Druck sind von weit besserer Qualität als je zuvor«, meinte der Direktor auf der Lehrerkonferenz am folgenden Vormittag. »Was man vom Inhalt leider nicht behaupten kann. Na ja, wir müssen wohl dankbar sein, dass es nur zwei Ausgaben je Trimester gibt.« Die Lehrer nickten.

Dann berichtete Mr. Clarke, dass Cyril Tomkins sein Amt als stellvertretender Redakteur bereits wenige Stunden nach dem Erscheinen der ersten Ausgabe zur Verfügung gestellt hatte. »Wirklich schade, dass nicht er der verantwortliche Redakteur wurde«, bemerkte der Direktor. »Konnte jemand von Ihnen in Erfahrung bringen, warum er seine Kandidatur in letzter Minute zurückgezogen hat?«

Keith lachte, als ihm am nächsten Nachmittag diese Geschichte von einer Person kolportiert wurde, die sie am Frühstückstisch mehrfach gehört hatte.

»Aber wird er versuchen, in dieser Sache etwas zu unternehmen?«, fragte Keith, als sie den Reißverschluss ihres Rockes hochzog.

»Glaub ich nicht. Vater hat nur noch gesagt, er ist froh darüber, dass du nicht auch noch gefordert hast, Australien zur Volksrepublik zu machen.«

»Na, das wär' doch was«, meinte Keith.

»Wie sieht's aus? Nächsten Samstag zur gleichen Zeit?«, fragte Penny, während sie sich den Rollkragenpullover über den Kopf streifte.

»Ich werd's versuchen«, versprach Keith. »Nur, in der Turnhalle geht es nächste Woche nicht, weil die schon für einen Schulboxkampf vergeben ist. Es sein denn, du willst, dass wir es mitten im Ring treiben, umringt von begeisterten Zuschauern …«

»Ich halte es für klüger, wenn im Boxring andere flachgelegt werden«, entgegnete Penny. »Hast du keine besseren Vorschläge?«

»Ich lass dir die Wahl«, sagte Keith. »Wie wär's mit dem Schießstand im Keller? Oder mit dem Kricketpavillon?«

»Der Kricketpavillon!«, antwortete Penny, ohne zu zögern.

»Was hast du gegen den Schießstand?«, wollte Keith wissen.

»Da ist es immer so kalt.«

»Ach, wirklich?« Keith machte eine Pause. »Dann also der Kricketpavillon.«

»Aber wie kommen wir da rein?«

»Mit 'nem Schlüssel.«

»Geht nicht. Der Pavillon ist immer abgeschlossen, wenn die erste Mannschaft nicht da ist.«

»Es sei denn, der Sohn des Sportwarts arbeitet für den *Courier.*«

Penny warf Keith die Arme um dem Hals, kaum dass er seine Hose zugeknöpft hatte. »Liebst du mich, Keith?«

Keith versuchte sich eine überzeugende Antwort einfallen zu lassen, die ihn zu nichts verpflichtete. »Habe ich nicht meinen Nachmittag auf der Rennbahn für dich geopfert?«

Penny runzelte die Stirn, als Keith sich aus ihrer Umarmung befreite. Sie wollte ihn gerade unter Druck setzen, als er hinzufügte: »Also dann, bis nächste Woche.« Er schloss die Tür der Turnhalle auf und spähte hinaus auf den Gang. Dann blickte er über die Schulter und riet dem Mädchen: »Bleib mindestens noch fünf Minuten hier drin.«

Er machte einen Umweg zum Internatsgebäude und kletterte durchs Küchenfenster hinein.

Auf seinem Schreibtisch fand er einen Zettel vor: Der Direktor wünschte ihn um zwanzig Uhr zu sprechen. Keith sah auf die Uhr. Ihm blieben nur noch zehn Minuten. Er dankte Gott, dass er sich nicht von Penny hatte becircen lassen und noch länger in der Turnhalle geblieben war. Worüber mochte der Direktor sich diesmal beschweren? Keith vermutete, dass Penny ihn bereits in die richtige Richtung gewiesen hatte.

Im Spiegel über dem Waschbecken vergewisserte er sich, dass keine sichtbaren Spuren seiner außerschulischen Aktivitäten der vergangenen zwei Stunden zu erkennen waren. Er rückte seinen Binder zurecht und entfernte eine Spur Lippenstift von seiner Wange.

Während er über den knirschenden Kies zum Haus des Direktors eilte, probte er seine Verteidigung gegen den bereits seit Tagen erwarteten Verweis. Er ging seine Strategie in Gedanken durch und wurde zunehmend zuversichtlicher, auf jede denkbare Vorhaltung des Direktors die passende

Antwort zu finden. Pressefreiheit, Wahrung demokratischer Grundrechte, die Schrecken der Zensur – falls der Direktor ihn dann immer noch tadeln sollte, würde Keith ihn an die Rede erinnern, die er am Gründungstag vor den Eltern gehalten hatte. Damals hatte der Direktor Hitler verdammt – wegen genau jener Unterdrückungs- und Einschüchterungstaktik gegenüber der deutschen Presse. Die meisten dieser Argumente hatte Keith am elterlichen Frühstückstisch aufgeschnappt, nachdem sein Vater aus Jalta zurückgekehrt war.

Keith erreichte das Haus des Direktors, als die Glocke der Schulkapelle acht Uhr schlug. Ein Dienstmädchen öffnete auf sein Klopfen die Tür und begrüßte ihn höflich. »Guten Abend, Mr. Townsend.« Für Keith war es das erste Mal, dass ihn jemand mit »Mister« anredete. Das Dienstmädchen führte ihn direkt zum Arbeitszimmer des Direktors. Mr. Jessop blickte von seinem mit Papieren überladenen Schreibtisch auf.

»Guten Abend, Townsend.« Er sprach ihn nicht beim Vornamen an, wie es bei Schülern des letzten Jahres normalerweise üblich war. Das konnte nur bedeuten, dass Keith sich in ziemlichen Schwierigkeiten befand.

»Guten Abend, Sir«, antwortete er, und irgendwie gelang es ihm, dem »Sir« einen herablassenden Beiklang zu verleihen.

»Bitte, nehmen Sie Platz.« Mr. Jessop deutete auf den Stuhl gegenüber seinem Schreibtisch.

Keith staunte. Wenn man einen Platz angeboten bekam, bedeutete das für gewöhnlich, dass man sich *nicht* in Schwierigkeiten befand. Aber bestimmt würde der Direktor ihm nicht auch noch einen …

»Möchten Sie einen Sherry, Townsend?«

»Nein, danke«, antwortete Keith fassungslos. Normalerweise wurde nur dem Schulsprecher Sherry angeboten.

Ah! schoss es Keith plötzlich durch den Kopf. Bestechung. Gleich wird er mir sagen, dass es klüger wäre, in Zukunft meine natürliche Neigung zur Provokation zu zügeln, indem ich … bla, bla, bla. Na, darauf habe ich eine Antwort parat. Du kannst mich mal …

»Mir ist natürlich klar, wie viel Arbeit erforderlich ist, sich für Oxford zu qualifizieren und obendrein noch die Schülerzeitung herauszugeben.«

Aha. Auf die Tour versucht er es. Er will, dass ich die Redaktion aufgebe. Niemals! Da müsste er mich schon von der Schule verweisen. Und wenn er das tut, geb' ich eine Untergrundausgabe heraus, die noch vor der offiziellen erscheint.

»Dennoch hoffe ich, dass Sie die Zeit finden, eine weitere verantwortungsvolle Aufgabe zu übernehmen.«

Er will mich doch nicht etwa zum Vertrauensschüler machen? Ich kann's einfach nicht glauben.

»Es wird Sie vielleicht verwundern, Townsend, dass ich den Kricketpavillon für ungeeignet halte …«, fuhr der Direktor fort. Keith wurde puterrot.

»Ungeeignet?«, platzte er heraus.

»Für die Mannschaft einer Schule, die einen so guten Ruf besitzt wie die unsere. Ich weiß, ich weiß – Sie haben sich in St. Andrews als Sportler nicht gerade hervorgetan, aber die Schulverwaltung hat beschlossen, dass wir in diesem Jahr bei unseren Spendenaufrufen die Notwendigkeit der Errichtung eines neuen Pavillons erwähnen sollten.«

Von mir kannst du keine Hilfe erwarten, dachte Keith. Aber red' ruhig noch ein bisschen weiter, bevor ich dir eine Abfuhr erteile.

»Im Übrigen habe ich eine erfreuliche Mitteilung für Sie. Ihre Mutter hat sich einverstanden erklärt, den Vorsitz des Spendenkomitees zu übernehmen.« Der Direktor machte eine Pause. »Deshalb hoffe ich, dass Sie es nicht ablehnen, als Vertreter der Schüler zu fungieren.«

Keith versuchte gar nicht erst zu antworten. Er wusste nur zu gut, dass es wenig Sinn hatte, den Alten unterbrechen zu wollen, wenn er erst mal in Fahrt war.

»Und da Sie nicht die anstrengenden Verpflichtungen eines Vertrauensschülers haben und die Schule auch in keiner ihrer Mannschaften vertreten, dachte ich, es würde Sie vielleicht interessieren, sich dieser Herausforderung zu stellen …«

Keith schwieg noch immer.

»Der Spendenbetrag, an den die Verwaltung dachte, beläuft sich auf 5000 Pfund. Sollte es Ihnen gelingen, diese zugegeben beachtliche Summe zu beschaffen, wäre ich bereit, das College, an dem Sie sich in Oxford beworben haben, sehr lobend über Ihre vorbildlichen Anstrengungen zu informieren.« Er hielt inne, um die Notizen zu überfliegen, die vor ihm auf dem Schreibtisch lagen. »Worcester College, wenn ich mich recht entsinne. Falls ich Ihrer Bewerbung meine persönliche Empfehlung hinzufüge, würde sich dies sehr zu Ihren Gunsten auswirken, da bin ich ganz sicher.«

Und das, dachte Keith, von einem Mann, der jeden Sonntag selbstzufrieden die Stufen zur Kanzel hinaufsteigt, um gegen die Sünde der Bestechung zu wettern.

»Deshalb hoffe ich, Townsend, dass Sie sich meinen Vorschlag ernsthaft durch den Kopf gehen lassen.«

Da ein mehr als dreisekündiges Schweigen einsetzte, ging Keith davon aus, dass der Direktor zum Ende gekommen war. Sein erster Impuls war, dem Alten zu sagen, er solle sich einen anderen Dummen suchen, der Geld für ihn zusammenbettelte – schon deshalb, weil Keith absolut kein Interesse an Kricket hatte und auch nicht daran, in Oxford zu studieren. Stattdessen wollte er sofort nach dem Schulabschluss zum *Courier* gehen, um dort eine Ausbildung zum Reporter zu durchlaufen. Doch im Augenblick musste er sich noch damit abfinden, dass seine Mutter in dieser Angelegenheit am längeren Hebel saß. Wenn er allerdings bei der Aufnahmeprüfung absichtlich ein paar Böcke schoss und durchrasselte, konnte sie nichts dagegen tun.

Dennoch fielen Keith einige gute Gründe ein, dem Direktor den erbetenen Gefallen zu erweisen. Der Betrag war nicht übermäßig hoch, und falls es Keith gelang, die Summe im Auftrag der Schule zu sammeln, würde ihm dies möglicherweise einige Türen öffnen, die man ihm bisher vor der Nase zugeschlagen hatte. Und da war noch seine Mutter: Die würde viel Trost und Beschwichtigung brauchen, nachdem man ihn in Oxford nicht angenommen hatte.

»Es sieht Ihnen gar nicht ähnlich, so lange für eine Entscheidung zu brauchen«, unterbrach der Direktor Keith' Überlegungen.

»Ich bin gerade dabei, mir Ihren Vorschlag ernsthaft durch den Kopf gehen zu lassen«, entgegnete Keith gemessen. Er hatte nicht vor, den Alten glauben zu lassen, dass er *so* leicht zu kaufen wäre. Diesmal war es der Direktor, der schwieg. Keith zählte bis drei. »Ich werde auf Ihr Angebot zurückkommen, Sir, wenn es Ihnen recht ist«, sagte er dann und hoffte, sich wie ein Bankdirektor anzuhören, der zu einem Kunden sprach, welcher um einen Überziehungskredit ersuchte.

»Und wann wird das sein, Townsend?«, fragte der Direktor leicht gereizt.

»In zwei bis drei Tagen, Sir. Spätestens.«

»Danke, Townsend.« Der Direktor erhob sich, um Keith zu verstehen zu geben, dass das Gespräch beendet war. Keith wandte sich zum Gehen, doch bevor er die Tür erreichte, fügte der Direktor hinzu: »Sprechen Sie auf jeden Fall mit Ihrer Mutter, bevor Sie eine Entscheidung treffen.«

»Dein Vater möchte, dass ich den Schülervertreter für die jährliche Spendensammlung spiele«, sagte Keith, während er nach seiner Hose tastete.

»Was wollen sie denn diesmal bauen?«, fragte Penny, ohne den Blick von der Decke zu nehmen.

»Einen neuen Kricketpavillon.«

»Ich wüsste nicht, was an dem alten auszusetzen ist.«

»Es hat sich herumgesprochen, dass er für andere Zwecke missbraucht wird.«

»Ach, wirklich?« Sie zog an einem Hosenbein, und Keith blickte auf das nackte Mädchen hinunter. »Und was wirst du ihm antworten?«

»Dass ich es mache.«

»Warum? Es könnte dich deine ganze Freizeit kosten.«

»Ich weiß. Aber es wird ihn mir vom Hals halten und könnte mir auf jeden Fall als eine Art Versicherung dienen.«

»Versicherung?«

»Ja, falls ich mal auf der Rennbahn gesehen werde – oder noch schlimmer …« Er starrte wieder auf Penny hinunter.

»… in intimer Vereinigung mit der Tochter des Direktors auf dem Mattenwagen?« Sie stemmte sich hoch und machte sich wieder daran, ihn abzuküssen.

»Haben wir dafür noch Zeit?«

»Ach, sei doch nicht so langweilig, Keith. Die Mannschaft ist heute in Wesley, und das Spiel dauert bestimmt bis um sechs. Da kann sie gar nicht vor neun Uhr zurück sein. Also haben wir alle Zeit der Welt.« Sie sank auf die Knie und knöpfte seine Hose auf.

»Es sei denn, es regnet«, gab Keith zu bedenken.

Penny war das erste Mädchen, mit dem Keith geschlafen hatte. Sie hatte ihn eines Abends verführt, als er eigentlich beim Konzert eines Gastorchesters zuhören sollte. Keith hätte nie gedacht, dass auf der Damentoilette so viel Platz war. Seine Erleichterung war groß, dass niemand zu merken schien, dass er gerade seine Unschuld verloren hatte. Für Penny war es sicher nicht das erste Mal gewesen, denn bislang hatte er ihr auf diesem Gebiet nichts Neues beibringen können.

Doch das Ganze hatte schon zu Beginn des vorherigen Trimesters angefangen, und mittlerweile schwärmte Keith für ein Mädchen namens Betsy, das im hiesigen Postamt hinter dem Schalter stand. Seine Mutter hatte sich bereits gewundert, dass ihr Sohn in letzter Zeit so regelmäßig nach Hause schrieb.

Keith lag auf der zerschlissenen obersten Matte und fragte sich, wie Betsy wohl nackt aussah. Heute war endgültig das letzte Mal mit Penny gewesen, beschloss er.

Als sie ihren Büstenhalter zuhakte, fragte Penny beiläufig: »Nächste Woche, um die gleiche Zeit?«

»Tut mir leid, nächsten Samstag kann ich nicht. Da hab ich einen Termin in Melbourne.«

»Bei wem?«, wollte Penny wissen. »Du wirst doch nicht etwa für die erste Mannschaft spielen?«

Keith lachte. »Nee, so tief sind die Jungs noch nicht gesunken. Ich muss zu einem Vorgespräch. Wegen Oxford.«

»Warum machst du dir überhaupt die Mühe? Falls du wirklich angenommen wirst, würden sich doch bloß deine schlimmsten Befürchtungen über die Engländer bestätigen.«

»Ich weiß, aber meine Mutter …«, begann er, während er sich zum zweiten Mal die Hose hochzog.

»Außerdem hab' ich gehört, wie mein Vater zu Mr. Clarke sagte, er hätte deinen Namen nur deiner Mutter zuliebe noch auf die Liste gesetzt.«

Penny bereute die Worte, kaum dass sie ausgesprochen waren.

Keith starrte auf das Mädchen hinunter, das normalerweise nicht errötete, und seine Augen verengten sich zu Schlitzen.

Keith bediente sich seiner zweiten Ausgabe der Schülerzeitung, um seiner Meinung über Privatschulen Luft zu machen.

»Nun, da wir uns der zweiten Hälfte des 20. Jahrhunderts nähern, sollte nicht mehr Geld allein eine gute Ausbildung garantieren«, schrieb er. »Der Besuch der besten Schulen müsste jedem offenstehen, der über die erforderliche Begabung verfügt, und sollte nicht davon abhängen, in welche Familie man hineingeboren wurde.«

Keith wartete, dass der Zorn des Direktors sich auf sein Haupt herabsenkte, doch von dieser Seite kam nur Schweigen. Mr. Jessop nahm die Herausforderung nicht an – was daran liegen mochte, dass Keith von den 5000 Pfund, die für den Bau des neuen Kricketpavillons erforderlich waren, bereits 1470 Pfund an Spenden eingesammelt hatte. Zugegeben, das meiste davon stammte von Kontaktleuten seines Vaters, die das Geld zahlten, um ihre Namen in Zukunft aus den Schlagzeilen der Titelseiten herauszuhalten, wie Keith vermutete.

Tatsächlich war die einzige Auswirkung des Artikels keine Beschwerde, sondern ein Angebot über 10 Pfund vom *Melbourne Age,* dem Hauptkonkurrenten Sir Grahams, der den zweitausendfünfhundert Anschläge langen Text ungekürzt abdrucken wollte. Keith nahm sein erstes Honorar als Journalist erfreut entgegen, verwettete jedoch bereits am folgenden Mittwoch die gesamte Summe wieder und bewies damit aufs Neue, dass Lucky Joes System mitnichten unfehlbar war.

Trotzdem freute Keith sich darauf, seinen Vater mit dem kleinen Coup beeindrucken zu können. Am Samstag las er seinen Artikel im *Melbourne Age.* Die Redakteure hatten kein einziges Wort geändert, dem Text jedoch eine höchst irreführende Überschrift verpasst: »Sir Grahams Sohn fordert Stipendien für australische Eingeborene«. Auf der einen Hälfte der Seite konnte man Keith' radikale Anschauungen lesen, auf der anderen einen Artikel des Redakteurs für Wissenschaft und Bildung, der sich überzeugend für die Privatschulen einsetzte. Die Leser wurden um ihre Meinung gebeten, und am folgenden Samstag hatte der *Age* auf Sir Grahams Kosten seinen großen Tag.

Keith war erleichtert, dass sein Vater dieses Thema nie zur Sprache brachte. Allerdings hörte er, wie er zu seiner Mutter sagte: »Der Junge dürfte eine Menge aus dieser Sache gelernt haben. Und überhaupt … in mancher Hinsicht muss ich ihm sogar recht geben.«

Seine Mutter war allerdings nicht ganz dieser Ansicht gewesen.

Während der Ferien wurde Keith jeden Vormittag von Miss Steadman auf die Abschlussprüfungen vorbereitet.

»Lernen ist nur eine andere Form der Tyrannei«, erklärte Keith nach einer anstrengenden vormittäglichen Nachhilfestunde.

»Verglichen mit der Tyrannei, den Rest seines Lebens unwissend zu sein, ist es nichts«, versicherte ihm Miss Steadman.

Nachdem sie Keith noch einige Themen zum Wiederholen aufgegeben hatte, verließ er das Haus, um den Rest des Tages beim *Courier* zu verbringen. Wie sein Vater fühlte Keith sich bei den Journalisten viel wohler als in Gesellschaft der reichen und mächtigen ehemaligen St. Andrews-Schüler, denen er immer noch Spendengelder für den Pavillon zu entlocken versuchte.

Für seine erste offizielle Arbeit beim *Courier* wurde Keith dem Gerichtsreporter der Zeitung zugeteilt, Barry Evans, der ihn jeden Nachmittag ins Gericht zu den Verhandlungen schickte – Taschendiebstähle, Einbrüche, Ladendiebstähle und hin und wieder ein Fall von Bigamie. »Halte nach Namen Ausschau, die in der Öffentlichkeit bekannt sind«, wies Evans ihn an. »Oder besser noch, nach Angeklagten oder Zeugen, die mit Prominenten verwandt sind. Am allerbesten sind natürlich Leute, die *selbst* in der Öffentlichkeit stehen.«

Keith war sehr fleißig, aber offensichtlich nicht sehr erfolgreich. Wenn es ihm tatsächlich gelang, etwas zu schreiben, das später auch gedruckt wurde, musste er häufig feststellen, dass seine Reportage umgeschrieben und drastisch gekürzt worden war.

»Deine eigene Meinung interessiert mich nicht«, sagte

der Gerichtsreporter, ein alter Hase in diesem Geschäft, immer wieder. »Mich interessieren nur die Fakten.« Evans hatte seine Ausbildung beim *Manchester Guardian* gemacht und wurde nie müde, C. P. Scotts Worte zu wiederholen: »Kommentare sind frei, doch Fakten sind heilig.« Keith beschloss, falls ihm je ein Zeitungsverlag gehören sollte, würde er nie jemanden einstellen, der für den *Manchester Guardian* gearbeitet hatte.

Er kehrte zum zweiten Trimester des Abschlussjahres nach St. Andrews zurück und ließ im Leitartikel der ersten Ausgabe der Schülerzeitung durchblicken, dass es für Australien an der Zeit sei, sich von Großbritannien zu trennen. In seinem Artikel behauptete Keith, Churchill habe Australien seinem Schicksal überlassen und sich ausschließlich auf den Krieg in Europa konzentriert.

Erneut bot der *Melbourne Age* Keith die Gelegenheit, seine Ansichten einem größeren Publikum zu unterbreiten, doch diesmal lehnte er ab, trotz des verlockenden Honorars von zwanzig Pfund, dem Vierfachen der Summe, die er für die vierzehn Tage als Volontär beim *Courier* bekommen hatte. Stattdessen beschloss er, seinen Artikel der *Adelaide Gazette* anzubieten, einer der Zeitungen seines Vaters. Doch der Chefredakteur lehnte ihn ab, noch bevor er den zweiten Absatz gelesen hatte.

Im Laufe der zweiten Trimesterwoche erkannte Keith, dass sein größtes Problem nun darin bestand, eine Möglichkeit zu finden, sich von Penny zu trennen. Sie misstraute den Ausflüchten, die er vorbrachte, um sich nicht mit ihr treffen zu müssen, und glaubte ihm selbst dann nicht, wenn er ausnahmsweise einmal die Wahrheit sagte. Keith hatte Betsy bereits für den folgenden Samstagnachmittag ins Kino eingeladen. Es blieb jedoch das ungelöste Problem, wie man mit dem nächsten Mädchen ausging, solange man die Vorgängerin noch am Hals hatte.

Bei ihrem letzten Treffen in der Turnhalle, als Keith durchblicken ließ, dass es an der Zeit wäre, sich zu trennen, meinte Penny nur, dass sie in diesem Fall alles ihrem Vater erzählen würde. Keith war es völlig egal, wem sie es erzählte; aber er wollte seine Mutter nicht damit in Verlegenheit bringen. Die Woche über blieb er in seinem Zimmer, lernte ungewöhnlich fleißig und vermied es, irgendwohin zu gehen, wo er Penny zufällig über den Weg laufen könnte.

Am Samstagnachmittag begab er sich auf einem ziemlichen Umweg in die Stadt und traf sich vor den Roxy-Lichtspielen mit Betsy. Es geht doch nichts darüber, gleich drei Schulregeln an einem Tag zu brechen, dachte er. Er erstand zwei Karten für *Die Wüstenratten von Tobruk* mit Chips Rafferty und führte Betsy zu einem Doppelsitz in der letzten Reihe. Als auf der Leinwand das Wort »Ende« erschien, hatte er so gut wie nichts von dem Film mitbekommen, und ihm tat die Zunge weh. Er konnte den nächsten Samstag kaum erwarten, denn da hatte die erste Mannschaft ein Auswärtsspiel, und er konnte Betsy in die Freuden des Kricketpavillons einweihen.

Keith war erleichtert, dass Penny in der darauffolgenden Woche gar nicht erst versuchte, sich mit ihm in Verbindung zu setzen. Als er am Dienstag wieder einen Brief an seine Mutter zur Post brachte, verabredete er sich deshalb für den Samstagnachmittag mit Betsy. Er versprach ihr, sie an einen Ort zu führen, an dem sie bestimmt noch nie gewesen war.

Nachdem der Bus mit der ersten Mannschaft losgefahren und nicht mehr zu sehen war, wartete Keith hinter den Bäumen an der Nordseite des Sportplatzes auf Betsy. Nach einer halben Stunde fragte er sich, ob sie tatsächlich erscheinen würde, doch wenige Augenblicke später sah er sie quer über die Wiesen trippeln und vergaß sogleich seine Ungeduld. Sie hatte ihr langes blondes Haar mit einem Gummiband zu einem Pferdeschwanz gebunden, und ihr gelber Pullover saß so eng, dass es Keith an Lana Turner erinnerte; dazu trug sie einen engen schwarzen Rock, der ihr keine Wahl ließ, als ausgesprochen kurze Schritte zu machen.

Keith wartete, bis sie sich hinter den Bäumen zu ihm gesellte; dann nahm er sie am Arm und führte sie rasch in Richtung des Pavillons. Alle paar Meter blieb er stehen, um sie zu küssen, und er hatte den Reißverschluss ihres Rockes bereits entdeckt, als sie noch mindestens zwanzig Meter bis zum Pavillon vor sich hatten.

Beim Erreichen der Hintertür zog Keith einen großen Schlüssel aus seiner Jackentasche, steckte ihn ins Schloss, drehte ihn langsam um, stieß die Tür auf und tastete nach dem Lichtschalter. In diesem Augenblick hörte er das Stöhnen. Ungläubig starrte Keith auf den Anblick, der sich ihm bot. Vier Augen blinzelten geblendet zu ihm empor. Das eine Augenpaar erkannte Keith sofort; das Gesicht konnte er zwar nicht sehen, aber die Beine waren ihm mehr als vertraut. Wem das zweite Augenpaar gehörte, wusste er ebenfalls auf den ersten Blick.

Ganz bestimmt würde Duncan Alexander nie den Tag vergessen, an dem er seine Unschuld verloren hatte.

7

THE TIMES

21. November 1940

Ungarn im Netz der Achsenmächte:
»Es kommen noch mehr«, prahlt Ribbentrop

Lubji lag zusammengekrümmt am Boden und drückte die Hände aufs Kinn. Der Soldat hielt das Bajonett dicht zwischen seine Augen und bedeutete ihm mit einer Kopfbewegung, zu den anderen Gefangenen auf den wartenden Lkw zu steigen.

Lubji versuchte seine Proteste auf Ungarisch fortzusetzen, wusste jedoch, dass es zu spät war. »Hör auf zu quasseln, Jude, oder ich mach dich kalt«, zischte der Soldat. Das Bajonett bohrte sich in Lubjis Hose und riss die Haut an seinem rechten Bein auf. So schnell er konnte, humpelte er zum Lastwagen und schloss sich einer Gruppe benommener, hilfloser Menschen an, die nur eines gemeinsam hatten: dass man sie allesamt für Juden hielt. Herr und Frau Cerani wurden höchst unsanft auf die Ladefläche befördert, bevor sich der Lkw auf die langsame Fahrt aus der Stadt machte. Nach einer Stunde erreichte er den Hof des Stadtgefängnisses, und Lubji wurde mitsamt allen anderen ausgeladen, als wären sie Vieh.

Die Männer mussten sich hintereinander aufstellen und

wurden quer über den Hof in eine große steinerne Halle geführt. Wenige Minuten später marschierte ein SS-Feldwebel herein, gefolgt von einem guten Dutzend deutscher Soldaten. Der SS-Mann brüllte einen Befehl in seiner Muttersprache. »Er sagt, wir müssen uns ausziehen«, flüsterte Lubji, der die Worte ins Ungarische übersetzte.

Alle schlüpften aus ihrer Kleidung, und die Soldaten trieben die nackten Männer zu Reihen zusammen. Die meisten froren und zitterten, einige weinten. Lubji ließ den Blick auf der Suche nach einer Fluchtmöglichkeit durch die Halle schweifen. Es gab nur eine Tür – von Soldaten bewacht – und drei kleine Fenster, ziemlich hoch oben.

Wenige Minuten später kam ein Zigarillo rauchender SS-Offizier in maßgeschneiderter Uniform hereinmarschiert. Er stellte sich in die Mitte der Halle und erklärte Lubji und den anderen mit knappen Worten, dass sie nun Kriegsgefangene seien. »Heil Hitler!«, rief er abschließend, dann wandte er sich zum Gehen.

Lubji trat einen Schritt nach vorn und lächelte, als der Offizier an ihm vorüberschritt. »Guten Tag, Herr Hauptmann«, sagte er. Der Offizier blieb stehen und starrte den jungen Burschen abfällig an. Lubji versuchte ihm in gebrochenem Deutsch klarzumachen, dass sie einen schrecklichen Fehler begingen, und öffnete dann die Hand, in der er ein Bündel Pengős hielt.

Der Offizier lächelte, nahm die Geldscheine und setzte sie mit seinem Zigarillo in Brand. Die Flamme wuchs. Als er das Bündel nicht mehr festhalten konnte, warf er Lubji die brennenden Scheine vor die Füße und marschierte weiter. Lubji musste daran denken, wie viele Monate er gebraucht hatte, um so viel Geld zu sparen. Die Gefangenen standen frierend in der steinernen Halle. Die Wachen, von denen einige rauchten, während andere sich unterhielten, beachteten sie nicht, als gäbe es die nackten Männer gar nicht. Es dauerte eine gute Stunde, ehe eine weitere Gruppe Männer in die Halle trat, diesmal in langen weißen Kitteln und mit Gummihandschuhen. Sie schritten die Reihen ab und blieben vor jedem Gefangenen einige Sekunden stehen, um dessen Penis zu betrachten. Drei Männer wurden aufgefordert, sich wieder anzukleiden und nach Hause zu gehen. Mehr Beweis schien es dafür nicht zu brauchen. Lubji fragte sich, welchem Test die Frauen unterzogen wurden.

Nachdem die Weißkittel gegangen waren, befahl man den Gefangenen, sich wieder anzuziehen, anschließend wurden sie aus der Halle gebracht. Auf dem Weg über den Hof suchten Lubjis Augen erneut nach einer Fluchtmöglichkeit, doch überall standen nur wenige Schritte entfernt Soldaten mit Bajonetten. Die Gefangenen wurden in einen langen Flur und eine schmale Steintreppe hinuntergetrieben, wo in größeren Abständen trübe Petroleumfunzeln an den Wänden hingen und für schummriges Licht sorgten. Sie kamen an überfüllten Zellen vorbei. Schreie und flehentliche Bitten drangen in so vielen verschiedenen Sprachen an Lubjis Ohr, dass er es nicht wagte, sich umzuschauen. Plötzlich wurde die Tür einer Zelle aufgerissen; jemand packte Lubji am Kragen und beförderte ihn kopfüber hinein. Er wäre auf dem Steinboden aufgeschlagen, wäre in der Zelle Platz genug gewesen; stattdessen landete er auf mehreren Leibern.

Einen Augenblick lag er still. Dann rappelte er sich mühsam hoch und versuchte irgendetwas zu erkennen. Doch da es nur ein sehr kleines, vergittertes Fenster gab, dauerte es eine Zeit lang, bis er einzelne Gesichter ausmachen konnte.

Ein Rabbi leierte einen Psalm herunter, allerdings nahmen offenbar nur wenige Gefangene Notiz davon. Lubji versuchte auszuweichen, als ein älterer Mann, der direkt vor ihm stand, sich übergab. Er wich vor dem Gestank zurück. Dabei prallte er gegen einen Gefangenen mit heruntergezogener Hose. Schließlich setzte er sich mit dem Rücken zur Wand in eine Ecke – so konnte niemand ihn überrumpeln.

Als die Tür wieder aufschwang, hatte Lubji keine Ahnung, wie lange er sich schon in diesem pestartig stinkenden Verlies befand. Drei Soldaten mit Stablampen traten ein und leuchteten den Gefangenen in die Augen. Blinzelten die Augen nicht mehr, wurde der Betreffende hinaus auf den Korridor gezerrt und nie wiedergesehen. Es war das letzte Mal, dass Lubji Herrn Cerani sah.

Die Tage ließen sich nur daran abzählen, dass Licht und Dunkelheit sich vor dem winzigen Gitterfenster ablösten, sowie an der einzigen Mahlzeit, die jeden Morgen in einer Schüssel für sämtliche Gefangenen in die Zelle geschoben wurde. Alle paar Stunden kamen die Soldaten, um weitere Leichen nach draußen zu zerren, bis sie sicher sein konnten, dass nur die Zähesten überlebt hatten.

Lubji vermutete, dass auch er über kurz oder lang sterben würde. Dies war offenbar die einzige Möglichkeit, aus der engen Zelle hinauszukommen. Mit jedem Tag schlotterte sein Anzug weiter um seinen Körper, und Loch um Loch musste er seinen Gürtel enger schnallen.

Dann, eines Morgens, stürmte urplötzlich eine Gruppe Soldaten in die Zelle. Sie zerrten die noch Lebenden hinaus. Man befahl ihnen, den Korridor entlangzumarschieren und die schmale Steintreppe zum Hof hinaufzusteigen. Als Lubji in die Sonne trat, musste er die Hand schützend vor die

Augen legen. Er hatte zehn, fünfzehn, vielleicht sogar zwanzig Tage in diesem Verlies verbracht, und seine Augen waren zu »Katzenaugen« geworden, wie die Gefangenen es nannten.

Und da hörte er das Hämmern. Er drehte den Kopf und sah mehrere Gefangene einen Galgen errichten, von dessen Balken acht Schlingen herunterhingen. Wäre Lubjis Magen nicht leer gewesen, hätte er sich übergeben. Ein Soldat stieß ihm mit dem Bajonett gegen die Hüfte, und rasch folgte er den anderen Gefangenen, die in einer Schlange Aufstellung nahmen, um auf die Ladeflächen mehrerer bereits überfüllter Lastwagen zu klettern.

Auf dem Weg zur Stadt ließ ein lachender Wachtposten die Gefangenen wissen, dass sie nun, wie das Recht es verlange, vor ein Gericht gestellt und gleich darauf ins Gefängnis zurückgebracht und gehängt würden – jeder Einzelne. Aus Hoffnung wurde Verzweiflung, doch zum ersten Mal war sich Lubji nicht sicher, ob ihm der Tod überhaupt noch etwas ausmachte.

Die Lastwagen hielten vor dem Gerichtsgebäude, und die Gefangenen wurden hineingeführt. Lubji bemerkte, dass die Soldaten keine Bajonette mehr auf die Gewehre gesteckt hatten und ein wenig Abstand hielten. Im Haus durften die Gefangenen sich in den hell beleuchteten Korridoren auf Holzbänke setzen, sie bekamen sogar Brotscheiben auf Blechtellern. Lubji wurde misstrauisch und spitzte die Ohren, als die Wachen sich unterhielten. Einigen Gesprächen entnahm er, dass die Deutschen nur vorgeben wollten, den »Beweis« zu erbringen, dass sämtliche gefangenen Juden Verbrecher seien; denn an diesem Vormittag war ein Beobachter des Roten Kreuzes aus Genf anwesend. Lubji hegte die Hoffnung, dass ein solcher Mann es nicht als Zufall ansehen würde, dass alle Gefangenen Juden waren. Doch noch ehe Lubji sich überlegen konnte, wie sich das nutzen ließ, packte ihn ein Unteroffizier am Arm und führte ihn in den Gerichtssaal. Lubji wurde zur Anklagebank gewiesen und sah sich einem älteren Richter gegenüber, der auf einem erhöhten Platz vor ihm saß. Die Verhandlung – falls dieses kurze, zur Routine erstarrte Ritual diese Bezeichnung verdiente – dauerte nur wenige Minuten. Bevor das Todesurteil über Lubji verhängt wurde, musste ein Beamter ihn sogar auffordern, dem Gericht seinen Namen zu nennen.

Der hochgewachsene, ausgemergelte junge Mann blickte auf den Beobachter des Roten Kreuzes hinunter, der rechts neben ihm saß. Offenbar gelangweilt, starrte der Mann auf den Fußboden und schaute erst auf, als das Todesurteil verkündet wurde.

Ein anderer Soldat nahm Lubjis Arm, um ihn von der Anklagebank und aus dem Saal zu führen, damit der nächste Gefangene seinen Platz einnehmen konnte. Plötzlich erhob sich der Rot-Kreuz-Beobachter und stellte dem Richter eine Frage in einer Sprache, die Lubji nicht verstand.

Der Richter machte ein düsteres Gesicht und wandte seine Aufmerksamkeit wieder Lubji zu.

»Wie alt sind Sie?«, fragte er ihn auf Ungarisch.

»Siebzehn«, erwiderte Lubji. Der Staatsanwalt trat vor den Richter und flüsterte etwas.

Der Richter sah Lubji an, zog die Brauen zusammen und erklärte: »Das Urteil wird in lebenslängliche Haft umgewandelt.« Er machte eine Pause und lächelte, bevor er hinzufügte: »Wiederaufnahmeverfahren in zwölf Monaten.« Der Beobachter schien mit seiner vormittäglichen Leistung zufrieden und nickte zustimmend.

Der Wächter, der offenbar der Meinung war, das Gericht sei mit Lubji viel zu menschlich umgegangen, kam wieder herbei, packte Lubji an der Schulter und zerrte ihn auf den Korridor zurück. Nachdem man ihm Handschellen angelegt hatte, brachte man ihn auf den Hof und beförderte ihn unsanft auf einen offenen Lkw. Andere Gefangene hatten stumm auf ihn gewartet, als wäre er der letzte Fahrgast eines Linienbusses.

Die Ladeklappe wurde zugeschmettert, und Augenblicke später setzte der Laster sich mit einem Ruck in Bewegung. Lubji verlor das Gleichgewicht und stürzte auf den Boden der Ladefläche.

In kniender Haltung schaute er sich um. Auf dem Laster befanden sich zwei bewaffnete Wachtposten, die einander gegenübersaßen. Einer der beiden hatte den rechten Arm verloren und sah kaum weniger resigniert aus als die Gefangenen.

Lubji kroch nach hinten und kauerte sich auf den Boden. Er senkte den Kopf und versuchte sich zu konzentrieren. Die Fahrt zum Gefängnis würde etwa vierzig Minuten dauern, Er war überzeugt, dass seine letzte Chance gekommen war, wollte er nicht wieder in ein finsteres Loch gesteckt werden oder trotz des Urteilspruches neben den anderen Gefangenen am Galgen baumeln. Wie kannst du fliehen, überlegte er fieberhaft, als der Wagen langsam durch einen Tunnel fuhr. Lubji versuchte sich zu erinnern, wie viele Unterführungen es zwischen Gefängnis und Gerichtsgebäude gegeben hatte. Drei oder vier. Er war nicht sicher.

Als der Laster einige Minuten später durch den nächsten

Tunnel fuhr, zählte Lubji langsam. »Eins, zwei, drei.« Fast vier Sekunden lang befanden sie sich in völliger Dunkelheit. Eines hatte Lubji den Wachtposten voraus: Nach den drei Wochen im Verlies kam er im Dunkeln zweifellos besser zurecht als sie. Allerdings waren seine Gegner zu zweit. Lubji schaute den Posten an, der ihm gegenübersaß. Nein, dachte er. Zu anderthalb.

Lubji blickte nach vorn auf die vorüberziehende Landschaft. Er schätzte, dass sie jetzt die halbe Strecke zwischen Stadt und Gefängnis zurückgelegt hatten. Neben der rechten Straßenseite verlief ein kleiner Fluss. Es könnte sich als schwierig, wenn nicht gar unmöglich erweisen, ihn zu überqueren; schließlich hatte Lubji keine Ahnung, wie tief das Wasser war. Am anderen Ufer erstreckten sich Wiesen bis zu einer Baumgruppe, die seiner Schätzung nach zwischen drei- und vierhundert Meter entfernt war.

Wie lange würde er mit gefesselten Händen für dreihundert Meter brauchen? Er drehte den Kopf, um festzustellen, ob eine weitere Unterführung in Sicht kam Aber da war keine. In ihm stieg die Furcht auf, dass sie bereits durch den letzten Tunnel vor dem Gefängnis hindurch waren. Konnte er einen Fluchtversuch am helllichten Tag riskieren? Lubji kam zu dem Schluss, dass er gar keine andere Wahl hatte, sollte es auf den nächsten drei Kilometern keinen Tunnel mehr geben.

Weitere anderthalb Kilometer zogen vorüber. Lubji beschloss, eine Entscheidung treffen zu müssen, sobald sie um die nächste Kurve fuhren. Langsam zog er die Beine unters Kinn und legte die Handschellen auf die Knie. Er drückte das Rückgrat gegen die Hinterwand der Ladefläche und legte sein gesamtes Körpergewicht auf die Zehenspitzen.

Als der Wagen um die nächste Kurve brauste, starrte Lubji hinunter auf die Straße. Beinahe hätte er »Mazeltov!« geschrien, als er ungefähr fünfhundert Meter voraus die Unterführung erblickte. Ausgehend von dem winzigen Lichtpunkt am hinteren Ende, schloss er, dass die Fahrt durch den Tunnel mindestens vier Sekunden dauerte.

Angespannt und sprungbereit kauerte Lubji auf den Zehenspitzen. Sein Herz schlug so laut und heftig, dass er befürchtete, die Wachen würden davon alarmiert. Er blickte zu dem zweiarmigen Posten empor, der gerade eine Zigarette aus einer Innentasche zog, sie lässig zwischen die Lippen steckte und nach einem Streichholz wühlte. Lubji wandte den Blick wieder in Richtung der Unterführung, die jetzt nur noch etwa hundert Meter entfernt war. Ihm war klar, dass er nur einen winzigen Augenblick hatte, sobald sie in die Dunkelheit eingetaucht waren.

Fünfzig Meter – vierzig – dreißig – zwanzig – zehn. Lubji holte tief Atem; der Tunnel war jetzt unmittelbar vor ihnen. Er sprang auf, warf die Handschellen um den Hals des Zweiarmigen und drehte mit solcher Kraft, dass der Posten über das Seitenbrett der Ladefläche geschleudert wurde und schreiend auf die Straße hinunterstürzte.

Bremsen kreischten, als der Laster aus dem Tunnelausgang schlitterte. Lubji sprang über das Seitenbrett und rannte zurück in den vorläufigen Schutz der Dunkelheit. Zwei oder drei andere Gefangene folgten ihm dichtauf. Kaum war Lubji am anderen Tunnelausgang angelangt, stürmte er nach rechts und über eine Wiese, ohne sich ein einziges Mal umzuschauen. Er hatte mindestens hundert Meter zwischen sich und die Straße gebracht, als er die ersten Kugeln über seinen Kopf hinwegsirren hörte. Er versuchte, die zweiten hundert Meter bis zum Waldrand zurückzulegen, ohne sein Tempo zu verlangsamen. Alle paar Schritte pfiff ihm eine neue Salve um die Ohren. Er schlug Haken wie ein Hase. Dann hörte er den Schrei. Hastig blickte er über die Schulter und sah einen der Gefangenen, die ihm gefolgt waren, leblos am Boden liegen, während ein zweiter ihm in nur wenigen Metern Abstand noch immer folgte. Lubji hoffte, dass der Einarmige der Schütze war.

Die Bäume ragten jetzt nur noch etwa achtzig Meter entfernt empor. Jede Kugel spornte Lubji wie ein Startschuss an und zwang einen weiteren Meter aus seinem zitternden Körper. Dann hörte er den zweiten Schrei. Diesmal schaute er nicht zurück. Noch fünfzig Meter. Ein Gefangener hatte einmal erwähnt, dass deutsche Gewehre eine Reichweite von dreihundert Meter besäßen; also brauchte er nur noch sechs, sieben Sekunden, bis er in Sicherheit war. In diesem Moment schlug ihm die Kugel in die Schulter. Die Wucht des Geschosses trieb ihn noch einige Schritte weiter; dann landete er kopfüber im Schlamm. Er versuchte zu kriechen, kam aber höchstens zwei Meter weit, bevor er nach vorn aufs Gesicht kippte. Er blieb liegen und fand sich mit dem Tod ab.

Wenige Augenblicke später spürte er, wie grobe Hände seine Schultern packten. Andere rissen ihn an den Fußgelenken in die Höhe. Lubji fragte sich noch, wie es den Deutschen gelungen war, ihn so schnell zu erreichen. Wäre er nicht bewusstlos geworden, hätte er es herausgefunden.

Als Lubji zu sich kam, hatte er keine Ahnung, wie viel Zeit vergangen war. Aufgrund der undurchdringlichen Dunkelheit konnte er nur vermuten, dass er sich wieder in seiner Zelle befand und ihm die Hinrichtung bevorstand. Dann spürte er den furchtbaren Schmerz in der Schulter. Er versuchte sich auf den Handflächen hochzustemmen, doch es war unmöglich. Er bewegte die Finger und stellte erstaunt fest, dass er keine Handschellen mehr trug.

Er blinzelte und versuchte etwas zu sagen, brachte jedoch nur ein Wispern heraus. Wahrscheinlich hörte er sich an wie ein verwundetes Tier. Wieder versuchte er mühsam, sich aufzurichten, doch auch diesmal gelang es ihm nicht. Er blinzelte noch einmal, denn er konnte nicht glauben, was er da vor sich sah. Neben ihm kniete ein junges Mädchen und wischte ihm mit einem feuchten Lappen über die Stirn. Lubji redete sie in verschiedenen Sprachen an, sie schüttelte aber nur den Kopf. Als sie schließlich etwas sagte, tat sie es in einer Sprache, die Lubji noch nie zuvor gehört hatte. Dann lächelte sie, deutete auf sich und sagte schlicht: »Mari.«

Lubji schlief ein. Als er erwachte, schien ihm die Morgensonne in die Augen, und diesmal gelang es ihm, wenigstens den Kopf zu heben. Offenbar befand er sich auf einer Waldlichtung. Er sah einen Kreis hoch beladener bunter Wagen und Pferde, die im Schatten der Bäume grasten. Als er sich in die andere Richtung wandte, blieb sein Blick auf einem Mädchen haften, das sich wenige Schritt entfernt mit einem Mann unterhielt, der ein Gewehr trug. Jetzt erst wurde Lubji bewusst, wie schön sie war.

Er rief etwas, und beide drehten sich um. Der Mann kam sofort zu ihm geeilt und begrüßte ihn in seiner Sprache. »Ich bin Rudi«, stellte er sich vor. Anschließend berichtete er, wie er und seine Gruppe vor einigen Monaten über die tschechische Grenze geflohen waren – nur um feststellen zu müssen, dass die Deutschen auch in diesem Land hinter ihnen her waren. Ständig mussten sie weiterziehen, erzählte Rudi, da die Herrenrasse Zigeuner wie ihn als noch minderwertiger erachtete als Juden.

Lubji bombardierte ihn mit Fragen. »Wer seid ihr? Wo bin ich?« Und, am wichtigsten: »Wo sind die Deutschen?« Er hielt erst inne, als Mari – Rudis Schwester, wie sich herausstellte – mit einer Schale voll heißer Flüssigkeit und einem Stück Brot zu ihm kam. Sie kniete sich neben ihn, flößte ihm den dünnen Haferschleim ein und fütterte ihn mit Brot, während ihr Bruder erzählte, wie Lubji zu ihnen gekommen war. Rudi hatte die Schüsse gehört und sich zum Rand des Wäldchens geschlichen; er hatte befürchtet, sie seien von den Deutschen entdeckt worden. Doch es waren die entflohenen Gefangenen gewesen, auf die Jagd gemacht worden war. Nur einem von ihnen gelang es, nahe genug an das Zigeunerlager zu kommen, dass er schwer verwundet gerettet werden konnte: Lubji. Alle anderen waren erschossen worden.

Die Deutschen hatten Lubji nicht weiterverfolgt, sobald sie gesehen hatten, wie er in den Wald geschleppt worden war. »Vielleicht haben sie Angst bekommen, weil sie nicht wussten, mit wem sie's zu tun bekommen.« Rudi lachte. »Dabei haben wir bloß zwei Gewehre, eine Pistole und ein paar provisorische Waffen, von der Mistgabel bis zum Fischmesser. Wahrscheinlich haben die Deutschen befürchtet, auch die anderen Gefangenen würden entkommen, wenn sie dich verfolgen. Tja, da hab' ich das Lager abbrechen lassen und Befehl gegeben weiterzuziehen, sobald die Kugel aus deiner Schulter geschnitten war. Denn ich war mir sicher, dass die bei Sonnenaufgang mit einem größeren Trupp wieder zu dem Waldstück kommen.«

»Wie kann ich euch je danken?«, murmelte Lubji.

Als Mari ihn zu Ende gefüttert hatte, hoben zwei Zigeuner ihn behutsam auf einen Wagen, und der kleine Zug setzte seinen Weg fort. Es ging tiefer in den Wald hinein. Immer weiter entfernten sie sich von der Stelle, wo auf die Gefangenen geschossen worden war. Sie mieden Ortschaften, ja, sogar Straßen. Mari pflegte Lubji Tag für Tag, bis er sich schließlich aufsetzen konnte. Sie war erfreut, dass er ihre Sprache so schnell lernte. Als sie eines Abends mit dem Essen zu ihm kam, sagte er in fließendem Romani, sie sei die schönste Frau, die er je gesehen habe. Mari errötete, rannte weg und kam erst mit dem Frühstück wieder zu ihm.

Dank Maris Pflege erholte Lubji sich rasch und konnte sich bald schon an den Abenden zu seinen Rettern ans Feuer setzen. Als aus den Tagen Wochen wurden, legte Lubji an Gewicht zu und konnte seinen Gürtel wieder ein wenig weiter schnallen.

Eines Abends, nachdem er mit Rudi von der Jagd zurückgekehrt war und sie ums Feuer saßen und sich ein gebratenes Kaninchen teilten, erklärte er seinen Gastgebern, dass er sie bald verlassen würde. »Ich muss zu einem Hafen und zusehen, so weit wie möglich von den Deutschen wegzukommen«, sagte er. Rudi nickte. Keiner sah, wie traurig Mari war.

Als Lubji in dieser Nacht zu den Wagen schlenderte, fand er dort Mari wartend vor. Er kletterte zu ihr auf die Ladefläche, legte sich auf den Rücken und versuchte ihr zu erklären, dass er ihre Hilfe beim Ausziehen nicht mehr brauchte, da seine Verletzung fast verheilt war. Sie lächelte nur, streifte behutsam sein Hemd von der Schulter, nahm den Verband ab und reinigte die Wunde. Dann wühlte sie in ihrer

Tasche aus Zelttuch, runzelte die Stirn und zögerte kurz, bevor sie Stoffstreifen aus ihrem dünnen Kleid riss, mit denen sie Lubjis Schulter neu verband.

Lubji starrte schweigend auf Maris lange braune Beine, während ihre Finger langsam seine Brust hinunter zum Hosenbund wanderten. Sie lächelte ihn an, als sie die Knöpfe seiner Hose öffnete. Lubji legte seine kalte Hand auf Maris Oberschenkel und wurde puterrot, als sie ihren Rock hob. Sie trug nichts darunter.

Erregt wartete Mari, dass Lubji seine Hand bewegte, doch er starrte das Mädchen weiterhin nur an. Schließlich beugte sie sich vor und zog ihm die Hose herunter; dann stieg sie über ihn, ließ sich behutsam auf ihn hinab und nahm ihn in sich auf. Er blieb so reglos liegen, als wäre er erneut von einer Kugel getroffen worden, bis Mari begann, sich mit zurückgeworfenem Kopf langsam auf und nieder zu bewegen. Sie nahm Lubjis andere Hand, schob sie sich in den Ausschnitt und erbebte, als die Finger ihre warme Brust berührten. Lubji ließ die Hand, wo sie war; doch er rührte sich immer noch nicht, obwohl Maris rhythmische Bewegungen schneller und schneller wurden. Erst als er einen lustvollen Aufschrei kaum noch unterdrücken konnte, zog er sie zu sich herunter und küsste sie wild auf die Lippen. Einige Sekunden später legte er sich erschöpft zurück und fragte sich, ob er ihr wohl wehgetan habe, bis er die Augen aufschlug und ihren Gesichtsausdruck sah. Sie sank auf seine Schulter, rollte auf die Seite und schlief sofort tief und fest ein.

Lubji hingegen lag wach. Wie schrecklich, ging es ihm durch den Kopf, wenn du gestorben wärst, ohne davor einmal diese Lust verspürt zu haben. Nach einigen Stunden weckte er Mari. Diesmal blieb er nicht regungslos liegen. Ständig entdeckten seine Hände neue, bislang unerforschte Teile ihres Körpers, und Lubji stellte fest, dass er dieses Erlebnis beim zweiten Mal sogar noch mehr genoss. Dann schliefen sie beide.

Als die Karawane am nächsten Tag weiterzog, sagte Rudi zu Lubji, sie hätten in der Nacht eine weitere Grenze überquert und befänden sich nun in Jugoslawien.

»Was sind das dort für Berge, die mit Schnee bedeckt sind?«, erkundigte sich Lubji.

»Das Dinarische Gebirge«, antwortete Rudi. »Sehr tückisch. Meine Karawane schafft es nicht, es zu überqueren, um zur Küste zu gelangen.« Eine Zeit lang schwieg er, dann fügte er hinzu: »Aber einem entschlossenen Mann könnte es vielleicht gelingen.«

Sie zogen noch drei Tage weiter, wobei sie nur nachts kurze Pausen einlegten. Weiterhin mieden sie Städte und Dörfer, bis sie schließlich an die Ausläufer des Gebirges gelangten.

In dieser Nacht lag Lubji wach, während Mari an seiner Schulter schlief. Er dachte über sein neues Leben nach und über das Glück, das ihm im Laufe der letzten Wochen zuteilgeworden war. Er fragte sich, ob er die kleine Gruppe wirklich verlassen und sich wieder allein durchschlagen sollte. Aber wenn er den Deutschen je entkommen wollte, hatte er keine Wahl: Er musste irgendwie auf die andere Seite des Gebirges gelangen und an der Küste ein Schiff finden, das ihn so weit wie möglich fortbrachte.

Am nächsten Morgen zog Lubji sich an, lange ehe Mari erwachte. Nach dem Frühstück ging er durchs Lager, schüttelte jedem seiner neu gewonnenen Freunde die Hand und verabschiedete sich zuletzt von Rudi.

Mari wartete, bis er zu ihrem Wagen zurückkehrte. Lubji nahm sie in die Arme und küsste sie zum letzten Mal. Sie klammerte sich an ihn, als wollte sie ihn nie mehr loslassen. Als er sich schließlich behutsam von ihr löste, reichte sie ihm ein großes Bündel Proviant. Er lächelte, dann schritt er rasch fort vom Lager auf das Gebirge zu. Obgleich er hören konnte, dass ihm ihre Schritte folgten, blickte er nicht zurück.

Lubji wanderte immer höher in die Berge hinauf, bis es zu dunkel wurde, als dass er auch nur einen Schritt weit hätte sehen können. Er suchte sich einen großen Felsblock, der ihm Schutz vor dem rauen, kalten Wind bot, doch obwohl er sich dicht an den Fels kauerte, fror er jämmerlich. Er verbrachte eine schlaflose Nacht, aß von Maris Proviant und dachte an die Wärme ihres Körpers.

Kaum war die Sonne aufgegangen, marschierte und kletterte Lubji weiter, ohne je länger als ein paar Minuten anzuhalten, um zu verschnaufen. Am Abend stieg die Furcht in ihm auf, bei diesem klirrend kalten Wind im Schlaf zu erfrieren. Er versuchte, wach zu bleiben, wurde am nächsten Morgen aber von den ersten Sonnenstrahlen geweckt.

Am dritten Tag war sein Proviant aufgebraucht, und Lubji wusste nicht einmal, wie weit sein Ziel noch vor ihm lag. Er sah nur eine endlose Berglandschaft und fragte sich, warum bloß er Rudi und seine kleine Zigeunergruppe verlassen hatte.

Am vierten Morgen konnte er kaum noch einen Fuß vor den anderen setzen – vielleicht schaffte der Hunger, was die Deutschen nicht geschafft hatten. Am Abend des fünften Tages schlurfte er nur noch ziellos voran, zu Tode erschöpft und halb erfroren; es war ihm fast gleichgültig, ob er überlebte oder starb. Dann, plötzlich, meinte er in der Ferne Rauch aufsteigen zu sehen. Doch er musste noch eine weitere Nacht hungern und frieren, ehe flackernde Lichter ihm bestätigten, dass seine Augen ihn nicht getäuscht hatten. Vor ihm lag eine Ortschaft, und dahinter erstreckte sich das Meer.

Bergab mochte es zwar etwas schneller gehen, doch war es nicht weniger gefährlich. Mehrmals rutschte Lubji aus, stürzte und rappelte sich nur mühsam wieder auf. Deshalb erreichte er die grüne Ebene nicht vor Sonnenuntergang, wie er sich erhofft hatte. Immer wieder versteckte sich der Mond hinter Wolken, und in der Dunkelheit kam Lubji nur sehr langsam voran.

Als er den Rand der Ortschaft erreichte, waren die meisten Lampen in den kleinen Häusern bereits gelöscht, doch Lubji schleppte sich weiter – in der Hoffnung, jemanden anzutreffen, der noch wach war. Das erste Haus, zu dem er gelangte, gehörte offenbar zu einem kleinen Bauernhof. Lubji fragte sich, ob er anklopfen sollte, entschied sich aber dagegen, da nirgends Licht brannte. Er wartete, bis der Mond wieder hinter einer Wolke hervorkam, als er eine Scheune auf der gegenüberliegenden Seite des Hofes bemerkte. Er schleppte sich zu dem windschiefen Unterschlupf hinüber. Hühner rannten gackernd vor ihm davon, und beinahe wäre er gegen eine schwarze Kuh geprallt, die offenbar nicht die Absicht hatte, dem Fremden aus dem Weg zu gehen. Das Scheunentor stand halb offen. Lubji ging hindurch, ließ sich auf das Stroh sinken und schlief auf der Stelle ein.

Als er am nächsten Morgen erwachte, stellte er fest, dass er sich nicht bewegen konnte; er wurde von irgendetwas zu

Boden gedrückt. Für einen Augenblick glaubte er, wieder im Gefängnis zu sein, bis er die Augen aufschlug und zu einer stämmigen Gestalt emporstarrte, die über ihm aufragte. Der Mann hielt eine lange Heugabel in den Fäusten, die sich als die Ursache von Lubjis Bewegungsunfähigkeit erwies.

Der Bauer brüllte etwas in einer Sprache, von der Lubji einige Brocken beherrschte, und er seufzte vor Erleichterung, dass es nicht Deutsch war. Er hob den Blick zum Himmel und sprach ein stummes Dankgebet, dass seine Lehrer ihm eine so umfassende Schulbildung hatten angedeihen lassen. Dann erzählte er dem Mann mit der Heugabel, dass er vor den Deutschen geflohen und über die Berge gekommen sei. Der Bauer schien ihm nicht zu glauben, bis er die kaum verheilte Schussverletzung an Lubjis Schulter sah. Der Mann konnte es kaum fassen. Der Bauernhof hatte schon seinem Vater gehört, und selbst der hatte nie erwähnt, dass es jemals irgendwem gelungen war, alleine dieses Gebirge zu überqueren.

Er führte Lubji zum Haus, ohne die Heugabel aus der Hand zu legen. Beim Frühstück, das die Frau des Bauern ihm vorsetzte – Speck, Eier und dicke Scheiben Brot – erzählte Lubji, wenn auch mehr mit Händen und Füßen als mit Worten, was er in den vergangenen Monaten durchgemacht hatte. Die Frau war voller Mitgefühl und füllte immer wieder seinen leeren Teller nach. Der Bauer dagegen sagte wenig; er wirkte immer noch misstrauisch.

Als Lubji mit seiner Geschichte zu Ende war, warnte der Bauer ihn: Trotz der mutigen Worte Titos, des Partisanenführers, hielt er es nur für eine Frage der Zeit, bis die Deutschen in Jugoslawien einmarschierten. Lubji fragte sich, ob es überhaupt ein Land auf der Welt gab, das vor dem deutschen Führer sicher war. Vielleicht musste er den Rest seines Lebens vor Adolf Hitler davonlaufen.

»Ich muss zur Küste«, sagte er. »Wenn ich mit einem Schiff übers Meer käme …«

»Es ist egal, wohin du fährst«, sagte der Bauer, »Hauptsache, es ist so weit wie möglich von diesem Krieg entfernt.« Er biss in einen Apfel. »Wenn die Deutschen dich noch mal erwischen, lassen sie dich nicht wieder entkommen. Sieh zu, dass du irgendein Schiff findest, das dich nach Amerika bringt, oder nach Mexiko oder Westindien, oder wenigstens bis nach Afrika.«

»Wie komme ich zum nächsten größeren Hafen?«

»Dubrovnik ist zweihundert Kilometer südlich von hier.« Der Bauer zündete sich eine Pfeife an. »Dort findest du genug Schiffe mit Leuten drauf, die nur zu gern weg von diesem Krieg wollen.«

Lubji sprang auf. »Ich muss sofort los.«

»Immer mit der Ruhe, junger Mann«, sagte der Bauer und paffte an der Pfeife. »So schnell kommen die Deutschen nun auch wieder nicht über die Berge.« Lubji setzte sich wieder. Die Frau des Bauern schnitt einen weiteren Brotlaib an, tunkte den Anschnitt in Bratenfett und setzte ihn Lubji vor.

Es waren nur noch ein paar Krumen übrig, als Lubji sich schließlich vom Tisch erhob und dem Bauern aus der Küche folgte. Die Frau packte Äpfel, Käse und Brot in einen Beutel und reicht ihn Lubji, bevor dieser zu dem Mann auf den Traktor kletterte. Der Bauer brachte Lubji zum Ortsrand. Die Straße, auf der sie fuhren, führte zur Küste, wie der Bauer ihm versicherte.

Lubji stapfte los und reckte jedes Mal, wenn sich ein Fahrzeug näherte, den Daumen in die Höhe. Doch in den ersten zwei Stunden hielt kein einziger Wagen. Es war bereits später Nachmittag, als endlich ein klappriger alter Tatra wenige Meter vor ihm stehen blieb.

Lubji rannte zur Fahrerseite, als das Fenster heruntergekurbelt wurde.

»Wohin willst du?«, fragte der Mann am Steuer.

»Nach Dubrovnik«, antwortete Lubji lächelnd. Der Fahrer zuckte die Schultern, kurbelte wortlos das Fenster hoch und – fuhr weiter.

Mehrere Traktoren, zwei Autos und ein Laster fuhren an Lubji vorbei, bis endlich wieder ein Wagen hielt. Der Fahrer stellte die gleiche Frage wie der erste, und Lubji gab die gleiche Antwort.

»So weit muss ich zwar nicht«, sagte der Mann, »aber ein Stück könnte ich dich immerhin mitnehmen.«

Mit einem weiteren Auto, zwei Lastern, drei Pferdefuhrwerken und einem Motorrad mit Soziussitz bewältigte Lubji schließlich die Reise nach Dubrovnik in drei Tagen. In dieser Zeit hatte Lubji den gesamten Proviant verzehrt, den die Bäuerin ihm mitgegeben hatte, und so viel wie möglich darüber in Erfahrung gebracht, wie er in Dubrovnik ein Schiff finden konnte, das ihm helfen würde, den Deutschen zu entkommen.

Nachdem man ihn am Rand der geschäftigen Hafenstadt abgesetzt hatte, dauerte es nicht lange, bis Lubji feststellte, dass die schlimmsten Befürchtungen des Bauern sich bewahrheiteten: Wohin er auch schaute, sah er, wie die Einwohner sich auf eine deutsche Invasion vorbereiteten. Lubji hatte nicht die Absicht, noch einmal so lange zu warten, bis die Nazis sich der Stadt näherten. Hier würden sie ihn nicht im Schlaf überraschen.

Wie der Bauer es ihm geraten hatte, begab er sich sofort zum Hafen. Die nächsten zwei Stunden schritt er den Kai auf und ab und versuchte zu erraten, welche Schiffe von woher kamen und wohin sie wollten. Drei Schiffe zog er in die engere Wahl, ohne jedoch zu wissen, wann sie ausliefen oder was ihr Bestimmungshafen war. So streifte Lubji im Hafen herum, doch sobald er jemanden in Uniform sah, verkrümelte er sich eiligst in eines der vielen Gässchen des Hafenviertels. Einmal tauchte er sogar hastig in einer überfüllten Kneipe unter, obwohl er gar kein Geld besaß.

Er setzte sich in die hinterste Ecke der schmuddeligen Kaschemme, hoffte, nicht aufzufallen und lauschte den Gesprächen, die an den Nachbartischen in verschiedenen Sprachen geführt wurden. Nach einer Weile erfuhr er, wo es käufliche Frauen gab, welches Schiff die beste Heuer für Heizer bezahlte, ja, sogar, wo man sich zu einem günstigen Preis einen Neptun tätowieren lassen konnte. Doch in dem geräuschvollen Durcheinander bekam er auch mit, dass als nächstes Schiff die *Arridin* den Anker lichten würde, sobald sie eine Fracht Weizen geladen hatte. Nur über ihren Bestimmungshafen konnte Lubji nichts herausfinden.

Ein Seemann wiederholte ein paarmal das Wort »Ägypten«, was Lubji sogleich an Moses und das Gelobte Land denken ließ.

Er stahl sich aus der Kneipe und kehrte zum Kai zurück. Diesmal nahm er jedes Schiff genauer in Augenschein, bis er schließlich zu einer Gruppe Männer gelangte, die Säcke zum Laderaum eines kleinen Frachtdampfers mit Namen *Arridin* schleppten. Lubji besah sich die Flagge, die schlaff am Mast des Schiffes hing. Es ging kein Wind, der sie hätte zum Flattern bringen können, weshalb er nicht wusste, aus welchem Land der Dampfer stammte. Doch eines war er sich gewiss: Ein Hakenkreuz war nicht auf der Flagge.

Lubji trat zur Seite und beobachtete, wie die Hafenarbeiter sich die Säcke auf die Schultern hoben, sie die Laufplanke hinaufschleppten und in ein Loch in der Decksmitte fallen ließen. Am Ende der Laufplanke stand ein Vorarbeiter und hakte jeden Sack ab, der an ihm vorbeigetragen wurde. Alle paar Sekunden entstand eine Lücke in der Reihe der Arbeiter, wenn einer von ihnen mit etwas langsameren Schritten die Planke hinunterstieg. Lubji wartete geduldig auf den richtigen Moment, um sich unbemerkt in die Reihe stehlen zu können. Schließlich trat er nach vorn, als wollte er am Schiff vorbeigehen; dann bückte er sich rasch, warf sich einen Sack über die linke Schulter und stapfte aufs Schiff zu. Als er zum Vorarbeiter am Ende der Rampe gelangte, verbarg er sein Gesicht hinter dem Sack, den er anschließend auf der Decksmitte in die gähnende Luke fallen ließ.

Lubji wiederholte diesen Weg mehrmals, um sich ein besseres Bild vom Schiff machen zu können. Eine Idee keimte in ihm auf. Nachdem er ungefähr ein Dutzend Säcke geschleppt hatte, stellte er fest, dass wenn er etwas schneller ging, er sich ein gutes Stück von seinem Hintermann entfernen konnte und nahezu gleichzeitig mit dem Vordermann das Ladedeck erreichte. Als der Haufen Getreidesäcke auf dem Kai immer mehr schrumpfte, erkannte Lubji, dass ihm nicht mehr viel Zeit blieb. Er musste rasch handeln.

Er wuchtete sich einen weiteren Sack auf die Schulter und war bald dicht hinter dem Mann vor ihm, der seinen

Sack in den Laderaum fallen ließ und sich dann anschickte, die Laufplanke wieder hinunterzugehen.

Als Lubji die Decksmitte erreichte, ließ auch er seinen Sack in den Laderaum fallen – dann, ohne auch nur einen Blick über die Schulter zu wagen, sprang er ihm nach. Ein wenig ungeschickt landete er auf dem Sackhaufen und flitzte in die hinterste Ecke des Laderaums. Ängstlich wartete er auf erhobene Stimmen von Männern, die herbeieilten, um ihm herauszuhelfen. Stattdessen erschien Sekunden später der nächste Arbeiter über der Luke und ließ seinen Sack hinunterfallen, ohne sich darum zu kümmern, wo er landete.

Lubji versuchte sich so in die Ecke zu drücken, dass ihn niemand sehen konnte, der durch die Luke hinunterschaute; zugleich wollte er vermeiden, dass ein Sack Weizen direkt auf ihm landete. Doch um nicht zu ersticken, musste er nach jedem Sack, der in den Laderaum plumpste, den Kopf heben, nach Luft schnappen und sofort wieder untertauchen. Noch bevor der letzte Sack im Laderaum landete, hatte Lubji Blutergüsse am ganzen Körper und keuchte wie eine Ratte, die zu ersaufen drohte.

Er glaubte schon, dass es schlimmer nicht werden könne, als die Luke plötzlich zugeschlagen und eine Holzplatte über dem Gitter verkeilt wurde. Verzweifelt versuchte Lubji, den Haufen Säcke bis zur Spitze hinaufzuklettern. Nachdem er es geschafft hatte, drückte er den Mund dicht an die winzigen Ritzen des Gitters über ihm und sog gierig die frische Luft ein.

Kaum hatte er es sich oben auf dem Sackhaufen halbwegs bequem gemacht, begannen die Maschinen unter ihm zu dröhnen. Wenige Minuten später spürte er das schwache Schaukeln des Schiffes, als es langsam aus dem Hafen lief.

Er konnte Stimmen an Deck hören, und hin und wieder stapften Füße auf den Planken über seinem Kopf. Als der kleine Frachter aus dem Hafen ausgelaufen war und durch immer tieferes Wasser pflügte, wurden aus dem Wiegen und Schaukeln ein Schlingern und Stampfen. Lubji zwängte sich zwischen zwei Säcke und hielt sich mit ausgestreckten Armen daran fest, um nicht herumgeschleudert zu werden.

Mitsamt den Säcken wurde er ständig von einer Seite auf die andere geworfen. Es wurde so schlimm, dass er um Hilfe rufen wollte; doch inzwischen war es dunkel, nur die Sterne leuchteten am Himmel über ihm, und die Seeleute hatten sich allesamt unter Deck zurückgezogen. Lubji bezweifelte, dass sie seine Schreie überhaupt hören konnten.

Er hatte keine Ahnung, wie lange die Reise nach Ägypten dauerte, und fragte sich ängstlich, ob er in diesem Laderaum überleben könnte, falls ein Sturm aufkam. So war er zwar glücklich, bei Sonnenaufgang noch am Leben zu sein, bei Anbruch der Nacht wäre er aber am liebsten gestorben.

Lubji konnte nicht mit Bestimmtheit sagen, wie viele Tage vergangen waren, als sie endlich in ruhigere Gewässer gelangten, obgleich er sicher war, die meiste Zeit wach gelegen zu haben. Liefen sie in einen Hafen ein? Es war kaum noch eine Bewegung des Schiffes zu spüren, und auch das Dröhnen der Maschinen wurde zunehmend leiser, bis es schließlich ganz erstarb. Kurz darauf hörte Lubji, wie die Ankerkette über Bord rasselte. Obwohl das Schiff nun ruhig lag, führte sich sein Magen immer noch so auf, als befänden sie sich auf hoher See.

Nach etwa einer Stunde zog ein Matrose die Eisenstange heraus, die den Lukendeckel gesichert hatte. Augenblicke später vernahm Lubji Stimmen in einer Sprache, die er noch nie gehört hatte. Er vermutete, dass es sich um Ägyptisch handelte, und wieder seufzte er erleichtert, dass es nicht Deutsch war. Dann wurde der Lukendeckel abgehoben, und Lubji sah zwei stämmige Burschen, die zu ihm hinunterstarrten.

»Was haben wir denn da?«, rief einer, als Lubji verzweifelt die Hände hob.

»Einen deutschen Spion, möchte ich wetten!«, entgegnete sein Kamerad mit rauem Lachen. Der Erste lehnte sich über die Luke, packte Lubjis Arme und zog ihn an Deck, als wäre er ein Sack Weizen. Mit ausgestreckten Beinen blieb Lubji vor den beiden sitzen, atmete tief die frische Luft ein und wartete schicksalsergeben darauf, wieder in irgendein Gefängnis gesperrt zu werden.

Er blickte auf und blinzelte in die Morgensonne. »Wo bin ich?«, fragte er auf Tschechisch. Aber die Seeleute verstanden ihn nicht. Er versuchte es auf Ungarisch, Russisch und schließlich widerstrebend auf Deutsch, erntete jedoch nur Achselzucken und Gelächter. Schließlich nahmen ihn die beiden hoch und schleppten ihn fast bis zur Laufplanke, ohne auch nur den geringsten Versuch zu unternehmen, sich in irgendeiner Sprache mit ihm zu verständigen.

Lubjis Füße berührten kaum den Boden, als die Matrosen ihn von Bord des Schiffes zur Anlegestelle hinunter und von dort zu einem weißen Gebäude am entgegengesetzten Ende des Kais zerrten. Über der Tür standen in Blockbuchstaben Worte, die dem illegalen Einwanderer rein gar nichts sagten: HAFENPOLIZEI-LIVERPOOL, ENGLAND.

8

St. Andy

12. September 1945

Die Morgenröte einer neuen Republik

»Schluss mit den Ehrentiteln!«, lautete die Schlagzeile der dritten Ausgabe des *St. Andy.*

Nach Auffassung des Redakteurs waren diese sogenannten Ehrungen nichts anderes als ein bequemer Vorwand für nicht mehr ganz taufrische Politiker, sich selbst und ihren Freunden Titel zu verleihen, derer sie nicht würdig waren. *Ehrentitel werden stets an Personen verliehen, die sie gar nicht verdienen. Diese abstoßende Zurschaustellung persönlicher Eitelkeiten ist nur eines von vielen Beispielen für die letzten Zuckungen eines Kolonialreichs, dem bei der erstbesten Gelegenheit der Todesstoß versetzt werden sollte. Wir müssen dieses antiquierte politische System endlich in den Mülleimer der Geschichte werfen.*

Mehrere Klassenkameraden schrieben an den verantwortlichen Redakteur und erinnerten ihn daran, dass sein Vater es keineswegs abgelehnt habe, in den Adelsstand erhoben zu werden. Und diejenigen, die mit der Geschichte besser vertraut waren, fügten hinzu, dass der letzte Satz das Plagiat eines Aufrufs zu einer Sache von wesentlich größerer Bedeutung war.

Diesmal konnte Keith die bei der wöchentlichen Lehrerversammlung geäußerte Meinung des Direktors nicht erfahren, da Penny ihn weder eines Blickes und schon gar keines Wortes mehr würdigte. Duncan Alexander und andere bezeichneten ihn als Verräter. Doch zu jedermanns Ärger schien es Keith überhaupt nicht zu berühren, was die anderen dachten.

Im Laufe des Trimesters fragte er sich, was wahrscheinlicher war: die Einberufung zum Wehrdienst oder ein Studienplatz in Oxford. Ungeachtet seiner Befürchtungen stellte er die nachmittägliche Arbeit für den *Courier* ein, um mehr Zeit zum Lernen zu haben. Er verdoppelte seine Anstrengungen sogar, als sein Vater versprach, ihm für den Fall, dass er die Abschlussprüfungen bestand, einen Sportwagen zu schenken. Die Vorstellung, es dem Direktor zu beweisen *und* ein eigenes Auto zu besitzen, war unwiderstehlich. Miss Steadman, die Keith weiterhin während der langen dunklen Abende Nachhilfeunterricht erteilte, schien unter ihrem doppelten Arbeitspensum geradezu aufzublühen.

Als Keith für sein letztes Trimester nach St. Andrews zurückkehrte, war er bereit, sich sowohl den Prüfern wie dem Direktor zu stellen: Bei der Spendenaktion für den neuen Pavillon fehlten nur noch ein paar Hundert Pfund. Keith beschloss, in seiner letzten Ausgabe des *St. Andy* den Erfolg der Spendenaktion zu verkünden. Er hoffte, dass es sich der Direktor dann dreimal überlegen würde, wegen eines Artikels, den Keith in der nächsten Ausgabe zu bringen gedachte und in dem die Abschaffung der Monarchie gefordert wurde, irgendwelche Schritte zu unternehmen.

Australien kann gut darauf verzichten, von einer mehr als zehntausend Meilen entfernten deutschen Mittelstandsfamilie regiert zu werden. Warum sollten wir, da wir uns nun der zweiten Hälfte des 20. Jahrhunderts nähern, ein derart elitäres System noch länger stützen? Entledigen wir uns dieser royalistischen Traditionen, posaunte der Leitartikel, *der britischen Nationalhymne, Flagge und Währung! Nach Beendigung des Krieges ist die Zeit reif, Australien zur Republik zu erklären.*

Mr. Jessop schwieg verkniffen, während die Redaktion des *Melbourne Age* Keith 50 Pfund für den Artikel bot. Keith nahm sich viel Zeit, das Angebot abzulehnen. Duncan Alexander ließ durchblicken, dass jemand aus der näheren Umgebung des Direktors ihm erzählt hatte, er halte es für unwahrscheinlich, dass Keith es bis zu den Abschlussprüfungen durchstehen würde.

In den ersten Wochen seines letzten Trimesters verbrachte Keith weiterhin die meiste Zeit damit, sich auf die Prüfungen vorzubereiten, und gönnte sich nur hin und wieder eine Pause, um sich mit Betsy zu treffen, sowie einen einzigen Mittwochnachmittag auf der Rennbahn, während andere Schüler sich anregenderen Freizeitbeschäftigungen hingaben.

Keith hätte an besagtem Mittwoch die Rennbahn vielleicht gar nicht besucht, hätte einer der Jungs aus der örtlichen Surfszene ihm nicht einen »todsicheren Tipp« gegeben. Sorgfältig prüfte er seine Finanzlage. Von seinem Ferienjob hatte er etwas gespart, außerdem besaß er noch sein Taschengeld. Er beschloss, nur eine Wette im ersten Rennen abzuschließen, und nachdem er gewonnen hatte sofort zur Schule zurückzukehren, um weiter an seinem Prüfungsstoff zu arbeiten. An diesem Mittwochnachmittag holte er sich sein Fahrrad, das er hinter dem Postamt abgestellt hatte, und versprach Betsy, noch kurz vorbeizuschauen, bevor er zur Schule zurückfuhr.

Der »todsichere Tipp« hieß Rum Punch und war für das 14-Uhr-Rennen gemeldet. Keith' Informant glaubte so fest an Rum Punchs Sieg, dass Keith fünf Pfund auf die junge Stute setzte, bei einer Quote von sieben zu eins für den Sieg. Noch ehe die Schranke gehoben wurde, überlegte Keith bereits, was er mit seinem Gewinn anstellen würde.

Rum Punch lag auf der gesamten Zielgeraden in Front, und obwohl ein anderes Pferd die Stute auf den letzten Metern zunehmend bedrängte, warf Keith triumphierend die Arme in die Höhe, als beide Tiere am Zielpfosten vorüber preschten. Er ging zu seinem Buchmacher, um seinen Gewinn zu kassieren.

»Der offizielle Schiedsspruch für das erste Rennen des heutigen Nachmittags«, ertönte es aus den Lautsprechern, »verzögert sich ein wenig, da die Rennleitung auf ein Zielfoto zwischen Rum Punch und Colonus besteht.« Von Keiths Platz aus gesehen, hatte Rum Punch klar gewonnen; deshalb konnte er nicht verstehen, weshalb überhaupt ein Zielfoto gemacht worden war. Wahrscheinlich, vermutete er, damit die Veranstalter beweisen konnten, dass sie ihre Pflichten ernst nahmen. Er sah auf die Uhr und beschäftigte sich in Gedanken mit Betsy.

»Hier nun das endgültige Ergebnis des ersten Rennens«, dröhnte die Stimme des Ansagers aus den Lautsprechern. »Es siegte die Nummer elf, Colonus, als Fünf-zu-vier-Favorit, mit einem halben Kopf Vorsprung vor Rum Punch mit der Quote sieben zu eins.«

Keith fluchte laut. Hätte er Rum Punch doch auch auf Platz gesetzt! Dann hätte er seinen Einsatz wenigstens verdoppelt. Er zerriss seinen Wettschein und marschierte zum Ausgang. Als er sich den Fahrradständern näherte, warf er einen Blick auf die Ankündigungstafel des nächsten Rennens. Drumstick war unter den Teilnehmern und hatte überdies eine günstige Startnummer. Keith' Schritte gerieten ins Stocken. Er hatte bereits zweimal mit Drumstick gewonnen und war sicher, aller guten Dinge seien drei. Sein einziges Problem bestand darin, dass er seine gesamten Ersparnisse auf Rum Punch gesetzt hatte.

Er schlurfte weiter, als ihm plötzlich einfiel, dass er ja Zugriff auf ein Konto bei der Bank of Australia hatte, das ein Guthaben von über 4000 Pfund aufwies.

Nochmals überflog er die Namen der an den Start gehenden Pferde und fand keinen ernst zu nehmenden Gegner für Drumstick. Diesmal würde er fünf Pfund auf Sieg *und* Platz setzen, sodass er bei einer Quote von drei zu eins wenigstens sein Geld zurückbekam, selbst wenn Drumstick nur den dritten Platz belegte. Keith ging durchs Drehkreuz, hob sein Fahrrad aus dem Ständer und radelte so schnell er konnte etwa eine Meile, bis er die nächste Bankfiliale entdeckte. Er stürmte hinein und stellte einen Scheck über zehn Pfund aus.

Bis zum Start des nächsten Rennens vergingen noch fünfzehn Minuten; deshalb konnte Keith ziemlich sicher sein, dass noch genug Zeit blieb, den Scheck einzulösen und rechtzeitig seine Wette zu machen. Der Schalterbeamte musterte den Kunden und betrachtete den Scheck; dann rief er die Zweigstelle in Melbourne an. Dort bestätigte man ihm umgehend, dass Mr. Townsend zeichnungsberechtigt für dieses Konto sei und der Scheck gedeckt war. Um vierzehn Uhr dreiundfünfzig zahlte der Schalterbeamte dem ungeduldigen jungen Mann die zehn Pfund aus.

Keith radelte mit einer Geschwindigkeit zur Rennbahn

zurück, die selbst einen Tour-de-France-Teilnehmer beeindruck hätte. An der Bahn angelangt, ließ er sein Fahrrad einfach zu Boden fallen und stürmte zum nächsten Buchmacher. Bei Honest Syd setzte Keith fünf Pfund auf Platz und Sieg. Als die Startboxen aufsprangen, ging er entschlossen zum Absperrgitter und kam gerade rechtzeitig, um den Pulk der Pferde beim ersten Umlauf zu beobachten. Er traute seinen Augen nicht: Drumstick musste einen Fehlstart gehabt haben, denn zu Beginn der zweiten Runde lag die Stute abgeschlagen hinter dem Feld, und obwohl sie auf der Endgeraden Boden gutmachte, überquerte sie die Ziellinie erst als vierte.

Keith sah sich die Liste der Pferde und Reiter des dritten Rennens an; dann radelte er so schnell wieder zur Bank, dass er den Sattel kein einziges Mal auch nur flüchtig berührte. Am Schalter verlangte er einen Scheck über zwanzig Pfund einzulösen. Wieder wurde ein Anruf getätigt, und diesmal wollte der stellvertretende Bankdirektor in Melbourne selbst mit Keith sprechen. Nachdem er sich seiner Identität versichert hatte, erlaubte er die Einlösung des Schecks.

Auch im dritten Rennen erging es Keith nicht besser als zuvor, und als der Sieger des sechsten Rennens über die Lautsprecheranlage bestätigt wurde, hatte er einhundert Pfund vom Spendenkonto abgehoben und verwettet. Langsam radelte er zum Postamt zurück und dachte über die zu erwartenden Konsequenzen dieses Nachmittags nach. Er wusste, dass der Schulkämmerer das Konto am Monatsende überprüfen und sich mit Fragen über Einzahlungen und Abhebungen an den Schuldirektor wenden würde – und dieser würde sich seinerseits zur Aufdeckung der Sachlage an die Bank wenden. Der stellvertretende Bankdirektor würde daraufhin erklären, dass Mr. Townsend ihn an dem fraglichen Mittwochnachmittag fünfmal von einer Zweigstelle in der Nähe der Rennbahn angerufen und jedes Mal darauf bestanden habe, einen Scheck einzulösen. Ohne Zweifel würde Keith sofort von der Schule fliegen – im Jahr zuvor hatte man einen Jungen aus den heiligen Hallen verwiesen, der lediglich eine Flasche Tinte gestohlen hatte. Aber schlimmer, noch viel schlimmer war, dass diese Neuigkeit auf der Titelseite jeder australischen Zeitung zu lesen sein würde, die nicht Keith' Vater gehörte.

Betsy wunderte sich, dass Keith sich nicht wenigstens ein paar Minuten bei ihr blicken ließ, nachdem er sein Fahrrad hinter dem Postamt abgestellt hatte. Er kehrte zu Fuß zur Schule zurück und konnte an nichts anderes denken, als dass er nur drei Wochen Zeit hatte, hundert Pfund zu beschaffen. Sofort ging er auf sein Zimmer und versuchte, sich auf alte Prüfungsfragen zu konzentrieren, doch immer wieder schweiften seine Gedanken ab zu den unrechtmäßigen Abhebungen. Keith überlegte sich Dutzende Ausreden, die sich unter anderen Umständen vielleicht glaubhaft angehört hätten; aber wie wollte er erklären, weshalb die Schecks in halbstündlichen Abständen eingelöst worden waren – bei einer Filiale, die sich so nahe an einer Rennbahn befand?

Am nächsten Morgen erwog Keith, sich freiwillig zur Armee zu melden; möglicherweise würde er ja nach Burma geschickt, bevor jemand entdeckte, was er getan hatte. Falls er fiel – mit einem Victoria Cross als postumer Auszeichnung –, würde man die fehlenden hundert Pfund in seinem Nachruf vielleicht nicht erwähnen. Er hätte sich auf alles eingelassen, um den Makel loszuwerden – nur davon, in der Folgewoche erneut Wetten zu platzieren, obwohl derselbe

Pferdepfleger ihm einen weiteren »todsicheren Tipp« gab, nahm er dann doch lieber Abstand. Seine Stimmung wurde auch nicht gerade besser, als er am Donnerstagmorgen im *Sporting Globe* las, dass dieser »todsichere Tipp« zehn zu eins gebracht hätte.

Während er sich am darauffolgenden Montag an einem Aufsatz über Goldwährung abplagte, wurde ihm ein handgeschriebener Zettel ins Zimmer gebracht, auf dem lediglich stand: *Der Direktor möchte Sie sofort in seinem Arbeitszimmer sprechen.*

Keith wurde schlecht. Er ließ den halbfertigen Aufsatz auf seinem Schreibtisch liegen und schlurfte langsam zum Haus des Direktors hinüber. Wie hatten sie es nur so schnell herausgefunden? Hatte die Bank beschlossen, der Sache nachzugehen und den Kämmerer auf mehrere irreguläre Abhebungen aufmerksam zu machen? Aber wie konnten sie sicher sein, dass das Geld nicht für ordnungsgemäße Ausgaben erforderlich gewesen war? Keith hörte den Direktor bereits sarkastisch fragen: »Nun, Townsend, was waren denn das für ›ordnungsgemäße Ausgaben‹, für die das Geld in halbstündlichen Abständen abgehoben werden musste – und das an einem Mittwochnachmittag, nur eine Meile von einer Rennbahn entfernt?«

Keith stieg die Stufen zum Haus des Direktors hinauf. Ihn fröstelte und ihm war übel. Das Hausmädchen öffnete die Tür, noch ehe er dazu gekommen war, anzuklopfen. Als er das Zimmer betrat, glaubte er den Direktor noch nie zuvor mit so strenger Miene gesehen zu haben. Er schaute sich um und sah Mr. Clark, seinen Hausaufseher, auf dem Sofa in der Ecke sitzen. Keith blieb stehen. Diesmal würde man ihm keinen Stuhl und kein Glas Sherry anbieten.

»Townsend«, begann der Direktor, »ich untersuche eine außerordentlich ernste Angelegenheit, in die Sie, wie mir leider zu Ohren gekommen ist, offenbar persönlich verwickelt sind.«

Keith bohrte sich die Nägel in die Handflächen, um sein Zittern zu unterdrücken. »Wie Sie sehen, Townsend, ist auch Mr. Clarke hier, weil ein Zeuge anwesend sein muss, falls diese Angelegenheit an die Polizei weitergeleitet wird.«

Keith spürte, wie ihm die Knie weich wurden, und fürchtete zusammenzusacken, falls man ihm keinen Stuhl anbot.

»Ich möchte ohne Umschweife zur Sache kommen, Townsend.« Der Direktor machte eine Pause, als müsse er erst nach den richtigen Worten suchen. Keith' Zittern ließ nach. »Meine Tochter Penny ist … ist anscheinend … schwanger«, sagte Mr. Jessop schließlich, »und behauptet, vergewaltigt worden zu sein. Offenbar sind Sie« – Keith wollte gerade protestieren – »der einzige Zeuge des Vorfalls. Da der Beschuldigte nicht nur den Schlafsaal mit Ihnen teilt, sondern überdies der Vertrauensschüler dieser Anstalt ist, halte ich es für außerordentlich wichtig, dass Sie sich bereit erklären, uns bei dieser Untersuchung voll zu unterstützen.«

Keith stieß einen hörbaren Seufzer der Erleichterung aus. »Ich werde mein Bestes tun, Sir.« Der Blick des Direktors kehrte zu einem Schriftstück zurück, das Keith für eine vorbereitete Aussage hielt.

»Haben Sie am Samstag, dem sechsten Oktober, gegen fünfzehn Uhr, den Kricketpavillon aufgesucht?«

»Jawohl, Sir«, antwortete Keith ohne Zögern. »Meine Pflichten als Spendensammler machen es erforderlich, dass ich mich hin und wieder dort umschaue.«

»Ja, natürlich«, murmelte der Direktor. »Das ist völlig verständlich und außerdem sehr löblich.« Mr. Clarke sah ihn ernst an und nickte bestätigend. »Können Sie mir in eigenen Worte schildern, was Sie an dem betreffenden Samstag gesehen haben, als Sie den Pavillon betraten?«

Keith hätte am liebsten gegrinst, doch es gelang ihm, eine ernste Miene zu wahren.

»Lassen Sie sich ruhig Zeit«, sagte Mr. Jessop. »Und was immer Sie von der Sache halten – Sie brauchen Ihre Äußerungen nicht als Petzen zu betrachten.«

Keine Bange, dachte Keith, das tue ich bestimmt nicht. Er überlegte, ob er die Gelegenheit nutzen sollte, zwei alte Rechnungen zu begleichen. Aber vielleicht brächte es ihm mehr ein, wenn …

»Vielleicht sollten Sie auch bedenken, dass der gute Ruf mehrerer Personen von Ihrer Interpretation der Geschehnisse an jenem bedauerlichen Nachmittag abhängt.« Es war das Wort »Ruf«, das Keith half, seine Entscheidung zu treffen. Er runzelte die Stirn, als würde er angestrengt über die möglichen Folgen seiner Aussage nachdenken, und fragte sich, wie lange er diesen vermeintlichen Gewissenskampf noch ausdehnen konnte.

»Als ich den Pavillon betrat«, begann Keith und bemühte sich, außergewöhnlich verantwortungsvoll zu klingen, »konnte ich überhaupt nichts sehen, weil es stockdunkel war. Ich war darüber erstaunt, bis mir klar wurde, dass sämtliche Jalousien heruntergelassen waren. Und mein Erstaunen wurde noch größer, als ich plötzlich Geräusche aus den Umkleideräumen hörte. Ich wusste ja, dass die Schulmannschaft an diesem Tag ein Auswärtsspiel hatte. Tja, ich taste also nach dem Schalter, und als ich das Licht anmache, da denke ich, mich trifft der Schlag, weil …« Keith zögerte und tat so, als wäre es ihm zu peinlich weiterzuerzählen.

»Sie müssen sich keine Gedanken darüber zu machen, dass Sie vielleicht schlecht über einen Freund reden«, beruhigte ihn der Direktor. »Sie können sich auf unsere Diskretion verlassen.«

Aber du nicht auf meine, dachte Keith.

»… weil Ihre Tochter und Duncan Alexander nackt auf einer der Matten lagen.« Wieder machte Keith eine Kunstpause, und diesmal drängte ihn der Direktor nicht zum Weitersprechen. Also ließ Keith sich Zeit. »Was auch vorgefallen war – es muss in dem Moment aufgehört haben, als ich das Licht einschaltete und …« Wieder ein gekonntes Zögern.

»Das ist auch für mich nicht leicht, Townsend, wie Sie sich gewiss vorstellen können.«

»Ja, das ist mir klar, Sir.« Keith freute sich, wie gut es ihm gelang, aus dieser kurzen Episode einen langen Bericht zu machen. Er war offenbar doch zum Journalisten geboren.

»Hatten die beiden Ihrer Meinung nach Geschlechtsverkehr?«

»Ich gehe mal davon aus, Sir.« Keith hoffte, es würde unschlüssig klingen.

»Aber Sie können es nicht mit Sicherheit sagen?«, fragte der Direktor.

»Doch, ich glaube schon«, antwortete Keith nach einer langen Pause, »denn …«

»Es braucht Sie nicht verlegen zu machen, Townsend. Seien Sie versichert, dass ich lediglich an der Wahrheit interessiert bin.«

Aber ich vielleicht nicht, dachte Keith, der nicht im Geringsten verlegen war – ganz im Gegensatz zu den beiden anderen Herren im Zimmer.

»Sie müssen uns genau sagen, was Sie gesehen haben, Townsend.«

»Es war nicht so sehr, was ich gesehen habe, Sir – es war mehr, was ich gehört habe«, entgegnete Keith.

Der Direktor senkte den Kopf. Diesmal brauchte er eine Weile, bis er sich wieder gefasst hatte. »Die nächste Frage ist äußerst unangenehm für mich, Townsend, denn ich muss mich nicht nur völlig auf Ihr Erinnerungsvermögen verlassen, sondern auch auf Ihr Urteilsvermögen.«

»Ich werde mein Bestes geben, Sir.«

Jetzt war es der Direktor, der zögerte, und Keith musste sich fast auf die Zunge beißen, um nicht zu sagen: »Lassen Sie sich ruhig Zeit.«

»Nun, äh … Townsend … und denken Sie daran, dass es sich hier um eine streng vertrauliche Unterredung handelt … hatten Sie den Eindruck, soweit Sie es beurteilen können, dass meine Tochter … sozusagen …«, wieder zögerte er, »… willig war?« Keith bezweifelte, dass der Direktor je einen unbeholfeneren Satz von sich gegeben hatte.

Keith ließ ihn noch ein paar Sekunden schwitzen, bevor er mit fester Stimme antwortete: »Was das betrifft, Sir, habe ich nicht den geringsten Zweifel.« Beide Männer blickten ihn direkt an. »Es war keine Vergewaltigung.«

Mr. Jessop verzog keine Miene, sondern fragte nur: »Wie können Sie da so sicher sein?«

»Weil keine der beiden Stimmen, die ich gehört habe, ehe ich Licht machte, verärgert oder verängstigt geklungen hat. Ganz im Gegenteil. Es waren die Stimmen eines Pärchens, das – wie soll ich sagen – den Augenblick genossen hat.«

»Und Sie sind sich dessen ohne jeden Zweifel sicher, Townsend?«, fragte der Direktor.

»Ja, Sir. Ganz sicher.«

»Aus welchem Grund?«, wollte Mr. Jessop wissen.

»Weil – weil ich zwei Wochen vorher genau den gleichen Genuss mit Ihrer Tochter erleben durfte, Sir.«

»Im – Pavillon?«, stammelte der Direktor ungläubig.

»Nein, Sir. Um ehrlich zu sein, Sir, in meinem Fall war es die Turnhalle. Ich glaube, Ihre Tochter zieht sie dem Pavillon vor. Sie sagte immer, die Gummimatten sind bequemer als die Kricketmatten.« Direktor und Hausaufseher waren sprachlos.

»Danke für Ihre Offenheit, Townsend«, brachte der Direktor schließlich irgendwie heraus.

»Das ist doch selbstverständlich, Sir. Benötigen Sie mich noch für etwas anderes?«

»Nein, im Augenblick nicht, Townsend.« Keith wandte sich zum Gehen. »Ich wäre Ihnen jedoch sehr verbunden, wenn Sie in dieser Angelegenheit absolute Diskretion wahren.«

»Selbstverständlich, Sir.« Keith drehte sich noch einmal zu ihm um. Er errötete leicht. »Es tut mir leid, Sir, wenn ich Sie in Verlegenheit gebracht habe, aber wie Sie selbst uns Schüler bei Ihrer Predigt vergangenen Sonntag ermahnt haben – man soll in jeder Situation, vor die das Leben einen stellt, an George Washingtons Worte denken: ›Ich kann nicht lügen.‹«

In den nächsten Wochen war Penny nirgends zu sehen. Darauf angesprochen, erklärte der Direktor, dass Penny und ihre Mutter eine Tante in Neuseeland besuchten.

Keith schob die Probleme des Direktors rasch zur Seite

und konzentrierte sich auf seine eigenen Sorgen. Ihm war noch immer keine Lösung eingefallen, wie er die hundert Pfund zurückzahlen konnte, die auf dem Pavillon-Spendenkonto fehlten.

Eines Morgens, nach der Andacht, klopfte Duncan Alexander an Keith' Tür.

»Ich wollte dir nur danken«, sagte Alexander. »Sehr anständig von dir, alter Junge«, fügte er hinzu und klang britischer als die Briten.

»Gern geschehen, Kumpel«, antwortete Keith mit betont australischem Akzent. »Außerdem hab' ich dem Alten ja nur die Wahrheit gesagt.«

»Das stimmt«, sagte der Vertrauensschüler. »Trotzdem stehe ich tief in deiner Schuld, alter Junge. Wir Alexanders haben ein gutes Gedächtnis.«

»Wir Townsends ebenfalls«, versicherte ihm Keith, ohne ihn anzusehen.

»Tja, dann … wenn ich dir irgendwann mal irgendwie helfen kann, lass es mich wissen.«

»Mach ich«, versprach Keith.

Duncan öffnete die Tür, schaute noch einmal über die Schulter und meinte: »Ich muss schon sagen, Townsend, du bist gar nicht so ein Stinktier, wie alle sagen.«

Nachdem sich die Tür hinter Alexander geschlossen hatte, flüsterte Keith die Worte Asquiths vor sich hin, die er in einem kürzlich verfassten Essay zitiert hatte: »Abwarten und Tee trinken.«

»Ein Anruf für Sie in Mr. Clarkes Arbeitszimmer auf dem Haustelefon«, sagte der Schüler der unteren Klasse, der Flurdienst hatte.

Je weiter sich der Monat seinem Ende zuneigte, desto mehr graute Keith davor, seine Post zu öffnen oder, schlimmer noch, einen unerwarteten Anruf entgegenzunehmen. Stets befürchtete er, dass jemand von seiner Unterschlagung erfahren hatte. Tagtäglich rechnete er mit dem Anruf des stellvertretenden Bankdirektors, der ihm mitteilte, dass dem Kämmerer nunmehr die jüngsten Kontoauszüge vorgelegt werden müssten.

»Aber ich habe über viertausend Pfund an Spendengeldern gesammelt«, murmelte er immer wieder vor sich hin.

»Darum geht es nicht, Townsend«, konnte er den Direktor antworten hören.

Er versuchte, sich dem viel jüngeren Schüler gegenüber seine Nervosität nicht anmerken zu lassen. Schon vom Flur aus konnte er die offene Arbeitszimmertür seines Hausaufsehers sehen. Keith' Schritte wurden immer schleppender. Er trat ins Zimmer, und Mr. Clarke reichte ihm den Hörer. Keith wünschte sich, der Hausaufseher würde das Zimmer verlassen, doch der blieb an seinem Schreibtisch sitzen und korrigierte weiter die Hausaufgaben.

»Keith Townsend«, meldete er sich.

»Guten Morgen, Keith. Hier Mike Adams.«

Keith kannte den Namen. Adams war der Verleger des *Sydney Morning Herald.* Wie hatte er so schnell von dem fehlenden Geld erfahren können?

»Ah, ja«, murmelte Keith. »Was kann ich für Sie tun?« Nur gut, dass Adams ihn nicht zittern sah.

»Ich habe gerade die letzte Ausgabe des *St. Andy* gelesen, vor allem Ihren Artikel, dass Australien eine Republik werden soll. Ich halte ihn für ausgezeichnet und möchte ihn ungekürzt für den *SMH* übernehmen – falls wir uns auf ein Honorar einigen können.«

»Der Artikel ist unverkäuflich«, antwortete Keith fest.

»Ich biete Ihnen fünfundsiebzig Pfund«, sagte Adams.

»Ich würde ihn nicht mal von Ihnen abdrucken lassen, wenn Sie mir …«

»*Wie viel* bieten würden?«

Eine Woche vor der Aufnahmeprüfung für Oxford kehrte Keith heim nach Toorak, um sich noch einmal von Miss Steadman drillen zu lassen. Sie gingen alle möglichen Fragen durch und lasen Musterantworten, die Miss Steadman vorbereitet hatte. Nur eines schaffte sie nicht: dass er sich entspannte. Allerdings konnte er Miss Steadman ja schlecht anvertrauen, dass nicht die Prüfung der Grund für seine Nervosität war.

»Ich bin sicher, du bestehst«, versicherte Lady Townsend ihrem Sohn voller Zuversicht beim sonntäglichen Frühstück.

»Ich hoffe«, murmelte Keith und dachte daran, dass morgen im *Sydney Morning Herald* seine Sicht der Zukunft Australiens zu lesen sein würde. Doch es war auch der Tag, an dem seine Aufnahmeprüfungen begannen; deshalb hoffte er, dass seine Eltern mit ihrer Standpauke wenigstens die nächsten zehn Tage warten würden. Und bis dahin, vielleicht …

»Na ja, falls es knapp wird«, unterbrach der Vater Keith' Gedankengang, »wird dir sicher das Empfehlungsschreiben des Direktors nach deinem Erfolg bei der Spendensammlung helfen. Ach ja, ich habe ganz vergessen, dir zu sagen, dass deine Großmutter so beeindruckt von deinen Bemühungen ist, dass sie in deinem Namen weitere 100 Pfund gespendet hat.«

Es war das erste Mal, dass Lady Townsend ihren Sohn fluchen hörte.

Am Montagmorgen hatte Keith das Gefühl, so gut auf die Prüfung vorbereitet zu sein, wie es nur möglich war, und als er nach zehn Tagen die letzte schriftliche Arbeit abgab, war er beeindruckt, wie viele von den Fragen Miss Steadman vorhergesehen hatte. Er wusste, dass er seine Sache in Geschichte und Geografie gut gemacht hatte, und konnte jetzt nur noch hoffen, dass der Zulassungsausschuss in Oxford der klassischen Literatur nicht zu viel Gewicht beimaß.

Keith rief seine Mutter an. Er glaube, erklärte er ihr, so gut abgeschnitten zu haben, wie er nur hatte hoffen können; sollte er keinen Studienplatz in Oxford bekommen, könnte er sich jedenfalls nicht darüber beschweren, Pech mit den Fragen gehabt zu haben.

»Das freut mich zu hören«, antwortete seine Mutter. »Aber ich kann dir nur einen guten Rat geben, Keith. Halte dich von deinem Vater lieber noch ein paar Tage fern.«

Das Gefühl der Leere nach Ende der Prüfungen war unvermeidlich. Während Keith auf die Bekanntgabe der Ergebnisse wartete, verbrachte er einen Teil seiner Zeit damit, die restlichen paar Hundert Pfund an Spenden für den Pavillon zusammenzukratzen – auf der Rennbahn, wo er kleinere Wetten mit seinem eigenen Geld abschloss, und bei einer Nacht mit der Frau eines Bankers, die anschließend fünfzig Pfund springen ließ.

Am letzten Mittwoch des Trimesters informierte Mr Jessop seine Lehrerkollegen bei der wöchentlichen Sitzung, dass St. Andrews die altehrwürdige Tradition fortsetzen würde, seine besten Schüler nach Oxford und Cambridge zu schicken, um auf diese Weise die Verbindung mit diesen beiden angesehenen Universitäten aufrechtzuerhalten. Dann verlas er die Namen der Schüler, die Studienplätze bekommen hatten:

Alexander, D. T. L.

Tomkins, C.

Townsend, K. R.

»Ein Stinktier, ein Streber und ein Selbstdarsteller, aber nicht unbedingt in dieser Reihenfolge«, murmelte der Direktor.

MORGENAUSGABE

Dem Sieger die Beute

9

Daily Mirror

7. Juni 1944

Erfolgreiche Landung der Alliierten in der Normandie

Als Lubji Hoch dem Gericht seine Geschichte erzählt hatte, blickte man ihn nur ungläubig an. Entweder war er eine Art Übermensch oder ein pathologischer Lügner – schwer zu entscheiden.

Der tschechische Dolmetscher zuckte die Schultern. »Einiges könnte durchaus so gewesen sein«, sagte er zu dem Vorsitzenden des Gerichts. »Aber vieles erscheint mir doch arg an den Haaren herbeigezogen.«

Der Vorsitzende dachte einige Minuten über den Fall Lubji Hoch nach und entschied sich dann für den einfachsten Ausweg. »Er soll ins Internierungslager zurückgebracht und in sechs Monaten dem Gericht erneut vorgeführt werden. Dann kann er uns seine Geschichte noch einmal erzählen, und wir müssen nur sehen, wie viel davon sich geändert hat.«

Lubji hatte vor dem Gericht gesessen, ohne auch nur ein Wort des Vorsitzenden zu verstehen. Immerhin hatte man ihm diesmal einen Dolmetscher zugeteilt, weshalb er dem Verfahren wenigstens folgen konnte. Auf dem Rückweg ins Internierungslager versprach er sich, dass er bei seiner nächsten Verhandlung in sechs Monaten keinen Dolmetscher mehr benötigen würde.

Englisch zu lernen erwies sich jedoch als nicht ganz so einfach, wie Lubji erwartet hatte. Als er zurück im Lager und unter seinen Landsleuten war, zeigten diese wenig Interesse daran, etwas anderes als Tschechisch zu sprechen. Im Grunde war Pokern das Einzige, was Lubji von ihnen lernen konnte, und es dauerte nicht lange, bis er sie dabei alle in die Tasche steckte. Die meisten seiner Mitinternierten gingen davon aus, nach Hause zurückzukehren, sobald der Krieg vorbei war.

Im Lager stand Lubji jeden Morgen als Erster auf und brachte seine Leidensgenossen ständig gegen sich auf, weil er in allem schneller und besser sein wollte als sie. Die meisten Tschechen betrachteten Lubji lediglich als einen ruthenischen Streber, doch da er inzwischen gut eins achtzig groß war und immer noch wuchs, sagte ihm das keiner ins Gesicht.

Lubji war seit etwa einer Woche wieder im Lager, als ihm die alte Frau zum ersten Mal auffiel. Nach dem Frühstück sah er sie auf dem Rückweg in seine Baracke ein Fahrrad den Hang hinaufschieben, das mit Zeitungen beladen war. Ihr Gesicht konnte er nicht deutlich erkennen – selbst dann nicht, als sie bereits durchs Lagertor kam, weil sie es zum Schutz gegen den eisigen Wind mit einem Kopftuch verhüllt hatte. Sie machte sich daran, die Zeitungen auszuteilen, zuerst ans Offizierskasino, dann eine nach der anderen an die kleinen Häuser, die von den Unteroffizieren bewohnt wurden. Lubji schritt um den Exerzierplatz herum und folgte der Frau in der Hoffnung, sie könnte sich als die Person erweisen, die ihm helfen würde. Als ihre Lenkstangentasche leer war, schob die Frau ihr Rad zum Tor des Lagers zurück. Im Vorübergehen rief Lubji ihr »*Hello!*« zu.

»*Good morning*«, gab sie zurück, schwang sich aufs Rad, fuhr durchs Tor und radelte ohne ein weiteres Wort den Hügel hinunter.

Am nächsten Morgen ging Lubji gar nicht erst zum Frühstück, sondern stellte sich ans Tor und wartete auf die Frau. Als er sah, wie sie ihr schwer beladenes Fahrrad den Hang hinaufschob, rannte er ihr durchs Tor entgegen, bevor die Wachen ihn aufhalten konnten. »*Good morning*«, begrüßte er die Frau, nahm das Rad und schob es für sie.

»*Good morning*«, erwiderte sie. »*I'm Mrs. Sweetman. And how are you today?*« Lubji hätte es ihr gesagt, hätte er auch nur die leiseste Ahnung gehabt, was sie ihn gefragt hatte.

Während die Frau ihre Runde machte, trug Lubji eifrig jedes Bündel für sie. Eines der ersten englischen Worte, das er lernte, war »Zeitung«. Von da an nahm er sich vor, jeden Tag zehn neue Wörter zu lernen.

Am Ende des Monats achtete der Wachtposten am Tor gar nicht mehr darauf, wenn Lubji sich jeden Morgen an ihm vorbeistahl, um der alten Frau entgegenzulaufen.

Im zweiten Monat saß er bereits um sechs Uhr früh an der Schwelle von Mrs. Sweetmans kleinem Laden, um alle Zeitungen in die richtige Reihenfolge zu bringen und zu verpacken, bevor er das beladene Fahrrad den Hang hinaufschob. Als Mrs. Sweetman zu Beginn des dritten Monats versuchte, mit dem Lagerkommandanten sprechen zu dürfen und diesem ihre Bitte unterbreitete, hatte der Major keine Einwände, dass Lubji Hoch ihr in dem kleinen Laden jeden Tag ein paar Stunden zur Hand ging, sofern er vor dem Zapfenstreich wieder zurück war.

Mrs. Sweetman erkannte rasch, dass ihr Laden nicht das erste Zeitschriftengeschäft war, in dem der junge Mann gearbeitet hatte, und sie versuchte gar nicht erst, Lubji zurückzuhalten, als er die Regale und Ständer neu ordnete, die Liefertermine umorganisierte und einen Monat später die Buchhaltung übernahm. Sie wunderte sich auch nicht, dass ihr Umsatz schon wenige Wochen nach seinen Anregungen erstmals seit 1939 stieg.

Immer wenn keine Kunden im Laden waren, half Mrs. Sweetman Lubji, Englisch zu lernen, indem sie ihm die Artikel auf der Titelseite des *Citizen* vorlas. Anschließend versuchte Lubji sie ebenfalls laut zu lesen. Oft lachte Mrs. Sweetman bei seinen »Schnitzern«, wie sie sie nannte, hell auf, eine Vokabel, die er sofort ebenfalls in seinen Wortschatz übernahm.

Als der Winter dem Frühling gewichen war, kam es kaum noch vor, dass Lubji solche sprachlichen Schnitzer unterliefen, und es dauerte nicht mehr lange, bis er sich in eine ruhige Ecke setzte, um alleine zu lesen. Er wandte sich nur noch an Mrs. Sweetman, wenn er auf ein Wort stieß, das ihm noch fremd war. Lange bevor er wieder vor Gericht erscheinen sollte, las Lubji bereits die Leitartikel des *Manchester Guardian*, und eines Morgens, als Mrs. Sweetman auf das Wort »genotype« starrte, ohne auch nur zu versuchen, es ihm zu erklären, beschloss Lubji, ihr weitere Verlegenheit zu ersparen: Er schlug selbst im Oxford-Taschenwörterbuch nach, das er völlig verstaubt unter dem Ladentisch entdeckt hatte.

»Benötigen Sie einen Dolmetscher?«, fragte der Vorsitzende des Tribunals.

»Nein, danke, Sir«, antwortete Lubji.

Der Vorsitzende hob eine Braue. Er war sicher, dass dieser junge Mann kein Wort Englisch beherrscht hatte, als er sechs Monate zuvor schon einmal vor ihm gestanden hatte. War das nicht dieser riesige junge Bursche, der ihnen damals diese absolut unglaubliche Geschichte aufgetischt hatte, was ihm alles widerfahren war, bevor er sich als blinder Passagier nach Liverpool durchschlagen konnte? Nun erzählte er genau dieselbe Geschichte, und trotz einiger grammatikalischer Fehler und einem grauenhaften Liverpooler Akzent hatte sie eine noch größere Wirkung auf das Gericht als bei der ersten Befragung.

»Und was würden Sie jetzt gern tun, Hoch?«, fragte der Vorsitzende, als der junge Tscheche seine Geschichte beendet hatte.

»Ich möchte Soldat werden und mein Teil zu Sieg in Krieg beitragen«, war Lubjis einstudierte Antwort.

»Das dürfte sich als nicht so einfach erweisen, Hoch.« Der Vorsitzende lächelte väterlich zu ihm hinunter.

»Wenn Sie mir nix Gewehr geben wollen, töte ich Nazis mit bloße Hände«, sagte Lubji herausfordernd. »Geben Sie mir Chance, mich zu bewähren.«

Der Vorsitzende lächelte ihn wieder an, bevor er dem diensthabenden Sergeanten zunickte, der strammstand und Lubji dann aus dem Saal führte.

Lubji erfuhr die Entscheidung des Gerichts erst nach einigen Tagen. Er lieferte gerade die Morgenzeitung im Offiziersquartier aus, als ein Corporal herbeikam und ohne weitere Erklärung sagte: »Hoch, Sie sollen zum Kommandanten kommen.«

»Wann?«, erkundigte sich Lubji.

»Jetzt«, antwortete der Corporal, drehte sich wortlos um und marschierte los. Lubji legte die restlichen Zeitungen auf den Boden und eilte dem Corporal hinterher, der durch den Morgennebel quer über den Exerzierplatz in Richtung Bürobaracke stiefelte. Beide machten gleichzeitig vor einer Tür halt, auf der »Kommandant« zu lesen war.

Der Corporal klopfte an. Als er »Herein!« hörte, öffnete er die Tür, marschierte ins Zimmer, nahm vor dem Schreibtisch des Majors Haltung an und salutierte.

»Hoch, wie befohlen zur Stelle, Sir«, meldete er so laut, als befände er sich auf dem Exerzierplatz. Lubji blieb dicht hinter dem Corporal stehen und wurde fast umgerempelt, als dieser einen Schritt zurücktrat.

Lubji starrte auf den Offizier in seiner maßgeschneiderten Uniform hinter dem Schreibtisch. Zwar hatte er ihn schon zweimal gesehen, jedoch aus ziemlicher Entfernung. Nun stand Lubji ebenfalls stramm und legte zackig die Hand an die Schläfe, wie er es beim Corporal gesehen hatte. Der Kommandant blickte kurz zu ihm auf und wandte sich dann wieder dem einzelnen Blatt Papier zu, das vor ihm lag.

»Hoch«, begann er, »Sie werden von hier zu einem Ausbildungslager in Staffordshire versetzt, wo Sie als Armeehelfer ins Pionierkorps aufgenommen werden.«

»Jawohl, Sir!«, rief Lubji glücklich.

Der Colonel hob den Blick nicht von dem Papier. »Sie werden morgen früh um sieben Uhr mit dem Bus das Lager verlassen.«

»Jawohl, Sir!«

»Zuvor werden Sie sich in der Schreibstube melden, wo Ihnen der Diensthabende alle erforderlichen Papiere sowie eine Fahrkarte aushändigen wird.«

»Jawohl, Sir!«

»Noch irgendwelche Fragen, Hoch?«

»Jawohl, Sir. Tötet das Pionierkorps Nazis?«

»Nein, Hoch.« Der Colonel lachte. »Aber man erwartet von Ihnen, dass Sie die Männer, die Nazis töten, mit Ihren unermesslichen Kenntnissen und Erfahrungen unterstützen.«

Lubji kannte zwar das Wort »messen«, wusste aber nicht so recht, was er sich unter »unermesslich« vorstellen sollte. Er nahm sich vor, das Wort sobald wie möglich nachzuschlagen.

Am Nachmittag meldete er sich, wie befohlen, auf der Schreibstube und erhielt seine Papiere, die Militärfahrkarte und zehn Shilling. Er packte seine paar Sachen zusammen; anschließend schritt er zum letzten Mal den Hügel hinunter, um Mrs. Sweetman für alles zu danken, was sie in den vergangenen sieben Monaten für ihn getan hatte, damit er Englisch lernen konnte. Lubji schlug das neue Wort im Taschenlexikon unter dem Ladentisch nach, dann versicherte er Mrs. Sweetman, ihre Hilfe sei unermesslich für ihn gewesen. Die alte Dame wollte dem hochgewachsenen jungen Ausländer lieber nicht eingestehen, dass er ihre Sprache jetzt besser beherrschte als sie.

Am nächsten Morgen nahm Lubji den Bus zum Bahnhof – früh genug, um den Sieben-Uhr-zwanzig-Zug nach Stafford zu erreichen. Als er nach dreimaligem Umsteigen und mehreren Verzögerungen endlich dort eintraf, kannte er die *Times* in- und auswendig.

Am Bahnhof von Stafford wartete ein Jeep auf ihn. Hinter dem Lenkrad saß ein Gefreiter des North Staffordshire Regiment, der so piekfein aussah, dass Lubji ihn mit »Sir«

anredete. Auf der Fahrt zur Kaserne ließ der Gefreite keinen Zweifel daran, dass die »Kulis« – mit Slangausdrücken tat sich Lubji immer noch schwer – die niederste Lebensform auf Erden waren.

»Die sind nichts weiter als ein Pack von Drückebergern, die alles tun, um bloß nicht an richtigen Kampfhandlungen teilnehmen zu müssen.«

»Ich will an richtigen Kampfhandlungen teilnehmen«, versicherte Lubji ihm voller Entschlossenheit. »Und ich bin kein Drückeberger.« Er zögerte, weil er das Wort nicht kannte. »Oder doch?«

»Das wird sich zeigen«, sagte der Gefreite, als der Jeep vor der Versorgungsstelle hielt.

Lubji wurde eine Uniform verpasst, deren Hose gut fünf Zentimeter zu kurz war, sowie zwei Khakihemden, zwei Paar graue Wollsocken, eine braune Baumwollkrawatte, eine Feldflasche, Messer, Gabel und Löffel, zwei Decken, ein Überzug und ein Kopfkissen. Dann brachte man ihn zu seiner neuen Unterkunft – einer Kaserne, in der er mit zwanzig Armeehelfern aus dem Bezirk Staffordshire untergebracht war, von denen die meisten vor ihrer Einberufung Töpfer oder Bergleute gewesen waren. Lubji brauchte eine Weile, bis ihm klar wurde, dass diese Männer tatsächlich die gleiche Sprache sprachen, die er von Mrs. Sweetman gelernt hatte.

Im Laufe der nächsten Wochen tat Lubji nicht viel anderes, als Gräben auszuheben, Latrinen zu leeren und hin und wieder Lastwagen mit Abfällen zu einer Müllhalde zu fahren. Zum Unmut seiner Kameraden arbeitete er stets härter und länger als jeder andere von ihnen. Bald wurde Lubji klar, weshalb der Corporal die Kulis für Drückeberger hielt.

Jedes Mal, wenn Lubji die Abfalltonnen hinter dem Offizierskasino leerte, nahm er die Zeitungen heraus, egal, wie alt sie waren. Abends lag er dann, die Beine über das Fußende gehängt, auf seiner schmalen Pritsche und las bedächtig jede von ihnen. Er war vor allem an Berichten über den Krieg interessiert, doch je mehr er las, desto mehr befürchtete er, dass die Kampfhandlungen sich ihrem Ende näherten und die letzte Schlacht geschlagen sein würde, bevor man ihm Gelegenheit gab, an die Front zu kommen.

Lubji war seit etwa sechs Monaten »Kuli«, als er im schriftlichen Tagesbefehl las, dass das North Staffordshire Regiment seine jährlichen Boxausscheidungskämpfe veranstaltete. Die Sieger durften an den nationalen Armeemeisterschaften teilnehmen, die Ende des Jahres stattfanden. Lubjis Abteilung erhielt den Befehl, den Ring zu errichten und in der Sporthalle Stühle aufzustellen, damit das gesamte Regiment sich die Finalkämpfe anschauen konnte. Die Order war vom diensthabenden Offizier, Lieutenant Wakeham, unterschrieben.

Als der Ring in der Mitte der Sporthalle errichtet war, machte sich Lubji daran, rundum in Reihen Klappstühle aufzustellen. Um zehn Uhr erhielt die Abteilung Erlaubnis, eine fünfzehnminütige Pause einzulegen. Fast alle eilten ins Freie, um sich eine Zigarette zu teilen. Lubji dagegen blieb in der Halle und schaute den Boxern zu, die ihr Training aufnahmen.

Als der Schwergewichtsmeister des Regiments – ein Koloss, der hundertzwei Kilo auf die Waage brachte –, in den Ring stieg, hatte man noch keinen Sparringspartner für ihn gefunden. Deshalb musste der Champion sich mit einem Punchingball zufriedengeben, den der größte anwesende Soldat für ihn hochhielt. Aber sehr lange konnte niemand den Punchingball hochhalten, und nachdem mehrere Männer, die ihre jeweiligen Vorgänger abgelöst hatten, völlig erschöpft waren, musste der Champion mit Schattenboxen vorliebnehmen, wobei sein Trainer ihn anwies, sich dabei einen unsichtbaren Gegner vorzustellen, den er k. o. schlagen müsse.

Mit großen Augen schaute Lubji zu, bis ein schmächtiger Bursche die Sporthalle betrat. Er war knapp über zwanzig und sah aus, als käme er frisch von der Schule, trug aber bereits einen Stern auf der Schulterklappe. Lieutenant Wakeham blieb vor dem Ring stehen und runzelte die Stirn, als er den Schwergewichtsmeister beim Schattenboxen sah. »Was ist, Sergeant? Können Sie keinen Sparringspartner für Matthews finden?«

»Nein, Sir«, kam es wie aus der Pistole geschossen. »Keiner, nicht einmal in der gleichen Gewichtsklasse, würde mehr als ein paar Minuten gegen Matthews durchhalten.«

»Schade«, murmelte der Lieutenant. »Ohne echte Herausforderung wird er sich nicht richtig in Form bringen können. Versuchen Sie wenigstens, jemanden zu finden, der bereit ist, eine oder zwei Runden mit ihm in den Ring zu steigen.«

Lubji ließ den Stuhl fallen, den er gerade aufklappen wollte, und rannte zum Ring. Er salutierte vor dem Lieutenant und sagte: »Ich mach es mit ihm, solange Sie wollen, Sir.«

Der Champion blickte aus dem Ring hinunter und lachte. »Ich box' doch nicht mit Kulis«, brummte er. »Genauso wenig wie mit Armeehelferinnen.«

Sofort stieg Lubji in den Ring, hob die Fäuste und wollte auf den Champion losgehen.

»Schon gut, schon gut«, rief Lieutenant Wakeham, der zu Lubji hinaufblickte. »Wie heißen Sie?«

»Rekrut Hoch, Sir.«

»Gut. Ziehen Sie sich Sportkleidung an. Dann werden wir schon sehen, wie lange Sie gegen Matthews durchhalten.«

Als Lubji nach einigen Minuten zurückkam, war Matthews immer noch beim Schattenboxen. Er beachtete seinen Möchtegerngegner gar nicht, als dieser in den Ring stieg. Der Trainer half Lubji in ein Paar Boxhandschuhe.

»So, dann wollen wir mal sehen, aus welchem Holz Sie geschnitzt sind, Hoch«, sagte Lieutenant Wakeham.

Kühn näherte sich Lubji dem Regimentsmeister und setzte, als er noch einen Schritt entfernt war, zu einer rechten Geraden an. Matthews machte eine Finte nach rechts und hämmerte dann Lubji seinen Handschuh mitten ins Gesicht.

Lubji taumelte rückwärts in die Seile, prallte davon ab und wurde auf den Champion zugeschleudert. Er wollte sich gerade abducken, als der zweite Haken kam und über seine Schulter zischte. Beim nächsten Schlag hatte Lubji weniger Glück – er traf ihn genau am Kinn. Es dauerte nur Sekunden, bis Lubji zum ersten Mal zu Boden ging. Am Ende der Runde hatte er eine gebrochene Nase und eine Platzwunde am Auge, was schallendes Gelächter bei seinen Kuli-Kameraden auslöste, die das Aufstellen von Stühlen unterbrochen hatten und stattdessen die kostenlose Unterhaltung aus einiger Entfernung genossen.

Als Lieutenant Wakeham dem Kampf schließlich ein Ende machte, wollte er von Lubji wissen, ob er schon jemals in einem Boxring gestanden habe. Lubji schüttelte den Kopf. »Nun«, sagte Wakeham, »mit dem richtigen Training könnten Sie sich als sehr brauchbar erweisen. Ab morgen sind Sie für vierzehn Tage all Ihrer anderen morgendlichen Pflichten entbunden. Dafür melden Sie sich jeden Tag um sechs Uhr in der Sporthalle. Ich bin sicher, wir haben bessere Verwendung für Sie, als Stühle aufzustellen.«

Noch bevor die nationalen Meisterschaften stattfanden, lachten die anderen Kulis längst nicht mehr über Lubji. Sogar Matthews gab zu, dass Hoch ein viel besserer Sparringspartner war als ein Punchingball und er es möglicherweise sogar ihm verdanke, dass er das Halbfinale erreicht hatte.

Am Morgen nach den Meisterschaften wurde Lubji wieder seinen gewohnten Pflichten zugeteilt. Er machte sich daran, den Ring abzubauen und die Klappstühle in den Unterrichtsraum zurückzubringen. Als er gerade dabei war, eine der Gummimatten zusammenzurollen, kam ein Sergeant in die Sporthalle, sah sich kurz um und brüllte: »Hoch!«

»Sir?«, rief Lubji und stand stramm.

»Lesen Sie keine Tagesbefehle mehr, Hoch?«, donnerte der Sergeant von der anderen Seite der Sporthalle.

»Jawohl, Sir. Ich meine, nein, Sir.«

»Entscheiden Sie sich, Hoch! Sie hätten bereits vor fünfzehn Minuten im Rekrutierungsbüro des Regiments sein sollen!«

»Ich wusste nicht …«

»Ich will Ihre Ausreden nicht hören, Hoch! Ich will, dass Sie sich beeilen!« Lubji stürmte aus der Turnhalle und holte den Sergeanten ein, der lediglich sagte: »Mir nach, Hoch, pronto!«

»Pronto«, wiederholte Lubji. Es war sein erstes neues Wort seit mehreren Tagen.

Der Sergeant jagte über den Exerzierplatz, und zwei

Minuten später stand Lubji atemlos vor dem Rekrutierungsoffizier. Auch Lieutenant Wakeham war zu seinen gewohnten Pflichten zurückgekehrt. Er drückte die Zigarette aus, die er gerade geraucht hatte.

»Hoch«, sagte er, nachdem Lubji Haltung angenommen und salutiert hatte. »Ich habe eine Empfehlung eingereicht, dass Sie als Schütze zum Regiment versetzt werden.«

Lubji schnappte nach Luft.

»Jawohl, Sir. Danke, Sir«, sagte der Sergeant.

»Jawohl, Sir. Danke, Sir«, echote Lubji benommen.

»Gut«, murmelte Wakeham. »Noch Fragen?«

»Nein, Sir. Danke, Sir«, entgegnete der Sergeant sofort.

»Nein, Sir. Danke, Sir«, antwortete Lubji. »Aber ich würde gern wissen …«

Der Sergeant zog finster die Brauen zusammen.

»Ja?«, fragte Wakeham und blickte auf.

»Bedeutet das, ich bekomme eine Chance, Nazis zu töten?«

»Sofern die Nazis Ihnen nicht zuvorkommen, Hoch«, sagte der Sergeant.

Der junge Offizier lächelte. »Ja, diese Chance bekommen Sie. Wir müssen jetzt nur noch das Rekrutierungsformular ausfüllen.« Lieutenant Wakeham tauchte seinen Federhalter ins Tintenfass und sah Lubji an. »Wie lautet Ihr vollständiger Name?«

»Schon gut, Sir.« Lubji trat vor und griff nach dem Federhalter. »Ich kann das Formular selbst ausfüllen.«

Die beiden Männer beobachteten, wie Lubji sämtliche kleine Kästchen ausfüllte und auf der untersten Zeile schwungvoll unterschrieb.

»Sehr beeindruckend, Hoch.« Der Lieutenant nickte, als

er das Formular durchsah. »Aber darf ich Ihnen einen Rat geben?«

»Jawohl, Sir. Danke, Sir«, erwiderte Lubji.

»Vielleicht ist es an der Zeit, dass Sie Ihren Namen ändern. Denn ich fürchte, mit einem Namen wie Hoch werden Sie im North Staffordshire Regiment nicht weit kommen.«

Lubji zögerte und starrte auf den Schreibtisch vor sich. Sein Blick blieb auf einer Schachtel Zigaretten mit dem bekannten Bild eines bärtigen Seemannes hängen. Er strich den Namen »Lubji Hoch« durch und ersetzte ihn durch »John Player«.

Kaum war er mit seiner neuen Uniform ausgestattet, stolzierte Private Player vom North Staffordshire Regiment durch die Kaserne und salutierte vor allem, was sich bewegte.

Am darauffolgenden Montag wurde er zur zwölfwöchigen Grundausbildung nach Aldershot versetzt. Nach wie vor stand er jeden Morgen um sechs Uhr auf. Das Essen in Aldershot war zwar auch nicht besser, doch zumindest wurde er hier für etwas ausgebildet, das seiner Meinung nach der Mühe wert war: Nazis zu töten. In Aldershot lernte Lubji den Umgang mit Gewehr, Maschinenpistole, Handgranaten und Kompass. Auch das Kartenlesen, bei Tag wie bei Nacht, brachte man ihm bei. Er konnte langsam und im Schnellschritt marschieren, eine Meile schwimmen und drei Tage ohne Verpflegung auskommen. Als er drei Monate später ins Pionierlager zurückkehrte, entging Lieutenant Wakeham das großspurige Auftreten des Immigranten aus der Tschechoslowakei nicht. Deshalb war er auch keineswegs überrascht, als er in den Berichten aus Aldershot las, dass Private Player zur frühzeitigen Beförderung vorgeschlagen worden war.

Private John Players erste Abkommandierung war die zum 2. Bataillon in Cliftonville. Schon wenige Stunden nach seiner Ankunft in der Kaserne wurde ihm klar, dass das Zweite sich mit einem Dutzend anderer Regimenter auf das Übersetzen nach Frankreich vorbereitete. Im Frühjahr 1944 war Südengland zu einem gigantischen Ausbildungslager geworden, und Private Player nahm zusammen mit Amerikanern, Kanadiern und Polen an Manövern und Scheingefechten teil.

Tag und Nacht liefen die Vorbereitungen, und alle warteten ungeduldig auf General Eisenhowers Einsatzbefehl gegen die Deutschen. Obwohl Private Player ständig daran erinnert wurde, dass die Männer sich hier auf die entscheidende Schlacht des Kriegs vorbereiteten, trieb das endlose Warten ihn fast in den Wahnsinn. In Cliftonville lernte Private Player weiter dazu. War es in Aldershot vor allem um Waffenbeherrschung und körperlichen Drill gegangen, beschäftigte er sich nun mit der Regimentsgeschichte, dem Verlauf der Normandieküste und sogar mit den Kricketregeln. Doch ungeachtet all dieser Vorbereitungen steckte er immer noch in der Kaserne fest und wartete fieberhaft darauf, dass es endlich losging.

Und dann, ohne Vorwarnung, mitten in der Nacht des 4. Juni 1944, wurde er vom Motorenlärm zahlloser Lastwagen geweckt, und ihm wurde klar, dass die Vorbereitungen beendet waren. Aus den Lautsprechern dröhnten Befehle über den Exerzierplatz. Private Player wusste, dass die Invasion endlich ihren Anfang nahm.

Wie alle anderen Soldaten stieg er auf einen Mannschaftstransportwagen. Unwillkürlich musste er daran denken, wie die Deutschen ihn damals auf einen Laster verfrachtet hatte.

Als die Uhr die erste Stunde des 5. Juni schlug, rollte die Kolonne der North Staffordshires aus der Kaserne.

Ihre Gewehre umklammernd, fuhren sie den Rest der Nacht durch unbeleuchtete Straßen. Wenige sprachen; sie alle fragten sich, ob sie in vierundzwanzig Stunden noch am Leben sein würden. Als sie durch Winchester kamen, wiesen ihnen neu aufgestellte Wegweiser die Route zur Küste. Auch andere hatten sich auf diesen 5. Juni vorbereitet. Private Player schaute auf die Uhr. Es war ein paar Minuten nach drei. Immer weiter fuhren sie, ohne irgendeine Ahnung zu haben, wohin sie letztlich gebracht wurden.

»Ich hoffe bloß, jemand weiß, wo's langgeht«, murmelte ein Corporal, der Private Player gegenübersaß.

Eine weitere Stunde verging, bevor die Kolonne im Hafen von Portsmouth zum Stehen kam. Immer mehr Soldaten sammelten sich vor den Anlegestellen, formierten sich rasch zu Divisionen und warteten auf ihre Befehle.

Players Einheit stand in drei stummen Reihen. Einige seiner Kameraden fröstelten in der kalten Nachtluft, andere zitterten vor Angst, während sie darauf warteten, an Bord eines Schiffes der riesigen Flotte zu gehen, die vor ihnen im Hafen lag. Division um Division wartete auf den Befehl zum Einschiffen. Vor ihnen lag die 100-Meilen-Fahrt über den Ärmelkanal, bevor man sie auf französischem Boden absetzen würde.

Private Player erinnerte sich nur zu gut daran, wie er vor noch gar nicht so langer Zeit ein Schiff gesucht hatte, das ihn so weit wie möglich von den Deutschen wegbringen sollte. Zumindest würde er diesmal nicht – dem Erstickungstod nahe – in einem vollgepackten Laderaum stecken, nur mit prallen Weizensäcken als Gesellschaft.

Die Lautsprecheranlage krächzte, und alle verstummten.

»Hier spricht Brigadegeneral Hampson«, dröhnte eine Stimme. »Für uns alle beginnt jetzt die Operation Overlord, die Invasion in der Normandie. Die größte Flotte der Geschichte steht bereit, Sie über den Ärmelkanal zu bringen. Neun Schlachtschiffe, dreiundzwanzig Kreuzer, einhundertvier Zerstörer und einundsiebzig Korvetten sowie die Schiffe der Handelsmarine werden dem Krieg die entscheidende Wende geben. Ihre Kompanieführer werden Ihnen nun Ihre Befehle erteilen.«

Als sich die ersten Sonnenstrahlen zeigten hatte Lieutenant Wakeham seine Einsatzbefehle erteilt und seinen Männern befohlen, sich auf die *Undaunted* zu begeben. Kaum befanden sie sich an Bord des Zerstörers, setzte das Dröhnen der Maschinen ein, und die schaukelnde Fahrt über den Kanal begann. Und noch immer wusste keiner von ihnen, wo man sie absetzen würde.

In der ersten halben Stunde dieser ziemlich bewegten Überfahrt – Eisenhower hatte entgegen dem Rat der besorgten Meteorologen eine stürmische Nacht gewählt – sangen die Männer Lieder und erzählten einander Witze und ziemlich unglaubhafte Geschichten über noch unglaubhaftere Eroberungen. Als Private Player die Kameraden mit der Geschichte unterhielt, wie er seine Unschuld an ein Zigeunermädchen verlor, das ihm eine deutsche Kugel aus der Schulter geschnitten hatte, lachten sie schallend; der Sergeant meinte, dies sei die bisher unglaublichste Geschichte überhaupt.

Lieutenant Wakeham, der ganz vorn an der Reling kniete, hob plötzlich die rechte Hand, und sofort verstummten alle. In wenigen Minuten würden sie an einem sehr ungastlichen

Küstenstreifen von Bord gehen. Private Player überprüfte noch einmal rasch seine Ausrüstung. Er hatte eine Gasmaske dabei, ein Gewehr, zwei um die Brust geschlungene Patronengurte, eine eiserne Ration und eine Feldflasche. Es war fast so schlimm, als würde er wieder Handschellen tragen. Als der Zerstörer Anker warf, folgte er Lieutenant Wakeham auf das erste Amphibienfahrzeug, und schon näherten sie sich der Küste der Normandie. Ein Blick über die Schulter zeigte Player, dass viele seiner Kameraden noch seekrank waren. Ein Hagel von MG-Kugeln und Geschützfeuer erwartete sie. Private Player sah, wie Kameraden in anderen Fahrzeugen getötet oder verwundet wurden, noch ehe sie die Küste erreichten.

Als ihr Fahrzeug landete, hechtete Player sofort nach Lieutenant Wakeham über die Seitenwandung. Rechts und links stürmten Soldaten von anderen Booten unter dichtem Beschuss den Strand hinauf. Die erste Patronenhülse fiel links von Player zu Boden, als er noch keine zwanzig Schritt getan hatte. Sekunden später sah er einen Corporal noch einige Schritte weiter taumeln, nachdem mehrere Kugeln seinen Brustkorb durchschlagen hatten. Players Instinkt riet ihm, in Deckung zu gehen, doch es gab keine; deshalb zwang er seine Füße weiterzulaufen. Wie alle anderen schoss auch er, obwohl er keine Ahnung hatte, wo genau der Feind sich befand.

Immer weiter plagte er sich den Strand hinauf, ohne sehen zu können, wie viele von seinen Kameraden hinter ihm fielen, aber an diesem Junimorgen war der Sand bereits mit Gefallenen übersät. Für jede paar Meter, die Player vorankam, musste er doppelt so lange auf dem Bauch liegen, während ihm das feindliche Feuer über den Kopf pfiff. Jedes

Mal, wenn er aufsprang, um weiterzustürmen, schlossen sich ihm weniger Kameraden an. Schließlich hielt Lieutenant Wakeham im Schutz der Klippen an; Private Player war nur einen knappen Meter hinter ihm. Der junge Offizier zitterte so sehr, dass er sich erst wieder in die Gewalt bekommen musste, bevor er einen Befehl herausbrachte.

Als die Männer den Strand endlich hinter sich hatten, zählte Lieutenant Wakeham nur noch elf von den achtundzwanzig Mann, die im ersten Boot mit ihm gelandet waren. Der Funker erklärte ihnen, dass sie nicht stehen bleiben dürften, sondern sofort weiter vorstoßen sollten. Anscheinend war Player der Einzige, der sich darüber freute. Die nächsten zwei Stunden bewegten die Männer sich langsam landeinwärts auf die feindlichen Stellungen zu. Immer weiter stießen sie vor, wobei ihnen meist nur Hecken und Gräben als Schutz dienten. Fast jeder Meter, den sie vordrangen, wurde mit dem Blut von Kameraden getränkt. Erst als die Sonne unterging, durften sie Rast machen. Hastig wurde ein Lager errichtet, doch nur wenige fanden beim Donnern der feindlichen Geschütze Schlaf. Einige Männer beschlossen, Karten zu spielen; andere glotzten vor sich hin oder starrten auf die endlosen Reihen der Gefallenen.

Doch Private Player wollte der Erste sein, der den Deutschen Auge in Auge gegenübertrat. Als er sicher war, dass niemand auf ihn achtete, stahl er sich aus seinem Zelt und schlich auf die feindlichen Linien zu, das Mündungsfeuer der Deutschen als einzige Orientierungshilfe. Nach etwa vierzig Minuten Laufen und Kriechen hörte er deutsche Stimmen. Er machte einen Bogen um den feindlichen Vorposten, bis er einen deutschen Soldaten sah, der im Gebüsch seine Notdurft verrichtete. Von hinten schlich er sich an ihn heran. Gerade als der Landser sich bückte, um seine Hose hochzuziehen, sprang Player ihn an und schlang ihm einen Arm um den Hals. Dabei drückte er offenbar etwas zu heftig zu, denn er hörte, wie dem Mann das Genick brach. Player ließ die Leiche ins Gebüsch sinken. Dann nahm er dem Deutschen die Erkennungsmarke und den Helm ab und kehrte zu seinem Lager zurück.

Er war etwa hundert Meter davon entfernt, als er ein »Wer da?« hörte.

Zum Glück erinnerte sich Player gerade noch rechtzeitig an die Parole. »Rotkäppchen.«

»Zeigen Sie sich!«

Player machte ein paar Schritte vorwärts. Plötzlich spürte er ein Bajonett im Nacken, und ein zweites an der Kehle. Ohne ein weiteres Wort wurde er zu Lieutenant Wakehams Zelt gebracht. Der junge Offizier hörte aufmerksam zu, was Player zu berichten hatte, und unterbrach ihn nur hin und wieder, um sich Einzelheiten erklären zu lassen.

»Gut gemacht, Player«, murmelte der Lieutenant, nachdem sein inoffizieller Kundschafter seinen Bericht beendet hatte. »Ich möchte, dass Sie eine Karte anfertigen, aus der die Stellung des feindlichen Lagers hervorgeht. Arbeiten Sie so sorgfältig Sie können. Ich brauche Einzelheiten über die Beschaffenheit des Geländes, über die Entfernung, über alles, woran Sie sich erinnern können, und was uns bei unserem Vorstoß von Nutzen sein kann. Sobald Sie damit fertig sind, versuchen Sie ein wenig zu schlafen. Sie müssen uns führen, wenn wir beim ersten Tageslicht aufbrechen.«

»Soll ich ihm eine Verwarnung wegen unerlaubten Verlassens des Lagers erteilen?«, fragte der Sergeant vom Dienst.

»Nein«, erwiderte Wakeham. »Hiermit befehle ich, dass

Player mit sofortiger Wirkung zum Corporal befördert wird.« Corporal Player lächelte, salutierte und begab sich in sein Zelt. Doch bevor er sich schlafen legte, nähte er sich zwei Streifen an seine Kampfuniform.

Während das Regiment langsam Meile um Meile ins Innere Frankreichs vorrückte, führte Corporal Player Spähtrupps hinter die feindlichen Linien und kehrte jedes Mal mit wichtigen Informationen zurück. Einmal brachte er sogar einen deutschen Offizier mit, den er ebenfalls mit heruntergelassener Hose gefasst hatte.

Lieutenant Wakeham war beeindruckt, dass Player diesen Mann gefangen genommen hatte. Sein Erstaunen wurde noch größer, als er mit der Befragung des Gefangenen begann und feststellte, dass der Corporal die Rolle des Dolmetschers übernehmen konnte.

Am nächsten Morgen stürmten sie die Ortschaft Orbec, die sie bei Anbruch der Nacht bereits wieder hinter sich ließen. Der Lieutenant ließ ans Hauptquartier funken, dass durch Corporal Players Einsatz die Kampfhandlungen verkürzt und dadurch viele Menschenleben gerettet werden konnten.

Drei Monate nachdem Private Player an der Küste der Normandie gelandet war, marschierte das North Staffordshire Regiment über die Champs-Élysées, und der inzwischen frischgebackene Sergeant Player dachte nur an eines: wie er ein Mädchen finden konnte, das bereit wäre, die drei Nächte seines Urlaubs mit ihm zu verbringen – oder mit ein bisschen Glück: jede Nacht ein anderes.

Doch bevor die Männer auf die Stadt losgelassen wurden, mussten sich alle Unteroffiziere beim Willkommenskomitee für alliiertes Personal melden, wo man ihnen Tipps gab, wie sie sich in Paris zurechtfinden konnten. Sergeant Player hätte sich keine größere Zeitverschwendung vorstellen können. Er wusste genau, wie er auf sich aufpassen musste, egal, in welcher europäischen Großstadt. Jetzt wollte er so schnell wie möglich losziehen, ehe die amerikanischen Truppen alle weiblichen Wesen unter vierzig für sich in Beschlag nahmen.

Als Sergeant Player im Hautquartier des Komitees eintraf, einem requirierten Haus an der Place de la Madeleine, stellte er sich an einer langen Schlange an, um an eine Informationsbroschüre zu kommen, der zu entnehmen war, was von einem alliierten Soldaten erwartet wurde, solange er sich auf alliiertem Gebiet aufhielt: wie er zum Eiffelturm kam; welche Bars und Restaurants sich in seiner Preisklasse befanden; wie er verhindern konnte, sich mit Geschlechtskrankheiten anzustecken. Der Text las sich, als hätte ein Damenkränzchen ihn verfasst, das in den letzten zwanzig Jahren unter Garantie keinen Nachtclub von innen gesehen hatte.

Als Player endlich den Kopf der Schlange erreichte, blieb er wie gebannt stehen. Er war nicht fähig, auch nur ein Wort hervorzubringen, egal, in welcher Sprache. Ein schlankes, junges Mädchen mit tiefbraunen Augen und dunklen Locken stand hinter einem Schreibtisch und lächelte den hochgewachsenen, schüchternen Sergeant an. Sie reichte ihm die Broschüre. Player nahm sie, machte aber keine Anstalten weiterzugehen.

»Haben Sie noch irgendwelche Fragen?«, erkundigte sich das Mädchen auf Englisch, jedoch mit unüberhörbar französischem Akzent.

»Allerdings«, erwiderte er. »Wie heißen Sie?«

»Charlotte.« Sie errötete tief, obwohl man ihr diese Frage heute bestimmt schon ein Dutzendmal gestellt hatte.

»Und sind Sie Französin?«

Sie nickte.

»Mach schon, Sarge!«, drängte der Corporal hinter ihm.

»Haben Sie in den nächsten drei Tagen schon was vor?«, erkundigte Player sich nun in ihrer Muttersprache.

»Nicht viel. Aber ich habe hier noch zwei Stunden Dienst.«

»Dann warte ich auf Sie.« Er wandte sich um und setzte sich auf eine hölzerne Bank an der Wand.

Während der nächsten einhundertzwanzig Minuten nahm John Player nur dann den Blick von dem Mädchen mit den dunklen Locken, um ungeduldig auf den Minutenzeiger der großen Wanduhr hinter ihr zu schauen. Er war froh, dass er gewartet und nicht vorgeschlagen hatte, später zurückzukommen; denn im Laufe dieser zwei Stunden sah er, wie sich mehrere andere Soldaten über den Tisch beugten und dem Mädchen offenbar die gleiche Frage stellten. Jedes Mal blickte sie zu dem jungen Sergeant, lächelte und schüttelte den Kopf. Als sie schließlich von einer Matrone mittleren Alters abgelöst wurde, kam sie zu Player herüber. Und nun war sie es, die ihm eine Frage stellte:

»Was möchten Sie als Erstes tun?«

Das sagte er ihr lieber nicht. Stattdessen erklärte er sich glücklich damit einverstanden, als sie vorschlug, ihm Paris zu zeigen.

In den nächsten drei Tagen wich Player nur dann von Charlottes Seite, wenn sie in den frühen Morgenstunden in ihr kleines Apartment zurückkehrte. Er fuhr den Eiffelturm hinauf, spazierte die Seineufer entlang, besuchte den Louvre und hielt sich an die meisten Ratschläge in der Broschüre, was zur Folge hatte, dass sie sich fast ständig in Gesellschaft von drei Regimentern unbeweibter Soldaten befanden, die ihren Neid nicht verbergen konnten, wenn sie Player mit Charlotte sahen.

Sie speisten in überfüllten Restaurants, tanzten in Nachtclubs, in denen es so voll war, dass sie sich fast auf der Stelle drehen mussten, und unterhielten sich über alles Mögliche – nur nicht über den Krieg, der ihnen vielleicht nur drei kostbare Tage gönnen mochte. Beim Kaffee im Hotel Cancelier erzählte Player ihr von seiner Familie in Douski, die er seit vier Jahren nicht mehr gesehen hatte.

Anschließend berichtete er ihr alles, was er seit seiner Flucht aus der Tschechoslowakei erlebt hatte; nur die Nächte mit Mari ließ er aus. Charlotte erzählte ihm von ihrem Leben in Lyon, wo ihre Eltern einen kleinen Gemüseladen besaßen, und wie glücklich sie gewesen war, als die Alliierten ihr geliebtes Frankreich befreit hatten. Doch jetzt wünschte sie sich nur das Ende des Krieges.

»Aber erst, wenn ich das Viktoriakreuz bekommen habe«, wehrte Player ab.

Charlotte schauderte, denn sie hatte gelesen, dass viele Männer diese Tapferkeitsauszeichnung postum erhalten hatten. »Aber wenn der Krieg zu Ende ist«, fragte sie, »was wirst du dann tun?« Diesmal zögerte Player. Sie hatte schließlich doch eine Frage gefunden, auf die er keine Antwort parat hatte.

»Nach England zurückkehren«, antwortete er schließlich, »wo ich es zu etwas bringen werde.«

»Wie?«

»Ganz bestimmt nicht, indem ich Zeitungen verkaufe.«

Während dieser drei Tage und drei Nächte lagen die beiden nur wenige Stunden im Bett – die einzige Zeit, die sie getrennt waren.

Als Player Charlotte schließlich an der Tür ihres winzigen Apartments verließ, versprach er: »Sobald wir Berlin erobert haben, komme ich zurück.«

Tränen liefen ihr über die Wangen, als der Mann davonschritt, den sie liebte; denn viele Freunde hatten sie gewarnt, dass die Soldaten sich nie mehr blicken ließen, sobald sie erst weg waren. Und sie behielten recht: John Player sollte Charlotte Reville nie mehr wiedersehen.

Sergeant Player meldete sich wenige Minuten vor dem Appell zurück. Rasch rasierte er sich und wechselte sein Hemd, ehe er einen Blick auf den Tagesbefehl warf. Er las, dass er sich um neun Uhr beim Regimentskommandeur zu melden habe.

Punkt neun marschierte er ins Büro des Kommandeurs, stand stramm und salutierte. Player fielen eine Menge Gründe dafür ein, weshalb der Kommandeur ihn hierher beordert haben mochte, doch keiner erwies sich als zutreffend.

Der Colonel blickte von seinem Schreibtisch auf. »Tut mir leid, Player«, sagte er bedauernd, »aber Sie müssen das Regiment verlassen.«

»Warum, Sir?« Player fiel aus allen Wolken. »Was habe ich mir zuschulden kommen lassen?«

»Nichts«, entgegnete der Colonel lachend. »Gar nichts. Im Gegenteil. Meine Empfehlung, Sie zum Lieutenant zu befördern, wurde vom Oberkommando befürwortet. Deshalb ist Ihre Versetzung zu einem anderen Regiment erforderlich. Schließlich sollen Sie nicht den Befehl über Kameraden übernehmen, mit denen Sie gemeinsam im Mannschaftsrang gedient haben.«

Mit offenem Mund schlug Sergeant Player die Hacken zusammen.

»Ich halte mich damit lediglich an Armeevorschriften«, erklärte ihm der Kommandeur. »Natürlich werden unserem Regiment Ihre besonderen Fähigkeiten und Kenntnisse fehlen. Aber ich bin sicher, dass wir in nicht allzu ferner Zukunft von Ihnen hören werden. Tja, Player, jetzt bleibt mir nur noch, Ihnen viel Glück bei Ihrem neuen Regiment zu wünschen.«

»Vielen Dank, Sir«, sagte Player, der davon ausging, das Gespräch sei beendet. »Ich danke Ihnen sehr.«

Er wollte schon salutieren, als der Colonel hinzufügte: »Darf ich Ihnen noch einen Rat geben, bevor Sie zu Ihrem neuen Regiment aufbrechen?«

»Ich wäre Ihnen sehr verbunden, Sir«, versicherte ihm der frischgebackene Lieutenant.

»›John Player‹ ist ein ziemlich lächerlicher Name. Ändern Sie ihn, damit Ihre Männer nicht hinter Ihrem Rücken über Sie grinsen.«

Am nächsten Morgen begab sich Lieutenant Richard Ian Armstrong um sieben Uhr zur Offiziersmesse des King's Own Regiment.

Als er in seiner maßgeschneiderten Uniform über den Exerzierplatz schritt, brauchte er ein paar Minuten, sich daran zu gewöhnen, von jedem Soldaten, der ihm begegnete, militärisch gegrüßt zu werden. In der Messe setzte er sich zu seinen neuen Offizierskameraden. Verstohlen, aber aufmerksam beobachte er, wie sie ihr Besteck hielten. Nach dem Frühstück, von dem er sehr spärlich aß, meldete er sich bei

Colonel Oakshott, seinem neuen Kommandeur. Oakshott war ein rotgesichtiger, raubeiniger, aber gutmütiger und freundlicher Mann. Als er Armstrong begrüßte, ließ er durchblicken, dass er schon viel von den Leistungen des jungen Lieutenants gehört hatte.

Richard – oder vielmehr Dick, wie seine Offizierskameraden ihn bald nannten – war stolz darauf, Angehöriger eines so berühmten alten Regiments sein zu dürfen. Noch stolzer allerdings war er darauf, dass er jetzt ein britischer Offizier mit forschem, englischem Akzent war, der seine Herkunft verbarg. Von den zwei überfüllten Zimmern in Douski war er sehr weit gekommen, und wie er so am Kamin in der Bequemlichkeit der Offiziersmesse des King's Own Regiment saß, sah er keinen Grund, weshalb er es nicht noch viel weiter bringen sollte.

Jeder Offizier des King's Own wusste bald von Lieutenant Armstrongs Heldentaten in Frankreich, und je näher das Regiment deutschem Territorium kam, desto mehr konnte Armstrong auch die skeptischsten Kameraden davon überzeugen, dass er nicht nur geprahlt hatte. Doch selbst sein eigener Trupp war schier überwältigt von dem Mut, den der Lieutenant bereits drei Wochen, nachdem er zum Regiment gekommen war, in den Ardennen bewies. Der Stoßtrupp unter Armstrongs Kommando drang vorsichtig in ein kleines Städtchen ein – in der Annahme, die Deutschen hätten sich bereits zur Befestigung ihrer Stellung in die umliegenden Berge zurückgezogen. Doch Armstrongs Zug war nur etwa hundert Meter weit die Hauptstraße vorgestoßen, als er in Sperrfeuer geriet. Lieutenant Armstrong, nur mit einem Revolver und einer Handgranate bewaffnet, orientierte sich am Mündungsfeuer der Deutschen und stürmte »unter Einsatz seines Lebens«, wie später im Bericht zu lesen stand, auf die deutschen Schützengräben los.

Er hatte bereits die drei deutschen Soldaten im ersten Schützengraben kampfunfähig gemacht, ehe sein Sergeant zu ihm aufschließen konnte. Darauf ging Armstrong allein auf den zweiten Schützengraben los, aus dem heftig auf ihn geschossen wurde, sodass er keine andere Wahl hatte, als seine Handgranate hineinzuwerfen. Die Wirkung war verheerend. Nun erhoben sich weiße Fahnen aus dem dritten Schützengraben, und drei junge Soldaten kamen mit erhobenen Händen herausgeklettert. Einer machte einen Schritt nach vorn und lächelte. Armstrong erwiderte das Lächeln und schoss ihm eine Kugel in den Kopf. Die beiden anderen wandten sich mit flehender Miene an ihn, während ihr Kamerad zu Boden sackte. Armstrong lächelte weiter und verpasste jedem von ihnen einen Schuss in die Brust.

Atemlos kam sein Sergeant an seine Seite gerannt. Noch immer lächelnd drehte sich der junge Lieutenant zu ihm herum. Der Sergeant starrte auf die leblosen Körper hinab. Armstrong steckte seine Waffe wieder ins Holster und sagte: »Bei diesen Bastarden darf man kein Risiko eingehen.«.

»Stimmt, Sir«, entgegnete der Sergeant leise.

Nachdem sie in jener Nacht ihr Lager aufgeschlagen hatten, requirierte Armstrong ein deutsches Motorrad und raste mit einem Urlaubsschein für achtundvierzig Stunden nach Paris zurück. Um sieben Uhr früh am nächsten Morgen stand er vor dem Haus, in dem Charlotte wohnte.

Als die Concierge Charlotte informierte, dass ein Lieutenant Armstrong zu ihr wolle, erwiderte Charlotte, sie kenne niemanden mit diesem Namen. Sie vermutete, dass es irgendein Offizier wäre, der sich von ihr die Stadt zeigen lassen wollte. Doch als sie sah, um wen es sich handelte, warf sie ihm die Arme um den Hals, und sie verließen ihr kleines Apartment den ganzen Tag und die folgende Nacht nicht. Obwohl sie Französin war, schockierte es die Concierge. »Ich weiß ja, es ist Krieg«, sagte sie zu ihrem Mann, »aber die beiden haben sich noch nie gesehen!«

Am Sonntagabend musste Dick Charlotte verlassen, um an die Front zurückzukehren. Er versprach ihr wiederzukommen, sobald die Alliierten Berlin eingenommen hätten – und dann würden sie heiraten. Er schwang sich aufs Motorrad und brauste davon. Charlotte stand im Nachthemd am Fenster ihres kleinen Apartments und blickte ihm nach, bis sie ihn nicht mehr sehen konnte. »Es sei denn, du fällst, bevor Berlin fällt, Liebling«, flüsterte sie.

Das King's Own Regiment wurde neben anderen für den Vorstoß auf Hamburg ausersehen, und Armstrong wollte der erste Offizier sein, der die Stadt betrat. Nach drei Tagen heftigsten Widerstands fiel Hamburg.

Am nächsten Morgen betrat Field Marshal Sir Bernard Montgomery die Stadt. In seinem Jeep stehend, hielt er eine Rede an die alliierten Truppen. Er bezeichnete die Schlacht um Hamburg als entscheidend und versicherte seinen Männern, dass der Krieg nun bald zu Ende sein würde, sodass sie nach Hause zurückkehren könnten. Nachdem die Soldaten ihrem Oberbefehlshaber zugejubelt hatten, stieg er vom Jeep und verlieh Tapferkeitsmedaillen. Zu denen, die das Military Cross erhielten, gehörte Captain Richard Armstrong.

Zwei Wochen später wurde die bedingungslose Kapitulation Deutschlands von General Jodl unterzeichnet und von

Eisenhower angenommen. Am darauffolgenden Tag erhielt Captain Richard Armstrong eine Woche Urlaub. Er fuhr mit seinem Motorrad zurück nach Paris und traf wenige Minuten vor Mitternacht vor Charlottes Haus ein. Diesmal brachte ihn die Concierge direkt zum Apartment.

Am nächsten Morgen schritten Charlotte in einem weißen Kostüm und Dick in seiner Paradeuniform zum Standesamt. Dreißig Minuten später traten sie als Captain und Mrs. Armstrong heraus. Die Concierge und ihr Mann hatten als Trauzeugen fungiert. Den größten Teil ihrer dreitägigen Flitterwochen verbrachte das junge Paar in Charlottes winzigem Apartment. Als Dick seine Frau verließ, um zu seinem Regiment zurückzukehren, erklärte er, dass er die Armee verlassen und sie nach England mitnehmen werde, um dort ein großes Unternehmen aufzubauen.

»Haben Sie schon irgendwelche Pläne, jetzt, wo der Krieg vorbei ist, Dick?«, erkundigte sich Colonel Oakshott.

»Ich werde nach England zurückkehren und mir eine Stellung suchen«, antwortete Armstrong.

Oakshott öffnete den bräunlichen Ordner, der vor ihm auf dem Schreibtisch lag. »Ich habe hier in Berlin vielleicht etwas für Sie.«

»Als was, Sir?«

»Das Oberkommando sucht einen geeigneten Mann für die Leitung der PRISC. Ich glaube, Sie sind genau der Richtige für diesen Posten.«

»Was in aller Welt ist die …«

»Die PRISC ist die Abteilung für Öffentlichkeitsarbeit und Presseaufsicht. Der Posten ist wie geschaffen für Sie. Wir suchen jemanden, der Großbritanniens Sache überzeugend darstellen und sich gleichzeitig vergewissern kann, dass die Presse die Angelegenheit auch richtig interpretiert. Den Krieg zu gewinnen war eine Sache, aber die Welt davon zu überzeugen, dass wir die einstigen Feinde fair behandeln, ist eine andere – und erweist sich als viel schwieriger. Die Amerikaner, Russen und Franzosen werden ihre eigenen Vertreter abstellen. Deshalb brauchen wir jemanden, der auch ein Auge auf sie haben kann. Sie beherrschen mehrere Sprachen und verfügen über alle nötigen Voraussetzungen. Und, Dick, Sie haben keine Familie in England, zu der Sie schnellstens zurück möchten.«

Armstrong nickte. Nach einigen Augenblicken sagte er: »Um Montgomery zu zitieren: ›Welche Waffen geben Sie mir, um den Job zu erledigen?‹«

»Eine Zeitung«, erwiderte Oakshott. »*Der Telegraph* ist eine der Berliner Tageszeitungen. Ihr derzeitiger Verleger ist Arno Schulz, ein Deutscher. Die ganze Zeit jammert er, er könne seine Druckerpressen nicht in Betrieb halten, und ständig macht er sich Sorgen über die Papierknappheit. Außerdem fällt häufig der Strom aus. Wir möchten, dass *Der Telegraf* auch wirklich täglich erscheint und unsere Ansichten verbreitet. Ich wüsste niemanden, der diese Aufgabe besser erledigen könnte als Sie.«

»*Der Telegraph* ist nicht die einzige Berliner Tageszeitung«, wandte Armstrong ein.

»Stimmt.« Der Colonel nickte. »Ein anderer Deutscher verlegt im amerikanischen Sektor den *Berliner* – ein weiterer Grund, dass unser Projekt unter keinen Umständen scheitern darf. Momentan ist die Auflage des *Berliner* doppelt so hoch wie die des *Telegraph*. Wie Sie sich vorstellen können, hätten wir's umgekehrt lieber.«

»Und welche Befugnisse hätte ich?«

»Sie bekommen freie Hand. Sie dürfen sich Ihre Redaktion selbst einrichten und so viel Personal einstellen, wie Sie für nötig halten. Es ist auch eine Wohnung vorhanden, Sie könnten Ihre Frau also gleich herkommen lassen.« Oakshott machte eine Pause. »Hätten Sie gern eine kurze Bedenkzeit, Dick?«

»Die brauche ich nicht, Sir.«

Der Colonel zog die Brauen hoch.

»Ich nehme mit Freuden an.«

»Sehr gut. Fangen Sie damit an, zuerst einmal Verbindungen aufzubauen. Sehen Sie zu, dass Sie jeden kennenlernen, der uns irgendwie von Nutzen sein kann. Falls Sie auf Probleme stoßen, verweisen Sie direkt an mich – egal, wer Ihnen in die Quere kommt. Sollten Sie mal gar nicht weiterkommen, reichen für gewöhnlich die Worte ›Alliierter Kontrollrat‹ um selbst die unbeweglichsten Räder zu ölen.«

Captain Armstrong benötigte lediglich eine Woche, die geeigneten Redaktionsräume im Herzen des britischen Sektors zu requirieren, was er zum Teil tatsächlich dem Wort »Kontrollrat« verdankte, das er in fast jedem zweiten Satz benutzte. Ein bisschen länger brauchte er dazu, seine elfköpfige Belegschaft zu rekrutieren; denn die Besten arbeiteten bereits für den Rat. Armstrongs erster Schritt bestand darin, Sally Carr abzuwerben, die Sekretärin eines Generals, die vor dem Krieg in London für den *Daily Chronicle* gearbeitet hatte.

Kaum stand Sally in Armstrongs Diensten, lief binnen kürzester Zeit alles wie am Schnürchen. Armstrongs nächster Coup folgte, als er entdeckte, dass Lieutenant Wakeham als Transportoffizier in Berlin stationiert war. Sally erzählte ihrem Chef, Wakeham langweile sich mit dem stumpfsinnigen Ausfüllen von Reisedokumenten für die Soldaten zu Tode. Armstrong machte Wakeham den Vorschlag, als sein Stellvertreter zur Zeitung zu kommen, und zu seiner Verwunderung nahm sein ehemaliger Vorgesetzter das Angebot nur zu gern an. Er brauchte allerdings einige Tage, bis Armstrong sich daran gewöhnt hatte, Wakeham mit »Peter« anzureden.

Armstrong vervollständigte sein Team mit einem Sergeant, zwei Corporals und einem halben Dutzend Privates aus dem King's Own, welche die nötige Voraussetzung für die entsprechenden Arbeiten mitbrachten. Allesamt hatten sie früher in Londons East End als Straßenhändler ihr Dasein gefristet. Den Cleversten, Private Reg Benson, machte Armstrong zu seinem Fahrer. Als Nächstes organisierte er sich eine Wohnung in der Paulstraße, die ein Brigadegeneral bewohnte, der in Kürze nach England zurückkehren würde. Sobald der Colonel die erforderlichen Papiere unterschrieben hatte, bat Armstrong Sally, ein Telegramm an Charlotte in Paris zu schicken.

»Und der Text?«, fragte sie und schlug eine Seite ihres Stenoblocks zurück.

»›Habe passende Wohnung gefunden. Pack alles und komm sofort.‹« Armstrong stand auf. »Ich fahre jetzt zum *Telegraph* und sehe mir mal Arno Schulz an. Kümmern Sie sich inzwischen darum, dass hier alles glatt geht.«

»Was soll ich damit machen?«, fragte Sally und reichte ihm einen Brief.

»Worum geht's?« Armstrong warf nur einen flüchtigen Blick darauf.

»Ein Journalist aus Oxford möchte Berlin besuchen und

darüber schreiben, wie die Briten als Sieger die besiegten Deutschen behandeln.«

»Viel zu gut«, brummte Armstrong an der Tür. »Aber machen Sie mir besser einen Termin mit dem Mann.«

10

News Chronicle

1. Oktober 1946

Die Nürnberger Kriegsverbrecherprozesse:
Görings Schuld beispiellos in ihrer Ungeheuerlichkeit

Als Keith Townsend im Worcester College in Oxford eintraf, um Politikwissenschaften, Philosophie und Volkswirtschaft zu studieren, entsprach sein erster Eindruck von England genau dem, was er erwartet hatte: Es war selbstgefällig, versnobt und aufgeblasen und lebte offenbar noch in der viktorianischen Ära. Entweder war man Offizier oder trug einen anderen Rang oder einen Titel, oder man zählte nicht. Und da Keith aus den Kolonien kam, ließ man ihn nicht im Zweifel darüber, in welche Kategorie er fiel.

Fast alle seine Kommilitonen kamen ihm wie jüngere Ausgaben von Mr. Jessop vor, und bereits nach einer Woche hätte er am liebsten seine Sachen gepackt und wäre sofort nach Hause zurückgekehrt, wäre da nicht sein Tutor gewesen. Es hätte gar keinen größeren Unterschied geben können als den zwischen Dr. Howard und Keith' altem Direktor. Dr. Howard überraschte es gar nicht, als der junge Australier ihm bei einem Glas Sherry in seinem Zimmer gestand, wie sehr er das britische Klassensystem verachte, das selbst die Studenten hier noch genüsslich zelebrierten. Dr. Howard enthielt sich sogar eines Kommentars über die Leninbüste, die Keith in die Mitte des Kaminsimses gestellt hatte, wo im vergangenen Jahr noch Lord Salisburys Platz gewesen war.

Dr. Howard wusste freilich auch keine unmittelbare Lösung für das Klassenproblem. Tatsächlich war der einzige Rat, den er Keith erteilte, am Fresher's Fair teilzunehmen, dem Einführungstag für Studienanfänger.

Keith befolgte Dr. Howards Rat und erfuhr am nächsten Vormittag, weshalb anzuraten war, dem Ruderklub, der philatelistischen Gesellschaft und dem Ausbildungskorps für zukünftige Offiziere beizutreten; vor allem aber ließ man ihn wissen, weshalb er sich in der Studentenzeitung engagieren sollte. Nachdem Keith den frischernannten Redakteur des *Cherwell* und vor allem dessen Ansichten über die Aufgaben dieser Studentenzeitung kennengelernt hatte, beschloss er, sich lieber mit Politik zu beschäftigen. Er verließ die Einführungsveranstaltung mit Anmeldeformularen für die Oxford Union und den Labour Club.

Am darauffolgenden Dienstag ging Keith ins Bricklayer's Arms, wo der Wirt ihm den Weg die Treppe hinauf zu dem kleinen Zimmer wies, in dem der Labour Club seine Treffen abhielt.

Der Vorsitzende des Klubs, Rex Siddons, begegnete dem »Genossen Keith« – er bestand von Anfang an darauf, ihn so anzureden – mit unverhohlenem Misstrauen. Townsend hatte alles, was zu einem traditionellen Tory gehörte: einen geadelten Vater, eine private Schulausbildung, ein eigenes Konto und sogar einen MG-Sportflitzer, wenngleich aus zweiter Hand.

Doch im Laufe der Wochen, als die Mitglieder des Labour

Club immer wieder Keith' Ansichten über die Monarchie, die Privatschulen, die Verleihung von Ehrentiteln und das Elitedenken zu hören bekamen, wurde er für *alle* zu Genosse Keith. Einige Mitglieder nahm er nach den Treffen sogar mit auf sein Zimmer, wo sie bis in den frühen Morgen darüber diskutierten, wie sie die Welt verändern und das Commonwealth in seinen Grundfesten erschüttern würden, sobald sie erst aus diesem »schrecklichen Kaff«, wie sie Oxford nannten, heraus waren.

Während seines ersten Trimesters stellte Keith erstaunt fest, dass er nicht automatisch bestraft oder getadelt wurde, wenn er eine Vorlesung versäumte oder nicht zum Seminar erschien, bei dem er seinem Tutor seinen wöchentlichen Aufsatz vorlesen sollte. Er brauchte mehrere Wochen, sich an dieses System zu gewöhnen, das ausschließlich auf Selbstdisziplin basierte. Und am Ende des Trimesters drohte sein Vater, ihm das Taschengeld zu sperren und ihn zu harter Arbeit nach Hause zurückzuholen, falls er sich nicht sofort auf den Hosenboden setzte.

Während seines zweiten Trimesters schrieb Keith seinem Vater jeden Freitag einen langen Brief, in dem er ihm in allen Einzelheiten über sein wöchentliches Arbeitspensum berichtete, was die Beschimpfungen und Drohungen immerhin einzudämmen schien. Hin und wieder ließ sich Keith tatsächlich in einer Vorlesung – wo er sich darauf konzentrierte, ein Roulettesystem zu perfektionieren – und in Seminaren blicken, wo er sich bemühte, nicht einzuschlafen.

Während des Sommertrimesters entdeckte Keith die Pferderennbahnen von Cheltenham, Newmarket, Ascot, Doncaster und Epsom, was dazu führte, dass er nie genug

Geld hatte, sich ein neues Hemd oder auch nur ein Paar Socken leisten zu können.

In den Ferien musste er mehrere seiner Mahlzeiten im Bahnhof einnehmen, der wegen seiner Nähe zu Worcester von einigen Studenten als die Mensa betrachtet wurde.

Eines Nachts, nachdem Keith im Bricklayer's Arms etwas zu viel getrunken hatte, schmierte er auf die altehrwürdige, im achtzehnten Jahrhundert errichtete Mauer der Worchester-Universität: *C'est magnifique, mais ce n'est pas la Gare* – der Schuppen ist toll, aber es ist nicht der Bahnhof.

Am Ende seines ersten Jahres hatte Keith für die zwölf Monate, die er auf der Universität zugebracht hatte, nur sehr wenig vorzuweisen – außer einer kleinen Gruppe Gleichgesinnter, die entschlossen waren, das System zugunsten der schweigenden Mehrheit umzustürzen, sobald man sie erst auf die Gesellschaft losgelassen hatte.

Keith' Mutter, die regelmäßig schrieb, riet ihm, seine Ferien zu nutzen und in Europa herumzureisen, da er diese Chance vielleicht nie wiederbekommen würde. Er beherzigte ihren Rat und machte sich daran, eine Route auszuarbeiten – und er wäre tatsächlich gereist, hätte er nicht zufällig bei einem Drink im nahen Pub den Nachrichtenredakteur der *Oxford Mail* kennengelernt.

Liebe Mutter,
ich habe Deinen Brief mit den Vorschlägen bekommen, was ich während der Ferien unternehmen sollte. Eigentlich wollte ich Deinem Rat folgen und die französische Küste entlangfahren, vielleicht bis Deauville – aber dann hat der Nachrichtenredakteur der Oxford Mail *mir die Chance geboten, Berlin zu besuchen.*

Er möchte, dass ich vier längere Artikel über das Leben im besetzten Deutschland schreibe. Von Berlin aus soll ich weiter nach Dresden reisen, um über den Wiederaufbau der Stadt zu berichten. Für jeden Artikel bekomme ich bei Abgabe zwanzig Guineen. Meiner düsteren finanziellen Lage wegen – meine Schuld, nicht Deine – hat Berlin den Vorzug vor Deauville bekommen.
Falls es in Deutschland so etwas wie Ansichtskarten gibt, werde ich Dir welche mitsamt den Kopien der vier Artikel schicken, damit Dad sie lesen kann. Vielleicht interessiert der Courier sich ja dafür.
Schade, dass wir uns diesen Sommer nicht sehen.
Alles Liebe, Keith

Kaum hatten die Ferien begonnen, startete Keith in die gleiche Richtung wie viele andere Studenten: Er fuhr mit seinem MG nach Dover und setzte mit der Fähre nach Calais über. Doch während die anderen dort die Fähre verließen, um ihre Reise durch die historischen Städte des Kontinents anzutreten, lenkte Keith seinen kleinen Flitzer mit dem Faltdach in Richtung Berlin. Es war so schön warm, dass er das Verdeck zum ersten Mal offen lassen konnte.

Während Keith über die kurvenreichen Straßen Frankreichs und Belgiens fuhr, wurde er ständig daran erinnert, wie wenig Zeit vergangen war, seit in Europa der Krieg getobt hatte. Überall sah er verwüstete Hecken und Felder, wo statt Traktoren Panzer gefahren waren; er sah Bauernhäuser, die an der Frontlinie gelegen hatten und durch Bomben und Granaten zerstört worden waren, und Flüsse, die voll waren von achtlos zurückgelassener zerstörter Ausrüstung und militärischem Gerät. Während Keith an immer mehr ausgebombten Häusern vorbei und durch Meilen um Meilen verwüsteter Landschaft fuhr, dachte er mit wachsendem Bedauern an Deauville mit seinen Kasinos und Rennbahnen.

Als es zu dunkel wurde, den Löchern in den Straßen auszuweichen, bog Keith in einen einsamen Feldweg ein, parkte den Wagen an der Fahrbahnseite und schlief sofort tief und fest ein. Noch im Dunkeln weckte ihn der Motorenlärm von Militärfahrzeugen, die schwerfällig in Richtung deutsche Grenze fuhren. Keith notierte sich: »Die Armee steht offenbar auf, ohne den Lauf der Sonne zu berücksichtigen.« Er musste den Zündschlüssel ein paarmal drehen, ehe der Motor sich anzuspringen bequemte. Keith rieb sich die Augen, wendete den MG und fuhr auf die Straße zurück. Gerade noch rechtzeitig erinnerte er sich daran, dass er hier rechts fahren musste.

Nach zweistündiger Fahrt erreichte er die Grenze und reihte sich in eine lange Schlange ein. Jeder, der nach Deutschland wollte, wurde peinlichst genau überprüft. Schließlich war Keith an der Reihe. Ein Grenzbeamter schaute sich seinen Reisepass an. Als er feststellte, dass Keith Australier war, machte er lediglich eine bissige Bemerkung über Donald Bradman und winkte ihn weiter.

Nichts, was Keith gehört oder gelesen hatte, hätte ihn auf die Zustände in einem besiegten Land vorbereiten können. Er kam zusehends langsamer voran, da die Schlaglöcher hier noch tiefer waren und sich gelegentlich gar zu Bombentrichtern ausdehnten. Bald wurde es unmöglich, mehr als hundert Meter weit zu kommen, ohne dabei fahren zu müssen wie in einem Autoskooter auf dem Rummelplatz. Und kaum hatte Keith einmal das Glück, mit über sechzig Stundenkilometer voranzukommen, musste er an den Straßenrand ausweichen, um eine weitere Militärkolonne vorbeizulassen. Bei der letzten Kolonne sah Keith, dass auf den Türen der Jeeps Sterne aufgemalt waren.

Keith beschloss, einen dieser unplanmäßigen Aufenthalte zu nutzen und in ein Gasthaus einzukehren, das er ein Stück abseits der Straße erspäht hatte. Das Essen war ungenießbar, das Bier dünn, und die finstere Miene des Wirts und seiner Gäste zeigten Keith unmissverständlich, dass er nicht willkommen war. Er bestellte sich nichts weiter, sondern zahlte rasch und brach gleich wieder auf.

Nur langsam näherte er sich der deutschen Hauptstadt und erreichte die Außenbezirke Berlins wenige Minuten bevor die Gaslaternen angezündet wurden. Unverzüglich hielt er in den Nebenstraßen Ausschau nach einem kleinen Hotel – er wusste, je näher er dem Stadtzentrum kam, desto unwahrscheinlicher war es, dass er sich die Preise leisten konnte.

Schließlich entdeckte er eine kleine Pension an der Ecke einer ausgebombten Straße. Sie stand ganz allein da, als hätte sie gar nicht bemerkt, was um sie herum geschehen war. Diese Illusion schwand jedoch, als Keith die Eingangstür geöffnet hatte. Die düstere Diele wurde nur von einer Kerze beleuchtet, und hinter dem Anmeldepult stand ein mürrischer Portier in abgewetzter Hose und grauem Hemd. Er nahm kaum Notiz davon, dass der junge Mann nach einem Zimmer fragte, und Keith sprach nur wenige Worte Deutsch. So hob er schließlich die offene Hand, in der Hoffnung, der Portier würde begreifen, dass sein neuer Gast fünf Tage zu bleiben beabsichtige.

Der Mann nickte widerwillig, nahm einen Schlüssel von

einem der Haken hinter ihm und führte Keith eine schlichte Holztreppe hinauf zu einem Eckzimmer im ersten Stock. Keith stellte seine Reisetasche ab und starrte auf das schmale Bett, den Stuhl, die Kommode mit drei statt acht Schubladenknöpfen, und auf den ramponierten Tisch. Er ging durchs Zimmer, schaute durchs Fenster auf die Trümmerlandschaft und dachte an den friedlichen Ententeich, den er von seinem Zimmer im College aus sehen konnte. Er drehte sich um und wollte dem Portier danken, doch der war bereits verschwunden.

Nachdem Keith seine Reisetasche ausgepackt hatte, zog er den Stuhl an den Tisch am Fenster. Dann schrieb er gut zwei Stunden lang seine ersten Eindrücke über das besiegte Deutschland nieder – nicht zuletzt deshalb, weil er sich seiner Nationalität wegen aus irgendeinem Grund schuldig fühlte.

Als die Sonne durch das vorhanglose Fenster schien, erwachte Keith. Er brauchte eine Weile, bis er sich in dem beschädigten Waschbecken, in das der Leitungshahn nur tropfenweise kaltes Wasser abgab, waschen konnte. Unter diesen Umständen beschloss er, auf eine Rasur zu verzichten. Er zog sich an, stieg die Treppe hinunter und öffnete auf der Suche nach der Küche mehrere Türen, ehe er sie fand. Eine Frau stand an einem Herd. Sie drehte sich zu Keith um, brachte ein Lächeln zustande und deutete auf den Tisch.

Alles sei rationiert und außer Mehl kaum etwas zu bekommen, erklärte sie ihm in einem Kauderwelsch aus Deutsch und Englisch. Sie setzte ihm zwei große Scheiben Brot vor, hauchdünn mit Schweineschmalz beschmiert. Keith dankte ihr und erntete ein Lächeln. Nach einem zweiten Becher irgendwas – die Frau versicherte ihm, dass es

Milch sei – ging Keith auf sein Zimmer zurück, setzte sich ans Fußende des Bettes und suchte die Adresse, wo das Treffen stattfinden sollte, auf einem alten Stadtplan, den er in einem Schreibwarenladen in Oxford erstanden hatte. Er verließ das Hotel schon kurz nach acht, weil er auf keinen Fall zu spät zu dem Termin kommen wollte.

Er hatte bereits beschlossen, sich die Zeit so einzuteilen, dass er sich zumindest einen Tag lang in jedem Sektor der geteilten Stadt umsehen konnte. Den russischen wollte er sich für zuletzt aufheben, um ihn mit denjenigen Sektoren vergleichen zu können, die von den westlichen Alliierten kontrolliert wurden. Nach allem, was er bisher gesehen hatte, ging Keith davon aus, dass es unter den Sowjets nur besser laufen konnte. Das würde seine Genossen vom Labour Club in Oxford zweifellos freuen, waren sie doch der Meinung, dass »Onkel Josef« viel bessere Arbeit leistete als Attlee, Auriol und Truman zusammen – ungeachtet der Tatsache, dass die meisten Mitglieder des Labour Club nie weiter nach Osten gereist waren als bis Cambridge.

Auf dem Weg zur Innenstadt hielt Keith mehrmals an, um sich zu erkundigen, wie er zur Siemensstraße käme. Wenige Minuten vor neun fand er schließlich die Zentrale der PRISC, der Abteilung für Öffentlichkeitsarbeit und Presseaufsicht im britischen Sektor. Er parkte seinen Wagen und schloss sich dem Strom männlicher und weiblicher Militärangehöriger in verschiedenen Uniformen an, welche die breite Freitreppe hinauf und durch die Drehtür gingen. Ein Schild machte darauf aufmerksam, dass der Fahrstuhl außer Betrieb war; deshalb stieg Keith die fünf Stockwerke zu Fuß hinauf. Obwohl es noch ein wenig zu früh für sein Interview war, meldete er sich am Empfang.

»Wie kann ich Ihnen behilflich sein, Sir?«, fragte ein Corporal des weiblichen Armeekorps hinter dem Empfangstresen. Noch nie zuvor war Keith von einer Frau mit »Sir« angeredet worden, und es gefiel ihm nicht.

Er zog einen Brief aus der Innentasche seines Jacketts und reichte ihn ihr. »Ich habe um neun einen Termin beim Direktor.«

»Ich glaube nicht, dass er bereits im Hause ist, Sir, aber ich werde mich erkundigen.«

Sie griff nach dem Telefonhörer und sprach mit einer Kollegin.

»In ein paar Minuten wird sich jemand um Sie kümmern«, erklärte die Frau, nachdem sie aufgelegt hatte. »Bitte, nehmen Sie doch so lange Platz.«

Aus den paar Minuten wurde fast eine Stunde. Inzwischen hatte Keith beide Zeitungen, die auf dem Tischchen neben ihm lagen, von der ersten bis zur letzten Seite gelesen. *Der Berliner* war nicht viel besser als *Cherwell,* die Studentenzeitung in Oxford, von der Keith überhaupt nichts hielt, und *Der Telegraph* war sogar noch schlechter. Da der Direktor der PRISC auf fast jeder Seite erwähnt wurde, konnte Keith nur hoffen, dass niemand ihn nach seiner Meinung fragte, was die Qualität dieses Blattes betraf.

Endlich kam eine andere Frau und erkundigte sich nach Mr. Townsend. Keith sprang auf und ging hinüber zum Empfangstresen.

»Ich bin Sally Carr«, stellte die Frau sich gleichmütig und in breitem Cockney-Dialekt vor, »die Sekretärin des Direktors. Was kann ich für Sie tun?«

»Ich habe Ihnen aus Oxford geschrieben«, antwortete Keith und hoffte, sich etwas älter anzuhören, als er war. »Ich bin Journalist bei der *Oxford Mail* und habe den Auftrag, eine Artikelserie über die Zustände in Berlin zu schreiben. Ich habe einen Termin bei ...« Er drehte den Brief um. »... Captain Armstrong.«

»Ach ja, ich erinnere mich«, sagte Miss Carr. »Aber Captain Armstrong hält sich heute Vormittag im russischen Sektor auf. Vor Nachmittag erwarte ich ihn nicht im Büro. Wenn Sie morgen früh noch einmal vorbeikommen könnten, wird er sich bestimmt gerne Zeit für Sie nehmen.« Keith versuchte sich seine Enttäuschung nicht anmerken zu lassen und versicherte ihr, morgen um neun Uhr wiederzukommen. Vielleicht hätte er seinen Plan, mit Armstrong zu sprechen, aufgegeben, hätte man ihm nicht erzählt, dass gerade dieser Captain besser darüber Bescheid wusste, was sich wirklich in Berlin tat, als alle anderen Stabsoffziere zusammen.

Den Rest des Tages schaute Keith sich im britischen Sektor um. Oft blieb er stehen, um sich Notizen über alles zu machen, was er für seinen Artikel brauchen konnte: die Art und Weise, wie die Briten sich gegenüber den besiegten Deutschen verhielten; die fast leeren Läden für viel zu viele Kaufwillige; die langen Schlangen vor sämtlichen Lebensmittelgeschäften; die gesenkten Köpfe der vom Krieg demoralisierten Menschen. Als irgendwo eine Uhr zwölf schlug, betrat er eine Kneipe voller Soldaten, in der es ziemlich laut zuging, und setzte sich ans Ende der Theke. Als ihn schließlich ein Kellner fragte, was er wünsche, bestellte er ein großes Glas Bier und ein Käsebrot – jedenfalls meinte er Käse zu bestellen, doch sein Deutsch war nicht so gut, dass er sicher sein konnte. Auf der Theke machte er sich ein paar weitere Notizen. Ihm fiel auf, dass die Kellner erst alle

Gäste – wirklich *alle* – in Uniform bedienten und sich bei den Zivilisten Zeit ließen.

Selbst hier, in diesem Lokal, konnte Keith erkennen, dass das Klassensystem sogar dann fortbestand, wenn die Briten eine fremde Stadt besetzten. Einige Soldaten schimpften darüber – in einem Englisch, das Miss Steadman gar nicht gefallen hätte –, wie lange es dauerte, bis ihre Papiere bearbeitet seien, sodass sie endlich nach Hause konnten. Andere schienen sich mit einem Leben in Uniform abgefunden zu haben; sie sprachen nur vom nächsten Krieg und wo er wohl stattfinden würde. Keith runzelte die Stirn, als er einen Soldaten sagen hörte: »Kratz irgendeinen Kraut, und du wirst sehen, dass unter der Pelle ein verdammter Nazi steckt.« Doch nach dem Essen, als Keith die Erforschung des britischen Sektors wieder aufnahm, konnte er beobachten, dass die Soldaten diszipliniert waren und die Besiegten – zumindest dem Anschein nach – nach außen hin mit reservierter Höflichkeit behandelten.

Als die Jalousien der Geschäfte heruntergelassen und die Türen geschlossen wurden, kehrte Keith zu seinem kleinen MG zurück. Der Wagen war von Bewunderern umringt, deren Neid sich schnell in Zorn verwandelte, als sie sahen, dass der Besitzer des Flitzers Zivil trug. Langsam fuhr Keith zu seinem Vorstadthotel zurück. Nachdem er in der Küche einen Teller Kartoffeln und Sauerkraut gegessen hatte, ging er auf sein Zimmer und schrieb in den nächsten zwei Stunden alles nieder, woran er sich vom heutigen Tag erinnerte. Irgendwann ging er ins Bett und las Orwells *Farm der Tiere,* bis die Kerze heruntergebrannt war.

In dieser Nacht schlief Keith tief und fest. Nachdem er sich am Morgen wieder mit fast eiskaltem Wasser gewaschen hatte, machte er einen halbherzigen Versuch, sich zu rasieren, ehe er hinunter in die Küche ging. Mehrere Scheiben Brot, wieder dünn mit Schweineschmalz beschmiert, erwarteten ihn bereits. Nach dem Frühstück packte Keith seine Papiere zusammen und machte sich wieder auf den Weg zur PRISC. Hätte er sich mehr auf die Straße konzentriert und weniger auf die Fragen, die er Captain Armstrong stellen wollte, hätte er sich vielleicht an das Umleitungsschild gehalten. Der Panzer, der geradewegs auf ihn zukam, war nicht in der Lage anzuhalten. Und obwohl Keith auf die Bremse stieg und nur die Ketten streifte, schleuderte der Koloss den MG in einem vollständigen Kreis herum und auf den Bürgersteig, wo er gegen einen Laternenpfahl aus Beton krachte. Am ganzen Leib zitternd, blieb Keith erst einmal hinter dem Lenkrad sitzen.

Der Verkehr um ihn herum kam zum Stehen. Ein junger Lieutenant sprang aus dem Panzer und rannte zum MG, um sich zu vergewissern, dass sein Fahrer nicht verletzt war. Vorsichtig kletterte Keith aus dem MG. Nachdem er probehalber auf und ab gehüpft war und die Arme geschwungen hatte, stellte er erleichtert fest, dass er nur eine geringfügige Schnittwunde an der rechten Hand und ein schmerzendes Fußgelenk davongetragen hatte.

Der Panzer war, wie zu erwarten, völlig unversehrt. Der MG dagegen sah aus, als wäre er in eine Schlacht geraten. Keith erinnerte sich, dass die Versicherung bei Unfällen im Ausland nur ein Drittel des Schadens zahlte. Trotzdem beteuerte er dem Panzeroffizier, ihn würde nicht die geringste Schuld treffen. Der Lieutenant zuckte nur die Achseln und erklärte Keith den Weg zur nächsten Werkstatt und verschwand anschließend wieder in seinem stählernen Ungetüm.

Keith ließ den MG stehen und rannte zu der Werkstatt. Erst zwanzig Minuten später kam er ans Ziel und war sich schmerzhaft seiner schlechten Kondition bewusst geworden. Nach einer Weile machte er einen Mechaniker ausfindig, der Englisch sprach und ihm zusagte, dass der Wagen bei Gelegenheit abgeholt würde.

»Was heißt ›bei Gelegenheit‹?«, fragte Keith.

»Kommt drauf an«, erwiderte der Mechaniker und machte die weltweit unmissverständliche Bewegung des Geldscheinzählens. »Sie wissen schon, alles eine Frage der – Priorität.«

Keith zückte seine Brieftasche und zog einen Zehn-Schilling-Schein heraus.

»Haben Sie keine Dollar?«, fragte der Mechaniker enttäuscht.

»Nein«, antwortete Keith fest.

Nachdem er dem Mechaniker beschrieben hatte, wo der Wagen zu finden sei, setzte er seinen Weg zur Siemensstraße fort. Schon jetzt war er zehn Minuten zu spät für den Interviewtermin – und das in einer Stadt, in der kaum Bahnen fuhren und sogar noch weniger Taxis. Als Keith schließlich im PRISC-Hauptquartier eintraf, hatte *er* jemanden vierzig Minuten warten lassen.

Der weibliche Corporal von der Anmeldung erkannte Keith sofort wieder, hatte jedoch keine ermutigende Neuigkeit für ihn. »Captain Armstrong musste vor wenigen Minuten zu einem Termin in den amerikanischen Sektor«, sagte sie. »Er hat über eine Stunde auf Sie gewartet.«

»Verdammt«, murmelte Keith, »ich hatte unterwegs einen Unfall und bin hergekommen, so schnell ich konnte. Wäre es möglich, den Captain heute noch irgendwann zu sprechen?«

»Leider nein. Er wird sich den ganzen Nachmittag im amerikanischen Sektor aufhalten.«

Keith zuckte resigniert die Schultern. »Könnten Sie mir bitte beschreiben, wie ich zum französischen Sektor komme?«

Als Keith einige Zeit später durch die Straßen eines anderen Sektors in Berlin schlenderte, konnte er seinen gestrigen Erlebnissen nicht viel Neues hinzufügen. Ihm wurde nur immer schmerzhafter bewusst, dass es in dieser Stadt drei Sprachen gab, die er nicht beherrschte. Das war auch der Grund dafür, dass er sich ein Essen bestellte, das er gar nicht wollte, und dazu eine Flasche Wein, die er sich gar nicht leisten konnte.

Anschließend kehrte er zu dem Automechaniker zurück, um zu sehen, wie weit man mit der Reparatur gekommen war. Die Gaslaternen brannten schon, als er die Werkstatt erreichte, und der einzige Mitarbeiter, der Englisch sprach, war offenbar schon nach Hause gegangen. Keith sah seinen MG in einer Ecke des Innenhofs stehen, noch im gleichen Zustand wie nach dem Unfall. Der einzige Mann, der sich noch in der Werkstatt aufhielt, deutete stumm auf die 8 auf seiner Armbanduhr.

Am nächsten Morgen war Keith um Viertel vor acht wieder in der Werkstatt, doch der Mechaniker, der Englisch sprach, erschien erst um dreizehn nach acht.

Er ging ein paarmal um den MG herum, bevor er düster verkündete: »Eine Woche mindestens, bis ich ihn wieder in Schuss hab.« Diesmal drückte Keith ihm ein Pfund in die Hand.

»Aber vielleicht könnte ich es auch in zwei Tagen schaffen … hängt alles von der Priorität ab.« Keith musste einsehen, dass er es sich leider nicht leisten konnte, absolute Priorität zu haben.

In der überfüllten Straßenbahn ließ er sich seine finanzielle Lage durch den Kopf gehen. Wenn er noch zehn Tage überstehen, seine Hotelrechnung und die Wagenreparatur bezahlen wollte, würde ihm nichts anderes übrig bleiben, als bei der Rückfahrt auf Übernachtungen in Hotels zu verzichten und stattdessen in seinem MG zu schlafen.

An der inzwischen vertrauten Haltestelle sprang er aus der Straßenbahn, rannte die Treppen hinauf und stand kurz vor neun am Empfang. Diesmal ließ man ihn – mit denselben Zeitungen als Lektüre – zwanzig Minuten warten, bevor die Sekretärin des Direktors sich mit verlegener Miene an ihn wandte.

»Tut mir sehr leid, Mr. Townsend«, erklärte sie. »Captain Armstrong musste völlig unerwartet nach England fliegen. Aber Lieutenant Wakeham, seinem Stellvertreter, wird es ein Vergnügen sein, sich mit Ihnen zu unterhalten.«

Keith verbrachte fast eine volle Stunde mit Lieutenant Wakeham, der ihn immer wieder »alter Junge« nannte, ihm erklärte, weshalb er keine Erlaubnis bekommen könne, sich in Spandau umzusehen, und Witze über Don Bradman riss. Als Keith den Lieutenant verließ, hatte er das Gefühl, mehr über die aktuelle Situation des Kricketsports in England erfahren zu haben als über die Zustände in Berlin. Den Rest des Tages schaute er sich im amerikanischen Sektor um und blieb immer wieder stehen, um sich an Straßenecken mit GIs zu unterhalten. Die amerikanischen Soldaten erzählten ihm voller Stolz, dass sie ihren Sektor niemals verließen – erst dann, wenn es zurück in die Staaten ging.

Am Spätnachmittag rief Keith in der Werkstatt an. Der

englischsprechende Mechaniker versprach ihm, dass er seinen Wagen morgen Abend abholen könne.

Am nächsten Tag fuhr Keith mit der Straßenbahn in den russischen Sektor. Sehr schnell stellte er fest, wie sehr er sich mit seiner Annahme getäuscht hatte, dass hier alles ein bisschen besser aussehen würde. Der Labour Club der Universität von Oxford würde gewiss nicht glücklich sein zu erfahren, dass die Schultern der Ostberliner noch gekrümmter waren, ihre Häupter noch gebeugter und ihre Schritte noch langsamer als die ihrer Mitbürger in den Sektoren der westlichen Alliierten. Und dass die Leute offenbar nicht einmal miteinander sprachen, geschweige denn mit Keith. Auf dem Hauptplatz war eine Statue Hitlers durch eine noch größere von Lenin ersetzt worden, und mächtige Stalin-Statuen beherrschten jede Straßenecke. Nachdem Keith mehrere Stunden durch trostlose Gassen mit Läden ohne Waren und Kunden geschlendert war und nirgends ein Restaurant oder auch nur eine kleine Kneipe entdeckt hatte, kehrte er in den britischen Sektor zurück.

Er beschloss, am nächsten Morgen nach Dresden zu fahren. Vielleicht würde er mit seinem Auftrag etwas früher fertig und könnte noch zwei Tage in Deauville verbringen, um seine schwindenden Finanzen aufzustocken. Er pfiff vor sich hin und sprang auf eine Straßenbahn, die ihn zur Werkstatt brachte.

Der MG wartete auf dem Hof und sah aus wie neu. Jemand hatte ihn sogar gewaschen und poliert, sodass die rote Motorhaube im Abendlicht schimmerte.

Der Mechaniker reichte Keith den Schlüssel, und er setzte sich hinters Lenkrad und drehte die Zündung. Der Wagen sprang sofort an. »Großartig«, lobte er.

Der Mechaniker bestätigte es mit einem Nicken. Als Keith wieder ausstieg, zog ein anderer Mechaniker den Schlüssel aus dem Zündschloss.

»Wie viel bekommen Sie?« Keith öffnete seine Brieftasche.

»Zwanzig Pfund«, antwortete der Englisch sprechende Mechaniker.

Keith wirbelte herum und starrte ihn an. »Zwanzig Pfund?«, entrüstete er sich. »Aber so viel habe ich nicht! Ich hab' Ihnen doch schon dreißig Shilling gegeben! Ich habe für den ganzen verdammten Wagen nur dreißig Pfund bezahlt!«

Das schien den Mechaniker nicht zu beeindrucken. »Wir mussten die Kurbelwelle austauschen, einige Teile für den Vergaser selbst anfertigen und ihn dann wieder zusammen- und einbauen. Und dann die ganze Arbeit an der Karosserie! Was meinen Sie, wie schwer es war, an Ersatzteile zu kommen. In Berlin ist so ein Luxus zur Zeit kaum gefragt. Zwanzig Pfund«, wiederholte er.

Keith nahm sein Geld aus der Brieftasche und zählte es. »Wie viel ist das in Reichsmark?«

»Wir nehmen keine Mark«, wehrte der Mechaniker ab.

»Warum nicht?«

»Die Briten haben uns vor Falschgeld gewarnt.«

Keith kam zu der Einsicht, dass es an der Zeit war, eine andere Taktik zu versuchen. »Das ist ja ungeheuerlich!«, rief er. »Ich werde Sie anzeigen, damit man Ihre Werkstatt schließt!«

Die Drohung ließ den Deutschen völlig kalt. »Sie haben vielleicht den Krieg gewonnen, mein Herr, das bedeutet aber noch lange nicht, dass Sie Ihre Rechnung nicht bezahlen müssen.«

»Sie bilden sich doch wohl nicht ein, dass Sie damit

durchkommen!«, brüllte Keith. »Ich werde Sie Captain Armstrong melden, meinem guten Freund vom Kontrollrat! Dann werden Sie schon sehen, wie weit Sie mit Ihren unverschämten Forderungen kommen!«

»Vielleicht ist es besser, wir rufen die Polizei und überlassen *der* die Entscheidung.«

Das brachte Keith zum Schweigen. Eine Zeit lang ging er auf dem Hof hin und her, ehe er gestand: »Ich habe keine zwanzig Pfund.«

»Dann werden Sie den Wagen wohl verkaufen müssen.«

»Niemals!«, rief Keith.

»Tja, in diesem Fall müssen wir ihn als Sicherheit hierbehalten – für die übliche Unterstellgebühr –, bis Sie die Rechnung bezahlen können.«

Keith' Gesicht wurde immer röter, während der Mechaniker und ein Kollege bei seinem MG stehen blieben. Sie wirkten erstaunlich gelassen. »Wie viel würden Sie mir denn für den Wagen geben?« fragte Keith schließlich.

»In Berlin besteht zur Zeit keine große Nachfrage nach Sportwagen aus zweiter Hand mit rechtsseitiger Lenkung. Aber ich würde sagen ... hunderttausend Reichsmark könnte ich möglicherweise dafür aufbringen.«

»Aber Sie sagten doch, dass Sie keine Reichsmark nehmen!«

»Nur nicht von Durchreisenden. Unsere Geschäfte betreiben wir durchaus in Mark.«

»Sind die Hunderttausend abzüglich der Reparaturrechnung?«

»Nein«, erwiderte der Mechaniker. Er lächelte und fügte nach einer kurzen Pause hinzu: »Aber wir werden zusehen, dass Sie einen guten Wechselkurs kriegen.«

»Verdammte Nazis«, murmelte Keith.

Zu Beginn seines zweiten Jahres in Oxford wurde Keith von seinen Freunden im Labour Club bedrängt, sich zur Wahl für den Vorstand zu stellen. Keith hatte längst erkannt, dass es nur der Vorstand war, der hohen Politikern vorgestellt wurde, wenn sie die Universität besuchten, obwohl der Labour Club mehr als sechshundert Mitglieder zählte. Und nur der Vorstand hatte die Macht, wichtige Beschlüsse zu verabschieden. Überdies wurden aus dem Vorstand jene Mitglieder gewählt, die zu Parteiversammlungen geschickt wurden und daher die Möglichkeit hatten, die Parteipolitik zu beeinflussen.

Als das Ergebnis der Vorstandswahl verkündet wurde, staunte Keith, mit welch hohem Prozentsatz man für ihn gestimmt hatte. Am darauffolgenden Montag nahm er an seiner ersten Vorstandssitzung im Bricklayer's Arms teil. Er setzte sich weit nach hinten und hörte stumm zu. Er konnte nur staunen, was sich vor seinen Augen abspielte. Dieser Vorstand huldigte allem, was Keith an Britannien verachtete. Die Vorstandsmitglieder waren reaktionär, voreingenommen und, wann immer es zu einer echten Entscheidung kam, ultrakonservativ. Brachte jemand eine originelle Idee vor, wurde sie lang und breit erörtert und dann rasch vergessen, sobald man im Parterre des Pubs eine Pause einlegte.

Keith war inzwischen überzeugt, dass es nicht genügte, nur Vorstandsmitglied des Labour Club zu sein, wenn er einige seiner radikaleren Ideen verwirklicht sehen wollte. Um dieses Ziel zu erreichen, musste er in seinem letzten Jahr Vorsitzender des Labour Club werden. Als er dieses Vorhaben in einem Brief an seinen Vater erwähnte, schrieb

Sir Graham zurück, er sei weit mehr daran interessiert, dass Keith seinen akademischen Abschluss bekomme als Vorsitzender des Labour Club zu werden, denn das sei für jemanden, der sein Nachfolger als Chef eines großen Zeitschriftenkonzerns werden wollte, nicht von vorrangiger Bedeutung.

Keith' einziger Rivale für den Posten war der zweite Vorsitzende, Gareth Williams, der mit einem Stipendium der Neath Grammar School studierte und als Sohn eines Bergmanns über die nötigen Voraussetzungen verfügte.

Die Vorstandswahl sollte in der zweiten Woche des Herbsttrimesters stattfinden. Keith war klar, dass jede Stunde der ersten Woche von Bedeutung war, wollte er zum Vorsitzenden gewählt werden. Da Gareth Williams beim Vorstand besser bekannt war als beim Fußvolk des Labour Club, wusste Keith genau, wo er den Hebel ansetzen musste. Während der ersten zehn Tage des Trimesters lud er jeweils mehrere Mitglieder, die ihren Beitrag bezahlt hatten – darunter einige neue Studenten –, auf einen Drink zu sich in sein Zimmer ein. Nacht um Nacht konsumierten die Genossen Unmengen Collegebier, Salzgebäck und billigen Wein, alles auf Keith' Kosten.

Vierundzwanzig Stunden vor der Wahl glaubte Keith es geschafft zu haben. Er ging die Mitgliederliste durch und hakte diejenigen ab, um die er sich so großzügig gekümmert hatte und von denen er überzeugt war, dass sie für ihn stimmen würden. Die, von denen er wusste dass sie Williams unterstützten, versah er mit einem Kreuzchen.

Die wöchentliche Vorstandssitzung am Abend vor der Wahl zog sich endlos hin, doch Keith genoss die Vorstellung, dass er das letzte Mal seine Zeit vergeudete; dass er zum letzten Mal erlebte, wie ein sinnloser Beschluss nach dem anderen gefasst wurde, die ohnehin allesamt im nächsten Papierkorb landeten. Keith saß wieder hinten im Versammlungsraum. Er machte keine einzige Bemerkung zu den zahllosen Änderungen von Klauseln und Zusatzklauseln, auf die Gareth Williams und seine Kumpels so scharf waren. Fast eine Stunde lang diskutierte der Vorstand über die Schande von mittlerweile mehr als dreihunderttausend Arbeitslosen. Keith hätte seine Genossen gern darauf hingewiesen, dass es in Großbritannien mindestens dreihunderttausend Menschen gab, die seiner Ansicht nach schlicht und einfach für keinerlei Arbeit zu gebrauchen waren. Doch eine solche Bemerkung wäre einen Tag, bevor er die Unterstützung möglichst vieler Genossen bei der Wahl brauchte, nicht sonderlich klug gewesen.

Keith hatte sich in seinem Stuhl zurückgelehnt und kämpfte gegen das Einschlafen, als die Bombe platzte. Es geschah während des Tagesordnungspunkts »Verschiedenes«, als Hugh Jenkins von St. Peter sich gewichtig von seinem Stuhl in der vorderen Reihe erhob. Keith redete nur selten mit Jenkins, nicht nur, weil verglichen mit diesem Burschen Lenin ein Liberaler war. Jenkins war auch der engste Verbündete von Gareth Williams.

»Genosse Vorsitzender«, begann Jenkins nun, »man hat mich darauf aufmerksam gemacht, dass es zu einer Verletzung der Geschäftsordnungsbestimmung Nummer neun, Paragraf c, betreffs der Vorstandswahl gekommen ist.«

»Komm endlich zur Sache«, rief Keith. Er hatte bereits seine Pläne mit dem Genossen Jenkins, sobald er Vorsitzender war – Pläne, die sich in keinem Paragrafen c irgendwelcher Geschäftsordnungsbestimmungen fanden.

»Das habe ich vor, Genosse Townsend.« Jenkins drehte

sich zu ihm um. »Insbesondere, da die Angelegenheit dich persönlich betrifft.«

Keith beugte sich vor und hörte, zum ersten Mal an diesem Abend, aufmerksam zu. »Es hat den Anschein, Genosse Vorsitzender, dass Genosse Townsend in den letzten zehn Tagen um Stimmen für sich geworben hat, um zum Vorsitzenden gewählt zu werden.«

»Natürlich habe ich das«, sagte Keith. »Wie könnte ich sonst erwarten, dass mir jemand seine Stimme gibt?«

»Ich freue mich, dass Genosse Townsend das so offen zugibt, Genosse Vorsitzender, denn es erspart uns, einen internen Untersuchungsausschuss einzuberufen.«

Keith war verwirrt, bis Jenkins erklärte: »Es ist nur allzu offensichtlich, dass Genosse Townsend sich nicht die Mühe gemacht hat, einen Blick in unsere Statuten zu werfen, in denen ausdrücklich steht, dass jegliche Form von Werbung für einen Vorstandsposten streng verboten ist. Geschäftsordnungsbestimmung Nummer neun, Paragraf c.«

Keith musste zugeben, dass er die Statuten überhaupt nicht kannte, geschweige denn über Geschäftsordnungsbestimmung Nummer 9 und ihre Paragrafen im Bilde war.

»Ich bedaure, dass es meine Pflicht ist, einen Antrag einzubringen«, fuhr Jenkins fort. »Nämlich, dass Genosse Townsend von der morgigen Wahl ausgeschlossen wird und zudem aus diesem Vorstand ausscheiden muss.«

Ein anderes Vorstandsmitglied in der zweiten Reihe sprang auf. »Der Ordnung halber, Genosse Vorsitzender, möchte ich darauf hinweisen, dass es sich hier um zwei Anträge handelt.«

Der Vorstand diskutierte daraufhin vierzig Minuten lang, ob man über einen oder zwei Anträge abstimmen müsse.

Das Problem wurde schließlich durch einen Zusatzantrag aus der Welt geschafft und durch eine Abstimmung geklärt, bei der elf gegen sieben Mitglieder entschieden, dass die Angelegenheit als zwei Anträge zu behandeln sei. Im Anschluss folgten mehrere Reden und Hinweise auf Geschäftsordnungsbestimmungen und Statuten, die Frage betreffend, ob man dem Genossen Townsend gestatten solle, an der Wahl zum Vorsitzenden teilzunehmen. Keith erklärte, sich bei der Abstimmung über diesen Antrag gern der Stimme enthalten zu wollen.

»Wie edelmütig«, feixte Williams.

Der Vorstand stimmte mit zehn zu sieben Stimmen und einer Enthaltung dafür, Genosse Townsend nicht als Kandidaten für den Posten des Vorsitzenden zuzulassen.

Williams bestand darauf, das Abstimmungsergebnis im Sitzungsbericht zu vermerken, falls irgendwann einmal jemand Berufung einlegen wolle. Keith machte sofort entschieden klar, dass er nicht im Traum die Absicht habe, in Berufung zu gehen. Williams bekam sein Grinsen gar nicht mehr aus dem Gesicht.

Keith wartete nicht auf den Ausgang der zweiten Abstimmung. Er war längst wieder auf seinem Zimmer im College, als endlich über den neuen Vorsitzenden abgestimmt wurde. Keith entging einer langen Diskussion darüber, ob man neue Wahlscheine drucken solle, nun, da es nur noch einen Kandidaten für den Posten des Vorsitzenden gab.

Am nächsten Tag ließen mehrere Studenten keinen Zweifel daran, dass sie Keith' Disqualifizierung bedauerten. Er jedoch sagte sich bereits, dass die Labour Party wohl kaum noch vor dem Ende des Jahrhunderts den Realitäten ins Auge sehen würde und es so gut wie nichts gab, was er dagegen tun könnte – selbst wenn er Vorsitzender des Clubs geworden wäre.

Der Rektor der Universität pflichtete am Abend bei einem Glas Sherry in seiner Dienstwohnung dieser Auffassung bei. Dann fuhr er fort: »Ich bin im Ganzen gar nicht so traurig über den Ausgang, denn ich muss Ihnen leider mitteilen, Townsend, dass Ihr Tutor es für höchst unwahrscheinlich hält, dass Sie Ihr Studium an dieser Universität erfolgreich abschließen, sollten Sie auch in Zukunft so halbherzig bei der Sache sein wie in den vergangenen zwei Jahren.«

Bevor Keith etwas zu seiner Verteidigung erwidern konnte, fuhr der Rektor bereits fort: »Mir ist natürlich klar, dass ein akademischer Grad, den Sie in Oxford erwerben, von keiner allzu großen Bedeutung für den von Ihnen angestrebten Berufsweg ist. Doch bitte ich Sie zu bedenken, welch große Enttäuschung es für Ihre Eltern wäre, wenn Sie uns nach drei Jahren verlassen, ohne das Geringste vorweisen zu können.«

Als Keith an diesem Abend auf sein Zimmer zurückkehrte, lag er noch lange wach und dachte über die Worte des Rektors nach. Doch was ihn schließlich zum Handeln bewegte, war ein Brief, den er wenige Tage später erhielt. Seine Mutter schrieb ihm, sein Vater habe einen leichten Herzinfarkt erlitten und dass sie nur hoffen könne, es würde nicht mehr allzu lange dauern, bis Keith endlich bereit sei, ein wenig Verantwortung zu übernehmen.

Augenblicklich meldete Keith einen Anruf zu seiner Mutter in Toorak an. Als er endlich durchgestellt wurde, lautete seine erste Frage: »Möchtest du, dass ich sofort nach Hause komme?«

»Nein«, antwortete sie entschieden. »Aber dein Vater

hofft, dass du dich jetzt endlich mehr auf dein Studium konzentrierst, denn ohne Abschluss wäre die Zeit in Oxford sinnlos gewesen.«

Wieder beschloss Keith, die Prüfer in Erstaunen zu versetzen. In den nächsten acht Monaten besuchte er jede Vorlesung und ließ sich kein Seminar entgehen. Mit Dr. Howards Hilfe holte er in den zwei Trimesterferien nach, was er in den vergangenen zwei Jahren versäumt hatte. Erst jetzt wurde er sich seiner Nachlässigkeit bewusst und wünschte beinahe, er hätte statt des MG die gute Miss Steadman mit nach Oxford genommen.

Am Montag der siebten Woche seines letzten Trimesters begab sich Keith – in dunklem Anzug, Hemd, weißer Krawatte und seiner College-Robe – zu den Prüfungsausschüssen in der High Street der Universität. Die nächsten fünf Tage saß er mit gesenktem Kopf an dem Schreibtisch, den man ihm zugewiesen hatte, und beantwortete so viele Fragen auf den elf Prüfungsbögen, wie er konnte. Als er am Nachmittag des fünften Tages hinaus in die Sonne trat, gesellte er sich zu seinen Freunden, die auf den Stufen des Prüfungsgebäudes saßen und mit jedem Sekt tranken, der vorbeikam und Lust hatte, sich ihnen anzuschließen.

Sechs Wochen später stellte Keith erleichtert fest, dass sich sein Name auf der ausgehängten Liste des Prüfungsausschusses befand, und dass er den akademischen Grad eines Bachelor of Arts (mit Auszeichnung) erhalten hatte. Dennoch musste er Dr. Howard beipflichten, dass dieser Grad von geringer Bedeutung für die Karriere war, die er bald einschlagen würde.

Am selben Tag, an dem er seine Prüfungsergebnisse erfuhr, wäre Keith gern nach Australien zurück, doch sein

Vater wollte nichts davon hören. »Ich möchte, dass du für meinen alten Freund Max Beaverbrook vom *Express* arbeitest«, erklärte er ihm durch die rauschende Telefonleitung. »Beaver wird dir in sechs Monaten mehr beibringen, als du in Oxford in drei Jahren gelernt hast.«

Keith hielt sich zurück, dem Vater zu antworten, dass das keine große Leistung wäre. »Was mir Sorgen macht, ist dein Gesundheitszustand, Vater. Ich möchte nicht in England bleiben, wenn ich dich zu Hause ein bisschen entlasten könnte.«

»Ich habe mich nie besser gefühlt, mein Junge«, versicherte Sir Graham. »Der Arzt sagt, dass sich alles normalisiert hat. Solange ich's nicht übertreibe, habe ich noch viele Jahre vor mir. Du wirst mir von viel größerem Nutzen sein, wenn du in der Fleet Street dein Handwerk von der Pike auf lernst, als wenn du jetzt heimkommst und mir im Grund genommen keine allzu große Hilfe bist. Tja, dann werde ich Beaver mal anrufen. Und du schreib ihm ein paar Zeilen – heute noch!«

Keith schrieb am gleichen Nachmittag an Lord Beaverbrook. Drei Wochen später lud der Besitzer des *Express* Sir Graham Townsends Sohn zu einem fünfzehnminütigen Vorstellungsgespräch ein.

Keith traf eine Viertelstunde zu früh am Arlington House im Stadtteil St. Jame's ein. Einige Minuten spazierte er die Straße davor auf und ab, bevor er den beeindruckenden Büropalast betrat weitere zwanzig Minuten warten musste, bis ihn eine Sekretärin zu Lord Beaverbrooks riesigem Büro mit Blick auf den St. Jame's Park führte.

»Wie geht es Ihrem Vater?«, fragte Beaver als Erstes.

»Danke, gut, Sir«, antwortete Keith, der vor Beavers

Schreibtisch stand, da ihm kein Platz angeboten worden war.

»Und Sie möchten in seine Fußstapfen treten?« Der alte Mann blickte ihn an.

»Ja, Sir, das möchte ich.«

»Gut, dann melden Sie sich morgen früh um zehn Uhr in Frank Butterfields Büro beim *Express*. Er ist der beste stellvertretende Chefredakteur der gesamten Fleet Street. Noch Fragen?«

»Nein, Sir.«

»Gut«, sagte Beaverbrook. »Richten Sie Ihrem Vater meine besten Grüße aus.« Er senkte den Kopf, womit er Keith offenbar zu verstehen geben wollte, dass das Gespräch beendet war. Dreißig Sekunden später stand Keith wieder auf der Straße und zweifelte beinahe daran, dass diese Begegnung tatsächlich stattgefunden hatte.

Am nächsten Morgen meldete er sich bei Frank Butterfield in der Fleet Street. Der stellvertretende Chefredakteur schien ständig in Bewegung zu sein und flitzte von einem Journalisten zum anderen. Keith hatte Mühe, mit ihm Schritt zu halten. Schon bald war ihm vollkommen klar, weshalb Butterfield dreimal geschieden war. Wenige Frauen würden Wert darauf legen, ein solches Leben zu teilen. Jeden Abend, außer am Samstag, brachte Butterfield die Zeitung gewissermaßen ins Bett – und sie war eine unerbittliche Herrin.

Im Laufe der Wochen langweilte es Keith zunehmend, nichts anderes zu tun, als Frank überallhin zu folgen. Es drängte ihn danach, ein besseres Bild davon zu bekommen, wie die Zeitung hergestellt, organisiert und geleitet wurde. Frank, der sich der Ungeduld des jungen Mannes bewusst wurde, entwickelte ein Programm, das dafür sorgen sollte, seinen Adlatus stets vollauf zu beschäftigen. So verbrachte Keith drei Monate im Vertrieb, die nächsten drei in der Anzeigenabteilung und weitere drei in der Herstellung. Dort stieß er auf zahllose Fälle von Schlamperei: Gewerkschafter, die Karten spielten, während sie an den Druckerpressen hätten stehen sollen, oder sich zwischen den schweren Aufgaben, Kaffee zu trinken oder Wetten beim nächsten Buchmacher abzuschließen, eine Arbeitspause gönnten. Manche schoben sogar mehrere Stechkarten unter verschiedenen Namen in die Stempeluhr und steckten den Lohn für jede Karte ein.

Als Keith sechs Monate beim *Express* war, hegte er längst seine Zweifel, dass der Inhalt das einzig Entscheidende für den Erfolg einer Zeitung war. Hätten sein Vater und er an ihren gemeinsamen Sonntagvormittagen nicht die Anzeigenseiten im *Courier* genauso intensiv lesen sollen wie die Titelseite? Und wenn sie im Arbeitszimmer seines alten Herrn die Schlagzeilen der *Gazette* kritisiert hatten – wäre es da nicht produktiver gewesen, sich zu vergewissern, dass Sir Grahams Unternehmen nicht mehr Arbeiter beschäftigte, als tatsächlich benötigt wurden? Oder ob die Honorare und Spesen der Journalisten nicht außer Kontrolle gerieten? So hoch Auflage und Absatz einer Zeitschrift auch sein mochten – das Hauptaugenmerk sollte darauf gerichtet sein, so gewinnbringend wie möglich zu wirtschaften. Über dieses Problem diskutierte Keith oft mit Frank Butterfield. Frank war der Meinung, dass sich an den eingefahrenen Praktiken in der Herstellung inzwischen wohl nichts mehr ändern ließe.

Regelmäßig schrieb Keith nach Hause und legte seine Theorien ausführlich dar. Nun, da er viele Probleme seines

Vaters aus erster Hand kennenlernte, befürchtete er, dass die Gewerkschaftspraktiken, die sich hier in der Fleet Street eingebürgert hatten, bald auch in Australien einreißen könnten.

Am Ende seines ersten Jahres sandte Keith – gegen Frank Butterfields Rat – ein langes Memorandum an Lord Beaverbrook im Arlington House. Darin brachte er seine Auffassung zum Ausdruck, dass in der Herstellung etwa zwei Drittel mehr Arbeiter auf der Lohnliste standen, als wirklich benötigt wurden; des Weiteren schrieb er, es sei praktisch unmöglich, dass ein moderner Zeitungsverlag Gewinn mache, solange die Löhne die höchsten Betriebsausgaben darstellten. In Zukunft müsse sich jemand die Gewerkschaften vornehmen. Beaverbrook bestätigte den Erhalt des Memorandums nicht.

Gleichwohl unverdrossen begann Keith sein zweites Jahr beim *Express*. Er arbeitete jeden Tag mehr Stunden, als er sich in Oxford auch nur hätte träumen lassen. Dies bestärkte ihn in seiner Meinung, dass es früher oder später radikale Änderungen in der Zeitschriftenbranche würde geben müssen. Diesmal entwarf Keith ein langes Memorandum für seinen Vater, über das er mit ihm zu diskutieren beabsichtigte, sobald er wieder in Australien war. Er setzte darin präzise auseinander, welche Veränderungen er für den *Courier* und die *Gazette* als notwendig erachtete, sollten diese Zeitungen auch in der zweiten Hälfte des Jahrhunderts gewinnbringend bleiben.

Keith war gerade am Telefon in Butterfields Büro und buchte seinen Flug nach Melbourne, als ein Bote ihm das Telegramm brachte.

11

The Times

5. Juni 1945

Alliierter Kontrollrat übernimmt Regierungsgewalt in Deutschland

Als Captain Armstrong den *Telegraph* zum ersten Mal besuchte, überraschte es ihn, wie schäbig die kleinen, im Souterrain gelegenen Redaktionsräume waren. Er wurde von einem Mann begrüßt, der sich als Arno Schultz vorstellte, Chefredakteur der Zeitung.

Schultz war knapp eins sechzig, hatte glanzlose, graue Augen, Bürstenhaarschnitt und trug einen dreiteiligen Vorkriegsanzug, der für ihn geschneidert worden sein musste, als er noch gut fünf Kilo schwerer gewesen war. Sein Hemd war am Kragen und an den Manschetten ausgefranst, und die dünne schwarze Krawatte glänzte speckig.

Armstrong lächelte zu ihm hinunter. »Sie und ich haben etwas gemeinsam«, stellte er fest.

Nervös verlagerte Schultz vor dem hochgewachsenen britischen Offizier sein Gewicht von einem Fuß auf den anderen. »Und das wäre?«

»Wir sind Juden«, antwortete Armstrong.

»Das hätte ich nie gedacht«, gestand Schultz, offenbar ehrlich überrascht.

Armstrong konnte sich ein zufriedenes Lächeln nicht verkneifen. »Ich möchte von Anfang an klarstellen, dass ich beabsichtige, Ihnen jede Unterstützung zukommen zu lassen, damit *Der Telegraf* regelmäßig erscheint. Ich habe nur ein langfristiges Ziel: eine höhere Auflage zu erreichen als *Der Berliner.*«

Schultz war skeptisch. »Vom *Berliner* werden täglich doppelt so viele Exemplare verkauft wie vom *Telegraf.* Das war schon vor dem Krieg so. Beim *Berliner* haben sie viel bessere Druckmaschinen, mehr Personal und den Vorteil, sich im amerikanischen Sektor zu befinden. Ich glaube, das ist kein sehr realistisches Ziel, Captain.«

»Dann werden wir in dieser Zeitung wohl einiges ändern müssen, nicht wahr?«, entgegnete Armstrong. »Betrachten Sie mich ab sofort als Besitzer dieses Zeitungsverlages. Sie selbst werden als Chefredakteur weitermachen. Wie wär's, wenn Sie mir Ihre Probleme etwas genauer erläutern?«

»Wo soll ich da anfangen?«, überlegte Schultz laut und blickte zu seinem neuen Chef auf. »Unsere Druckmaschinen sind alt und viele Teile verschlissen. Und es ist unmöglich, Ersatz dafür zu beschaffen.«

»Stellen Sie eine Liste aller Dinge auf, die Sie benötigen. Ich sorge dafür, dass Sie bekommen, was Sie brauchen.«

Schultz machte keinen sonderlich überzeugten Eindruck. Er putzte seine zerkratzte Brille mit einem Taschentuch, das er aus der Jackentasche gezogen hatte. »Dann ist da noch das ständige Problem mit dem Strom. Kaum habe ich die Maschinen am Laufen, wird er abgeschaltet. Das passiert mindestens zweimal die Woche, sodass wir die Zeitung gar nicht erst drucken können.«

»Ich werde mich darum kümmern, dass so etwas nicht

wieder vorkommt«, versprach Armstrong, obwohl er keine Ahnung hatte, wie er das bewerkstelligen sollte. »Was sonst noch?«

»Die Zensur«, erwiderte Schultz düster. »Der Prüfer legt jedes Wort in meinen Artikeln auf die Goldwaage. Das führt unweigerlich dazu, dass die Berichte zwei, drei Tage zu spät erscheinen und dadurch jede Aktualität verlieren. Und weil der Zensor den Rotstift stets bei den interessantesten Artikeln ansetzt, bleibt nicht viel Lesenswertes übrig.«

»Verstehe«, sagte Armstrong. »Von jetzt an werde *ich* die politische Überprüfung vornehmen. Und mit dem Zensor reden, damit Ihnen diese Probleme in Zukunft erspart bleiben. Ist das alles?«

»Nein, Captain. Das größte Problem werde ich dann kriegen, wenn der Strom *nicht* mehr ausfällt.«

»Das begreife ich nicht«, gestand Armstrong. »Wieso sollte es ein Problem werden, wenn die Druckmaschinen ungestört laufen?«

»Weil mir dann immer das Papier ausgeht.«

»Wie hoch ist die derzeitige Auflage?«

»Hundert-, hundertzwanzigtausend. Im Höchstfall.«

»Und *Der Berliner?*«

»Eine Viertelmillion ungefähr.« Schultz machte eine Pause. »Jeden Tag.«

»Ich werde dafür sorgen, dass Sie genug Papier für eine tägliche Auflage von einer Viertelmillion erhalten. Aber Sie müssen sich noch bis Ende des Monats gedulden.«

Schultz, normalerweise ein sehr höflicher Mann, kam nicht einmal auf die Idee, sich zu bedanken, als Captain Armstrong ihn verließ, um zu seinem Büro zurückzukehren. Mochte dieser britische Offizier noch so selbstsicher sein –

Schultz hielt es für unmöglich, dass er seine Versprechungen einlösen konnte.

Nach seiner Rückkehr bat Armstrong Sally, eine Liste sämtlicher Dinge zu tippen, um die Schultz gebeten hatte. Als sie fertig war, überprüfte Armstrong sie und erteilte Sally den Auftrag, zwölf Kopien anzufertigen sowie eine Zusammenkunft der gesamten Belegschaft zu organisieren. Eine Stunde später zwängten sich alle Mitarbeiter in Armstrongs Büro.

Sally gab jedem eine Kopie der Liste. Armstrong ging sie kurz mit ihnen durch und schloss dann mit den Worten: »Ich will alles, was auf dieser Liste steht, und zwar pronto. Sobald sämtliche Punkte abgehakt sind, bekommt ihr alle drei Tage Urlaub. Aber bis dahin werdet ihr rund um die Uhr arbeiten, auch an den Wochenenden. Habe ich mich klar ausgedrückt?«

Einige nickten, doch keiner sagte etwas.

Neun Tage später traf Charlotte in Berlin ein. Armstrong schickte Benson zum Bahnhof, um sie abzuholen.

»Wo ist mein Mann?«, fragte sie, als ihr Gepäck hinten im Jeep verstaut wurde.

»Er hat einen sehr wichtigen Termin, der sich nicht verschieben ließ, Mrs. Armstrong. Aber ich soll Ihnen ausrichten, dass er heute Abend so schnell wie möglich heimkommt.«

Als Dick nach Hause kam, stellte er fest, dass Charlotte bereits ausgepackt und ein Abendessen zubereitet hatte. Sie umarmte und küsste ihn zärtlich.

»Ich bin ja so glücklich, dass du endlich hier bist, Liebling«, sagte er. »Tut mir leid, dass ich dich nicht selbst vom Bahnhof abholen konnte.« Er blickte ihr in die Augen. »Aber ich schufte wie ein Ochse. Ich hoffe, du hast Verständnis dafür.«

»Aber natürlich«, versicherte Charlotte ihm. »Du musst mir beim Essen alles über deinen neuen Job erzählen.«

Armstrong erzählte ihr nicht nur beim Essen davon – er redete immer noch über seine Arbeit, bis sie das schmutzige Geschirr einfach auf dem Tisch stehen ließen und zu Bett gingen.

Am nächsten Morgen kam Dick zum ersten Mal, seit er in Berlin war, zu spät ins Büro.

Dank Captain Armstrongs Verbindung zum organisierten Schwarzhandel dauerte es lediglich neunzehn Tage, bis fast alles auf der Liste beschafft worden war; der Rest wurde mit Dicks wirkungsvoller Mischung aus Charme, Einschüchterung und Erpressung von anderen Betrieben requiriert. Als plötzlich eine originalverpackte Riesenkiste mit sechs neuen Remington-Schreibmaschinen ohne Anforderungsschein im Büro auftauchte, sagte Dick zu Lieutenant Wakeham: »Tu einfach so, als würdest du die Dinger gar nicht sehen.«

Wann immer Armstrong auf ein Hindernis stieß, erwähnte er lediglich die Worte »Colonel Oakshott« und »Kontrollrat«. Dies hatte fast immer zur Folge, dass der betreffende widerstrebende Beamte das Formular für das Benötigte doch noch in dreifacher Ausfertigung unterzeichnete.

Was die Stromversorgung anging, musste Peter Wakeham allerdings berichten, dass aufgrund von Überlastung einer der vier Berliner Sektoren mindestens drei von zwölf Stunden vom Stromnetz abgeschaltet werden musste. »Das Elektrizitätswerk«, erklärte Wakeham, »untersteht einem amerikanischen Captain namens Max Sackville. Er behauptet, er hätte keine Zeit für ein Gespräch.«

»Überlass ihn mir«, sagte Armstrong.

Doch Dick musste rasch erkennen, dass sich Sackville weder durch Charme, Einschüchterung noch Erpressung beeindrucken ließ, was zum Teil wohl daran lag, dass die Amerikaner offenbar alles im Überfluss besaßen und es als gegeben betrachteten, dass letztendlich sie das Sagen hatten. Dann fand Dick jedoch heraus, dass der Captain eine Schwäche hatte, der er jeden Samstagabend frönte. Erst nach mehrstündigem Zuhören – wobei Sackville lang und breit schilderte, wie er sich bei Anzio das Verwundetenabzeichen verdient hatte –, lud der amerikanische Captain seinen englischen Offizierskollegen zu seiner wöchentlichen Pokerrunde ein.

In den folgenden drei Wochen sorgte Dick dafür, dass er jeden Samstagabend etwa fünfzig Dollar verlor, die er sich am Montag darauf von der britischen Verwaltung zurückholte, indem er sie als »sonstige Ausgaben« verbuchte. Auf diese Weise stellte er sicher, dass der Strom im britischen Sektor nie zwischen fünfzehn Uhr und Mitternacht abgeschaltet wurde, außer an Samstagen, an denen *Der Telegraph* nicht gedruckt wurde.

Nach sechsundzwanzig Tagen hatte Arnold Schultz alles, worum er gebeten hatte, und jede Nacht liefen hundertvierzigtausend Exemplare des *Telegraph* durch die instand gesetzten Druckmaschinen. Lieutenant Wakeham wurde der Vertrieb übertragen, und von nun an war die Zeitung Tag für Tag in den frühen Morgenstunden pünktlich zur Verteilung auf den Straßen. Als Colonel Oakshott von Dick über die neueste Auflagenhöhe des *Telegraf* unterrichtet wurde, zeigte er sich höchst erfreut über den Erfolg seines Protegés und genehmigte den dreitägigen Sonderurlaub für die gesamte Belegschaft.

Bestimmt gab es niemanden, der sich darüber mehr freute als Charlotte. Seit sie in Berlin war, hatte sie Dick kaum einen Tag vor Mitternacht zu Gesicht bekommen, und meist war er morgens bereits aus dem Haus, ehe sie aufwachte. An diesem Freitag aber erschien er unerwartet schon am Nachmittag, noch dazu mit einem geliehenen Mercedes. Nachdem die leicht ramponierten Koffer des Ehepaares im Wagen verstaut waren, fuhren sie nach Lyon, um ein langes Wochenende mit Charlottes Familie zu verbringen.

Es beunruhigte Charlotte, dass Dick in Berlin anscheinend nicht imstande war, länger als ein paar Minuten einmal nicht an die Arbeit zu denken. Umso dankbarer war sie, dass es in dem kleinen Haus in Lyon kein Telefon gab. Am Samstagabend ging die ganze Familie ins Kino und schaute sich David Niven in *Die perfekte Ehe* an. Am nächsten Morgen begann Dick sich einen Schnurrbart wachsen zu lassen.

Kaum war Captain Armstrong zurück in Berlin, befolgte er den Rat des Colonels und baute ein Verbindungsnetz mit nützlichen Kontakten in allen Sektoren auf – was enorm beschleunigt wurde, sobald die Leute erfuhren, dass Dick eine Tageszeitung mit einer Auflage in Millionenhöhe (wie er behauptete) herausgab.

Fast alle Deutschen, mit denen Dick zu tun hatte, schlossen aus seinem selbstbewussten Auftreten, dass er einen Generalsrang bekleiden musste; alle anderen ließ er nicht im Zweifel darüber, dass er die Unterstützung der hohen Tiere besaß, auch wenn er kein General war. Er sorgte dafür, dass bestimmte Stabsoffiziere regelmäßig im *Telegraph* erwähnt wurden – mit der Folge, dass sie seine Materialanforderungen fast immer genehmigten, so unverschämt sie auch sein mochten. Überdies nutzte Dick den Vorteil, durch die

Zeitung für sich selbst Werbung machen zu können. Da er seine eigenen Beiträge veröffentlichen konnte, gelangte er in einer Stadt, in der es von anonymen Uniformträgern nur so wimmelte, schnell zu einiger Prominenz.

Drei Monate nachdem Armstrong seinen ersten Besuch bei Arno Schultz gemacht hatte, erschien *Der Telegraf* regelmäßig an sechs Tagen in der Woche, und Dick konnte Colonel Oakshott melden, dass die Auflage die Zweihunderttausendmarke überschritten hatte. Wenn es so weitergehe, erklärte er, würden sie bald sogar ihren größten Konkurrenten, den *Berliner,* hinter sich lassen. Der Oberst sagte bloß: »Sie leisten hervorragende Arbeit, Dick.« Ihm war nicht ganz klar, worin Armstrongs Arbeit eigentlich bestand, doch war ihm nicht entgangen, dass die Spesen des jungen Captains auf mehr als zwanzig Pfund die Woche gestiegen waren.

Dick erzählte Charlotte vom Lob des Colonels. Doch wenngleich er sich merklich darüber freute, spürte Charlotte, dass ihn sein Job bereits zu langweilen begann. *Der Telegraf* hatte nun fast so hohe Verkaufszahlen wie *Der Berliner,* und die Stabsoffiziere in den drei Westsektoren freuten sich stets, Captain Armstrong in ihren Klubs begrüßen zu dürfen – schließlich brauchte man ihm bloß irgendeine Neuigkeit ins Ohr zu flüstern, wenn man wollte, dass sie am nächsten Tag in der Zeitung stand. Dies hatte zur Folge, dass Dick stets über einen Vorrat an kubanischen Zigarren verfügte, Charlotte und Sally an Nylonstrümpfen und Peter Wakeham an Gordon's Gin; sogar die Verkaufsburschen des *Telegraph* hatten so viel Wodka und Zigaretten, dass sie nebenbei auf dem Schwarzmarkt damit handeln konnten.

Dennoch war Dick unzufrieden, da es mit seiner eigenen

Karriere offenbar nicht weiterging. Obwohl oft genug von einer Beförderung die Rede gewesen war, schien in dieser Stadt nichts daraus zu werden. Hier gab es einfach viel zu viele Majors und Colonels, von denen die meisten bloß herumsaßen und darauf warteten, nach Hause geschickt zu werden.

Dick sprach mit Charlotte über die Möglichkeit, nach England zurückzukehren – vor allem, seit Großbritanniens neu gewählter Premierminister, Clement Attlee, die Soldaten aufgefordert hatte, so rasch wie möglich heimzukommen, da viele unbesetzte Posten und Stellen auf sie warteten. Trotz ihres beinahe luxuriösen Lebens in Berlin schien Charlotte von dieser Idee angetan zu sein und ermutigte Dick, seine baldige Entlassung aus der Armee zu beantragen. Schon am nächsten Tag ersuchte er um ein Gespräch mit dem Colonel.

»Möchten Sie das wirklich?«, fragte Oakshott. »Sind Sie sicher?«

»Jawohl, Sir«, antwortete Dick. »Jetzt, da alles wie am Schnürchen läuft, ist Schultz durchaus imstande, die Zeitung ohne meine Unterstützung weiterzuführen.«

»Wie Sie meinen. Ich werde versuchen, den Vorgang zu beschleunigen.«

Einige Stunden später hörte Armstrong zum ersten Mal den Namen Klaus Lauber – und nahm dies zum Anlass, den Vorgang wieder zu verzögern.

Als Dick am gleichen Vormittag die Druckerei aufsuchte, berichtete ihm Schultz, dass sie zum ersten Mal mehr Exemplare verkauft hatten als *Der Berliner* und es vielleicht angebracht wäre, sich zu überlegen, ob sie nicht auch ein Sonntagsblatt herausbringen sollten.

»Ich wüsste nicht, was dagegenspricht«, entgegnete Dick ein wenig gelangweilt.

»Ich wünschte nur, wir könnten den gleichen Preis wie vor dem Krieg verlangen.« Schultz seufzte. »Bei unseren Verkaufszahlen würden wir riesige Gewinne machen. Sie können es sich vielleicht nicht vorstellen, aber damals war ich ein wohlhabender, erfolgreicher und angesehener Mann.«

»Bald werden Sie's vielleicht wieder sein«, meinte Armstrong. »Und schneller, als Sie glauben«, fügte er hinzu und blickte durch das schmutzige Fenster auf den Bürgersteig, über den Scharen deprimiert aussehender Passanten schlurften. Er wollte Schultz gerade erklären, dass er die Absicht habe, ihm die alleinige Verantwortung für den *Telegraph* zu überlassen und nach England zurückzukehren, als der Deutsche erklärte: »Ich bin mir nicht so sicher, ob das jemals wieder möglich ist.«

»Wieso nicht?« Armstrong blickte ihn verwundert an. »Der Zeitungsverlag gehört Ihnen, und jeder weiß, dass in Kürze einige Beschränkungen fallen und auch deutsche Staatsbürger wieder Hauptaktionäre werden können.«

»Das mag ja sein, Captain Armstrong, aber bedauerlicherweise gehören mir keine Anteile der Gesellschaft mehr.«

Armstrong stutzte und wählte seine Worte mit Bedacht. »Tatsächlich? Warum haben Sie die Anteile denn verkauft?« Er blickte weiterhin aus dem Souterrainfenster.

»Ich habe sie nicht verkauft«, erwiderte Schultz. »Ich musste sie abgeben.«

»Ich fürchte, das verstehe ich nicht ganz.« Armstrong drehte sich zu ihm um.

»Eigentlich ist es ganz einfach. Nach der Machtergreifung hat Hitler ein Gesetz erlassen, das Juden den Besitz von Zeitungsverlagen untersagte. Also war ich gezwungen, meine Anteile jemandem zu überschreiben.«

»Und wem gehört *Der Telegraph* jetzt?«, erkundigte sich Armstrong.

»Einem alten Freund von mir, Klaus Lauber«, antwortete Schultz. »Er war Beamter im Reichsarbeitsministerium. Wir hatten uns vor vielen Jahren in einem hiesigen Schachklub kennengelernt, wo wir dienstags und freitags zusammen spielten – was wir übrigens auch nicht mehr durften, nachdem Hitler an die Macht gekommen war.«

»Aber wenn Lauber ein so guter Freund war, müsste er jetzt doch in der Lage sein, Ihnen die Anteile zurückzuverkaufen.«

»Ja, das wäre wohl möglich. Schließlich hat er nur einen nominellen Betrag dafür bezahlt – mit der mündlichen Vereinbarung, dass er mir die Anteile nach dem Krieg zurücküberschreibt.«

»Ich bin sicher, er wird sein Wort halten, wenn er so ein guter Freund war«, meinte Armstrong.

»Das würde er ganz bestimmt, doch während des Krieges haben wir uns der politischen Verhältnisse wegen aus den Augen verloren. Das letzte Mal habe ich Lauber im Dezember 1942 gesehen. Wie so viele andere Deutsche ist er zum namenlosen Teil einer Statistik geworden.«

»Aber Sie müssen doch wissen, wo er gewohnt hat«, sagte Armstrong und schlug mit seinem Offiziersstock leicht gegen sein Bein.

»Nach den ersten schweren Bombenangriffen wurde seine Familie aus Berlin evakuiert. Seit damals habe ich nichts mehr von Lauber gehört. Weiß der Himmel, wo er jetzt ist«, fügte Schultz mit einem Seufzer hinzu.

Dick fand, dass er nun alle Informationen besaß, die er brauchte. »Was ist mit dem Artikel über die Eröffnung des neuen Flughafens?«, wechselte er das Thema.

»Wir haben schon einen Fotografen dort. Ich hab' mir gedacht, ich schicke noch einen Reporter, wegen der Interviews ...«, erwiderte Schultz pflichtbewusst, doch Armstrong war mit seinen Gedanken bereits woanders. Kaum saß er wieder an seinem Schreibtisch, beauftragte er Sally, beim alliierten Kontrollrat anzurufen und festzustellen, wem *Der Telegraf* gehörte.

»Ich dachte immer, er gehört Arno«, meinte Sally verwundert.

»Ich auch. Aber das ist offenbar nicht der Fall. Kurz nach Hitlers Machtübernahme musste er seine Anteile an einen Arier verkaufen. Er hat eine Abmachung mit seinem Freund Klaus Lauber getroffen und überließ ihm die Aktien zu einem Spottpreis. Ich muss deshalb Folgendes wissen, Sally: Erstens, gehören die Anteile immer noch Lauber? Zweitens, wenn ja, ist er noch am Leben? Und drittens, falls er noch lebt – wo, zum Teufel, steckt er? Sag bitte kein Wort darüber, Sally. Auch nicht zu Lieutenant Wakeham.«

Sally brauchte drei Tage, um die Bestätigung zu erhalten, dass Major Klaus Otto Lauber beim alliierten Kontrollrat als Besitzer des *Telegraph* registriert war.

»Aber lebt er noch?«, fragte Armstrong.

»Und ob«, erwiderte Sally. »Zur Zeit sitzt er in Wales fest.«

»Wie bitte?« sagte Armstrong erstaunt. »Wie ist das möglich?«

»Major Lauber befindet sich in einem Internierungslager in der Nähe von Bridgend, seit er vor drei Jahren als Angehöriger von Feldmarschall Rommels Afrikakorps gefangen genommen wurde.«

»Was konnten Sie sonst noch herausfinden?«

»Das war's schon«, erwiderte Sally. »Ich fürchte, der Major hatte keinen schönen Krieg.«

»Gut gemacht, Sally. Aber ich möchte gern noch mehr wissen. Versuchen Sie, alles über Lauber in Erfahrung zu bringen – wirklich alles. Geburtsdatum, Geburtsort, Ausbildungsgang, Persönliches. Und dann möchte ich gern wissen, wie lange er im Arbeitsministerium tätig war, und wie es dann mit ihm weiterging – bis zu dem Tag, als man ihn in Bridgend interniert hat. Ich brauche jede Information, mag sie noch so unbedeutend erscheinen. Es gibt genug Leute, die uns einen Gefallen schulden. Spannen Sie die ein. Den anderen versprechen Sie einfach das Blaue vom Himmel. So, ich gehe jetzt zu Oakshott. Gibt's sonst noch was?«

»Ein junger Journalist von der *Oxford Mail* würde gern ein Interview mit Ihnen führen. Er wartet schon über eine Stunde.«

»Vertrösten Sie ihn auf morgen.«

»Aber er hat Sie schriftlich um einen Termin ersucht, und Sie hatten sich einverstanden erklärt, ihm ein Interview zu geben.«

»Vertrösten Sie ihn auf morgen«, wiederholte Armstrong.

Sally kannte diesen Tonfall, und nachdem sie Mr. Townsend losgeworden war, legte sie alles andere zur Seite und machte sich an die Nachforschung über das nicht sonderlich bemerkenswerte Leben des Klaus Lauber.

Private Benson fuhr Armstrong zur Wohnung des kommandierenden Offiziers am anderen Ende des britischen Sektors.

»Sie kommen wirklich mit den seltsamsten Anliegen«, sagte Colonel Oakshott, nachdem Dick ihm alles erläutert hatte.

»Und Sie werden feststellen, Sir, dass dadurch – auf Dauer gesehen – die Beziehungen zwischen den Besatzungsmächten und den Einwohnern Berlins weiter verbessert werden können.«

»Ich weiß ja, Dick, dass Sie von diesen Dingen viel mehr verstehen als ich, aber in diesem Fall will ich gar nicht erst daran denken, wie unsere hohen Herren reagieren werden.«

»Vielleicht sollten Sie diese Herren darauf hinweisen, Sir, dass es sich als erfolgreicher Beitrag zur Imagepflege erweisen könnte, wenn wir den Deutschen zeigen, dass unsere Kriegsgefangenen – ihre Ehemänner, Söhne und Väter – gerecht und anständig von den Briten behandelt werden. Vor allem, wenn man bedenkt, wie die Nazis im Vergleich dazu mit den Juden verfahren sind.«

»Ich werde tun, was ich kann«, versprach der Colonel. »Wie viele Lager möchten Sie besichtigen?«

»Ich würde sagen, vorerst nur eines«, antwortete Armstrong. »Und sollte mein erster Versuch sich als erfolgreich erweisen, kommen in absehbarer Zukunft vielleicht noch zwei oder drei hinzu.« Er lächelte. »Ich hoffe, das wird den ›hohen Herren‹ weniger Anlass zur Panik geben.«

»Haben Sie ein bestimmtes Lager im Auge?«, erkundigte sich der Colonel.

»Der Nachrichtendienst hat mich darauf aufmerksam gemacht, dass sich eines für diesen Zweck besonders eignet. Es befindet sich nur wenige Meilen außerhalb von Bridgend.«

Um die Genehmigung für Captain Armstrongs Ersuchen

zu bekommen, brauchte der Colonel ein wenig länger, als Sally benötigte, um alles über Klaus Lauber herauszufinden, was es herauszufinden gab. Immer wieder las Dick ihre Notizen, um sich die bestmögliche Strategie zurechtzulegen.

Lauber war 1896 in Dresden geboren. Er hatte am Ersten Weltkrieg teilgenommen und es bis zum Hauptmann gebracht. Nach Kriegsende bekam er eine Anstellung im Arbeitsministerium in Berlin. Obwohl er der Reserve angehörte, wurde er im Dezember 1942 als Major zur Wehrmacht eingezogen und in Nordafrika mit der Führung einer Einheit beauftragt, die Brücken baute; kurz darauf übernahm er eine andere Einheit, die diese Brücken wieder zerstörte. Im März 1943 wurde er bei der Schlacht von El-Agheila gefangen genommen und per Schiff nach England gebracht. Derzeit befand er sich in einem Internierungslager in der Nähe von Bridgend. In Laubers Personalakte im Kriegsministerium in Whitehall fand sich keinerlei Erwähnung, dass er Anteile am *Telegraf* besaß.

Nach nochmaliger Durchsicht der Notizen stellte Armstrong Sally eine Frage. Sie schaute rasch im Berliner Offiziershandbuch nach und nannte ihm drei Namen.

»Hat einer dieser Männer im King's Own oder bei den North Staffs gedient?«, wollte Armstrong wissen.

»Nein«, antwortete Sally, »aber einer ist bei der königlichen Schützenbrigade, die dasselbe Offizierskasino besucht wie wir.«

»Gut«, murmelte Dick, »das ist unser Mann.«

»Übrigens«, warf Sally ein, »was soll ich mit dem jungen Journalisten von der *Oxford Mail* machen?«

Dick überlegte kurz. »Sagen Sie ihm, ich musste in den

amerikanischen Sektor, und dass ich versuchen werde, mich irgendwann morgen mit ihm zu treffen.«

Es war ungewöhnlich, dass Armstrong im britischen Offizierskasino aß; denn bei seinem Einfluss und der Freiheit, sich überall in der Stadt aufzuhalten, war er in jedem Offizierskasino jedes Sektors willkommen. Und wenn es ums Essen ging, war man am besten beraten, sich im französischen Sektor aufzuhalten, sofern man – wie Dick – die Möglichkeit dazu hatte. Doch an diesem Dienstagabend betrat Captain Armstrong kurz nach achtzehn Uhr die eigene Messe und fragte den Corporal, der an der Bar bediente, ob er einen Captain Stephen Hallet kenne.

»O ja, Sir«, antwortete der Corporal. »Captain Hallet kommt für gewöhnlich gegen achtzehn Uhr dreißig. Er ist übrigens von der Rechtsabteilung«, fügte er hinzu. Aber das wusste Armstrong natürlich längst.

Er blieb an der Bar sitzen, nippte einen Whisky und behielt den Eingang im Auge. Immer wenn ein Offizier hereinkam, blickte Dick den Corporal fragend an, der aber jedes Mal den Kopf schüttelte – bis ein hagerer, frühzeitig kahl werdender Mann, um dessen Körper selbst die engste Uniform geschlottert hätte, die Bar ansteuerte. Er bestellte einen Tom Collins, und der Corporal nickte Armstrong unmerklich zu. Dick ging ebenfalls zur Bar und setzte sich auf einen Hocker neben den Hageren.

Er stellte sich Hallet vor und erfuhr ziemlich schnell, dass der es kaum erwarten konnte, aus der Armee entlassen zu werden, um nach Lincoln's Inn Fields zurückzukehren.

»Mal sehen, ob ich da ein bisschen nachhelfen kann«, sagte Armstrong, wohlwissend, dass er auf die zuständige Abteilung keinerlei Einfluss hatte.

»Das ist sehr freundlich von Ihnen, alter Junge«, bedankte sich Hallet. »Lassen Sie mich unbedingt wissen, falls ich mich revanchieren kann.«

»Sollen wir eine Kleinigkeit essen?«, schlug Armstrong vor. Er rutschte von seinem Hocker und führte den Anwalt an einen ruhigen Tisch für zwei Personen in einer Ecke.

Nachdem sie das Tagesmenü bestellt hatten, bat Armstrong den Corporal, ihm eine Flasche seines privaten Weins zu bringen. Dann schnitt er ein Thema an, bei dem er Hallets Rat benötigte, wie er dem Anwalt erklärte.

»Ich verstehe die Probleme, die einige Deutsche haben, nur zu gut.« Armstrong schenkte seinem Gesprächspartner ein. »Weil ich Jude bin.«

»Sie überraschen mich«, gestand Hallet. »Aber, wenn ich es recht bedenke, Captain Armstrong«, fügte er hinzu, während er am Weinglas nippte, »stecken Sie voller Überraschungen.«

Armstrong blickte ihn eindringlich an, entdeckte jedoch keinerlei Anzeichen von Ironie. »Vielleicht könnten Sie mir bei einem interessanten Fall helfen, der kürzlich auf meinem Schreibtisch gelandet ist.«

»Nur zu gern, falls es mir möglich ist«, versicherte Hallet.

»Das ist sehr freundlich von Ihnen.« Armstrong hatte sein Weinglas noch nicht angerührt. »Es würde mich interessieren, wie die Rechtslage für einen deutschen Juden aussieht, wenn er vor dem Krieg Firmenanteile an einen Arier verkauft hat. Kann er diese Anteile zurückfordern, jetzt, wo der Krieg zu Ende ist?«

Der Anwalt überlegte und wirkte ein wenig verblüfft. »Nur wenn die Person, welche die Anteile erworben hat, so viel Anstand hat, sie an den betreffenden Juden zu verkaufen. Andernfalls hat dieser keinerlei Handhabe. Die Nürnberger Gesetze von 1935, wenn ich mich recht entsinne.«

»Das finde ich aber nicht sehr fair«, sagte Armstrong.

»Das ist es auch nicht.« Der Anwalt nahm einen weiteren Schluck Wein. »Aber so lautete nun einmal das Gesetz zu jener Zeit, und wie die Dinge heute stehen, gibt es kein Gericht im ganzen Land, das sich darüber hinwegsetzen könnte. – Hm, ich muss gestehen, dieser Rotwein ist wirklich hervorragend. Wie sind Sie an diesen Tropfen rangekommen?«

»Ein guter Freund im französischen Sektor scheint einen unerschöpflichen Vorrat davon zu besitzen. Wenn Sie mögen, besorge ich Ihnen einen Zwölferkarton.«

Am nächsten Morgen erhielt Colonel Oakshott die Genehmigung, Captain Armstrong zu gestatten, im Laufe des kommenden Monats ein Internierungslager in Großbritannien zu besuchen; die Genehmigung galt jedoch lediglich für das Lager bei Bridgend und kein anderes. Darauf wurde ausdrücklich hingewiesen, erklärte der Colonel.

»Verstehe«, murmelte Armstrong.

»Und die hohen Herren bestehen darauf«, fuhr der Colonel fort, »dass Sie nicht mehr als drei Gefangene interviewen, und keiner darf einen höheren Rang als den eines Oberst innehaben. Das ist ein ausdrücklicher Befehl des Abschirmdienstes.«

»Ich bin sicher, ich komme trotz dieser Einschränkungen zurecht.«

»Hoffen wir, dass die ganze Sache sich lohnt, Dick. Ich habe da immer noch meine Zweifel, wissen Sie.«

»Ich hoffe, ich kann sie ausräumen, Sir.«

Armstrong bat Sally, sich um den für die Reise erforderlichen Papierkram zu kümmern.

»Wann möchten Sie fliegen?«

»Gleich morgen.«

»Dumme Frage«, murmelte sie.

Es gelang ihr tatsächlich, Dick für den Flug nach London am Tag darauf einen Platz zu beschaffen, nachdem ein General im letzten Moment abgesagt hatte. Überdies versprach sie, dafür zu sorgen, dass ihn ein Wagen mit Fahrer am Flughafen abholte und direkt nach Wales brachte.

»Aber einem Captain steht kein Wagen mit Fahrer zu«, sagte er, als Sally ihm seine Reisepapiere überreichte.

»Mag schon sein. Aber wenn der Brigadegeneral gern möchte, dass das Foto seiner Tochter auf der Titelseite des *Telegraph* erscheint, wenn sie nächsten Monat Berlin besucht, lässt sich auch das arrangieren.«

Armstrong staunte. »Was verspricht er sich denn davon?«

»Ich nehme an, er findet in England keinen Ehemann für sie. Und wie ich am eigenen Leibe erfahren habe, wird hier jedem Rock nachgestellt.«

Armstrong lachte. »Würde ich Sie selbst bezahlen, Sally, bekämen Sie eine Gehaltserhöhung. Bleiben Sie an Lauber dran, und halten Sie mich auf dem Laufenden, falls Sie etwas Neues herausfinden – auch die kleinste Kleinigkeit.«

Beim Abendessen erklärte Dick seiner Frau, er würde unter anderem deshalb nach Großbritannien fliegen, um schon mal die Fühler auszustrecken, wie es mit einer Stellung für ihn aussähe, sobald er aus der Armee entlassen war. Charlotte zwang sich zu einem Lächeln, hatte in letzter Zeit jedoch mitunter das Gefühl, dass Dick ihr nicht alles erzählte. Sprach sie ihn darauf an, antwortete er stets »Streng geheim!« und tippte sich dabei an die Nase, wie er es sich bei Colonial Oakshott abgeschaut hatte.

Private Benson brachte ihn am nächsten Morgen zum Flughafen. In der Abflughalle ertönte eine Lautsprecherdurchsage: »Captain Richard Armstrong wird gebeten, vor dem Einchecken seine Dienststelle anzurufen.« Was er auch getan hätte, wäre sein Flugzeug nicht bereits Richtung Startbahn gerollt.

Als die Maschine drei Stunden später in London landete, marschierte Armstrong über die Rollbahn auf einen Corporal zu, der an einem auf Hochglanz polierten Austin lehnte und ein Schild hochhielt, auf dem in großen Lettern »CAPTAIN ARMSTRONG« stand. Kaum sah der Corporal den Offizier auf sich zukommen, nahm er Haltung an und salutierte.

»Ich muss unverzüglich nach Bridgend«, sagte Dick, noch bevor der Soldat auch nur den Mund öffnen konnte.

Sie fuhren über die A40, und Armstrong nickte sehr bald ein. Er wachte erst auf, als der Corporal verkündete: »Nur noch zwei Meilen, Sir, dann sind wir da.«

Als sie sich dem Lager näherten, überkamen Dick die Erinnerungen an seine eigene Internierungszeit in Liverpool. Diesmal aber standen die Wachen stramm und salutierten, als er durchs Tor gefahren wurde. Der Corporal brachte den Austin vor dem Büro des Kommandanten zum Stehen.

Als Dick eintrat, erhob sich ein Captain hinter dem Schreibtisch, um ihn zu begrüßen. »Roach«, stellte er sich vor. »Freut mich, Ihre Bekanntschaft zu machen.« Er streckte die Rechte aus, und Armstrong schüttelte sie. Captain Roach hatte keinerlei Auszeichnungsstreifen über der Brusttasche und sah aus, als hätte er den Ärmelkanal nicht einmal für einen Tagesausflug überquert und schon gar keine Feindberührung gehabt. »Niemand hat mir genau erklärt, wie ich Ihnen behilflich sein kann«, sagte er, während er Armstrong einen bequemen Sessel am Kamin anbot.

Dick kam sofort zur Sache. »Ich hätte gern eine Liste aller Gefangenen dieses Lagers. Mit drei von ihnen möchte ich zwecks Erstellung eines Berichts sprechen, den ich für den Kontrollrat in Berlin vorbereite.«

»Kein Problem.« Der Captain nickte. »Aber warum haben Sie sich für Bridgend entschieden? Die meisten Nazigeneräle sind in Yorkshire interniert.«

»Ich weiß«, entgegnete Armstrong. »Aber eine allzu große Auswahl wurde mir nicht angeboten.«

»Verstehe. Haben Sie schon bestimmte Vorstellungen, mit wem Sie sprechen möchten? Oder soll ich aufs Geratewohl drei Namen für Sie aussuchen?« Captain Roach hielt ihm ein Klemmbrett entgegen, und Armstrong fuhr mit dem Zeigefinger die mit Schreibmaschine getippte Namensliste hinunter. Er lächelte. »Ich werde mit einem Unteroffizier, einem Leutnant und einem Major sprechen«, sagte er und kreuzte drei Namen an. Dann gab er dem Captain das Klemmbrett zurück.

Roach betrachtete Dicks Auswahl. »Bei den ersten beiden gibt's kein Problem. Aber mit Major Lauber werden Sie bedauerlicherweise nicht sprechen können.«

»Ich habe die uneingeschränkte Vollmacht des ...«

»Selbst wenn Sie die uneingeschränkte Vollmacht von Mr. Attlee persönlich hätten, würde Ihnen das nichts nützen«, unterbrach Roach ihn. »Was Lauber betrifft, kann ich nichts für Sie tun.«

»Warum nicht?«, brauste Armstrong auf.

»Weil er vor zwei Wochen gestorben ist. Ich habe ihn letzten Montag in einem Sarg nach Berlin zurückgeschickt.«

12

MELBOURNE COURIER

12. September 1950

Sir Graham Townsend verstorben

Der Leichenzug hielt vor der Kathedrale. Keith stieg aus dem vordersten Wagen, bot seiner Mutter den Arm und führte sie die Freitreppe hinauf, gefolgt von seinen Schwestern. Als sie das Gotteshaus betraten, erhoben sich die Trauergäste von den Bänken. Einer der Kollektensammler schritt den Townsends voraus den Mittelgang hinunter zu der noch leeren ersten Bankreihe. Keith konnte regelrecht spüren, wie mehrere Augenpaare ihn zu durchbohren schienen, und aus allen Blicken sprach dieselbe Frage: »Ob du es wohl schaffen wirst?« Kurz darauf wurde der Sarg an ihnen vorübergetragen und auf einen Katafalk vor dem Altar gehoben.

Der Bischof von Melbourne hielt die Totenmesse ab, und Reverend Charles Davidson las die Gebete. Die Lieder, die Lady Townsend ausgewählt hatte, hätten Keith' altem Herrn ein Grinsen entlockt: *To be a Pilgrim, Rock of Ages, Fight the Good Fight.* David Jakeman, ein ehemaliger Redakteur des *Courier,* hielt die Trauerrede. Er sprach von Sir Grahams Energie, seiner Lebensfreude, seiner Verachtung leeren Phrasen gegenüber, seiner Liebe zu seiner Familie und wie sehr alle, die ihn gekannt hatten, ihn vermissen würden. Er beendete seine Würdigung des Verstorbenen mit dem Hinweis, dass Sir Grahams Sohn und Erbe Keith die Nachfolge des Vaters antreten würde.

Nach dem Segen nahm Lady Townsend erneut den Arm ihres Sohnes und folgte den Trägern mit dem Sarg aus der Kathedrale zum Friedhof.

»Asche zu Asche, Staub zu Staub«, deklamierte der Bischof, als der Eichensarg ins Grab hinuntergelassen wurde und die Totengräber Erde darauf schaufelten. Keith hob den Kopf und ließ den Blick kurz über die Anwesenden schweifen, die das Grab umstanden. Freunde, Verwandte, Kollegen, Politiker, Konkurrenten, Buchmacher – ja, vermutlich sogar ein oder zwei Aasgeier, die nur gekommen waren, um zu sehen, ob hier irgendetwas für sie zu holen war.

Nachdem der Bischof das Kreuzzeichen gemacht hatte, führte Keith seine Mutter langsam zur wartenden Limousine zurück. Kurz bevor sie den Wagen erreichten, blieb Lady Townsend stehen, wandte sich um und reichte eine Stunde lang jedem Trauergast die Hand, bis schließlich auch der letzte gegangen war.

Weder Keith noch seine Mutter sprachen auf der Fahrt zurück nach Toorak auch nur ein Wort. Als sie angelangt waren, stieg Lady Townsend die Marmortreppe hinauf und zog sich in ihr Schlafzimmer zurück. Keith ging in die Küche, wo Florrie ein leichtes Mittagessen zubereitete. Er deckte ein Tablett mit ein paar Happen und brachte es seiner Mutter hinauf. Bevor er eintrat, klopfte er leise an. Lady Townsend rührte sich nicht, als Keith das Tablett vor ihr abstellte. Er küsste sie auf die Stirn, drehte sich um und ließ sie wieder allein. Anschließend machte er einen langen Spaziergang auf dem Grundstück, wobei er dieselben Wege einschlug, die er so oft mit seinem Vater entlangspaziert war. Ihm war klar, dass er nun, da die Beerdigung vorüber war, das eine Thema anschneiden musste, dem sie bislang ausgewichen waren.

Kurz vor zwanzig Uhr kam Lady Townsend herunter, und sie begaben sich gemeinsam ins Esszimmer. Wieder sprach sie nur von Keith' Vater und wiederholte im Wesentlichen, was sie bereits am Abend zuvor gesagt hatte. Dabei stocherte sie lustlos in ihrem Essen herum. Nachdem der Hauptgang abgeräumt war, stand sie unvermittelt auf und ging ins Wohnzimmer.

Als sie sich an ihren gewohnten Platz am Kamin gesetzt hatte, blieb Keith kurz stehen, bevor er im Sessel seines Vaters Platz nahm. Nachdem das Hausmädchen ihnen den Kaffee gebracht hatte, beugte Lady Townsend sich vor, wärmte sich die Hände und stellte endlich die lang erwartete Frage.

»Was hast du nun vor, Keith, jetzt, wo du wieder in Australien bist?«

»Als Erstes werde ich morgen mit dem Chefredakteur des *Courier* reden. Es gibt da einige Änderungen, die schnellstens vorgenommen werden müssen, wenn wir den *Age* jemals überholen wollen.« Er wartete auf ihre Reaktion.

»Keith«, sie blickte ihn an, »ich sage es dir nicht gern, aber der *Courier* gehört uns nicht mehr.«

Keith war wie vom Donner gerührt. Er brachte kein Wort hervor.

Seine Mutter wärmte sich weiter die Hände am Kamin. »Wie du weißt, hat dein Vater alles mir vererbt, und für mich sind Schulden, gleich welcher Art, schon immer unerträglich gewesen. Vielleicht, wenn er dir die Zeitungen vermacht hätte …«

»Aber, Mutter …«, begann Keith.

»Vergiss nicht, dass du fast fünf Jahre fort warst, Keith. Als ich dich das letzte Mal gesehen habe, warst du noch ein Schuljunge, der widerstrebend an Bord der *SS Stranthedan* ging. Ich konnte nicht sicher sein, ob du …«

»Vater hätte bestimmt nicht gewollt, dass du den *Courier* verkaufst. Es war die erste Zeitung, die er herausgegeben hat.«

»Und sie ist von Woche zu Woche tiefer in die roten Zahlen gerutscht. Als die Kenwright-Gruppe mir die Chance bot, mich ohne jegliche Verbindlichkeiten von dem Blatt zu trennen, hat der Vorstand mir geraten, das Angebot anzunehmen.«

»Aber du hast mir nicht einmal die Chance gegeben, das Blatt zu wenden. Ich weiß sehr wohl, dass die Auflage beider Zeitungen in den letzten Jahren gesunken ist. Deshalb habe ich an einem Plan gearbeitet, etwas dagegen zu unternehmen – ein Plan, dem Vater über kurz oder lang zugestimmt hätte.«

»Ich fürchte, du wirst deinen Plan nicht mehr brauchen«, erklärte Lady Townsend. »Sir Colin Grant, der Vorstandsvorsitzende des *Adelaide Messenger,* hat mir ein Angebot von hundertfünfzigtausend Pfund für die *Gazette* gemacht. Unser Vorstand wird dieses Angebot bei der nächsten Sitzung wahrscheinlich annehmen.«

»Warum sollten wir die *Gazette* verkaufen?« Keith starrte seine Mutter ungläubig an.

»Weil wir bereits seit Jahren einen hoffnungslosen Konkurrenzkampf mit dem *Messenger* führen, und weil uns ihr Angebot unter den gegebenen Umständen sehr großzügig erscheint.«

Keith stand auf und stellte sich vor seine Mutter. »Ich bin nicht nach Hause gekommen, um die *Gazette* zu verkaufen, Mutter. Ganz im Gegenteil. Mein Ziel ist vielmehr, irgendwann den *Messenger* zu übernehmen.«

»Dieser Gedanke ist bei unserer derzeitigen finanziellen Lage völlig unrealistisch, Keith. Der Vorstand würde niemals seine Zustimmung erteilen.«

»Zur Zeit vielleicht nicht. Aber wenn unser Umsatz erst einmal höher ist als der des *Messenger,* dürfte die Sache anders aussehen.«

»Du ähnelst deinem Vater sehr, Keith.« Lady Townsend blickte zu ihm auf.

»Bitte, gib mir die Chance zu beweisen, was ich kann«, bat Keith. »Du wirst feststellen, dass ich in meiner Volontärzeit in der Fleet Street eine ganze Menge gelernt habe. Und ich bin nach Hause gekommen, um dieses Wissen zu unserem Nutzen einzusetzen.«

Lady Townsend blickte eine Zeit lang ins Feuer, ehe sie antwortete: »Sir Colin hat mir neunzig Tage Bedenkzeit eingeräumt.« Wieder machte sie eine Pause. »Ich gebe dir genauso lange, um mich davon zu überzeugen, dass ich sein Angebot nicht annehmen sollte.«

Als Keith am nächsten Morgen in Adelaide aus dem Flugzeug stieg, stellte er beim Betreten der Ankunftshalle als Erstes fest, dass der *Messenger* über der *Gazette* in den Zeitungsständer gesteckt war. Keith stellte sein Gepäck ab und tauschte die Zeitungen aus und kaufte dann je ein Exemplar.

Beim Warten in der Taxischlange machte er die Beobachtung, dass von den dreiundsiebzig Personen, die den Flughafen verließen, zwölf den *Messenger* gekauft hatten, aber nur sieben die *Gazette.* Im Taxi zur Stadt machte er sich eine entsprechende Notiz auf der Rückseite seines Tickets, um mit Frank Bailey, dem Chefredakteur der *Gazette*, darüber zu reden, sobald er in seinem Büro war. Dann blätterte er beide Zeitungen durch und musste zugeben, dass der *Messenger* den interessanteren Lesestoff bot. Doch er beschloss, diese Meinung nicht gleich an seinem ersten Tag in der Stadt zu äußern.

Das Taxi brachte Keith direkt vor den Eingang des Redaktionsgebäudes der *Gazette*. Er stellte sein Gepäck am Empfang ab und nahm den Aufzug in den zweiten Stock. Niemand beachtete ihn, als er zwischen den Reihen der Schreibtische hindurchschritt, an denen die Journalisten saßen und in die Tasten ihrer Schreibmaschinen hämmerten. Ohne an der Tür des Chefredakteurs anzuklopfen, trat Keith ein und platzte direkt in die morgendliche Redaktionskonferenz.

Völlig überrascht, erhob sich Frank Bailey hinter seinem Schreibtisch, streckte Keith die Hand entgegen und sagte: »Keith! Wie schön, Sie nach so langer Zeit wiederzusehen!«

»Freut mich auch, Sie wiederzusehen«, entgegnete Keith.

»Wir hatten Sie eigentlich nicht vor morgen erwartet.« Bailey wandte sich den Redakteuren zu, die an dem U-förmigen Tisch saßen. »Das ist Sir Grahams Sohn Keith, nach dem Tod seines Vaters der neue Verleger unserer Zeitung. Wer von Ihnen länger als fünf Jahre hier ist, wird sich gewiss an ihn erinnern, als er das letzte Mal hier war … und zwar als … als …« Frank zögerte.

»Als Sohn meines Vaters«, beendete Keith den Satz.

Die Bemerkung wurde mit Gelächter quittiert.

»Bitte, machen Sie weiter. Tun Sie, als wäre ich gar nicht da«, bat Keith. »Ich habe nicht die Absicht, einer dieser Verleger zu werden, die sich in redaktionelle Entscheidungen einmischen.« Er ging in eine Zimmerecke, setzte sich aufs Fensterbrett und spielte den Beobachter, während Frank die Redaktionskonferenz weiterleitete. Offenbar hatte er weder seine Fähigkeiten noch sein Engagement verloren, die Zeitung als Mittel zu benutzen, sich für jeden armen Teufel einzusetzen, den er für ein Opfer des Systems oder der Behördenwillkür hielt.

»Also, wie soll die morgige Titelgeschichte aussehen?«, fragte er. Drei Hände schossen in die Höhe.

»Dave.« Der Chefredakteur deutete mit seinem Bleistift auf den leitenden Gerichtsreporter. »Ihr Angebot, bitte.«

»Es sieht ganz so aus, als käme es zum Urteil im Sammy-Taylor-Prozess. Der Richter dürfte noch heute Nachmittag seine Entscheidung fällen. «

»Demnach zu urteilen, wie er den Prozess bislang geführt hat, sieht es für den armen Kerl düster aus. Der Richter würde Taylor an den Galgen bringen, hätte er auch nur die geringste Chance, damit durchzukommen.«

»Ich weiß«, murmelte Dave.

»Falls Taylor schuldig gesprochen wird, kommt das auf die Titelseite, und ich schreibe einen Leitartikel über die Art von Gerechtigkeit, mit der die Aborigines vor unseren Gerichten rechnen muss. Demonstrieren die eigentlich noch mit ihren Protestschildern vor dem Gerichtsgebäude?«

»Und ob. Das Ganze hat sich zu einer 24-Stunden-Wache entwickelt. Sie schlafen auf dem Bürgersteig, seit wir die Fotos gebracht haben, auf denen zu sehen ist, wie ihre Anführer von der Polizei davongezerrt werden.«

»Also gut. Falls es heute zum Urteil kommt und Taylor schuldig gesprochen wird, bekommen Sie die Titelseite,

Jane«, wandte der Chefredakteur sich an seine Nachrichtenredakteurin. »Ich brauche tausend Wörter über die Rechte der Aborigines und wie schändlich diese Verhandlung geführt wurde. Ein Schlag ins Gesicht der Gerechtigkeit, Rassenvorurteile … na, Sie wissen schon, was ich will.«

»Was ist, wenn die Geschworenen Taylor für nicht schuldig befinden?«, fragte Dave.

»In diesem unwahrscheinlichen Fall bekommen Sie die rechte Spalte auf der Titelseite, und Jane kann fünfhundert Wörter für Seite sieben schreiben, dass sich Australien, dank seines Rechtssystems, endlich aus dem finsteren Mittelalter befreit hat, und so weiter und so fort.«

Bailey wandte sich der anderen Seite des Zimmers zu und deutete mit dem Bleistift auf eine Frau, deren Hand die ganze Zeit erhoben geblieben war. »Maureen?«

»Im Royal-Adelaide-Krankenhaus grassiert eine mysteriöse Krankheit. In den letzten zehn Tagen sind drei kleine Kinder gestorben, aber der Leiter des Krankenhauses, Gyles Dunn, verweigert jeden Kommentar, sosehr ich ihn auch bedränge.«

»Sind es Kinder von hier?«

»Ja«, antwortete Maureen. »Alle aus der Gegend um Port Adelaide.«

»Alter?«, erkundigte sich Frank.

»Zwei waren vier, eins drei Jahre. Zwei Mädchen und ein Junge.«

»Setzen Sie sich mit den Eltern in Verbindung, vor allem mit den Müttern. Ich möchte Fotos, Informationen über den familiären Hintergrund – schlichtweg alles, was Sie herausfinden können. Stellen Sie fest, ob es zwischen den Familien irgendeine Verbindung gibt, und mag sie noch so entfernt sein. Sind sie miteinander verwandt? Kennen sie sich? Arbeiten sie im gleichen Betrieb? Haben sie irgendwelche gemeinsamen Interessen, welche die drei Fälle möglicherweise in Zusammenhang bringen könnten? Und ich möchte irgendeine Erklärung von Gyles Dunn, selbst wenn sie nur ›kein Kommentar‹ lautet.«

Maureen nickte Bailey bestätigend zu, bevor dieser sich an den Fotoredakteur wandte. »Besorgen Sie ein Foto von Dunn, auf dem er gestresst aussieht und das gut genug für die Titelseite ist. – Falls das Urteil im Taylor-Fall auf nicht schuldig lautet, gehört die Titelstory Ihnen, Maureen. Andernfalls bekommen Sie die Seite vier mit möglicher Fortsetzung auf Seite fünf. Versuchen Sie sich Fotos von allen drei Kindern zu beschaffen, am besten aus dem Familienalbum – am liebsten wären mir Aufnahmen von fröhlichen, gesunden Kindern beim Spielen. Und ich möchte, dass Sie sich in diesem Krankenhaus umsehen. Falls Dunn sich weiterhin in Schweigen hüllt, sehen Sie zu, dass Sie in dem Laden irgendwen finden, der redet – einen Arzt, eine Schwester, notfalls auch einen Pförtner oder eine Putzfrau. Aber sorgen Sie dafür, dass Zeugen bei den Interviews dabei sind, oder nehmen Sie das Gesagte zumindest auf Band auf. Ich möchte nicht noch einmal so ein Fiasko wie letzten Monat mit Mrs. Kendal und ihren Beschwerden über die Feuerwehr erleben. – Und Dave«, der Chefredakteur wandte sich wieder an seinen Gerichtsreporter, »ich muss so schnell wie möglich erfahren, ob das Urteil im Taylor-Fall unter Umständen auf morgen verschoben wird, damit wir uns gleich ans Layout der Titelseite machen können. Hat sonst noch jemand irgendwas Brauchbares?«

»Thomas Playford wird heute Vormittag um elf eine angeblich wichtige Erklärung abgeben«, sagte Jim West, der politische Redakteur. Allgemeines Stöhnen erhob sich.

»Ich bin an Playfords Ergüssen nicht interessiert, es sei denn, er gibt seinen Rücktritt bekannt«, brummte Frank. »Wenn es die übliche Tour ist, sich wichtig zu machen, und Playford wieder mal nichts als falsche Zahlen herunterrasselt, was er angeblich alles für das hiesige Gemeinwohl geleistet hat, dann bringen Sie's in einer Spalte auf Seite elf. – Wie sieht's im Sport aus, Harry?«

Ein leicht übergewichtiger Mann, der Keith gegenüber in der Ecke saß, blinzelte und drehte sich zu einem jungen Mann um, der hinter ihm hockte, vermutlich ein Volontär. Der junge Mann flüsterte ihm etwas ins Ohr.

»Ach, ja«, sagte der Sportreporter, »irgendwann im Laufe des Tages wird die Aufstellung der Nationalmannschaft für das Spiel am Donnerstag gegen England bekannt gegeben.«

»Sind Spieler aus Adelaide dabei?«

Keith hörte während der gut eine Stunde dauernden Redaktionskonferenz stumm zu, obwohl er sich dann und wann gern zu Wort gemeldet hätte, da einige Fragen unbeantwortet geblieben waren. Als die Redakteure schließlich gegangen waren, zeigte er Frank die Notizen, die er sich im Taxi gemacht hatte. Der Chefredakteur notierte sich die Zahlen auf der Rückseite von Keith' Ticket und versprach, sich eingehend damit zu befassen, sobald er eine Verschnaufpause habe. Ohne zu überlegen, legte er Keith' Notiz in die Ablage mit der Aufschrift »Ausgang«.

»Kommen Sie jederzeit zu mir, wenn Sie sich auf den neuesten Stand bringen wollen, Keith«, sagte er. »Meine Tür steht Ihnen immer offen.« Townsend nickte. Als er sich zum Gehen wandte, fügte Frank hinzu: »Sie wissen ja, dass

Ihr Vater und ich immer gut miteinander ausgekommen sind. Bis vor Kurzem ist er mindestens einmal im Monat zu einer Besprechung von Melbourne herübergeflogen.«

Townsend lächelte und schloss die Tür zum Büro des Chefredakteurs leise hinter sich. Wieder schritt er durch die Reihen klappernder Schreibmaschinen und nahm den Fahrstuhl in die oberste Etage.

Ein Schauder lief ihm über den Rücken, als er das Büro seines Vaters betrat. Zum ersten Mal wurde ihm bewusst, dass er jetzt keine Chance mehr hatte, seinem alten Herrn zu beweisen, dass er ein würdiger Nachfolger werden würde. Er schaute sich im Zimmer um, bis sein Blick auf dem Bild seiner Mutter haften blieb, das auf dem Schreibtisch stand. Keith lächelte bei dem Gedanken, dass sie die Einzige war, die nicht befürchten musste, in nächster Zeit durch jemand anderen ersetzt zu werden.

Ein Hüsteln erklang, und Keith drehte sich um. Miss Bunting stand in der Tür. Sie war siebenunddreißig Jahre lang die Sekretärin seines Vaters gewesen. Als Kind hatte Keith oft gehört, wie seine Mutter Miss Bunting als »Winzling« bezeichnet hatte. Selbst wenn man ihren adrett aufgesteckten Haarknoten mitrechnete, brachte sie es nicht mal auf eins fünfundfünfzig. Nie hatte Keith sie mit einer anderen Frisur gesehen als mit diesem hochgesteckten Dutt; denn auch nach der Mode hatte sie sich nie gerichtet. Ihr langer, weiter Rock erlaubte nur einen flüchtigen Blick auf ihre Fußgelenke, und ihre schlichte Wollstrickjacke war stets bis zum Hals geschlossen. Sie trug weder echten Schmuck noch Modeschmuck, und von Nylonstrümpfen hatte sie anscheinend noch nie etwas gehört.

»Willkommen daheim, Mr. Keith«, begrüßte sie ihn. Die

vierzig Jahre, die Miss Bunting bereits in Adelaide lebte, hatten ihren schottischen Akzent nicht abgeschwächt. »Ich bin gerade damit fertig geworden, alles in Ordnung zu bringen, damit es für Ihre Rückkehr bereit ist. Tja, mir steht es zwar bald zu, in Rente zu gehen, aber ich hätte natürlich vollstes Verständnis dafür, wenn Sie schon vorher jemand anderes einstellen wollen.«

Townsend hatte das Gefühl, dass Miss Bunting jedes Wort dieser kleinen Rede geprobt hatte und entschlossen gewesen war, sie zu halten, ehe er Gelegenheit hatte, von sich aus etwas zu sagen. Er lächelte sie an. »Ich habe nicht die Absicht, Sie durch irgendjemanden zu ersetzen, Miss Bunting.« Townsend hatte keine Ahnung, wie sie mit Vornamen hieß; er wusste nur, dass sein Vater sie »Bunty« gerufen hatte. »Auf eine Änderung lege ich allerdings Wert. Sagen Sie einfach nur Keith zu mir, so wie früher.«

Sie lächelte. »Womit möchten Sie gern anfangen?«

»Ich werde den Rest des Tages die Akten durchblättern. Gleich morgen früh geht es dann richtig los.«

Bunty sah aus, als wollte sie etwas sagen, biss sich dann jedoch auf die Lippe. »Bedeutet ›früh‹ für Sie das Gleiche wie für Ihren Vater?«, fragte sie stattdessen unschuldig.

»Ich fürchte, ja.« Townsend grinste.

Am nächsten Morgen war Townsend um sieben Uhr wieder im Verlagsgebäude der *Gazette*. Er nahm den Fahrstuhl zum ersten Stock und ging zwischen den leeren Schreibtischen der Anzeigenabteilung umher. Auch wenn noch niemand da war, erkannte er, dass diese Abteilung schlampig und unwirtschaftlich geleitet wurde. Papiere lagen durcheinander auf den Schreibtischen herum, Ordner waren aufgeschlagen geblieben, und mehrere Lampen hatten offenbar die ganze Nacht hindurch gebrannt. Ihm wurde klar, wie lange sein Vater dem Verlagshaus schon ferngeblieben sein musste.

Um zehn nach neun kam die erste Angestellte hereinspaziert.

»Wer sind Sie?«, fragte Townsend, als die Frau den Raum durchquerte.

»Ruth«, antwortete sie. »Und wer sind Sie?«

»Ich bin Keith Townsend.«

»Ach ja, Sir Grahams Sohn«, sagte sie ohne sonderliche Regung und trat an ihren Schreibtisch.

»Wer ist hier der Abteilungsleiter?«, fragte Townsend.

»Mr. Harris.« Sie setzte sich und holte eine Puderdose aus ihrer Handtasche.

»Und wann ist mit ihm zu rechnen?«

»Oh, für gewöhnlich kommt er zwischen halb zehn und zehn.«

»Ach, wirklich?«, sagte Townsend. »Wo befindet sich sein Büro?«

Die junge Frau deutete zur hinteren Ecke des Raumes.

Mr. Harris geruhte sich um neun Uhr siebenundvierzig in seinem Büro sehen zu lassen, wo Townsend inzwischen bereits den größten Teil seiner Akten durchgegangen war. »Was machen Sie hier, zum Teufel?«, brauste Harris auf, als er Townsend hinter seinem Schreibtisch sitzen und einen Stoß Papiere durchsehen sah.

»Auf Sie warten«, entgegnete Townsend. »Ich hatte eigentlich nicht damit gerechnet, dass mein Anzeigenleiter erst kurz vor zehn an seinem Arbeitsplatz erscheint.«

»Bei einer Zeitung fängt kaum jemand vor zehn Uhr an. Das weiß sogar der Teejunge.«

»Als ich Teejunge beim *Daily Express* war, verging kein Tag, an dem Lord Beaverbrook nicht spätestens um acht an seinem Schreibtisch saß.«

»Aber ich komme fast nie vor achtzehn Uhr hier raus«, begehrte Harris auf.

»Ein anständiger Journalist kommt selten vor zwanzig Uhr nach Hause, und die Arbeiter in der Druckerei sollten froh sein, wenn sie vor Mitternacht Feierabend bekommen. Ab morgen erscheinen Sie jeden Tag um acht Uhr dreißig zu einer Besprechung bei mir im Büro, und das übrige Personal der Anzeigenabteilung wird spätestens um neun Uhr an den Schreibtischen sitzen. Falls irgendjemand dazu nicht imstande ist, kann er gleich die freien Stellen auf der letzten Seite unserer Zeitung studieren. Habe ich mich klar ausgedrückt?«

Harris presste die Lippen zusammen und nickte.

»Gut. Als Erstes will ich von Ihnen eine Kostenaufstellung für die nächsten drei Monate, mit einem genauen Vergleich unserer Anzeigenpreise mit denen des *Messenger.* Morgen früh liegt die Aufstellung auf meinem Schreibtisch.« Er erhob sich von Harris' Stuhl.

»Aber ... ich schaffe es möglicherweise nicht, alle diese Zahlen bis morgen zusammenzubekommen«, protestierte Harris.

»In diesem Fall sollten Sie ebenfalls die Stellenanzeigen lesen – aber nicht in der Zeit, für die ich Sie bezahle«.

Townsend ließ einen am ganzen Leib zitternden Harris zurück, als er mit dem Fahrstuhl ein Stockwerk höher fuhr, um sich in der Vertriebsabteilung umzusehen. Es wunderte ihn nicht, hier die gleiche Nachlässigkeit vorzufinden wie einen Stock tiefer. Als er die Abteilung eine Stunde später verließ, blieb mehr als nur ein Mitarbeiter zurück, der am ganzen Leib zitterte. Townsend musste sich allerdings eingestehen, dass Mel Carter ihn beeindruckt hatte – ein junger Mann aus Brisbane, der erst kürzlich als stellvertretender Vertriebsleiter bei der *Gazette* angefangen hatte.

Frank Bailey war erstaunt, den »jungen Keith« so bald wieder in seinem Büro zu sehen – und noch mehr, als er sich auch an diesem Morgen aufs Fensterbrett setzte und als Beobachter an der Redaktionssitzung teilnahm. Zwar stellte Frank Bailey erleichtert fest, dass Townsend sich nicht einmischte, doch es entging ihm nicht, dass sich der junge Mann ständig Notizen machte.

Als Townsend endlich sein eigenes Büro betrat, war es elf. Sofort ging er mit Miss Bunting seine Post durch. Briefe und Rechnungen lagen vorsortiert auf seinem Schreibtisch. Sie steckten in verschiedenen Heftern mit unterschiedlichen Reitern, deren Zweck darin bestand, wie Bunty ihm erklärte, dafür zu sorgen, dass Keith sich zumindest das wirklich Wichtige vornahm, falls seine Zeit knapp wurde.

Zwei Stunden später war ihm klar, weshalb sein Vater so große Stücke auf Bunty gehalten hatte. Townsend stellte sich nicht mehr die Frage, wann er sie durch eine jüngere Kraft ersetzen würde, sondern wie lange sie wohl bereit war, weiter für ihn zu arbeiten.

»Das Wichtigste habe ich für zuletzt aufgehoben«, sagte Bunty. »Das jüngste Angebot des *Messenger.* Sir Colin Grant hat heute Morgen angerufen, um Sie willkommen zu heißen und sich zu vergewissern, dass Sie sein Schreiben bekommen haben.«

»Tatsächlich?« Townsend lächelte. Er öffnete den mit »Vertraulich« gekennzeichneten Hefter und überflog ein

Schreiben des Anwaltsbüros Jervis, Smith & Thomas, das den *Messenger* vertrat, solange er zurückdenken konnte. Als die Summe von 150 000 Pfund erwähnt wurde, hielt er stirnrunzelnd inne. Dann las er das Protokoll der *Messenger*-Vorstandssitzung vom vergangenen Monat, das die selbstzufriedene Einschätzung des Vorstandsvorsitzenden hinsichtlich dieses Angebots erkennen ließ. Doch die Versammlung hatte stattgefunden, bevor Lady Townsend ihrem Sohn den neunzigtägigen Aufschub zugestanden hatte.

»Sehr geehrte Herren«, diktierte Townsend, und Buntys Bleistift huschte über ihren Stenoblock. »Hiermit bestätige ich den Erhalt Ihres Schreibens vom 12. diesen Monats. – Neuer Absatz. – Um Ihnen weitere Zeitvergeudung zu ersparen, teile ich Ihnen mit, dass die *Gazette* weder jetzt noch zu irgendeinem späteren Zeitpunkt zum Verkauf steht. Hochachtungsvoll …«

Townsend lehnte sich in seinem Sessel zurück und dachte an seine erste Begegnung mit dem Vorstandsvorsitzenden des *Messenger*. Wie viele erfolglose Politiker war Sir Colin arrogant und überaus von sich eingenommen, vor allem jungen Leuten gegenüber, »die man am besten übersieht und überhört«, wie er herablassend festzustellen pflegte. Townsend fragte sich, wie lange es wohl noch dauerte, bis Sir Colin ihn das nächste Mal hören oder sehen würde.

Zwei Tage später – Townsend studierte gerade Harris' Bericht – steckte Bunty den Kopf durch die Tür und meldete, Sir Colin Grant sei am Telefon. Townsend nickte und nahm den Hörer ab.

»Keith, mein Junge, willkommen daheim«, begann der alte Mann. »Ich habe gerade Ihren Brief gelesen, und nun frage ich mich, ob Ihnen eigentlich bekannt ist, dass ich das mündliche Einverständnis Ihrer Mutter hatte, was den Verkauf der *Gazette* betrifft.«

»Meine Mutter hat Ihnen zugesagt, Ihr Angebot sorgfältig zu erwägen. Sie hat jedoch keine verbindliche mündliche Zusage gemacht, und jeder, der das Gegenteil behauptet, ist ...«

»Nicht so hitzig, junger Mann«, unterbrach ihn Sir Colin. »Ich handle auf Treu und Glauben. Wie Sie wissen, waren Ihr Vater und ich enge Freunde.«

»Aber mein Vater weilt nicht mehr unter uns, Sir Colin. In Zukunft werden Sie mit mir verhandeln müssen. Und wir sind keine engen Freunde.«

»Nun, wenn das Ihre Einstellung ist, hat es wohl keinen Sinn zu erwähnen, dass ich mein Angebot auf 170 000 Pfund erhöhen wollte.«

»Da haben Sie recht. Es wäre sinnlos, weil ich es gar nicht erst in Erwägung ziehen würde.«

»Das werden Sie aber noch«, polterte der alte Mann, »denn in den nächsten sechs Monaten habe ich Ihr Blatt von der Straße gefegt, und dann werden Sie heilfroh sein, wenn ich Ihnen noch 50 000 Pfund für die traurigen Überreste davon gebe.« Sir Colin machte eine Pause. »Rufen Sie mich ruhig an, falls Sie es sich doch noch anders überlegen.«

Townsend legte auf und bat Bunty, sofort den Chefredakteur in sein Büro zu bestellen.

Miss Bunting zögerte.

»Gibt's ein Problem, Bunty?«

»Na ja, Ihr Vater ist immer hinuntergegangen und hat Mr. Bailey in seinem Büro aufgesucht.«

»Ach, wirklich?« Townsend blieb sitzen.

»Ich werde ihn bitten, sofort heraufzukommen.«

Solange er wartete, ging Townsend die Wohnungsanzeigen

auf der letzten Seite durch. Jedes Wochenende nach Hause zu fliegen raubte ihm zu viel von seiner kostbaren Zeit. Er fragte sich, wie lange er noch warten sollte, ehe er es seiner Mutter schonend beibrachte.

Wenige Minuten später kam Frank Bailey ins Büro gestürmt. Townsend konnte Baileys Gesichtsausdruck nicht sehen, weil er den Kopf nicht hob und so tat, als wäre er völlig in die Anzeigen vertieft. Er strich eine an, dann blickte er zum Chefredakteur auf und reichte ihm ein Blatt Papier. »Ich möchte, dass Sie dieses Schreiben von Jervis, Smith & Thomas morgen auf der Titelseite bringen, Frank. Und spätestens in einer Stunde habe ich dreihundert Worte für den Leitartikel.«

»Aber …«, wandte Frank ein.

»Und graben Sie im Archiv das scheußlichste Bild von Sir Colin Grant aus und setzen es neben das Schreiben seiner Anwälte.«

»Aber ich wollte den morgigen Leitartikel dem Taylor-Prozess widmen. Der Mann ist unschuldig, und die *Gazette* ist als Zeitung bekannt, die sich für Gerechtigkeit einsetzt.«

»Die *Gazette* ist auch als Zeitung bekannt, die an Umsatz verliert«, sagte Townsend. »Wie auch immer – der Taylor-Prozess ist Schnee von gestern. Meinetwegen können Sie ihm so viel Platz widmen, wie Sie möchten, aber morgen steht er nicht auf der Titelseite.«

»Sonst noch was?«, fragte Frank sarkastisch.

»Ja«, antwortete Townsend gelassen. »Ich möchte das Layout der Titelseite auf meinem Schreibtisch haben, bevor ich heute Abend Feierabend mache.«

Wütend und ohne ein weiteres Wort stapfte Frank aus dem Büro.

»Schicken Sie als Nächsten den Leiter der Anzeigenabteilung zu mir«, bat Townsend Bunty. Er öffnete den Ordner mit Harris' Kostenaufstellung, die dieser einen Tag zu spät abgeliefert hatte, und betrachtete die schlampig zusammengestellten Zahlen. Die Besprechung mit Harris erwies sich sogar als noch kürzer als die mit Bailey. Während Harris seinen Schreibtisch räumte, bestellte Townsend den stellvertretenden Vertriebsleiter, Mel Carter, zu sich.

Als der junge Mann ins Büro trat, verriet seine Miene, dass er ebenfalls damit rechnete, umgehend seinen Schreibtisch räumen zu müssen.

»Setzen Sie sich, Mel«, forderte Townsend ihn auf. Er blickte in die Personalakte des jungen Mannes. »Wie ich sehe, sind Sie erst vor Kurzem für eine dreimonatige Probezeit zu uns gekommen. Ich möchte von Anfang an klarstellen, dass es mich nicht interessiert, wie lange Mitarbeiter bei uns sind, sondern lediglich die Ergebnisse, die sie bringen. Sie haben neunzig Tage, von heute an gerechnet, sich als Leiter der Anzeigenabteilung zu bewähren.«

Der junge Mann war überrascht, aber auch sichtlich erleichtert.

»Sagen Sie mal, Mel, wenn Sie an der *Gazette* irgendetwas ändern könnten, was würden Sie sich vornehmen?«, fragte Townsend.

»Die letzte Seite«, kam die Antwort wie aus der Pistole geschossen. »Ich würde die Kleinanzeigen auf eine der Innenseiten verlegen.«

»Warum?«, wollte Townsend wissen. »Die letzte Seite bringt uns am meisten ein – knapp über 3000 Pfund am Tag, wenn ich mich recht entsinne.«

»Ich weiß«, entgegnete Mel. »Aber der *Messenger* bringt

seit Kurzem den Sport auf der letzten Seite und hat uns seither 10 000 Leser abspenstig gemacht. Inserenten sind an der Auflagenhöhe interessiert, nicht daran, auf welcher Seite ihre Anzeige erscheint. Ich könnte Ihnen bis heute um achtzehn Uhr eine genauere Analyse der Zahlen vorlegen, wenn das hilfreich wäre, Sie zu überzeugen.«

»Wäre es allerdings«, erwiderte Townsend. »Und falls Sie noch weitere interessante Vorschläge haben, dann kommen Sie damit gleich zu mir. Sie werden feststellen, dass meine Tür stets für Sie offen ist.«

Es war eine ganz neue Erfahrung, jemanden mit einem Lächeln das Büro verlassen zu sehen. Bunty kam herein, und Townsend sah auf die Uhr.

»Sie müssen jetzt los, wenn Sie zum Lunch mit dem Vertriebsleiter des *Messenger* pünktlich sein wollen«, mahnte Bunty.

»Ich frage mich, ob ich's mir leisten kann«, murmelte Townsend.

»Natürlich«, meinte Bunty. »Ihr Vater fand den Caxton Grill gut und preiswert. Das Pilligrinis hingegen hielt er für extravagant. Dort ist er nur mit Ihrer Mutter hin, nie mit Kunden oder Mitarbeitern.«

»Ich mache mir keine Gedanken um Restaurantpreise, Bunty, sondern darum, wie viel der Mann verlangen wird, falls er bereit ist, zu uns zu kommen.«

Townsend wartete eine Woche, bevor er Frank Bailey anrief und ihm mitteilte, dass die Kleinanzeigen nicht mehr auf der letzten Seite erscheinen würden.

»Aber die Kleinanzeigen erscheinen seit über siebzig Jahren auf der letzten Seite!«, erwiderte der Chefredakteur spontan.

»Wenn das stimmt, gibt es gar keinen besseren Grund, sie zu versetzen.«

»Aber unsere Leser mögen keine Veränderungen.«

»Und die des *Messenger* tun es? Es ist jedenfalls einer der vielen Gründe, weshalb er eine viel höhere Auflage hat als wir.«

»Sie wollen tatsächlich unsere lange Tradition opfern, nur um ein paar Leser zu gewinnen?«

»Aha, wie ich sehe, begreifen Sie endlich«, sagte Townsend, ohne eine Miene zu verziehen.

»Aber Ihre Mutter hat mir versichert, dass …«

»Meine Mutter führt nicht die Tagesgeschäfte dieses Verlagshauses. Diese Verantwortung hat sie mir übertragen.« Dass dies nur für neunzig Tage galt, fügte Townsend nicht hinzu.

Der Chefredakteur hielt einen Augenblick den Atem an, dann fragte er ruhig: »Hoffen Sie darauf, dass ich kündige?«

»Selbstverständlich nicht«, erwiderte Townsend fest. »Aber ich hoffe, Sie werden mir helfen, die Zeitung in die schwarzen Zahlen zu bringen.«

Die nächste Frage des Chefredakteurs überraschte ihn.

»Könnten Sie mit der Umsetzung der Anzeigenseite noch zwei Wochen warten?«

»Warum?,« fragte Townsend.

»Weil mein Sportredakteur erst Ende des Monats aus dem Urlaub zurückkommt.«

»Ein Sportredakteur, der sich mitten in der Kricket-Saison drei Wochen Urlaub nimmt, würde nicht einmal bemerken, dass man ihm inzwischen einen anderen Schreibtisch hingestellt hat«, erwiderte Townsend heftig.

Der Sportredakteur reichte am Tag seiner Rückkehr die

Kündigung ein und ersparte es Townsend damit, ihn zu feuern. Wenige Stunden später hatte Keith den fünfundzwanzigjährigen Kricket-Korrespondenten zu dessen Nachfolger ernannt.

Wenige Minuten nachdem Frank Bailey davon erfahren hatte, kam er in Townsends Büro gestürmt. »Es ist Sache des Chefredakteurs, Umbesetzungen im Redaktionsteam vorzunehmen«, rief er, noch ehe er die Tür von Townsends Büro geschlossen hatte, »nicht ...«

»Nicht mehr«, erklärte Townsend.

Eine Zeit lang starrten sich die beiden Männer schweigend an, dann versuchte Frank es noch einmal. »Außerdem ist der Neue viel zu jung für einen solchen Posten.«

»Er ist drei Jahre älter als ich«, entgegnete Townsend.

Frank biss sich auf die Lippe. »Darf ich Sie daran erinnern, was Sie gesagt haben, als Sie mich vor gerade einmal vier Wochen zum ersten Mal in meinem Büro besuchten? Ich zitiere: ›Ich habe nicht die Absicht, einer der Verleger zu werden, die sich in redaktionelle Entscheidungen einmischen.‹«

Townsend blickte von seinem Schreibtisch auf und errötete leicht.

»Tut mir leid, Frank. Ich habe gelogen.«

Schon lange vor Ablauf der Neunzig-Tage-Frist hatte sich die Auflagenhöhe des *Messenger* und der *Gazette* einander angenähert, und Lady Townsend vergaß völlig, dass sie Keith eine zeitliche Beschränkung auferlegt hatte, um nach Ablauf dieser Frist zu entscheiden, ob sie das 150 000-Pfund-Angebot des *Messenger* annehmen solle.

Nachdem Townsend mehrere Apartments besichtigt hatte, fand er schließlich eines in idealer Lage und unterschrieb den Mietvertrag fast umgehend. An diesem Abend erklärte er seiner Mutter telefonisch, dass er sie aufgrund seiner Arbeitsbelastung nicht mehr jedes Wochenende in Toorak besuchen könne. Es schien sie keineswegs zu überraschen.

Als Townsend an seiner dritten Vorstandssitzung teilnahm, verlangte er von den Direktoren, ihn zum Vorstandsvorsitzenden zu ernennen, damit kein Zweifel mehr daran bestand, dass er nicht bloß als Sohn seines Vaters an den Sitzungen teilnahm. Mit geringer Stimmenmehrheit wurde Keith' Antrag abgelehnt. Als er am Abend seine Mutter anrief und sie fragte, was sie als Grund dafür vermutete, erwiderte sie, die Mehrheit sei der Meinung, der Titel »Verleger« genüge völlig für jemanden, der eben erst seinen dreiundzwanzigsten Geburtstag gefeiert hatte.

Sechs Monate nachdem er vom *Messenger* zur *Gazette* übergewechselt war, meldete der neue Vertriebsleiter, dass der *Messenger* bei der Auflagenhöhe nur noch um zweiunddreißigtausend Exemplare vorn lag. Townsend war höchst erfreut über diese Neuigkeit und versicherte den Direktoren bei der nächsten Vorstandssitzung, dass er nun die Zeit für gekommen hielt, ein Übernahmeangebot für den *Messenger* zu machen. Zwei der älteren Vorstandsmitglieder brachen daraufhin in schallendes Gelächter aus, bis Townsend ihnen die Zahlen sowie ein »Trenddiagramm« vorlegte, wie er es nannte – und obendrein die Zusicherung der Bank, voll und ganz hinter ihm zu stehen.

Sobald er die Mehrheit seiner Vorstandskollegen überredet hatte, dem Angebot zuzustimmen, diktierte er ein Schreiben an Sir Colin und bot ihm 750 000 Pfund für den *Messenger*. Townsend erhielt zwar keine offizielle Bestätigung des Angebots, doch seine Anwälte ließen ihn wissen, dass Sir Colin eine Sondersitzung des Vorstands einberufen hatte, die am darauffolgenden Nachmittag stattfinden sollte.

Das Licht in der Chefetage des *Messenger* brannte bis spät in die Nacht. Townsend, dem man den Zutritt zum Gebäude verwehrt hatte, ging auf dem Bürgersteig vor dem Eingang auf und ab und wartete auf den Bescheid des Vorstands. Nach zwei Stunden besorgte er sich schnell einen Hamburger in einer Imbissstube in der nächsten Straße, und als er wieder vors *Messenger*-Gebäude zurückkehrte, brannte das Licht im obersten Stockwerk immer noch. Hätte ein Polizist ihn bemerkt, wäre er möglicherweise wegen Herumlungerns verhaftet worden.

Kurz nach ein Uhr früh gingen in der Chefetage endlich die Lichter aus, und die Direktoren des *Messenger* verließen das Gebäude. Townsend blickte jeden einzelnen hoffnungsvoll an, doch sie gingen an ihm vorbei, ohne ihn auch nur eines Blickes zu würdigen.

Townsend blieb, bis er sicher sein konnte, dass sich außer der Putzkolonne niemand mehr im Gebäude aufhielt. Dann ging er langsam zur *Gazette* zurück und schaute zu, wie der erste Korrekturabzug aus dem Satz kam. Er wusste, dass er in dieser Nacht nicht mehr würde schlafen können; deshalb stieg er in einen der frühmorgendlichen Auslieferungswagen und half, die ersten Ausgaben in der Stadt zu verteilen. Was ihm zugleich die Gelegenheit gab, dafür zu sorgen, dass die *Gazette* über dem *Messenger* in die Ständer kam.

Zwei Tage später legte Bunty einen Brief in den Korb mit der Aufschrift »Wichtige Eingänge – sofort bearbeiten«:

Sehr geehrter Mr. Townsend,
hiermit bestätige ich den Eingang Ihres Schreibens vom

26. dieses Monats. Um Ihnen weitere Zeitvergeudung zu ersparen, teile ich Ihnen mit, dass der Messenger weder jetzt noch zu irgendeinem späteren Zeitpunkt zum Verkauf steht.

Hochachtungsvoll, Colin Grant

Townsend lächelte und ließ das Schreiben in den Papierkorb fallen.

Während der nächsten Monate trieb Townsend sein Personal Tag und Nacht unerbittlich an, um seinen Konkurrenten zu überflügeln. Immer wieder machte er jedem Mitarbeiter klar, dass niemand seines Jobs sicher sein konnte – der Chefredakteur eingeschlossen. Die Zahl der Kündigungen derer, die mit dem Tempo der Veränderungen bei der *Gazette* nicht Schritt halten konnten, wurde von der Zahl der Bewerbungen derer übertroffen, die den *Messenger* verließen, als sie erkannt hatten, dass es »eine Schlacht auf Leben und Tod« werden würde – wie Townsend bei jeder monatlichen Personalkonferenz betonte.

Ein Jahr nach seiner Rückkehr aus England war die Auflagenstärke beider Zeitungen gleich hoch, und er gelangte zu der Ansicht, dass es wieder einmal an der Zeit war, den Vorstandsvorsitzenden des *Messenger* anzurufen.

Als Sir Colin an den Apparat gekommen war, hielt sich Townsend gar nicht erst mit den üblichen Höflichkeitsfloskeln auf. Sein Eröffnungszug war: »Wenn 750 000 Pfund nicht reichen, Sir Colin – wie hoch ist Ihrer Meinung nach der tatsächliche Wert Ihrer Zeitung?«

»Viel mehr, als Sie sich leisten können, junger Mann. Aber, wie ich Ihnen bereits versichert habe, steht der *Messenger* ohnehin nicht zum Verkauf.«

»Die nächsten sechs Monate vielleicht noch nicht«, erwiderte Townsend.

»Niemals!«, brüllte Sir Colin in den Hörer.

»Dann bleibt mir wohl nichts anderes übrig, als Ihr Blatt von der Straße zu fegen. Bald werden Sie heilfroh sein, wenn ich Ihnen 50 000 Pfund für die traurigen Überreste davon gebe.« Townsend legte eine Pause ein. »Rufen Sie mich ruhig an, falls Sie es sich doch noch anders überlegen.«

Diesmal war es Sir Colin, der den Hörer auf die Gabel knallte.

An dem Tag, als die *Gazette* erstmals mehr Exemplare verkaufte als der *Messenger,* gab Townsend eine Party und ließ die Neuigkeit in einer Balkenüberschrift über einem Bild von Sir Colins verkünden, das man im vergangenen Jahr bei der Beerdigung seiner Frau aufgenommen hatte. Mit jedem Monat wurde der Auflagenabstand zwischen den beiden Zeitungen größer, und Townsend ließ sich keine Gelegenheit entgehen, seine Leserschaft auf die neueste Auflagenhöhe hinzuweisen. Es verwunderte ihn nicht, als Sir Colin anrief und meinte, es sei vielleicht an der Zeit, sich zu treffen.

Nach wochenlangen Vorverhandlungen wurde eine Fusion der beiden Zeitungen beschlossen – doch erst, nachdem Townsend die einzigen beiden Zugeständnisse des *Messenger* durchgesetzt hatte, die ihm wirklich etwas bedeuteten: Die neue Zeitung würde in seinem Verlag gedruckt werden und den Namen *Gazette Messenger* tragen.

Als sich der neu zusammengesetzte Vorstand zum ersten Mal traf, wurde Sir Colin zum Vorsitzenden und Townsend zum Geschäftsführer ernannt.

Innerhalb von sechs Monaten war der Name *Messenger* aus dem Impressum verschwunden, und sämtliche wichtigen Entscheidungen wurden getroffen, ohne zuvor die Billigung des Vorstands oder seines Vorsitzenden einzuholen. Es schockierte kaum jemanden, als Sir Colin seinen Rücktritt bekannt gab, und niemand wunderte sich, dass Townsend ihn akzeptierte.

Als Lady Townsend sich bei ihrem Sohn nach dem tieferen Grund für Sir Colins Rücktritt erkundigte, antwortete Keith, der Schritt sei in gegenseitigem Einvernehmen erfolgt. Der alte Mann sei der Meinung gewesen, dass es an der Zeit wäre, einem Jüngeren Platz zu machen. Lady Townsend war nicht ganz überzeugt von dieser Version.

Mittagsausgabe

Wo ein Wille ist …

13

DER TELEGRAF

31. August 1947

Weiterhin Lebensmittelknappheit in Berlin

»Wenn Lauber ein Testament gemacht hat, muss ich das unbedingt in die Finger bekommen.«

»Warum ist das so wichtig?«, fragte Sally.

»Weil ich wissen will, wer seine Anteile am *Telegraf* geerbt hat.«

»Ich würde sagen, seine Frau.«

»Nein, wohl eher Arno Schultz. Und in diesem Fall würde ich nur meine Zeit vergeuden – also, je schneller wir es herausfinden, desto besser.«

»Aber ich habe nicht die leiseste Ahnung, wie ich das bewerkstelligen könnte.«

»Das dürfte kein Problem sein. Nachdem man Laubers Leiche nach Deutschland überführt hatte, fiel sie in den Zuständigkeitsbereich des Innenministeriums. Versuchen Sie es dort.«

Sally blickte ihn zweifelnd an.

»Spannen Sie jeden ein, der uns einen Gefallen schuldet«, sagte Armstrong, »und versprechen Sie ihnen im Gegenzug, was immer sie wollen. Aber besorgen Sie mir dieses Testament!« Er drehte sich um. »Ich gehe jetzt zu Hallet.«

Ohne ein weiteres Wort verließ Armstrong sein Büro und ließ sich von Benson zum britischen Offizierskasino fahren. Er setzte sich auf den Hocker am Ende der Bar, bestellte einen Whisky und schaute alle paar Minuten auf die Uhr.

Als die alte Standuhr in der Diele halb sieben schlug, kam Stephen Hallet in die Messe geschlendert, sah sich kurz um und setzte sich mit einem breiten Lächeln zu Armstrong an die Bar.

»Dick. Verbindlichsten Dank für die Kiste 29er Mouton Rothschild. Ein wirklich exzellenter Tropfen. Ich muss gestehen, ich versuche ihn mir so einzuteilen, dass ich damit auskomme, bis ich meine Entlassungspapiere kriege.«

Armstrong lächelte. »Dann werden wir wohl zusehen müssen, dass wir eine regelmäßigere Lieferung einrichten. Essen Sie doch mit mir zu Abend. Vielleicht finden wir dann heraus, warum alle so vom 33er Chateau Beychevelle schwärmen.«

Bei einem angebrannten Steak kostete Captain Hallet zum ersten Mal den Beychevelle, und Armstrong erfuhr alles, was er über das deutsche Erbrecht und Testamentseröffnungen wissen musste, und dass Laubers Anteile von Rechts wegen an seine Frau – als nächste Angehörige – übergehen würden, falls man keinen anderslautenden Letzten Willen fand.

»Aber wenn Laubers Frau ebenfalls tot ist, was dann?«, erkundigte sich Armstrong, während der Kellner eine zweite Flasche entkorkte.

»Falls sie tot ist oder nicht aufgespürt werden kann …«, Hallet nippte an seinem nachgefüllten Glas, und sein Lächeln kehrte zurück, »… müsste der ursprüngliche Besitzer fünf Jahre warten. Nach Ablauf dieser Frist könnte er einen Antrag auf Rückgabe seiner Anteile einreichen.«

Armstrong ertappte sich dabei, dass er manche Fragen mehrmals stellte, um ganz sicherzugehen, sich alles Entscheidende einzuprägen, da er sich ja keine Notizen machen konnte. Hallet schien das nicht weiter zu stören, obwohl er – wie Armstrong vermutete – genau wusste, was sein Gegenüber beabsichtigte, jedoch nicht zu viele Fragen stellen wollte, solange sein Glas gefüllt blieb. Als Armstrong sicher war, die Rechtslage verstanden zu haben, verabschiedete er sich mit der Ausrede von Hallet, er hätte seiner Frau versprochen, nicht so spät heimzukommen, und verließ den Anwalt mit einer noch halbvollen Flasche auf dem Tisch.

Doch Armstrong hatte keineswegs die Absicht, sofort nach Hause zu fahren und einen weiteren Abend damit zu verbringen, Charlotte zu erklären, weshalb es mit seinen Entlassungspapieren so lange dauerte, wo doch mehrere ihrer Freunde bereits nach Großbritannien zurückgekehrt waren. Armstrong befahl dem müde aussehenden Benson, ihn in den amerikanischen Sektor zu fahren.

Als Erstes suchte er Max Sackville auf, den er zwei Stunden lang zu einer Pokerpartie begleitete. Armstrong verlor ein paar Dollar, schnappte dabei jedoch einige Informationen über Truppenbewegungen der Amerikaner auf, und daran war Colonel Oakshott bestimmt sehr interessiert.

Dick verließ Max, als er genug verloren hatte, um das nächste Mal wieder zum Pokern eingeladen zu werden. Anschließend schlenderte er über die Straße und eine Gasse entlang zu seinem amerikanischen Lieblingsclub, wo er sich zu einigen Offizieren gesellte, die ihre bevorstehende Heimkehr in die Staaten feierten. Mehrere Whiskys später verließ Dick den Club mit weiteren nützlichen Informationen. Doch hätte er mit Freuden all das gegen einen Blick auf

Laubers Testament getauscht. Ihm fiel nicht auf, dass sich ein Mann in Zivil erhob und ihm auf die Straße folgte.

Auf dem Rückweg zu seinem Jeep hörte er, wie hinter ihm jemand »Lubji!« rief.

Mit einem flauen Gefühl in der Magengrube blieb Dick ruckartig stehen. Er fuhr herum und sah einen Mann in seinem Alter, allerdings deutlich kleiner und stämmiger als er. Der Unbekannte trug einen schlichten grauen Anzug, weißes Hemd und dunkelblaue Krawatte. In der unbeleuchteten Straße konnte Armstrong die Züge des Mannes nicht erkennen.

»Sie müssen Tscheche sein«, sagte Armstrong gelassen.

»Nein, Lubji, ich bin kein Tscheche.«

»Dann sind Sie ein verdammter Kraut.« Armstrong ballte die Fäuste und ging drohend auf ihn zu.

»Schon wieder falsch.« Der Mann dachte gar nicht daran zurückzuweichen.

»Was, zum Teufel, sind Sie dann?«

»Sagen wir einfach, ein Freund.«

»Ich kenne Sie überhaupt nicht. Wie wär's, wenn Sie mit Ihren Spielchen aufhören und mir sagen, was Sie von mir wollen?«

»Nichts weiter, als Ihnen helfen«, erwiderte der Mann ruhig.

»Wobei? Und wie?«, fuhr Dick ihn an.

Der Mann lächelte. »Indem ich Ihnen das Testament besorge, auf das Sie so versessen sind.«

»Das Testament?«, fragte Dick nervös.

»Ah, wie ich sehe, konnte ich mich endlich Ihrer Aufmerksamkeit versichern.« Dick starrte den Mann an, der eine Hand in die Tasche steckte und eine Visitenkarte zum

Vorschein brachte. »Besuchen Sie mich doch mal im russischen Sektor.« Er reichte ihm die Karte.

Im trüben Licht konnte Dick den Namen auf der Karte nicht erkennen. Als er wieder aufsah, war der Mann in der Nacht verschwunden.

Erst eine Straße weiter brannten Laternen. Dick blieb stehen und besah sich die Karte noch einmal:

Major S. Tulpanow
Militärattaché
Leninplatz, russischer Sektor

Als Armstrong am nächsten Morgen Colonel Oakshott aufsuchte, berichtete er ihm alles, was sich am vergangenen Abend im amerikanischen Sektor ereignet hatte, und gab ihm Major Tulpanows Karte. Er erwähnte allerdings nicht, dass dieser ihn mit »Lubji« angeredet hatte. Oakshott machte sich ein paar Notizen auf dem vor ihm liegenden Block. »Sprechen Sie mit niemandem darüber, bis ich ein paar Erkundigungen eingezogen habe«, befahl er.

Kaum war er in seinem eigenen Büro, erhielt Dick zu seiner Verwunderung bereits einen Anruf von Oakshott. Der Colonel wünschte ihn umgehend noch einmal im Hauptquartier zu sehen. Also fuhr Benson Dick rasch wieder quer durch den Sektor. Als Armstrong zum zweiten Mal an diesem Vormittag Oakshotts Büro betrat, flankierten zwei Männer in Zivil seinen Vorgesetzten, die Dick noch nie gesehen hatte. Sie stellten sich als Captain Woodhouse und Major Forsdyke vor.

»Sieht so aus, als hätten Sie einen Glückstreffer gelandet, Dick«, sagte Oakshott, noch ehe Armstrong dazu gekommen war, Platz zu nehmen. »Wie es scheint, ist Ihr Major Tulpanow beim russischen Geheimdienst. Wir halten ihn sogar für die Nummer drei im russischen Sektor. Er gilt dort als aufsteigender Stern. Diese beiden Herren hier sind vom Abschirmdienst. Sie möchten, dass Sie Tulpanows Einladung annehmen und uns dann alles berichten, was Sie herausfinden können – bis hin zu seiner Zigarettenmarke.«

»Ich könnte gleich heute Nachmittag hinfahren«, meinte Armstrong.

»Nein«, wehrte Forsdyke entschieden ab. »Das wäre viel zu auffällig. Besser, Sie warten ein, zwei Wochen und lassen es dann wie einen unverbindlichen Besuch aussehen. Wenn Sie zu schnell dort auftauchen, wird Tulpanow mit Sicherheit misstrauisch. Selbstverständlich gehört Misstrauen zu seinem Job, aber warum sollten wir es noch verstärken? Melden Sie sich morgen früh um acht in meinem Büro in der Franklinstraße. Dann sorge ich dafür, dass Sie alles erfahren, was Sie wissen müssen.«

Die nächsten zehn Vormittage verbrachte Armstrong beim britischen Abschirmdienst, wo man ihn mit den Routineverfahren dieser Organisation bekannt machte. Rasch wurde offensichtlich, dass man Dick als Soldaten betrachtete, der nicht auf herkömmlichem Weg in die Armee aufgenommen worden war. Schließlich kannte er England nur aus dem Übergangslager in Liverpool, seiner kurzen Dienstzeit als einfacher Soldat im Pionierkorps, seinem Aufstieg im North Staffordshire Regiment und einer nächtlichen Reise nach Portsmouth, bevor er nach Frankreich übergesetzt worden war. Die meisten Offiziere, die Armstrong beim Abschirmdienst ihr Wissen vermittelten, hätten für die von ihnen erwählte Offizierslaufbahn eine Ausbildung in Eton, am Trinity

College und im Gardekorps als erforderlich erachtet. »Zum Glück für England ist er keiner von uns«, murmelte Forsdyke dankbar seufzend beim Lunch mit seinen Kameraden. Sie hatten nicht einmal in Erwägung gezogen, Armstrong aufzufordern, bei ihnen Platz zu nehmen.

Dennoch besuchte Captain Armstrong zehn Tage später den russischen Sektor unter dem Vorwand, Ausschau nach Ersatzteilen für die Druckmaschinen des *Telegraf* zu halten. Sobald er sich vergewissert hatte, dass seine Verbindungsleute die benötigten Teile nicht hatten – wie er natürlich schon zuvor wusste –, begab er sich zum Leninplatz und suchte Tulpanows Büro.

Der Eingang des riesigen grauen Gebäudes, den man durch einen Torbogen an der Nordseite des Platzes erreichte, war alles andere als eindrucksvoll, und die Sekretärin, die allein in einem schäbigen Vorzimmer im zweiten Stock saß, ließ keineswegs darauf schließen, dass ihr Chef ein erfolgreicher Aufsteiger war. Sie betrachtete Armstrongs Visitenkarte und schien sich gar nicht darüber zu wundern, dass ein Captain der britischen Streitkräfte ohne Voranmeldung einfach bei den Russen hereingeschneit kam. Schweigend führte sie Dick über einen langen, grauen Korridor, dessen abblätternde Wände mit Bildern von Marx, Engels, Lenin und Stalin verziert waren, und blieb schließlich vor einer Tür ohne Aufschrift stehen. Sie klopfte an, öffnete und trat zur Seite, um Captain Armstrong an sich vorbei in Tulpanows Büro einzulassen.

Dick war überrascht, als er in ein luxuriös eingerichtetes Zimmer mit kostbaren antiken Möbeln und alten Gemälden trat. Vor einiger Zeit hatte er General Templer über etwas informieren müssen, den Militärgouverneur des britischen

Sektors, doch dessen Büro war weit weniger imposant gewesen.

Major Tulpanow erhob sich hinter seinem Schreibtisch und ging seinem Besucher über den dicken Orientteppich entgegen. Armstrong entging nicht, dass die Uniform des Majors viel besser geschneidert war als seine.

»Willkommen in meinem bescheidenen Heim, Captain Armstrong«, begrüßte ihn der russische Offizier. »So lautet doch die korrekte englische Anrede, nicht wahr?« Er versuchte gar nicht erst, sein Grinsen zu unterdrücken. »Ihr Timing ist perfekt. Machen Sie mir die Freude, mit mir zu Mittag zu essen?«

Armstrong nahm die Einladung dankend mit *»Spasiba!«* an. Tulpanow zeigte sich über diesen Wechsel vom Englischen ins Russische nicht überrascht und führte seinen Gast in ein Nebenzimmer, wo bereits für zwei Personen gedeckt war. Verwundert fragte sich Armstrong, ob der Major seinen Besuch erwartet hatte.

Als Dick gegenüber von Tulpanow Platz nahm, erschien ein Diener mit zwei Tellern Kaviar; ein zweiter folgte mit einer Flasche Wodka. Falls dies dem Zweck dienen sollte, Dick die Befangenheit zu nehmen, verfehlte es völlig seine Wirkung.

Der Major hob sein bis zum Rand gefülltes Glas und brachte einen Trinkspruch aus: »Auf unseren zukünftigen Wohlstand!«

»Auf unseren zukünftigen Wohlstand«, wiederholte Dick in dem Moment, als die Sekretärin des Majors das Zimmer betrat. Sie legte einen dicken bräunlichen Umschlag auf den Tisch.

»Und wenn ich ›unseren‹ sage, dann meine ich auch

›unseren‹.« Der Major setzte sein Glas ab. Den Umschlag beachtete er gar nicht.

Auch Armstrong stellte sein Glas auf den Tisch, schwieg jedoch. Eine seiner Anweisungen vom Abschirmdienst lautete, immer zuerst die anderen reden zu lassen.

»Also, Lubji«, sagte Tulpanow, »ich habe nicht die Absicht, Ihre Zeit damit zu vergeuden, Ihnen etwas darüber vorzulügen, welche Funktion ich im russischen Sektor ausübe – schon deshalb nicht, weil Sie in den letzten zehn Tagen ja genau darüber unterrichtet wurden, weshalb ich in Berlin stationiert bin und welche Rolle ich in diesem neuen ›kalten Krieg‹ spiele. Ihr da drüben nennt es doch so, nicht wahr? Ich vermute, dass Sie inzwischen mehr über mich wissen als meine Sekretärin.« Er lächelte und schob sich einen großen Berg Kaviar in den Mund. Armstrong spielte scheinbar verlegen mit seiner Gabel, ohne selbst zu essen.

»Aber die Wahrheit ist, Lubji – oder wäre es Ihnen lieber, wenn ich Sie John nenne? Oder Dick? Jedenfalls, die Wahrheit ist, dass ich zweifellos viel mehr über Sie weiß als Ihre Sekretärin, Ihre Frau und Ihre Mutter zusammen.«

Armstrong schwieg noch immer. Er legte die Gabel auf den Tisch und ließ den Kaviar unangetastet vor sich stehen.

»Wissen Sie, Lubji, Sie und ich sind von derselben Art. Deshalb bin ich zuversichtlich, dass wir einander von großem Nutzen sein können.«

»Ich fürchte, ich verstehe nicht ganz«, entgegnete Armstrong und blickte Tulpanow fest an.

»Nun, ich kann Ihnen beispielsweise genau sagen, wo Frau Lauber sich aufhält und dass sie nicht einmal weiß, dass ihr Mann Besitzer des *Telegraf* war.«

Armstrong nahm einen kleinen Schluck Wodka. Er war erleichtert, dass seine Hand nicht zitterte, obwohl sein Herz bestimmt doppelt so schnell schlug wie normalerweise.

Tulpanow griff nach dem dicken braunen Umschlag, öffnete ihn und nahm ein Schriftstück heraus. Er schob es über den Tisch. »Und es ist auch gar nicht nötig, dass Frau Lauber es je erfährt, falls wir zu einer Einigung gelangen.«

Armstrong faltete das schwere Büttenpapier auseinander und las den ersten Absatz des Testaments von Major Klaus Otto Lauber, während Tulpanow sich eine zweite Portion Kaviar bringen ließ.

Armstrong war bei der dritten Seite angekommen und rief erstaunt aus: »Aber hier steht doch …«

Wieder lächelte Tulpanow. »Ah, wie ich sehe, sind Sie zu dem Absatz gekommen, in dem Lauber bestätigt, dass Arno Schultz sämtliche Anteile am *Telegraf* zurückerhält.«

Armstrong sah auf und starrte den Major an, sagte aber auch diesmal nichts.

»Das ist natürlich nur von Bedeutung, solange das Testament existiert«, sagte Tulpanow. »Sollte dieses Dokument niemals vorgelegt werden, würden die Anteile automatisch an Frau Lauber übergehen – und in diesem Fall sehe ich keine Veranlassung …«

»Was erwarten Sie dafür von mir?«, fragte Armstrong.

Der Major ließ sich Zeit mit der Antwort, als dächte er über die Frage nach. »Oh, vielleicht dann und wann eine kleine Information. Wenn ich es Ihnen ermögliche, eine eigene Zeitung zu besitzen, noch bevor Sie fünfundzwanzig sind, Lubji, hätte ich mir doch wirklich eine kleine Gegenleistung verdient, finden Sie nicht auch?«

»Ich verstehe nicht ganz«, behauptete Armstrong.

»Ich glaube, Sie verstehen nur zu gut.« Tulpanow lächelte. »Aber ich will es Ihnen gern verdeutlichen.«

Armstrong griff nach der Gabel und kostete zum ersten Mal im Leben Kaviar, während der Major fortfuhr.

»Fangen wir mit der schlichten Tatsache an, Lubji, dass Sie nicht einmal britischer Staatsbürger sind. Es hat Sie nur durch Zufall nach England verschlagen. Und obwohl man Sie in der britischen Armee mit offenen Armen aufnahm«, er trank einen Schluck Wodka, »haben Sie gewiss selbst schon erkannt, dass man Sie nicht gerade aus tiefstem Herzen liebt. Deshalb ist die Zeit reif, dass Sie sich entscheiden, für welche Mannschaft Sie spielen wollen.«

Armstrong nahm eine zweite Gabel Kaviar. Er schmeckte ihm.

»Ich glaube, Sie würden feststellen, dass die Mitgliedschaft in unserer Mannschaft Sie nicht übermäßig in Anspruch nehmen wird. Und ich bin sicher, dass wir einander hin und wieder helfen könnten, es in dem ›Großen Spiel‹, wie die Briten es immer noch nennen, zu etwas zu bringen.«

Armstrong schob sich die letzte Gabel Kaviar in den Mund und hoffte, man würde ihm noch mehr davon anbieten.

»Wollen Sie es sich überlegen, Lubji? Wie sieht's aus?« Tulpanow beugte sich über den Tisch, nahm das Testament zurück und steckte es wieder in den Umschlag.

Armstrong schwieg und starrte auf seinen leeren Teller.

»In der Zwischenzeit«, sagte der Major vom russischen Geheimdienst, »möchte ich Ihnen eine kleine Information zukommen lassen, die Sie Ihren Freunden vom Abschirmdienst mitbringen können.« Er zog ein Blatt Papier aus seiner Brusttasche und schob es über den Tisch. Armstrong las es und freute sich, dass er noch in Russisch denken konnte.

»Ich möchte fair zu Ihnen sein, Lubji, und will Ihnen deshalb nicht verheimlichen, dass Ihre Leute dieses Dokument bereits besitzen. Aber sie werden sich trotzdem freuen, seinen Inhalt bestätigt zu sehen. Wissen Sie, etwas haben alle Geheimdienstleute gemeinsam: ihre Vorliebe für Bürokratie. Nur wenn alles schriftlich niedergelegt ist, können sie beweisen, wie wichtig ihr Job ist.«

»Und wie bin ich an dieses Ding herangekommen?«, Armstrong hielt das Papier in die Höhe.

»Ich fürchte, ich habe heute eine Aushilfssekretärin, die ihren Schreibtisch unbeaufsichtigt lässt.«

Dick lächelte, als er das Blatt Papier zusammenfaltete und in seine Brusttasche steckte.

»Übrigens, Lubji, die Jungs von Ihrem Abschirmdienst sind nicht ganz so dumm, wie Sie vielleicht glauben. Hören Sie auf mich, und seien Sie vorsichtig. Wenn Sie sich entschließen, ins Spiel einzusteigen, werden Sie früher oder später unweigerlich vor der Frage stehen, welcher Seite Ihre Loyalität denn nun gehört, und falls die Briten – oder wir – herausfinden, dass Sie ein doppeltes Spiel treiben, wird man sich Ihrer ohne die geringsten Gewissenbisse entledigen.«

Armstrong spürte, wie sein Herz hämmerte.

»Wie ich schon sagte«, fuhr der Major fort, »Sie müssen sich nicht sofort entscheiden.« Er tippte auf den bräunlichen Umschlag. »Ich kann ohne Weiteres noch einige Tage warten, bis ich Herrn Schultz über sein Glück informiere.«

»Ich habe erfreuliche Neuigkeiten für Sie, Dick«, sagte Colonel Oakshott, als Armstrong sich am nächsten Morgen im Hauptquartier bei ihm meldete. »Ihre Entlassung wurde befürwortet. Es gibt also keinen Grund mehr, weshalb Sie nicht in spätestens einem Monat wieder in England sein könnten.«

Der Colonel wunderte sich über Armstrongs keineswegs begeisterte Reaktion, führte es aber darauf zurück, dass der Captain momentan zu viele andere Dinge im Kopf hatte. »Allerdings wird Forsdyke nicht gerade erfreut sein, wenn er erfährt, dass Sie uns so bald nach Ihrer lohnenden Unterredung mit Major Tulpanow verlassen.«

»Vielleicht sollte ich auch gar nicht so schnell von hier weg – jetzt, wo ich eine Chance habe, Kontakte zum russischen Geheimdienst herzustellen.«

»Das ist verdammt patriotisch von Ihnen, alter Junge«, lobte der Colonel. »Verbleiben wir doch so, dass ich bei der Bearbeitung Ihrer Entlassungspapiere keinen Druck mehr ausübe, bis Sie mir einen kleinen Wink geben, dass der richtige Zeitpunkt gekommen ist.«

Charlotte lag Dick immer noch in den Ohren, wann sie Berlin denn endlich verlassen könnten. An diesem Abend erklärte sie ihm, weshalb ihr das plötzlich so wichtig war. Als Dick die Neuigkeit hörte, sah er ein, dass er so rasch wie möglich Schluss mit den Ausflüchten machen musste. An diesem Abend ging er nicht aus, sondern saß mit Charlotte in der Küche und erzählte ihr von seinen Plänen, sobald sie sich in England ein Zuhause geschaffen hatten.

Am nächsten Vormittag fiel ihm ein guter Grund ein, den sowjetischen Sektor zu besuchen. Nach einigen ausführlichen Anweisungen von Forsdyke betrat Dick ein paar Minuten vor Mittag Tulpanows Büro.

»Wie geht es Ihnen, Lubji?«, fragte der russische Geheimdienst-Major. Armstrong nickte nur kurz. »Aber was wichtiger ist, mein Freund – haben Sie sich entschieden, für welche Partei Sie das Spiel eröffnen werden?«

Armstrong blickte ihn verwirrt an.

»Um mit den Engländern zurechtzukommen, müssen Sie mit Kricket vertraut sein – ein Spiel, das erst anfängt, wenn eine Münze geworfen wurde. Können Sie sich etwas Dümmeres vorstellen, als der anderen Seite eine Chance zu geben? Aber haben Sie die Münze schon geworfen, Lubji? Das muss ich mich immer wieder fragen. Und falls ja, werden Sie schlagen oder werfen?«

»Bevor ich mich endgültig entscheide, möchte ich erst mit Frau Lauber sprechen«, entgegnete Armstrong.

Mit gespitzten Lippen stiefelte der Major im Zimmer umher, als würde er sich Armstrongs Wunsch ernsthaft durch den Kopf gehen lassen.

»Es gibt da ein altes Sprichwort, das wohl nicht nur in England bekannt ist, Lubji: Wo ein Wille ist …«

Armstrong blickte ihn verwirrt an.

»Sie müssen noch etwas über die Engländer wissen: Ihre Wortspiele mögen sich witzig anhören, sie sind es aber nicht. Um die Wahrheit zu sagen, besitzen die Briten weder Humor noch Selbstironie. Und mögen sie noch so gern auf ihrem ›Fairplay‹ herumreiten – sie sind gnadenlos, wenn es darum geht, ihre Position zu verteidigen. Wenn Sie Frau Lauber besuchen wollen, Lubji, müssen wir nach Dresden fahren.«

»Dresden?«

»Ja. Frau Lauber befindet sich in der russischen Zone. Das ist von Vorteil für Sie. Aber ich halte es für besser, sie nicht so schnell zu besuchen, zumindest noch nicht in den nächsten Tagen.«

»Warum nicht?«

»Sie müssen noch viel über die Briten lernen, Lubji. Sie dürfen nicht glauben, ihre Denkweise zu kennen, nur weil Sie ihre Sprache beherrschen. Die Briten lieben das Gewohnte. Wenn Sie morgen wiederkommen, werden sie misstrauisch. Kommen Sie jedoch erst irgendwann nächste Woche wieder, denken sie sich nichts dabei.«

»Na schön. Was soll ich ihnen sagen, wenn ich mich zurückmelde?«

»Behaupten Sie, ich wäre diesmal ein wenig zugeknöpft gewesen, und Sie müssten sich erst eine neue Strategie zurechtlegen.« Tulpanow lächelte. »Aber Sie können ihnen sagen, ich hätte Sie nach einem gewissen Arbuthnot gefragt – Piers Arbuthnot – und ob es stimmt, dass er nach Berlin versetzt wird. Sie hätten mir darauf geantwortet, dass Sie noch nie von ihm gehört haben. Sie würden jedoch versuchen herauszufinden, ob die Geschichte mit der Versetzung stimmt.«

Am Spätnachmittag kehrte Armstrong in den britischen Sektor zurück und berichtete Forsdyke von dem Gespräch. Dick hatte damit gerechnet zu erfahren, wer Arbuthnot war und wann er nach Berlin kommen würde, doch Forsdyke sagte bloß: »Tulpanow will Sie nur auf die Probe stellen. Er weiß genau, wer Arbuthnot ist und wann der Mann seinen Posten antritt. Wann können Sie den russischen Sektor möglichst unauffällig noch einmal besuchen?«

»Nächsten Mittwoch oder Donnerstag habe ich mein übliches monatliches Treffen mit den Russen, wegen der Papierlieferungen.«

»Gut. Sollten Sie rein zufällig bei Tulpanow vorbeischauen, sagen Sie ihm, dass Sie von mir kein Wort über Arbuthnot erfahren konnten.«

»Aber wird das nicht sein Misstrauen erregen?«

»Nein, im Gegenteil. Er würde misstrauisch, wenn Sie ihm irgendetwas über diesen Mann sagen könnten.«

Beim Frühstück am nächsten Morgen kam es wegen der unbestimmten Übersiedlung nach England wieder zu einer Auseinandersetzung zwischen Charlotte und Dick.

»Wie viele Ausreden hast du eigentlich noch auf Lager, um unsere Reise nach England zu verzögern?«, fragte sie.

Dick unternahm gar nicht erst den Versuch einer Antwort. Ohne ihr auch nur einen Blick zu gönnen, griff er nach seinem Offiziersstock und stürmte aus der Wohnung.

Private Benson fuhr ihn direkt ins Büro. Kaum saß er an seinem Schreibtisch, rief er nach Sally. Sie kam mit einem Stapel Post zum Unterschreiben und begrüßte ihn mit einem Lächeln. Als sie eine Stunde später sein Büro verließ, war sie erschöpft. Sie legte jedem nahe, dem Captain für den Rest des Tages lieber aus dem Weg zu gehen, bei seiner Laune heute wäre er unberechenbar. Die hatte sich auch bis Mittwoch nicht gebessert, und das ganze Team war erleichtert zu erfahren, dass der Chef fast den ganzen Donnerstag außer Haus zu tun habe.

Kurz vor zehn fuhr ihn Benson in den russischen Sektor. Armstrong stieg mit seiner Reisetasche aus und wies seinen Fahrer an, in den britischen Sektor zurückzukehren. Er schritt am Leninplatz durch den breiten Torbogen, der zu Tulpanows Amt führte, und wunderte sich, dass die Sekretärin im Vorhof auf ihn wartete.

Schweigend führte sie Dick über das Kopfsteinpflaster zu einem großen schwarzen Mercedes und hielt ihm die Tür auf. Dick setzte sich neben Tulpanow auf den Rücksitz. Der Motor lief bereits, und ohne auf eine Aufforderung zu warten, fuhr der Chauffeur hinaus auf den Platz und folgte den Schildern zur Autobahn.

Der Major zeigte keinerlei Erstaunen, als Armstrong ihm von dem Gespräch mit Forsdyke berichtete, und dass es ihm nicht gelungen sei, irgendetwas über Arbuthnot herauszufinden.

»Die Briten trauen Ihnen noch nicht, Lubji«, meinte Tulpanow. »Sie sind ja auch keiner von ihnen. Vielleicht werden Sie auch nie einer.« Verärgert verzog Armstrong das Gesicht und schaute zum Fenster hinaus.

Sobald sie die Außenbezirke Berlins hinter sich gelassen hatten, fuhren sie nach Süden in Richtung Dresden. Nach einigen Minuten beugte Tulpanow sich nach vorn, hob einen kleinen, ramponierten Koffer mit den Initialen K. L. auf und reichte ihn Armstrong.

»Was ist das?« erkundigte er sich.

»Die weltliche Habe des guten Majors«, antwortete Tulpanow. »Oder vielmehr alles, was seine arme Witwe von ihm erben wird.« Er reichte Armstrong einen dicken, bräunlichen Umschlag.

»Und was ist das? Auch weltliche Habe?«

»Nein, das sind die vierzigtausend Reichsmark, die Lauber an Schultz für dessen Anteile am *Telegraf* bezahlt hat. Wenn die Briten an einer Sache beteiligt sind, versuche ich mich an die Regeln zu halten. ›Streng dich an, gib dein Bestes und mach deine Sache gut.‹« Tulpanow grinste; dann fuhr er fort: »Ich glaube, Sie sind im Besitz des einzigen anderen Dokuments, das benötigt wird.«

Armstrong nickte und steckte das dicke Kuvert in seine Reisetasche. Dann sah er wieder aus dem Fenster auf die vorüberziehende Landschaft. Er war bestürzt, wie wenig hier seit Kriegsende wiederaufgebaut worden war. Er versuchte sich darauf zu konzentrieren, wie er bei Frau Lauber vorgehen sollte, und machte erst wieder den Mund auf, als sie den Stadtrand von Dresden erreichten.

»Weiß Ihr Fahrer, wohin wir wollen?«, fragte er, als sie an einem Straßenschild mit der Aufschrift »Höchstgeschwindigkeit 40 km/h« vorüberkamen.

»Allerdings«, antwortete Tulpanow. »Sie sind nicht der Erste, den er zu dieser alten Dame bringt. Er ist eingeweiht.«

Verwirrt blickte Armstrong Tulpanow an.

Wenige Minuten später hielten sie vor einem grauen Betonklotz von Mietshaus, das mitten in einem Park stand, der aussah, als wäre er gestern erst bombardiert worden.

»Sie müssen zu Nummer dreiundsechzig«, sagte Tulpanow. »Leider gibt es keinen Fahrstuhl. Sie werden also ein bisschen Treppen hochsteigen müssen, mein lieber Lubji. Aber das beherrschen Sie ja ziemlich gut.«

Mit seiner Reisetasche und dem ramponierten Koffer des deutschen Majors Armstrong stieg aus dem Wagen und stapfte den von Unkraut überwucherten Weg zum Eingang des zehn Stockwerke hohen Vorkriegsmietshauses. Dort stieg er die Betontreppe hinauf. Er war froh, dass Frau Lauber nicht ganz oben wohnte. Als er endlich in den sechsten Stock gelangte, ging er über einen schmalen Korridor bis zu einer Tür, neben die mit roter Farbe eine »63« an die Wand gepinselt war.

Behutsam stieß er mit seinem Offiziersstöckchen an die Glasscheibe. Gleich darauf wurde die Tür von einer alten Dame geöffnet, die sich nicht darüber zu wundern schien, Besuch von einem britischen Offizier zu bekommen. Sie führte Dick über einen düsteren, unbeleuchteten Flur zu einem winzigen kalten Zimmer, durch dessen Fenster ein fast identischer zehnstöckiger Betonklotz zu sehen war. Armstrong setzte sich der alten Frau gegenüber in einen Sessel neben einem winzigen Heizlüfter, der jedoch kaum Wärme abgab.

Dick fröstelte, während er beobachtete, wie die alte Dame sich in ihren Sessel kauerte und sich eine fadenscheinige Stola straffer um die Schultern zog.

»Ich habe Ihren Gatten kurz vor seinem Tod in Wales besucht«, begann Dick. »Er bat mich, Ihnen dies hier zu geben.« Er händigte ihr den ramponierten Koffer aus.

Frau Lauber machte ihm ein Kompliment über sein gutes Deutsch, ehe sie den Koffer öffnete. Armstrong beobachtete, wie sie ein gerahmtes Hochzeitsbild herausnahm, auf dem sie und ihr Gatte zu sehen waren; anschließend das Foto eines jungen Mannes. Dick vermutete, dass es ihr Sohn war. Ihrer traurigen Miene nach zu urteilen war er offenbar im Krieg gefallen. Dann kamen verschiedene Kleinigkeiten zum Vorschein – unter anderem ein Gedichtband von Rainer Maria Rilke und ein altes Schachspiel aus Holz.

Als Frau Lauber schließlich die drei Orden ihres Mannes aus dem Koffer genommen hatte, schaute sie auf und fragte hoffnungsvoll: »Hat er Sie gebeten, mir etwas auszurichten?«

»Ja, dass Sie ihm sehr fehlen. Und er ließ Sie bitten, Arno das Schachspiel zu geben.«

»Arno Schultz«, murmelte sie. »Ich bezweifle, dass er noch lebt.« Sie machte eine Pause. »Wissen Sie, der arme Mann war Jude. Während des Kriegs haben wir uns aus den Augen verloren.«

»Dann werde ich versuchen, in Erfahrung zu bringen, ob

er überlebt hat«, versprach Armstrong. Er beugte sich vor und nahm die Hand der alten Dame.

»Sie sind zu gütig«, sagte sie. Ihre knochigen Finger umklammerten seine Hand und ließen sie erst nach einer ganzen Weile wieder los. Dann nahm sie das Schachspiel und reichte es ihm. »Ich hoffe sehr, dass er noch lebt. Er war ein so guter Mensch.«

Armstrong nickte.

»Hat mein Mann mir sonst noch etwas ausrichten lassen?«

»Ja. Er sagte mir, sein letzter Wunsch wäre, dass Sie Arno seine Anteile zurückgeben.«

»Welche Anteile?«, fragte sie und schien zum ersten Mal ein wenig besorgt. »Nie hat jemand von Anteilen gesprochen, wenn ich Besuch bekommen habe.«

»Wie ich gehört habe, hat Arno Ihrem Mann kurz nach Hitlers Machtergreifung einige Anteile seines Zeitungsverlags verkauft, und Ihr Mann versprach, sie Arno gleich nach Kriegsende zurückzugeben.«

»Nun ja, hätte ich solche Papiere, bekäme Arno sie selbstverständlich zurück«, versicherte die alte Frau und schauderte wieder vor Kälte. »Aber leider besitze ich keine Anteile. Vielleicht hat Klaus ein Testament gemacht …«

»Bedauerlicherweise nein, Frau Lauber«, erklärte Armstrong. »Und falls doch, konnten wir es nicht finden.«

»Das sähe Klaus aber gar nicht ähnlich«, sagte sie. »Er war immer peinlich genau. Aber wer weiß, vielleicht ist das Testament ja irgendwo in der russischen Zone verloren gegangen. Man kann den Russen nicht trauen, wissen Sie«, wisperte sie.

Armstrong nickte zustimmend. »Machen Sie sich keine

Gedanken«, sagte er und nahm wieder ihre Hand. »Ich habe hier ein Dokument, in dem mir die Vollmacht erteilt wird, dafür zu sorgen, dass Herr Schultz die ihm zustehenden Anteile bekommt, sofern er noch lebt und wir ihn finden können.«

Frau Lauber lächelte. »Danke. Es ist mir eine große Erleichterung, dass die Angelegenheit sich in den Händen eines britischen Offiziers befindet.«

Armstrong öffnete seine Tasche und nahm den Vertrag heraus. Er blätterte die letzte der vier Seiten auf, deutete auf zwei Bleistiftkreuze und reichte Frau Lauber seinen Füllfederhalter. Sie setzte ihre krakelige Unterschrift zwischen die zwei Kreuze, ohne auch nur den Versuch zu machen, eine einzige Klausel oder einen Paragrafen des Vertrags zu lesen. Sobald die Tinte trocken war, legte Armstrong das Dokument in seine Reisetasche zurück und schloss sie. Er lächelte Frau Lauber an.

»Ich muss jetzt nach Berlin zurück.« Er erhob sich aus dem Sessel. »Und dort werde ich alles tun, um Herrn Schultz zu finden.«

»Vielen Dank.« Frau Lauber stand ebenfalls auf, sehr langsam, und begleitete ihn über den Flur zurück zur Wohnungstür. »Leben Sie wohl«, sagte sie, als Dick hinaus auf den Treppenabsatz trat. »Es war sehr freundlich von Ihnen, die lange Fahrt auf sich zu nehmen, um mich zu besuchen.« Sie lächelte müde und schloss die Tür ohne ein weiteres Wort.

»Nun?«, fragte Tulpanow, als Armstrong wieder neben ihm auf dem Rücksitz Platz nahm.

»Sie hat den Vertrag unterschrieben.«

»Damit hatte ich auch gerechnet.«

Der Fahrer wendete den Wagen und machte sich auf die Rückfahrt nach Berlin.

»Was jetzt?«, fragte Armstrong.

»Sie haben die Münze geworfen.« Tulpanow sah ihn an. »Und Zahl bedeutet, dass Sie von nun an im Spiel sind. Allerdings muss ich sagen, dass Ihr Verhalten gegenüber Frau Lauber gegen jede Spielregel war.«

Armstrong blickte ihn fragend an.

»Sogar ich dachte, dass Sie ihr die vierzigtausend Reichsmark geben«, sagte Tulpanow. »Aber zweifellos beabsichtigen Sie«, er machte eine Pause, »zumindest Arno das Schachspiel zu bringen.«

Am nächsten Morgen meldete Captain Richard Armstrong beim britischen Kontrollrat seinen Besitzanspruch auf den *Telegraf* an. Obwohl einer der Offiziere eine Braue hochzog und ein anderer ihn mehr als eine Stunde warten ließ, stempelte der diensthabende Schreiber schließlich das Dokument ab, mit dem die Transaktion genehmigt und bestätigt wurde, dass Captain Armstrong nun der alleinige Besitzer der Zeitung war.

Charlotte bemühte sich, ihre wahren Gefühle zu verbergen, als Dick ihr von seinem »Coup« erzählte. In ihren Augen konnte es nur bedeuten, dass ihre Abreise nach England ein weiteres Mal verschoben wurde. Doch sie war sehr erleichtert, als Dick nichts dagegen hatte, dass sie nach Lyon zu ihren Eltern fuhr, um dort ihr erstes Kind zur Welt zu bringen. Sie war entschlossen, dafür zu sorgen, dass jedes ihrer Kinder sein Leben als französischer Staatsbürger begann.

Arno Schultz staunte über Armstrongs wiedererwachte Begeisterung für den *Telegraf*, Dick machte bei den Redaktionskonferenzen Anregungen und Vorschläge und half sogar persönlich bei der frühmorgendlichen Auslieferung der Zeitungen. Arno vermutete, dass der neue Enthusiasmus seines Chefs in unmittelbarem Zusammenhang mit Charlottes Aufenthalt in Lyon stand.

Binnen weniger Wochen hatten sie zum ersten Mal mehr als 300 000 Exemplare täglich verkauft, und Arno musste zugeben, dass aus dem Schüler ein Meister geworden war.

Einen Monat später erhielt Captain Armstrong zehn Tage Sonderurlaub, damit er bei der Geburt seines ersten Kindes dabei sein konnte. Er war glücklich, als Charlotte ihm einen Sohn schenkte, den sie David tauften. Als Dick auf der Kante von Charlottes Bett saß und das Kind in den Armen hielt, versprach er seiner Frau, dass sie nun bald nach England übersiedeln und zu dritt ein neues Leben beginnen würden.

Eine Woche später war Armstrong zurück in Berlin und entschlossen, Colonel Oakshott mitzuteilen, dass er nun die Zeit für gekommen hielt, aus der Armee auszuscheiden und nach England heimzukehren.

Dick hätte es auch getan, hätte Arno Schultz nicht eine Party aus Anlass seines sechzigsten Geburtstags gegeben.

14

Adelaide Gazette

13. März 1956

Menzies hält an seiner politischen Linie fest

Das erste Mal fiel sie Townsend auf dem Flug nach Sydney auf. Er las die *Gazette*. Der Leitartikel hätte eher auf Seite drei gehört, und die Schlagzeile war schwach. Die *Gazette* hatte inzwischen ein Monopol in Adelaide, doch die Zeitung wurde zusehends lustloser und langweiliger. Townsend hätte Frank Bailey nach der Fusion als Chefredakteur feuern sollen, doch war es ihm damals wichtiger gewesen, erst einmal Sir Colin loszuwerden. Er legte die Stirn in Falten.

»Darf ich Ihnen Kaffee nachschenken, Mr. Townsend?«, fragte eine Frauenstimme. Keith schaute zu dem schlanken Mädchen mit der Kaffeekanne hoch und lächelte. Sie mochte etwa fünfundzwanzig sein, hatte blondes, gelocktes Haar und blaue Augen, von denen er den Blick einfach nicht losreißen konnte.

»Ja«, antwortete er, obwohl er gar keinen Kaffee mehr wollte. Sie erwiderte sein Lächeln – das Lächeln einer Stewardess, das stets gleichblieb, ob bei Dicken oder Dünnen, Alten oder Jungen, Reichen oder Armen.

Townsend legte die *Gazette* zur Seite und versuchte sich auf die bevorstehende Sitzung zu konzentrieren. Vor Kurzem hatte er für eine halbe Million Pfund eine kleine Druckerei erworben, die auf kostenlose Werbeblätter für die westlichen Vororte Sydneys spezialisiert war. Dieser Kauf hatte keinem anderen Zweck gedient, als in Australiens größter Stadt Fuß zu fassen.

Beim Jahresbankett der Zeitungsverleger im Cook Hotel war nach Beendigung der Ansprachen ein etwa siebenundzwanzigjähriger, ungefähr einssiebzig großer Mann mit feuerrotem Haar und den Schultern eines Footballspielers zu Townsend an den Tisch getreten und hatte ihm ins Ohr geflüstert: »Ich warte in der Herrentoilette auf Sie.« Townsend hatte nicht recht gewusst, ob er lachen oder den Mann einfach ignorieren sollte. Schließlich aber hatte seine Neugier die Oberhand gewonnen. Wenige Minuten später hatte er sich durch die Tische zur Herrentoilette geschlängelt. Der Rothaarige wusch sich gerade die Hände. Townsend trat an das Waschbecken daneben.

»In welchem Hotel sind Sie abgestiegen?«, wollte der Unbekannte wissen.

»Im Town House«, erwiderte Keith.

»Ihre Zimmernummer?«

»Weiß ich noch nicht.«

»Macht nichts, ich finde sie schon heraus. Ich werde gegen Mitternacht auf Ihr Zimmer kommen. Das heißt, falls Sie am *Sydney Chronicle* interessiert sind.« Der Rothaarige drehte den Wasserhahn zu, trocknete sich die Hände ab und ging.

In den frühen Morgenstunden erfuhr Townsend, dass der Mann, der ihn beim Bankett angesprochen hatte, Bruce Kelly war, der stellvertretende Chefredakteur des *Chronicle*. Kelly kam sofort zur Sache und erzählte Townsend, Sir

Somerset Kenwright denke daran, die Zeitung zu verkaufen, da sie seiner Meinung nach nicht mehr in die Reihe der anderen Publikationen seines Verlagskonzerns passte.

»War Ihr Kaffee nicht in Ordnung, Sir?«, erkundigte sich die Stewardess.

Townsend blickte zu ihr auf, dann auf seinen Kaffee, den er noch nicht angerührt hatte. »Doch, natürlich, er schmeckt ausgezeichnet. Ich war nur ein wenig geistesabwesend.« Wieder schenkte sie ihm ihr Lächeln, nahm seine Tasse und ging weiter zur Reihe hinter ihm. Erneut versuchte er sich zu konzentrieren.

Als er zum ersten Mal mit seiner Mutter über diese Idee sprach, hatte sie ihm erzählt, dass es der lebenslange Traum seines Vaters gewesen war, Eigentümer des *Chronicle* zu sein, wohingegen sie in dieser Sache gemischte Gefühle hatte. Jetzt reiste Keith zum dritten Mal innerhalb von drei Wochen nach Sydney. Heute sollte ein weiteres Treffen mit Sir Somersets Topmanagern stattfinden, um die Bedingungen eines möglichen Abschlusses zu besprechen. Und einer dieser Manager schuldete Keith noch einen Gefallen.

Während der letzten Monate hatten seine Anwälte mit denen von Somerset zusammengearbeitet; beide Seiten waren der Ansicht, dass man endlich einer Einigung nahekam. »Der Alte hält Sie für das geringere von zwei Übeln«, war Townsend von Bruce Kelly auf das Gespräch vorbereitet worden. »Er hat erkannt, dass sein Sohn für diesen Job nicht geeignet ist, will aber nicht, dass die Zeitung Wally Hacker in den Schoß fällt. Somerset konnte Hacker nie ausstehen, und er traut ihm nicht. Bei Ihnen ist er sich zwar auch nicht ganz sicher, aber er hat Ihren Vater sehr gemocht.« Seit Townsend diese wertvolle Information Kellys besaß, erwähnte er seinen Vater, wann immer er mit Sir Somerset zusammentraf.

Als die Maschine auf dem Kingsford Smith-Flughafen gelandet war, öffnete Townsend den Sicherheitsgurt, griff nach seinem Aktenkoffer und schritt zum vorderen Ausgang. »Einen schönen Tag, Mr. Townsend«, wünschte ihm die Stewardess. »Ich hoffe, Sie werden wieder mit Austair fliegen.«

»Ganz bestimmt«, antwortete er, »und zwar schon heute Abend. Dann fliege ich nämlich wieder zurück.« Nur die Schlange ungeduldiger Fluggäste, die zum Ausgang drängten, hielt Keith davon ab, die Stewardess zu fragen, ob sie auch den Abendflug begleiten würde.

Als sein Taxi in der Pitt Street hielt, blickte er auf die Uhr und stellte fest, dass er ein paar Minuten zu früh dran war. Er bezahlte den Fahrer und eilte durch den Verkehr auf die andere Straßenseite. Dort blieb er stehen, drehte sich um und betrachtete das Gebäude, in dem sich der Verlag der auflagenstärksten Zeitung von ganz Australien befand. Wie sehr er sich wünschte, sein Vater würde noch leben und könnte Zeuge sein, wie sein Sohn den Vertrag unterzeichnete!

Erneut überquerte er die Straße, betrat das Gebäude und schritt in der Empfangshalle auf und ab, bis eine gut gekleidete Frau mittleren Alters aus einem der Fahrstühle stieg, zu ihm kam und sagte: »Sir Somerset erwartet Sie, Mr. Townsend.«

Als Townsend das riesige Büro mit Blick auf den Hafen betrat, begrüßte ihn der Mann, den er seit seiner Kindheit voller Scheu verehrt hatte. Sir Somerset schüttelte ihm freundlich die Hand.

»Keith. Schön, Sie zu sehen. Duncan Alexander, den derzeitigen Geschäftsführer, kennen Sie ja bereits. Wenn ich mich nicht irre, sind Sie mit ihm zur Schule gegangen.« Townsend reichte Alexander die Hand, doch keiner von beiden sagte etwas. »Aber den Chefredakteur des *Chronicle*, Nick Watson, kennen Sie wahrscheinlich noch nicht.«

»Nein, ich hatte noch nicht das Vergnügen.« Townsend gab Watson die Hand. »Aber Ihren Ruf kenne ich natürlich.«

Sir Somerset bot ihnen Plätze an dem großen Konferenztisch an und setzte sich selbst ans Kopfende. »Wissen Sie, Keith«, begann der alte Herr, »ich bin verdammt stolz auf diese Zeitung. Sogar Beaverbrook hat versucht, sie mir abzukaufen.«

»Verständlich«, sagte Townsend.

»Wir haben in diesem Hause einen journalistischen Maßstab, auf den sogar Ihr Vater stolz gewesen wäre, da bin ich sicher.«

»Er hat stets mit der größten Achtung von Ihren Zeitungen gesprochen. Und wenn es um den *Chronicle* ging, wäre das Wort Neid sogar zutreffender gewesen.«

Sir Somerset lächelte. »Wie freundlich von Ihnen, mein Junge.« Er machte eine Pause. »Tja, sieht ganz so aus, als hätten unsere Teams sich im Laufe der vergangenen Wochen über die meisten Einzelheiten einigen können. Nun denn. Ich glaube, wir können das Geschäft zu einem Abschluss bringen, sofern Sie bereit sind, 1,9 Millionen Pfund zu bezahlen – so viel, wie Wally Hacker uns angeboten hat. Die andere, und für mich wichtigere Voraussetzung ist, dass Sie sich bereit erklären, Nick als Chefredakteur und Duncan als Geschäftsführer zu übernehmen.«

»Es wäre dumm von mir, würde ich mir diese Chance

entgehen lassen«, erwiderte Townsend. »Nick und Duncan sind echte Profis mit Erfahrung. Ich freue mich, mit ihnen zu arbeiten. Ich sollte Sie allerdings darauf hinweisen, Sir Somerset, dass ich mich nicht in die kreativen Belange meiner Zeitungen einzumischen pflege, erst recht nicht in die redaktionellen. Das ist nicht meine Art.«

»Wie ich sehe, haben Sie viel von Ihrem Vater gelernt«, sagte Sir Somerset. »Wie er – und Sie – nehme auch ich davon Abstand, in die Alltagsarbeit der Zeitung einzugreifen. Das führt nur zu Missstimmungen.«

Townsend nickte zustimmend.

»Nun, ich glaube nicht, dass wir zum derzeitigen Zeitpunkt noch viel mehr zu besprechen haben. Ich schlage also vor, wir ziehen uns zu einem Lunch ins Restaurant zurück.« Der alte Herr legte Townsend den Arm um die Schulter und fügte hinzu: »Ich wünschte, Ihr Vater könnte dabei sein.«

Auf der ganzen Fahrt zurück zum Flughafen bekam Keith Townsend sein Lächeln nicht aus dem Gesicht. Wenn jetzt auch noch *sie* auf dem Rückflug Dienst hätte, würde es diesen erfolgreichen Tag vollkommen machen. Sein Lächeln wurde noch breiter, als er sich anschnallte und dabei überlegte, was er zu ihr sagen würde.

»Ich hoffe, Sie hatten eine lohnende Reise nach Sydney, Mr. Townsend«, sagte sie, als sie ihm eine Abendzeitung anbot.

»Sie hätte nicht lohnender sein können«, antwortete er. »Darf ich Sie einladen, heute mit mir zu Abend zu essen und auf meinen Erfolg anzustoßen?«

»Das ist sehr freundlich von Ihnen, Sir«, sie betonte das Wort »Sir«, »aber ich fürchte, das verstößt gegen die Vorschriften der Fluggesellschaft.«

»Verstößt es auch gegen die Vorschriften, Ihren Namen zu erfahren?«

»Nein, Sir. Ich heiße Susan.« Wieder bedachte sie ihn mit ihrem Lächeln und ging weiter zur nächsten Reihe.

Zurück in seiner Wohnung, machte Townsend sich als Erstes ein Sardinensandwich. Er hatte erst einmal hineingebissen, als das Telefon läutete. Clive Jervis war am Apparat, der Seniorpartner der Anwaltskanzlei Jervis, Smith & Thomas. Clive machte sich immer noch Sorgen wegen gewisser Feinheiten des Vertrages, darunter die Kompensationsabkommen und Wertpapierabschreibungen.

Kaum hatte Townsend den Hörer aufgelegt, klingelte das Telefon erneut, und er führte ein längeres Gespräch mit Trevor Meacham, seinem Prokuristen, der 1,9 Millionen Pfund noch immer für einen zu hohen Preis hielt.

»Ich habe keine Wahl«, erklärte ihm Townsend. »Wally Hacker hat ihm bereits ein Angebot in dieser Höhe gemacht.«

»Aber Hacker kann es sich leisten, zu viel hinzublättern. Ich bin nach wie vor der Ansicht, dass wir auf gestaffelter Bezahlung bestehen sollen – ausgehend von der diesjährigen Absatzhöhe, nicht vom Durchschnittsverkauf der vergangenen zehn Jahre.«

»Warum?«, fragte Townsend.

»Weil der *Chronicle* Jahr für Jahr zwei bis drei Prozent Leser verloren hat. Beim Verkaufspreis und sämtlichen Vertragspunkten sollten wir die aktuellsten Verkaufszahlen zugrunde legen.«

»Da pflichte ich Ihnen zwar bei, aber ich möchte nicht, dass die Verhandlungen daran scheitern.«

»Das möchte ich natürlich auch nicht«, versicherte der

Prokurist. »Aber ich legte auch keinen Wert darauf, dass wir bankrottgehen, nur weil Sie aus Sentimentalität zu viel bezahlt haben. Jedes Geschäft muss auf wirtschaftlichen Erwägungen basieren und darf nicht bloß deshalb abgeschlossen werden, weil Sie beweisen wollen, dass Sie genauso tüchtig sind, wie Ihr Vater es gewesen ist.«

Eine Zeit lang schwiegen die beiden Männer.

»Darüber brauchen Sie sich keine Sorgen zu machen«, sagte Townsend schließlich. »Ich habe bereits Pläne, wie der Vertrieb des *Chronicle* sich reorganisieren und der Absatz dadurch verdoppeln lässt. Schon in einem Jahr wird der Kaufpreis Ihnen günstig erscheinen, Trevor. Außerdem weiß ich, dass mein Vater diesen Kauf gebilligt hätte.« Er legte auf, bevor Trevor etwas entgegnen konnte.

Der letzte Anruf kam kurz nach dreiundzwanzig Uhr von Bruce Kelly. Townsend war inzwischen in seinen Morgenrock geschlüpft, und die Sardinen hatten das halb aufgegessene Sandwich durchweicht.

»Sir Somerset ist immer noch nervös«, warnte Kelly ihn.

»Wieso? Ich hatte das Gefühl, dass die heutige Sitzung gar nicht besser hätte verlaufen können.«

»Um die Sitzung geht es nicht. Nachdem Sie gegangen waren, hat Sir Colin Grant angerufen und fast eine halbe Stunde mit Sir Somerset geredet. Und Duncan Alexander ist offenbar nicht gerade Ihr Busenfreund.«

Townsend hämmerte die Faust auf den Tisch. »Verdammter Kerl!«, fluchte er. »Hören Sie gut zu, Bruce. Ich werde Ihnen genau sagen, wie Sie sich verhalten sollen. Sobald Colin Grants Name zur Sprache kommt, erinnern Sie Sir Somerset daran, dass von dem Zeitpunkt an, als Grant Vorstandsvorsitzender des *Messenger* wurde, die Verkaufszahlen dieser Zeitung von Woche zu Woche gesunken sind. Alexander übernehme ich selbst.«

Townsend war enttäuscht, weil von Susan bei seinem nächsten Flug nach Sydney nichts zu sehen war. Als ein Steward ihm Kaffee einschenkte, fragte Townsend ihn, ob Susan für einen anderen Flug eingeteilt sei.

»Nein, Sir«, antwortete der Mann. »Sie hat zum Letzten des vergangenen Monats gekündigt.«

»Wissen Sie, wo sie jetzt arbeitet?«

»Nein, Sir, leider nicht.« Der Steward bediente den nächsten Fluggast.

Townsend verbrachte den Vormittag damit, sich von Duncan Alexander die Büros zeigen zu lassen. Duncan hielt das Gespräch in rein geschäftlichem Rahmen und versuchte gar nicht erst, besonders freundlich zu sein. Townsend wartete, bis sie allein im Fahrstuhl standen, ehe er sich an ihn wandte. »Vor vielen Jahren hast du mal zu mir gesagt: ›Wir Alexanders haben ein gutes Gedächtnis. Wenn ich dir irgendwann irgendwie helfen kann, dann lass es mich wissen.‹«

»Das stimmt«, bestätigte Duncan.

»Gut, denn jetzt ist der Zeitpunkt gekommen, dass du es mir beweist.«

»Und was erwartest du von mir?«

»Ich möchte, dass man Sir Somerset klarmacht, was für ein fähiger Mann ich bin.«

Der Lift hielt, und die Tür glitt zur Seite.

»Wenn ich dafür sorge – garantierst du mir dann, dass ich meinen Job behalte?«

»Mein Wort darauf.« Townsend trat auf den Korridor.

Nach dem Lunch begleitete Sir Somerset, der diesmal

ein wenig zurückhaltender wirkte, Townsend durch die Redaktionsetage, wo ihm die Mitarbeiter vorgestellt wurden. Jeder war erleichtert, als der neue Eigentümer nur nickte und lächelte und selbst zu den jüngsten Volontären freundlich war. Alle, die an diesem Tag mit Townsend in Berührung kamen, waren angenehm überrascht, zumal sie von den *Gazette*-Reportern gehört hatten, Townsend wäre ein »harter Hund«. Sogar Sir Somerset fragte sich, ob Sir Colin nicht übertrieben hatte, als er ihn – im Vertrauen – über Townsends frühere Eskapaden informierte.

Nachdem Townsend gegangen war, flüsterte Bruce Kelly in so manches Ohr, auch in das des Chefredakteurs: »Vergessen Sie nicht, wie es um den Absatz des *Messenger* bestellt war, nachdem Sir Colin die Verantwortung für diese Zeitung übernommen hatte.«

Die Mitarbeiter des *Chronicle* hätten sich gewiss Gedanken gemacht, hätten sie Einblick in die Notizen gehabt, die Townsend auf dem Rückflug nach Adelaide zusammenstellte. Ihm war klar, dass er einige drastische Eingriffe vornehmen musste – von der Spitze bis nach ganz unten –, wollte er den Gewinn der Zeitung verdoppeln.

Hin und wieder blickte er unwillkürlich auf und dachte an Susan. Als ein anderer Steward ihm die Abendzeitung anbot, erkundigte sich Townsend auch bei diesem Mann nach dem neuen Arbeitsplatz Susans.

»Meinen Sie Susan Glover?«, fragte der Steward.

»Ich kenne ihren Nachnamen nicht«, erwiderte Townsend. »Sie hat blondes Haar, ist Anfang zwanzig …«

»Ja, das ist Susan. Sie hat gekündigt, als ihr eine Stelle bei Moore's angeboten wurde. Sie sagte, die ständig wechselnde Schichtarbeit wäre eine zu große Belastung für sie – ganz zu schweigen davon, dass sie wie ein Busschaffner behandelt würde. Ich weiß genau, wie sie sich gefühlt hat.«

Townsend lächelte. Moore's war stets das Lieblingskaufhaus seiner Mutter in Adelaide gewesen. Es würde ihm sicher nicht schwerfallen herauszufinden, in welcher Abteilung Susan arbeitete.

Gleich nachdem er am nächsten Morgen mit Bunty den Posteingang durchgegangen und sie in ihr Büro zurückgekehrt war, rief er bei Moore's an.

»Wären Sie bitte so freundlich, mich zu Miss Glover durchzustellen?«

»In welcher Abteilung arbeitet sie?«

»Das weiß ich nicht«, antwortete Townsend.

»Handelt es sich um einen Notfall?«

»Nein, um eine Privatangelegenheit.«

»Sind Sie ein Verwandter?«

»Nein«, erwiderte er, verwundert über diese Frage.

»Dann kann ich Ihnen leider nicht weiterhelfen. Es verstößt gegen unsere Bestimmungen, während der Dienstzeit private Gespräche zu führen.« Der Hörer wurde aufgelegt.

Auch Townsend legte auf, erhob sich und ging in Buntys Büro. »Ich bin für etwa eine Stunde weg, Bunty, vielleicht auch etwas länger. Ich muss ein Geburtstagsgeschenk für meine Mutter besorgen.«

Miss Bunting wunderte sich, denn sie wusste, dass Lady Townsend erst in vier Monaten Geburtstag hatte. Doch Keith' Übereifer war besser als die Vergesslichkeit seines Vaters, den Bunty immer einen Tag zuvor auf den Geburtstag seiner Frau hatte aufmerksam hatte machen müssen, wie sie sich erinnerte.

Es war ein angenehm warmer Tag, sodass Townsend

beschloss, die paar Querstraßen bis zu Moore's zu Fuß zu gehen; auf diese Weise hatte er auch die Gelegenheit, sich unterwegs an allen Zeitschriftenständen umzuschauen. Verärgert stellte er fest, dass gleich beim ersten Kiosk an der Ecke King William Street die *Gazette* ausverkauft war, und das bereits um kurz nach zehn. Er würde sich den Vertriebsleiter vorknöpfen, sobald er wieder im Verlag war.

Als er sich dem riesigen Kaufhaus an der Rundle Street näherte, fragte er sich, wie lange er wohl brauchen würde, Susan zu finden. Er schob sich durch die Drehtür und schritt zwischen den Verkaufstischen – Schmuck, Handschuhe, Parfüms – im Parterre umher. Hier war sie schon mal nicht. Townsend nahm den Fahrstuhl zum ersten Stock – Geschirr, Küchengeräte, Bettwäsche. Wieder nichts. Im zweiten Stock gab es ausschließlich Herrenbekleidung, was ihn daran erinnerte, dass er einen neuen Anzug brauchte. Sollte Susan hier arbeiten, könnte er sich gleich einen bestellen. Doch es war keine einzige Frau zu sehen.

Als Townsend mit der Rolltreppe in den dritten Stock fuhr, kam ihm der elegant gekleidete Herr auf der Stufe über ihm bekannt vor. Der Mann drehte sich zufällig um, sah ihn und sagte: »Oh, hallo, wie geht's dir?«

»Gut, danke«, erwiderte Townsend und versuchte vergeblich, den Mann einzuordnen.

Der löste das Problem, indem er seinen Namen nannte. »Ed Scott. Ich war in St. Andrews zwei Klassen unter dir und kann mich immer noch gut an deine Leitartikel in der Schülerzeitung erinnern.«

»Ich fühle mich geschmeichelt. Was machst du denn jetzt so, Ed?«

»Ich bin hier stellvertretender Geschäftsführer.«

»Da hast du's ja weit gebracht.« Townsend ließ den Blick in die Runde schweifen.

»Wohl kaum«, widersprach Ed. »Schließlich ist mein Vater der Direktor. Aber so was brauche ich *dir ja* nicht zu erklären.«

Townsend verzog das Gesicht.

»Suchst du etwas Bestimmtes?«, erkundigte sich Ed, als sie von der Rolltreppe stiegen.

»Ja«, sagte Townsend. »Ein Geschenk für meine Mutter. Sie hat sich schon was ausgesucht. Ich brauche es nur noch abzuholen. Leider habe ich vergessen, in welcher Etage, aber ich kann mich an den Namen der Verkäuferin erinnern, von der Mutter so ausgezeichnet bedient wurde.«

»Sag mir, wie sie heißt. Dann lasse ich feststellen, in welcher Abteilung sie arbeitet.«

»Susan Glover.« Townsend bemühte sich, nicht rot zu werden.

Ed trat ein Stück zur Seite, wählte eine Nummer auf seinem Haustelefon und wiederholte den Namen. Einige Augenblicke später blickte er erstaunt auf. »Sie arbeitet in der Spielwarenabteilung«, sagte er. »Bist du sicher, dass du den Namen richtig verstanden hast?«

»O ja«, versicherte Townsend. »Es geht um Puzzles.«

»Puzzles?«

»Ein Hobby meiner Mutter. Aber wir dürfen die Puzzles nicht für sie aussuchen. Wir haben ihr schon zu oft welche geschenkt, die sie schon hatte.«

»Oh, verstehe«, sagte Ed. »Nimm die Rolltreppe oder den Aufzug ins erste Untergeschoss. Auf der rechten Seite findest du die Spielwarenabteilung.« Townsend bedankte sich, und der stellvertretende Geschäftsführer verschwand.

Townsend fuhr mit der Rolltreppe ganz hinunter bis zur »Welt der Spielsachen«. Er schaute sich zwischen den Ladentischen um, doch auch hier war Susan nirgends zu sehen, und er fragte sich bereits, ob sie vielleicht ihren freien Tag hatte. Langsam schlenderte er in der Abteilung herum und war nahe daran, eine sehr üppige Frau, an deren mächtigem Busen ein Ansteckschild mit dem Aufdruck »Abteilungsleiterin« prangte, zu fragen, ob hier eine Susan Glover beschäftigt sei. Dann entschied er sich aber doch dagegen.

Er überlegte bereits, am folgenden Tag noch einmal herzukommen, und wollte das Geschäft gerade verlassen, als hinter einem der Ladentische eine Tür geöffnet wurde und Susan mit riesigen Metallbaukasten herauskam. Sie ging zu einer Kundin, die am Ladentisch lehnte.

Wie angewurzelt stand Townsend da und starrte Susan an. Sie war noch bezaubernder, als er sie in Erinnerung hatte.

»Kann ich Ihnen behilflich sein, Sir?«

Townsend fuhr zusammen, drehte sich um und sah sich der üppigen Abteilungsleiterin gegenüber.

»Nein, danke«, entgegnete er nervös. »Ich suche nur ein Geschenk für – für meinen Neffen.« Die Frau blickte ihn argwöhnisch an, und Townsend hielt nach einem Platz Ausschau, wo die Abteilungsleiterin ihn nicht mehr sehen, er jedoch Susan im Auge behalten konnte.

Die Kundin brauchte schrecklich lange, sich zu entscheiden, ob sie den Baukasten nehmen sollte oder nicht. Susan musste die Schachtel öffnen, um zu beweisen, dass der Inhalt hielt, was auf dem Deckel versprochen wurde. Sie holte einige der farbigen Teile heraus und versuchte vergeblich, sie zusammenzusetzen. Einige Minuten später ließ die Kundin Susan stehen, ohne den Baukasten gekauft zu haben.

Townsend wartete, bis die gestrenge Abteilungsleiterin sich einer anderen Kundin widmete, ehe er zu Susans Tisch ging. Sie blickte auf und lächelte. Diesmal war es kein einstudiertes Lächeln. Sie erkannte ihn tatsächlich wieder.

»Wie kann ich Ihnen helfen, Mr. Townsend?«, fragte sie.

»Würden Sie heute mit mir zu Abend essen? Oder verstößt das immer noch gegen irgendwelche Vorschriften?«

Sie lächelte. »Allerdings, Mr. Townsend. Aber …«

Die Abteilungsleiterin kam zu Susan herüber. Sie wirkte noch misstrauischer als zuvor.

»Das Puzzle muss unbedingt mehr als tausend Teile haben«, sagte Townsend. »Meine Mutter möchte eines, das sie mindestens eine Woche beschäftigt.«

»Selbstverständlich, Sir.« Susan führte ihn zu einem anderen Tisch, auf dem die verschiedensten Puzzles ausgestellt waren.

Townsend betrachtete sie eingehend und fragte Susan leise, ohne sie anzublicken: »Wie wär's mit dem Pilligrini? Zwanzig Uhr?« Wieder kam die Abteilungsleiterin herangestampft.

»Wunderbar«, raunte Susan. »Da war ich noch nie, wollte aber immer schon mal dort essen.« Sie nahm ihm das Puzzle aus der Hand, das den Hafen von Sydney darstellte, ging damit zum Ladentisch zurück und tippte den Preis in die Kasse ein, ehe sie die riesige Schachtel in einen Einkaufsbeutel mit der Aufschrift ›Moore's‹ steckte. »Bitte sehr, Sir. Das macht dann zwei Pfund und zehn Shilling.«

Townsend bezahlte und hätte gern noch ein paar persönliche Worte gesagt, doch die gestrenge Abteilungsleiterin hatte sich neben Susan aufgebaut und sagte: »Ich wünsche Ihrem Neffen viel Spaß mit dem Puzzle.«

Zwei Augenpaare folgten Townsend, als er auf die Rolltreppe stieg und nach unten verschwand.

Bunty war erstaunt, als sie den Inhalt des Einkaufsbeutels sah. Sie konnte sich nicht erinnern, dass Sir Graham in den zweiunddreißig Jahren, die sie für ihn gearbeitet hatte, seine Frau zum Geburtstag mit einem Puzzle beglückt hätte.

Townsend ignorierte Buntys fragenden Blick und sagte: »Bestellen Sie bitte sofort den Vertriebsleiter zu mir, Bunty. Am Kiosk an der Ecke King William Street war die *Gazette* schon um zehn ausverkauft.« Als Bunty sich zum Gehen wandte, fügte Townsend hinzu: »Ach ja, und lassen Sie für heute Abend im Pilligrini bitte einen Tisch für zwei Personen reservieren.«

Als Susan das Restaurant betrat und zum Ecktisch schritt, folgten ihr die Blicke mehrerer Männer. Sie trug ein pinkfarbenes Kostüm, das ihre schlanke Figur betonte, und wenngleich ihr Rock bis fast drei Zentimeter unter die Knie reichte, war Townsends Blick immer noch auf ihre Beine gerichtet, als Susan an den Tisch trat. Aus den Blicken einiger männlicher Mitgäste sprach Neid, als sie ihm gegenüber Platz nahm.

Eine Stimme sagte betont laut, damit die beiden es auch ja hörten: »Dieser verdammte Kerl kriegt aber auch alles, was er will.«

Beide lachten, und Townsend schenkte Susan ein Glas Champagner ein. Er stellte rasch fest, dass er sich in ihrer Gesellschaft ausgesprochen wohlfühlte. Sie erzählten sich, was sie in den vergangenen zwanzig Jahren so getan hatten, als wären sie Kindheitsfreunde, die sich nach langer Zeit wiedergetroffen hatten. Townsend erklärte Susan, weshalb er so oft nach Sydney geflogen war, und sie berichtete ihm, dass es ihr keinen Spaß mehr mache, in der Spielwarenabteilung von Moore's zu arbeiten.

»Ist Ihre Chefin denn immer so unausstehlich?«, fragte Townsend.

»Heute war sie sogar ausgesprochen gut gelaunt. Nachdem Sie gegangen waren, hat sie allerdings beißende Bemerkungen darüber gemacht, ob Sie nun wegen Ihrer Mutter oder Ihres Neffen oder vielleicht jemand ganz anderem ins Kaufhaus gekommen waren. Und als ich zwei Minuten zu spät aus meiner Mittagspause zurückkam, hat sie mich beschimpft: ›Sie kommen hundertzwanzig Sekunden zu spät, Miss Glover. Einhundertundzwanzig Sekunden, die Sie der Firma gestohlen haben. Falls das noch einmal vorkommt, sehen wir uns gezwungen, Ihnen die entsprechende Summe vom Lohn abzuziehen.‹« Susan lieferte eine nahezu perfekte Imitation der Stimme ihrer Chefin, und Townsend krümmte sich vor Lachen.

»Was für ein Problem mag diese Frau bloß haben?«

»Ich glaube, sie wäre gern Stewardess geworden.«

»Ich fürchte, für diesen Beruf fehlt ihr die eine oder andere Grundvoraussetzung«, meinte Townsend.

»Und was haben Sie heute so gemacht?«, fragte Susan. »Weiterhin versucht, sich mit Stewardessen der Austair zu verabreden?«

»Nein.« Er lächelte. »Das war letzte Woche – und es ist mir nicht geglückt. Heute beschäftigte ich mich mit der Frage, ob ich es mir wirklich leisten kann, 1,9 Millionen für den *Sydney Chronicle* zu zahlen.«

»Eins Komma neun Millionen?«, wiederholte sie ungläubig. »Dann werde ich wenigstens die Rechnung für das Essen hier übernehmen. Als ich mir das letzte Mal den *Sydney Chronicle* gekauft habe, hat er noch einen Sixpence gekostet.«

»Ja, aber nicht die gesamte Auflage«, entgegnete Townsend.

Lange nach dem Essen, als auch ihre Kaffeetassen bereits abgeräumt waren, unterhielten sich die beiden immer noch. Die Küche hatte längst geschlossen, und zwei gelangweilte Kellner lehnten an einer Säule und blickten hin und wieder hoffnungsvoll zu ihnen hinüber. Als Townsend einen der Ober demonstrativ gähnen sah, bat er um die Rechnung und legte ein großzügiges Trinkgeld dazu. Auf dem Bürgersteig nahm er Susans Hand und fragte: »Wo wohnen Sie?«

»In einem der Vororte im Norden. Aber ich fürchte, so spät fährt kein Bus mehr. Da werde ich wohl ein Taxi nehmen müssen.«

»Es ist eine wundervolle Nacht – hätten Sie etwas dagegen, wenn ich Sie zu Fuß nach Hause begleite? Ein kleiner Spaziergang wird mir guttun.«

Sie lächelte. »Würde mich freuen.«

Ihr Gespräch endete erst, als sie eine Stunde später vor dem Haus anlangten, in dem Susan wohnte. »Danke für den wunderschönen Abend, Keith. Der Begriff ›kleiner Spaziergang‹ hat für mich nun eine völlig neue Dimension bekommen.«

»Sehen wir uns bald wieder?«

»Ich hätte nichts dagegen.«

»Wann wäre es Ihnen recht?«

»Ich würde ja sagen, morgen. Aber das hängt davon ab, ob man von mir erwartet, dass ich jedes Mal zu Fuß nach

Hause gehe. In diesem Fall würde ich vorschlagen, wir treffen uns das nächste Mal in einem Restaurant, das nicht so weit von meiner Wohnung weg ist. Oder ich müsste wenigstens bequemere Schuhe anziehen.«

Townsend schüttelte den Kopf. »Ganz bestimmt nicht. Ich verspreche, Sie nach Hause zu fahren. Aber morgen muss ich noch einmal nach Sydney, um einen Vertrag zu unterschreiben. Ich bin erst kurz vor acht zurück.«

»Das passt mir sehr. Dann habe ich Zeit genug, mich vorher in Ruhe umzuziehen.«

»Wäre Ihnen das L'Étoile recht?«

»Nur, wenn Sie etwas zu feiern haben.«

»Das habe ich ganz bestimmt. Ich verspreche es Ihnen.«

»Dann treffen wir uns um neun im L'Étoile.« Sie beugte sich vor und küsste ihn auf die Wange. »Wissen Sie, Keith, um diese Uhrzeit bekommt man hier kein Taxi mehr.« Besorgt blickte sie ihn an. »Ich fürchte, Sie haben einen langen Heimweg zu Fuß.«

»Das ist mir die Sache wert«, versicherte er Susan, bevor sie die kurze Einfahrt zum Haus hinaufging.

Ein Wagen fuhr heran und hielt neben Townsend. Der Chauffeur sprang heraus und öffnete ihm die Tür.

»Wohin, Chef?«

»Nach Hause, Sam«, wies er seinen Fahrer an. »Aber machen Sie einen kleinen Umweg zum Bahnhof, damit ich mir die Frühausgabe besorgen kann.«

An diesem Morgen nahm Townsend die erste Maschine nach Sydney. Er saß zwischen seinem Anwalt, Clive Jervis, und seinem Prokuristen Trevor Meacham.

»Die Rücktrittsklausel gefällt mir immer noch nicht«, sagte Clive.

»Und die Zahlungsmodalitäten brauchen auf jeden Fall noch ein bisschen Feinschliff«, fügte Trevor hinzu.

»Aber wie lange wird es dauern, um diese Probleme zu klären?«, fragte Townsend. »Ich habe heute eine wichtige Verabredung zum Dinner in Adelaide und muss auf jeden Fall den letzten Flug am Nachmittag bekommen.« Seine beiden Begleiter wechselten einen zweifelnden Blick.

Ihre Befürchtungen erwiesen sich als berechtigt. Den ganzen Vormittag saßen die Anwälte der beiden Gesellschaften über dem Kleingedruckten, und die beiden Prokuristen brauchten sogar noch länger, um sämtliche Zahlen durchzugehen. Niemand nahm sich Zeit für eine Mittagspause. Nach drei wurde Townsend zunehmend unruhig und schaute alle paar Minuten auf die Uhr. Sein Auf-und-ab-Gehen und seine einsilbigen Antworten auf lange Fragen trugen auch nicht gerade dazu bei, die Sache zu beschleunigen. Erst kurz nach fünf war der Vertrag unterzeichnungsbereit.

Townsend atmete erleichtert auf, als die Anwälte sich endlich vom Konferenztisch erhoben und sich streckten. Wieder warf er einen Blick auf die Uhr und war zuversichtlich, den Rückflug nach Adelaide noch rechtzeitig zu schaffen. Er dankte seinen beiden Beratern für ihre Bemühungen und schüttelte gerade den beiden Anwälten der Gegenseite die Hände, als Sir Somerset mit seinem Chefredakteur und dem Geschäftsführer das Zimmer betrat.

»Man hat mich darüber verständigt, dass endlich eine Einigung erzielt werden konnte«, sagte der alte Herr lächelnd.

»Ich glaube schon«, erwiderte Townsend und versuchte sich seine Ungeduld nicht anmerken zu lassen. Es würde nichts bringen, zu versuchen, Susan bei Moore's anzurufen, um ihr zu sagen, dass er wahrscheinlich etwas später kam: Man würde sie gar nicht ans Telefon rufen.

»Dann wollen wir uns erst einmal einen Drink gönnen, bevor wir unsere Unterschriften unter den endgültigen Vertrag setzen«, schlug Sir Somerset vor.

Nach dem dritten Whisky ließ Townsend durchblicken, dass es nun vielleicht an der Zeit wäre, die Verträge zu unterzeichnen.

Nick Watson pflichtete ihm bei und erinnerte Sir Somerset daran, dass er in dieser Nacht noch eine Zeitung herausbringen müsse. »Stimmt«, sagte der Noch-Eigentümer und zog seinen Füllfederhalter aus der Brusttasche. »Und da mir der *Chronicle* in den nächsten sechs Wochen noch gehört, dürfen wir nicht zulassen, dass eine Zeitung von dieser Qualität unter ihr gewohntes Niveau absinkt. Übrigens, Keith, ich hoffe, dass Sie mit mir zu Abend essen.«

»Ich fürchte, das geht heute nicht«, erwiderte Townsend. »Ich habe bereits in Adelaide eine Verabredung zum Abendessen.«

Sir Somerset drehte sich zu ihm herum. »Dann kann ich nur hoffen, dass Sie mit einer schönen Frau verabredet sind. Denn ich will verdammt sein, wenn ich zulasse, dass Sie mich wegen eines Geschäftsessens versetzen.«

»Ich versichere Ihnen, die Frau ist sogar sehr schön«, sagte Townsend lachend. »Und es ist erst unsere zweite Verabredung.«

»In diesem Fall will ich Sie nicht länger aufhalten.« Sir Somerset ging zum Konferenztisch, wo zwei Ausfertigungen des Vertrags bereitlagen. Er hielt kurz inne, starrte auf das Dokument und schien zu zögern. Beide Seiten wirkten ein wenig nervös, und einer von Somersets Anwälten verlagerte unruhig sein Gewicht von einem Fuß auf den anderen.

Der alte Herr drehte sich zu Townsend um und zwinkerte ihm zu. »Ich muss gestehen, dass es Duncan gewesen ist, der mich letztendlich überzeugt hat, an Sie und nicht an Hacker zu verkaufen.« Er beugte sich über den Tisch und Unterzeichnete beide Vertragsausfertigungen; dann reichte er Townsend seinen Füller, der seinen Namen neben den von Sir Somerset setzte.

Die beiden Männer schüttelten sich etwas förmlich die Hand. »Genau der rechte Zeitpunkt für einen letzten Drink«, meinte Somerset. Wieder zwinkerte er Townsend zu. »Aber machen Sie ruhig, dass Sie nach Adelaide kommen, Keith. Wir werden hier schon sehen, wie viel von unserem Gewinn wir auch ohne Sie vernichten können. Ich muss gestehen, mein Junge, ich freue mich, dass der *Chronicle* an Sir Graham Townsends Sohn übergeht.«

Nick Watson trat heran und legte Townsend den Arm um die Schulter. »Und ich muss gestehen, dass ich mich darauf freue, mit Ihnen zusammenzuarbeiten. Ich hoffe, wir werden Sie recht bald wieder bei uns in Sydney sehen.«

»Ich freue mich ebenfalls darauf, mit Ihnen zusammenzuarbeiten«, entgegnete Townsend. »Und ich bin sicher, dass wir uns hin und wieder sehen werden.« Er drehte sich um und blickte Duncan Alexander an. »Danke«, sagte er, »wir sind jetzt quitt.« Duncan streckte ihm die Hand entgegen, doch Townsend eilte bereits aus dem Zimmer. Er sah, wie die Tür des Aufzugs sich schloss – Sekunden bevor er auf den Abwärtspfeil an der Wand drücken konnte. Als er schließlich ein Taxi bekam, weigerte sich der Fahrer trotz Bitten und großzügiger Trinkgeldangebote, das Tempolimit zu überschreiten. In dem Augenblick, als sie auf den Parkplatz des Flughafens fuhren, sah Townsend, wie sich die Douglas DC4 in die Lüfte erhob. Unglücklich starrte er der Maschine nach und verwünschte insgeheim Sir Somerset und seine Drinks.

»Der Flieger muss wohl ausnahmsweise einmal pünktlich gestartet sein«, meinte der Taxifahrer schulterzuckend. Gleiches konnte vom nächsten Flug bedauerlicherweise nicht behauptet werden. Die Maschine sollte genau eine Stunde später starten, tat es jedoch mit vierzigminütiger Verspätung.

Townsend blickte auf die Uhr, ging zu einer Telefonzelle und suchte im Telefonbuch von Adelaide Susans Nummer heraus. Er wählte, doch es war besetzt. Als er es einige Minuten später noch einmal versuchte, wurde nicht abgehoben, obwohl er es lange Zeit läuten ließ. Ob Susan wohl gerade unter der Dusche steht, fragte er sich. Er malte sich dieses Bild aus, als es plötzlich aus der Lautsprecheranlage dröhnte: »Letzter Aufruf für alle Passagiere nach Adelaide.« Hastig wählte Townsend noch einmal, doch wieder war besetzt. Er fluchte, hängte ein und stürmte zum Flugzeug. Er schaffte es gerade noch, ehe die Tür geschlossen wurde. Während des Fluges trommelte er ungeduldig mit den Fingern auf die Armlehnen, wodurch die Maschine allerdings auch nicht schneller vorankam.

Sam stand neben dem Wagen und machte ein besorgtes Gesicht, als sein Chef aus dem Flughafengebäude gestürmt kam. Der Fahrer raste unter Missachtung jeglicher Geschwindigkeitsbegrenzungen in die Stadt und setzte seinen Chef direkt vor dem L'Étoile ab, doch der Oberkellner hatte bereits die letzten Bestellungen entgegengenommen.

Townsend entdeckte Susan an einem Tisch und versuchte ihr zu erklären, was passiert war, doch seltsamerweise schien Susan Bescheid zu wissen, noch bevor er den Mund aufgemacht hatte. »Ich habe vom Flughafen aus bei Ihnen angerufen«, sagte er. »Aber entweder war besetzt, oder es ging niemand dran.« Er bemerkte, dass ihr Besteck unbenutzt war. »Jetzt sagen Sie bloß nicht, dass Sie nichts gegessen haben.«

»Na ja, ich hatte keinen Hunger.« Sie nahm seine Hand. »Aber Sie müssen am Verhungern sein, und ich wette, Sie möchten Ihren Erfolg immer noch feiern. Also – wenn Sie die Wahl hätten, was würden Sie am liebsten tun?«

Als Townsend am nächsten Morgen sein Büro betrat, stand Bunty vor seinem Schreibtisch und hielt ein Blatt Papier umklammert. Sie sah aus, als stünde sie schon eine ganze Zeit so da.

»Gibt's ein Problem?«, fragte Townsend, als er die Tür hinter sich schloss.

»Nein. Nur – es sieht so aus, als hätten Sie vergessen, dass ich Ende dieses Monats fällig für den Ruhestand bin.«

»Das hatte ich nicht vergessen.« Townsend setzte sich an seinen Schreibtisch. »Ich dachte nur nicht …«

»Die Bestimmungen der Firma sind in dieser Hinsicht eindeutig«, sagte Bunty. »Weibliche Angestellte, die ihr sechzigstes Lebensjahr vollenden …«

»Die sechzig nimmt Ihnen keiner ab, Bunty.«

»… haben das Recht, ja, sogar die Pflicht, am letzten Freitag des betreffenden Kalendermonats in Rente zu gehen.«

»Bestimmungen sind dazu da, um gebrochen zu werden.«

»Ihr Vater sagte immer, dass es gerade bei dieser Bestimmung keine Ausnahmen geben sollte, und ich pflichte ihm bei.«

»Aber ich habe gar nicht die Zeit, mich momentan nach einer anderen Sekretärin umzusehen, Bunty. Jetzt, wo ich den *Chronicle* übernehme und …«

»Das habe ich schon eingeplant«, sagte sie fest, »und ich habe die ideale Nachfolgerin für mich gefunden.«

»Und welche Qualifikationen kann sie vorweisen?«, fragte Townsend heftig, bereit, sie sofort als ungeeignet abzutun.

»Sie ist meine Nichte«, erklärte Bunty, *»und* sie stammt aus dem Edinburgher Zweig der Familie.«

Darauf fiel Townsend keine passende Replik ein. »Nun ja, dann geben Sie ihr einen Vorstellungstermin.« Er machte eine Pause. »Irgendwann nächsten Monat.«

»Sie sitzt bereits in meinem Büro. Ich kann sie sofort zu Ihnen hereinschicken«, sagte Bunty.

»Sie wissen doch, wie beschäftigt ich bin!« Townsend sah auf die leere Seite in seinem Terminkalender. Bunty hatte offensichtlich dafür gesorgt, dass er an diesem Vormittag keine Termine hatte. Sie reichte ihm das Blatt Papier, das sie in den Händen hielt.

Townsend machte sich daran, Miss Youngers Lebenslauf zu studieren, während er gleichzeitig nach einer Ausrede suchte, nicht mit ihr sprechen zu müssen. Als er die letzte Zeile gelesen hatte, brummte er widerstrebend: »Dann schicken Sie sie eben herein.«

Townsend erhob sich, als Heather Younger eintrat. Er wartete, bis sie vor seinem Schreibtisch Platz genommen hatte. Miss Younger war knapp eins fünfundsiebzig, und aus ihrem Lebenslauf wusste Townsend, dass sie achtundzwanzig war, obwohl sie viel älter aussah. Sie trug einen grünen Pullover und einen Tweedrock. Ihre braunen Strümpfe erinnerten Townsend an Bezugsscheine und an den Krieg, und ihre Schuhe hätte seine Mutter als »äußerst zweckmäßig« bezeichnet. Miss Younger hatte ihr kastanienbraunes Haar zu einem straffen Knoten hochgesteckt, aus dem nicht ein einziges Haar auszubrechen wagte. Townsends erster Eindruck war, einer jüngeren Ausgabe von Miss Steadman gegenüberzusitzen – eine Illusion, die noch verstärkt wurde, als Miss Younger seine Fragen knapp und effizient beantwortete.

Das Gespräch dauerte elf Minuten. Am nächsten Morgen trat Miss Younger ihre neue Stelle als Townsends Sekretärin an.

Keith Townsend musste noch sechs Wochen warten, bis der *Chronicle* rechtmäßig ihm gehörte. In dieser Zeit sah er Susan fast täglich. Bei jedem Treffen antwortete auf ihre Frage, warum er in Adelaide blieb, wo er doch sicher war, dass man ihn dringend beim *Chronicle* in Sydney brauchte: »Bis die Zeitung mir gehört, kann ich nichts tun. Denn wenn man dort wüsste, was ich vorhabe, würde man den Vertrag rückgängig machen, noch bevor die sechs Wochen um sind.«

Ohne Susan wären Keith diese sechs Wochen endlos vorgekommen, obwohl sie ihn nach wie vor oft damit aufzog, wie selten er pünktlich zu einer Verabredung kam. Er löste dieses Problem schließlich, indem er ihr vorschlug: »Vielleicht wäre es einfacher, wenn du zu mir ziehst.«

An dem Sonntagabend, bevor Townsend den *Chronicle* rechtmäßig übernahm, flogen er und Susan gemeinsam nach Sydney. Townsend bat den Taxifahrer, vor dem Verlagsgebäude zu halten, bevor er sie zum Hotel brachte. Er nahm Susan am Ellbogen und führte sie über die Straße. Auf dem Bürgersteig auf der anderen Seite drehte er sich um und blickte das *Chronicle*-Gebäude hinauf. »Um Mitternacht gehört es mir«, sagte er mit einer Leidenschaftlichkeit, die Susan gar nicht an ihm kannte.

»Ich hatte eigentlich gehofft, dass um Mitternacht du mir gehörst«, neckte sie ihn.

Susan war überrascht, dass Bruce Kelly im Hotelfoyer auf sie wartete. Noch mehr überraschte es sie, dass Keith ihn einlud, mit ihnen das Dinner einzunehmen.

Ihre Gedanken schweiften ab, als Keith beim Abendessen seine Zukunftspläne für die Zeitung darlegte, als säße Susan gar nicht dabei. Sie wunderte sich, weshalb Keith nicht auch den Chefredakteur des *Chronicle* zum Dinner eingeladen hatte. Nachdem Bruce gegangen war, nahmen Susan und Keith den Fahrstuhl ins oberste Stockwerk und begaben sich auf ihre getrennten Zimmer. Keith saß am Schreibtisch und ging einige Zahlen durch, als Susan durch die Verbindungstür zu ihm kam.

Am nächsten Morgen stand der Besitzer des *Chronicle* kurz vor sechs Uhr auf und hatte das Hotel längst schon verlassen, bevor Susan aufwachte. Zu Fuß ging er zur Pitt Street und hielt unterwegs an jedem Kiosk und Zeitschriftenladen. Es ist nicht so schlimm wie damals mit der *Gazette,* dachte er, als er vor dem *Chronicle*-Verlagshaus eintraf, aber es könnte trotzdem noch um einiges besser sein.

Er trat in die Eingangshalle. Am Empfang wies er den Mann vom Wachdienst an, dem Chefredakteur und dem Geschäftsführer auszurichten, dass er sie sprechen wolle, sobald sie ins Haus kamen, und dass er einen Schlosser kommen lassen solle. Bei seinem diesmaligen Gang durch das Haus fragte ihn niemand, wer er sei.

Townsend setzte sich zum ersten Mal in Sir Somersets Sessel und las die Frühausgabe des *Chronicle*. Als er die

Zeitung von der ersten bis zur letzten Seite durchgelesen hatte, erhob er sich und ging im Büro auf und ab, wobei er hin und wieder stehen blieb, um auf den Hafen hinauszuschauen. Als einige Minuten später der Schlosser kam, erklärte Townsend ihm genau, was er wollte.

»Wann?«, fragte der Schlosser.

»Jetzt sofort«, antwortete Townsend. Er kehrte zu seinem Schreibtisch zurück und fragte sich, welcher der beiden Männer als Erster kommen würde. Er musste weitere vierzig Minuten warten, bevor es an seine Tür klopfte. Nick Watson, der Chefredakteur des *Chronicle,* trat ein. Er sah Townsend hinter dem Schreibtisch, in einen dicken Ordner vertieft.

»Tut mir leid, Keith«, entschuldigte er sich. »Ich hatte ja keine Ahnung, dass Sie an Ihrem ersten Tag schon so früh hier sein würden.« Townsend blickte auf, als Watson hinzufügte: »Können wir schnell machen? Um zehn muss ich die Redaktionssitzung leiten.«

»Müssen Sie nicht«, entgegnete Townsend. »Ich habe Bruce Kelly gebeten, die Redaktionssitzung zu übernehmen.«

»Wieso? *Ich* bin der Chefredakteur«, protestierte Nick.

»Nicht mehr«, erklärte Townsend. »Ich befördere Sie.«

»Sie befördern mich?«, sagte Nick verdutzt.

»Ja. Es wird in der morgigen Ausgabe bekannt gegeben. Sie werden der erste ›Editor emeritus‹ des *Chronicle* sein.«

»Der was?«

»›E-‹ steht für ehemalig und ›-meritus‹ dafür, dass Sie es verdient haben.« Townsend hielt kurz inne, als er bemerkte, dass Watson die volle Bedeutung bewusst wurde. »Keine Sorge, Nick. Sie tragen jetzt einen wunderschönen Titel und bekommen ein komplettes Jahresgehalt.«

»Aber … zu Sir Somerset haben Sie doch gesagt, Sie würden sich freuen, mit mir zusammenzuarbeiten.«

»Ich weiß, Nick.« Townsend errötete leicht. »Es tut mir leid, aber ich …« Er konnte den Satz nicht beenden, weil in diesem Moment wieder jemand an die Tür klopfte.

Duncan Alexander trat ein. »Entschuldige, dass ich dich damit belästige, Keith, aber jemand hat das Schloss an meiner Bürotür ausgewechselt.«

15

Evening Chronicle

20. November 1947

Ein Freudentag!

Die glückstrahlende Prinzessin Elizabeth
heiratet ihren sportlichen Herzog.

Charlotte beschloss, nicht an Arno Schultz' Party anlässlich seines sechzigsten Geburtstags teilzunehmen, weil sie noch zu ängstlich war, David mit seinem deutschen Kindermädchen allein zu lassen. Seit ihrer Rückkehr aus Lyon war Dick viel fürsorglicher und kam manchmal sogar rechtzeitig genug nach Haus, um mitzuerleben, wie sein Erstgeborener zu Bett gebracht wurde.

An diesem Abend verließ Dick Armstrong die Wohnung kurz nach sieben, um zu Arnos Party zu gehen. Er versicherte Charlotte, nur auf einen Drink zu bleiben, um auf Arnos Gesundheit anzustoßen, und dann gleich wieder nach Hause zu kommen. Sie lächelte und versprach ihm, dass sein Abendessen bis zu seiner Rückkehr fertig wäre.

Armstrong fuhr quer durch die Stadt. Er hoffte, sich tatsächlich nach einem schnellen Drink gleich wieder verabschieden zu können, sodass er nicht das Dinner über sich ergehen lassen musste. Dann hätte er vielleicht sogar noch Zeit, eine Runde mit Max Sackville zu pokern.

Kurz vor acht klopfte Armstrong an Arnos Tür. Als sein Gastgeber ihn ins Wohnzimmer geführt hatte, in dem die Gäste sich drängten wie Sardinen in der Büchse, erkannte Dick, dass alle nur auf ihn gewartet hatten, um erst nach seinem Erscheinen am Esstisch Platz zu nehmen. Er wurde Arnos Freunden vorgestellt, die ihn begrüßten, als wäre er der Ehrengast. Arno drückte ihm ein Glas Wein in die Hand, und Dick erkannte gleich nach dem ersten Schluck, dass dieser Tropfen eindeutig nicht aus dem französischen Sektor stammte. Dann führte Arno seinen Gast in das kleine Esszimmer, wo für Dick ein Platz neben einem Mann vorgesehen war, der sich als Julius Hahn vorstellte und von Arno als »mein ältester Freund und größter Konkurrent« bezeichnet wurde.

Armstrong kam der Name Hahn bekannt vor, ihm fiel aber nicht gleich ein, in welchem Zusammenhang er ihn schon mal gehört hatte. Anfangs beachtete er Hahn gar nicht und konzentrierte sich stattdessen auf das Essen, das ihnen vorgesetzt wurde. Dick war gerade dabei, eine dünne Brühe unbestimmter tierischer Herkunft zu löffeln, als Hahn ihn fragte, wie die derzeitige Lage in London sei. Es stellte sich schnell heraus, dass dieser Deutsche die britische Hauptstadt viel besser kannte als er selbst.

»Ich hoffe, die Beschränkungen für Reisen ins Ausland werden recht bald aufgehoben«, sagte Hahn. »Ich muss Ihr Land unbedingt bald wieder einmal besuchen.«

»Ich kann mir nicht vorstellen, dass die Alliierten sich so schnell darauf einlassen werden«, meinte Armstrong, während Frau Schultz ihm nach der Suppe einen Teller Kaninchenpastete auftischte.

»Diese Situation ist sehr unangenehm für mich«, gestand Hahn. »Ich schaffe es kaum mehr, mich über meine Geschäfte in London auf dem Laufenden zu halten.« Da erinnerte Armstrong sich plötzlich, woher er den Namen kannte: Hahn war der Eigentümer des *Berliner* – der Konkurrenzzeitung, die im amerikanischen Sektor herausgegeben wurde. Aber was gehörte dem Mann sonst noch?

»Ich wollte Sie schon seit Langem einmal kennenlernen«, behauptete Armstrong. Hahn blickte erstaunt auf, denn bis zu diesem Augenblick hatte der britische Captain keinerlei Interesse an ihm gezeigt. »Wie hoch ist eigentlich die Auflage des *Berliner*?«, fragte Armstrong. Er kannte die Zahl ganz genau, wollte das Gespräch jedoch in Gang halten, um dann die eine Frage zu stellen, auf deren Antwort er tatsächlich Wert legte.

»Etwa zweihundertsechzigtausend Exemplare täglich«, erwiderte Hahn. »Und von unserer zweiten Tageszeitung in Frankfurt verkaufen wir gut zweihunderttausend Stück am Tag.«

»Wie viele Zeitungen gehören Ihnen denn?«, wollte Armstrong wissen und stocherte mit der Gabel in seinem Essen.

»Nur diese beiden. Vor dem Krieg waren es siebzehn, dazu noch einige wissenschaftliche Fachzeitschriften. Doch ehe nicht sämtliche Beschränkungen aufgehoben sind, kann ich nicht einmal daran denken, weitere Zeitschriften auf den Markt zu bringen.«

»Ich war bisher der Meinung, dass Juden – ich bin selbst Jude, wissen Sie – vor dem Krieg der Besitz von Zeitungsverlagen nicht gestattet war.«

»Das stimmt, Captain Armstrong. Aber ich habe meine sämtlichen Firmenanteile an meinen arischen Geschäftspartner veräußert, der sie mir bereits wenige Tage nach Kriegsende zum gleichen Preis zurückverkaufte.«

»Und die Zeitschriften?« Armstrong kaute auf der Kaninchenpastete. »Könnten sie in diesen schweren Zeiten überhaupt Gewinn abwerfen?«

»O ja. Auf Dauer könnten die Zeitschriften sich sogar als zuverlässigere Einnahmequelle erweisen als die Tageszeitungen. Vor dem Krieg hat mein Verlag den Hauptteil der wissenschaftlichen Publikationen Deutschlands herausgegeben. Doch von dem Tag an, als Hitler in Polen einmarschierte, wurde uns untersagt, weiterhin etwas zu veröffentlichen, das sich für die Feinde des Dritten Reiches als nützlich erweisen könnte. Zurzeit sitze ich auf acht Jahrgängen unveröffentlichter Forschungsarbeiten und einer Vielzahl wissenschaftlicher Schriften, die während des Krieges verfasst wurden. Derartiges Material könnte sehr viel Geld einbringen, sofern die Absatzmöglichkeiten gewährleistet sind.«

»Was hindert Sie daran, diese Schriften jetzt zu veröffentlichen, wo der Krieg zu Ende ist?«, fragte Armstrong.

»Mein Londoner Verlagspartner, mit dem ich eine Abmachung hatte, will sich aus dem Geschäft zurückziehen.«

Die nackte Glühbirne, die von der Decke hing, erlosch plötzlich, und ein kleiner Kuchen, mit einer einzelnen brennenden Kerze in der Mitte, wurde auf den Tisch gestellt.

»Und weshalb?« Armstrong war entschlossen, keine Gesprächspause aufkommen zu lassen, während Arno Schultz unter dem Beifall der Gäste die Kerze auspustete.

»Weil der einzige Sohn des leitenden Direktors bei Dünkirchen gefallen ist«, entgegnete Hahn, während das größte Stück Kuchen auf Armstrongs Teller bugsiert wurde. »Ich habe ihm mehrmals geschrieben und ihm kondoliert, aber er antwortet nicht.«

»Es gibt noch andere Verlage in England.« Armstrong steckte sich ein Stück Kuchen in den Mund.

»Gewiss, aber es wäre Vertragsbruch, wenn ich mich jetzt sofort an einen anderen Verlag wenden würde. Ich muss nur noch wenige Monate warten, dann steht mir diese Möglichkeit frei. Ich habe schon darüber nachgedacht, welcher andere Londoner Verlag meine Interessen am besten vertreten könnte.«

»Tatsächlich?« Armstrong wischte sich die Kuchenkrümel aus den Mundwinkeln.

»Falls Sie die Zeit dafür finden, Captain Armstrong, wäre es mir eine Ehre, Ihnen einmal mein Verlagsunternehmen zu zeigen.«

»Im Moment stehe ich ziemlich unter Termindruck.«

»Ja, natürlich, ich verstehe«, versicherte ihm Hahn.

»Aber vielleicht könnte ich mal kurz vorbeischauen, wenn ich das nächste Mal im amerikanischen Sektor bin.«

»Ja, bitte, tun Sie das.«

Armstrong bedankte sich bei seinem Gastgeber für den schönen Abend, wobei er es so einrichtete, dass er sich zur gleichen Zeit verabschiedete wie Julius Hahn.

»Ich würde mich freuen, wenn wir uns bald einmal wiedersehen«, sagte Hahn, als sie auf den Bürgersteig hinaustraten.

»Das werden wir bestimmt«, versicherte Armstrong und gab Arnold Schultz' engstem Freund die Hand.

Als Dick gegen Mitternacht nach Hause kam, schlief Charlotte bereits. Er zog sich aus, schlüpfte in einen Morgenrock und schlich zu Davids Zimmer hinauf. Dann stand er eine ganze Weile neben dem Bettchen seines Sohnes und schaute auf den Kleinen hinunter.

»Ich werde dir ein Imperium errichten«, flüsterte er. »Ein Verlagsimperium, auf das du stolz sein kannst, wenn du es einmal übernimmst.«

Am nächsten Vormittag berichtete Armstrong Colonel Oakshott, dass er an der Feier zu Arno Schultz' sechzigstem Geburtstag teilgenommen habe. Er verschwieg dem Colonel jedoch, dass er Julius Hahn kennengelernt hatte. Oakshott wiederum hatte nur eine Neuigkeit für Dick: Major Forsdyke hatte angerufen und um einen weiteren Besuch Armstrongs im russischen Sektor Berlins gebeten. Dick versprach, sich mit Forsdyke in Verbindung zu setzen, verschwieg dem Colonel allerdings, dass er beabsichtigte, zuvor den amerikanischen Sektor zu besuchen.

»Übrigens, Dick«, fiel dem Colonel plötzlich ein, »ich habe Ihren Bericht noch gar nicht gesehen. Den über die Behandlung der Deutschen in unseren Internierungslagern.«

»Bedauere sagen zu müssen, Sir, dass die verdammten Krauts alles andere als kooperativ waren. Ich fürchte, die ganze Sache war reine Zeitverschwendung.«

»Das wundert mich nicht«, entgegnete Oakshott. »Ich hatte Sie gewarnt …«

»Und damit hatten Sie völlig recht, Sir.«

»Trotzdem tut es mir leid«, murmelte der Colonel, »denn ich halte es immer noch für wichtig, diesen Leuten Brücken zu bauen und ihr Vertrauen zu gewinnen.«

»Da bin ich ganz Ihrer Meinung, Sir. Und ich versichere Ihnen, dass ich mich in dieser Hinsicht sehr bemühe«, erklärte Armstrong.

»Das weiß ich, Dick. Wie kommt eigentlich *Der Telegraf* in diesen schweren Zeiten zurecht?«

»Besser als je zuvor. Der Verkauf bricht immer noch alle Rekorde. Ab nächsten Monat bringen wir sogar eine Sonntagsausgabe heraus.«

»Das ist ja eine wundervolle Neuigkeit.« Der Colonel freute sich. »Ich habe übrigens gerade erfahren, dass nächsten Monat der Herzog von Gloucester einen offiziellen Besuch in Berlin machen wird. Das könnte eine gute Story abgeben.«

»Hätten Sie den Artikel gern auf der Titelseite des *Telegraf*?«, fragte Armstrong.

»Erst wenn ich grünes Licht vom Abschirmdienst bekomme. Dann können Sie – wie nennen Sie es gleich? – die Exklusivrechte an der Geschichte haben.«

»Wie aufregend!«, sagte Armstrong, der sich an die Vorliebe des Colonels für den Besuch von Würdenträgern und Angehörigen des Königshauses erinnerte. Er stand auf, um zu gehen.

»Vergessen Sie nicht, sich bei Forsdyke sehen zu lassen«, erinnerte ihn der Colonel, ehe Armstrong militärisch grüßte und sich zu seinem Büro zurückfahren ließ.

Armstrong hatte Wichtigeres zu erledigen, als einen Major vom Abschirmdienst aufzusuchen. Sobald er die Post auf seinem Schreibtisch durchgesehen und beantwortet hatte, ließ er Sally wissen, er werde den Rest des Tages im amerikanischen Sektor verbringen. »Falls Forsdyke anruft, machen Sie bitte für morgen einen Termin für mich.«

Während Private Benson seinen Chef durch die Stadt zum amerikanischen Sektor chauffierte, ging Armstrong noch einmal alles durch, was erforderlich war, seinen Besuch ganz zufällig erscheinen zu lassen. Er wies Benson an, am Bankhaus Holt & Co. zu halten, wo er hundert Pfund von seinem Konto abhob, fast seine gesamten Ersparnisse.

Er ließ nur deshalb eine kleine Summe stehen, weil es von den britischen Streitkräften geahndet wurde, wenn ihre Offiziere ihr Konto überzogen.

Kaum befand er sich im amerikanischen Sektor, ließ er Benson vor einer anderen Bank halten, wo er die englischen Pfund gegen vierhundertzehn Dollar eintauschte. Er konnte nur hoffen, dass sein Einsatz hoch genug war, um Max Sackville zu einem Spiel herauszufordern, bei dem diesmal *er* die Regeln bestimmen würde.

Bei ihrem gemeinsamen Mittagessen in der amerikanischen Offiziersmesse ließen Armstrong und Sackville sich Zeit. Dick versprach dem amerikanischen Captain, abends zu ihrer gewohnten Pokerrunde zu erscheinen. Nach dem Essen schwang er sich wieder in den Jeep und ließ sich von Benson zum Verlagshaus des *Berliner* fahren.

Julius Hahn staunte nicht schlecht, Captain Armstrong so bald nach ihrer ersten Begegnung wiederzusehen. Sofort ließ er alles stehen und liegen, um seinem so distinguiert wirkenden Besucher den Verlag zu zeigen. Schon nach wenigen Minuten wurde Armstrong sich der Größe des Imperiums bewusst, über das Hahn herrschte, auch wenn dieser immer wieder abfällig bemerkte: »Verglichen mit früher, ist es ein armseliger Schuppen.«

Als die Führung beendet war – einschließlich der Besichtigung der einundzwanzig Druckerpressen im Keller –, hatte Armstrong sehr genau erkannt, wie unbedeutend *Der Telegraf im* Vergleich zu Hahns Verlagshaus war, erst recht, nachdem der Unternehmer erwähnt hatte, dass er in anderen Teilen Deutschlands sieben weitere Druckereien in vergleichbarer Größe besaß, darunter auch eine im russischen Sektor Berlins.

Als Armstrong kurz nach siebzehn Uhr schließlich das Gebäude verließ, bedankte er sich bei Julius, wie er ihn inzwischen anredete, und erklärte: »Wir müssen uns bald wiedersehen, mein Freund. Hätten Sie nicht Lust, in nächster Zeit mit mir zu Mittag zu essen?«

»Das ist sehr freundlich von Ihnen«, dankte Hahn, »aber Ihnen ist sicher bekannt, Captain Armstrong, dass wir den britischen Sektor nicht besuchen dürfen.«

»Dann werde ich eben einfach zu Ihnen kommen.« Armstrong lächelte.

Hahn begleitete seinen Besucher zur Tür und schüttelte ihm zum Abschied herzlich die Hand. Armstrong überquerte die Straße und spazierte eine Seitengasse entlang, ohne seinen Fahrer zu beachten. Vor einer Bar namens Joe's blieb er stehen und fragte sich, welchen Namen sie wohl vor dem Krieg getragen hatte. Er trat ein, während Benson herangefahren kam und den Jeep einige Meter weiter anhielt.

Armstrong bestellte sich eine Coca-Cola und nahm an einem Ecktisch Platz. Er war erleichtert, dass ihn offenbar niemand erkannte und auch niemand versuchte, sich zu ihm an den Tisch zu setzen. Nach der dritten Cola vergewisserte er sich unauffällig, dass die vierhundertzehn Dollar sicher in seiner Tasche steckten. Das würde eine lange Nacht werden.

»Wo, zum Teufel, steckt er?«, erkundigte sich Forsdyke.

»Captain Armstrong musste kurz vor Mittag in den amerikanischen Sektor hinüber, Sir«, ließ Sally ihn wissen. »Gleich nach seinem Treffen mit Colonel Oakshott hat sich etwas Dringendes ergeben. Doch bevor der Captain losfuhr, hat er mir aufgetragen, einen Termin mit Ihnen zu vereinbaren, falls Sie anrufen.«

»Wie außerordentlich zuvorkommend von ihm«, stellte Forsdyke sarkastisch fest. »Auch im britischen Sektor hat sich etwas Dringendes ergeben, und ich wüsste es sehr zu schätzen, wenn Captain Armstrong sich morgen früh um neun bei mir sehen ließe.«

»Ich werde dafür sorgen, dass er Ihre Nachricht erhält, sobald er zurückkommt, Major Forsdyke«, versprach Sally. Sie hätte ja versucht, sich sofort mit Dick in Verbindung zu setzen, hatte allerdings nicht die leiseste Ahnung, wo er war.

»Stud Poker mit fünf Karten, wie üblich?«, fragte Max und schob eine Flasche Bier über den grünen Filz des Kartentisches.

»Soll mir recht sein.« Armstrong nahm die Karten und mischte.

»Ich glaube, ich werde dich heute Abend ausnehmen wie 'ne Weihnachtsgans, alter Freund.« Max zog seine Jacke aus und hängte sie über die Stuhllehne. »Hoffe, du hast genug Geld dabei.« Bedächtig füllte er sein Bier in ein Glas.

»Reichlich«, versicherte ihm Armstrong, der sich darauf beschränkte, am Bierglas zu nippen, denn er musste die nächsten Stunden stocknüchtern bleiben und einen klaren Kopf behalten. Nachdem er gemischt hatte, hob Max ab und steckte sich eine Zigarette an.

Nach einer Stunde hatte Armstrong bereits siebzig Dollar gewonnen, und von der anderen Seite des Tisches waren immer wieder die Worte »hat der einen Dusel« zu vernehmen. Die zweite Stunde der Pokerpartie begann Dick mit dem beruhigenden Gefühl, nahezu fünfhundert Dollar in der Tasche zu haben.

»Bis jetzt hast du ja eine gottverdammte Glückssträhne

gehabt«, fluchte Max und machte seine vierte Flasche Bier auf. »Aber die Nacht ist noch jung.«

Armstrong lächelte und nickte, während er seinem Gegner eine Karte über den Tisch schob und sich selbst eine zweite nahm. Er schaute auf sein Blatt – Pik vier und Pik neun –, legte fünf Dollar auf den Tisch und gab sich zwei weitere Karten.

Max hielt die fünf Dollar und hob rasch die Ecke seiner Karte, um nachzusehen, was Dick ihm da gegeben hatte. Er gab sich alle Mühe, nicht zu grinsen, und legte weitere fünf Dollar auf Armstrongs Einsatz.

Dick gab sich eine fünfte Karte und betrachtete sein Blatt eine Zeit lang, bevor er um einen Zehndollarschein erhöhte. Ohne zu zögern, zog Max ebenfalls eine Zehndollarnote aus einem Bündel Scheine in der Brusttasche und warf sie auf den Geldhaufen. Dann fuhr er sich mit der Zunge über die Lippen und sagte: »Ich will sehen, alter Junge.«

Armstrong drehte seine Karten um: ein Paar Vieren. Max' Lächeln wurde noch breiter, als er sein Paar Zehner aufdeckte. »Mich kannst du nicht bluffen«, meinte der Amerikaner und zog den Stapel Banknoten zu sich herüber.

Am Ende der zweiten Stunde war Max gewinntechnisch leicht im Vorteil. »Ich hab' dich gewarnt, dass es eine lange Nacht wird!« Sein Glas hatte Max schon vor geraumer Weile zur Seite geschoben. Jetzt trank er aus der Flasche.

Im Verlauf der dritten Stunde, als Max drei Spiele hintereinander gewonnen hatte, brachte Dick den Namen Julius Hahn zur Sprache. »Der Bursche behauptet, er kennt dich.«

»Kann man wohl sagen. Er ist für die Zeitung verantwortlich, die in unserem Sektor herausgegeben wird. Allerdings hab' ich sie noch nie gelesen.«

»Hahn scheint ziemlich erfolgreich zu sein.« Armstrong verteilte ein weiteres Blatt.

»Und ob. Aber das verdankt er nur mir.«

Armstrong schob zehn Dollar in die Tischmitte, obwohl er lediglich ein einsames As auf der Hand hatte. Sofort legte Max einen Zehndollarschein nach und verlangte eine weitere Karte.

»Was meinst du damit – er verdankt es dir?« Armstrong klatschte zwanzig Dollar auf den wachsenden Haufen Geldscheine.

Max zögerte, starrte auf seine Karten, blickte auf das Geld und fragte: »Waren das da gerade zwanzig Dollar, die du reingebuttert hast?« Armstrong nickte. Der Amerikaner zog ebenfalls einen Zwanzigdollarschein aus der Brusttasche und knallte ihn auf den Stapel.

»Hahn könnte sich nicht mal den Hintern abwischen, würde ich ihm nicht das Papier dafür geben.« Mit angespanntem Blick studierte Max sein Blatt. »Ich überlasse ihm seine monatliche Zuteilung. Ich kontrolliere seinen Papiervorrat. Ich entscheide, wie viel Strom er bekommt und wann ihm der Saft an- und abgedreht wird. Aber das wisst ihr doch genau, du und Arno Schultz.«

Max blickte auf und beobachtete verdutzt, wie Armstrong ein ganzes Bündel Scheine aus seiner Brieftasche nahm. »Du bluffst, Junge!«, sagte Max. »Das rieche ich!« Er zögerte. »Wie viel hast du diesmal gesetzt?«

»Fünfzig Dollar«, antwortete Armstrong gleichmütig.

Max schob die Finger in die Brusttasche, zog zwei Zehner und sechs Fünfer heraus und legte sie widerstrebend auf den Tisch. »Dann wollen wir doch mal sehen, was du diesmal hast«, forderte er, schon leicht lallend.

Armstrong drehte seine Karten um: ein Siebener-Paar. Max lachte grölend und deckte drei Buben auf.

»Ich hab's gewusst! Du bist ein echter Halunke!« Er nahm einen weiteren Schluck aus der Flasche. Als er die Karten für die nächste Runde verteilte, grinste er unentwegt. »Ich weiß nicht, wer leichter fertigzumachen wäre, du oder Hahn.« Seine Zunge gehorchte ihm nur noch mit Mühe.

»Bist du sicher, dass jetzt nicht der Alkohol aus dir spricht?«, fragte Dick und betrachtete sein Blatt ohne sonderliches Interesse.

»Du wirst schon sehen, wer oder was spricht«, lallte Max. »In nicht mal 'ner Stunde hab' ich dich zur Schnecke gemacht!«

»Ich habe nicht von mir gesprochen.« Armstrong setzte weitere fünf Dollar. »Sondern von Hahn.«

Eine längere Pause trat ein, als Max sich abermals einen tiefen Schluck aus der Flasche genehmigte. Armstrong nahm sich noch eine Karte und legte zehn Dollar auf den Haufen. Max verlangte ebenfalls eine Karte und leckte sich die Lippen, während er sie anstierte. Dann zog er einen weiteren Zehndollarschein aus dem Bündel in seiner Brusttasche.

»Dann zeig mal, was du diesmal zu bieten hast, alter Knabe.« Max war zuversichtlich, mit seinen zwei Paaren – Asse und Buben – den Pott zu gewinnen.

Armstrong drehte drei Fünfen um. Max blickte finster drein, als er das Geld auf die andere Seite des Tisches verschwinden sah. »Wärst du bereit, echtes Geld einzusetzen statt bloß deinem großen Mundwerk?«, brummte er.

»Habe ich doch gerade«, erwiderte Armstrong und steckte die Scheine ein.

»Nein, nein. Ich meine, wenn es um Hahn geht.«

Dick erwiderte nichts.

»Du hast Schiss«, stellte Max fest, nachdem Dick eine Zeit lang geschwiegen hatte.

Dick legte den Kartenstapel auf den Tisch, sah sein Gegenüber an und sagte ungerührt: »Ich wette mit dir um tausend Dollar, dass du es nicht schaffst, Hahn in den Bankrott zu treiben.«

Max setzte seine Flasche ab und starrte über den Tisch, als könne er nicht glauben, was er gerade gehört hatte. »Wie viel Zeit gibst du mir?«

»Sechs Wochen.«

»Das reicht nicht! Vergiss nicht – es muss so aussehen, als hätte es nichts mit mir zu tun. Ich brauche mindestens sechs Monate.«

»Ich habe keine sechs Monate«, entgegnete Armstrong. »Ich könnte den *Telegraf* jederzeit in sechs Wochen vom Markt fegen, wenn du die Wette umdrehen willst.«

»Aber Hahns Unternehmen ist viel größer als das von Arno Schultz!«, gab Max zu bedenken.

»Das ist mir klar. Also gut. Du bekommst drei Monate.«

»Dann will ich eine Quote!«

Wieder gab Armstrong vor, als bräuchte er Bedenkzeit. »Zwei zu eins«, antwortete er schließlich.

»Drei zu eins, und du bist im Spiel«, sagte Max.

»Na schön.« Die beiden Männer beugten sich über den Tisch und besiegelten die Wette mit einem Händedruck. Danach erhob sich der amerikanische Captain auf unsicheren Beinen von seinem Stuhl und wankte zum Kalender, der an der gegenüberliegenden Wand hing und eine spärlich bekleidete Schöne zeigte. Er blätterte die Seiten um, bis er den Oktober gefunden hatte, zog einen Füllfederhalter aus seiner Hosentasche und zog einen großen Kringel um den siebzehnten. »Das ist der Tag, an dem ich meine tausend Dollar kassieren werde!«

»Du hast keine Chance«, stichelte Armstrong. »Ich habe Hahn kennengelernt – so leicht ist der nicht kleinzukriegen.«

»Überlass das mir«, sagte Max, als er zum Tisch zurückkehrte. »Ich werde mit Hahn genau das machen, was die Nazis versäumt haben!«

Max gab die Karten für eine neue Runde. In der nächsten Stunde gewann Dick den Großteil des Geldes zurück, das er zuvor an diesem Abend verloren hatte. Doch als er sich kurz vor Mitternacht verabschiedete, um sich heimfahren zu lassen, leckte sich Max immer noch die Lippen.

Am nächsten Morgen trat Dick aus dem Badezimmer und sah Charlotte hellwach im Bett sitzen.

»Wann bist du letzte Nacht nach Hause gekommen?«, fragte sie eisig, als er sich ein frisches Hemd aus der Kommode nahm.

»Gegen Mitternacht. Vielleicht war es auch schon eins. Ich habe außerhalb gegessen. Kein Grund, sich irgendwelche Sorgen um mich zu machen.«

»Mir wäre es lieber, du würdest zu einer christlicheren Uhrzeit nach Hause kommen. Dann könnten wir vielleicht mal *eine* der Mahlzeiten essen, die ich jeden Abend für dich koche.«

»Alles, was ich tue, ist auch zu deinem Besten. Wie oft habe ich eigentlich schon versucht, dir das klarzumachen?«

»So langsam frage ich mich, ob du überhaupt *weißt*, was zu meinem Besten ist«, entgegnete Charlotte.

Dick betrachtete sie im Spiegel, schwieg aber.

»Da du dich offenbar nie ernsthaft darum bemühst, uns aus diesem Loch herauszuholen, ist es vielleicht an der Zeit, dass ich nach Lyon zurückkehre.«

»Meine Entlassungspapiere müssten jetzt bald eintreffen«, behauptete Dick, während er seinen Windsorknoten im Spiegel begutachtete. »Es dauert im Höchstfall noch drei Monate, meint Colonel Oakshott.«

»Noch ein Vierteljahr?«, rief Charlotte ungläubig.

»Es hat sich da was ergeben, das sich als außerordentlich wichtig für unsere Zukunft erweisen könnte.«

»Ich nehme an, dass du mir nichts darüber erzählen kannst – wie üblich.«

»Stimmt. Ist streng geheim.«

»Wie außerordentlich praktisch für dich!«, spöttelte Charlotte. »Jedes Mal, wenn ich mit dir über unser Leben reden möchte, sagst du, es hat sich etwas ergeben. Und jedes Mal, wenn ich Näheres darüber wissen möchte, sagst du, es wäre streng geheim.«

»Du bist nicht fair«, entgegnete Dick. »Es ist wirklich streng geheim. Und überhaupt – alles, was ich tue, tue ich letztendlich nur für dich und David.«

»Ach, wirklich? Du bist nie hier, wenn ich David zu Bett bringe. Und wenn er morgens aufwacht, bist du schon unterwegs ins Büro. Er sieht dich so selten, dass er bald gar nicht mehr weiß, ob du oder Private Benson sein Vater ist!«

Dick hob die Stimme. »Ich habe meine Verpflichtungen.«

»Ja«, sagte Charlotte, »deiner Familie gegenüber. Und die wichtigste müsste dir sein, uns so schnell wie möglich aus dieser gottverlassenen Stadt zu bringen!«

Dick schlüpfte in seine Uniformjacke und drehte sich zu

Charlotte um. »Ich arbeite ständig daran. Es ist im Moment nur nicht so einfach. Du musst versuchen, das zu verstehen.«

»Ich fürchte, ich verstehe nur zu gut! Für andere scheint es jedenfalls erstaunlich einfach zu sein. Und versichert *Der Telegraf* uns jetzt nicht immer wieder, das Schienennetz sei instandgesetzt und es gingen inzwischen mindestens zwei Züge am Tag von Berlin ab? Vielleicht sollte ich mir David nehmen und einfach wegfahren.«

»Was willst du damit sagen?«, brüllte Dick und ging auf sie zu.

»Ganz einfach! Dass du vielleicht eines Nachts nach Hause kommst, und Frau und Kind sind nicht mehr da!«

Dick machte einen weiteren Schritt auf sie zu und hob die Faust, doch Charlotte wich nicht zurück. Er blieb stehen und starrte ihr in die Augen.

»Ah! Möchtest du mich auch so mies behandeln wie alle anderen, die nicht mindestens Captain sind?«

Dick senkte die Faust. »Ich weiß nicht, warum ich mir überhaupt noch die Mühe mache. Ich bekomme keinerlei Unterstützung von dir, keinen Zuspruch – nicht mal dann, wenn ich es am nötigsten brauche. Und was ich auch für dich zu tun versuche, immer jammerst du bloß und überschüttest mich mit Vorwürfen.« Charlotte zuckte mit keiner Wimper. »Dann fahr doch zu deiner Familie zurück, wenn du willst, du dumme Kuh! Aber bilde dir bloß nicht ein, dass ich dir nachgelaufen komme!« Er stürmte aus dem Schlafzimmer, griff nach seiner Mütze und dem Offiziersstöckchen, rannte die Treppe hinunter und stapfte aus dem Haus. Benson wartete im Jeep mit laufendem Motor, um seinen Vorgesetzten zum Büro zu bringen.

»Was, zum Teufel, glaubst du eigentlich, was aus dir wird, wenn du mich verlässt?«, knurrte Armstrong beim Einsteigen.

»Bitte, Sir?« Private Benson warf ihm einen leicht fassungslosen Blick zu.

Armstrong schaute ihn an. »Bist du verheiratet, Reg?«

»Nein, Sir. Hitler hat mich im letzten Augenblick davor bewahrt.«

»Hitler?«

»Jawohl, Sir. Ich wurde drei Tage vor der geplanten Hochzeit eingezogen.«

»Wartet deine Braut noch auf dich?«

»Nein, Sir. Sie hat meinen besten Freund geheiratet.«

»Fehlt sie dir?«

»Sie nicht, Sir, aber der Freund.«

Armstrong lachte, als Benson hielt, um ihn vor dem Bürogebäude aussteigen zu lassen.

Die erste Person, der Dick begegnete, war Sally. »Haben Sie meine Nachricht bekommen, Captain?«, fragte sie.

Armstrong blieb abrupt stehen. »Welche Nachricht?«

»Ich habe gestern Abend bei Ihnen zu Hause angerufen und Ihre Frau gebeten, Ihnen auszurichten, dass Major Forsdyke Sie heute früh um neun in seinem Büro erwartet.«

»Verdammtes Weibsstück«, brummte Armstrong, machte kehrt und ging an Sally vorbei zum Ausgang. »Welche Termine habe ich heute sonst noch?«, rief er über die Schulter.

»Der Terminkalender ist heute ziemlich leer«, erwiderte Sally und rannte ihm nach. »Aber denken Sie an das Dinner zu Ehren von Field Marshal Auchinleck heute Abend! Charlotte ist ebenfalls eingeladen. Sie müssen sich um neunzehn

Uhr dreißig im Offizierskasino einfinden. Alle höheren Offiziere werden dort sein.«

Als Armstrong die Tür erreichte, sagte er noch rasch: »Ich werde wohl vormittags kaum noch ins Büro kommen.«

Benson drückte hastig die Zigarette aus, die er sich eben erst angezündet hatte, und fragte: »Wohin jetzt, Sir?«, als Armstrong sich neben ihn gesetzt hatte.

»Gib Gas. Ich muss um neun Uhr bei Major Forsdyke sein.«

»Aber, Sir …«, protestierte Benson, während er auf den Anlasser drückte, entschied sich dann jedoch dagegen, dem Captain zu sagen, dass selbst Nuvolari es nur mit Mühe in siebzehn Minuten quer durch Berlin geschafft hätte.

Doch eine Minute vor neun hatte Benson ihr Ziel erreicht. Er war heilfroh, dass die Militärpolizei sie nicht gestoppt hatte.

»Guten Morgen, Armstrong«, wurde Dick von Forsdyke begrüßt, als er dessen Büro betrat. Forsdyke wartete auf Dicks militärischen Gruß, aber der kam nicht. Schließlich sagte er: »Sie müssen eine dringende Angelegenheit erledigen. Wir möchten, dass Sie Ihrem Freund Major Tulpanow ein Päckchen bringen.«

»Er ist nicht mein Freund«, erwiderte Armstrong schroff.

»Seien Sie nicht so empfindlich, alter Junge«, rügte Forsdyke. »Sie sollten inzwischen wissen, dass Sie sich das nicht leisten können, wenn Sie für mich arbeiten.«

»Ich arbeite nicht für Sie!«, brüllte Armstrong.

Forsdyke sah zu dem Mann hoch, der auf der anderen Seite seines Schreibtischs stand. Er kniff die Augen zusammen, und seine Lippen bildeten eine gerade Linie. »Ich bin mir bewusst, dass Sie im britischen Sektor großen Einfluss besitzen, Captain Armstrong. Aber ich muss Sie daran erinnern, dass mein Rang höher ist als Ihrer, so mächtig Sie sich auch vorkommen mögen. Und was Sie vielleicht noch mehr überzeugt – ich habe nicht das geringste Interesse daran, durch Ihren Einfluss auf der Titelseite Ihres grässlichen Wurstblatts zu erscheinen. Also Schluss mit Ihrer Aufgeblasenheit, erledigen Sie einfach diesen Job!«

Ein längeres Schweigen setzte ein. »Sie wollten, dass ich ein Päckchen abgebe«, brachte Armstrong endlich hervor.

»Stimmt«, bestätigte der Major. Er zog eine Schreibtischschublade auf, entnahm ihr ein Päckchen von der Größe eines Schuhkartons und reichte es Armstrong. »Sorgen Sie bitte dafür, dass Major Tulpanow das hier so schnell wie möglich erhält.«

Armstrong nahm das Päckchen, klemmte es sich unter den linken Arm, salutierte übertrieben und marschierte aus dem Büro des Majors.

»Zum russischen Sektor«, befahl er Benson, als er in den Jeep kletterte.

»Jawohl, Sir«, erwiderte Benson, der froh war, dass er sich diesmal wenigstens ein paar mehr Züge an seiner Zigarette hatte genehmigen können. Ein paar Minuten nachdem sie den russischen Sektor erreicht hatten, wies ihn Armstrong an, am Bordstein zu halten.

»Warte hier, und rühr dich nicht von der Stelle, bis ich zurück bin«, befahl Dick. Dann stieg er aus und entfernte sich in Richtung Leninplatz.

»Entschuldigen Sie, Sir!«, rief Benson, sprang aus dem Jeep und rannte ihm nach.

Armstrong fuhr herum und funkelte seinen Fahrer an. »Habe ich nicht gerade befohlen, dass du …«

»Verzeihung, Sir, aber werden Sie das hier nicht brauchen?« Er hielt Dick das in braunes Packpapier gehüllte Päckchen hin.

Armstrong riss es ihm aus der Hand und setzte ohne ein weiteres Wort seinen Weg fort. Obwohl die Turmuhr eben erst zehn geschlagen hatte, fragte sich Benson, ob der Chef wohl eine Geliebte besuchte.

Armstrongs Stimmung befand sich noch immer auf dem Nullpunkt, als er wenige Minuten später den Leninplatz erreichte. Er stürmte ins Gebäude, die Treppe hinauf und durch das Vorzimmer der Sekretärin zu Tulpanows Büro.

»Verzeihen Sie, Sir!«, rief die Sekretärin und schoss aus ihrem Sessel. Doch es war bereits zu spät. Armstrong hatte die Tür zu Tulpanows Büro erreicht, ehe sie ihn zurückhalten konnte. Er schob die Tür auf und trat ins Zimmer.

Dort blieb er unvermittelt stehen, als er sah, mit wem Tulpanow sich unterhielt. »Tut mir leid, Sir«, stammelte er und wandte sich rasch zum Gehen, wobei er die herbeieilende Sekretärin fast umrannte.

»Nein, Lubji, bitte bleiben Sie doch. Setzen Sie sich zu uns«, forderte Tulpanow ihn auf.

Armstrong schwang wieder herum, schlug die Hacken zusammen und salutierte. Er spürte, wie sein Gesicht immer stärker glühte. »Marschall«, sagte der Major vom russischen Geheimdienst, »darf ich Sie mit Captain Armstrong bekannt machen. Er ist im britischen Sektor für die Öffentlichkeitsarbeit zuständig.«

Der »Sieger von Berlin« und derzeitige kommandierende Offizier des russischen Sektors gab Armstrong die Hand.

Armstrong entschuldigte sich ein zweites Mal für sein Hereinplatzen, diesmal auf Russisch. »Ich freue mich, Sie kennenzulernen«, sagte Marschall Schukow in seiner Muttersprache. »Wenn ich mich nicht irre, werde ich heute Abend mit Ihnen dinieren.«

Armstrong war verdutzt. »Nicht, dass ich wüsste, Sir.«

»O doch«, beharrte Schukow. »Erst vor einer Stunde konnte ich einen Blick auf die Gästeliste werfen. Ich habe das Vergnügen, neben Ihrer Gemahlin zu sitzen.«

Es folgte ein etwas verlegenes Schweigen. Armstrong beschloss, nichts mehr von sich zu geben.

»Vielen Dank für Ihren Besuch, Marschall«, durchbrach Tulpanow endlich die peinliche Stille, »und für die Aufklärung dieses kleinen Missverständnisses.«

Major Tulpanow salutierte ein wenig lässig, und Schukow erwiderte den Gruß auf gleiche Weise. Dann verließ er wortlos das Büro. Nachdem sich die Tür hinter ihm geschlossen hatte, fragte Armstrong: »Ist es bei Ihren Streitkräften üblich, dass Marschälle Majore besuchen?«

»Nur wenn diese Majore beim Geheimdienst sind«, antwortete Tulpanow lächelnd. Sein Blick heftete sich auf das Päckchen. »Wie ich sehe, bringen Sie Geschenke mit.«

»Ich habe keine Ahnung, was das ist«, entgegnete Armstrong und händigte ihm das Paket aus. »Forsdyke hat mich gebeten, dafür zu sorgen, dass Sie es umgehend bekommen.«

Tulpanow öffnete die Verschnürung wie ein Kind, das ein unerwartetes Weihnachtsgeschenk auspackt. Als er das braune Papier entfernt hatte, hob er den Deckel des darin befindlichen Kartons und brachte ein Paar Straßenschuhe von bester Qualität zum Vorschein. Er probierte sie auf der Stelle an. »Passen wie angegossen!«, freute er sich und betrachtete bewundernd die Schuhkappen, in denen man sich spiegeln konnte. »Forsdyke mag ja ein arroganter Hurensohn sein, wie Ihr Freund Max ihn bezeichnen würde, aber man kann sich darauf verlassen, dass die Engländer einen mit den schönen Dingen des Lebens versorgen.«

»Dann bin ich also nichts weiter als ein Botenjunge«, meinte Armstrong.

»Ich versichere Ihnen, Lubji, bei uns gibt es keine ehrenvollere Aufgabe.«

»Ich hab' es Forsdyke schon gesagt, und nun sage ich es Ihnen …«, begann Armstrong mit erhobener Stimme, brach jedoch mitten im Satz ab.

»Ah, wie ich sehe, sind Sie heute mit dem falschen Fuß aufgestanden, um eine weitere englische Redewendung zu benutzen.«

Armstrong starrte ihn an und zitterte fast vor Wut.

»Nein, nein, sprechen Sie nur weiter, Lubji. Bitte, sagen Sie mir, was Sie zu Forsdyke gesagt haben.«

»Nichts«, knurrte Armstrong. »Ich habe nichts gesagt.«

»Freut mich zu hören.« Der Major nickte. »Denn Sie müssen wissen, dass ich der Einzige bin, dem Sie sich leisten können, alles zu sagen.«

»Was macht Sie da so sicher?«, fragte Armstrong.

»Weil Sie, genau wie Doktor Faust, einen Pakt mit dem Teufel geschlossen haben, Lubji.« Er machte eine Pause. »Und vielleicht auch deshalb, weil ich bereits von Ihrem kleinen Komplott weiß – und wieder möchte ich eine typisch britische Wendung benutzen, die Ihre Absicht unmissverständlich klarmacht: Sie möchten Herrn Julius Hahn aus dem Rennen werfen.«

Armstrong sah aus, als wollte er protestieren. Der Major zog eine Braue hoch, und Armstrong schwieg.

»Warum haben Sie mich nicht von vornherein in Ihr kleines Geheimnis eingeweiht, Lubji?«, fuhr Tulpanow fort. »Wir hätten durchaus unseren Teil dazu beigetragen. Vielleicht hätten wir Hahn sogar den Strom abdrehen und die Papierlieferungen an Hahns Druckerei im russischen Sektor einstellen können. Aber Sie wussten wahrscheinlich gar nicht, dass er alle seine Zeitschriften in einem Gebäude druckt, das nur einen Katzensprung von hier entfernt ist. Ein bisschen mehr Vertrauen, Lubji, und Sie hätten sich das Spiel und die Wette mit Sackville ersparen können.«

Armstrong sagte immer noch nichts.

»Aber vielleicht hatten Sie genau das geplant. Drei zu eins ist eine gute Quote – solange ich einer der drei bin.«

»Aber wie konnten Sie ...?«

»Sie haben uns wieder einmal unterschätzt, Lubji. Seien Sie versichert, dass uns Ihr Wohlergehen nach wie vor am Herzen liegt. Und wenn Sie Major Forsdyke wiedersehen, dann richten Sie ihm bitte aus, dass die Schuhe gar nicht besser passen könnten.«

Es war offensichtlich, dass Tulpanow diesmal nicht die Absicht hatte, Dick zum Mittagessen einzuladen. Dick grüßte militärisch, verließ Tulpanows Büro und kehrte mürrisch zu seinem Jeep zurück.

»Zum *Telegraf*«, sagte er zu Benson. Am Checkpoint wurden sie ein paar Minuten aufgehalten, ehe man sie in den britischen Sektor durchließ. Als Armstrong die Druckerei des *Telegraf* betrat, wunderte er sich, dass die Druckmaschinen allesamt auf Hochtouren liefen. Er ging direkt zu Arno, der die Bündelung jedes Zeitungsstapels beaufsichtigte, der frisch aus der Presse kam.

»Wieso drucken wir denn noch?«, schrie Armstrong, um

den Lärm der Maschinen zu übertönen. Arno deutete in Richtung seines Büros. Keiner der beiden Männer sprach, bevor nicht die Tür hinter ihnen geschlossen war.

»Haben Sie es noch nicht gehört?«, fragte Arno und bot Armstrong seinen Schreibtischsessel an.

»Was gehört?«

»Wir haben gestern Abend dreihundertfünfzigtausend Exemplare verkauft, und es werden immer noch mehr verlangt.«

»Dreihundertfünfzigtausend? Und man will noch mehr? Wieso?«

»Der *Berliner* konnte die letzten zwei Tage nicht erscheinen. Julius Hahn hat mich heute früh angerufen und gesagt, dass er seit achtundvierzig Stunden keinen Strom hat.«

»Was für ein schreckliches Pech!« Armstrong schüttelte scheinbar mitfühlend den Kopf.

»Und was noch schlimmer ist«, fügte Arno hinzu, »die Russen liefern ihm kein Papier mehr. Er wollte wissen, ob wir die gleichen Probleme haben.«

»Was haben Sie ihm gesagt?«

»Dass wir solche Schwierigkeiten nicht mehr kennen, seit Sie die Sache in die Hand genommen haben«, erklärte Arno. Armstrong lächelte und erhob sich.

»Wenn der *Berliner* morgen immer noch nicht erscheinen kann«, sagte Arno und begleitete Armstrong zum Ausgang, »werden wir mindestens vierhunderttausend Exemplare drucken müssen.«

Armstrong schloss die Tür hinter sich. »Was für ein schreckliches Pech«, wiederholte er.

16

Sydney Morning Herald

Januar 1957

Sydneys Opernhaus:
Umstrittener dänischer Entwurf erhält Zuschlag

»Aber ich habe dich kaum zu Gesicht bekommen, seit wir unsere Verlobung bekannt gegeben haben«, beklagte sich Susan.

Keith drehte sich zu ihr um. »Ich versuche, eine Zeitung in Adelaide und eine weitere in Sydney herauszugeben. Leider ist es nun mal unmöglich, an zwei Orten gleichzeitig zu sein.«

»In letzter Zeit schaffst du es ja kaum noch, an nur *einem* Ort zu sein«, nörgelte Susan. »Und wenn du jetzt auch noch dieses Sonntagsblatt in Perth kaufst – übrigens weiß ich nur aus den Zeitungen, dass du das vorhast –, werde ich dich wohl nicht mal mehr an den Wochenenden sehen.«

Keith war klar, dass dies nicht der richtige Augenblick war, Susan zu sagen, dass er den Kauf mit dem Besitzer des *Perth Sunday Monitor* bereits abgeschlossen hatte. Wortlos schlüpfte er aus dem Bett.

»Wohin verschwindest du denn jetzt schon wieder?«, fragte Susan, als er ins Badezimmer schlurfte.

»Ich hab' in der City eine Verabredung zum Frühstück«, rief Keith durch die geschlossene Tür.

»An einem Sonntagmorgen?«

»Es war der einzige Tag, an dem der Mann mich treffen kann. Er musste extra von Brisbane herfliegen.«

»Aber wir wollten heute doch segeln gehen. Oder hast du das ebenfalls vergessen?«

»Natürlich nicht«, versicherte ihr Keith, als er aus dem Bad zurückkam. »Deshalb habe ich mich ja auf diese Frühstücksverabredung eingelassen. Bis du startklar bist, bin ich längst wieder zu Hause.«

»So wie letzten Sonntag?«

»Das war etwas ganz anderes«, entgegnete Keith. »Der *Perth Monitor* ist ein Sonntagsblatt. Wie sollte ich herausfinden, was die Zeitung taugt, wenn ich nicht an dem Tag an Ort und Stelle bin, an dem sie erscheint?«

»Du hast die Zeitung also schon gekauft!«, stellte Susan fest.

Keith schlüpfte in seine Hose, ehe er sich mit verlegenem Gesichtsausdruck zu ihr umdrehte. »Ja, allerdings noch nicht notariell. Aber der *Monitor* hat eine ausgezeichnete Geschäftsführung. Es dürfte also nicht notwendig sein, dass ich allzu oft nach Perth fliege.«

»Und die Redaktion?«, erkundigte sich Susan, als Keith ein Sportjackett anzog. »Wenn du hier nach dem gleichen Muster vorgehst wie bei den anderen Zeitungen, die du übernommen hast, wirst du mindestens die ersten sechs Monate dort auf der Matte stehen.«

»Na, na. So schlimm wird's schon nicht werden. Das verspreche ich dir. Sorg du nur dafür, dass wir sofort aufbrechen können, wenn ich zurückkomme.« Er beugte sich zu ihr hinunter und küsste sie auf die Wange. »Länger als eine Stunde, im Höchstfall zwei, bin ich nicht fort.« Er schloss die Schlafzimmertür, bevor Susan noch etwas sagen konnte.

Als Townsend sich auf dem Beifahrersitz niederließ, ließ sein Fahrer den Wagen an.

»Eine Frage, Sam. Beschwert Ihre Frau sich eigentlich darüber, dass Sie zu den unmöglichsten Tageszeiten für mich arbeiten müssen?«

»Schwer zu sagen, Sir. In letzter Zeit spricht sie überhaupt nicht mehr mit mir.«

»Wie lange sind Sie schon verheiratet?«

»Elf Jahre.«

Townsend beschloss, Sam keine weiteren Fragen mehr über die Ehe zu stellen. Während der Wagen Richtung Innenstadt brauste, versuchte Keith, nicht mehr an Susan zu denken, sondern sich ganz auf das bevorstehende Treffen mit Alan Rutledge zu konzentrieren. Er war dem Mann noch nie persönlich begegnet, doch in der Zeitungswelt besaß Rutledge einen Ruf als ausgezeichneter Journalist und als ein Mann, der jeden anderen unter den Tisch trinken konnte. Wenn Townsends neueste Idee Erfolg haben sollte, brauchte er jemanden mit Rutledges Fähigkeiten, um die Sache in die Tat umzusetzen.

Sam bog von der Elizabeth Street zur Einfahrt des Town House Hotels ab. Townsend lächelte, als er den *Sunday Chronicle* ganz oben im Ständer sah, und musste an den heutigen Leitartikel denken. Wieder einmal hatte die Zeitung ihre Leser darauf hingewiesen, dass es für Mr. Menzies an der Zeit war, abzutreten und einem Jüngeren Platz zu machen, der sich stärker mit dem modernen Australien und der wirtschaftlichen Zukunft des Landes identifizierte.

Als der Wagen an den Bordstein fuhr, sagte Townsend:

»Ich werde etwa eine Stunde brauchen, höchstens zwei.« Sam lächelte unwillkürlich, als sein Chef ausstieg und durch die Drehtür verschwand.

Townsend schritt rasch durchs Foyer zum Frühstücksraum. Alan Rutledge saß allein an einem Fenstertisch. Er rauchte und las den *Sunday Chronicle*.

Als er Townsend herankommen sah, erhob er sich, und die Männer reichten sich ein wenig steif die Hand. Rutledge warf die Zeitung beiseite und sagte lächelnd: »Wie ich sehe, haben Sie den *Chronicle* weiter Richtung Massenmarkt gerückt.« Townsend warf einen Blick auf die Schlagzeile: *Schrumpfkopf auf Dach von Bus in Sydney gefunden*. »Wohl kaum eine Titelseite in Sir Somerset Kenwrights Tradition, würde ich meinen.«

»Nein«, bestätigte Townsend. »Aber die derzeitige Auflagenhöhe hat ebenfalls sehr wenig mit dieser Tradition zu tun. Wir verkaufen heute pro Ausgabe hunderttausend Exemplare mehr als zu der Zeit, als Kenwright das Sagen hatte, und der Gewinn ist seither um siebzehn Prozent gestiegen.« Er schaute zu der wartenden Kellnerin hoch. »Nur schwarzen Kaffee. Ach ja, und zwei Scheiben Toast.«

»Ich hoffe, Sie haben nicht die Absicht, mir den Posten als nächster Chefredakteur des *Chronicle* anzubieten.« Rutledge zündete sich eine weitere Zigarette an. Townsend blickte auf den Aschenbecher und sah, dass sein Gesprächspartner bereits drei Zigaretten geraucht hatte.

»Nein.« Townsend schüttelte den Kopf. »Für den *Chronicle* ist Bruce Kelly genau der richtige Mann. Sie habe ich für etwas wesentlich Adäquateres vorgesehen.«

»Und das wäre?«

»Eine Zeitung, die es noch gar nicht gibt – außer in meiner Vorstellung«, erwiderte Townsend. »Eine Zeitung, bei deren Konzeption ich Ihre Hilfe brauche.«

»Und in welcher Stadt soll diese Zeitung erscheinen?«, fragte Rutledge. »In den meisten Städten gibt es schon jetzt viel zu viele Blätter, und wo das noch nicht der Fall ist, haben sich bestimmte Verlage eine regelrechte Monopolstellung geschaffen. Adelaide ist das beste Beispiel dafür.«

»Da kann ich Ihnen nicht widersprechen«, sagte Townsend, während ihm die Kellnerin dampfenden heißen Kaffee einschenkte. »Aber dieses Land hat bisher noch kein überregionales Blatt, keine Zeitung für ganz Australien. Eine solche Zeitung möchte ich konzipieren. Ich werde sie *Continent* nennen. Sie soll von Sydney bis Perth verkauft werden und überall dazwischen. Ich möchte, dass diese Zeitung die *Times* von Australien wird, und dass jeder den *Continent* als *die* führende Zeitung des Landes betrachtet. Und ich bin gekommen, weil ich Sie als den ersten Chefredakteur dieses Blattes verpflichten möchte.«

Alan Rutledge atmete tief ein und sagte eine ganze Weile kein Wort. »Und wo soll sich das Verlagshaus befinden?«

»In Canberra. Die Zeitung muss aus der politischen Hauptstadt Australiens kommen, wo die Entscheidungen für das ganze Land gefällt werden. Unsere wichtigste Arbeit wird zunächst einmal darin bestehen, uns die besten Journalisten zu sichern. Das ist Ihre Aufgabe. Die Spitzenleute werden eher zu uns kommen, wenn sie wissen, dass Sie der Chefredakteur sind.«

»Mit welcher Vorbereitungszeit rechnen Sie?« Alan Rutledge drückte seine fünfte Zigarette aus.

»Ich hoffe, das Blatt in sechs Monaten auf dem Markt zu haben«, antwortete Townsend.

»Und an welche Auflagenhöhe denken Sie?«

»Etwa zweihundertfünfzigtausend Exemplare täglich im ersten Jahr. Anschließend rechne ich mit einer kontinuierlichen Steigerung bis auf etwa vierhunderttausend.«

»Und wenn Sie diese Zahlen nicht erreichen – wie lange werden Sie dabeibleiben?«

»Zwei Jahre, vielleicht auch drei. Aber solange wir ohne Verlust arbeiten, läuft die Sache weiter.«

»Und welches finanzielle Angebot können Sie mir machen?«, erkundigte sich Rutledge.

»Zehntausend im Jahr, plus die üblichen Zulagen.«

Ein Lächeln erschien auf Rutledges Gesicht. Kein Wunder, denn Keith wusste natürlich, dass das fast doppelt so viel war wie Rutledges derzeitiges Gehalt.

Als Keith sämtliche Fragen seines Gegenübers beantwortet und Rutledge eine neue Schachtel Zigaretten geöffnet hatte, war bereits der Zeitpunkt für ein frühes Mittagessen herangerückt. Als Townsend sich schließlich erhob, hatte er Rutledges Zusage in der Tasche, ihm bis Ende der Woche Bescheid zu geben.

Während Sam ihn zurück nach Darling Point fuhr, fragte sich Townsend, wie er Susan für die Vorstellung begeistern könne, alle sieben Tage zwischen Sydney, Canberra, Adelaide und Perth hin- und herzureisen. Doch diese Frage hätte er sich im Grunde sparen können – er konnte ihre Reaktion mit ziemlicher Sicherheit voraussagen.

Als Sam kurz vor eins die Einfahrt der Townsend-Villa erreichte, sah Keith Susan aus der Tür kommen. Sie trug einen Picknickkorb und eine Tasche mit Badesachen.

»Schließ die Haustür ab«, war alles, was sie zu Keith sagte, als sie an ihm vorbei zum Wagen ging, ohne stehen zu bleiben. Keith hatte kaum die Klinke berührt, als drinnen das Telefon läutete. Er zögerte kurz. Dann beschloss er, den Anrufer – wer immer er sein mochte – zu bitten, abends noch einmal anzurufen.

»Hallo, Keith. Hier ist Dan Hadley.«

»Guten Tag, Senator«, erwiderte Keith. »Ich bin in ziemlicher Eile. Wäre es möglich, dass Sie mich heute Abend anrufen?«

»Wenn Sie erst hören, was ich Ihnen zu sagen habe, werden Sie nicht mehr in Eile sein.«

»Ich höre, Dan. Aber ich muss Sie trotzdem bitten, sich kurz zu fassen.«

»Ich hatte gerade ein Gespräch mit dem Postminister. Bob Menzies ist bereit, den Antrag der Regierung zu unterstützen, einen neuen kommerziellen Radiosender zuzulassen. Außerdem ließ der Postminister durchblicken, dass Hacker und Kenwright bei der Vergabe der Lizenz nicht im Rennen sein werden, da sie bereits eigene Rundfunklizenzen haben. Demnach müssten diesmal *Sie* gute Chancen haben, den Zuschlag für den neuen Sender zu bekommen.«

Keith setzte sich auf den gepolsterten Hocker neben dem Telefon und hörte sich die Vorschläge des Senators an. Hadley wusste, dass Townsend bereits erfolglos Übernahmeangebote für die Sender seiner Konkurrenten unterbreitet hatte, doch niemand wollte mit ihm Geschäfte machen. Hacker war noch immer wütend, weil Townsend ihm den *Chronicle* weggeschnappt hatte, und mit Kenwright stand er ohnehin nicht auf guten Fuß.

Vierzig Minuten später legte Keith den Hörer auf die Gabel. Er stürmte aus dem Haus und knallte die Tür hinter sich zu. Chauffeur und Wagen waren verschwunden. Fluchend kehrte Keith ins Haus zurück. Dann kam ihm der Gedanke, dass er sich jetzt, da Susan ohne ihn weggefahren war, eigentlich daranmachen konnte, den ersten Vorschlag des Senators in die Tat umzusetzen. Wieder griff er nach dem Hörer und wählte eine Nummer, die ihn direkt mit dem Chefredakteur verband.

»Ja?«, sagte eine Stimme, die Townsend schon an dem einen Wort erkannte.

»Worum geht's im morgigen Leitartikel, Bruce?«, fragte er, ohne sich die Mühe zu machen, seinen Namen zu nennen.

»Dass Sydney kein Opernhaus braucht, sondern eine weitere Brücke.«

»Legen Sie den Artikel erst mal auf Eis. In spätestens einer Stunde hab' ich zweihundert Wörter für Sie.«

»Zu welchem Thema, Keith?«

»Ich werde unseren Lesern erklären, welch hervorragende Arbeit Bob Menzies als Premierminister leistet und wie töricht es wäre, einen solchen Staatsmann durch irgendeinen unerfahrenen *Apparatschik* zu ersetzen, der noch feucht hinter den Ohren ist.«

Die nächsten sechs Monate verbrachte Townsend fast ausschließlich mit Alan Rutledge in Canberra, wo sie am Konzept für die neue Zeitung arbeiteten. Doch es kam zu Verzögerungen. Es kostete sie mehr Zeit als erwartet, die geeigneten Verlagsräume zu finden, das beste Verwaltungspersonal einzustellen und die erfahrensten Journalisten abzuwerben. Doch Townsends größtes Problem bestand darin, genügend Zeit für Susan zu finden, denn wenn er sich nicht in Canberra aufhielt, war er in Perth.

Der *Continent* war etwa einen Monat auf dem Markt, als

Townsend von seinem Finanzberater darauf aufmerksam gemacht wurde, dass der Geldfluss nur in eine Richtung ging: zur Ausgabenseite. Die immensen Kosten konnten durch die eher spärlichen Einnahmen kaum gedeckt werden. Und Susan nervte Keith damit, dass auch er nur in eine Richtung ging, sogar an den Wochenenden – nämlich fort.

Townsend unterhielt sich mit Alan Rutledge in der Nachrichtenredaktion, als das Telefon läutete. Der Chefredakteur hielt die Hand über die Sprechmuschel und warnte Keith vor, dass Susan am Apparat sei.

»Himmel! Ich hab' glatt vergessen, dass sie heute Geburtstag hat – und wir sind bei ihrer Schwester in Sydney zum Essen eingeladen. Sagen Sie ihr bitte, dass ich vermutlich schon am Flughafen sein müsste. Sie darf auf gar keinen Fall erfahren, dass ich noch bei Ihnen bin.«

»Susan?« sagte Alan. »Ich habe gerade erfahren, dass Keith sich bereits zum Flughafen hat fahren lassen. Vielleicht sitzt er sogar schon in der Maschine nach Sydney.« Er hörte aufmerksam zu, was Susan ihm erwiderte. »Ja. Geht in Ordnung. Selbstverständlich. Mache ich gern.« Er legte auf. »Sie sagt, wenn Sie gleich losfahren, könnten Sie wahrscheinlich noch den 8-Uhr-25-Flug erreichen.«

Townsend flitzte aus Alans Büro, ohne auch nur »Auf Wiedersehen« zu sagen. Er schwang sich in einen Verlagslieferwagen und chauffierte sich selbst zum Flugplatz, wo er den größten Teil der vergangenen Nacht verbracht hatte. Eines hatte er nicht beachtet, als er sich für Canberra als Verlagssitz entschied: wie oft Flugzeuge hier wegen Nebels nicht landen und starten konnten. Er hatte das Gefühl, in den letzten vier Wochen die Hälfte seiner Zeit damit zugebracht zu haben, sich die Wettervorhersage geben zu lassen, und die andere Hälfte auf der Startbahn zu stehen und widerwilligen Piloten Geld zuzustecken, die allmählich zu den teuersten Zeitungsjungen der Welt wurden.

Natürlich hatte Keith sich über die ersten Erfolge des *Continent* gefreut, dessen Verkaufszahlen rasch auf zweihunderttausend gestiegen waren. Doch die Neuigkeit einer überregionalen Tageszeitung schien sich rasch zu verbrauchen, und die Verkaufszahlen fielen ständig. Alan Rutledge lieferte zwar genau die Zeitung, die Townsend sich vorgestellt und von ihm erwartet hatte, doch war der *Continent* offenbar nicht das Blatt, das die Australier zu brauchen glaubten.

Zum zweiten Mal an diesem Morgen fuhr Townsend auf den Flughafenparkplatz. Diesmal schien die Sonne, und der Nebel hatte sich aufgelöst. Die Maschine nach Sydney startete planmäßig, doch es war nicht der 8-Uhr-25-Flug. Die Stewardess bot Townsend den *Continent* an, aber nur, weil jeder Flieger, der die Hauptstadt verließ, ein kostenloses Exemplar für jeden Passagier bekam. Auf diese Weise hielt sich die Auflage über zweihunderttausend Exemplare und stellte wenigstens die Anzeigenkunden zufrieden.

Keith blätterte in der Zeitung, auf die sein Vater stolz gewesen wäre. Der *Continent* konnte jedem Vergleich mit dem großen Vorbild *Times* standhalten. Und noch etwas hatte die Zeitung mit dem altehrwürdigen britischen Nachrichtenblatt gemein: Sie schrieb zunehmend rote Zahlen. Townsend wusste, dass er das journalistische Niveau beträchtlich senken musste, wollte er je Gewinn machen. Er fragte sich, wie lange Alan Rutledge noch Chefredakteur bleiben würde, wenn er erst erfuhr, was sein Boss vorhatte.

Er blätterte weiter, bis sein Blick auf der Kolumne »Neues aus der Gesellschaft« haften blieb. Seine bevorstehende Trauung mit Susan wurde als »Hochzeit des Jahres« angekündigt. Niemand von Rang und Namen werde sich diese Eheschließung entgehen lassen, prophezeite die Zeitung, abgesehen vielleicht vom Premierminister und Sir Somerset Kenwright. Zumindest an diesem einen Tag würde Keith sich von morgens bis abends in Sydney aufhalten müssen, denn er hatte nicht vor, zu seiner eigenen Hochzeit zu spät zu kommen.

Er wandte sich der letzten Seite zu, um das Radioprogramm durchzusehen. Das Kricketmatch Victoria gegen New South Wales stand an, doch nicht ein Sender übertrug das Spiel, also konnte Keith es nicht im Radio verfolgen. Monatelang hatte er auf alle möglichen angeblich wichtigen Leute Druck ausgeübt, hatte viel Geld in die verschiedensten, angeblich gemeinnützigen Einrichtungen investiert und mittelmäßigen Politikern zu zweifelhaften Wahlsiegen verholfen. Trotzdem war Keith die Konzession für den neuen Sender nicht erteilt worden. Er hatte auf der Besuchertribüne des Repräsentantenhauses gesessen und mit anhören müssen, wie der Postminister verkündete, dass die Konzession einem langjährigen und äußerst spendenfreudigen Mitglied der Liberal Party zugesprochen worden war. Später am selben Abend hatte Senator Hadley Keith wissen lassen, dass er die Ablehnung seines Antrags dem Premierminister höchstpersönlich zu verdanken hatte.

Das sowie der Absatzrückgang beim *Continent,* der finanzielle Verlust bei dem Versuch, die Konzession für den Sender zu bekommen, das ständige Nörgeln seiner Mutter und Susans, dass sie Keith nie zu Gesicht bekamen, trugen nicht gerade dazu bei, dass sich dieses Jahr als ein besonders erfolgreiches erweisen würde.

Kaum war das Flugzeug auf der Landebahn des Kingsford Smith-Flughafens ausgerollt, rannte Townsend die Gangway hinunter, über die Rollbahn, durch die Ankunftshalle und hinaus auf den Bürgersteig, wo der in Sydney zurückgebliebene Sam ihn mit dem Wagen erwartete.

»Was ist das?«, erkundigte sich Townsend und deutete auf eine große, hübsch verpackte Schachtel auf dem Rücksitz.

»Ein Geburtstagsgeschenk für Susan. Heather meinte, es wäre möglich, dass Sie in Canberra nichts Passendes für sie haben finden können.«

»Sie ist ein echter Schatz«, lobte Townsend.

Obwohl Heather erst seit vier Monaten für ihn arbeitete, hatte sie sich bereits als würdige Nachfolgerin Buntys erwiesen.

»Wann sind wir endlich da?«, fragte Townsend mit ungeduldigem Blick auf die Armbanduhr.

»Wenn uns der Verkehr keinen Strich durch die Rechnung macht, Chef, in spätestens zwanzig Minuten.«

Townsend versuchte sich zu entspannen, bekam aber den Gedanken an alles, was er vor der Hochzeit noch erledigen musste, nicht aus dem Kopf. Er bedauerte jetzt schon, sich auf vierzehn Tage Flitterwochen eingelassen zu haben.

Als der Wagen vor einem kleinen Reihenhaus in einem südlichen Vorort von Sydney hielt, beugte Sam sich über die Rückenlehne und reichte seinem Chef das Geschenk. Townsend lächelte, sprang aus dem Wagen und rannte den schmalen Weg zur Haustür hinauf. Susan hatte schon die Tür geöffnet, bevor er dazu gekommen war zu läuten. Offensichtlich wollte sie ihm Vorwürfe machen, was Keith mit einem langen

Kuss verhinderte und ihr dann das Geschenk überreichte. Die erhoffte Wirkung trat ein: Eine lächelnde Susan führte Keith ins Esszimmer, gerade als der Geburtstagskuchen auf dem Servierwägelchen hereingerollt wurde. »Was ist es?«, fragte sie und schüttelte das Paket wie ein Kind.

Fast wäre Keith herausgerutscht, dass er nicht die leiseste Ahnung hatte, doch es gelang ihm gerade noch zu sagen: »Das musst du schon selbst herausfinden. Aber ich glaube, meine Wahl wird dir gefallen.« Es fehlte nicht viel, und er hätte statt »meine Wahl« »die Farbe« gesagt. Er küsste sie auf die Wange und setzte sich auf den leeren Stuhl zwischen Susans Schwester und ihre Mutter. Dann schauten alle zu, wie Susan die lange Schachtel auspackte, den Deckel hob und einen eierschalenfarbenen Kaschmirmantel zum Vorschein brachte, den sie vor etwa einem Monat bei Farmers gesehen hatte. Susan hätte schwören können, dass Keith damals gar nicht dabei gewesen war.

»Woher weißt du, dass das meine Lieblingsfarbe ist?«, fragte sie.

Keith lächelte nur wissend und wandte seine Aufmerksamkeit dem Kuchen auf seinem Teller zu. Dann wurde hauptsächlich über die Pläne für die Hochzeit gesprochen, und Susan warnte Keith zum x-ten Mal, dass Bruce Kellys Ansprache beim Empfang sich auf gar keinen Fall so anhören dürfe wie seine Leitartikel.

Nach dem Essen half Susan ihrer Mutter und ihrer Schwester, den Tisch abzuräumen, während die Männer sich ins Wohnzimmer zurückzogen, wo zu Keith' freudiger Überraschung im Radio das Kricketspiel übertragen wurde.

»Welcher Sender ist das?«, fragte er Susans Vater.

»2 WW, aus Wollongong.«

»Aber in Sydney bekommt man 2 WW doch gar nicht rein.«

»In den südlichen Vororten schon.«

»Wollongong ist ein winziges Kaff, nicht wahr?«

»Als ich ein Junge war, gab's dort zwei Kohlegruben und ein Hotel. Aber in den letzten zehn Jahren hat sich die Einwohnerzahl verdoppelt.«

Keith lauschte weiterhin dem Kommentar des Sportreporters, doch seine Gedanken waren bereits in Wollongong. Als er der Ansicht war, sich unauffällig entfernen zu können, schlenderte er in die Küche, wo die Damen um den Tisch saßen und noch immer die Feinheiten der Hochzeitsfeier besprachen.

»Bist du mit deinem Wagen gekommen, Susan?«, fragte Keith.

»Ja. Ich bin schon gestern hergefahren und habe hier übernachtet.«

»Gut. Ich werde mich jetzt von Sam heimbringen lassen. Ich hab' ein bisschen ein schlechtes Gewissen, weil ich schuld bin, dass er hier so lange herumsitzen musste. Ich nehme an, du kommst in etwa einer Stunde nach?« Keith küsste sie auf die Wange und wandte sich zum Gehen. Er war schon halb an der Gartentür, als Susan klar wurde, dass er Sam längst hätte heimschicken und später mit ihr nach Hause hätte fahren können.

»Zurück nach Darling Point, Chef?«

»Nein«, antwortete Keith. »Nach Wollongong.«

Sam wendete den Wagen und bog am Ende der Siedlungsstraße nach rechts ab, um sich in den aus Sydney kommenden Nachmittagsverkehr auf dem Princes Highway einzufädeln. Keith vermutete, Sam hätte selbst dann mit keiner

Wimper gezuckt, hätte er als Fahrtziel »Wagga Wagga« oder »Broken Hill« genannt.

Binnen Sekunden war Keith eingeschlafen. Er vermutete, dass sich die Fahrt ohnedies als reine Zeitvergeudung herausstellen würde. Als sie an einem Ortsschild vorüberkamen, auf dem »Willkommen in Wollongong« stand, nahm Sam die nächste Kurve etwas schärfer, um seinen Chef auf diese Weise wie üblich aus dem Schlummer zu reißen. »Haben Sie ein bestimmtes Ziel?«, erkundigte sich Sam. »Oder hatten Sie nur vor, eine Kohlegrube zu kaufen?«

»Nein, einen Radiosender«, erwiderte Keith.

»Tja, dann würde ich sagen, er dürfte ganz in der Nähe von dieser riesigen Antenne sein, die da vorn in die Luft ragt.«

»Ich wette, Sie haben als Pfadfinder eine Auszeichnung für Ihre Beobachtungsgabe bekommen, Sam.«

Wenige Minuten später setzte Sam seinen Chef vor einem Haus ab, auf dessen Wellblechdach mit verblassender weißer Farbe »2 WW« gepinselt war.

Townsend stieg aus, rannte die Stufen hoch, schob die Tür auf und trat an einen kleinen Schreibtisch. Die noch sehr junge Empfangsdame hielt mit dem Stricken inne und sah ihn an. »Kann ich Ihnen behilflich sein?«

»Ja«, antwortete Townsend. »Wissen Sie, wem dieser Sender gehört?«

»Ja.«

»Und könnten Sie mir das auch verraten?«

»Ja. Meinem Onkel.«

»Und wer ist Ihr Onkel?«

»Ben Ampthill.« Sie betrachtete Townsend genauer. »Sie sind wohl nicht von hier?«

»Nein«, gestand er.

»Ich hatte gleich das Gefühl, dass ich Sie noch nie vorher gesehen habe.«

»Wissen Sie, wo er wohnt?«

»Wer?«

»Ihr Onkel.«

»Ja. Natürlich.«

»Und wäre es auch möglich, dass Sie mir sagen, wo das ist?« Townsend bemühte sich, seinen Ärger nicht zu zeigen.

»Na klar. In dem großen weißen Haus auf dem Hügel in Woonona. Gleich vor der Stadt. Unmöglich zu übersehen.«

Townsend stürmte aus dem Schuppen, sprang wieder in den Wagen und gab die Wegbeschreibung an Sam weiter.

In einem hatte die junge Empfangsdame recht: Das große weiße Haus auf dem Hügel war unmöglich zu übersehen. Sam bog von der Landstraße ab und verlangsamte das Tempo, als er durch das breite, schmiedeeiserne Tor zum Haus fuhr. Vor einem eleganten Portikus hielt er an.

Mit dem schweren schwarzen Türklopfer schlug Townsend gegen das Holz und wartete geduldig. Er hatte sich seine Worte bereits zurechtgelegt: Verzeihen Sie, dass ich Sie an einem Sonntagnachmittag belästige, aber ich würde gern Mr. Ampthill sprechen.

Die Tür wurde von einer Frau mittleren Alters in einem eleganten Kleid mit Blumenmuster geöffnet. Es sah so aus, als hätte sie ihn erwartet.

»Mrs. Ampthill?«

»Ja. Wie kann ich Ihnen behilflich sein?«

»Mein Name ist Keith Townsend. Entschuldigen Sie, dass ich Sie an einem Sonntagnachmittag belästige, aber ich kam in der Hoffnung hierher, mit Ihrem Gemahl sprechen zu können.«

»Meine Nichte hatte recht«, sagte Mrs. Ampthill. »Sie sind nicht von hier, sonst wüssten Sie, dass Ben von Montag bis Freitag im Verwaltungsbüro der Bergbaugesellschaft zu finden ist, sich den Samstag freihält, um Golf zu spielen, am Sonntagmorgen zur Kirche geht und den Nachmittag im Sender verbringt, um sich die Sportveranstaltungen anzuhören, vor allem Kricket. Ich glaube, das war der einzige Grund, dass er den Sender überhaupt gekauft hat.«

Townsend lächelte über diese zuvorkommende Auskunft. »Danke für Ihre Hilfe, Mrs. Ampthill. Es tut mir leid, dass ich Sie gestört habe.«

»Das haben Sie nicht«, versicherte sie ihm und blickte ihm nach, bis er wieder im Wagen saß.

»Zurück zum Sender, Sam«, sagte Townsend und gab seinen Fehler unwillig zu.

Als er zum zweiten Mal zum Vorzimmerschreibtisch trat, fragte er sofort: »Warum haben Sie mir nicht gesagt, dass Ihr Onkel die ganze Zeit hier war?«

»Weil Sie nicht gefragt haben.« Das junge Mädchen blickte nicht einmal von ihrem Strickzeug auf.

»Also, wo *genau* ist er?«

»In seinem Büro.«

»Und wo ist sein Büro?«

»Im dritten Stock.«

»Dieses Hauses?«

»Natürlich.« Sie sah ihn an, als hätte sie es mit einem Schwachkopf zu tun.

Da es hier keinen Fahrstuhl zu geben schien, rannte Townsend die Treppe zum dritten Stock hinauf und dort den Korridor entlang, allerdings war nirgends ein Schild oder irgendetwas anderes zu sehen, das ihm verraten könnte, hinter welcher Tür sich Mr. Ampthills Büro befand. Er hatte bereits an mehrere Türen geklopft, ehe schließlich jemand »Herein« rief.

Townsend drückte die Tür auf und sah sich einem dicken Mann mit schütterem Haar gegenüber. Die Füße auf den Schreibtisch gelegt, hörte er sich gerade die Übertragung der letzten Minuten des Kricketspiels an, die Townsend früher an diesem Nachmittag mit Susans Vater verfolgt hatte. Er schwang herum, warf einen Blick auf seinen Besucher und sagte: »Setzen Sie sich, Mr. Townsend, aber sagen Sie noch nichts. Wir brauchen nur noch elf Runs für den Sieg.«

»Ich hoffe, es klappt. Ich bin ein großer Fan von New South Wales«, sagte Townsend.

Ben Ampthill lächelte, als der nächste Ball zur Spielfeldgrenze geschlagen wurde. Ohne Townsend anzusehen, lehnte er sich nun zurück und reichte ihm eine Flasche Bier samt Öffner.

»Noch etwa zwei Bälle, dann dürften wir's geschafft haben, und ich stehe Ihnen zur Verfügung«, versprach er.

Beide schwiegen, bis die letzten sieben Runs das Spiel für das Team von New South Wales entschieden. Mr. Ampthill lehnte sich vor, stieß die Faust in die Luft und sagte: »Jetzt dürfte uns das Sheffield Shield sicher sein.« Er nahm die Füße vom Schreibtisch, schwang herum, streckte die Rechte aus und sagte: »Ich bin Ben Ampthill.«

Keith schüttelte die dargebotene Hand. »Keith Townsend.«

Ampthill nickte. »Ja, ich weiß, wer Sie sind. Meine Frau hat mich angerufen und gesagt, dass Sie oben am Haus waren. Sie meinte, Sie wären vielleicht Vertreter, weil Sie an einem Sonntagnachmittag so einen auffallenden Anzug tragen, noch dazu mit Krawatte.«

Armstrong unterdrückte ein Lachen. »Nein, Mr. Ampthill, ich bin kein …«

»Nennen Sie mich Ben, das tut jeder.«

»Gut, Ben. Nein, ich bin kein Verkäufer, sondern Käufer.«

»Und was möchten Sie kaufen, junger Mann?«

»Ihre Rundfunkstation.«

»Die steht nicht zum Verkauf, Keith. Es sei denn, Sie nehmen unser Lokalblatt und ein Null-Sterne-Hotel dazu. Dann bekämen Sie sogar noch zwei Kohlegruben als Zugabe.«

»Wem gehört denn die Rundfunkgesellschaft?« erkundigte sich Townsend. »Es wäre ja möglich, dass die Aktionäre …«

»Es gibt nur zwei Aktionäre«, erklärte Ben. »Pearl und mich. Also, selbst wenn ich zum Verkauf bereit wäre, müssten wir erst noch Pearl überzeugen.«

»Aber wenn Ihnen die Gesellschaft gehört …«, Townsend stockte, »… gemeinsam mit Ihrer Frau, liegt es doch in Ihrem Ermessen, mir den Sender zu verkaufen.«

»Sicher, aber ich tu's nicht. Wenn Sie den Sender haben wollen, wird Ihnen gar nichts anderes übrig bleiben, als alles mitzukaufen, was dazugehört.«

Nach ein paar weiteren Flaschen Bier und über einer Stunde Feilschen war Townsend klar, dass Bens Nichte ganz und gar nicht nach seiner Seite der Familie geschlagen war.

Als Townsend endlich aus Bens Büro kam, war es stockdunkel, und das Mädchen am Empfang war verschwunden. Townsend ließ sich auf den Beifahrersitz fallen und bat Sam, ihn zurück zum Haus der Ampthills zu fahren. »Übrigens«, sagte er, als Sam den Wagen wieder einmal wendete, »Sie haben recht gehabt, was die Kohlegruben betrifft. Ich bin jetzt stolzer Besitzer von zwei Gruben, einer Lokalzeitung und einem Hotel. Und vor allem von einem Radiosender. Aber das Geschäft kann erst endgültig abgeschlossen werden, nachdem ich mit der zweiten Hauptaktionärin zu Abend gegessen habe, damit sie sich ein Bild von mir machen kann.«

Als Keith in dieser Nacht gegen eins ins Haus schlich, wunderte es ihn nicht, dass Susan bereits schlief. Leise schloss er die Schlafzimmertür und ging hinunter in sein Arbeitszimmer, wo er sich an seinem Schreibtisch Notizen machte. Es dauerte nicht lange, und er fragte sich, wann er wohl seinen Anwalt frühestens anrufen konnte. Schließlich entschied er sich für sechs Uhr fünfunddreißig und nutzte die verbleibende Zeit, um zu duschen, sich anzuziehen, einen Koffer zu packen, sich Frühstück zu machen und die ersten Ausgaben der diversen Zeitungen von Sidney zu lesen, die ihm jeden Morgen gegen fünf zugestellt wurden.

Um fünfundzwanzig Minuten vor sieben verließ Townsend die Küche, um in sein Arbeitszimmer zurückzukehren. Dort wählte er die Nummer seines Anwalts. Eine schläfrige Stimme meldete sich am Telefon.

»Guten Morgen, Clive. Ich dachte, ich sollte Sie wissen lassen, dass ich soeben eine Kohlegrube gekauft habe ... oder vielmehr zwei.«

»Warum, in aller Welt, haben Sie *das* denn gemacht, Keith?«, fragte eine jetzt schon deutlich wacher klingende Stimme. Townsend brauchte vierzig Minuten, dem Anwalt zu erklären, wie er den vergangenen Nachmittag verbracht hatte, und nannte den Preis, auf den er sich mit Mr. Ampthill geeinigt hatte. Clives Bleistift huschte derweil unablässig über den Notizblock, der für den Fall, dass Townsend anrief, stets neben seinem Bett bereit lag.

»Tja, man braucht nun wirklich kein Wirtschaftsfachmann zu sein, um zu erkennen, dass Mr. Ampthill ein gutes Geschäft gemacht hat«, meinte Clive, als sein Klient geendet hatte.

»Das kann man wohl sagen«, entgegnete Townsend. »Und wenn ihm danach gewesen wäre, hätte er mich obendrein noch mühelos unter den Tisch trinken können.«

»Gut, ich werde Sie am Vormittag anrufen, dann können wir alles Nähere besprechen.«

»Geht nicht«, erwiderte Townsend. »Ich muss den ersten Flieger nach New York erwischen, wenn dieses Geschäft sich lohnen soll. Am besten, Sie gehen die Einzelheiten mit Ben Ampthill durch. Er gehört nicht zu den Leuten, die ihr Wort zurückziehen.«

»Aber ich brauche Ihre genauen Anweisungen!«

»Die habe ich Ihnen soeben erteilt. Sehen Sie jetzt zu, dass der Vertrag unterzeichnungsfertig ist, sobald ich zurückkomme.«

»Wie lange werden Sie denn weg sein?«, fragte Clive.

»Vier Tage, höchstens fünf.«

»Können Sie denn in fünf Tagen alles erledigen, was Sie sich vorgenommen haben?«

»Wenn nicht, werde ich mein Geld mit den Kohlegruben verdienen müssen.«

Nachdem Townsend aufgelegt hatte, kehrte er ins Schlafzimmer zurück, um seinen Koffer zu holen. Er beschloss, Susan nicht zu wecken. So von einem Moment auf den anderen nach New York zu fliegen würde ihn nur wieder enervierende, zeitraubende Erklärungen kosten. Er kritzelte ein paar Zeilen für sie auf einen Notizblock und legte den Zettel auf das Tischchen in der Diele.

Als Townsend seinem Fahrer Sam einen guten Morgen wünschte, musste er unwillkürlich denken, dass dieser aussah, als habe er ebenfalls nicht viel geschlafen. Am Flughafen ließ er Sam wissen, er werde irgendwann am Freitag zurückkommen.

»Vergessen Sie nicht, dass Sie am Samstag heiraten, Chef.«

»Keine Angst, das könnte noch nicht mal *ich* vergessen. Ich sehe zu, dass ich mindestens vierundzwanzig Stunden vorher zurück bin.«

Im Flugzeug schlief Townsend ein, kaum dass er sich angeschnallt hatte. Als er einige Stunden später aufwachte, wusste er nicht, wohin er flog oder warum. Doch dann erinnerte er sich. Er und sein Radioteam waren im Zuge der Vorbereitungen für die erhoffte Senderkonzession dreimal in New York gewesen. Sie hatten dabei nicht nur Verbindung zu amerikanischen Sendern und Agenturen aufgenommen, sondern auch gleich Verhandlungen eingeleitet, die eine sofortige Programmübernahme ermöglicht hätten, wäre Townsend die Konzession zugesprochen worden. Jetzt beabsichtigte er, den Nutzen aus diesen langen, harten Vorarbeiten zu ziehen.

Mit dem Taxi fuhr er vom Flughafen zum Hotel Pierre. Obwohl alle vier Wagenfenster heruntergekurbelt waren, hatte Townsend längst seine Krawatte abgenommen und den Hemdkragen geöffnet, bevor er vor dem Hotel abgesetzt wurde.

Der Portier begrüßte ihn, als wäre er in diesem Jahr fünfzig Mal nach New York gekommen, und wies einen Pagen an, Mr. Townsend zu »seinem üblichen Zimmer« zu bringen. Nachdem er ein zweites Mal an diesem Tag geduscht, sich umgezogen, ein spätes Frühstück zu sich genommen und mehrere Anrufe getätigt hatte, fuhr er von einem Agenten, einem Sender und einem Studio zum anderen, um zu versuchen, beim Frühstück, Lunch, Dinner und manchmal spät in der Nacht Dinge unter Dach und Fach zu bringen.

Vier Tage später hatte er die australischen Rechte für die meisten Spitzenprogramme der amerikanischen Rundfunksender in der kommenden Saison aufgekauft sowie eine Option für weitere vier Jahre ausgehandelt. Den letzten Vertrag unterzeichnete er nur zwei Stunden vor seinem Abflug nach Sydney. Dann stopfte er seine schmutzige Kleidung in einen Koffer – er hielt nichts von unnötigen Kosten – und nahm sich ein Taxi zum Flughafen.

Sobald die Maschine in der Luft war, entwarf er einen Artikel von fünfhundert Wörtern, den er mehrmals umschrieb, bis er ihn als gut genug für die Titelseite erachtete. Während des Zwischenaufenthalts in Los Angeles suchte Keith die nächste Telefonzelle auf und rief Bruce Kellys Büro an. Er wunderte sich, dass der Chefredakteur nicht an seinem Schreibtisch saß. Kellys Stellvertreter versicherte Keith, dass noch genug Zeit sei, den Artikel in die neueste Ausgabe zu nehmen, bevor der *Chronicle* in Druck ging, und wies ihm rasch eine Stenotypistin zu. Während Townsend den Text diktierte, fragte er sich, wann Hacker und Kenwright ihn anrufen und anflehen würden, mit ihnen zu verhandeln. Schließlich war er nun in die bisher konkurrenzlose, behagliche Ruhe ihres Rundfunkkartells eingebrochen.

Townsends Name wurde über Lautsprecher ausgerufen, und er musste den gesamten Weg zum Flugzeug zurückrennen. Die Einstiegstür der Maschine wurde geschlossen, unmittelbar nachdem er an Bord war. Wieder schlief er sofort ein, sobald er saß, und erwachte erst, als der Flieger am nächsten Morgen in Sydney landete.

Während Townsend auf seinen Koffer wartete, rief er Clive Jervis an. »Ich hoffe, ich habe Sie nicht aus dem Bett geholt«, sagte er.

»Keineswegs, ich bin gerade in meinen Cut geschlüpft«, erwiderte der Anwalt.

Townsend wollte schon fragen, zu wessen Hochzeit Clive wolle, doch im Moment interessierte ihn nur, ob Ampthill den Vertrag unterzeichnet hatte.

»Bevor Sie danach fragen, möchte ich Ihnen mitteilen«, kam Clive ihm zuvor, »dass Sie jetzt der stolze Eigentümer der *Wollongong Times,* des Grand Hotel Wollongong, zweier Kohlegruben und eines als 2 WW bekannten Rundfunksenders sind, den ein paar Hinterwäldler im tiefsten Süden sowie die Bewohner der südlichen Vororte von Sydney empfangen können. Ich hoffe, Sie wissen, was Sie da tun, Keith, denn ich weiß es mit Sicherheit nicht.«

»Lesen Sie die Titelseite des heutigen *Chronicle*«, riet Townsend. »Das könnte Ihnen einen Hinweis geben.«

»Am Samstagmorgen lese ich nie Zeitung«, entgegnete Clive. »Ich finde, wenigstens *einen* Tag in der Woche kann ich mir das gönnen.«

»Aber heute ist Freitag«, entgegnete Townsend.

»In New York mag ja Freitag sein«, erwiderte Clive, »aber ich kann Ihnen versichern, hier in Sydney ist Samstag. Also, dann. Wir sehen uns in einer Stunde in der Kirche.«

»O Gott!«, schrie Townsend. Er ließ den Hörer fallen, raste ohne sein Gepäck aus der Zollabfertigung und sah einen sichtlich besorgten Sam neben dem Wagen stehen. Townsend schwang sich auf den Beifahrersitz. »Ich dachte, wir haben Freitag«, stieß er hervor.

»Nein, Sir, ich fürchte, wir haben Samstag. Und Ihre Trauung soll in genau sechsundfünfzig Minuten stattfinden.«

»Aber dann bleibt mir ja nicht einmal genug Zeit, nach Hause zu fahren und mich umzuziehen!«

»Machen Sie sich deshalb keine Gedanken«, beruhigte ihn Sam. »Alles, was Sie brauchen, hat Heather auf dem Rücksitz hergerichtet.«

Keith verrenkte sich beinahe den Kopf, als er sich umdrehte. Ordentlich ausgebreitet, lag die gesamte Kleidung auf der Rückbank, dazu goldene Manschettenknöpfe und eine rote Nelke. Keith schlüpfte rasch aus seinem Jackett und knöpfte sich das Hemd auf.

»Schaffen wir's rechtzeitig?«, fragte er.

»Wir dürften fünf Minuten bevor es losgeht, bei St. Peter sein«, antwortete Sam, während Keith sein schmutziges Hemd hinten im Wagen auf den Boden warf. Sam machte eine Pause. »Solange der Verkehr nicht stockt und alle Ampeln auf Grün stehen.«

»Warum sollte ich mir dann noch Sorgen machen?« Keith zwängte den rechten Arm in den linken Ärmel eines gestärkten Hemdes.

»Sie werden feststellen, dass Heather und Bruce an alles gedacht haben«, versicherte ihm Sam.

Keith gelang es endlich, den Arm in den richtigen Ärmel zu bekommen, und fragte dann, ob Susan wisse, dass er eben erst zurückgekommen war.

»Das glaube ich nicht«, antwortete Sam. »Die letzten Tage war sie bei ihrer Schwester in Kogarah. Von dort wird sie direkt zur Kirche gebracht. Sie hat heute Morgen zweimal angerufen. Ich habe ihr gesagt, Sie wären unter der Dusche.«

»Ich könnte wirklich eine brauchen.«

»Ich hätte sie anrufen müssen, wenn Sie nicht mit diesem Flug gekommen wären.«

»Schon klar, Sam. Vielleicht sollten wir hoffen, dass die Braut die traditionellen paar Minuten zu spät kommt.« Keith lehnte sich zurück und griff nach einer grau gestreiften Hose, an der bereits die Hosenträger festgeklammert waren. Er hatte weder die eine noch die anderen je gesehen.

Sam versuchte ein Gähnen zu unterdrücken.

Keith wandte sich zu ihm. »Sagen Sie bloß nicht, dass Sie die letzten vierundzwanzig Stunden am Flughafen auf mich gewartet haben.«

»Die letzten sechsunddreißig, Sir. Sie hatten ja gesagt, dass Sie irgendwann am Freitag zurückkommen würden.«

»Oh, das tut mir leid. Ihre Frau muss schrecklich wütend auf mich sein.«

»Es ist ihr völlig egal, Sir.«

»Wieso?«, fragte Keith erstaunt und mühte sich damit ab, die Hose zuzuknöpfen, während der Wagen mit fünfzig Meilen pro Stunde um eine Kurve jagte.

»Weil sie mich letzten Monat verlassen und bereits die Scheidung eingereicht hat.«

»Das tut mir aufrichtig leid«, sagte Keith leise.

»Machen Sie sich deshalb keine Gedanken, Chef. Meine Frau konnte sich nie mit dem Leben abfinden, das ein Chauffeur nun mal führen muss.«

»War es meine Schuld?«

»Ganz gewiss nicht«, versicherte ihm Sam. »Es war sogar

noch schlimmer, als ich noch Taxi fuhr. Nein, um ehrlich zu sein, mir gefällt dieser Job, aber meiner Frau haben die unregelmäßigen Arbeitszeiten zu schaffen gemacht.«

»Und Sie haben elf Jahre gebraucht, um das zu erkennen?« Keith beugte sich vor, damit er in die graue Frackjacke schlüpfen konnte.

»Ich glaube, uns beiden war das schon ziemlich lange klar«, antwortete Sam. »Aber irgendwann konnte ich ihr Genörgel nicht mehr aushalten, dass sie nie sicher sein könnte, wann ich nach Hause komme.«

»Nie sicher sein, wann Sie nach Hause kommen?«, wiederholte Keith, als sie erneut um eine Kurve brausten.

»Ja. Sie konnte einfach nicht begreifen, warum ich nicht um fünf Uhr Nachmittag Feierabend machte wie jeder normale Ehemann.«

»Dieses Problem verstehe ich nur zu gut.« Keith nickte. »Sie sind nicht der Einzige, der damit leben muss.«

Den Rest der Fahrt schwiegen beide. Sam, weil er sich darauf konzentrierte, die am wenigsten verstopfte Fahrspur zu nehmen, was ihm ein paar Sekunden Zeitgewinn einbrachte; Keith, weil er über Susan nachdachte, während er seine Fliege zum dritten Mal neu band.

Er steckte sich die Nelke ans Revers, als der Wagen auf die Straße einbog, die zu St. Peter führte. Er konnte bereits die Glocken läuten hören. Der Erste, den Keith sah, war ein besorgt aussehender Bruce Kelly, der mitten auf der Straße stand und in ihre Richtung spähte. Erleichterung huschte über sein Gesicht, als er den Wagen erkannte.

»Genau, wie ich es Ihnen versprochen habe, Chef.« Sam schaltete in den dritten Gang zurück. »Wir haben noch fünf Minuten.«

»Oder elf Jahre, es zu bereuen«, sagte Keith leise.

»Wie bitte, Sir?«, fragte Sam, als er kurz das Bremspedal trat und dabei den zweiten Gang einlegte.

»Nichts, Sam. Sie haben mir nur gerade klargemacht, dass diese Sache hier ein Risiko ist, das ich nicht einzugehen bereit bin.« Er hielt einen Moment inne, und kurz bevor der Wagen sein Ziel vor der Kirchentreppe erreichte, sagte er entschlossen: »Halten Sie nicht an, Sam. Fahren Sie einfach weiter.«

17

The Times

24. März 1948

Berlin-Konferenzen unter Ausschluss der Sowjetunion

»Außerordentlich liebenswürdig, Captain Armstrong, dass Sie sich so schnell Zeit für mich genommen haben.«

»Das ist doch selbstverständlich, Julius. In schweren Zeiten müssen wir Juden zusammenhalten.« Armstrong klopfte Julius Hahn auf die Schulter. »Sagen Sie mir, wie ich Ihnen helfen kann.«

Hahn schritt in seinem Büro auf und ab, während er Armstrong die Katastrophen aufzählte, die in den vergangenen zwei Monaten über sein Unternehmen hereingebrochen waren. Armstrong hörte aufmerksam zu. Schließlich kehrte Hahn auf seinen Schreibtischsessel zurück und fragte: »Glauben Sie, dass Sie irgendetwas für mich tun können?«

»Das würde ich wirklich gern, Julius, aber wie Sie wissen – vermutlich besser als andere –, haben der amerikanische und der russische Sektor ihre eigenen Gesetze.«

»Diese Antwort hatte ich schon befürchtet«, sagte Hahn. »Aber Arno hat mir so oft erzählt, dass Ihr Einfluss weit über den britischen Sektor hinausreicht. Ich hätte nie auch nur in Erwägung gezogen, Sie zu belästigen, wäre meine Lage nicht so verzweifelt.«

»Verzweifelt?«

»Ja, ich fürchte, das ist das einzige zutreffende Wort«, erwiderte Hahn. »Wenn die derzeitigen Probleme noch drei oder vier Wochen anhalten, werden selbst einige meiner ältesten Kunden ihr Vertrauen in meine kaufmännischen Fähigkeiten verlieren, und dann muss ich einen, wenn nicht sogar zwei meiner Betriebe schließen.«

»Ich hatte ja keine Ahnung, dass es so schlimm ist«, sagte Armstrong.

»Sogar noch schlimmer. Ich kann es zwar nicht beweisen, aber ich habe das Gefühl, dass Captain Sackville dahintersteckt. Aus irgendeinem Grund ist mir der Mann nie grün gewesen.« Nach einer kurzen Pause fügte Hahn hinzu: »Glauben Sie, dass er womöglich einfach Antisemit ist?«

»Den Eindruck hatte ich eigentlich nicht«, erwiderte Armstrong. »Aber so gut kenne ich ihn ja auch nicht. Gut, ich werde mal sehen, ob ich Ihnen durch meine Beziehungen irgendwie helfen kann.«

»Das ist sehr freundlich von Ihnen, Captain Armstrong. Wenn Sie mir behilflich sein könnten, wäre ich Ihnen auf ewig dankbar.«

»Schon gut, Julius.«

Armstrong verließ Hahns Büro und wies seinen Fahrer an, ihn in den französischen Sektor zu bringen, wo er ein Dutzend Flaschen Johnny Walker Black Label gegen eine Kiste Rotwein eintauschte, den nicht einmal Feldmarschall Auchinleck bei seinem kürzlichen Besuch zu kosten bekommen hatte.

Auf dem Rückweg in den britischen Sektor beschloss Armstrong, bei Arno Schultz vorbeizuschauen, um festzustellen, ob Hahn ihn tatsächlich über alles informiert hatte.

Als er das Büro des *Telegraf* betrat, wunderte er sich, dass Arno nicht an seinem Schreibtisch saß. Sein Stellvertreter, dessen Namen Armstrong sich nie merken konnte, erklärte dem Captain, Herr Schultz habe eine 24-Stunden-Genehmigung bekommen, seinen Bruder im russischen Sektor zu besuchen. Armstrong hatte nicht einmal von der Existenz dieses Bruders gewusst. »Captain Armstrong«, sagte der Stellvertreter, »ich kann Ihnen die erfreuliche Mitteilung machen, dass wir gestern Abend erneut vierhunderttausend Exemplare drucken mussten.«

Armstrong nickte und verließ das Büro. Alles lief so, wie er es geplant hatte. Hahn würde gar nichts anderes übrig bleiben, als auf seine Bedingungen einzugehen, wenn er im Geschäft bleiben wollte. Armstrong blickte auf die Uhr und wies Benson an, ihn zu Captain Hallets Büro zu fahren. Dort angekommen, stellte er die Kiste mit dem Dutzend Rotweinflaschen kommentarlos auf Hallets Schreibtisch. »Ich weiß wirklich nicht, wie Sie das fertigbringen«, freute sich Hallet. Dann öffnete er die obere Schreibtischschublade und nahm ein amtlich aussehendes Dokument heraus.

»Jeder sollte das tun, was er am besten kann«, zitierte Armstrong eine Binsenweisheit, die er erst gestern von Colonel Oakshott gehört hatte.

Die nächste Stunde gingen die beiden Männer den Vertragsentwurf Absatz für Absatz durch, bis Dick sicher sein konnte, dass er alles begriffen hatte – auch was zwischen den Zeilen stand –, und dass sämtliche Bedingungen seinen Anforderungen entsprachen.

»Wenn Hahn sich bereit erklärt zu unterschreiben, kann ich mich dann darauf verlassen, dass der Vertrag auch vor einem englischen Gericht wasserdicht ist?«, fragte Armstrong, nachdem sie den letzten Paragrafen abgehakt hatten.

»Absolut«, versicherte ihm Stephen.

»Und vor einem deutschen Gericht?«

»Ebenfalls. Der Vertrag ist wirklich völlig wasserdicht. Ich muss allerdings zugeben, ich verstehe immer noch nicht …«, der Anwalt zögerte kurz, »weshalb Hahn sich im Tausch gegen den *Telegraf* von einem so großen Teil seines Imperiums trennt.«

»Sagen wir ganz einfach – ich bin in der Lage, Hahn in bestimmter Hinsicht unter die Arme zu greifen.« Armstrong legte eine Hand auf die Kiste Rotwein.

»Ja, natürlich.« Hallet erhob sich von seinem Schreibtischsessel. »Übrigens, Dick, ich habe endlich meine Entlassungspapiere bekommen und werde schon bald nach Hause zurückkehren, in die gute alte Heimat.«

»Herzlichen Glückwunsch, lieber Freund«, gratulierte ihm Armstrong. »Das ist ja eine großartige Neuigkeit.«

»Ja, nicht wahr? Und falls du je einen Anwalt brauchen solltest, wenn du wieder in England bist …«

Als Armstrong zwanzig Minuten später in seine Dienststelle zurückkehrte, teilte Sally ihm mit, dass in seinem Büro ein Besucher auf ihn warte, der behauptete, ein enger Freund von ihm zu sein. Sie habe ihn allerdings noch nie zuvor gesehen.

Armstrong öffnete die Tür und sah Max Sackville im Büro auf und ab stapfen. »Mit der Wette ist es aus, alter Kumpel«, sagte Sackville, kaum dass er Armstrong erblickt hatte.

»Was soll das heißen?« Armstrong schob den Vertrag in

die obere Schublade seines Schreibtischs und drehte den Schlüssel um.

»Genau, was ich gesagt habe – aus und vorbei. Meine Papiere sind endlich da. Ende des Monats geht's zurück nach North Carolina. Ist das nicht toll?«

»Und wie. Denn wenn du nicht mehr da bist, wird Hahn glimpflich davonkommen, und dann hält mich nichts mehr davon ab, meine tausend Dollar von dir zu kassieren.«

Sackville starrte ihn an. »Du würdest einen alten Kumpel doch nicht zwingen, seine Wettschuld einzulösen, wenn die Umstände sich geändert haben?«

»Todsicher sogar, alter Kumpel!«, entgegnete Armstrong. »Und außerdem, solltest du versuchen, dich um die tausend Mäuse zu drücken, weiß es morgen um diese Zeit der ganze amerikanische Sektor.« Armstrong beobachtete, wie sich auf der Stirn des Amerikaners Schweißperlen bildeten. Er wartete eine Zeit lang und sagte dann: »Weißt du was, Max. Ich geb' mich mit siebenhundertfünfzig Dollar zufrieden. Aber nur, wenn du sie heute noch hinblätterst.«

Fast eine Minute lang herrschte Schweigen, dann leckte Max sich die Lippen. »Nichts zu machen. Bis Ende des Monats kann ich Hahn immer noch kleinkriegen. Ich muss die ganze Sache nur ein bisschen beschleunigen … alter Kumpel.«

Er stürmte aus dem Büro. Armstrong war sich nicht so sicher, dass Max es allein schaffen würde. Vielleicht wurde es Zeit, ein wenig nachzuhelfen. Armstrong griff nach dem Telefon und teilte Sally mit, dass er mindestens eine Stunde lang nicht gestört werden wollte.

Nachdem er die beiden Artikel mit einem Finger mühsam zu Ende getippt hatte, las er sie sorgfältig durch und nahm noch ein paar kleinere Verbesserungen vor. Dann steckte er das eine Blatt in einen unbeschrifteten beigefarbenen Umschlag und klebte ihn zu. Das zweite Blatt faltete er zusammen und schob es sich in die Brusttasche. Wieder griff er nach dem Telefon und bat Sally, seinen Fahrer hereinzuschicken. Benson hörte sich aufmerksam an, was sein Captain ihm auftrug, und bat ihn anschließend, seine Anordnungen noch einmal zu wiederholen, um sicherzugehen, dass er auch wirklich nichts missverstanden hatte – insbesondere das Detail, dass er Zivil tragen sollte.

»Und kein Wort über dieses Gespräch je zu irgendjemandem, Reg – zu keiner Menschenseele. Ist das klar?«

»Jawohl, Sir!« Benson nahm den Umschlag, schlug die Hacken zusammen und verließ das Büro.

Armstrong lächelte und bat Sally, ihm die Post hereinzubringen. Er wusste, dass die ersten Exemplare der Morgenausgabe des *Telegraf* erst kurz vor Mitternacht am Bahnhofskiosk erhältlich sein würden, im amerikanischen und russischen Sektor frühestens eine Stunde später. In diesem Fall war das Timing von allergrößter Bedeutung.

Den Rest des Tages verbrachte Armstrong an seinem Schreibtisch und ging mit Lieutenant Wakeham die neuesten Vertriebszahlen durch. Zwischendurch rief er Colonel Oakshott an und las ihm den Artikel vor, den er zu veröffentlichen beabsichtigte. Der Colonel war der Ansicht, kein einziges Wort müsse geändert werden, und erklärte sich damit einverstanden, dass der Text am nächsten Morgen auf der Titelseite des *Telegraf* erschien.

Um achtzehn Uhr kehrte Benson zurück, jetzt wieder in Uniform, und fuhr Armstrong zu seiner Wohnung, wo er einen angenehmen Abend mit Charlotte verbrachte. Sie wirkte überrascht und erfreut, dass ihr Mann ausnahmsweise einmal so früh nach Hause kam. Nachdem Armstrong David ins Bett gebracht hatte, aßen sie zu Abend, und er nahm sich zweimal Nachschlag von seinem Lieblingseintopf. Charlotte hielt es für besser, nicht zu erwähnen, dass Dick in letzter Zeit ein wenig zugenommen hatte.

Kurz nach dreiundzwanzig Uhr meinte Charlotte, es wäre Zeit, zu Bett zu gehen. Dick pflichtete ihr bei, sagte jedoch: »Ich will mir bloß noch rasch die Zeitung holen. Bin in ein paar Minuten zurück.« Er sah auf die Uhr: Inzwischen war es zehn Minuten vor Mitternacht. Gemächlich schlenderte Dick zum Bahnhof und traf dort noch vor dem *Telegraf* ein.

Wieder schaute er auf die Uhr. Die Auslieferungsfahrer waren heute ein wenig spät dran. Wahrscheinlich lag es daran, dass Arno sich bei seinem Bruder im russischen Sektor aufhielt. Doch Armstrong musste nur noch wenige Minuten zu warten, bis der vertraute rote Lieferwagen um die Ecke bog und vor dem Bahnhofseingang anhielt. Er huschte hinter eine große Säule und wartete, bis der Zeitungspacken aufs Pflaster klatschte und der Wagen in Richtung russischer Sektor weiterfuhr.

Ein Mann kam aus dem Bahnhof und beugte sich über den Packen, um die Schnur aufzubinden. Armstrong ging zu ihm und blieb neben ihm stehen. Der Mann blickte auf, und als er sah, um wen es sich handelte, nickte er Dick zu und reichte ihm das oberste Exemplar.

Sofort las Armstrong den Artikel auf der Titelseite, um sich zu vergewissern, dass nichts daran geändert worden war. Er lächelte zufrieden. Alles, einschließlich der Überschrift, war genauso, wie er es getippt hatte.

BEKANNTER VERLEGER VOR DEM BANKROTT

Julius Hahn, Direktor des bekannten Verlagshauses, das seinen Namen trägt, hat sich am gestrigen Abend geweigert, eine öffentliche Erklärung über die Zukunft seines Unternehmens abzugeben, obwohl seine Druck- und Verlagshäuser unter zunehmendem wirtschaftlichen Druck stehen.

Hahns bekannteste Tageszeitung, *Der Berliner,* ist seit fast einer Woche aus den Kiosken verschwunden. Und noch mehr Zeit ist vergangen, seit einige seiner Wochen- und Monatszeitschriften nicht mehr erschienen sind. Ein führender Grossist äußerte gestern Abend: »Wir wissen im Augenblick nicht, ob Hahn überhaupt noch imstande ist, Zeitungen und Zeitschriften auf den Markt zu bringen, und müssen deshalb über Alternativen nachdenken.

Hahn, der den Tag mit seinen Anwälten und Finanzberatern verbrachte, war für eine Stellungnahme nicht erreichbar. Ein Firmensprecher räumte jedoch ein, dass Hahns Unternehmen seine für das kommende Jahr prognostizierten Erwartungen nicht erreichen werde. Als es am Abend schließlich gelang, mit Herrn Hahn Verbindung aufzunehmen, war dieser nicht bereit, sich über die Zukunft des Unternehmens zu äußern.«

Armstrong lächelte und blickte wieder auf die Uhr. Die zweite Auflage dürfte in diesem Moment aus den Pressen kommen, allerdings noch nicht gebündelt und für die zurückkehrenden Lieferwagen bereit sein. Entschlossen setzte er sich in Richtung *Telegraf* in Bewegung, wo er siebzehn Minuten später eintraf. Er marschierte hinein und verlangte lauthals, wer auch immer Herrn Schultz vertrete, solle augenblicklich zu ihm in dessen Büro kommen. Ein Mann, den Armstrong auf der Straße nicht erkannt hätte, kam hereingeeilt.

»Wer ist für das hier verantwortlich?«, donnerte Armstrong und schmetterte das Exemplar der ersten Ausgabe auf den Schreibtisch.

»Sie, Sir«, antwortete der Redakteur erstaunt.

»Was soll das heißen?«, brüllte Armstrong. »Damit hatte ich nichts zu tun!«

»Aber der Artikel wurde uns direkt von Ihrem Büro geschickt, Sir!«

»Nicht von mir!«

»Aber der Mann sagte, Sie hätten ihm den Text persönlich übergeben, mit dem Auftrag ihn hierher zu bringen.«

»Was für ein Mann? Kennen Sie ihn?«

»Nein, Sir, aber er hat mir versichert, dass er direkt von Ihrem Büro gekommen sei.«

»Wie war er gekleidet?«

Der stellvertretende Chefredakteur überlegte. »Er trug einen grauen Straßenanzug, wenn ich mich recht entsinne, Sir«, antwortete er schließlich.

»Aber jeder, der für mich arbeitet, müsste Uniform tragen«, fuhr Armstrong ihn an.

»Ich weiß, Sir, aber …«

»Hat er Ihnen seinen Namen genannt oder einen Ausweis gezeigt?«

»Nein, Sir. Ich nahm an …«

»Sie nahmen einfach an? Warum haben Sie nicht nach dem Telefon gegriffen und mich angerufen, um sich zu vergewissern, dass ich den Artikel genehmigt hatte?«

»Es war mir nicht bewusst …«

»Großer Gott, Mann. Ist Ihnen denn nicht wenigstens in

den Sinn gekommen, das Ding zu redigieren, nachdem Sie es gelesen hatten?«

»Niemand redigiert Ihre Arbeit, Sir«, entgegnete der stellvertretende Chefredakteur. »Sie wird sofort in die Druckerei gebracht.«

»Sie schauen sich nicht mal an, worum es geht?«

»Nein, Sir«, antwortete der Redakteur mit gesenktem Kopf.

»Dann kann man also niemand anderem einen Vorwurf machen?«

»Nein, Sir.« Der Bedauernswerte zitterte nun am ganzen Leib.

»Dann sind Sie gefeuert!«, brüllte Armstrong und starrte finster auf ihn hinunter. »Ich will, dass Sie sofort verschwinden! Auf der Stelle, verstanden?«

Der stellvertretende Chefredakteur machte den Eindruck, als wollte er protestieren, doch Armstrong fuhr ihn an: »Wenn Sie nicht innerhalb von fünfzehn Minuten Ihr Büro geräumt haben, rufe ich die Militärpolizei!«

Ohne ein weiteres Wort schlich der ehemalige stellvertretende Chefredakteur davon.

Armstrong lächelte, zog die Jacke aus und hängte sie über den Stuhl hinter Arnos Schreibtisch. Ein Blick auf die Uhr versicherte ihm, dass genügend Zeit vergangen war. Er krempelte die Ärmel hoch, verließ das Büro und drückte auf einen roten Knopf an der Wand. Sofort kamen sämtliche Druckerpressen quietschend zum Stehen.

Als Armstrong sicher war, dass er die allgemeine Aufmerksamkeit hatte, brüllte er verschiedenen Mitarbeitern eine Reihe von Anweisungen zu. »Sorgen Sie dafür, dass die Fahrer sich sofort wieder auf den Weg machen und jedes

Exemplar der ersten Ausgabe zurückbringen, dessen sie habhaft werden!« Der Vertriebsleiter stürmte auf den Innenhof hinaus, und Armstrong wandte sich dem Vorarbeiter der Drucker zu.

»Ich will, dass die Titelseiten-Story über Hahn herausgenommen und stattdessen diese hier gedruckt wird.« Er nahm ein gefaltetes Blatt Papier aus seiner Brusttasche und reichte es dem verwirrten Druckervorarbeiter, der sofort mit der Arbeit an der neuen Titelseite begann und in der rechten oberen Ecke einen Platz für das neueste Bild des Herzogs von Gloucester freiließ.

Armstrong drehte sich um und ließ den Blick über die Arbeiter schweifen, die darauf warteten, dass die nächste Auflage aus der Presse kam, um die Zeitungen zu bündeln. »Und ihr«, rief Dick, »kümmert euch darum, dass jedes Exemplar der ersten Auflage, das ihr noch im Haus findet, vernichtet wird.« Die Arbeiter schwärmten aus und sammelten jede Zeitung ein, die sie entdeckten, gleichgültig welchen Datums.

Vierzig Minuten später wurde ein Korrekturabzug der neuen Titelseite in Schultz' Büro gebracht. Armstrong besah sich mit scheinbarem Interesse die neue Story, die er am Vormittag über den bevorstehenden Berlinbesuch des Herzogs von Gloucester verfasst hatte.

»Gut«, sagte er laut, damit auch alle es hören konnten, »machen wir uns daran, die zweite Auflage zu drucken.«

Als Arno fast eine Stunde später durch die Tür gestürzt kam, stellte er erstaunt fest, dass Captain Armstrong mit hochgekrempelten Ärmeln mithalf, die zweite, frischgedruckte Auflage in die Lieferwagen zu laden. Als Armstrong Arno sah, deutete er in Richtung der Chefredaktion.

Sobald sich die Tür hinter den Männern geschlossen hatte, berichtete Armstrong, was er veranlasst hatte hatte, nachdem er die erste Titelstory gelesen hatte.

»Es ist mir gelungen, die meisten Exemplare der ersten Auflage zurückzubekommen, und ich hab' sie gleich vernichten lassen«, erklärte er Schultz. »Doch was die ungefähr zwanzigtausend Exemplare betrifft, die in den russischen und amerikanischen Sektor geliefert wurden, konnte ich leider nichts mehr unternehmen. Sobald die Zeitungen erst mal durch den Checkpoint sind, haben wir hier keine Chance, sie noch mal zurückzubekommen.«

»Was für ein Glück, dass Sie sich ein Exemplar der ersten Auflage geholt haben, als sie gerade erst ausgeliefert wurde«, sagte Schultz. »Ich mache mir große Vorwürfe, dass ich nicht eher zurückgekommen bin.«

»Sie trifft nicht die geringste Schuld«, beruhigte ihn Armstrong. »Aber Ihr Stellvertreter ist zu weit gegangen. Es geht nicht an, einen Artikel zu drucken, ohne in meinem Büro nachzufragen.«

»Da bin ich wirklich erstaunt. Normalerweise ist er absolut zuverlässig.«

»Mir blieb keine Wahl, als den Mann auf der Stelle zu feuern.« Armstrong blickte Schultz ins Gesicht.

»Keine Wahl.« Schultz nickte. »Natürlich.« Er sah immer noch völlig verstört aus. »Ich befürchte allerdings, dass der Schaden nicht mehr zu beheben ist.«

»Das verstehe nicht. Ich habe doch fast die gesamte erste Auflage zurückbekommen.«

»Ich weiß, Sie haben alles Menschenmögliche getan, Captain Armstrong. Doch kurz bevor ich zum Checkpoint kam, habe ich mir den *Telegraf* im russischen Sektor gekauft. Ich war noch keine fünf Minuten zu Hause, da rief mich Julius an und hat sich beklagt, sein Telefon würde seit einer Stunde nicht stillstehen. Die meisten Anrufe kämen von besorgten Zeitungshändlern. Ich habe ihm versprochen, sofort hierher zu fahren und herauszufinden, wie das passieren konnte.«

»Bitte, versichern Sie Ihrem Freund, dass ich morgen als Erstes eine Untersuchung einleiten werde«, versprach Armstrong. »Und ich werde die Sache persönlich in die Hand nehmen.« Er rollte die Hemdsärmel herunter und schlüpfte in seine Jacke. »Ich war gerade dabei, den Arbeitern beim Bündeln der zweiten Auflage zu helfen, als Sie kamen, Arno. Vielleicht sind Sie so nett und übernehmen das jetzt an meiner Stelle. Meine Frau …«

»Aber natürlich. Selbstverständlich«, versicherte ihm Arno.

Als Armstrong das Haus verließ, klangen Arnos Worte noch in seinen Ohren: »Sie haben alles Menschenmögliche getan, Captain Armstrong. Sie haben alles Menschenmögliche getan.«

Da konnte er ihm nur beipflichten.

Armstrong wunderte sich nicht, dass er schon früh am Morgen einen Anruf von Julius Hahn erhielt. »Das mit unserer ersten Auflage tut mir schrecklich leid«, sagte er bedauernd, noch ehe Hahn dazu kam, selbst etwas zu sagen.

»Es war nicht Ihre Schuld«, entgegnete Hahn. »Arno hat mir erklärt, wie viel schlimmer es ohne Ihr Einschreiten hätte werden können. Aber ich fürchte, jetzt muss ich Sie noch einmal um einen Gefallen bitten.«

»Ich werde alles tun, was in meiner Macht steht, Ihnen zu helfen, Julius.«

»Was sollte ich nur ohne Sie anfangen, Captain Armstrong. Wäre es möglich, dass Sie zu mir kommen?«

Armstrong blätterte so laut in seinem Terminkalender, dass das Rascheln durch die Leitung zu hören sein musste. »Wäre Ihnen übermorgen recht?«

»Ich fürchte, die Sache ist dringender«, gestand Hahn. »Könnten Sie es nicht irgendwie noch heute einrichten?«

»Na ja, das passt mir im Moment eigentlich ganz und gar nicht«, erwiderte Armstrong mit Blick auf die leere Seite in seinem Terminkalender. »Aber da ich heute Nachmittag im amerikanischen Sektor ohnehin etwas zu erledigen habe, könnte ich so gegen siebzehn Uhr bei Ihnen vorbeischauen – aber nur für eine Viertelstunde.«

»Wenn Sie eine Viertelstunde abzweigen könnten, Captain Armstrong, wäre ich Ihnen schon unendlich dankbar.«

Armstrong lächelte, als er auflegte. Er schloss die obere Schreibtischschublade auf und nahm den Vertrag heraus. Die nächste Stunde ging er das Papier noch einmal akribisch Punkt für Punkt durch, um sicherzugehen, dass auch wirklich nicht die kleinste Einzelheit übersehen worden war. Die einzige Störung war ein Anruf von Colonel Oakshott, der Armstrong zu dem Artikel über den bevorstehenden Besuch des Herzogs von Gloucesters beglückwünschte. »Erstklassige Arbeit«, lobte er. »Einfach erstklassig.«

Nach einem ausgedehnten Mittagessen im Offizierskasino verbrachte Armstrong den frühen Nachmittag damit, auf seinem Schreibtisch Ordnung zu schaffen, indem er sich der Briefe annahm, auf deren Beantwortung Sally schon seit Wochen drängte. Um sechzehn Uhr dreißig bat er Benson, ihn in den amerikanischen Sektor zu fahren, und kurz nach siebzehn Uhr hielt der Jeep vor dem Verlagshaus des *Berliner.* Hahn erwartete Armstrong bereits nervös auf den Eingangsstufen und führte ihn eilig zu seinem Büro.

»Ich möchte mich noch einmal für unsere erste Auflage vergangene Nacht entschuldigen«, begann Armstrong. »Ich habe mit einem General aus dem amerikanischen Sektor zu Abend gegessen, und Arno hat seinen Bruder im russischen Sektor besucht. Deshalb hatte keiner von uns die leiseste Ahnung, was sein Stellvertreter im Schilde führte. Selbstverständlich habe ich den Mann sofort gefeuert und eine Untersuchung eingeleitet. Wenn ich nicht gegen Mitternacht am Bahnhof vorbeigekommen wäre …«

»Sie dürfen sich keine Vorwürfe machen, Captain Armstrong«, warf Hahn ein. »Leider sind die wenigen Exemplare, die in den amerikanischen und russischen Sektor gelangt sind, wie ein Bombe eingeschlagen und haben Panik unter einigen meiner ältesten Kunden verursacht.«

»Das tut mir sehr, sehr leid.«

»Ich fürchte, ausgerechnet diese Exemplare sind in die falschen Hände gefallen. Einige meiner verlässlichsten Zulieferer haben mich heute früh angerufen und verlangt, dass ich in Zukunft im Voraus bezahle. Das wird nicht einfach nach all den zusätzlichen Ausgaben, die ich in den vergangenen zwei Monaten hatte. Aber wir wissen beide, dass Captain Sackville hinter allem steckt.«

»Darf ich Ihnen einen guten Rat geben, Julius? Erwähnen Sie im Zusammenhang mit dieser Sache unter keinen Umständen Sackvilles Namen. Sie haben keinerlei Beweise. Und Sackville gehört zu den Leuten, die keine Sekunde zögern würden, Ihren Betrieb zu schließen, wenn Sie ihm auch nur den geringsten Grund dafür geben.«

»Aber er zwingt mich systematisch in die Knie!«, protestierte Hahn. »Und ich weiß nicht, warum er mir das antut oder wie ich ihn davon abhalten könnte!«

»Sie sollten sich nicht so aufregen, Julius. Ich denke schon seit einiger Zeit über Ihre Probleme nach, und es könnte sein, dass ich eine Lösung gefunden habe.«

Hahn zwang sich zu einem Lächeln, wirkte jedoch keineswegs überzeugt.

»Was würden Sie sagen«, fuhr Armstrong fort, »wenn ich es arrangieren könnte, dass Captain Sackville noch in diesem Monat in die Staaten zurückversetzt wird?«

»Das würde alle meine Probleme beseitigen.« Hahn seufzte tief, doch seine zweifelnde Miene blieb. »Ja, wenn er tatsächlich heimgeschickt würde …«

»Spätestens Ende des Monats«, wiederholte Armstrong. »Aber dazu muss ich all meine Überredungskünste einsetzen und sämtliche Beziehungen spielen lassen. Ganz zu schweigen davon, dass Sie …«

»Ich tue alles, was Sie für richtig halten!«

Armstrong zog den Vertrag aus seiner Brusttasche und schob ihn über den Schreibtisch. »Unterschreiben Sie das, Julius, und ich werde dafür sorgen, dass Sackville in die Staaten zurückgeschickt wird.«

Hahn las den vierseitigen Vertrag – zuerst hastig, dann noch einmal langsam, bevor er ihn vor sich auf den Schreibtisch legte. Schließlich blickte er auf und sagte leise: »Ich muss mir erst völlig über die Konsequenzen dieses Vertrags im Klaren sein, bevor ich ihn unterschreibe.« Er machte eine Pause und griff wieder nach dem Dokument. »Sie würden die ausländischen Vertriebsrechte für meine sämtlichen Publikationen erhalten …«

»Ja«, bestätigte Armstrong ruhig.

»Ich nehme an, dass Sie die Rechte für Großbritannien meinen.« Er zögerte. »Und für das Commonwealth.«

»Nein, Julius. Für die gesamte Welt.«

Noch einmal studierte Hahn den Vertrag. Als er zu der betreffenden Klausel kam, nickte er ernst.

»Und als Gegenleistung bekäme ich fünfzig Prozent der Erlöse?«

»Ja«, bestätigte Armstrong. »Haben Sie mir nicht erzählt, Sie würden Ausschau nach einem britischen Vertriebspartner halten, sobald Ihr derzeitiger Vertrag ausläuft?«

»Richtig, aber damals hatte ich keine Ahnung, dass Sie im Verlagsgeschäft tätig sind.«

»Das bin ich schon mein ganzes Leben«, entgegnete Armstrong. »Und sobald ich aus der Armee entlassen werde, kehre ich nach England zurück, um unseren Familienbetrieb weiterzuführen.«

Hahn wirkte benommen. »Und als Gegenleistung für diese Rechte würde ich zum Alleininhaber des *Telegraph.*« Wieder machte er eine Pause. »Ich hatte keine Ahnung, dass die Zeitung Ihnen gehört.«

»Hat Arno auch nicht. Ich muss Sie deshalb bitten, diese Information absolut vertraulich zu behandeln. Ich musste weit über dem Markpreis zahlen, um seine Anteile zu bekommen.«

Hahn nickte; dann runzelte er die Stirn. »Aber wenn ich diesen Vertrag unterschreibe, könnten Sie Millionär werden!«

»Und wenn Sie ihn nicht unterschreiben, könnten Sie Ende des Monats bankrott sein.«

Die beiden Männer starrten einander an.

»Sie haben sich offenbar eingehend mit meinem Problem beschäftigt, Captain Armstrong«, sagte Hahn schließlich.

»Nur in Ihrem Interesse«, entgegnete Armstrong. Hahn schwieg, deshalb fuhr Armstrong fort: »Lassen Sie mich mein Wohlwollen beweisen, Julius. Falls Captain Sackville am Ersten des nächsten Monats noch in diesem Land ist, müssen Sie diesen Vertrag nicht unterzeichnen. Ist er jedoch bis dahin abgelöst, erwarte ich, dass Sie noch am selben Tag Ihre Unterschrift daruntersetzen. Im Augenblick genügt mir ein Handschlag, Julius.«

Hahn schwieg noch einen Moment. »Dagegen kann ich nichts einwenden«, meinte er schließlich. »Wenn dieser Mann bis zum Ende des Monats das Land verlassen hat, unterschreibe ich den Vertrag zu Ihren Gunsten.«

Die beiden Männer standen auf und schüttelten sich feierlich die Hand.

»Dann sollte ich mich jetzt besser auf den Weg machen«, sagte Armstrong. »Wenn ich sichergehen will, dass Sackville innerhalb der nächsten drei Wochen nach Amerika zurückgeschickt wird, muss ich noch einige Leute überzeugen und eine Menge Papierkram erledigen.«

Hahn nickte nur.

Armstrong schickte seinen Fahrer heim und schlenderte die neun Querstraßen bis zu Max' Unterkunft. Zu ihrer freitagabendlichen Pokerpartie würde er rechtzeitig genug kommen. Die kalte Luft verschaffte ihm wieder einen klaren Kopf. Als er sein Ziel erreichte, war er bereit, den zweiten Teil seines Plans in die Tat umzusetzen.

Max mischte ungeduldig die Karten. »Schenk dir ein Bier ein, Kumpel«, sagte er, als Armstrong sich auf seinen Platz am Tisch setzte, »denn heute Abend, mein Freund, wirst du verlieren!«

Zwei Stunden später war Armstrong um achtzig Dollar reicher, und Max hatte sich noch kein einziges Mal die Lippen geleckt. Er nahm einen großen Schluck Bier, als Dick zu mischen begann. »Kein besonders schöner Gedanke«, sagte Max, »dass ich dir weitere tausend Dollar schulde, sollte Hahn am Monatsende noch nicht pleite ist – das würde mich einigermaßen ruinieren.«

»Zugegeben, im Augenblick stehen die Aktien recht gut für mich.« Armstrong machte eine Pause und blätterte Max die nächste Karte hin. »Aber unter gewissen Umständen bin ich vielleicht bereit, dir die Wettschuld zu erlassen.«

»Du brauchst mir bloß zu sagen, was ich tun soll.« Max ließ seine Karten offen auf den Tisch fallen. Armstrong tat, als würde er sich auf sein Blatt konzentrieren, und schwieg.

»Ich tue wirklich alles, Dick«, versicherte ihm Max. »Außer natürlich, den verdammten Kraut umzulegen.«

»Wie wär's, wenn du ihn wieder ins Geschäft bringst?«

»Ich fürchte, ich verstehe nicht.«

Armstrong legte die Hand auf den Tisch und blickte zum Amerikaner hinüber. »Ich möchte, dass du Hahn so viel Strom und Papier gibst, wie er braucht, und dass du ihm hilfst, wenn er sich an deine Dienststelle wendet.«

»Wieso hast du plötzlich deinen Plan geändert?«, fragte Max misstrauisch.

»Ganz einfach, Max. Ich habe mit mehreren Dummköpfen im britischen Sektor Wetten abgeschlossen, dass Hahn Ende des Monats noch im Geschäft ist. Wenn du die derzeitige Situation umkehrst, würde ich weit mehr als deine tausend Dollar kassieren.«

»Du gerissener Hund!« Zum ersten Mal an diesem Abend leckte Max sich die Lippen. »Einverstanden, alter Kumpel.« Er streckte die Hand über den Tisch.

Und so besiegelte Armstrong die zweite Abmachung an diesem Tag.

Drei Wochen später stieg Captain Max Sackville an Bord eines Flugzeugs nach North Carolina. Er hatte Armstrong nicht mehr als die paar Dollar bezahlen müssen, die er bei ihrem letzten Pokerspiel verloren hatte. Am Ersten des Monats wurde Max von einem gewissen Major Bernie Goodman abgelöst.

Armstrong fuhr an diesem Nachmittag in den amerikanischen Sektor, um Julius Hahn zu besuchen, der ihm den unterschriebenen Vertrag reichte.

»Ich weiß wirklich nicht, wie Sie das geschafft haben«, sagte Hahn. »Offenbar haben Sie einen direkten Draht zum lieben Gott.«

Sie schüttelten einander die Hand.

»Ich freue mich auf eine lange und erfolgreiche Partnerschaft«, sagte Armstrong, ehe er ging. Hahn schwieg.

Als Armstrong abends zeitig nach Hause kam, erzählte er Charlotte, dass endlich seine Entlassungspapiere gekommen waren und sie Berlin noch vor Monatsende verlassen würden. Er berichtete ihr auch, dass man ihm angeboten habe, die Weltvertriebsrechte für Julius Hahns Verlagsprogramm zu übernehmen; dies würde allerdings bedeuten, dass er sich in die Arbeit stürzen müsste, sobald ihr Flieger in London gelandet war. Während er erzählte, ging er im Zimmer auf und ab und sprudelte nur so von Ideen. Doch Charlotte beschwerte sich nicht, weil sie viel zu glücklich war, Berlin endlich verlassen zu können. Als Dick schließlich fertig war, sah Charlotte zu ihm auf und sagte: »Bitte, setz dich, Dick. Auch ich habe dir etwas zu erzählen.«

Armstrong versprach Lieutenant Wakeham, Private Benson und Sally, ihnen einen Job in seinem Unternehmen zu geben, sobald sie aus der Armee entlassen waren. Die drei versicherten Dick, ihm sofort Bescheid zu geben, sobald sie ihre Entlassungspapiere in der Hand hielten.

»Sie haben hier in Berlin verdammt gute Arbeit für uns geleistet, Dick«, lobte Colonel Oakshott. »Ich weiß gar nicht, wie wir Sie ersetzen sollen. Aber nach Ihrem brillanten Vorschlag, den *Telegraf* und den *Berliner* zu fusionieren, ist das vielleicht auch gar nicht mehr nötig.«

»Die Fusion war in meinen Augen die naheliegendste Lösung«, sagte Armstrong. »Und ich möchte Ihnen noch sagen, Sir, dass ich gern Mitglied Ihres Teams war.«

»Sehr freundlich von Ihnen, Dick.« Der Colonel senkte die Stimme. »Ich werde in Kürze ebenfalls entlassen. Wenn Sie wieder Zivilist sind – vielleicht hören Sie mal von einem guten Job, der zu einem alten Soldaten wie mir passen würde.«

Armstrong machte sich nicht die Mühe, sich von Arno Schultz zu verabschieden, doch Sally erzählte ihm, dass Hahn Arno den Posten als Chefredakteur der neuen Zeitung angeboten hatte.

Armstrongs letzter Besuch, bevor er seine Uniform abgab, galt Major Tulpanow im russischen Sektor, und diesmal lud der Geheimdienstmann ihn wieder zum Essen ein.

»Ihr Coup mit Hahn war für einen Beobachter das reinste Vergnügen, Lubji.« Tulpanow bedeutete ihm, sich zu setzen. »Selbst für einen unbeteiligten.« Sein Bursche schenkte ihnen Wodka ein, und der Russe hob sein Glas hoch über den Kopf.

»Danke.« Armstrong tat es ihm gleich. »Nicht zuletzt wegen der Rolle, die Sie bei der Sache gespielt haben.«

»Nicht der Rede wert.« Tulpanow stellte sein Glas auf den Tisch. »Aber das wird vielleicht nicht immer so sein,

Lubji.« Armstrong zog eine Braue hoch. »Sie haben sich zwar die ausländischen Vertriebsrechte für den Großteil der deutschen wissenschaftlichen Zeitschriften gesichert, aber es wird nicht lange dauern, dann ist das deutsche Material nicht mehr aktuell, und Sie werden die neuesten russischen Publikationen brauchen. Das heißt, sofern Sie auf dem Laufenden bleiben wollen.«

»Was erwarten Sie als Gegenleistung?« Armstrong löffelte sich noch etwas Kaviar auf seinen Teller.

»Halten wir es einfach so, Lubji, dass ich mich hin und wieder mit Ihnen in Verbindung setzen werde.«

18

Daily Mail

13. April 1961

Die Stimme aus dem All: »Wie ich es gemacht habe.«
Gagarin erzählt Chruschtschow vom blauen Planeten

Heather stellte Townsend eine Tasse schwarzen Kaffee hin. Er bedauerte bereits, sich auf dieses Interview eingelassen zu haben, vor allem mit einer Berufsanfängerin. Keith' goldene Regel lautete, sich niemals mit Journalisten auf ein Gespräch einzulassen. Manche Verleger genossen es, in ihren eigenen Zeitungen über sich zu lesen. Townsend gehörte nicht zu ihnen, doch als Bruce Kelly ihn einmal in nachgiebiger Stimmung angetroffen und behauptet hatte, es sei gut für die Zeitung und für sein Image, hatte Townsend widerstrebend eingewilligt.

Er war an diesem Vormittag zwei-, dreimal nahe daran gewesen, das Interview abzusagen, doch eine Reihe von Anrufen und Konferenzen hatten verhindert, dass er es tatsächlich tat. Und dann war Heather ins Büro gekommen, um ihm mitzuteilen, dass die junge Reporterin auf dem Flur wartete. »Soll ich sie hereinschicken?«, fragte Heather.

»Ja.« Townsend blickte auf die Uhr. »Aber es darf nicht zu lange dauern. Ich muss vor der morgigen Vorstandssitzung noch allerhand durcharbeiten.«

»Ich werde in etwa fünfzehn Minuten hereinschauen und behaupten, Sie hätten einen Anruf aus Übersee.«

»Gute Idee. Aber sagen Sie, der Anruf käme aus New York. Irgendwie hilft das, dass sie schneller verschwinden. Und wenn Sie in Verzweiflung geraten, greifen Sie auf die Andrew-Blacker-Nummer zurück.«

Heather nickte und verließ das Zimmer, während Townsend mit dem Finger bereits die Tagesordnungspunkte der morgigen Sitzung durchging. Beim siebten Punkt hielt er inne. Er musste sich genauer über den West-Riding-Konzern informieren, wenn er den Vorstand überzeugen wollte, dass man ihn in dieser Sache unterstützen sollten. Und selbst wenn man ihm grünes Licht gab, musste er das Geschäft unbedingt auf seiner Englandreise abschließen. Keith würde bis hinauf nach Leeds fahren müssen, falls er das Gefühl hatte, dass es sich lohnte, der Sache nachzugehen.

»Guten Morgen, Mr. Townsend.«

Keith blickte auf, schwieg jedoch.

»Ihre Sekretärin sagte mir bereits, dass Sie außerordentlich beschäftigt sind. Ich werde mich bemühen, Ihnen nicht zu viel von Ihrer Zeit zu stehlen«, versicherte sie ihm rasch.

Keith sagte immer noch kein Wort.

»Mein Name ist Kate Tulloh. Ich bin Reporterin beim *Chronicle.*«

Keith kam hinter seinem Schreibtisch hervor, gab der jungen Journalistin die Hand und bot ihr einen bequemen Sessel an, der üblicherweise für Vorstandsmitglieder, Redakteure oder Personen reserviert war, mit denen Keith wichtige Geschäfte abzuschließen hoffte. Nachdem Kate Platz genommen hatte, ließ Keith sich im Sessel ihr gegenüber nieder.

»Wie lange sind Sie schon bei uns?«, fragte er, als sie einen Stenoblock und einen Bleistift aus ihrer Mappe zog.

Sie schlug die Beine übereinander. »Erst seit drei Monaten, Mr. Townsend. Gleich nach meinem Collegeabschluss bin ich als Volontärin zum *Chronicle* gegangen. Sie sind sozusagen mein erster großer Auftrag.«

Zum ersten Mal im Leben kam Keith sich alt vor, obwohl er erst vor Kurzem seinen dreiunddreißigsten Geburtstag gefeiert hatte.

»Was ist das für ein Akzent?«, erkundigte er sich interessiert. »Ich habe ihn noch nie zuvor gehört.«

»Ich bin in Budapest geboren. Meine Eltern sind während der Revolution aus dem Land geflohen. Das einzige Schiff, das uns mitnahm, fuhr nach Australien.«

»Mein Großvater ist ebenfalls nach Australien geflüchtet«, sagte Keith.

»Wegen einer Revolution?«

»Nein. Er war Schotte und wollte so weit wie möglich weg von den Engländern.« Kate lachte. »Sie haben vor Kurzem einen Preis für herausragende Nachwuchsautoren gewonnen, nicht wahr?« Keith versuchte sich zu erinnern, was Heather für ihn über Kate zusammengestellt hatte.

»Ja, Bruce hat letztes Jahr die Preise verliehen. So bin ich zum *Chronicle* gekommen.«

»Und was macht Ihr Vater?«

»In Ungarn war er Architekt, aber hier bekommt er nur hin und wieder Hilfsarbeiterjobs. Die Regierung weigert sich, seine Qualifikationen anzuerkennen, und die Gewerkschaften waren auch nicht gerade hilfsbereit.«

»Mich können die Gewerkschaften auch nicht leiden«, gestand Keith. »Und was ist mit ihrer Mutter?«

»Entschuldigen Sie, wenn es unverschämt klingt, Mr. Townsend, aber ich glaube, eigentlich sollte ich Sie interviewen.«

»Ja, natürlich. Legen Sie los.« Er starrte das Mädchen an, ohne zu ahnen, wie nervös er sie machte. Er hatte noch nie ein so bezauberndes Wesen gesehen. Sie hatte schulterlanges dunkles Haar und ein perfekt ovales Gesicht, in dem die australische Sonne noch keine Spuren hinterlassen hatte. Keith vermutete, dass ihr schlichtes Kostüm förmlicher war als das, was sie üblicherweise trug. Wahrscheinlich lag es daran, dass sie ihren Chef interviewte. Wieder schlug sie die Beine übereinander, wobei ihr Rock ein Stückchen über die Knie rutschte. Keith bemühte sich, nicht hinzuschauen.

»Soll ich die Frage wiederholen, Mr. Townsend?«

»Ähm … tut mir leid.«

Heather kam herein und staunte, dass die beiden in der »Direktorenecke« des Büros saßen.

»Sie haben einen Anruf aus New York, Sir«, sagte sie wie abgemacht. »Von Mr. Lazar. Er möchte mit Ihnen über ein Gegenangebot sprechen, das Kanal Sieben ihm für eine der Comedy-Serien im nächsten Programm gemacht hat.«

»Sagen Sie ihm, ich rufe später zurück«, erwiderte Keith, ohne aufzublicken. »Ach, übrigens, Kate, hätten Sie gern eine Tasse Kaffee?«

»Sehr gern, Mr. Townsend.«

»Schwarz oder mit Milch?«

»Mit Milch, aber ohne Zucker. Vielen Dank«, sagte sie in Heathers Richtung.

Heather drehte sich um und verließ das Büro, ohne Keith zu fragen, ob auch er noch Kaffee wollte.

»Verzeihen Sie, wie lautete noch die Frage?« Keith blickte Kate an.

»Haben Sie schon in der Schule etwas geschrieben oder veröffentlicht?«

»Ja, ich war in meinem letzten Jahr Herausgeber der Schülerzeitschrift.« Kates Bleistift huschte über den Block. »Genau wie mein Vater vor mir.« Als Heather mit dem Kaffee zurückkam, war Keith noch immer damit beschäftigt, Kate von seinem Erfolg bei der Sammlung für den Kricketpavillon zu erzählen.

»Und in Ihrer Zeit in Oxford – warum haben Sie da nicht für die Studenten- oder Universitätszeitschrift gearbeitet?«

»Damals habe ich mich viel mehr für Politik interessiert. Außerdem wusste ich, dass ich ohnehin den Rest meines Lebens im Zeitungswesen verbringen würde.«

»Stimmt es, dass Sie bitter enttäuscht waren, als Sie nach Ihrer Rückkehr nach Australien erfuhren, dass Ihre Mutter den *Melbourne Courier* verkauft hatte?«

»Ja, das stimmt«, gestand Keith, als Heather schon wieder ins Büro kam. »Und ich werde den *Courier* eines Tages zurückbekommen«, fügte er kaum hörbar hinzu und blickte dann Heather an. »Gibt's Probleme, Heather?«, fragte er mit hochgezogener Braue. Sie war fast auf Tuchfühlung vor ihm stehen geblieben.

»Ja. Tut mir leid, dass ich Sie noch einmal stören muss, Mr. Townsend, aber Sir Kenneth Stirling hat schon den ganzen Vormittag versucht, Sie zu erreichen. Er will über Ihre bevorstehende Reise nach England mit Ihnen sprechen.«

»Dann werde ich ihn wohl ebenfalls zurückrufen müssen, nicht wahr?«

»Er hat mich darauf aufmerksam gemacht, dass er am Nachmittag nur kurz in seinem Büro ist.«

»Dann werde ich ihn abends zu Hause anrufen.«

»Ich sehe schon, dass Sie sehr beschäftigt sind, Sir«, sagte Kate. »Ich kann warten oder ein andermal wiederkommen.«

Keith schüttelte den Kopf. Doch Heather ging erst nach einigem Zögern, sodass er sich fragte, ob Ken Stirling tatsächlich am Apparat war.

Kate nutzte die Chance und fuhr fort: »Im Archiv habe ich Berichte entdeckt, in denen geschildert wird, wie Sie die Aktienmehrheit am *Adelaide Messenger* an sich brachten und den inzwischen verstorbenen Sir Colin Grant ausgebootet haben.«

»Ich habe ihn durchaus nicht ausgebootet. Sir Colin war ein guter Freund meines Vaters«, erklärte Keith, »und eine Fusion unserer Zeitungen war für beide Seiten zum Besten.« Kate sah nicht sonderlich überzeugt aus. »Ich bin sicher, dass Sie in den Berichten auch gelesen haben, dass Sir Colin Vorstandsvorsitzender des Gesamtkonzerns wurde.«

»Ja, aber er saß nur einer einzigen Sitzung vor.«

»Ich glaube, er hat sogar zwei Sitzungen geleitet.«

»War es bei Sir Somerset Kenwright nicht so ähnlich, als Sie den *Chronicle* übernahmen?«

»Nein, das stimmt nicht ganz. Ich versichere Ihnen, dass niemand Sir Somerset so sehr bewundert hat wie ich.«

»Aber Sir Somerset beschrieb Sie einmal ...«, Kate blickte auf ihre Notizen, »... als einen Mann, ›der gern in der Gosse liegt und zusieht, während andere Berge erklimmen‹.«

»Ich denke, Sie werden feststellen, dass Sir Somerset oft falsch zitiert wird. Genau wie Shakespeare.«

»Was sich schwer nachweisen lässt«, entgegnete Kate, »weil auch Sir Somerset schon tot ist.«

»Stimmt.« Es klang, als wollte Keith sich rechtfertigen. »Aber ich werde seine Worte nie vergessen. Er sagte zu mir: ›Nichts könnte mir größere Freude bereiten, als dass der *Chronicle* in die Hände von Sir Graham Townsends Sohn übergehen wird.‹«

»Aber sagte Sir Sommerset das nicht«, wieder blickte Kate auf ihre Notizen, »sechs Wochen vor der tatsächlichen Übernahme der Zeitung durch Sie?«

»Was macht das schon für einen Unterschied?«, versuchte Keith sich zu rechtfertigen.

»Sehr viel, wenn man bedenkt, dass Sie an Ihrem ersten Tag als Eigentümer des *Chronicle* sowohl den Chefredakteur als auch den Geschäftsführer an die Luft setzten. Eine Woche später gaben die beiden eine gemeinsame öffentliche Erklärung ab – und diesmal zitiere ich wörtlich ...«

»Ihr nächster Besucher ist jetzt hier, Mr. Townsend.« Heather stand an der Tür und sah aus, als wäre sie drauf und dran, jemanden ins Büro zu führen.

»Wer ist es?«, fragte Keith.

»Andrew Blacker.«

»Vereinbaren Sie einen neuen Termin.«

»Nein, nein, bitte«, wehrte Kate ab. »Ich habe bereits mehr als genug Material.«

»Geben Sie Blacker einen neuen Termin, Heather«, wiederholte Keith in einem Tonfall, der keine Widerrede zuließ.

»Wie Sie wünschen«, entgegnete Heather. Diesmal ließ sie die Tür weit offen stehen, als sie das Büro verließ.

»Es tut mir leid, dass ich so viel von Ihrer kostbaren Zeit

in Anspruch nehme, Mr. Townsend«, entschuldigte sich Kate. »Ich werde versuchen, mich zu beeilen.« Sie wandte sich wieder ihrer langen Fragenliste zu. »Darf ich nun zur Gründung des *Continent* kommen?«

»Aber ich bin noch nicht fertig, Ihnen von Sir Somerset Kenwright zu erzählen – und von dem traurigen Zustand des *Chronicle,* als ich diese Zeitung übernahm.«

»Verzeihen Sie, ich mache mir nur Gedanken wegen der Anrufe, die Sie machen müssen, und ich habe ein schlechtes Gewissen wegen Mr. Blacker.«

Nach längerem Schweigen gestand Keith: »Es gibt keinen Mr. Blacker.«

»Ich fürchte, ich verstehe nicht.«

»Er ist ein Codewort. Heather benutzt es, um mich wissen zu lassen, um wie viele Minuten eine Besprechung die vorgesehene Zeit überschritten hat. New York bedeutet fünfzehn Minuten, Mr. Andrew Blacker dreißig. In einer Viertelstunde wird sie wieder hereinkommen und mir mitteilen, dass ich eine Konferenzschaltung mit London und Los Angeles habe. Und wenn sie richtig wütend auf mich ist, wird sie mir auch noch mit Tokio kommen.«

Kate musste lachen.

»Hoffen wir, dass Sie die volle Stunde bleiben. Sie werden nicht glauben, was Heather sich nach einer Stunde einfallen lässt.«

»Um ehrlich zu sein, Mr. Townsend, ich war gar nicht darauf vorbereitet, dass Sie sich mehr als fünfzehn Minuten Zeit für mich nehmen würden.« Kate blickte wieder auf ihre Liste.

»Sie hatten angefangen, mich zum *Continent* zu befragen«, erinnerte Keith sie.

»Ach, ja. Man spricht immer noch davon, wie bestürzt Sie waren, als Alan Rutledge als Chefredakteur kündigte.«

»Das stimmt«, gestand Keith. »Er war ein großartiger Journalist, und wir waren gute Freunde geworden. Aber die Auflage war unter fünfzigtausend gefallen, und wir hatten einen wöchentlichen Verlust von nahezu hunderttausend Pfund. Unter dem neuen Chefredakteur haben wir wieder Verkaufszahlen von zweihunderttausend pro Tag, und im neuen Jahr werden wir zusätzlich eine Sonntagsausgabe herausbringen.«

»Aber Sie werden gewiss zugeben, dass man diese Zeitung kaum mehr als die *Times* von Australien bezeichnen kann?«

»Ja, und das bedauere ich«, sagte Keith und gestand damit diese Tatsache zum ersten Mal jemandem ein, von seiner Mutter einmal abgesehen.

»Wird die *Continent*-Sonntagsausgabe das gleiche redaktionelle Konzept haben wie die Ausgaben unter der Woche, oder werden Sie damit die anspruchsvolle überregionale Tageszeitung herausbringen, die Australien so dringend braucht?«

Keith wurde klar, weshalb Miss Tulloh ihren Journalistenpreis gewonnen hatte und weshalb Bruce so große Stücke auf sie hielt. Diesmal wählte er seine Worte vorsichtiger: »Ich werde mich bemühen, eine Zeitung herauszugeben, welche die Mehrheit der Australier gern jeden Sonntagmorgen auf dem Frühstückstisch haben möchte. Beantwortet das Ihre Frage, Kate?«

Sie lächelte. »Ich fürchte ja, Mr. Townsend.«

Er erwiderte das Lächeln. Es verschwand jedoch rasch, als er ihre nächste Frage hörte.

»Darf ich nun einen Vorfall in Ihrem Leben ansprechen, der in den Klatschspalten weidlich ausgeschlachtet wurde?« Keith errötete leicht, als Kate auf seine Antwort wartete. Instinktiv hätte er das Interview gerne auf der Stelle abgebrochen, doch er nickte nur.

»Stimmt es, dass Sie Ihren Chauffeur an Ihrem Hochzeitstag anwiesen, an der Kirche vorbeizufahren, und zwar nur wenige Augenblicke bevor die Braut eintreffen sollte?«

Zu Keith' Erleichterung kam Heather in diesem Augenblick wieder ins Büro marschiert und sagte mit einer Stimme, die keinen Widerspruch duldete: »In zwei Minuten findet Ihr Konferenzgespräch statt, Mr. Townsend.«

»Mein Konferenzgespräch?« Keith' Erleichterung war nicht zu übersehen.

»Ja, Sir«, erwiderte Heather. »Sir« war ein Wort, das sie nur benutzte, wenn sie sehr verärgert war.

»London und Los Angeles.« Heather machte eine kurze Pause, ehe sie hinzufügte: »Und Tokio.« Tokio, dachte Keith. Sie muss schrecklich wütend sein. Aber zumindest hatte sie ihm die Chance gegeben, sich aus der Affäre zu ziehen. Kate hatte sogar bereits ihren Stenoblock zugeklappt.

»Disponieren Sie für den Nachmittag um, Heather«, sagte er gelassen. Er war nicht sicher, welche der beiden Frauen erstaunter war. Heather entschwand ohne ein weiteres Wort aus dem Büro, und diesmal schloss sie die Tür hinter sich.

Keiner sagte etwas, bis Keith zugab: »Ja, das mit meiner Braut stimmt. Aber ich wäre Ihnen verbunden, wenn Sie es in Ihrem Artikel nicht erwähnten.«

Als Keith sich umdrehte und aus dem Fenster blickte, legte Kate den Bleistift auf den Tisch. »Es tut mir schrecklich leid, Mr. Townsend. Das war taktlos von mir.«

»Gewöhnlich sagen Reporter ›Ich mache nur meinen Job‹«, erwiderte Keith ruhig.

»Vielleicht könnten wir jetzt mit Ihrer etwas ungewöhnlichen, um nicht zu sagen abenteuerlichen Übernahme von 2 WW fortfahren.«

Keith richtete sich in seinem Sessel auf, und zum ersten Mal bei diesem Interview entspannte er sich ein wenig.

»Als die Story im *Chronicle* erschien – übrigens am Morgen Ihres Hochzeitstermins –, bezeichnete Sir Somerset Sie als Piraten.«

»Ich bin sicher, er hat es als Kompliment gemeint.«

»Als Kompliment?«

»Ja. Ich vermute, er wollte damit sagen, dass ich in der Tradition großer Piraten gehandelt hatte.«

»An wen denken Sie da?«, fragte Kate.

»Walter Raleigh und Sir Francis Drake«, antwortete Keith.

»Ich vermute, Sir Somerset dachte eher an König Blaubart oder Captain Morgan«, sagte Kate lächelnd.

»Mag sein. Aber ich glaube, Sie werden feststellen, dass beide Seiten mit diesem Handel letztendlich sehr zufrieden waren.«

Kate blickte wieder auf ihre Notizen. »Mr. Townsend, Ihnen gehören – zumindest im Sinne einer Aktienmehrheit – inzwischen siebzehn Zeitungen, elf Rundfunksender, eine Fluglinie, ein Hotel und zwei Kohlegruben.« Sie blickte zu ihm auf. »Was haben Sie als Nächstes vor?«

»Ich würde gerne das Hotel und die Kohlegruben verkaufen. Falls Sie zufällig einen Interessenten kennen …«

Kate lachte. »Nein, leider nicht«, sagte sie in dem Moment, als Heather wieder ins Büro marschiert kam.

»Der Premierminister ist im Fahrstuhl auf dem Weg hier

herauf, Mr. Townsend.« Ihr schottischer Akzent war noch ausgeprägter als sonst. »Gewiss werden Sie sich erinnern, dass Sie heute im Sitzungssaal mit ihm lunchen.«

Keith zwinkerte Kate zu, die verschwörerisch lachte.

Heather hielt die Tür auf und trat zur Seite, um einen distinguierten Herrn mit silbergrauem Haar einzulassen.

»Guten Tag, Herr … Premierminister«, sagte Keith, sprang auf und trat vor, um Robert Menzies zu begrüßen. Die beiden Männer schüttelten sich die Hände, bevor Keith sich umdrehte, um Kate vorzustellen, die sich am liebsten in der Zimmerecke verkrochen hätte. »Ich glaube nicht, dass Sie Kate Tulloh bereits kennengelernt haben, Herr Premierminister. Sie ist eines der vielversprechendsten journalistischen Talente des *Chronicle*. Ich weiß, dass Miss Tulloh Sie gerne einmal interviewen würde.«

»Es wäre mir ein Vergnügen«, erwiderte Menzies. »Rufen Sie doch mein Büro an, Miss Tulloh, und lassen Sie sich einen Termin geben.«

In den nächsten zwei Tagen musste Keith fast immer wieder an Kate denken, obwohl ihm bewusst war, dass sie ganz und gar nicht in seine wohlgeordneten Pläne passte.

Als Keith und Menzies zum Lunch Platz genommen hatten, wunderte sich der Premierminister, dass sein Gastgeber so geistesabwesend war. Townsend zeigte wenig Interesse an den innovativen Vorschlägen des Politikers, die Macht der Gewerkschaften einzudämmen, obwohl Keith' Zeitungen die Regierung gerade in dieser Hinsicht schon seit mehreren Jahren unter Druck setzte.

Auch am nächsten Morgen, als Keith den Vorsitz bei der monatlichen Vorstandssitzung hatte, war er nicht besonders gesprächig. Für einen Mann, der das größte Medienimperium

Australiens leitete, war er sogar ausgesprochen schweigsam. Einige der Direktoren fragten sich, ob Townsend wohl wieder irgendwelche seltsamen geschäftlichen Vorhaben ausbrütete. Als er sich schließlich wegen Punkt sieben der Tagesordnung – seiner geplanten Reise nach Großbritannien, um einen kleinen Zeitungskonzern im Norden Englands zu übernehmen –, an den Vorstand wandte, sah kaum ein Vorstandsmitglied den geringsten Sinn darin, diese Reise zu unternehmen. Es wollte Townsend einfach nicht gelingen, die Vorstandsmitglieder von möglichen gewinnbringenden Abschlüssen zu überzeugen.

Nach Beendigung der Sitzung, als die Direktoren sich zurückgezogen hatten, ging Townsend in sein Büro und arbeitete sich den Rest des Tages durch Papierkram, bis Heather sich irgendwann in den Feierabend verabschiedete. Unwillkürlich sah Keith nach, wie spät es war: kurz nach neunzehn Uhr. Er griff erst nach dem Telefon, als er sicher sein konnte, dass Heather nicht noch einmal auftauchen würde; dann wählte er die dreistellige Nummer, die ihn direkt mit dem Schreibtisch des Chefredakteurs verband.

»Bruce, bei meinem Trip nach London hätte ich gern einen Journalisten dabei. Schließlich sollst du der Erste sein, der die Story bekommt, falls aus der Sache was wird.«

»Was willst du denn diesmal kaufen?« fragte Bruce. »Die *Times*?«

»Nein, noch nicht auf dieser Reise«, erwiderte Townsend. »Aber ich habe da etwas im Visier, das vielleicht Gewinn einbringt.«

»Warum rufst du nicht einfach Ned Brewster im Londoner Büro an? Er ist doch genau der Richtige für solche Geschichten.«

»Ich glaube nicht, dass es ein Job für den Agenturleiter ist«, entgegnete Townsend. »Ich werde mehrere Tage im Norden Englands zu tun haben, um mir Druckereien anzusehen, mich mit Journalisten zu treffen und darüber zu entscheiden, welche Redakteure ich behalte. Ich möchte nicht, dass Ned seinem Schreibtisch so lange fernbleibt.«

»Na ja, vielleicht könnte ich Ed Makins für eine Woche entbehren. Aber ich muss ihn vor Eröffnung der Parlamentsdebatten zurückhaben – vor allem, falls deine Ahnung stimmt und Menzies tatsächlich einen Gesetzesantrag einbringt, die Befugnisse der Gewerkschaften zu beschneiden.«

»So ein Hochleistungsmitarbeiter muss mich nicht begleiten. Außerdem kann ich jetzt noch nicht mit Sicherheit sagen, wie lange ich unterwegs sein werde. Ein guter Neuling wäre am geeignetsten.« Er legte eine Pause ein, doch von Bruce kamen keine hilfreichen Vorschläge. »Ich war beeindruckt von dem Mädchen, das du vor ein paar Tagen hochgeschickt hast, um mich zu interviewen. Wie heißt sie doch gleich?«

»Kate Tulloh«, antwortete Bruce. »Aber sie ist viel zu jung und unerfahren für so eine große Sache.«

»Das warst du auch, als wir uns kennenlernten, Bruce. Und das hat mich nicht davon abgehalten, dir einen Posten als Chefredakteur anzubieten.«

Nach kurzem Schweigen sagte Bruce: »Ich werd' mal schauen, ob ich sie dir zur Verfügung stellen kann.«

Lächelnd legte Townsend auf. Er konnte nicht gerade behaupten, sich auf diese Reise nach England gefreut zu haben, obwohl ihm klar war, dass es Zeit wurde, sein Imperium über Australien hinaus auszudehnen.

Er blickte auf den unordentlichen Haufen Notizen auf

seinem Schreibtisch hinunter. Obwohl ein ganzes Team von Management-Beratern sich eingehend mit sämtlichen Zeitungskonzernen Großbritanniens beschäftigt hatte, waren sie nur auf einen einzigen möglicherweise vielversprechenden Kandidaten gestoßen.

Sie hatten eine Akte darüber angelegt, mit der Keith sich übers Wochenende befassen konnte. Er schlug die erste Seite auf und vertiefte sich in den detaillierten Bericht über die West Riding Group. Der Hauptsitz der Unternehmensgruppe befand sich in Leeds. Townsend lächelte. Er war Leeds nie näher gekommen als damals während seiner Studienzeit in Oxford, als er einmal von dort aus die Rennbahn in Doncaster besucht und – falls er sich recht erinnerte – sogar auf einen Sieger gesetzt hatte.

19

News Chronicle

25. Oktober 1951

Endgültiges Wahlergebnis
bringt Churchill an die Spitze

»Und wie werden Sie zahlen, Mr. Armstrong?«, fragte der Immobilienmakler.

»Eigentlich Captain Armstrong.«

»Entschuldigen Sie, Captain Armstrong.«

»Ich werde per Scheck bezahlen.«

Zehn Tage hatte Dick Armstrong gebraucht, um eine passende Wohnung in Stanhope Gardens zu finden. Den Mietvertrag unterschrieb er allerdings erst, nachdem der Makler erwähnt hatte, dass im Stockwerk über ihm ein Brigadegeneral im Ruhestand wohnte.

Die Suche nach einem geeigneten Büro gestaltete sich sogar noch länger, denn es musste eine Adresse sein, die Julius Hahn überzeugen konnte, dass Armstrong bereits sein Leben lang im Verlagsgeschäft war.

Als John D. Wood sich nach der Preisklasse erkundigte, die seinem Kunden vorschwebte, wurde die Aufgabe einem sehr jungen Assistenten übertragen.

Zwei Wochen später entschied sich Armstrong für ein Büro, das sogar noch kleiner war als seine Wohnung in Stanhope Gardens. Obwohl Armstrong der Aussage des Maklers, das neunundzwanzig Quadratmeter große Zimmer mit Toilette im Stockwerk darüber sei ideal, perfekt und einmalig, nicht so recht zustimmen konnte, hatte es doch zwei Vorteile: Zum einen lag es in der Fleet Street, zum anderen konnte Armstrong sich die Miete leisten – zumindest fürs erste Quartal.

»Wenn Sie dann so freundlich wären, hier zu unterschreiben, Captain Armstrong.«

Mit seinem neuen Parker-Füllhalter unterzeichnete Armstrong den Mietvertrag und zog damit zugleich einen endgültigen Strich unter seine Vergangenheit.

»Tja, dann wäre das erledigt«, sagte der junge Maklergehilfe und wartete, dass die Tinte trocknete. »Wie Sie wissen, Captain Armstrong, beträgt die Miete zehn Pfund die Woche, vierteljährlich im Voraus zu bezahlen. Wären Sie also so liebenswürdig, mir einen Scheck über hundertdreißig Pfund zu überlassen?«

»Ich schicke am Nachmittag eine meiner Angestellten damit hierher.« Armstrong zupfte seine Fliege zurecht.

Der junge Mann zögerte einen Moment, dann legte er den unterschriebenen Vertrag in seine Aktenmappe. »Das dürfte wohl in Ordnung gehen, Captain Armstrong.« Er reichte ihm die Schlüssel für das kleinste Objekt in ihrem derzeitigen Angebot.

Armstrong war zuversichtlich. Wenn Julius Hahn FLE6093 wählte und »Armstrong Communications« hörte, wie sollte er da wissen, dass dieses Verlagsunternehmen aus einem Zimmer, zwei Schreibtischen, einem Aktenschrank und einem erst kürzlich installierten Telefon bestand? Und was Armstrongs Aussage »eine meiner Angestellten« anging, traf

»eine« ebenfalls zu: Sally Carr war vor einer Woche nach England zurückgekehrt, und er hatte sie an diesem Morgen als Chefsekretärin eingestellt.

Armstrong hatte dem Makler den Scheck für die Miete deshalb nicht sofort ausstellen können, weil er erst vor Kurzem ein Konto bei Barclays eröffnet hatte und die Bank ihm erst dann ein Scheckbuch aushändigte, wenn aus Berlin die versprochene Überweisung des Bankhauses Holt & Co. eingegangen war. Die Tatsache, dass Armstrong den Rang eines Captains bekleidete und das Militärverdienstkreuz trug, schien den Bankdirektor nicht weiter zu beeindrucken.

Als das Geld endlich eintraf, erklärte der Direktor einem Angestellten, dass er dem Auftreten des Captains nach zu urteilen eigentlich mit einem wesentlich höheren Betrag als zweihundertsiebzehn Pfund, neun Shilling und sechs Pence gerechnet hatte.

Während Armstrong auf den Eingang des Geldes wartete, rief er Stephen Hallet in seinem Anwaltsbüro in Lincoln's Inn Fields an und bat ihn, Armstrong Communications als Privatgesellschaft eintragen zu lassen. Das kostete ihn weitere zehn Pfund.

Kaum war die Gesellschaft gegründet, landete eine weitere unbezahlbare Rechnung auf Sallys Schreibtisch. Diesmal verfügte Armstrong über keine zwölf Flaschen Rotwein, mit denen er seine Schulden hätte abgelten können, deshalb bot er Hallet an, die Leitung der Gesellschaft zu übernehmen.

Als sein Geld endlich auf dem Konto war, bezahlte Armstrong die ausstehenden Rechnungen, wonach der Kontostand auf unter vierzig Pfund sank. Er wies Sally an, in Zukunft Rechnungen, die zehn Pfund überstiegen, erst nach Eingang der dritten Mahnung zu begleichen.

Charlotte, die ihr zweites Kind erwartete und im sechsten Monat schwanger war, traf wenige Tage, nachdem Dick die Wohnung in Knightsbridge gemietet hatte, in London ein. Als sie sich zum ersten Mal in den vier Zimmern umsah, schluckte sie die Bemerkung hinunter, wie klein sie waren, verglichen mit ihrer geräumigen Wohnung in Berlin. Sie war viel zu glücklich, endlich aus Deutschland heraus zu sein.

Armstrong, der täglich mit dem Bus zum Büro und zurückfuhr, fragte sich, wie lange es wohl dauern würde, ehe er einen Wagen und einen Chauffeur sein Eigen nennen konnte. Nachdem die Gesellschaft ins Handelsregister eingetragen war, flog er nach Berlin und überredete Hahn – der sich nur höchst ungern von seinem Geld trennte –, ihm ein Darlehen von tausend Pfund zu geben. Armstrong kehrte mit einem Scheck und einem Dutzend Manuskripten nach London zurück, die binnen weniger Tage übersetzt werden mussten. Dies hatte er Hahn ebenso versprochen wie die Rückzahlung des Darlehens, die sofort nach Abschluss eines Vertriebsvertrages mit dem Ausland erfolgen sollte. Doch Armstrong hatte ein Problem, das er Hahn gegenüber nicht eingestehen konnte. Denn obwohl Sally geduldig Stunden am Telefon verbrachte und sich bemühte, für Armstrong Termine bei den Chefs der führenden wissenschaftlichen Verlage in London zu vereinbaren, war ihr rasch klar geworden, dass die Türen für Captain Armstrong hier nicht so bereitwillig geöffnet wurden, wie es in Berlin der Fall gewesen war.

Wenn Armstrong am Abend nach Hause kam – was nie vor Mitternacht der Fall war –, fragte Charlotte ihn mit ermüdender Regelmäßigkeit, wie das Geschäft lief. Die ebenso regelmäßige Antwort »So gut wie gar nicht« löste das vormalige »streng geheim« ab. Doch Charlotte entging nicht, dass oft dünne braune Umschläge in ihrem Briefkasten landeten, die anscheinend ungeöffnet in der nächstbesten Schublade verschwanden. Als Charlotte zur Geburt ihres zweiten Kindes nach Lyon flog, versicherte ihr Dick, bevor sie zurück sei, werde er seinen ersten großen Vertrag an Land gezogen haben.

Zehn Tage später, als Dick gerade eine Antwort auf den einzigen Brief diktierte, den er an diesem Morgen erhalten hatte, klopfte es an die Tür. Sally öffnete und stand dem ersten Kunden von Armstrong Communications gegenüber. Geoffrey Bailey, ein Kanadier, der einen kleinen Verleger in Montreal vertrat und versehentlich auf der falschen Etage aus dem Fahrstuhl gestiegen war, verließ eine Stunde später das Büro mit drei wissenschaftlichen Manuskripten in deutscher Sprache. Bailey ließ die Texte umgehend übersetzen und erkannte rasch ihr Potenzial. Drei Tage später war Mr. Bailey wieder da: mit einem Scheck und einem unterschriebenen Vertrag für die kanadischen und französischen Rechte an allen drei Manuskripten. Armstrong zahlte den Scheck auf sein Konto ein, unterließ es jedoch, Julius Hahn von dieser Transaktion zu unterrichten.

Dank Mr. Bailey hatte Dick zwei weitere Verträge mit Verlegern in Spanien und Belgien unterschrieben, als Charlotte sechs Wochen später mit Nicole auf dem Arm in Heathrow landete. Sie staunte, dass ihr Gatte einen großen Dodge erworben hatte, der von Benson chauffiert wurde. Dick verheimlichte Charlotte allerdings, dass er den Wagen abstotterte und dass er es sich nicht immer leisten konnte, Benson am Ende der Woche zu bezahlen.

»Der Wagen macht Eindruck auf die Kunden«, erklärte Dick und versicherte Charlotte, dass die Geschäfte immer vielversprechender würden. Sie versuchte darüber hinwegzusehen, dass sich einige seiner Geschichten während ihrer Abwesenheit verändert hatten und dass die ungeöffneten braunen Kuverts immer noch in der Schublade lagen. Doch selbst Charlotte war beeindruckt, als Dick ihr erzählte, dass Colonel Oakshott zurück in London sei, ihn besucht und sich erkundigt habe, ob er jemanden kenne, der vielleicht einen Job für einen alten Soldaten hätte.

Armstrong war der fünfte Ansprechpartner gewesen, an den Oakshott sich gewandt hatte; keiner der anderen hatte ihm seines Alters und seines hohen Ranges wegen etwas Passendes bieten können. Am Tag nach seinem Besuch bei Dick war Oakshott Vorstandsmitglied der Armstrong Communications, mit einem Jahresgehalt von tausend Pfund, auch wenn sein Monatsscheck nicht immer gleich bei der ersten Einreichung gedeckt war.

Nachdem die ersten drei Manuskripte in Kanada, Frankreich, Belgien und Spanien veröffentlicht worden waren, stiegen immer mehr ausländische Verleger auf dem richtigen Stockwerk aus dem Fahrstuhl und verließen einige Zeit später Dicks Büro mit langen maschinengeschriebenen Listen sämtlicher Bücher, deren Rechte bei Armstrong Communications erhältlich waren.

Je mehr Verträge Armstrong abschloss, desto seltener flog er nach Berlin; stattdessen schickte er Colonel Oakshott – einmal mit der keineswegs beneidenswerten Aufgabe, Julius Hahn zu erklären, weshalb es mit den Umsätzen so schleppend verlief. Oakshott glaubte weiterhin alles, was Armstrong ihm auftischte – hatten sie nicht als Offiziere im selben Regiment gedient? Gleiches galt eine Zeit lang auch noch für Julius Hahn.

Doch trotz der vereinzelten Vertragsabschlüsse mit ausländischen Verlagen, war es Armstrong noch immer nicht gelungen, mit einem führenden britischen Verleger ins Geschäft zu kommen. Nach Monaten des wiederholten »Ich werde auf Sie zurückkommen, Captain Armstrong«, fragte er sich ernsthaft, wie lange es noch dauern mochte, bis er es schaffte, jene Tür zu öffnen, die ihm gestatten würde, Teil des britischen Verlags-Establishments zu werden.

An einem Vormittag im Oktober, als Armstrong zu den gewaltigen Gebäuden des *Globe* und des *Citizen* hinüberblickte – den beiden populärsten Tageszeitungen Englands –, meldete ihm Sally, dass ein Journalist der *Times* am Apparat sei. Armstrong nickte.

»Ich stelle Sie zu Captain Armstrong durch«, sagte Sally in den Hörer.

Armstrong durchquerte das Zimmer und nahm ihr den Hörer aus der Hand. »Hier Dick Armstrong, Vorsitzender von Armstrong Communications. Wie kann ich Ihnen behilflich sein?«

»Ich bin Neville Andrade, Redakteur für Wissenschaft und Forschung bei der *Times*. Ich bin vor Kurzem auf die französische Ausgabe einer der Publikationen Julius Hahns gestoßen: *Die Deutschen und die Atombombe*. Nun interessiert mich, wie viele andere Titel Sie zur Zeit in Übersetzung haben.« Eine Stunde später legte Armstrong den Hörer auf die Gabel, nachdem er Andrade seine Lebensgeschichte erzählt und versprochen hatte, sein Chauffeur werde ihm bis Mittag eine Liste sämtlicher Titel bringen.

Als Dick am nächsten Morgen spät ins Büro kam, weil in London »Erbensuppe« herrschte, wie die Einwohner der Stadt den Nebel gerne bezeichneten, berichtete Sally ihrem

Chef, sie habe innerhalb von zwanzig Minuten sieben Anrufe entgegengenommen. Als gleich darauf das Telefon bereits wieder läutete, deutete sie auf Dicks Schreibtisch, auf dem die neueste Ausgabe der *Times* lag. Armstrong setzte sich und las Andrades langen Artikel über die Atombombe, und dass deutsche Wissenschaftler dem Rest der Welt in vieler Hinsicht weit voraus waren, obwohl Deutschland den Krieg verloren hatte.

Wieder klingelte das Telefon, doch Dick wunderte sich immer noch, dass Sally dermaßen mit Anrufen eingedeckt wurde, bis er zum letzten Absatz des Artikels gelangte. »Der Schlüssel zu dieser Information befindet sich in den Händen von Captain Richard Armstrong, Träger des Kriegsverdienstordens, der die Übersetzungsrechte an sämtlichen Publikationen des renommierten Julius-Hahn-Imperiums besitzt.«

Innerhalb von drei Tagen wurde aus der alten Phrase: »Ich werde auf Sie zurückkommen, Captain Armstrong«, ein: »Ich hoffe, wir können diesen Bedingungen entsprechen, Dick«. Armstrong machte sich daran, jene Verlage auszuwählen, denen er gestatten würde, seine Manuskripte herauszugeben und seine Zeitschriften zu vertreiben. Persönlichkeiten aus der Fleet Street, die ihn bisher geflissentlich übersehen hatten, luden ihn nun zum Lunch im Garricks ein, auch wenn sie – nachdem sie ihn kennengelernt hatten – nicht so weit gingen, ihm die Mitgliedschaft vorzuschlagen.

Am Ende des Jahres zahlte Armstrong das Darlehen von tausend Pfund zurück, und Colonel Oakshott gelang es nun nicht länger, Hahn Geschichten über unentschlossene Kunden und die schwierige Marktsituation aufzutischen. Oakshott war froh, dass Hahn den neuen Bentley nicht sehen konnte, den Armstrong sich zugelegt hatte, weil der Dodge offenbar nicht mehr standesgemäß war. Benson trug jetzt eine elegante graue Chauffeurlivree und eine Schirmmütze. Armstrongs neuestes Problem war, passende neue Büroräume und qualifiziertes Personal zu finden, um mit der rasanten Expansion seines Unternehmens Schritt halten zu können. Als die Stockwerke über und unter seinem Büro frei wurden, unterzeichnete er umgehend die Mietverträge.

Beim Jahrestreffen des Northstaffordshire Regiment im Café Royal lief Armstrong Major Peter Wakeham über den Weg. Er erfuhr, dass Peter eben erst aus der Armee entlassen worden war und im Personalbüro der Great Western Railway einen Job antreten wollte. Armstrong verbrachte den Rest des Abends damit, Peter von den rosigen Zukunftsaussichten bei Armstrong Communications zu überzeugen. Am darauffolgenden Montag trat Peter als Hauptgeschäftsführer in Armstrongs Dienste.

Sobald er sich eingearbeitet hatte, unternahm Armstrong Reisen in alle Welt – von Montreal nach New York, von Tokio nach Christchurch –, um Hahn-Manuskripte zu verkaufen, und verlangte stets immense Vorschüsse. Das Geld zahlte er auf Konten bei verschiedenen Banken ein, bis nicht einmal mehr Sally ganz sicher sein konnte, wie hoch die Einlagen der Gesellschaft zu irgendeinem Zeitpunkt waren und bei welchen Banken sie lagen. Wann immer Dick zurück in England war, stellte er fest, dass es seine Mitarbeiter aufgrund der Personalknappheit nicht mehr schafften, die ständig steigende Zahl von Bestellungen zügig zu bearbeiten. Und Charlotte wurde es leid, sich von Dick bei seinen immer selteneren Besuchen zu Hause anhören zu müssen, wie groß die Kinder geworden seien.

Als Armstrong das Angebot erhielt, ein komplettes Bürohaus in der Fleet Street zu mieten, griff er sofort zu. Die neue Umgebung überzeugte selbst die skeptischsten Kunden vom Erfolg des Unternehmens. Gerüchte über Armstrongs Expansionskurs gelangten auch nach Berlin, doch Hahns Briefe mit der Forderung, ihm detaillierte Verkaufszahlen mitzuteilen, Einblick in sämtliche Überseeverträge zu geben und beglaubigte Kopien der Verträge zukommen zu lassen, wurden geflissentlich ignoriert.

Colonel Oakshott erhielt die undankbare Aufgabe, Hahns wachsendes Misstrauen auszuräumen, was Armstrongs Behauptung betraf, das Unternehmen habe Schwierigkeiten, auch nur die laufenden Kosten zu decken. Oakshott wurde zunehmend wie ein Botenjunge behandelt, obwohl er erst vor Kurzem zum stellvertretenden Vorsitzenden ernannt worden war. Doch selbst nachdem Oakshott mit Kündigung und Hahn über seine Londoner Anwälte mit der Auflösung ihrer Partnerschaft gedroht hatten, blieb Armstrong ungerührt. Solange die Briten den Deutschen die Einreise verwehrten, konnte Hahn unmöglich herausfinden, wie groß das Armstrong-Imperium inzwischen geworden war und auf welche Summe sich seine Fünfzig-Prozent-Beteiligung an Armstrong Communications tatsächlich belief.

Doch schon wenige Wochen nachdem Winston Churchills Regierung 1951 erneut an die Macht gelangte, wurden sämtliche Reisebeschränkungen für deutsche Staatsbürger aufgehoben. Es überraschte Armstrong nicht, von Colonel Oakshott zu erfahren, dass die erste Auslandsreise von Hahn und Schultz nach London führen würde.

Nach eingehender Konsultation mit einem Kronanwalt im Gray's Inn nahmen die beiden Deutschen sich ein Taxi zur Fleet Street, um Armstrong Communications einen Besuch abzustatten. Hahns angeborener Sinn für Pünktlichkeit hatte ihn auch im fortgeschrittenen Alter nicht verlassen. Sally kam den beiden Herren am Empfang entgegen und führte sie hinauf zu Dicks riesigem neuem Büro. Sie hoffte, die hektische Betriebsamkeit im gesamten Gebäudekomplex würde die beiden Herren gebührend beeindrucken.

Sie wurden von Armstrong mit jenem gewinnenden Lächeln begrüßt, an das sich beide so gut erinnerten. Schultz war bestürzt, wie sehr der Captain zugenommen hatte, und fand seine schreiend bunte Krawatte geschmacklos.

»Willkommen, meine lieben, alten Freunde!« Armstrong breitete die Arme aus wie ein großer Bär. »Wir haben uns viel zu lange nicht mehr gesehen.« Er schien erstaunt über die Distanziertheit seiner Besucher, rückte ihnen jedoch zuvorkommend die bequemen Stühle auf der anderen Seite seines ausladenden Schreibtisches zurecht. Dann kehrte er zu seinem erhöhten Sessel zurück, der es ihm erlaubte, über den Besuchern zu thronen. Hinter Dick hing die riesige Vergrößerung eines Fotos an der Wand, auf dem zu sehen war, wie dem jungen Captain Armstrong von Field Marshal Montgomery das Militärverdienstkreuz an die Brust geheftet wurde.

Nachdem Sally den Gästen brasilianischen Kaffee in feine Porzellantässchen eingeschenkt hatte, kam Hahn ohne Umschweife zur Sache und teilte Armstrong – wie er ihn nur nannte – den Zweck ihres Besuchs mit. Er wollte gerade mit seiner gut vorbereiteten Ansprache beginnen, als einer der vier Telefonapparate auf dem Schreibtisch zu läuten begann. Armstrong griff nach dem Hörer, und Hahn nahm an, dass er seine Sekretärin nun anweisen würde, keine weiteren Anrufe durchzustellen. Stattdessen begann Armstrong ein intensives Gespräch auf Russisch. Kaum hatte er es beendet, klingelte ein anderes Telefon, und er führte ein neuerliches Gespräch, diesmal auf Französisch. Hahn und Schultz verbargen ihren Unmut und warteten geduldig, bis Captain Armstrong seine Gespräche beendet hatte.

»Tut mir schrecklich leid«, entschuldigte es sich, nachdem er schließlich das dritte Mal aufgelegt hatte. »Aber wie Sie sehen, geben diese verdammten Dinger nie Ruhe. Dafür gehören fünfzig Prozent der Gewinne, die ich durch telefonische Vereinbarungen erwirtschafte, ja Ihnen«, fügte er mit breitem Lächeln hinzu.

Hahn wollte gerade ein zweites Mal zu seiner Rede ansetzen, als Armstrong die oberste Schreibtischschublade aufzog und eine Kiste Havannas zum Vorschein brachte – etwas, das seine Gäste zehn Jahre lang nicht zu Gesicht bekommen hatten. Er schob die Kiste über den Schreibtisch. Hahn winkte ab, und Schultz folgte zögernd seinem Beispiel.

Hahn versuchte es ein drittes Mal.

»Ach, übrigens«, unterbrach Armstrong ihn erneut, »ich habe im Savoy Grill einen Tisch für uns reservieren lassen. Jeder, der etwas auf sich hält, speist im Grill.« Er bedachte sie mit einem weiteren Lächeln.

»Wir sind anderweitig zum Mittagessen verabredet«, entgegnete Hahn kurz angebunden.

»Aber es gibt so viel, worüber wir uns unterhalten müssen«, beharrte Armstrong. »Schließlich interessiert es mich, was sich seit unserer gemeinsamen Zeit in Berlin so alles getan hat.«

»Außer geschäftlichen Dingen haben wir nichts miteinander zu bereden«, stellte Hahn nachdrücklich fest. »Schon gar nicht ‚unsere gemeinsame Zeit‹.«

Armstrong schwieg für einen Augenblick.

»Ich bedauere, Ihnen mitteilen zu müssen, Captain Armstrong«, fuhr Hahn fort, »dass wir beschlossen haben, unsere Partnerschaft mit Ihnen zu beenden.«

»Aber das ist nicht möglich«, sagte Armstrong. »Wir haben eine bindende rechtsgültige Vereinbarung.«

»Die Sie offenbar seit geraumer Zeit nicht gelesen haben«, erwiderte Hahn, »andernfalls müssten Sie wissen, dass Sie vertragsbrüchig geworden sind und wir nun wegen Nichteinhaltung entsprechende Maßnahmen ergreifen können.«

»Aber ich beabsichtige …«

»Im Falle der Nichtzahlung gehen sämtliche Überseerechte nach zwölf Monaten automatisch an die Muttergesellschaft zurück.« Es hörte sich an, als würde Hahn diese Klausel des Vertrags auswendig kennen.

»Ich kann meinen Verpflichtungen umgehend nachkommen«, versicherte Armstrong, obwohl er sich dessen keineswegs sicher war.

»Das würde meine Entscheidung nicht beeinflussen«, erklärte Hahn.

»Aber vertragsgemäß muss die Kündigung schriftlich erfolgen, und die Kündigungsfrist beträgt neunzig Tage.« Gerade noch rechtzeitig erinnerte sich Armstrong an diese Klausel, auf die ihn Stephen Hallet vor Kurzem aufmerksam gemacht hatte.

»Die haben wir Ihnen bereits elfmal geschickt«, erwiderte Hahn.

»Ich wüsste nicht, je eine solche Kündigung erhalten zu haben«, sagte Armstrong. »Deshalb …«

»Die letzten drei wurden per Einschreiben an dieses Büro geschickt.«

»Das heißt nicht, dass wir sie bekommen haben.«

»Jedes Einschreiben wurde entweder von Ihrer Sekretärin oder Colonel Oakshott quittiert. Und unser letztes Schreiben wurde Stephen Hallet persönlich ausgehändigt, der, wie ich weiß, den Vertrag selbst aufgesetzt hat.«

Das brachte Armstrong erneut zum Verstummen.

Hahn öffnete seine ramponierte Aktenmappe, an die Armstrong sich sehr gut erinnerte, und nahm Kopien von drei Dokumenten heraus, die er vor seinem ehemaligen Geschäftspartner auf dem Schreibtisch ausbreitete. Dann hielt er Armstrong ein viertes Dokument hin.

»Hiermit übergebe ich Ihnen höchstpersönlich eine Kündigung mit einer gesetzlichen Frist von einem Monat. Sie verpflichtet Sie dazu, die derzeit in Ihrem Besitz befindlichen Publikationen, Druckplatten und Dokumente, die wir Ihnen in den vergangenen zwei Jahren überlassen hatten, innerhalb eines Monats zurückzugeben. Zuzüglich eines Schecks über einhundertsiebzigtausend Pfund fälliger Lizenzgebühren. Unsere Finanzberater betrachten diese Summe übrigens als vorsichtige Schätzung.«

»Aber Sie werden mir doch gewiss noch eine Chance geben, nach allem, was ich für Sie getan habe?«, flehte Armstrong.

»Wir haben Ihnen bereits viel zu viele Chancen gegeben«, entgegnete Hahn, »und keiner von uns beiden«, er deutete mit einem Kopfnicken auf seinen Kollegen, »ist in einem Alter, um noch mehr Zeit damit zu vergeuden darauf zu hoffen, Sie würden Ihren Verpflichtungen irgendwann einmal tatsächlich nachkommen.«

»Und wie, glauben Sie, soll Ihr Verlag ohne mich überleben?«, wollte Armstrong wissen.

»Ganz einfach«, antwortete Hahn. »Wir haben heute Morgen bereits einen Vertrag mit dem renommierten Verlagshaus Macmillan abgeschlossen, dessen Name Ihnen sicher nicht unbekannt ist. Wir werden diese Vereinbarung in der Freitagsausgabe der Zeitschrift *Bookseller* bekannt geben, damit unsere Kunden in Großbritannien, den Vereinigten Staaten und der übrigen Welt wissen, dass Sie uns nicht mehr vertreten.«

Hahn und Schultz erhoben sich und gingen ohne ein weiteres Wort zur Tür aus. »Sie werden noch von meinen Anwälten hören!«, rief Armstrong ihnen nach.

Als sich die Tür hinter ihnen geschlossen hatte, trat Armstrong an das Fenster hinter seinem Schreibtisch. Er blickte hinunter auf die Straße und rührte sich nicht, bis Hahn und Schultz in ein Taxi gestiegen waren und davonfuhren. Erst dann ließ er sich wieder in seinen Sessel fallen, griff nach dem nächsten Telefon und wählte eine Nummer. Eine vertraute Stimme antwortete. »Kaufen Sie in den nächsten sieben Tagen jede Macmillan-Aktie, die Sie bekommen können«, wies er den Makler an. Dann schmetterte er den Hörer auf die Gabel und tätigte einen zweiten Anruf.

Stephen Hallet hörte konzentriert zu, als sein Klient ihm ausführlich von seinem Treffen mit Hahn und Schultz berichtete. Die Einstellung der Deutschen erstaunte Hallet keineswegs, schließlich hatte er selbst Armstrong über die Kündigung unterrichtet, die er von Hahns Londoner Anwälten erhalten hatte. Als Armstrong mit seiner Version des Treffens fertig war, hatte er nur eine Frage: »Wie lange kann ich es hinausschieben? Ich erwarte in den nächsten Wochen mehrere größere Zahlungen.«

»Ein Jahr, vielleicht anderthalb, falls Sie bereit sind, eine einstweilige Verfügung zu erwirken und einen Prozess gegen sie anzustrengen.«

Zwei Jahre später, nachdem Armstrong jeden in seinem Umfeld, einschließlich Stephen Hallet, an den Rand der Erschöpfung getrieben hatte, erzielte er im Gerichtssaal mit Hahn eine Einigung.

Hallet hatte ein umfangreiches Dokument erstellt, in welchem Armstrong sich bereit erklärte, Hahns gesamtes Eigentum zurückzugeben, einschließlich aller noch unveröffentlichter Manuskripte, sämtlicher Druckplatten, Copyrights, Verträge sowie mehr als eine Viertelmillion Bücher aus seinem Lager in Watford. Außerdem musste er fünfundsiebzigtausend Pfund als Ausgleich für seinen geschätzten Gewinn der vergangenen fünf Jahre zahlen.

»Gott sei Dank, dass wir den Kerl endgültig los sind!«, war alles, was Hahn sagte, als er das Gebäude des Obersten Gerichts verließ.

Am Tag nach der Unterzeichnung des Dokuments kündigte Colonel Oakshott ohne Begründung fristlos. Drei Wochen später erlag er einem Herzinfarkt. Armstrong hatte keine Zeit, an der Beerdigung teilzunehmen und ließ sich von Peter Wakeham vertreten, dem neuen stellvertretenden Vorstandsvorsitzenden.

Am Tag von Colonel Oakshotts Beisetzung hielt Armstrong sich in Oxford auf, wo er einen langfristige Mietvertrag für ein großes Gebäude am Rande dieser Stadt unterschrieb.

Im Laufe der nächsten zwei Jahre verbrachte Armstrong fast mehr Zeit in der Luft als zu Boden, denn er reiste in der Welt herum und suchte sämtliche Autoren auf, die bei Hahn unter Vertrag standen, um sie zu überreden, ihre Verträge zu kündigen und neue mit Armstrong Communications abzuschließen. Ihm war klar, dass er einige der deutschen Wissenschaftler nicht würde abwerben können, aber dafür wurde er reichlich durch die von Oberst Tulpanow vermittelten Exklusivrechte in Russland entschädigt sowie durch die vielen Kontakte, die er in den Jahren in Amerika geknüpft hatte, als Hahn Auslandsreisen noch untersagt gewesen waren.

Viele der Wissenschaftler, die nur selten ihre Labore verließen, fühlten sich geschmeichelt durch Armstrongs persönliches Interesse und durch die Aussicht auf eine gewaltige neue Leserschaft auf der ganzen Welt. Oft hatten sie nicht die leiseste Ahnung, was den wahren wirtschaftlichen Wert ihrer Forschungen anging, und so unterzeichneten sie glücklich die vorgefertigten Verträge und schickten anschließend ihre Lebenswerke an Headley Hall, Oxford – nicht selten in der Annahme, dass diese Anschrift auf irgendeine Weise mit der berühmten Universität in Verbindung stand.

Sobald die Wissenschaftler einen Vertrag unterzeichnet hatten, in dem sie Armstrong gewöhnlich für einen lächerlichen Vorschuss auch die Rechte an allen zukünftigen Arbeiten zusicherten, hörten sie nie wieder etwas von ihm. Diese Taktik ermöglichte es Armstrong Communications im Jahr nach der Trennung von Hahn, einen Gewinn von neunzigtausend Pfund zu vermelden; ein Jahr später wählte der *Manchester Guardian* Richard Armstrong zum »Jungunternehmer des Jahres«. Charlotte erinnerte ihren Gatten, dass er den Vierzigern näher war als den Dreißigern.

»Stimmt«, gab er zu, »aber du darfst nicht vergessen, dass alle meine Konkurrenten einen Vorsprung von zwanzig Jahren hatten.«

Nachdem sie sich in Headley Hall, ihrem neuen Zuhause

in Oxford, eingerichtet hatten, erhielt Dick viele Einladungen zu Veranstaltungen der Universität. Die meisten sagte er ab; denn ihm war klar, dass das Interesse der Universität nicht ihm, sondern ausschließlich seinem Geld galt. Dann aber kam ein Anruf von Allan Walker, dem Präsidenten des Labour Clubs der Universität Oxford. Walker erkundigte sich, ob Captain Armstrong bereit wäre, ein Dinner des Komitees zu Ehren von Hugh Gaitskell, dem Oppositionsführer, zu sponsern. »Gern«, sagte Dick. »Doch nur unter der Bedingung, dass Sie mir den Platz neben Gaitskell geben.« Von nun an trat Armstrong Communications bei jedem Besuch eines führenden Politikers der Labour Party als Sponsor auf, und innerhalb von zwei Jahren hatte Dick jedes Mitglied des Schattenkabinetts kennengelernt und darüber hinaus mehrere ausländische Würdenträger, darunter den Premierminister von Israel, David Ben Gurion. Der hatte ihn nach Tel Aviv eingeladen und sich erkundigt, ob Dick sich nicht mit der Notlage jener Juden befassen wolle, die während des Krieges und danach weniger Glück gehabt hatten als er.

Nachdem Allan Walker promoviert hatte, bewarb er sich als Erstes um einen Job bei Armstrong Communications. Dick engagierte ihn sofort als persönlichen Berater mit der Aufgabe, Armstrongs politischen Einfluss noch auszuweiten. Walkers erster Vorschlag war, die nicht sonderlich professionell gestaltete Universitätszeitschrift *Isis* zu übernehmen, die, wie üblich, mit finanziellen Schwierigkeiten zu kämpfen hatte. Mittels einer kleinen Investition wurde Armstrong zum Helden der Linken an der Universität Oxford, und er benutzte die Zeitschrift schamlos, um Werbung für sich selbst und seine Interessen zu machen. Mindestens einmal in jedem Trimester konnten die Leser Dicks Gesicht auf der Titelseite bewundern. Doch da die Redakteure der Zeitschrift ihr Amt immer nur höchstens ein Jahr innehatten und bezweifelten, eine andere Einkommensquelle zu finden, wagten sie keine Einwände.

Als Harold Wilson Vorsitzender der Labour Party wurde, würdigte Armstrong in schmeichelhaften Artikeln dessen politische Zielsetzung und Führungsqualitäten. Zyniker behaupteten, das läge nur daran, weil die Torys nichts mit Armstrong zu tun haben wollten. Nie versäumte es Dick, den Politikern der Labour Party, die Oxford besuchten, zu versichern, er nehme die Verluste von *Isis* gern auf sich, solange er mit dieser Universitätszeitschrift dazu beitragen könne, dass die nächste Generation von Oxford-Studenten die Labour Party unterstützte. Einige Politiker fühlten sich durch diese Anbiederung eher abgestoßen. Armstrong aber glaubte mehr und mehr, seinen Einfluss und Reichtum ausspielen zu können, sollte die Labour Party in der Regierung ans Ruder kommen. Und dann konnte er sich vielleicht einen neuen Traum erfüllen – Eigentümer einer Zeitung zu werden, die mit Millionenauflage in ganz Großbritannien erschien.

Im Grunde fragte er sich bereits nur noch, wer ihn daran hindern könnte.

20

The Times

Oktober 1964

Der gestürzte Chruschtschow gibt auf – »alt und krank«. Breschnew und Kossygin übernehmen Führung Russlands

Minuten nachdem die Maschine gestartet war, löste Keith Townsend den Sicherheitsgurt, öffnete seinen Aktenkoffer und nahm einen Stoß Papiere heraus. Er warf einen verstohlenen Blick auf Kate, die bereits in den neuesten Roman von Patrick White vertieft war.

Noch einmal studierte Keith die Akte über die West Riding Group. War das wirklich seine beste Möglichkeit, in Großbritannien Fuß zu fassen? Aber auch hier, in Australien, hatte er ja damals nur einen kleinen Zeitungsverlag erworben und erst dadurch die Möglichkeit bekommen, Eigentümer des *Sydney Chronicle* zu werden. Er war überzeugt, dass wenn ihm erst einmal ein paar Regionalblätter in Großbritannien gehörten, er sich in einer viel besseren Position befände, ein Übernahmeangebot für eine überregionale Zeitung zu machen.

Keith las, dass Harry Shuttleworth den Zeitungskonzern Anfang des Jahrhunderts gegründet hatte. Anfangs hatte er zusätzlich zum Betrieb seiner sehr erfolgreichen Textilfabrik ein Abendblatt in Huddersfield herausgegeben. Townsend erkannte dieses Muster wieder: Eine Lokalzeitung stand unter dem Einfluss des größten Arbeitgebers der Region. Auf diese Weise war er ja selbst in den Besitz eines Hotels und zweier Kohlegruben gekommen. Jedes Mal wenn Shuttleworth in einer weiteren Stadt eine Fabrik eröffnet hatte, folgte zwei Jahre später eine Zeitung. Als er schließlich in den Ruhestand ging, gehörten ihm vier Textilfabriken und vier Zeitungen im West Riding.

Shuttleworths ältester Sohn Frank übernahm nach seiner Rückkehr aus dem Ersten Weltkrieg die Firma, und obwohl sein Hauptinteresse den Textilfabriken galt …

»Hätten Sie gern einen Drink, Sir?«

Townsend nickte. »Einen Whisky mit einem Schuss Soda.«

… ergänzte er die drei Fabriken, die er in Doncaster, Bradford und Leeds errichtete, ebenfalls um Lokalblätter. Dies hatte Frank Shutdeworth gelegentlich freundliche Vorwürfe von Beaverbrook, Northcliffe und Rothermere eingebracht, die Frank sich jedoch keineswegs zu Herzen genommen hatte.

Doch inzwischen hatte es ganz den Anschein, als wäre die dritte Generation der Shuttleworths nicht aus demselben Holz geschnitzt. Die Kombination von billig aus Indien importierten Textilien und einem einzigen Sohn, der von Anfang an nie etwas anderes hatte sein wollen als Botaniker, führte dazu, dass die Gewinne der Unternehmensgruppe sanken, kaum dass Frank ein paar Tage unter der Erde war – und das, obwohl er seinem Sohn acht Fabriken, sieben Tageszeitungen, fünf Wochenzeitschriften und eine regionale Zeitschrift hinterlassen hatte. Ende 1940 waren die Fabriken schließlich in Konkurs gegangen, während die Zeitungen gerade noch kostendeckend herausgegeben werden konnten. Es hatte den Anschein, als verdankten sie ihr Überleben lediglich der Loyalität ihrer Leser, doch die jüngsten Zahlen verrieten, dass es immer schwieriger wurde, auch sie über Wasser zu halten.

Townsend sah auf, als ein Tischchen an seiner Armlehne befestigt und ein kleines Leinendeckchen darübergebreitet wurde. Als die Stewardess bei Kate das Gleiche tat, legte diese ihren Roman *Die im feurigen Wagen* zur Seite, schwieg jedoch, um die Konzentration ihres Chefs nicht zu stören.

»Ich möchte, dass Sie das lesen«, sagte Townsend und reichte Kate die ersten paar Seiten des Berichts. »Dann werden Sie verstehen, weshalb ich diese Reise nach England mache.«

Townsend öffnete eine zweite Akte, die Henry Wolstenholme für ihn zusammengestellt hatte, ein ehemaliger Kommilitone aus Oxford und mittlerweile Anwalt in Leeds. Townsend konnte sich kaum noch an ihn entsinnen, außerdaran, dass Wolstenholme nach wenigen Drinks immer ungewöhnlich gesprächig geworden war. Es wäre Townsend nie in den Sinn gekommen, ihn zu konsultieren, doch da Wolstenholme die West Riding Group seit ihrer Gründung vertrat, blieb ihm keine andere Wahl. Wolstenholme hatte Keith in einem ausführlichen Schreiben auf das Potenzial des Konzerns aufmerksam gemacht. Auch wenn ein Verkauf der WRG offiziell nicht zur Debatte stand – zumindest würde ihr derzeitiger Vorsitzender alle diesbezüglichen Gerüchte empört zurückweisen –, wäre John Shuttleworth wahrscheinlich nur unter der Bedingung bereit, sich von seinen Zeitungen zu trennen, dass der Käufer von so weit wie möglich von Yorkshire entfernt kam. Townsend lächelte. Was das betraf, dürfte er der bestqualifizierte Kandidat sein, den man sich denken konnte.

Sobald Townsend sein Interesse bekundet hatte, hatte Wolstenholme ein Treffen vorgeschlagen, um über die Einzelheiten zu sprechen. Townsends einzige Bedingung war, dass er sich erst einmal die Druckerpressen der Zeitungen anschauen wolle. »Nichts zu machen«, kam die sofortige Erwiderung. »Shuttleworth will sich nicht auf seinen eigenen Titelseiten wiederfinden, bevor nicht alles unter Dach und Fach ist.« Townsend war klar, dass Verhandlungen, die über einen Dritten liefen, nie einfach waren, doch diesmal blieb ihm nichts übrig, als darauf zu hoffen, dass Wolstenholme ihm vielleicht doch mehr Fragen beantworten würde als gewöhnlich.

Während Townsend die Suppe löffelte, ging er die Zahlen durch, die Clive Jervis für ihn zusammengestellt hatte. Clive schätzte, dass die Gesellschaft etwa hundert- bis hundertfünfzigtausend Pfund wert war, gab jedoch zu bedenken, dass er sich nicht festlegen könne, solange er nichts weiter gesehen habe als die Bilanz. Zweifellos will er eine Rücktrittsklausel, falls zu einem späteren Zeitpunkt etwas schiefgehen sollte, überlegte Townsend.

»Das ist aufregender als *Die im feurigen Wagen«,* meinte Kate, nachdem sie die erste Akte zur Seite legte. »Aber welche Rolle soll ich bei der Sache spielen?«

»Das hängt vom Ausgang der Verhandlungen ab«, erwiderte Keith. »Wenn ich das hier durchziehe, brauche ich in allen meinen australischen Zeitungen Berichte darüber. Außerdem möchte ich ein Extrastück – wesentlich sachlicher verfasst – für Reuters und den Presseverband. Wichtig ist, die Verleger auf der ganzen Welt darauf aufmerksam zu machen, dass ich jetzt auch außerhalb Australiens meine Hände im Spiel habe und ein ernsthafter Konkurrent bin.«

»Wie gut kennen Sie Wolstenholme?«, fragte Kate. »Mir scheint, dass Sie sich sehr auf sein Urteilsvermögen verlassen müssen.«

»Nicht besonders gut«, gestand Keith. »Er war im College zwei Klassen über mir und galt als ziemlich robust.«

»Robust?«, fragte Kate verwirrt.

»Während des Herbsttrimesters verbrachte er die meiste Zeit mit der Rugby-Mannschaft der Schule, und die anderen beiden Trimester stand er gern am Ufer und feuerte den College-Achter an. Ich glaube, man hat ihn nur deshalb zum Trainer gemacht, weil er eine Stimme hatte, die noch am anderen Themseufer deutlich zu hören war. Hin und wieder schloss er sich der Mannschaft zu einem Glas Ale an. Aber das war vor zehn Jahren. Inzwischen ist er meines Wissens Anwalt und ein Familienvater geworden.«

»Haben Sie eine Ahnung, wie viel die West Riding Group tatsächlich wert ist?«

»Nein, aber ich kann auf jeden Fall ein unverbindliches Angebot machen, um mir die sechs Druckmaschinen mal anzusehen und mich gleichzeitig über die Fähigkeiten der Redakteure und Journalisten zu informieren. Aber in England sind die Gewerkschaften immer das größte Problem. Falls die West Riding Group einer dieser Konzerne ist, die nur Mitglieder der Gewerkschaft beschäftigen dürfen, lasse ich die Finger davon, denn so gut das Geschäft auch sein mag – die Gewerkschaften könnten mich binnen weniger Monate in den Bankrott treiben.«

»Und wenn die Gewerkschaft in dem Unternehmen nicht so viel Einfluss hat?«

»Gehe ich vielleicht bis hundert- oder sogar hundertzwanzigtausend. Aber ich werde keine Summe nennen, solange sie nicht durchblicken lassen, was sie vorhaben.«

»Ich muss schon sagen, das hier ist mir lieber, als über die Fälle vor dem Jugendgericht zu schreiben«, gestand Kate.

»Ich habe auch als Gerichtsreporter angefangen«, sagte Keith. »Aber im Unterschied zu Ihren Artikeln hielt der Redakteur die meinen nicht für preiswürdig und lehnte sie für gewöhnlich ab, noch bevor er den ersten Absatz zu Ende gelesen hatte.«

»Vielleicht wollte er damit nur zeigen, dass er keine Angst vor Ihrem Vater hatte.«

Keith sah sie an und merkte, dass sie sich fragte, ob sie damit zu weit gegangen war. »Möglich«, erwiderte er. »Aber das war, bevor ich den *Chronicle* übernahm und den Mann vor die Tür setzen konnte.«

Kate schwieg, während die Stewardess die Tabletts abräumte. »Wir werden jetzt die Nachtbeleuchtung einschalten«, erklärte sie. »Aber falls Sie weiterlesen möchten, brauchen Sie nur das Licht über Ihrem Kopf anzuknipsen.«

Keith nickte und schaltete seines an. Kate streckte sich und stellte die Lehne ihres Sitzes so weit zurück, wie es ging, wickelte sich in eine Decke und schloss die Augen. Keith betrachtete sie ein paar Sekunden, ehe er einen vierten Ordner aufschlug. Er las die ganze Nacht hindurch.

Als Oberst Tulpanow anrief, um Armstrong vorzuschlagen, sich mit einem seiner Geschäftspartner, einem gewissen Juri Waltschek, zu treffen, um über eine Angelegenheit gemeinsamen Interesses zu reden, schlug Armstrong ein Geschäftsessen im Savoy vor, sobald sich Mr. Waltschek wieder einmal in London aufhielt.

In den vergangenen zehn Jahren war Armstrong regelmäßig nach Moskau gereist, hatte sich dort die ausländischen Exklusivrechte für Werke sowjetischer Wissenschaftler gesichert und dafür Tulpanow den einen oder anderen kleinen Gefallen erwiesen – die, wie Armstrong sich einredete, seinem neuen Heimatland keinen wie auch immer gearteten Schaden zufügten. Diese Selbsttäuschung wurde dadurch gefördert, dass er es Forsdyke jedes Mal wissen ließ, wann er wieder eine Reise nach Moskau unternahm, wobei er dann und wann Botschaften von Forsdyke mit in die russische Hauptstadt nahm, auf die er oft rätselhafte Antworten zurückbrachte. Armstrong war klar, dass beide Seiten ihn für ihren Mann hielten. Deshalb befürchtete er, dass Waltschek nicht nur ein einfacher Kurier war. Möglicherweise schickten die Russen ihn, um herauszufinden, wie weit Armstrong zu gehen bereit war, wenn man ihn unter Druck setzte. Indem er den Savoy Grill als Treffpunkt mit Waltschek auswählte, hoffte er, Forsdyke auf diese Weise zu überzeugen, dass er nichts zu verbergen hatte.

Armstrong traf einige Minuten vor der verabredeten Zeit im Savoy ein, wo ihn der Ober zu seinem gewohnten Tisch in einer Nische führte. Statt seines Lieblingswhiskys mit Soda bestellte er einen Wodka, das unter Agenten abgesprochene Zeichen, dass kein Englisch gesprochen werden sollte. Dann blickte er zum Eingang und fragte sich, ob er Waltschek erkennen würde, wenn dieser hereinkam. Vor zehn Jahren wäre das noch leicht gewesen, doch Dick hatte viele Angehörige der neuen Agentengeneration darauf hingewiesen, dass sie in ihren billigen Doppelreihern und den schmalen Krawatten mit den Soßenflecken auffielen wie bunte Hunde. Seither hatten mehrere der regelmäßigeren

Besucher Londons und New Yorks gelernt, Abstecher in die Savile Row und die Fifth Avenue zu machen, um sich neu einzukleiden. Armstrong vermutete allerdings, dass sie sich auf ihren Rückflügen mit der Aeroflot wieder umzogen, bevor sie in Moskau landeten.

Zwei Geschäftsleute, in ein Gespräch vertieft, kamen ins Restaurant geschlendert. Einen der beiden kannte Armstrong, konnte sich aber nicht an seinen Namen erinnern. Nach den beiden erschien eine aufregend schöne Dame in Begleitung zweier Herren. Dass eine Frau im Grill lunchte, war ein ungewöhnlicher Anblick, und Dick beobachtete sie verstohlen, als sie in die Nische neben der seinen geführt wurde.

Der Ober riss ihn aus seinen Gedanken. »Ihr Gast ist soeben eingetroffen, Sir.«

Armstrong erhob sich, um einem Herrn die Hand zu geben, den man ohne Weiteres für den kaufmännischen Direktor einer britischen Firma halten konnte, und dem man offensichtlich nicht erklären musste, wo sich die Savile Row befand. Armstrong bestellte zwei Wodka.

»Wie war Ihr Flug?«, erkundigte er sich auf Russisch.

»Nicht besonders angenehm, Genosse«, antwortete Waltschek. »Im Gegensatz zu Ihnen habe ich keine andere Wahl, als mit Aeroflot zu fliegen. Falls Sie je diese Fluglinie nehmen müssen, kann ich Ihnen nur raten, Schlaftabletten einzustecken. Und denken Sie nicht mal daran, irgendetwas an Bord zu essen.«

Armstrong lachte. »Wie geht es Oberst Tulpanow?«

»*General* Tulpanow steht kurz vor der Ernennung zur Nummer zwei des KGB. Er möchte, dass Sie Brigadegeneral Forsdyke ausrichten, er stehe rangmäßig immer noch über ihm.«

»Es wird mir ein Vergnügen sein«, versicherte Armstrong. »Gibt es sonst noch irgendwelche Veränderungen an der Spitze, von denen ich wissen sollte?«

»Im Augenblick nicht.« Waltschek machte eine kurze Pause. »Allerdings vermute ich, dass Genosse Chruschtschow nicht mehr sehr lange im Amt bleiben wird.«

»Könnte es sein, dass dann auch Sie Ihren Schreibtisch räumen müssen?« Armstrong blickte ihm direkt in die Augen.

»Nicht, solange Tulpanow mein Chef ist.«

»Wer, glauben Sie, wird Chruschtschows Nachfolger?«

»Ich würde sagen, Breschnew. Aber da Tulpanow Akten über jeden möglichen Kandidaten angelegt hat, wird keiner auch nur versuchen, ihn auszutauschen.«

Armstrong lächelte bei dem Gedanken, dass Tulpanow sich gegen jede Eventualität abgesichert hatte.

Ein Kellner stellte einen weiteren Wodka vor seinen Gast. »Der General spricht in den höchsten Tönen von Ihnen«, sagte Waltschek, nachdem der Kellner wieder gegangen war. »Zweifellos wird Ihre Position noch einflussreicher, sobald seine Ernennung erst offiziell ist.« Waltschek machte eine Pause und studierte die Speisekarte; dann gab er einem herbeigeeilten Ober seine Bestellung auf Englisch. »Sagen Sie mal«, fuhr Waltschek fort, als sie wieder allein waren, »warum spricht General Tulpanow immer als Lubji von Ihnen?«

»Dieser Deckname ist so gut wie jeder andere.« Armstrong zuckte die Schultern.

»Aber Sie sind kein Russe.«

»Nein, bin ich nicht«, antwortete Armstrong fest.

»Aber auch kein Engländer, Genosse, nicht wahr?«

»Ich bin englischer als die Engländer.« Diese Antwort

brachte Dicks Gast vorerst zum Verstummen, zumal ein Teller mit Räucherlachs vor ihn gestellt wurde.

Waltschek hatte den ersten Gang beendet und schnitt ein blutig gebratenes Steak an, als er mit dem wahren Zweck seines Besuchs herausrückte.

»Das Nationale Wissenschaftliche Institut möchte ein Buch über seine Leistungen in der Weltraumforschung herausgeben«, sagte er und wählte einen Dijon-Senf. »Der Direktor des Instituts ist der Ansicht, dass Präsident Kennedy für sein NASA-Programm viel zu oft zu Unrecht gelobt wird, wo doch jeder weiß, dass es die Sowjetunion war, die den ersten Menschen ins All geschossen hat. Wir haben ein Dokument vorbereitet, das unsere Erfolge auf diesem Gebiet genauestens auflistet – von der Gründung der Raumfahrtakademie bis heute. Außerdem habe ich ein Manuskript von etwa einer Million Anschlägen bei mir, das führende Wissenschaftlern der Akademie verfassten, einhundert Fotos, die erst im vergangenen Monat gemacht wurden, sowie detaillierte Diagramme und Entwürfe für Luna IV und V.«

Armstrong versuchte gar nicht erst, Waltscheks Redefluss zu stoppen. Diesem Boten Tulpanows musste klar sein, dass der Inhalt eines solchen Buchs überholt war, noch ehe es auf den Markt kommen konnte. Deshalb musste es einen anderen Grund dafür geben, weshalb Waltschek von Moskau hierhergekommen war, um mit ihm zu lunchen. Doch sein Gast redete und redete und zählte immer weitere unbedeutende Einzelheiten auf. Schließlich fragte er Armstrong nach seiner Meinung zu diesem Projekt.

»Mit welcher Auflage rechnet General Tulpanow?«

»Eine Million Exemplare in gebundener Form, die auf dem üblichen Vertriebsweg auf den Markt kommen sollen.«

Armstrong bezweifelte, dass ein solches Buch selbst weltweit nur auf den Bruchteil einer solchen Leserschaft kommen würde.

»Allein schon meine Druckkosten …«, begann er.

»Wir sind uns des Risikos durchaus bewusst, das Sie mit einer solchen Publikation eingehen. Deshalb stellen wir Ihnen fünf Millionen Dollar zur Verfügung, die auf die Länder aufgeteilt werden sollen, in denen das Buch übersetzt, verlegt und verkauft wird. Selbstverständlich gibt es eine Provision von zehn Prozent für den Agenten. Ich sollte wohl noch hinzufügen, dass es General Tulpanow nicht überraschen würde, wenn dieses Buch auf keiner Bestsellerliste auftaucht. Solange Sie in Ihrem Jahresbericht belegen können, dass eine Million Exemplare gedruckt wurden, wird er zufrieden sein. Von wirklicher Bedeutung ist die Aufteilung der Gewinne«, fügte Waltschek hinzu und schlürfte seinen Wodka.

»Ist das hier eine einmalige Sache, oder werden Sie mir irgendwann wieder einen ähnlichen Vorschlag unterbreiten?«, fragte Armstrong.

»Wenn Sie dieses …«, Waltschek suchte nach dem richtigen Wort, »… Projekt erfolgreich durchführen, möchten wir, dass Sie ein Jahr später eine Taschenbuchausgabe folgen lassen, wofür wir Ihnen ebenfalls fünf Millionen zur Verfügung stellen. Danach könnte es möglicherweise zu Neuauflagen und überarbeiteten Fassungen kommen …«

»Wodurch ein kontinuierlicher Zufluss von Mitteln an Ihre Agenten in jedem Land gewährleistet würde, in dem der KGB seinen Interessen nachgeht«, sagte Armstrong.

Waltschek ignorierte diese Bemerkung. »Und als unser Beauftragter erhalten Sie zehn Prozent von jedem Vorschuss.

Schließlich gibt es keinen Grund, dass Sie nicht die gleichen Rechte haben sollten wie jeder andere literarische Agent. Und ich bin zuversichtlich, dass unsere Wissenschaftler jedes Jahr ein neues Manuskript verfassen können, das der Veröffentlichung wert ist.« Er machte eine Pause. »Hauptsache, die Tantiemen werden immer pünktlich und in der von uns gewünschten Währung bezahlt.«

»Wann bekomme ich das Manuskript zu Gesicht?«

»Ich habe eine Kopie dabei.« Waltschek blickte auf die Aktenmappe neben sich. »Wenn Sie sich einverstanden erklären, das Buch zu verlegen, sind die ersten fünf Millionen noch vor Ende dieser Woche auf Ihrem Konto in Liechtenstein. Wenn ich es recht verstanden habe, wurden die Geschäfte mit Ihnen bisher immer so gehandhabt.«

Armstrong nickte. »Ich werde eine zweite Kopie des Manuskripts für Forsdyke benötigen.«

Waltschek zog eine Braue hoch, gerade als sein Teller abgeräumt wurde.

»Er hat einen Agenten auf der anderen Seite des Raums sitzen. Also geben Sie mir das Manuskript erst, kurz bevor wir aufbrechen, dann klemme ich's mir unter den Arm und gehe damit hinaus. Keine Angst«, fuhr er fort, denn er spürte Waltscheks Besorgnis, »er versteht absolut nichts vom Verlagswesen, und seine Abteilung wird wahrscheinlich monatelang nach verschlüsselten Nachrichten zwischen den Sputniks suchen.«

Waltschek lachte, machte jedoch keine Anstalten, zur anderen Seite des Restaurants zu schauen, als der Dessertwagen an ihren Tisch gerollt wurde; stattdessen blickte er auf die drei Etagen voller Extravaganzen vor ihm.

Während des nun einsetzenden Schweigens schnappte

Armstrong ein einzelnes Wort vom Nebentisch auf – »Druckerpressen«. Er versuchte mehr von dem Gespräch zu verstehen, doch dann fragte Waltschek ihn nach seiner Meinung über einen jungen Tschechen namens Havel, der vor Kurzem ins Gefängnis gesteckt worden war.

»Ist er Politiker?«

»Nein, ein …«

Armstrong drückte einen Finger auf die Lippen, um seinem Kollegen zu bedeuten, er möge weiterreden, solle aber keine Antwort erwarten. Der Russe brauchte in solchen Dingen keine weiteren Anweisungen.

Armstrong konzentrierte sich auf die drei Personen in der Nische neben der seinen. Der sportlich aussehende Mann mit der weichen Stimme, der mit dem Rücken zu ihm saß, musste Australier sein, doch obwohl sein Akzent unverkennbar war, konnte Armstrong nur wenige seiner Worte verstehen. Neben dem Mann saß die aufregende junge Frau, die Armstrong so verwirrt hatte, als sie vorhin das Restaurant betrat. Er hielt sie für eine Mitteleuropäerin und vermutete, dass ihr Geburtsort nicht allzu weit von seinem entfernt lag. Rechts von ihr, dem Australier gegenüber, saß ein Mann mit nordenglischem Akzent und einer Stimme, die seinen alten Regimentsfeldwebel begeistert hätte. Offenbar war dem Mann das Wort »vertraulich« nie vollständig erklärt worden.

Während Waltschek gelassen auf Russisch weiterredete, zog Armstrong einen Füllfederhalter aus der Brusttasche und notierte sich auf der Rückseite der Speisekarte die vereinzelten Wörter, die er verstehen konnte – keine leichte Übung, hätte ihn nicht ein echter Profi darin ausgebildet. Nicht zum ersten Mal war er Forsdyke dankbar dafür.

»John Shuttleworth, Vorsitzender der WRG«, waren die ersten Worte, die Armstrong sich notierte; einen Augenblick später folgte: »Eigentümer«. Einige Zeit verging, ehe er *Huddersfield Echo* sowie die Namen von sechs weiteren Zeitungen hinzufügte. Blicklos starrte er Waltschek an und kritzelte vier weitere Worte auf die Speisekarte: »Leeds, morgen, zwölf Uhr.« Während sein Kaffee kalt wurde, folgte »120.000, fairer Preis«. Und schließlich: »Fabriken seit geraumer Zeit geschlossen.«

Als die Gespräche am Nebentisch sich dem Kricket zuwandten, war Armstrong überzeugt, einige Puzzlestücke richtig zusammengefügt zu haben. Jetzt musste er so schnell wie möglich in sein Büro zurück, um das Puzzle vor morgen Mittag komplett zu haben. Er sah auf die Uhr. Obwohl der Kellner ihm eben erst die gewünschte zweite Portion Pudding vorgesetzt hatte, verlangte er die Rechnung. Als sie ihm Augenblicke später gebracht wurde, zog Waltschek ein dickes Manuskript aus seiner Aktentasche und reichte es seinem Gastgeber ostentativ über den Tisch. Armstrong zahlte, stand auf, klemmte sich das Manuskript unter den Arm und sprach mit Waltschek auf Russisch, während sie an der Nachbarnische vorübergingen. Er warf einen Blick auf die junge Frau und glaubte, Erleichterung auf ihrem Gesicht zu sehen, als sie hörte, dass die beiden fremden Männer sich in einer Fremdsprache unterhielten.

An der Tür drückte Armstrong dem Oberkellner eine Pfundnote in die Hand. »Ausgezeichnetes Essen, Mario«, lobte er. »Und danke, dass Sie eine so aufregende junge Dame in die nächste Nische geführt haben.«

»Es war mir ein Vergnügen, Sir«, sagte Mario und steckte das Geld ein.

»Darf ich Sie fragen, unter welchem Namen der Tisch reserviert wurde?«

Marios Finger huschte über die Reservierungsliste. »Mr. Keith Townsend, Sir.«

Dieses Puzzlestück ist durchaus ein Pfund wert, dachte Armstrong, während er vor seinem Gast aus dem Restaurant marschierte.

Auf dem Bürgersteig gab er dem Russen die Hand und versicherte ihm, sofort alles für die Veröffentlichung in die Wege zu leiten. »Freut mich zu hören, Genosse«, sagte Waltschek mit seinem vornehmsten englischen Akzent. »Und jetzt muss ich mich beeilen, damit ich nicht zu spät zur Anprobe bei meinem Schneider komme.« Er tauchte in der Fußgängermenge unter, welche die Straße überquerte.

Während ich Benson zurück zum Büro fuhr, beschäftigten sich Armstrongs Gedanken keineswegs mit Tulpanow oder Juri Gagarin, nicht einmal mit Forsdyke. Im ersten Stockwerk angekommen, stürmte er sofort in Sallys Büro, die gerade am Telefon war. Er lehnte sich über ihren Schreibtisch, drückte die Gabel herunter und fragte: »Was für einen Grund könnte es geben, dass Keith Townsend sich für etwas mit dem Namen WRG interessiert?«

Sally, die den Hörer noch in der Hand hielt, überlegte kurz; dann meinte sie: »Western Railway Group?«

»Das kann ich mir nicht vorstellen – Townsend interessiert sich nur für Zeitungen.«

»Möchten Sie, dass ich versuche, es herauszufinden?«

»Ja«, bat Armstrong. »Wenn Townsend in London ist, um etwas zu kaufen, möchte ich gern wissen, um was es sich handelt. Lassen Sie nur das Berliner Team daran arbeiten. Auf keinen Fall soll jemand anders davon erfahren.«

Sally, Peter Wakeham, Stephen Hallet und Reg Benson brauchten zwei Stunden, um weitere Stücke des Puzzles zu beschaffen, während Armstrong seinen Buchhalter und seinen Banker anrief und beide aufforderte, sich rund um die Uhr bereitzuhalten.

Um sechzehn Uhr fünfzehn las Armstrong einen Bericht über die West Riding Publishing Group, den ihm ein Bote von Dünn & Bradstreet wenige Minuten zuvor gebracht hatte. Nachdem er die Zahlen ein zweites Mal durchgegangen war, musste er Townsend beipflichten, dass hundertzwanzigtausend Pfund ein fairer Preis war – jedenfalls, bevor Mr. John Shuttleworth gewusst hatte, dass er ein Gegenangebot bekommen würde.

Um achtzehn Uhr saßen alle um Armstrongs Schreibtisch und berichteten, was sie hatten in Erfahrung bringen können.

Stephen Hallet hatte alles über den zweiten Mann am Tisch herausgefunden und zu welcher Anwaltsfirma er gehörte. »Die Kanzlei vertritt die Familie Shuttleworth bereits seit mehr als einem halben Jahrhundert«, teilte er Armstrong mit. »Townsend hat morgen in Leeds eine geschäftliche Verabredung mit John Shuttleworth, dem derzeitigen Vorsitzenden. Allerdings konnte ich leider nicht erfahren, wo, und auch nicht die genaue Zeit.« Sally lächelte.

»Gut gemacht, Stephen. – Was hast du zu bieten, Peter?«

»Ich habe Wolstenholmes Büro- und Privatnummern, die Abfahrtszeit des Zuges, den er zurück nach Leeds nehmen will, und das polizeiliche Kennzeichen des Wagens seiner Frau, die ihn am Bahnhof abholen wird. Ich konnte die Sekretärin davon überzeugen, dass ich ein alter Schulfreund ihres Chefs bin.«

»Gut. Du hast zwei Ecken des Puzzles gefüllt«, lobte

Armstrong. »Was ist mit dir, Reg?« Er hatte Jahre gebraucht, ihn mit seinem Vornamen und nicht mit Private Benson anzusprechen.

»Townsend ist im Ritz abgestiegen, das Mädchen ebenfalls. Sie heißt Kate Tulloh, ist zweiundzwanzig und arbeitet für den *Sunday Chronicle.*«

»Ich glaube, Sie werden feststellen, dass es der *Sydney Chronicle* ist«, unterbrach ihn Sally.

»Verdammter australischer Dialekt!«, schimpfte Reg in näselndem Cockney. »Na ja«, fuhr er fort, »jedenfalls habe ich vom Portier erfahren, dass Miss Tulloh ein eigenes Zimmer hat, das sich zwei Stockwerke unter dem ihres Chefs befindet.«

»Dann ist sie also nicht seine Geliebte«, stellte Armstrong fest. »Sally, was konnten Sie erfahren?«

»Die Verbindung zwischen Townsend und Wolstenholme rührt daher, dass sie Kommilitonen in Oxford waren, was mir vom Sekretär des Worcester College bestätigt wurde. Und nun die schlechte Nachricht: John Shuttleworth ist Alleinaktionär der West Riding Group und lebt wie ein Einsiedler. Ich konnte nicht herausfinden, wo er wohnt, und er steht in keinem Telefonbuch. So unglaublich es klingt – von der Konzernverwaltung hat ihn seit mehreren Jahren niemand mehr gesehen. Deshalb ist die Idee, ihm vor morgen Mittag ein Gegenangebot zu machen, unrealistisch.«

Sallys Mitteilung löste düsteres Schweigen aus, das schließlich von Armstrong unterbrochen wurde.

»Na schön. Dann haben wir nur eine einzige Hoffnung: Wir müssen irgendwie verhindern, dass Townsend zu der Besprechung in Leeds kommt – und wir müssen seinen Platz einnehmen.«

»Das wird nicht leicht sein. Wir wissen ja nicht mal, wo die Besprechung stattfinden soll«, gab Peter zu bedenken.

»Im Queen's Hotel«, warf Sally rasch ein.

»Wie können Sie da so sicher sein?«, fragte Armstrong.

»Ich habe alle größeren Hotels in Leeds angerufen und mich erkundigt, ob Mr. Wolstenholme eine Reservierung vorgenommen hat. Im Queen's sagte man mir, er habe von zwölf bis fünfzehn Uhr den White Rose Room reservieren lassen, und um dreizehn Uhr Lunch für vier Personen bestellt. Ich kann Ihnen sogar sagen, was auf der Speisekarte steht.«

»Ich wüsste wirklich nicht, was ich ohne Sie täte, Sally«, sagte Armstrong. »Dann lasst uns Nutzen aus unserem Wissen ziehen. Wo ist Wolst –?«

»Bereits unterwegs nach Leeds«, unterbrach ihn Peter, »im Achtzehn-Uhr-fünfzig-Zug von King's Cross. Er wird morgen um neun Uhr in seinem Büro erwartet.«

»Was ist mit Townsend und dem Mädchen?«, fragte Armstrong. »Reg?«

»Townsend hat einen Wagen bestellt, der sie morgen um sieben Uhr dreißig zur King's Cross Station bringen soll, damit sie den Acht-Uhr-zwölf-Zug erreichen, der um elf Uhr siebenundvierzig im Hauptbahnhof von Leeds eintrifft. Das lässt ihnen genügend Zeit, um zwölf Uhr im Queen's Hotel zu sein.«

»Wir müssen Townsend also zwischen jetzt und sieben Uhr dreißig morgen irgendwie davon abhalten, in den Zug nach Leeds zu steigen.« Armstrong schaute sich um, doch keiner der anderen wirkte besonders zuversichtlich. »Und wir müssen uns etwas wirklich Gutes einfallen lassen. Townsend ist um einiges gewitzter als Julius Hahn. Und ich habe das Gefühl, dass auch Miss Tulloh keineswegs auf den Kopf gefallen ist.«

Wieder setzte längeres Schweigen ein, bis Sally sich schließlich zu Wort meldete. »Vielleicht ist es nicht gerade ein Geistesblitz, aber ich habe herausgefunden, dass Townsend sich in England aufhielt, als sein Vater starb.«

»Na und?«, fragte Armstrong.

21

DAILY MIRROR

17. Oktober 1964

Wilsons erstes Versprechen:
»Es ist unser Job zu regieren, und das werden wir.«

Keith hatte Kate gebeten, um sieben Uhr im Palm Court mit ihm zu frühstücken. Er saß an einem Ecktisch und vertiefte sich in die *Times*. Bald wurde ihm klar, weshalb diese Zeitung so gut wie keinen Gewinn machte, und es wunderte ihn, dass die Astors sie nicht einstellten, denn kein Mensch würde eine dermaßen langweilige Zeitung kaufen wollen. Keith trank schwarzen Kaffee, wandte sich vom Leitartikel ab, und seine Gedanken wanderten zu Kate. Sie blieb so distanziert und professionell, dass er sich bereits fragte, ob es einen anderen Mann in ihrem Leben gab und ob es dumm von ihm gewesen war, sie um ihre Begleitung zu bitten.

Kurz nach sieben setzte Kate sich zu ihm an den Tisch. Sie hatte den *Guardian* mitgebracht. Nicht gerade die beste Art und Weise, den Tag zu beginnen, ging es Keith durch den Kopf, obwohl er sich eingestehen musste, dass er bei Kates Anblick noch immer die gleiche Erregung empfand wie an dem Tag, als er sie zum ersten Mal gesehen hatte.

»Wie geht's Ihnen heute Morgen?«, erkundigte sie sich.

»Könnte nicht besser sein.«

»Und, ist es der ideale Tag für ein gutes Geschäft?«, fragte sie lächelnd.

»O ja. Ich habe das Gefühl, morgen um diese Zeit gehört mir meine erste Zeitung in England.«

Ein Kellner schenkte Kate eine Tasse Kaffee mit Milch ein. Sie war beeindruckt, dass der Mann nicht mehr zu fragen brauchte, wie sie ihren Kaffee mochte, obwohl sie sich gerade mal einen Tag im Hotel aufhielt.

»Henry Wolstenholme hat gestern Abend angerufen«, erzählte Keith. »Kurz bevor ich zu Bett ging. Er hatte bereits mit Shuttleworth gesprochen. Wenn wir in Leeds eintreffen, haben die Anwälte die Verträge schon unterschriftsfertig.«

»Ist die ganze Sache nicht ziemlich riskant? Sie haben ja noch nicht einmal die Druckerpressen gesehen.«

»Nein, aber ich habe die Klausel einfügen lassen, dass ich unter bestimmten Umständen innerhalb von neunzig Tagen vom Vertrag zurücktreten kann. Machen Sie sich also darauf gefasst, einige Zeit in Nordengland zu verbringen. Es soll dort zu dieser Jahreszeit ziemlich ›frisch‹ sein, wie die Leute es nennen.«

»Eine Nachricht für Mr. Townsend!« stand auf einem Schild, das ein Page herumtrug. Er kam zum Tisch, nachdem Keith die Hand gehoben hatte. »Ich habe eine Nachricht für Sie, Sir.« Er reichte ihm einen Briefumschlag.

Keith riss ihn auf und zog ein Blatt Papier mit dem Briefkopf und dem Wappen des australischen Hochkommissars heraus. »Bitte rufen Sie mich sofort an. Dringend!« Die gekritzelten Zeilen waren mit »Alexander Downer« unterschrieben.

Keith zeigte es Kate. Sie runzelte die Stirn. »Kennen Sie Downer?«

»Ich bin ihm ein einziges Mal begegnet, beim Melbourne Cup«, erwiderte Keith. »Aber das war lange, bevor er Hochkommissar wurde. Ich kann mir nicht vorstellen, dass er sich an mich erinnert.«

»Was kann er schon so früh am Morgen wollen?«, wunderte sich Kate.

»Keine Ahnung. Vielleicht möchte er wissen, weshalb ich seine Einladung zum heutigen Dinner abgelehnt habe.« Keith lachte. »Wir können ihm nach unserer Rückkehr aus dem Norden immer noch einen Besuch abstatten. Trotzdem sollte ich lieber versuchen, mit ihm zu sprechen, ehe wir nach Leeds fahren. Vielleicht ist es ja doch etwas Wichtiges.« Er stand auf. »Ich kann es nicht erwarten, bis es Autotelefone gibt.«

»Ich gehe rasch noch einmal hinauf in mein Zimmer«, sagte Kate. »Kurz vor halb acht bin ich im Foyer.«

»Gut«, erwiderte Keith und verließ den Palm Court, um sich auf die Suche nach einem Telefon zu machen. Im Foyer deutete der Portier auf ein Tischchen gegenüber dem Empfang. Keith wählte die Nummer auf dem Briefkopf. Sofort meldete sich eine Frau. »Guten Morgen. Australisches Hochkommissariat.«

»Dürfte ich mit dem Hochkommissar sprechen?«, bat Keith.

»Mr. Downer ist noch nicht im Hause, Sir. Möchten Sie nach acht Uhr dreißig anrufen?«

»Ich bin Keith Townsend. Der Hochkommissar hat mir die Nachricht übermittelt, ihn anzurufen. Es sei dringend.«

»O ja, Sir, ich habe den Auftrag, Sie zu ihm privat durchzustellen. Einen Moment, bitte.«

Keith blickte auf die Uhr. Es war zwanzig nach sieben.

»Alexander Downer«, meldete sich die Stimme am anderen Ende der Leitung.

»Hier Keith Townsend. Sie haben mich gebeten, Sie dringend anzurufen, Herr Hochkommissar.«

»Ja, Keith. Wir sind uns das letzte Mal beim Melbourne Cup begegnet, aber ich vermute, dass Sie sich nicht daran erinnern.« Sein australischer Akzent war viel ausgeprägter, als Townsend abgespeichert hatte.

»Doch, ich erinnere mich«, versicherte Keith.

»Ich fürchte, ich habe eine schlechte Nachricht für Sie, Keith. Ihre Mutter hat einen Herzanfall erlitten. Sie liegt im Royal Melbourne Hospital. Ihr Zustand ist stabil, aber sie muss noch auf der Intensivstation bleiben.«

Townsend brachte keinen Ton hervor. Er war außer Landes gewesen, als sein Vater starb, und er würde nicht …

»Sind Sie noch da, Keith?«

»Ja, ja«, sagte er. »Aber ich hatte doch am Tag vor meinem Abflug noch mit ihr zu Abend gegessen, und sie sah großartig aus.«

»Es tut mir wirklich leid, Keith. Höchst bedauerlich, dass es ausgerechnet passiert ist, während Sie außer Landes sind. Ich habe vorsichtshalber veranlasst, dass um neun Uhr zwei Erste-Klasse-Plätze für einen Flug mit Quantas nach Melbourne reserviert werden. Wenn Sie sofort losfahren, schaffen Sie ihn noch. Sie könnten aber auch den gleichen Flug morgen nehmen.«

»Nein, ich fliege sofort zurück«, entgegnete Townsend.

»Soll ich meinen Wagen zum Hotel schicken, damit der Fahrer Sie zum Flughafen bringt?«

»Danke, sehr liebenswürdig, aber ich habe bereits einen Wagen gebucht, der mich zum Bahnhof bringen sollte.«

»Ich habe das Quantas-Personal in Heathrow benachrichtigt. Aber bitte zögern Sie nicht, mich anzurufen, falls es irgendetwas gibt, was ich für Sie tun kann.«

»Danke.« Townsend legte auf und rannte hinüber zum Empfang. »Ich muss auf der Stelle abreisen. Bitte sorgen Sie dafür, dass meine Rechnung fertig ist, wenn ich wieder herunterkomme«, bat er den Empfangschef.

»Selbstverständlich, Sir. Werden Sie den Wagen noch benötigen, der vor dem Eingang wartet?«

»Ja, allerdings.« Townsend rannte zum ersten Stock hinauf und über den Flur. Vor Zimmer 124 blieb er stehen und klopfte mit der Faust gegen die Tür. Kate öffnete kurz darauf und registrierte sofort sein besorgtes Gesicht.

»Was ist passiert?«, erkundigte sie sich.

»Meine Mutter hatte einen Herzanfall. Bringen Sie Ihr Gepäck gleich hinunter. Wir fahren in fünf Minuten los.«

»Das tut mir schrecklich leid. – Möchten Sie, dass ich Henry Wolstenholme anrufe und ihm erkläre, was passiert ist?«

»Nein. Das können wir vom Flugplatz aus erledigen.« Keith stürmte über den Flur zum Aufzug.

Wenige Minuten später war er bereits wieder im Foyer. Während sein Gepäck im Kofferraum des Mietwagens verstaut wurde, bezahlte er die Rechnung; dann gab er dem Pagen ein Trinkgeld, eilte zum Wagen und setzte sich neben Kate auf die Rückbank. Er lehnte sich vor, tippte dem Fahrer auf die Schulter. »Heathrow.«

»Heathrow?«, echote der Mann skeptisch. »In meinem Tagesauftrag steht, dass ich Sie zum King's Cross fahren soll. Von Heathrow steht hier nichts.«

»Es ist mir verdammt egal, was in Ihrem Tagesauftrag

steht!«, brauste Townsend auf. »Bringen Sie mich einfach nach Heathrow!«

»Bedaure, Sir, aber ich habe meine Anweisungen. King's Cross ist eine Stadtfahrt, müssen Sie wissen, wogegen ich bei Heathrow die Stadtgrenze verlassen müsste, und ich darf nicht …«

»Wenn Sie nicht sofort losfahren und aufs Gas treten, drehe ich Ihnen den Hals um!«, brüllte Townsend.

»So eine Unverschämtheit brauch' ich mir von niemand gefallen lassen!« Der Fahrer stieg aus, öffnete den Kofferraum und machte sich daran, das Gepäck auszuladen.

Townsend wollte ihm schon wutentbrannt hinterherlaufen, doch Kate nahm seine Hand. »Bleiben Sie sitzen, und überlassen Sie mir das «, sagte sie bestimmt.

Keith konnte das Gespräch nicht hören, das Kate und der Fahrer hinter dem Wagen führten, doch es dauerte nicht lange, und er sah, dass das Gepäck wieder eingeladen wurde.

Als Kate sich wieder neben ihn setzte, murmelte er: »Danke.«

»Danken Sie nicht mir, sondern ihm«, flüsterte Kate.

Der Mann fuhr los, bog an der Ampel links ab und reihte sich in den morgendlichen Verkehr ein. Erleichtert sah Armstrong, dass um diese Zeit nicht allzu viele Autos aus London hinausfuhren, im Gegensatz zu den Stoßstange-an-Stoßstange-Schlangen, die in die Hauptstadt hineinwollten.

»Ich muss noch einmal Downer anrufen, sobald wir am Flughafen sind«, sagte Townsend leise.

»Wieso?«, fragte Kate.

»Ich würde gern mit dem Arzt meiner Mutter in Melbourne sprechen, ehe wir losfliegen, aber ich habe seine Nummer nicht.«

Kate nickte. Nervös trommelte Townsend mit den Fingerspitzen ans Fenster und versuchte sich genau an sein letztes Beisammensein mit seiner Mutter zu erinnern. Er hatte ihr von der möglichen Übernahme der West Riding Group erzählt, und sie hatte mit ihren üblichen klugen Fragen reagiert. Nach dem Dinner hatte er sie verlassen, ihr zuvor jedoch versprochen, sie gleich nach Abschluss des Geschäfts von Leeds aus anzurufen.

»Und wer ist das Mädchen, das mit dir fährt?«, hatte sie gefragt. Keith war ihr ausgewichen, doch er wusste, dass er sie nicht hatte täuschen können. Er blickte zu Kate hinüber und hätte gern ihre Hand genommen, doch sie machte einen abwesenden Eindruck. Keiner sprach, bis sie am Flughafen angekommen waren. Als der Wagen vor der Abflughalle hielt, sprang Townsend hinaus, um einen Gepäckwagen zu holen, während der Fahrer das Gepäck auslud. Sobald es auf das Wägelchen geladen war, gab Townsend ihm ein sehr großzügiges Trinkgeld und bedankte sich mehrmals. Dann schob er den Gepäckwagen so schnell er konnte durch die Halle zum Check-in. Kate folgte ihm dichtauf.

»Sind wir noch rechtzeitig für den Flug nach Melbourne?«, erkundigte sich Townsend und legte seinen Reisepass auf den Check-in-Schalter der Quantas.

»Ja, Mr. Townsend«, beruhigte ihn das Mädchen hinter dem Schalter, nachdem sie seinen Reisepass aufgeschlagen hatte. »Der Hochkommissar hat angerufen und zwei Tickets für Sie reservieren lassen, eines auf Ihren Namen und eines auf den Namen Kate Tulloh.«

»Das bin ich.« Kate schob ihren Reisepass über den Schalter.

»Sie sitzen in der ersten Klasse auf den Plätzen 3 D und

3 E. Würden Sie so freundlich sein, sich direkt zum Flugsteig siebzehn zu begeben? Die Passagiere werden jeden Augenblick gebeten, an Bord zu gehen.«

Kaum waren Keith und Kate in der Abflughalle angelangt, als die Fluggäste der Touristenklasse aufgefordert wurden, an Bord zu gehen. Townsend überließ es Kate, sie einzuchecken, während er ein Telefon suchte. Er musste als Dritter an dem einzigen Telefon anstehen, bis er endlich Henrys Privatnummer wählen konnte. Besetzt. Keith versuchte es noch dreimal, doch stets war nur das Besetztzeichen zu hören. Als er gerade die Nummer auf dem Briefkopf des Hochkommissars wählte, ertönte aus der Lautsprecheranlage der letzte Aufruf für den Quantas-Flug. Am anderen Ende der Leitung begann beim Hochkommissar das Telefon zu läuten, doch Townsend sah, dass Flugsteig siebzehn bereits leer war, von Kate abgesehen. Er winkte ihr, an Bord zu gehen.

Für kurze Zeit ließ Keith das Telefon noch läuten, doch als immer noch niemand den Hörer abnahm, hängte er ein und eilte Kate hinterher, die vor der Flugzeugtür wartete. Die Tür schloss sich sofort, kaum dass die beiden an Bord waren.

»Konnten Sie ihn erreichen?« Kate schnallte sich an.

»Nein«, antwortete Townsend. »Bei Henry war dauernd besetzt, und der Hochkommissar ging nicht ans Telefon.«

Kate schwieg, während das Flugzeug in Richtung Startbahn rollte. Als die Maschine noch einmal kurz anhielt, sagte sie: »Während Sie am Telefon waren, habe ich nachgedacht. Irgendetwas stimmt da nicht.«

Das Flugzeug rollte nun mit zunehmender Geschwindigkeit über die Startbahn. Auch Townsend schnallte sich nun an.

»Was meinen Sie damit?« fragte er.

»Die letzte Stunde«, sagte Kate.

»Ich weiß nicht, wovon Sie reden.«

»Fangen wir mit meinem Ticket an.«

Keith blinzelte verwirrt. »Ihr Ticket?«

»Ja. Woher wusste Quantas, auf welchen Namen man es buchen musste?«

»Ich nehme an, den hat der Hochkommissar ihnen genannt.«

»Und woher wusste er ihn? Als er Ihnen die Einladung zum Dinner schickte, hat er mich mit keinem Wort erwähnt – weil er keine Ahnung hatte, dass ich Sie begleite.«

»Er könnte den Hoteldirektor gefragt haben.«

»Möglich. Aber da ist noch etwas anderes, das mir keine Ruhe lässt.«

»Und was?«

»Der Page wusste ganz genau, zu welchem Tisch er gehen musste.«

»Na und?«

»Sie saßen mir in der Zimmerecke gegenüber und schauten aus dem Fenster, aber ich blickte zufällig gerade auf, als der Page in den Palm Court kam. Ich kann mich genau erinnern. Ich fand es merkwürdig, dass er zielsicher auf Sie zukam, obwohl Sie mit dem Rücken zu ihm saßen.«

»Er könnte den Ober gefragt haben.«

»Nein.« Kate schüttelte den Kopf. »Den hat er überhaupt nicht beachtet, als er an ihm vorbeikam.«

»Worauf wollen Sie hinaus?«

»Und Henrys Telefon – ständig besetzt, obwohl es erst halb neun war.« Das Fahrwerk hob vom Boden ab. »Und weshalb konnten Sie um halb neun nicht zum Hochkommissar durchkommen, wenn Sie um zwanzig nach sieben keinerlei Problem damit hatten?«

Keith sah sie an.

»Wir wurden reingelegt, Keith. Und zwar von jemandem, der sichergehen wollte, dass Sie um zwölf Uhr nicht in Leeds sein können, um den Vertrag zu unterschreiben.«

Keith löste den Sicherheitsgurt, stürmte über den Mittelgang und platzte ins Cockpit, ehe die Stewardess ihn aufhalten konnte.

Der Flugkapitän hörte sich Keith' Geschichte mitfühlend an, musste ihm jedoch mitteilen, dass er jetzt bedauerlicherweise nichts mehr tun könne, da das Flugzeug bereits auf seinem Weg nach Bombay war.

»Flug 009 mit beiden Frachtstücken an Bord unterwegs nach Melbourne«, meldete Benson über ein Telefon im Aussichtsturm. »Sie werden mindestens die nächsten vierzehn Stunden in der Luft sein.«

»Gut gemacht, Reg«, lobte Armstrong. »Fahr jetzt zum Ritz zurück, und warte dort. Sally hat bereits das Zimmer reserviert, das Townsend hatte. Ich vermute, dass Wolstenholme kurz nach zwölf anrufen wird. Bis dahin bin ich im Queen's Hotel und teil dir meine Zimmernummer mit.«

Keith saß im Flugzeug und hämmerte mit beiden Handflächen auf die Armlehnen. »Wer war das? Und wie haben die das geschafft?«

Kate war sich ziemlich sicher, dass sie das Wer wusste – und einen Großteil des Wie.

Drei Stunden später ging im Ritz ein Anruf für Mr. Keith Townsend ein. Die Telefonistin folgte genau den Anweisungen, die ein außerordentlich großzügiger Herr ihr am frühen

Morgen gegeben hatte, und stellte das Gespräch zu Zimmer 319 durch, wo Benson auf der Bettkante saß.

»Ist Keith da?«, fragte eine besorgte Stimme.

»Mit wem spreche ich bitte?«

»Henry Wolstenholme«, donnerte er.

»Guten Tag, Mr. Wolstenholme. Mr. Townsend hat heute Morgen mehrmals versucht, Sie anzurufen, aber Ihr Telefon war ständig besetzt.«

»Ich weiß. Jemand hat gegen sieben angerufen, aber er hatte sich verwählt. Und als ich dann später einen Anruf machen wollte, war die Leitung tot. Aber wo ist Keith?«

»In einem Flieger nach Melbourne. Seine Mutter hatte einen Herzanfall. Der Hochkommissar hat dafür gesorgt, dass die Maschine auf Mr. Townsend gewartet hat.«

»Das mit seiner Mutter tut mir sehr leid, aber ich fürchte, Mr. Shuttleworth wird nicht bereit sein, mit der Vertragsunterzeichnung zu warten. Es war schwierig genug, ihn dazu zu bringen, sich überhaupt mit uns zu treffen.«

Benson las den Text, den Armstrong für ihn aufgeschrieben hatte: »Mr. Townsend hat mich gebeten, Ihnen zu sagen, dass er einen Bekannten nach Leeds geschickt und diesen bevollmächtigt hat, den Vertrag zu unterzeichnen, sofern Sie nichts dagegen einzuwenden haben.«

»Nein, ich habe nichts dagegen«, erwiderte Wolstenholme. »Wann wird er hier eintreffen?«

»Er müsste Inzwischen bereits im Queen's Hotel sein. Kurz nachdem Mr. Townsend sich nach Heathrow bringen ließ, ist er nach Leeds aufgebrochen. Es würde mich nicht wundern, wenn er Sie bereits sucht.«

»Dann sollte ich wohl besser ins Foyer gehen und zusehen, ob ich ihn finden kann«, meinte Wolstenholme.

»Übrigens«, sagte Benson, »unser Prokurist wollte sich noch wegen des Kaufpreises vergewissern – hundertzwanzigtausend Pfund. Das war doch die Summe, nicht wahr?«

»Zuzüglich sämtlicher Anwaltsgebühren«, fügte Wolstenholme hinzu.

»Zuzüglich sämtlicher Anwaltsgebühren«, wiederholte Benson. »Dann will ich Sie nicht länger aufhalten, Mr. Wolstenholme.« Er legte auf.

Wolstenholme verließ den White Rose Room und nahm den Fahrstuhl zum Foyer. Wenn Keith' Bevollmächtigter einen Scheck über den Gesamtbetrag dabeihatte, konnte er die ganze Sache doch noch unter Dach und Fach bringen, bevor Mr. Shuttleworth eintraf. Das einzige Problem war, dass er keine Ahnung hatte, nach wem er Ausschau halten musste.

Benson bat die Telefonistin, ihn mit einer Nummer in Leeds zu verbinden und ließ sich dort zu Zimmer 217 durchstellen.

»Sehr gut gemacht, Benson«, lobte Armstrong ihn erneut, da er nun die Bestätigung der Kaufsumme von hundertzwanzigtausend Pfund hatte. »Bezahl die Hotelrechnung in bar, und nimm dir den Rest des Tages frei.«

Armstrong verließ Zimmer 217 und nahm den Aufzug ins Parterre. Als er ins Foyer trat, sah er Hallet mit dem Herrn reden, den er im Savoy gesehen hatte. Er ging auf die beiden zu. »Guten Morgen«, sagte er. »Ich bin Richard Armstrong, und das ist der Firmenanwalt. Ich vermute, Sie erwarten uns.«

Wolstenholme starrte Armstrong an. Er hätte schwören können, ihn irgendwo schon mal gesehen zu haben. »Ja. Ich habe uns den White Rose Room reservieren lassen, damit wir ungestört sind.«

Die beiden Männer nickten und folgten ihm. »Sehr traurige Nachricht über Keith' Mutter«, sagte Wolstenholme, als sie im Aufzug waren.

»Ja, nicht wahr?« Armstrong fügte nichts hinzu, was ihn später in Schwierigkeiten bringen könnte.

Als sie am Konferenztisch im White Rose Room saßen, gingen Armstrong und Hallet die Einzelheiten des Vertrags Zeile um Zeile durch, während Wolstenholme sich in eine Ecke gesetzt hatte und Kaffee trank. Er wunderte sich, dass die Männer das Dokument so sorgfältig studierten, obwohl Keith es bereits abgesegnet hatte, sagte sich jedoch, dass er es an ihrer Stelle nicht anders gemacht hätte. Hin und wieder hatte Hallet eine Frage, der unweigerlich eine im Flüsterton geführte Besprechung mit Armstrong folgte. Eine Stunde später gaben sie Wolstenholme den Vertrag zurück und bestätigten, dass alles in Ordnung sei.

Wolstenholme wollte gerade seinerseits ein paar Fragen stellen, als ein Mann mittleren Alters in einem Vorkriegsanzug hereinschlurfte, der noch nicht wieder in Mode gekommen war. Wolstenholme stellte ihnen John Shuttleworth vor, der schüchtern lächelte. Nachdem sie einander die Hand gegeben hatten, sagte Armstrong: »Jetzt gibt es für uns nichts weiter zu tun, als den Vertrag zu unterzeichnen.«

John Shuttleworth nickte bestätigend. Armstrong zog einen Füllfederhalter aus der Brusttasche und beugte sich ein Stück über den Tisch, um an jener Stelle zu unterschreiben, auf die Stephens zitternder Finger deutete. Dann reichte er den Füller Shuttleworth, der ohne ein weiteres Wort zwischen den mit Bleistift gezeichneten Kreuzen unterschrieb. Anschließend nahm Wolstenholme von Stephen einen Scheck über hundertzwanzigtausend Pfund in Empfang. Der Anwalt nickte, als Armstrong ihn darauf aufmerksam machte, dass es sich um einen Barscheck handelte, den er am besten umgehend einlösen sollte.

»Ich gehe rasch zur Zweigstelle der Midland-Bank, bevor sie über Mittag schließt. Bin in ein paar Minuten zurück.«

Als Wolstenholme wiederkam, saß Shuttleworth allein am Esstisch. »Wo sind denn die beiden anderen?«, erkundigte er sich.

»Oh«, sagte Shuttleworth, »zu ihrem großen Bedauern konnten sie nicht auf den Lunch warten – sie mussten nach London zurück.« Verblüfft starrte Wolstenholme ihn an. Es gab da immer noch einige Fragen, die er hatte stellen wollen; überdies wusste er nicht, wohin er seine Rechnung schicken sollte. Shuttleworth schenkte ihm ein Glas Sekt ein und sagte: »Meinen Glückwunsch, Henry. Sie hätten Ihre Sache nicht besser machen können. Ich muss schon sagen, Ihr Freund Townsend ist ein Mann der Tat.«

»Daran besteht wohl kein Zweifel«, murmelte Wolstenholme.

»Und großzügig ist er obendrein«, sagte Shuttleworth.

»Großzügig?«

»Ja. Sie hätten ganz einfach gehen können, aber sie haben sogar noch zwei Flaschen Champagner spendiert.«

Als Henry Wolstenholme an diesem Abend nach Hause kam, empfing ihn sein läutendes Telefon. Am anderen Ende der Leitung war Townsend.

»Das mit deiner Mutter tut mir sehr leid«, sagte Henry als Erstes.

»Meiner Mutter fehlt nichts«, entgegnete Townsend scharf.

»Wie bitte? Aber …«

»Ich komme mit der nächsten Maschine zurück. Morgen Abend bin ich in Leeds.«

»Nicht nötig, alter Junge«, versicherte Henry ihm leicht verwirrt. »Shuttleworth hat bereits unterzeichnet.«

»Aber *ich* habe den Vertrag noch nicht unterschrieben!«, warf Townsend ein.

»Nein, natürlich nicht, aber das hat ja dein Bevollmächtigter in deinem Namen getan«, erklärte Henry. »Und ich kann dir versichern, dass alles absolut vollkommen in Ordnung war.«

»Mein Bevollmächtigter?«

»Ja, du weißt schon, ein Mr. Richard Armstrong. Ich habe seinen Scheck über die hundertzwanzigtausend Pfund kurz vor der Mittagspause bei der Bank eingelöst. Du siehst, es ist also wirklich nicht nötig, dass du noch einmal die weite Reise machst. Die WRG gehört jetzt dir.«

Townsend schmetterte den Hörer auf die Gabel und drehte sich zu Kate um. »Ich fliege weiter nach Sydney. Sie aber möchte ich bitten, dass Sie nach London zurückkehren und alles über einen gewissen Richard Armstrong herausfinden.«

»So also heißt der Mann, der im Savoy in der Nische neben uns saß.«

»Sieht ganz so aus!« Townsend spuckte die Worte regelrecht aus.

»Und er ist jetzt der Besitzer der West Riding Group?«

»Allerdings.«

»Können Sie denn nichts dagegen unternehmen?«

»Ich könnte ihn wegen Vorspiegelung falscher Tatsachen, ja, sogar Betrug belangen, aber das könnte Jahre in Anspruch nehmen. Und jemand, der sich so viel Mühe macht, wird dafür gesorgt haben, dass er nach den Buchstaben des

Gesetzes handelt. Und eines steht fest: Shuttleworth wird ganz bestimmt nicht vor Gericht aussagen.«

Kate runzelte die Stirn. »Tja, dann sehe ich wahrhaftig keinen Sinn, jetzt nach London zurückzufliegen. Ich schätze, das war erst der Auftakt Ihrer Schlacht gegen Mr. Richard Armstrong. – Wir können genauso gut in Bombay übernachten. Ich war noch nie in Indien.«

Townsend sah sie an, schwieg jedoch, bis er einen Flugkapitän der TWA in ihre Richtung kommen sah.

»Was ist das beste Hotel in Bombay?«, fragte er ihn.

Der Kapitän blieb stehen. »Nach allem, was ich gehört habe, ist das Grand Palace eine Klasse für sich. Aber ich selbst bin noch nie dort abgestiegen.«

Townsend bedankte sich und schob ihr Gepäck zum Ausgang. In dem Moment, als sie die Ankunftshalle verließen, begann es zu regnen.

Townsend lud ihre Sachen in ein wartendes, altersschwaches Taxi, das in jedem anderen Land längst aus dem Verkehr gezogen worden wäre. Dann ließ er sich neben Kate auf den Rücksitz fallen, und die lange Fahrt nach Bombay begann. Zwar funktionierten einige Straßenlaternen, nicht aber die Scheinwerfer des Taxis, ebenso wenig wie die Scheibenwischer, und der Taxifahrer hatte offenbar keine Ahnung, wie er über den zweiten Gang hinauskam. Dafür bestätigte er seinen Fahrgästen alle paar Minuten, dass das Grand Palace »einfach Spitzenklasse« sei.

Als sie schließlich in die Einfahrt des Hotels einbogen, zuckte ein Blitz auf, dem fast unmittelbar ein heftiger Donnerschlag folgte. Keith musste zugeben, dass zumindest das mit Ornamenten reich verzierte weiße Gebäude groß und palastähnlich war, wenngleich ein Reisender mit mehr Erfahrung vermutlich das Adjektiv »leicht heruntergekommen« hinzugefügt hätte.

»Willkommen«, wurden sie im marmorgefliesten Foyer von einem Herrn in modischem dunklem Anzug begrüßt. »Mein Name ist Baht. Ich bin der Hoteldirektor.« Er verbeugte sich tief. »Darf ich fragen, auf welche Namen Sie gebucht haben?«

»Wir haben keine Reservierung, aber wir brauchen zwei Zimmer«, erklärte ihm Keith.

»Das ist höchst bedauerlich« entgegnete Mr. Baht, »soviel ich weiß, sind wir diese Nacht ausgebucht. Doch lassen Sie mich nachsehen.« Er bedeutete Keith und Kate, ihm zur Anmeldung zu folgen, und sprach dort kurz mit dem Angestellten, der immer wieder den Kopf schüttelte. Schließlich griff Mr. Baht selbst nach dem Reservierungsbuch und studierte es eingehend, ehe er sich wieder den potenziellen Gästen zu wandte.

»Es tut mir wirklich sehr leid, aber es ist nur noch ein einziges Schlafzimmer frei.« Er drückte die Handflächen aneinander, als hoffte er, ein Gebet könnte dieses eine Zimmer wie durch ein Wunder in zwei verwandeln. »Und ich fürchte ...«

»Sie fürchten was?«, wollte Keith wissen.

»Es ist die Fürstensuite, Sahib.«

»Wie passend«, sagte Kate, an Keith gewandt, »wenn man Ihre Ansichten über die Monarchie kennt.« Mit Mühe unterdrückte sie ein Lachen. »Gibt es dort einen Diwan oder eine Couch?«

»Selbstverständlich mehrere«, antwortete der Hoteldirektor erstaunt, dem man diese Frage noch nie zuvor gestellt hatte.

»Dann nehmen wir die Suite«, sagte Kate.

Nachdem sie sich eingetragen hatten, klatschte Mr. Baht in die Hände, und ein Träger mit rotem Turban und in langer roter Tunika über einer roten Pluderhose eilte dienstbeflissen herbei.

»Sehr vornehm Suite«, versicherte der Mann, als er das Gepäck die Treppe hinauftrug. »Schon Lord Mountbatten haben da geschlafen«, fügte er mit offensichtlichem Stolz hinzu, »und viele Maharadschas. Sehr vornehm Suite.« Er stellte das Gepäck vor dem Eingang zur Fürstensuite ab, steckte einen großen Schlüssel ins Schloss, schob die Flügeltür auf und knipste das Licht an. Dann trat er zur Seite, um die beiden Gäste einzulassen.

Sie kamen in ein riesiges Zimmer. An der hinteren Wand stand ein gewaltiges, prunkvolles Bett, in dem mühelos ein halbes Dutzend Maharadschas hätten schlafen können. Und zu Keith' Enttäuschung gab es tatsächlich mehrere große Diwane.

»Sehr fein Bett«, sagte der Träger und stellte ihr Gepäck in der Mitte des Zimmers ab. Keith gab ihm eine Pfundnote. Der Mann verbeugte sich tief, drehte sich um und verließ den Raum im selben Moment, als wieder ein Blitz vom Himmel fuhr. Schlagartig erlosch das Licht.

»Wie haben Sie das denn gemacht?«, fragte Kate.

»Wenn Sie aus dem Fenster schauen, werden Sie feststellen, dass da jemand die Hand im Spiel hatte, der sehr viel bedeutender ist als ich.« Kate drehte sich zum Fenster um und sah, dass die ganze Stadt im Dunkeln lag.

»Was meinen Sie? Sollen wir hier stehen und warten, bis die Lichter wieder angehen? Oder sollen wir nach einem Platz suchen, wo wir uns setzen können?« Keith streckte in der Dunkelheit den Arm aus und berührte dabei Kates Hüfte. »Gehen Sie vor«, forderte Kate ihn auf und nahm seine Hand. Keith wandte sich in Richtung Bett, ging mit kleinen Schritten darauf zu, tastete mit der anderen Hand nach irgendwelchen Hindernissen, bis er den Eckpfosten des Bettes berührte. Lachend fielen beide auf die riesige Matratze.

»Sehr fein Bett«, sagte Keith.

»Haben schon viele Maharadschas da geschlafen«, stimmte Kate ein.

»Und Lord Mountbatten«, fügte Keith hinzu.

Kate lachte. »Übrigens, Keith, es war wirklich nicht nötig, das Elektrizitätswerk von Bombay zu bestechen, um mich ins Bett zu kriegen. Ich habe schon die ganze letzte Woche befürchtet, Sie wären tatsächlich nur an meinen geistigen Fähigkeiten interessiert.«

ABENDAUSGABE

Armstrong und Townsend im Kampf um den *Globe*

22

The Times

1. April 1966

Labour kommt an die Macht:
Mehrheit von 100 Sitzen gesichert

Armstrong blickte auf eine Stenotypistin, die er nicht kannte, und ging weiter zu seinem Büro, wo er Sally am Telefon sah.

»Was ist heute mein erster Termin?«

Sally legte die Hand auf die Sprechmuschel. »Derek Kirby.«

»Und wer ist das?«

»Ein ehemaliger Chefredakteur des *Daily Express.* Der Arme hat nur acht Monate durchgehalten, aber er behauptet, eine interessante Information für uns zu haben. Soll ich ihn hereinbitten?«

»Nein, lassen wir ihn noch ein bisschen warten«, wehrte Armstrong ab. »Wen haben Sie da am Telefon?«

»Phil Barker. Er ruft von Leeds an.«

Armstrong nickte. Er nahm Sally den Hörer ab, um selbst mit dem neuen Geschäftsführer der West Riding Group zu reden.

»Sind sie auf meine Bedingungen eingegangen?«

»Sie haben sich auf eins Komma drei Millionen Pfund geeinigt, zahlbar im Laufe der nächsten sechs Jahre in gleichbleibenden Raten – sofern der Umsatz konstant bleibt. Sollten die Verkaufszahlen jedoch während des ersten Jahres rückläufig sein, wird sich jede folgende Rate anteilsmäßig verringern.«

»Und in dem Vertrag steckt kein Haken?«

»Nein«, antwortete Barker. »Sie nehmen es als gegeben, dass Sie den Umsatz im ersten Jahr erhöhen wollen.«

»Gut. Kümmern Sie sich darum, dass im aktuellen Jahresabschluss möglichst geringe Umsätze erscheinen. Dann ziehen wir die Verkaufszahlen im zweiten Jahr wieder hoch. Auf diese Weise spare ich ein Vermögen. Was ist mit dem *Hull Echo* und der *Grimsby Times*?«

»Es ist noch etwas früh, Näheres darüber sagen zu können. Doch jetzt, da allgemein bekannt ist, dass Sie ein potenzieller Käufer sind, erleichtert mir das die Arbeit nicht gerade.«

»Wir werden einfach mehr bieten und weniger zahlen.«

»Und wie stellen Sie sich das vor?«

»Indem wir Klauseln einfügen, die vieles versprechen, das wir allerdings nicht halten werden. Sie dürfen nicht vergessen, dass alteingesessene Familienunternehmen nicht gern vor Gericht gehen, weil sie um ihren guten Ruf besorgt sind. Halten Sie sich ans Gesetz, aber biegen Sie es in unserem Sinne, ohne es zu brechen. Bleiben Sie am Ball, Clive.« Armstrong legte auf.

»Derek Kirby wartet noch«, erinnerte ihn Sally.

Armstrong sah auf die Armbanduhr. »Wie lange sitzt er denn schon da draußen?«

»Ungefähr zwanzig, fünfundzwanzig Minuten.«

»Dann sollten wir erst mal die Post durchgehen.«

Nach einundzwanzig Jahren wusste Sally, welche Einladungen Armstrong annahm, welche Wohltätigkeitsorganisationen er unterstützte und welche nicht, bei welchen Versammlungen er eine Ansprache zu halten bereit war und bei welcher Dinnerparty er gern gesehen werden wollte. Die Regel lautete: Sag Ja zu allem, was die Karriere fördert, und vergiss alles andere. Als Sally vierzig Minuten später ihren Stenoblock zuklappte, gab sie zu bedenken, dass Derek Kirby jetzt bereits mehr als eine Stunde wartete.

»Also gut, schicken Sie ihn herein. Aber wenn irgendwelche interessanten Anrufe kommen, stellen Sie durch.«

Als Kirby eintrat, dachte Armstrong gar nicht daran aufzustehen, sondern deutete lediglich mit dem Finger auf den Stuhl, der ihm gegenüber vor dem Schreibtisch stand.

Kirby wirkte nervös. Dick hatte die Erfahrung gemacht, dass jemand, den man ein bisschen länger warten ließ, stets kribbelig wurde. Sein Besucher war etwa fünfundvierzig, die tiefen Stirnfalten und der sich lichtende Haaransatz ließen ihn allerdings älter aussehen. Sein Anzug war gut geschnitten, doch ein wenig aus der Mode, und sein zwar sauberes und gut gebügeltes Hemd war am Kragen und an den Manschetten beinahe durchgescheuert. Armstrong vermutete, dass Kirby sich als Freiberufler durchs Leben schlug, seit er den *Express* verlassen hatte und ihm sein Spesenkonto fehlte. Welche Informationen Kirby auch zu verkaufen hatte – Dick könnte ihm wahrscheinlich die Hälfte bieten und nur ein Viertel bezahlen und trotzdem ins Geschäft kommen.

»Guten Morgen, Mr. Armstrong«, grüßte Kirby, bevor er sich setzte.

»Tut mir leid, dass ich Sie warten lassen musste«, sagte Armstrong, »aber ich musste etwas unerwartet Dringendes erledigen.«

»Ich verstehe«, entgegnete Kirby.

»Tja, was kann ich für Sie tun?«

»Es geht darum, was ich für *Sie* tun kann«, erwiderte Kirby.

In Armstrongs Ohren klang das ziemlich einstudiert. Er nickte. »Ich höre.«

»Ich habe eine vertrauliche Information, die Ihnen den Kauf einer überregionalen Zeitung ermöglichen könnte.«

»Der *Express* kann es nicht sein«, überlegte Armstrong laut und blickte durchs Fenster, »denn solange Beaverbrooke lebt …«

»Nein, die Zeitung ist wesentlich bedeutender als der *Express*.«

Armstrong schwieg kurz; dann fragte er: »Darf ich Ihnen einen Kaffee anbieten, Mr. Kirby?«

»Tee wäre mir lieber.«

Armstrong hob eins der Telefone auf seinem Schreibtisch ab. »Sind Sie so nett und bringen uns Tee, Sally?« Diese Frage gehörte zu den geheimen Zeichen zwischen ihnen und besagte, dass es sich um ein längeres Gespräch handelte und Dick nicht gestört werden wollte.

»Sie waren Chefredakteur beim *Express*, wenn ich mich recht entsinne«, sagte Armstrong.

»Ja, einer von sieben in den letzten acht Jahren.«

»Ich konnte nie verstehen, weshalb man Ihnen den Stuhl vor die Tür gesetzt hat.«

Sally kam mit einem Tablett ins Zimmer. Eine Tasse Tee stellte sie vor Kirby hin, eine vor Armstrong.

»Ihr Nachfolger war ein Schwachkopf. Bei Ihnen hat man den Fehler gemacht, dass man Ihnen nicht genug Zeit gab, sich zu bewähren.«

Ein flüchtiges Lächeln huschte über Kirbys Gesicht, als

er Milch in seinen Tee goss, zwei Würfel Zucker dazugab und sich im Stuhl zurücklehnte. Er hielt den Augenblick für nicht angebracht, Armstrong darauf aufmerksam zu machen, dass er diesen »Schwachkopf« vor Kurzem als Redakteur eingestellt hatte.

»Nun, wenn es nicht der *Express* ist, um welche Zeitung handelt es sich dann?«

»Ehe ich mehr darüber verlauten lasse, muss ich mir erst Gewissheit über meine persönliche Situation verschaffen«, entgegnete Kirby.

»Ich fürchte, ich verstehe nicht.« Armstrong stützte die Ellbogen auf die Schreibtischplatte und blickte Kirby an.

»Nach meinen Erfahrungen beim *Express* möchte ich mich absichern.«

Armstrong schwieg. Kirby öffnete seine Aktentasche und nahm ein Dokument heraus. »Meine Anwälte haben diesen Vertrag entworfen, um …«

»Sagen Sie mir einfach, was Sie möchten, Derek. Ich bin dafür bekannt, meine Versprechen einzuhalten.«

»Dieser Vertrag besagt, dass Sie mich zum Chefredakteur machen, falls Sie die in Frage kommende Zeitung übernehmen. Andernfalls zahlen Sie mir eine Abfindung von hunderttausend Pfund.« Er reichte Armstrong den Vertrag.

Dick las das einseitig beschriebene Blatt rasch durch. Nachdem er festgestellt hatte, dass von einem Gehalt nicht die Rede war, nur von einer Anstellung als Chefredakteur, unterschrieb er den Vertrag. Er ging kein Risiko ein: Einmal war er einen Mitarbeiter in Bradford losgeworden, indem er sich einverstanden erklärt hatte, ihn zum Chefredakteur zu machen; dann hatte er dem Mann ein Jahresgehalt von einem Pfund gezahlt. Er wollte Kirby schon darauf aufmerksam machen, dass zweitklassige Anwälte für gewöhnlich auch nur zweitklassige Ergebnisse zustande brachten, gab sich jedoch damit zufrieden, den unterschriebenen Vertrag über den Schreibtisch zu schieben.

»Danke«, murmelte Kirby und wirkte ein wenig zuversichtlicher.

»Tja, bei welcher Zeitung möchten Sie denn nun gern Chefredakteur werden?«

»Beim *Globe.*«

Das war die zweite Überraschung, die Armstrong an diesem Vormittag erlebte. Der *Globe* war eines der Aushängeschilder der Fleet Street. Armstrong hatte nicht die leiseste Ahnung gehabt, dass diese Zeitung zum Verkauf stand.

»Aber die Anteile sind allesamt im Besitz einer Familie«, sagte er.

»Das stimmt«, bestätigte Kirby. »Sie gehören zwei Brüdern und einer Schwägerin. Sir Walter, Alexander und Margaret Sherwood. Da Sir Walter nominell der Direktor ist, geht alle Welt davon aus, dass er das Sagen hat. Aber dem ist nicht so. Jeder der drei besitzt Anteile in gleicher Höhe.«

»Ich weiß.« Armstrong nickte. »Das steht in sämtlichen Biografien über Sir Walter, die ich bis jetzt gelesen habe.«

»Ja, aber nirgends steht, dass es seit Kurzem Meinungsverschiedenheiten zwischen den dreien gibt.«

Armstrong zog eine Braue hoch.

»Letzten Freitag haben sie sich in Alexanders Wohnung in Paris getroffen. Sir Walter ist von London dorthin geflogen, und Margret von New York. Angeblich sollte der zweiundsechzigste Geburtstag Alexanders gefeiert werden. Aber es wurde alles andere als eine Feier, weil Alexander und Margaret dem guten Walter den Vorwurf machten, sie hätten es satt, dass er sich nicht genug um den *Globe* kümmere und persönlich für die sinkenden Verkaufszahlen verantwortlich sei. Seit er die geschäftliche Verantwortung übernommen hat, ist die Auflage von vier Millionen auf unter zwei Millionen gefallen – also weniger als die des *Daily Citizen*, der ja damit prahlt, die auflagenstärkste Tageszeitung im Lande zu sein. Margaret und Alexander haben Sir Walter beschuldigt, zu viel Zeit damit zu vergeuden, zwischen seinem Club und der nächsten Rennbahn hin und her zu pendeln. Es kam zum Streit. Einer brüllte den anderen an, und Alexander und Margaret haben Walter unmissverständlich klargemacht, dass sie bisher zwar mehrere Angebote für ihre Anteile ausgeschlagen hätten, jetzt aber nicht daran dächten, nur seiner Unfähigkeit wegen ihren Lebensstil aufzugeben.«

»Woher wissen Sie das alles?«, fragte Armstrong.

»Von Alexanders Köchin.«

»Von seiner Köchin?«, wiederholte Armstrong und konnte seine Verblüffung nicht verbergen.

»Sie heißt Lisa Milton. Hat für den Fleet Street Party Service gearbeitet, bevor Alexander ihr den Job anbot, bei ihm in Paris als Köchin zu arbeiten.« Kirby machte eine Pause. »Alexander hat sich nicht gerade als angenehmer Arbeitgeber erwiesen. Lisa würde gern kündigen und nach England zurückkehren, wenn …«

»Wenn sie es sich leisten könnte«, ergänzte Armstrong den Satz.

Kirby nickte. »Lisa hat jedes Wort der Streiterei mithören können, als sie in der Küche das Dinner zubereitete. Sie sagte mir, es würde sie nicht wundern, wenn die ganze Auseinandersetzung auch in den Etagen darunter und darüber zu hören gewesen wäre.«

Armstrong lächelte. »Das haben Sie sehr gut gemacht, Derek. Haben Sie sonst noch etwas, das sich als nützlich für mich erweisen könnte?«

Kirby bückte sich nach seiner Aktentasche und nahm einen dicken Ordner heraus. »Hier finden Sie alle Einzelheiten über Margaret, Walter und Alexander. Kurzbiografien, Adressen, Telefonnummern, ja, sogar den Namen von Alexanders Geliebter. Wenn Sie sonst noch etwas wissen möchten, brauchen Sie mich nur anzurufen.« Kirby schob seine Visitenkarte über den Tisch.

Armstrong legte den Ordner vor sich auf die Schreibtischunterlage und steckte Kirbys Karte in die Brieftasche. »Danke. Falls die Köchin noch mehr Interessantes berichten sollte oder Sie sich aus einem anderen Grund mit mir in Verbindung setzen möchten, verständigen Sie mich bitte. Ich bin jederzeit zu erreichen. Hier ist meine Privatnummer.« Er reichte Kirby seine Karte.

»Ich rufe an, sobald ich etwas Neues erfahre«, versicherte ihm Kirby und erhob sich, um zu gehen.

Armstrong begleitete ihn zur Tür, legte ihm den Arm um die Schulter, als sie Sallys Büro betraten, und wandte sich an seine Sekretärin. »Derek muss mich jederzeit erreichen können – Tag und Nacht, wo immer ich auch bin.«

Als Kirby gegangen war, kam Sally in Armstrongs Büro. Er las bereits die erste Seite der Sherwood-Akte. »War das ernst gemeint? Soll Kirby Sie wirklich jederzeit erreichen können?«

»Vorerst, ja. Und sagen Sie meine Termine für die nächsten Tage ab. Ich werde nach Paris fliegen und Alexander Sherwood einen Besuch abstatten. Sollte das Gespräch erfolgreich verlaufen, muss ich zu seiner Schwägerin nach New York.«

Sally blätterte in Armstrongs Terminkalender. »Er ist gepfropft voll«, erklärte sie.

»Wie bei einem verdammten Zahnarzt, ich weiß«, erwiderte Armstrong unwirsch. »Sehen Sie zu, dass Sie alle Termine abgesagt haben, bis ich vom Lunch zurück bin. Und lesen Sie jedes einzelne Blatt in diesem Ordner; dann werden Sie begreifen, weshalb es so wichtig ist, dass ich mit Mr. Sherwood spreche – aber lassen Sie ja niemanden sonst einen Blick hineinwerfen!«

Armstrong schaute auf die Uhr und marschierte aus seinem Büro. Als er den Korridor entlangschritt, bemerkte er wieder die neue Mitarbeiterin, die ihm bereits am Morgen aufgefallen war. Diesmal hob sie den Blick und lächelte Armstrong an. Im Wagen, auf dem Weg zum Savoy, bat er Reg, alles über die Frau herauszufinden, was er in Erfahrung bringen konnte.

Es fiel Armstrong schwer, sich während des Lunchs zu konzentrieren – obwohl sein Gast Minister und Kabinettsmitglied war –, da er sich in seiner Fantasie bereits als Eigentümer des berühmten *Globe* sah. Ganz abgesehen davon, hatte er gehört, dass der Minister als Abgeordneter auf die Hinterbänke im Unterhaus zurückkehren würde, sobald der Premier erst seine nächste Kabinettsumbildung vornahm. Deshalb bedauerte es Dick überhaupt nicht, als sein ohnehin langweiliger Gesprächspartner ihm mitteilte, er müsse bald aufbrechen, da sein Ministerium sich an diesem Nachmittag Fragen im Unterhaus stellen müsse. Armstrong rief nach der Rechnung.

Er blickte dem Minister nach, als dieser in seinem Wagen mit Chauffeur davonfuhr, und überlegte, dass der politische Absteiger sich bald von all seinen Privilegien würde verabschieden müssen. Als Armstrong in seinen Wagen stieg, kehrten seine Gedanken zum *Globe* zurück.

»Verzeihen Sie, Sir.« Benson blickte in den Rückspiegel.

»Was gibt's denn?«, fragte Armstrong ungehalten.

»Sie haben mich gebeten, etwas über das Mädchen herauszufinden.«

»Ah, ja«, sagte Armstrong ein wenig freundlicher.

»Sie heißt Sharon Levitt. Arbeitet als Aushilfskraft, solange Mr. Wakehams Sekretärin in Urlaub ist. Also wird sie nur etwa zwei Wochen bei uns sein.«

Armstrong nickte. Als er aus dem Fahrstuhl stieg und zu seinem Büro ging, war er enttäuscht, dass das Mädchen nicht mehr an dem Schreibtisch in der Ecke saß.

Sally folgte Armstrong, seinen Terminkalender und einen Stapel Papiere in der Hand. »Wenn Sie Ihre Ansprache an die SOGAT am Samstagabend absagen«, erklärte sie noch im Gehen, »und den Lunch am Sonntag mit Ihrer Frau …« Armstrong winkte ab; diese Termine waren unbedeutend. »… aber Ihre Gattin hat Geburtstag!«, erinnerte ihn Sally.

»Schicken Sie ihr einen Blumenstrauß, suchen Sie bei Harrods ein Geschenk für sie aus, und erinnern Sie mich, sie an dem Tag anzurufen.«

»Jedenfalls, wenn Sie die Ansprache und den Lunch absagen, hätten Sie das ganze Wochenende zur Verfügung«, beendete Sally ihren ursprünglichen Satz.

»Was ist mit Alexander Sherwood?«

»Ich habe kurz vor der Mittagspause mit seiner Sekretärin in Paris telefoniert. Erstaunlicherweise rief er vor ein paar Minuten zurück.«

»Und?« Armstrong blickte Sally an.

»Er hat nicht einmal gefragt, weshalb Sie sich mit ihm

treffen wollen. Stattdessen hat er Sie gleich für Samstagmittag um dreizehn Uhr zum Lunch in seine Wohnung auf dem Montmartre eingeladen.«

»Gut gemacht, Sally. Ich möchte mich auch mit seiner Köchin unterhalten, bevor ich mit ihm rede.«

»Lisa Milton«, sagte Sally. »Sie wird sich am Samstag im Hotel George V. zum Frühstück zu Ihnen gesellen.«

»Großartig, Sally. Dann brauchen Sie heute Nachmittag ja nur noch die Post zu erledigen.«

»Aber Sie wissen doch, dass ich heute um sechzehn Uhr einen Zahnarzttermin habe. Ich musste ihn bereits zweimal verschieben, und meine Zahnschmerzen werden immer schlimmer.«

Armstrong wollte sie gerade auffordern, den Termin ein drittes Mal zu verschieben, unterließ es dann aber. »Selbstverständlich sagen Sie Ihren Termin nicht ab, Sally. Bitten Sie Mr. Wakehams Sekretärin, Sie zu vertreten.«

Sally konnte ihre Verwunderung nicht verbergen: Vom ersten Tag an, seit sie für ihn arbeitete, hatte Dick nie zugelassen, dass jemand sie vertrat.

»Ich glaube, Mr. Wakeham hat für die nächsten zwei Wochen selbst eine Vertretung«, gab sie zu bedenken.

»Macht nichts. Es geht nur um ein paar Routinesachen.«

»Gut. Dann bestelle ich sie her«, sagte Sally, als das private Telefon auf Armstrongs Schreibtisch zu läuten begann. Stephen Hallet war am Apparat. Er erklärte, er habe eine Verleumdungsklage gegen den Chefredakteur der *Daily Mail* eingereicht und gab Dick den Rat, sich während der nächsten paar Tage mit seinen Äußerungen ein wenig zurückzuhalten.

»Hast du herausgefunden, von wem er die Story bekommen hat?«, fragte Armstrong.

»Nein. Aber ich vermute, von irgendjemandem aus Deutschland«, meinte Hallet.

»Aber das ist doch Jahre her!«, entrüstete sich Armstrong. »Wie dem auch sei – ich habe an Julius Hahns Beerdigung teilgenommen, also kann die Story schwerlich von ihm sein. Ich tippe immer noch auf Townsend.«

»Ich weiß nicht, wer es ist, aber irgendwer da draußen will dich in Verruf bringen. Ich fürchte, wir werden im Laufe der nächsten Wochen eine ganze Reihe von gerichtlichen Verfügungen erwirken müssen, damit die Zeitungen sich gut überlegen, was sie in Zukunft schreiben.«

»Schick mir Kopien von allen Berichten, in denen mein Name auftaucht«, bat Dick. »Ich hinterlasse dir eine Nummer, falls du mich dringend sprechen musst. Ich bin übers Wochenende in Paris.«

»Du Glückspilz«, sagte Hallet. »Grüß Charlotte von mir.«

Sally kam ins Büro zurück, dicht gefolgt von einer großen, schlanken Blondine in einem Minirock, den nur eine Frau mit schlanken, langen Beinen tragen konnte.

»Ich bereite soeben den möglicherweise wichtigsten Geschäftsabschluss meines Lebens vor«, stellte Armstrong mit leicht erhobener Stimme fest.

»Ich verstehe«, erwiderte Stephen. »Du kannst dich drauf verlassen, dass ich am Ball bleibe.«

Armstrong schmetterte den Hörer auf die Gabel und lächelte die attraktive Blondine beinahe überschwänglich an.

»Das ist Sharon«, sagte Sally. »Ich habe ihr schon mitgeteilt, dass sie sich nur um Routinearbeiten zu kümmern braucht und um siebzehn Uhr Feierabend machen kann. Ich bin morgen kurz vor acht Uhr wieder im Büro.«

Armstrongs Blick heftete sich auf Sharons zierliche Fesseln und wanderte dann langsam in die Höhe. Er beachtete Sally gar nicht, als sie sagte: »Also, dann bis morgen.«

Townsend las den Artikel in der *Daily Mail* zu Ende, schwang in seinem Sessel herum und blickte zufrieden hinaus auf Sydney Harbour. Es war eine alles andere als schmeichelhafte Schilderung von Lubji Hochs steilem Aufstieg und seinem Wunsch, in Großbritannien ein akzeptierter Zeitungszar zu werden. Der Artikel enthielt mehrere Zitate namentlich nicht genannter Offiziere des King's Own Regiment, von Deutschen, die mit Hoch in Berlin zu tun gehabt hatten, und von ehemaligen Angestellten.

Der Artikel stützte sich größtenteils auf die Kurzbiografie, die Kate wenige Wochen zuvor für den *Sunday Continent* geschrieben hatte. Natürlich war Townsend klar gewesen, dass es in Australien nur wenige Leute gab, die irgendein Interesse an Richard Armstrongs Werdegang hatten. Aber zweifellos würde der Artikel binnen weniger Tage auf den Schreibtischen sämtlicher Chefredakteure in der Fleet Street landen – und dann war es nur noch eine Frage der Zeit, bevor die Story den britischen Lesern gekürzt oder auch in voller Länge vorgesetzt würde. Keith hatte sich nur gefragt, welche Zeitung den Artikel wohl als Erstes brachte. Nun hatte er die Antwort: die *Daily Mail*.

Natürlich war sich Keith bewusst, dass Armstrong schnell dahinterkommen würde, wer für die Veröffentlichung des Artikels verantwortlich war – was er sogar noch mehr genoss als die Story selbst. Ned Brewer, der Leiter seiner Londoner Niederlassung, hatte ihm vor Kurzem erzählt, dass Artikel über Armstrongs Privatleben nicht mehr so häufig erschienen, seit gerichtliche Verfügungen wie Konfetti auf die Tische der Redakteure herabrieselten.

Mit wachsendem Zorn hatte Townsend verfolgen müssen, wie Armstrong die WRG zu einer starken Machtbasis in Nordengland ausgebaut hatte. Doch er wusste auch sehr gut, worin Armstrongs tatsächliche Ziele bestanden. Es war Keith gelungen, zwei Leute in Armstrongs Zentrale in der Fleet Street einzuschleusen, die ihm über jeden berichteten, der einen Termin bei Armstrong bekommen hatte. Der letzte Besucher, Derek Kirby, ein früherer Chefredakteur des *Express,* war von Armstrong überaus freundlich aus dem Büro geführt worden, den Arm kameradschaftlich um die Schulter des Besuchers gelegt. Townsends Berater vermuteten, dass Kirby wahrscheinlich eine der Regionalzeitungen der WRG als Chefredakteur übernehmen würde. Townsend war da nicht so sicher und erteilte die Anweisung, ihn umgehend zu benachrichtigen, sollte Armstrong offenkundiges Interesse an irgendeinem bestimmten Blatt zeigen.

Kate hatte Keith gefragt: »Ist die WRG wirklich so wichtig für dich?«

»Nein. Aber ein Mensch, der zu derart hinterhältigen Tricks fähig ist und meine Mutter als Druckmittel für seine Verhandlungen benutzt, soll bekommen, was er verdient.«

Bis jetzt hatte man Townsend von Armstrongs sämtlichen Erwerbungen berichtet, von Stoke-on-Trent bis Durham. Ihm gehörten inzwischen neunzehn Lokal- und Regionalzeitungen, dazu fünf Grafschaftszeitschriften. Und zweifellos hatte Armstrong einen Coup gelandet, als er sich im Tausch gegen Vorzugsaktien seiner eigenen Gesellschaft fünfundzwanzig Prozent Beteiligung an Lancashire Television und neunundvierzig Prozent am regionalen Rundfunksender an Land gezogen hatte. Sein letzter Vorstoß war die Gründung der *London Evening Post* gewesen. Doch Townsend wusste, was Armstrong – genau wie er selbst – am meisten anstrebte: den Besitz einer landesweiten Tageszeitung.

Im Laufe der letzten vier Jahre hatte Townsend drei weitere australische Tageszeitungen erstanden sowie ein Sonntagsblatt und ein wöchentliches Nachrichtenjournal. Er hatte nun die Kontrolle über Zeitungen in jedem Bundesstaat Australiens, und es gab keinen Politiker oder Geschäftsmann im Land, der sich nicht für ihn Zeit genommen hätte, wenn der Zeitungsmogul ihn anrief. Überdies war er im letzten Jahr ein gutes dutzendmal in den Vereinigten Staaten gewesen und hatte sich nach Städten umgeschaut, in denen die Hauptarbeitgeber in der Stahl-, Kohle- oder Automobilbranche tätig waren; denn Keith hatte festgestellt, dass Unternehmen, die mit diesen kränkelnden Industriezweigen zu tun hatten, zugleich fast immer die Lokalzeitungen kontrollierten. Sobald er herausgefunden hatte, dass ein solches Unternehmen in finanziellen Schwierigkeiten steckte, wurde er aktiv, und es gelang ihm häufig, die betreffende Zeitung rasch zu erwerben. In fast allen Fällen stellte er fest, dass der Personalstand in seiner Neuanschaffung viel zu hoch war und kaufmännisch so ziemlich alles im Argen lag. Es kam selten vor, dass im Vorstand irgendjemand Erfahrungen aus erster Hand besaß, was den Zeitungsbetrieb anging. Indem Townsend einen Großteil der Arbeiter und Angestellten feuerte und die meisten Mitarbeiter in der Chefetage durch eigene Leute ersetzte, gelang es ihm meist schon nach wenigen Monaten, das Blatt bilanztechnisch zu wenden.

Durch diese Geschäftspraktiken war es Keith gelungen, neun städtische Zeitungen von Seattle bis North Carolina zu erwerben – was es ihm wiederum ermöglicht hatte, ein Unternehmen aufzubauen, das groß genug war, ein Angebot für eine der Renommierzeitungen Amerikas zu unterbreiten, sollte sich je die Gelegenheit ergeben.

Kate hatte Keith auf mehreren dieser Reisen begleitet und zweifelte nicht daran, dass er sie heiraten wollte. Keith hingegen war nach seinen Erfahrungen mit Susan immer noch nicht sicher, ob er jemals von einer Frau verlangen konnte, fast ständig aus dem Koffer zu leben und praktisch nie ein richtiges Zuhause zu haben.

Wenn Keith seinen Konkurrenten Armstrong um eines beneidete, dann um seinen Sohn, der sein Imperium übernehmen konnte.

23

The Times

29. Oktober 1966

Fertigstellung des Ärmelkanaltunnels für 1975 anvisiert. Bauzeit vier Jahre

»Miss Levitt wird mich nach Paris begleiten«, sagte Armstrong. »Buchen Sie zwei Tickets erster Klasse und meine übliche Suite im George V.«

Sally kam den Anweisungen nach, als wären es ganz normale geschäftliche Aufträge. Sie lächelte, als sie an die Versprechen dachte, die während des Wochenendes gemacht und nicht gehalten werden würden, und an die Geschenke, die zwar erwähnt, aber nie gemacht werden würden. Am Montag würde Armstrong von ihr erwarten, dass sie mit Sharon abrechnete, in bar, genau wie mit ihren Vorgängerinnen – allerdings zu einem viel höheren Stundenlohn, als irgendeine Agentur selbst für die erfahrenste Aushilfskraft verlangen würde.

Als Armstrong am Montagmorgen aus Paris zurückkehrte, erschien er ohne Sharon. Sally nahm an, im Laufe des Tages von dem Mädchen zu hören.

»Wie ist die Besprechung mit Alexander Sherwood verlaufen?«, erkundigte sie sich, als sie die Morgenpost auf den Schreibtisch ihres Chefs legte.

»Wir haben uns über den Preis für sein Drittel des *Globe* geeinigt«, erwiderte Armstrong triumphierend. Bevor Sally ihn nach Einzelheiten fragen konnte, wies er sie an: »Besorgen Sie mir den Katalog für die Versteigerung bei Sotheby's in Genf am Donnerstagvormittag.«

Sally zuckte mit keiner Wimper, als sie drei Seiten im Terminkalender umblätterte. »An diesem Donnerstagvormittag haben Sie Termine um zehn, elf und Viertel vor zwölf sowie den bereits zweimal verschobenen Lunch mit William Barnetson, dem Vorsitzenden von Reuters.«

»Dann werden Sie das verdammte Essen eben ein drittes Mal verschieben müssen«, murmelte Armstrong, ohne auch nur aufzublicken.

»Gilt das auch für den Termin mit dem Finanzminister?«

»Das gilt für alles«, erwiderte Dick. »Buchen Sie zwei Tickets erster Klasse nach Genf für Mittwochabend und mein übliches Zimmer mit Seeblick im Richemond.«

Sally stutzte. Offenbar brauchte sie mit Aushilfssekretärin Sharon, wie immer sie mit Nachnamen hieß, doch noch nicht abzurechnen.

Sally strich die sieben Termine für den Donnerstag im Kalender. Dick musste einen guten Grund haben, wenn er die Verabredungen mit dem Finanzminister und dem Chef der größten Nachrichtenagentur verschob. Was mochte er bei Sotheby's wohl ersteigern wollen? Bisher hatte er nur für Zeitungen geboten, und die bekam man nicht in einem Auktionshaus.

Sally kehrte in ihr Büro zurück und bat Benson, zu Sotheby's in die Bond Street zu fahren und einen Katalog der Versteigerung in Genf zu kaufen. Als Benson ihn ihr eine Stunde später brachte, geriet sie noch mehr ins Staunen.

Dick hatte sich noch nie dafür interessiert, Ostereier zu sammeln. Konnte es etwas mit seinen russischen Kontakten zu tun haben? Denn bestimmt erwartete Sharon doch kein Fabergé-Ei als Entlohnung für ihre zwei Nächte mit Dick.

Am Mittwochabend flogen Dick und Sharon nach Genf und ließen sich zum Le Richemond fahren. Vor dem Abendessen spazierten sie zum Hotel de Bergues im Zentrum, wo Sotheby's immer seine Versteigerungen veranstaltete, um sich den Auktionsraum anzusehen.

Armstrong beobachtete, wie das Hotelpersonal Stühle in einem Saal aufstellte, der etwa vierhundert Personen fasste. Langsam ging er durch den Saal, um sich bereits einen Platz auszusuchen, von dem aus er gleichermaßen einen guten Blick auf den Auktionator wie auch auf die Reihe von neun Telefonen hatte, die auf einem niedrigen Podium an einer Seite des Saales standen. Bevor er mit Sharon den Saal verließ, blieb er kurz stehen und ließ den Blick noch einmal durch den Raum schweifen.

Zurück im Hotel, marschierte Dick, gefolgt von Sharon, in den kleinen Speisesaal mit dem Blick auf den See und steuerte den Tisch in der Ecknische an. Sie hatten schon längst Platz genommen, bevor der Ober sie darauf aufmerksam machen konnte, dass der Tisch reserviert war. Er gab seine Bestellung auf und reichte dann Sharon die Speisekarte.

Während er auf den ersten Gang wartete, griff er nach dem Brötchen auf dem kleinen Teller neben sich und strich Butter darauf. Nachdem er es gegessen hatte, beugte er sich über den Tisch und nahm das Brötchen von Sharons Teller. Sie blätterte derweil weiter im Versteigerungskatalog.

»Seite neunundvierzig«, murmelte Dick zwischen zwei

Bissen. Sharon blätterte weiter, bis sie das Objekt gefunden hatte, dessen Namen sie nicht aussprechen konnte.

»Soll damit eine Sammlung ergänzt werden?«, fragte sie, in der heimlichen Hoffnung, es könnte ein Geschenk für sie sein.

»Ja«, antwortete er mit vollem Mund, »aber nicht meine. Bis letzte Woche hatte ich noch nie etwas von Fabergé gehört. Die ganze Sache gehört zu einem größeren Geschäft, weißt du.«

Sharons Blick wanderte die Seite hinunter. Sie überflog die ausführliche Beschreibung, wie das Meisterstück 1917 aus Russland herausgeschmuggelt worden war. Dann blieb ihr Blick auf dem Schätzwert hängen.

Armstrong griff unter den Tisch und legte eine Hand auf Sharons Oberschenkel.

»Wie hoch wirst du gehen?«, fragte sie. Ein Kellner kam an den Tisch und stellte eine große Schale Kaviar zwischen die beiden.

Armstrong zog rasch die Hand zurück und wandte sich dem ersten Gang zu.

Seit ihrem gemeinsamen Wochenende in Paris hatten Dick und Sharon jede Nacht miteinander verbracht. Er konnte sich nicht erinnern, wann er zuletzt so verrückt nach einer Frau gewesen war – und ob überhaupt. Sehr zu Sallys Verwunderung verließ er sein Büro in letzter Zeit schon früh am Abend und erschien am nächsten Morgen nicht vor zehn an seinem Schreibtisch.

Beim Frühstück bot er Sharon jeden Tag an, ihr Geschenke zu kaufen, doch Sharon wies sie stets zurück, was ihn befürchten ließ, dass er sie verlieren könnte. Er wusste, dass es keine Liebe zwischen ihnen beiden war, doch was es auch sein mochte – er hoffte, es würde noch lange anhalten. Vor dem Gedanken an eine Scheidung hatte ihm immer gegraut, auch wenn er Charlotte inzwischen kaum noch sah, außer bei besonderen Anlässen. Er konnte sich nicht einmal erinnern, wann sie das letzte Mal miteinander geschlafen hatten.

Doch zu seiner Erleichterung sprach Sharon nie von Heirat. Die einzige Andeutung, die sie mitunter machte, ging dahin, die Bequemlichkeiten der Ehe ebenso zu genießen wie die Annehmlichkeiten einer Affäre. Allmählich dachte Dick genauso wie sie.

Nachdem die leere Kaviarschale abgeräumt war, machte Dick sich über ein Steak her, das so viel Platz auf seinem Teller einnahm, dass die zusätzlich von ihm bestellten Gemüse auf gesonderten Tellern serviert werden mussten. Er stellte fest, dass er von zwei Tellern gleichzeitig essen konnte, wenn er zwei Gabeln benutzte, während Sharon nur an ein paar Salatblättern knabberte und in ihrem Räucherlachs herumstocherte. Dick hätte sich gern noch ein zweites Stück Kirschtorte bestellt, doch Sharon fing an, ihre rechte Fußspitze an der Innenseite seines Schenkels entlang wandern zu lassen.

Eine Hitzewoge stieg in ihm auf. Er warf die Serviette auf den Tisch, packte Sharon beim Arm, verließ das Restaurant und eilte zum Fahrstuhl. Hastig stieg er ein, zog sie dabei hinter sich her und drückte auf den Knopf für den siebten Stock. Die Tür schloss sich gerade noch rechtzeitig, um zu verhindern, dass ein älteres Ehepaar zustieg.

Auf ihrem Stockwerk angelangt, stellte Dick erleichtert fest, dass außer ihnen niemand auf dem Korridor war, denn jedem wäre unweigerlich aufgefallen, in welchem Zustand er sich befand.

Kaum hatte er die Zimmertür mit dem Absatz zugestoßen, zog Sharon ihn zu sich auf den Boden und machte sich daran, ihm das Hemd vom Leib zu zerren. »Ich kann es kaum noch aushalten«, keuchte sie.

Am nächsten Morgen setzte sich Armstrong an den für zwei Personen gedeckten Tisch in ihrer Suite. Er verschlang sowohl Sharons wie auch sein Frühstück, wobei er in der *Financial Times* nach dem Wechselkurs von Schweizer Franken und englischem Pfund schaute.

Sharon bewunderte sich derweil in dem hohen Spiegel am anderen Zimmerende. Ihr gefiel, was sie sah, und sie lächelte, ehe sie sich umdrehte und zum Frühstückstisch ging. Sie legte ein langes, schlankes Bein auf die Armlehne von Armstrongs Stuhl. Das Buttermesser entglitt ihm und fiel auf den Teppich, als Sharon einen schwarzen Seidenstrumpf hochzuziehen begann. Dann nahm sie sich das zweite Bein vor. Dick sprang auf und stellte sich vor sie. Als Sharon die Arme unter seinen Morgenrock schob, seufzte er wohlig.

»Haben wir noch Zeit?«, fragte er.

»Mach dir darüber keine Gedanken, mein Liebling. Vor zehn Uhr fängt die Auktion nicht an.« Sie öffnete ihren Büstenhalter und zog Armstrong auf den Boden.

Wenige Minuten vor zehn verließen sie das Hotel. Doch da das einzige Stück, an dem Armstrong interessiert war, vermutlich nicht vor elf zur Versteigerung kam, spazierten sie Arm in Arm am See entlang in Richtung Stadtmitte und genossen die Vormittagssonne.

Armstrong beschlich ein seltsames Gefühl, als sie das Foyer des Hotel de Bergues betraten. Obwohl er um alles gefeilscht hatte, was er in seinem Leben hatte haben wollen – an einer Auktion hatte er noch nie teilgenommen. Doch er hatte sich im Vorfeld über das Procedere ausführlich informieren lassen, weshalb es ihm gelang, seine Unsicherheit durch selbstbewusstes Auftreten zu überspielen.

Am Eingang des Ballsaals nannte er einer der eleganten Damen hinter einem langen Tisch seinen Namen. Sie sprach Französisch. Dick antwortete in derselben Sprache und erklärte ihr, er sei lediglich an Objekt Nummer dreiundvierzig interessiert. Als Dick den Saal betrat, stellte er erstaunt fest, dass fast alle Stühle besetzt waren – einschließlich jener beiden, die er am Abend zuvor für sich und Sharon ausgesucht hatte. Sharon deutete auf zwei leere Plätze an der linken Saalseite, ein Stück weiter hinten. Armstrong nickte und führte sie durch den Mittelgang. Kaum hatten die beiden sich gesetzt, nahm ein junger Mann mit offenem Hemd hinter ihnen Platz.

Armstrong vergewisserte sich, dass er freie Sicht sowohl auf den Auktionator als auch auf die Reihe von Telefonen hatte, an denen überqualifizierte Telefonistinnen saßen. Sein jetziger Platz war nicht ganz so günstig wie der, den er sich ursprünglich ausgesucht hatte, doch er sah keinen Grund, weshalb ihn dies daran hindern sollte, das kostbare Stück zu ersteigern, auf das er es abgesehen hatte.

»Nummer siebzehn!«, rief der Auktionator von seinem Podest vorn im Ballsaal. Armstrong schlug die entsprechende Seite im Katalog auf und betrachtete ein vergoldetes Silberosterei, gehalten von vier Kreuzen mit dem blau emaillierten Monogramm von Zar Nikolaus II. Das Stück war im Jahre 1907 von Peter Carl Fabergé für die Zarin angefertigt worden. Armstrong konzentrierte sich.

»Höre ich zehntausend?«, rief der Auktionator und ließ

den Blick durch den Saal schweifen. Er nickte jemandem zu, der ziemlich weit hinten saß. »Fünfzehntausend.« Armstrong bemühte sich, den rasch aufeinanderfolgenden Geboten zu folgen, obwohl er nie ganz sicher war, aus welchem Teil des Saales sie kamen. Als schließlich jemand für fünfundvierzigtausend Franken den Zuschlag erhielt, hatte Armstrong keine Ahnung, wer der Käufer war, da der Auktionator den Hammer fallen ließ, ohne zuvor »zum Ersten, zum Zweiten und zum Dritten« gerufen zu haben.

Bis der Auktionator zu Katalognummer fünfundzwanzig gelangte, fühlte Armstrong sich schon ein wenig sicherer, und bei Nummer dreißig konnte er sogar hin und wieder einen der Bieter entdecken. Bei Nummer fünfunddreißig hielt er sich bereits für einen Experten, doch bei Nummer vierzig, dem Winterei von 1913, wurde er erneut nervös.

»Das Mindestgebot liegt bei zwanzigtausend Franken«, verkündete der Auktionator. Armstrong beobachtete, wie die Gebote rasch auf fünfzigtausend kletterten, und als der Hammer schließlich bei hundertzwanzigtausend Franken niedersauste, blieb die Anonymität des Käufers gewahrt, da er sich am anderen Ende einer der Telefonleitungen befand.

Armstrongs Handflächen wurden feucht, als Nummer einundvierzig, das mit Perlen und Rubinen besteckte Chanticleer-Ei von 1896, zweihundertachtzigtausend Franken einbrachte. Bei der Versteigerung von Nummer zweiundvierzig, dem gelben Juberow-Ei, rutschte Armstrong unruhig auf dem Stuhl hin und her. Ständig wechselte sein Blick zwischen dem Auktionator und seinem aufgeschlagenen Katalog hin und her.

Als der Auktionator schließlich Nummer dreiundvierzig

aufrief, drückte Sharon Dick aufmunternd die Hand, und dieser brachte ein nervöses Lächeln zustande. Im Saal erhob sich Stimmengewirr.

»Nummer dreiundvierzig!«, wiederholte der Auktionator. »Das Jubiläums-Ei zum Jahrestag der Thronbesteigung Nikolaus des Zweiten. Der Zar hat dieses außergewöhnliche Stück 1910 in Auftrag gegeben. Die Miniaturen wurden von Wassili Sulew gemalt, und in seiner handwerklichen Ausführung gilt es als eine der schönsten Stücke von Fabergés Arbeiten. Es wurde bereits beachtliches Interesse an diesem Objekt gezeigt, deshalb liegt das Mindestgebot bei einhunderttausend Franken.«

Alle Anwesenden waren mucksmäuschenstill, vom Auktionator abgesehen. Den Hammer fest mit der Rechten umklammernd, ließ er die Blicke durch den Saal schweifen auf der Suche nach Bietern.

Armstrong rief sich seine Informationen und die genaue Summe in Erinnerung, bei der er einsteigen sollte. Er spürte, wie sein Puls sich beschleunigte, als der Auktionator sich nach links wandte und sagte: »Das telefonische Gebot liegt nun bei einhundertfünfzigtausend Franken. – Einhundertfünfzigtausend«, wiederholte er. Aufmerksam sah er sich im Publikum um. Ein Lächeln huschte über seine Lippen. »Zweihunderttausend! Der Herr in der Saalmitte.« Er machte eine Pause und blickte zu seiner Assistentin am hintersten Telefon. Armstrong sah, wie sie etwas in die Sprechmuschel flüsterte und dem Auktionator fast unmerklich zunickte. Der verkündete sofort: »Zweihundertfünfzigtausend!« und wandte seine Aufmerksamkeit wieder den Anwesenden zu. Aus dem Publikum musste ein neues Gebot gekommen sein, denn der Blick des Auktionators ging sogleich wieder zu seiner Assistentin am Telefon. Er sagte: »Ich habe jetzt ein Gebot von dreihunderttausend Franken.«

Die Frau informierte den Bieter und nickte nach einigen Sekunden. Alle Köpfe im Saal richteten sich wieder auf den Auktionator, als würden sie ein Tennismatch im Zeitlupentempo verfolgen. »Dreihundertfünfzigtausend«, erklärte der Auktionator und schaute zur Saalmitte.

Armstrong senkte den Blick auf den Katalog. Noch war für ihn der Zeitpunkt nicht gekommen mitzubieten, trotzdem wurde er immer nervöser.

»Vierhunderttausend.« Der Auktionator nickte der Frau am hinteren Telefon zu. »Vierhundertfünfzigtausend in der Saalmitte.« Die Assistentin am Telefon reagierte sofort. »Fünfhunderttausend.«

Der Blick des Auktionators richtete sich auf den Mittelgang. »Sechshunderttausend.«

Dick reckte den Hals, bis er schließlich entdeckte, wer im Saal bot. Doch schon nickte die Assistentin am Telefon aufs Neue. »Siebenhunderttausend«, sagte der Auktionator seelenruhig.

Ein Herr, fast direkt vor Dick, hob seinen Katalog. »Achthunderttausend«, verkündete der Auktionator. »Ein neuer Bieter hinten im Saal.« Er blickte seine Assistentin am Telefon an, die diesmal etwas länger mit ihrem Kunden sprach. »Neunhunderttausend?«, fragte der Auktionator, als wollte er versuchen, die Assistentin zu überreden. Plötzlich nickte sie. »Ich habe ein Gebot von neunhunderttausend am Telefon«, erklärte er und blickte zu dem Bieter hinten im Saal. »Neunhunderttausend«, wiederholte er. Doch diesmal erfolgte keine Reaktion.

»Keine weiteren Gebote? Höre ich weitere Gebote?

Neunhunderttausend zum Ersten, zum Zweiten und …« Er hob den Hammer. »Und zum …«

Als Armstrong seinen Katalog hob, sah es für den Auktionator aus, als winke er ihm. Doch er zitterte nur so heftig.

»Ich habe einen neuen Bieter, rechts vom Mittelgang in einer der letzten Reihen. Das Gebot liegt bei einer Million Franken.« Wieder blickte der Auktionator seine Assistentin am Telefon auffordernd an.

»Eine Million und einhunderttausend?«, fragte er und deutete mit seinem Hammer auf die Assistentin. Armstrong rührte sich nicht, weil er nicht wusste, was er als Nächstes tun sollte, denn eine Million Franken war die vereinbarte Summe. Jetzt schon drehten sich Köpfe zu ihm um. Aber Dick rührte sich nicht. Irgendwie wusste er, dass die Frau am Telefon den Kopf schütteln würde.

Sie schüttelte den Kopf.

»Ich habe ein Gebot über eine Million Franken von einem Herrn im Mittelgang«, sagte der Auktionator und deutete auf Armstrong. »Gibt es weitere Gebote? Keine weiteren Gebote? Eine Million zum Ersten, eine Million zum Zweiten …« Sein Blick wanderte hoffnungsvoll über den Saal, doch niemand reagierte. Schließlich ließ der Auktionator den Hammer herabsausen und sah Armstrong an. »Verkauft an den Herrn im Mittelgang für eine Million Franken.« Lautes Klatschen setzte ein.

Wieder drückte Sharon Armstrongs Hand. Doch ehe Dick zu Atem kam, kniete sich eine Frau neben ihn auf den Boden. »Wenn Sie die Güte hätten, dieses Formular auszufüllen, Mr. Armstrong? Am Empfang wird man Ihnen erklären, wie Sie in den Besitz des ersteigerten Objekts kommen.«

Armstrong nickte. Doch nachdem er das Formular ausgefüllt hatte, begab er sich nicht zum Empfang, sondern zum nächsten Telefon im Foyer und wählte eine Nummer in Übersee. »Verbinden Sie mich mit dem Geschäftsführer«, verlangte er. Diesen forderte er auf, wie vereinbart telegrafisch eine Million Franken an Sotheby's in Genf zu überweisen. »Und erledigen Sie das sofort«, sagte er, »denn ich habe keine Lust, mich hier länger als unbedingt nötig aufzuhalten.«

Er hängte ein und ging zum Empfang, um der Dame dort seine Zahlungsmodalitäten mitzuteilen, als der junge Mann mit offenem Hemdkragen ebenfalls eine Überseenummer wählte, obwohl er wusste, dass er seinen Chef mit diesem Anruf wecken würde.

Townsend setzte sich im Bett auf und hörte dem jungen Mann aufmerksam zu. »Wieso gibt Armstrong eine Million Franken für ein Fabergé-Ei aus?«, wunderte er sich.

»Das ist mir auch nicht klar«, gestand der junge Mann. »Ich muss auflegen. Er geht jetzt mit dem Mädchen die Treppe rauf. Ich rufe noch einmal an, sobald ich herausgefunden habe, was er im Schilde führt.«

Beim Lunch im Speisesaal des Hotels machte Armstrong einen so geistesabwesenden Eindruck, dass Sharon es für angeraten hielt zu schweigen, bis er nicht selbst den Mund aufmachte. Es war offensichtlich, dass er das Ei nicht für sie gekauft hatte. Sobald er seine Kaffeetasse leer abstellte, bat er Sharon, in ihr Zimmer zurückzukehren und zu packen, da er in einer Stunde zum Flughafen aufbrechen wollte. »Ich habe noch eine Besprechung, die jedoch nicht sehr lange dauern dürfte«, erklärte er ihr

Am Hoteleingang küsste er sie auf die Wange, und der

junge Mann mit dem offenen Hemdkragen wäre lieber ihr gefolgt als Armstrong.

»Bis in etwa einer Stunde«, hörte er sein Beobachtungsobjekt sagen, das sich daraufhin umdrehte und die breite Treppe zum Ballsaal hinuntereilte, in dem die Auktion stattgefunden hatte. Dick begab sich direkt zu der Frau hinter dem langen Tisch, die dabei war, die Verkaufszettel zu ordnen.

»Ah, Mr. Armstrong«, sagte sie und bedachte ihn mit einem Eine-Million-Franken-Lächeln. »Ihre telegrafische Überweisung ist uns bereits avisiert worden. Wenn Sie die Güte hätten, sich zu meinem Kollegen ins Büro zu begeben.« Sie deutete auf eine Tür hinter sich. »Dort können Sie Ihr Objekt abholen.«

»Vielen Dank.« Armstrong griff nach seiner Quittung für das Meisterwerk und drehte sich um. Dabei hätte er beinahe einen jungen Mann umgerempelt, der unmittelbar hinter ihm stand. Dick betrat das Büro und reichte seine Quittung einem schwarz befrackten Herrn, der hinter einem Tisch saß.

Der Angestellte prüfte die Quittung sorgfältig und unterzog Mr. Armstrong einer eingehenden Musterung. Dann lächelte er und wies den Wachmann an, Katalognummer dreiundvierzig zu bringen, das Jubiläums-Ei. Als der Wachmann zurückkam, wurde er vom Auktionator begleitet, der das prunkvolle Stück mit einem letzten, beinahe sehnsüchtigen Blick bedachte, ehe er es in die Höhe hielt, damit sein Kunde es begutachten konnte. *»Magnifique«*, seufzte er bewundernd. »Finden Sie nicht auch?«

»Ja, durchaus *magnifique«*, erwiderte Armstrong und packte das Ei, als wäre es ein Rugbyball, den ihm jemand zugeworfen hatte. Dann machte er kehrt und ging ohne ein weiteres Wort. Deshalb hörte er auch nicht, wie der Auktionator seinem Assistenten zuflüsterte: »Seltsam, dass keiner von uns je zuvor etwas mit Mr. Armstrong zu tun hatte.«

Der Portier des Hotel de Bergues tippte an seine Mütze, als Armstrong an ihm vorbei zu einem Taxi ging, sich auf den Rücksitz setzte und das Ei mit beiden Händen festhielt. Er wies den Fahrer an, ihn zur Banque de Genève zu bringen – genau in dem Augenblick, als ein weiteres leeres Taxi hinter ihnen heranfuhr. Der junge Mann mit dem offenen Kragen winkte es zu sich.

Als Armstrong in die Bank schritt, die er noch nie zuvor betreten hatte, begrüßte ihn ein großer, schlanker, unauffällig aussehender Herr im Cut, der selbst bei einer High-Society-Hochzeit in Hampshire nicht fehl am Platz ausgesehen hätte. Er verbeugte sich tief, um zu signalisieren, dass er bereits auf seinen Kunden gewartet habe. Er fragte Armstrong jedoch nicht, ob er das Ei für ihn tragen solle.

»Hätten Sie die Güte, mir zu folgen, Sir?«, sagte er auf Englisch und führte Armstrong über den marmorgefliesten Fußboden zu einem wartenden Fahrstuhl. Woher weiß der Bursche, wer ich bin, fragte Armstrong sich im Stillen. Sie stiegen in den Fahrstuhl, und die Tür schloss sich. Keiner sprach, als sie langsam zur obersten Etage fuhren. Die Tür glitt auf, und der Herr im Cut schritt Armstrong voraus über einen mit dicken Läufern ausgelegten Korridor, bis sie die letzte Tür erreichten. Dort klopfte er diskret an und meldete: »Mr. Armstrong.«

Ein Herr in Nadelstreifenanzug, steifem Kragen und silbergrauem Binder kam auf Dick zu und stellte sich als Pierre de Montiaque vor, Geschäftsführer der Bank. Er drehte sich um und wandte sich einem anderen Herrn an der gegenüberliegenden Seite eines Konferenztischs zu. Dann bedeutete er seinem Besucher, in dem freien Sessel ihm gegenüber Platz zu nehmen. Armstrong stellte das Fabergé-Ei in die Mitte des Tischs, und Alexander Sherwood erhob sich, beugte sich über den Tisch und schüttelte ihm herzlich die Hand.

»Schön, Sie wiederzusehen«, sagte er.

»Ganz meinerseits«, erwiderte Armstrong lächelnd. Er setzte sich und blickte zu dem Mann hinüber, mit dem er in Paris das Geschäft abgeschlossen hatte.

Sherwood griff nach dem Jubiläums-Ei und betrachtete es eingehend. Ein Lächeln erschien auf seinem Gesicht. »Das wird das Prunkstück meiner Sammlung sein! Und für meinen Bruder und meine Schwägerin dürfte es nie einen Grund geben, misstrauisch zu werden.« Wieder lächelte er und nickte dem Bankier zu, der daraufhin eine Schublade öffnete und ein Dokument hervorholte, das er Armstrong überreichte.

Der studierte eingehend Stephen Hallets umfangreiches Vertragswerk. Als er sich vergewissert hatte, dass keine Änderungen vorgenommen worden waren, unterzeichnete er auf Seite fünf und schob das Dokument über den Tisch. Sherwood zeigte kein Interesse, seinerseits den Vertrag zu überprüfen, sondern schlug stattdessen die letzte Seite auf und setzte seine Unterschrift neben die von Richard Armstrong.

»Darf ich damit annehmen, dass beide Seiten sich einig sind?«, fragte der Bankier. »In unserer Bank sind zwanzig Millionen Dollar hinterlegt, die nur auf Mr. Armstrongs Anweisung warten, Mr. Sherwoods Konto gutgeschrieben zu werden.«

Armstrong nickte. Zwanzig Millionen Dollar war die Summe, auf die Alexander und Margaret Sherwood sich geeinigt hatten: Alexander sollte die zwanzig Millionen für seinen Drittelanteil am *Globe* bekommen, mit der Übereinkunft, dass sich dann auch Margaret für genau den gleichen Betrag von ihrem Drittel trennen würde. Was Margaret Sherwood allerdings nicht wusste: Alexander hatte eine kleine Belohnung dafür verlangt, dass er das Geschäft ermöglicht hatte: ein Fabergé-Ei, das nicht im Vertrag erwähnt werden durfte.

Armstrong hatte zwar eine Million Franken mehr ausgegeben, als im Vertrag stand, dafür besaß er jetzt 33,3 Prozent einer überregionalen Zeitung, die sich einst der weltweit höchsten Auflage rühmen konnte.

»Damit ist unser Geschäft abgeschlossen.« De Montiaque erhob sich von seinem Platz am Kopf des Tisches.

»Nicht ganz«, sagte Sherwood, der sitzen blieb. Ein wenig zögernd nahm der Geschäftsführer seinen Platz wieder ein. Armstrong verspürte eine plötzliche Unruhe, und der Schweiß brach ihm aus.

»Da Mr. Armstrong so kooperativ war«, erklärte Sherwood, »halte ich es für recht und billig, dass ich mich revanchiere.« Den Mienen der anderen war zu entnehmen, dass weder Armstrong noch de Montiaque auf die Einlassung vorbereitet waren, die nun folgte. Alexander Sherwood informierte sie über ein Detail aus dem Testament seines Vaters – eine Information, die ein Lächeln auf Richard Armstrongs Gesicht zauberte.

Als er wenige Minuten später die Bank verließ, um zum Le Richemond zurückzukehren, war er überzeugt, seine eine Million Franken gut angelegt zu haben.

Townsend sagte nichts dazu, als er zum zweiten Mal in dieser Nacht aus tiefem Schlaf gerissen wurde. Stattdessen hörte er aufmerksam zu und flüsterte seine Antworten in die Sprechmuschel, um Kate nicht zu wecken. Als er schließlich auflegte, konnte er nicht mehr einschlafen. Warum hatte Armstrong eine Million Franken für ein Fabergé-Ei bezahlt und es zu einer Schweizer Bank gebracht, um diese nicht mal eine Stunde später mit leeren Händen wieder zu verlassen?

Der Wecker neben Townsends Bett erinnerte ihn daran, dass es erst halb vier war. Er betrachtete Kate, die tief und fest schlief. Dann schweiften seine Gedanken von Kate zu Susan und wieder zu Kate, und er musste daran denken, wie unterschiedlich sie waren. Dann dachte er an seine Mutter und ob sie ihn wohl je verstehen würde. Und schließlich wanderten seine Gedanken unweigerlich zurück zu seinem Konkurrenten und der Frage, wie er herausfinden konnte, was Dick Armstrong beabsichtigte.

Als Keith am Morgen aufstand, war er der Lösung dieses Rätsels keinen Schritt näher gekommen. Er hätte weiterhin im Dunkeln getappt, hätte er nicht wenige Tage später das R-Gespräch einer Frau aus London angenommen.

24

Daily Telegraph

6. Februar 1967

Kossygin besucht Wilson in der Downing Street

Armstrong tobte, als er in die Wohnung zurückkam und den Zettel von Sharon vorfand, auf dem lediglich stand, dass sie ihn nicht wiedersehen wolle, solange er sich nicht entschieden habe.

Er sank aufs Sofa und las ihre Worte ein zweites Mal. Dann wählte er ihre Nummer. Er war sicher, dass sie da war, doch sie ging nicht ans Telefon. Dick ließ es mehr als eine Minute läuten, ehe er auflegte.

Er konnte sich an keine glücklichere Zeit in seinem Leben erinnern, und Sharons Zeilen machten ihm schmerzhaft deutlich, wie sehr sie bereits Teil seines Lebens war. Er hatte sich sogar das Haar färben und die Hände maniküren lassen, damit Sharon nicht ständig an ihren Altersunterschied erinnert wurde. Nach mehreren schlaflosen Nächten und einem Dutzend Blumensträußen, deren Annahme nie bestätigt wurde, und nach unzähligen unbeantworteten Anrufen sah Dick ein, dass er sie nur zurückbekommen würde, wenn er sich ihren Wünschen fügte. Eine Zeit lang hatte er sich einzureden versucht, dass Sharon die ganze Sache gar nicht ernst meinte, jetzt aber bestand kein Zweifel mehr, dass sie nur unter diesen Bedingungen bereit war, ein Doppelleben zu führen. Er beschloss, sich am Freitag mit dem Problem zu befassen.

An diesem Morgen kam er ungewöhnlich spät ins Büro und bat Sally sofort, ihn mit seiner Frau zu verbinden. Sally rief Charlotte an und stellte sie zu Armstrong durch; anschließend bereitete sie die Papiere für seine Reise nach New York und seine Besprechung mit Margaret Sherwood vor. Ihr war keineswegs entgangen, wie gereizt Dick schon die ganze Woche war – einmal hatte er ein Tablett mit Kaffeetassen von seinem Schreibtisch auf den Boden gefegt. Offenbar kannte niemand den Grund für seine Probleme. Benson tippte auf Schwierigkeiten mit einer Frau, während Sallys Vermutung eher dahin ging, dass es Dick, nachdem er nun schon dreiunddreißig Komma drei Prozent der *Globe*-Anteile besaß, zunehmend nervte, auf Margaret Sherwoods Rückkehr von ihrer alljährlichen Kreuzfahrt warten zu müssen, bevor er die Information nutzen konnte, die er von Alexander Sherwood erhalten hatte.

»Mit jedem weiteren Tag gewinnt Townsend mehr Zeit herauszufinden, was ich vorhabe«, brummte er gereizt.

Seine schlechte Laune hatte Sally veranlasst, ihre alljährliche Diskussion über eine Gehaltserhöhung, die Dick stets aus der Haut fahren ließ, zu verschieben. Doch Sally hatte bereits begonnen, mit der Bezahlung bestimmter, längst überfälliger Rechnungen zu warten. Natürlich war ihr klar, dass sie bald mit ihrem Boss reden musste, so mies seine Laune auch sein mochte.

Armstrong beendete das Gespräch mit seiner Frau und bat Sally wieder zu sich ins Büro. Sie hatte die Morgenpost bereits sortiert, die Routinebriefe allesamt erledigt, Entwürfe für die Übrigen vorbereitet und alles zur Begutachtung für Dick in eine Mappe gelegt. Den Großteil der Briefe brauchte er nur noch zu unterschreiben. Doch ehe Sally die Tür hinter sich geschlossen hatte, rief Armstrong sie zurück, erklärte, sie müsse einige Diktate aufnehmen, und legte in einem Höllentempo los. Während seine Worte nur so hervorsprudelten, verbesserte Sally automatisch die Grammatik ihres Chefs. Außerdem erkannte sie, dass sie später in einigen Fällen seine Wortwahl abschwächen musste.

Als er mit dem Diktieren fertig war, stürmte Armstrong zu einem Geschäftsessen aus dem Büro, ohne Sally die Chance zu geben, auch nur ein Wort zu sagen. Sie beschloss, gleich bei seiner Rückkehr auf ihre Gehaltserhöhung zu sprechen zu kommen. Sie sah nicht ein, weshalb sie ihren Urlaub verschieben sollte, nur weil ihr Chef sich weigerte, Rücksicht auf andere zu nehmen.

Bis Armstrong vom Lunch zurückkam, hatte Sally die diktierten Briefe getippt und sie unterschriftsbereit in einer zweiten Mappe auf seinen Schreibtisch gelegt. Ihr entging nicht, dass sein Atem ungewohnterweise nach Whisky roch, aber länger konnte sie das Gespräch einfach nicht aufschieben.

Während Sally vor dem Schreibtisch wartete, lautete Armstrongs erste Frage: »Wer, zum Teufel, hat veranlasst, dass ich mit dem Minister für Telekommunikation zu Mittag esse?«

»Es war Ihr ausdrücklicher Wunsch«, erwiderte Sally.

»Ganz bestimmt nicht!«, brauste Dick auf. »Im Gegenteil, ich entsinne mich genau. Ich habe Ihnen gesagt, dass ich diesen Schwachkopf nie wiedersehen will!« Seine Stimme hob sich mit jedem Wort. »Der Mann ist vollkommen unfähig, genau wie fast die Hälfte dieser verdammten Regierung!«

Sally ballte die Hand zur Faust. »Dick, ich fürchte, ich muss …«

»Haben Sie schon etwas von Margaret Sherwood gehört?«

»Nichts Neues. Sie kommt Ende des Monats von der Kreuzfahrt zurück. Ich habe veranlasst, dass Sie sich gleich am Tag nach ihrer Rückkehr in New York mit ihr treffen. Der Flug ist bereits gebucht, und ich habe Ihnen auch schon Ihre übliche Suite im Pierre mit Blick auf den Central Park reservieren lassen. Außerdem habe ich eine Akte zusammengestellt, die sich auf Alexander Sherwoods neue Information stützt. Soviel ich weiß, hat er seiner Schwägerin bereits den Preis genannt, den Sie ihm für seine Anteile bezahlt haben. Er hat ihr geraten, sich daran zu orientieren, sobald sie zurück ist und Sie mit ihr verhandeln.«

»Gut. Gibt es sonst noch irgendwelche Probleme?«

»Ja. Mich«, antwortete Sally.

»Sie?«, fragte Armstrong erstaunt. »Wieso? Was fehlt Ihnen denn?«

»Meine jährliche Gehaltserhöhung ist bereits zwei Monate überfällig, und ich …«

»Ich habe nicht vor, Ihr Gehalt in diesem Jahr zu erhöhen.«

Sally wollte schon loslachen, als sie die Miene ihres Chefs bemerkte. »Also wirklich, Dick. Sie wissen genau, dass ich von dem, was Sie mir zahlen, nicht leben kann.«

»Wieso nicht? Andere schaffen das offenbar recht gut, ohne zu jammern.«

»Aber, Dick. Sie wissen doch – seit Malcolm mich verlassen hat …«

»Ich nehme an, Sie wollen auch noch behaupten, das wäre meine Schuld gewesen?«

»Höchstwahrscheinlich.«

»Was wollen Sie damit andeuten?«

»Ich will nichts andeuten. Ich will nur darauf hinweisen, dass bei den vielen Überstunden, die ich machen muss …«

»Dann ist es vielleicht an der Zeit, dass Sie sich eine weniger anstrengende Stellung suchen.«

Sally konnte nicht glauben, was sie da hörte. »Nach einundzwanzig Jahren, die ich nun für Sie arbeite, glaube ich nicht, dass mich noch jemand nehmen wird.«

»Und was wollen Sie jetzt wieder damit andeuten?«, schrie Armstrong.

Sally fuhr zurück. Was hatte er nur? War er betrunken und wusste nicht, was er sagte? Sie sah zu ihm hinunter. »Was ist los mit Ihnen, Dick? Ich möchte doch nichts weiter als eine Gehaltserhöhung, die mit der Inflation Schritt hält. Das ist doch nun wirklich nicht zu viel verlangt.«

»Ich will Ihnen sagen, was mit mir los ist!«, erwiderte er schroff. »Ich habe von der Inkompetenz in diesem Laden die Nase voll – und davon, dass Sie es sich zur Angewohnheit gemacht haben, während Ihrer Arbeitszeit Termine für Privatangelegenheiten zu missbrauchen!«

»Wir haben heute doch nicht den ersten April, Dick, oder?«, versuchte Sally die Stimmung aufzulockern.

»Werden Sie nicht sarkastisch! Sonst werden Sie sehr schnell merken, dass es eher die Iden des März sind! Ihre Einstellung bestärkt mich in der Überzeugung, dass es besser wäre, Ihren Posten mit jemandem zu besetzen, der auch ohne diese ewige Jammerei gute Arbeit leistet. Jemand mit frischen Ideen. Jemand, der Disziplin in diese Bude bringt!

Daran fehlt es hier nämlich an allen Ecken und Enden!« Er schmetterte die Faust auf den Ordner mit den noch nicht unterschriebenen Briefen.

Sally stand bebend vor dem Schreibtisch und starrte Armstrong fassungslos an. Benson hatte offenbar doch recht mit seiner Vermutung. »Es ist dieses Mädchen, nicht wahr? Wie heißt sie doch gleich? Sharon?« Sally machte eine Pause, bevor sie fortfuhr: »Deshalb ist sie also nicht zu mir gekommen!«

»Ich weiß nicht, wovon Sie reden!«, brüllte Armstrong. »Ich finde nur, dass …«

»Sie wissen genau, wovon ich rede!«, fauchte Sally. »Nach all diesen Jahren können *Sie* mich nicht mehr täuschen, Dick. Sie haben ihr meine Stelle angeboten, nicht wahr? Ha, ich höre sogar genau Ihre Worte: ›Es wird alle unsere Probleme lösen, Darling. So können wir immer zusammen sein.‹«

»Ich habe nichts dergleichen gesagt!«

»Ach, haben Sie diesmal eine andere Platte aufgelegt?«

»Ich habe nur einfach das Gefühl, dass hier ein frischer Wind wehen sollte«, sagte Dick lahm. »Ich werde mich darum kümmern, dass Sie angemessen abgefunden werden.«

»Angemessen abgefunden?«, rief Sally empört. »Sie wissen verdammt gut, dass es in meinem Alter fast unmöglich ist, eine andere Stellung zu finden! Ganz abgesehen davon – wie wollen Sie mich denn für die vielen Opfer ›abfinden‹, die ich in all den Jahren für Sie gebracht habe? Mit einem schmutzigen Wochenende in Paris, vielleicht?«

»Wie können Sie es wagen, so mit mir zu reden!«

»Ich rede mit Ihnen, wie es mir gefällt!«

»Machen Sie nur so weiter, und Sie werden es bitter bereuen, mein liebes Mädchen!«

»Ich bin nicht Ihr liebes Mädchen!«, keifte Sally. »Tatsächlich bin ich der einzige Mensch in diesem Unternehmen, den Sie weder verführen noch einschüchtern können! Dazu kenne ich Sie schon viel zu lange!«

»Viel zu lange! Da bin ich ganz Ihrer Meinung. Darum ist die Zeit gekommen, dass Sie gehen!«

»Zweifellos, um von Sharon abgelöst zu werden.«

»Das geht Sie einen feuchten Kehricht an!«

»Ich kann nur hoffen, dass Sharon wenigstens im Bett gut ist«, sagte Sally.

»Was soll das nun wieder heißen?«

»Nur, dass ich während der zweistündigen Aushilfe dieser jungen Dame nicht weniger als sieben von neun Briefen neu tippen musste, weil sie mit der Rechtschreibung auf dem Kriegsfuß steht. Und die anderen zwei Briefe mussten neu geschrieben werden, weil sie falsch adressiert waren. Es sei denn, es war in Ihrem Sinn, dem Premierminister Ihre Maße für eine neue Hose mitzuteilen.«

»Es war Sharons erster Tag. Sie wird es schon noch lernen.«

»Nicht, wenn Sie ständig mit offenem Hosenschlitz in ihrer Nähe herumlaufen!«

»Verschwinden Sie, bevor ich Sie rauswerfen lasse!«

»Das werden Sie schon selbst tun müssen, Dick, denn hier würde es keiner für Sie tun«, sagte Sally mit ironischer Gelassenheit. Mit hochrotem Gesicht sprang Dick auf, presste die Handflächen auf die Schreibtischplatte und starrte auf Sally hinunter. Sie bedachte ihn mit einem breiten Lächeln, drehte sich um und schritt ruhig aus seinem Büro. Glücklicherweise hörte er den aufkommenden Beifall nicht, der Sally empfing, als sie durchs Vorzimmer ging, sonst hätten noch mehrere andere Angestellte ihr Los geteilt.

Armstrong griff nach dem Telefon und wählte eine Nummer.

»Wachdienst. Kann ich Ihnen behilflich sein?«

»Hier Dick Armstrong. Mrs. Carr wird in wenigen Minuten das Haus verlassen. Dulden Sie unter keinen Umständen, dass sie in ihrem Firmenwagen wegfährt, und sorgen Sie dafür, dass sie das Haus nie wieder betreten darf. Ist das klar?«

»Ja, Sir«, antwortete eine ungläubige Stimme.

Armstrong schmetterte den Hörer auf die Gabel, hob ihn jedoch sofort wieder ab und wählte eine andere Nummer.

»Buchhaltung«, meldete sich eine Stimme.

»Stellen Sie mich zu Fred Preston durch.«

»Er spricht derzeit an einem anderen Apparat.«

»Dann sorgen Sie dafür, dass er auflegt!«

»Wen soll ich melden?«

»Dick Armstrong!«, brüllte er. Einen Moment lang war nichts mehr zu hören, bis sich die Stimme des Oberbuchhalters meldete.

»Hier Fred Preston, Dick. Tut mir leid, dass …«

»Fred, Sally hat soeben fristlos gekündigt. Sperren Sie ihren Monatsscheck. Und schicken Sie ihr unverzüglich die Entlassungspapiere an ihre Adresse.«

Als keine Erwiderung kam, brüllte Armstrong: »Haben Sie mich verstanden?«

»Ja, Dick. Ich nehme an, dass Sally die ihr zustehenden Gratifikationen bekommen soll, sowie eine größere Abfindungssumme?«

»Nein! Sie soll nichts weiter bekommen, als was ihr nach dem Gesetz und ihrem Arbeitsvertrag zusteht!«

»Wie Sie sicher wissen, Dick, hatte Sally nie einen Arbeitsvertrag. Sie ist die dienstälteste Angestellte des Unternehmens. Finden Sie nicht, dass sie unter diesen Umständen …?«

»Noch ein Wort, Fred, und Sie bekommen ebenfalls Ihre Papiere!« Wieder schmetterte Armstrong den Hörer auf die Gabel, nur um sofort zum dritten Mal abzuheben. Diesmal wählte er eine Nummer, die er auswendig kannte. Obwohl augenblicklich abgenommen wurde, blieb es am anderen Ende still.

»Ich bin's, Dick«, begann er. »Leg nicht auf. Ich habe Sally soeben gefeuert. Sie hat das Haus bereits verlassen.«

»Das ist eine wundervolle Neuigkeit, Darling«, freute sich Sharon. »Wann fange ich an?«

»Montagmorgen.« Er zögerte. »Als meine Sekretärin.«

»Als Chefsekretärin!«, erinnerte sie ihn. »Aber mir ist lieber, wenn du mich anderen gegenüber als deine Assistentin bezeichnest.«

»Ja, sicher, wie du willst. Wie wär's, wenn wir übers Wochenende die Einzelheiten besprechen? Wir könnten zur Jacht fliegen …«

»Aber was ist mit deiner Frau?«

»Ich habe sie gleich heute früh angerufen und ihr mitgeteilt, dass ich dieses Wochenende nicht nach Hause komme.«

Erst nach einer langen Pause sagte Sharon: »Ja, ich würde das Wochenende gern mit dir auf deiner Jacht verbringen, Dick. Aber wenn uns in Monte Carlo irgendeiner von deinen Bekannten begegnet, wirst du mich als deine Assistentin vorstellen, ja?«

Sally wartete vergeblich auf ihren Gehaltsscheck, und

Dick machte keine Anstalten, sich mit ihr in Verbindung zu setzen. Freunde im Büro erzählten ihr, dass Miss Levitt – sie bestand darauf, so genannt zu werden – bereits als Chefsekretärin angefangen hatte und im Büro das absolute Chaos herrsche. Armstrong wusste nie, wann er wo sein sollte; seine Schreiben blieben unbeantwortet, und seine Laune verschlechterte sich von Tag zu Tag. Doch niemand wagte es, ihn darauf aufmerksam zu machen, dass es an ihm lag, das Problem mit einem Anruf zu lösen – wenn er wollte.

Bei einem Drink in einem Pub in der Nähe machte ein befreundeter Anwalt Sally darauf aufmerksam, dass sie – aufgrund eines vor Kurzem erlassenen Gesetzes – nach einundzwanzigjähriger ununterbrochener Anstellung rechtlich in einer sehr guten Position war, Armstrong wegen ungerechtfertigter Entlassung zu belangen. Sally erinnerte den Anwalt, dass sie keinen Anstellungsvertrag hatte und niemand besser wisse als sie, wozu Armstrong fähig sei, wenn sie versuchte, gerichtlich gegen ihn vorzugehen. Schon nach einem Monat würde sie die Anwaltskosten nicht mehr bezahlen können und hätte keine andere Wahl, als sich geschlagen zu geben. Wie oft hatte sie in der Vergangenheit miterlebt, wie wirkungsvoll Armstrong diese Taktiken bei anderen angewandt hatte, die es gewagt hatten, sich gegen ihn zu wehren.

Eines Nachmittags kam Sally von einem Aushilfsjob nach Hause, als das Telefon läutete. Jemand bat sie über eine knisternde Leitung, am Apparat zu bleiben; man werde sie mit Sydney verbinden. Sie fragte sich, warum sie nicht einfach auflegte, doch bereits wenige Sekunden später sagte eine andere Stimme: »Guten Abend, Mrs. Carr. Ich bin Keith Townsend, der …«

»Ich weiß, wer Sie sind, Mr. Townsend.«

»Ich rufe an, um Ihnen zu sagen, wie entsetzt ich war, als ich erfuhr, wie Ihr ehemaliger Chef Sie behandelt hat.«

Sally schwieg.

»Es mag überraschend für Sie kommen, dass ich Ihnen eine Stellung anbieten möchte …«

»Damit Sie herausfinden können, worauf Dick Armstrong hinarbeitet und welche Zeitung er kaufen will?«

Längeres Schweigen setzte ein. Nur das Knistern ließ Sally erkennen, dass die Leitung nicht tot war. »Ja«, erwiderte Townsend schließlich. »Genau das habe ich vor. Aber Sie könnten sich dann wenigstens den Urlaub in Italien gönnen, auf den Sie bereits eine Anzahlung geleistet haben.«

Sally war sprachlos.

Townsend fuhr fort: »Ich würde auch die Abfindung übernehmen, die Ihnen nach einundzwanzig Arbeitsjahren zusteht.«

Sally begriff plötzlich, weshalb Dick in diesem Mann einen so beachtlichen Konkurrenten sah. »Vielen Dank für Ihr Angebot, Mr. Townsend, aber ich bin nicht interessiert«, sagte sie fest und legte auf.

Ihre unmittelbare Reaktion bestand darin, die Lohnbuchhaltung von Armstrong House anzurufen, um nachzufragen, weshalb ihr letzter Gehaltsscheck noch nicht eingegangen sei. Sie musste eine Zeit lang warten, bevor der Buchhaltungschef an den Apparat kam.

»Wann bekomme ich meinen letzten Gehaltsscheck, Fred?«, fragte Sally. »Er ist seit mehr als zwei Wochen überfällig.«

»Ich weiß, aber ich habe die Anweisung, ihn nicht auszustellen, Sally.«

»Warum nicht?« fragte sie. »Er steht mir doch zu.«

»Das ist mir klar«, versicherte Fred, »aber …«

»Aber was?«

»Man hat mir mitgeteilt, dass Sie in Ihrer letzten Arbeitswoche ein teures Staffordshire-Porzellanservice zerbrochen haben, für das Sie aufkommen müssen.«

»Dieser Mistkerl!«, fluchte Sally. »Ich war nicht einmal in seinem Büro, als er es zerschmettert hat!«

»Und er ließ Ihnen zwei Arbeitstage abziehen, die Sie nicht ins Büro gekommen sind.«

»Er selbst hat mir doch die Anweisung erteilt, nicht zu erscheinen, damit er …«

»Das wissen wir alle, Sally. Aber er weigert sich, auch nur zuzuhören.«

»Ich weiß, Fred«, sagte sie. »Es ist nicht Ihre Schuld. Und ich weiß das Risiko zu schätzen, das Sie schon allein damit eingehen, dass Sie mit mir reden. Vielen Dank.« Sie legte auf und starrte blicklos in die Ferne. Als sie eine Stunde später wieder nach dem Telefon griff, bat sie das Fernsprechamt um eine Verbindung nach Australien.

In Sydney schob Heather den Kopf durch die Tür. »Da ist ein R-Gespräch aus London für Sie«, meldete sie. »Eine Mrs. Sally Carr. Nehmen Sie es an?«

Zwei Tage später traf Sally in Sydney ein. Sam holte sie vom Flughafen ab. Townsend hatte den ehemaligen Chef des australischen Sicherheitsdienstes für fünftausend Pfund beauftragt, die Befragung durchzuführen. Am Ende der Woche war Sally völlig ausgelaugt, und Townsend fragte sich, ob es möglicherweise noch irgendetwas gab, das er nicht über Richard Armstrong wusste.

Am Tag ihres Rückflugs nach England bot er Sally einen

Vollzeitjob in seinem Londoner Büro an. »Vielen Dank, Mr. Townsend«, sagte sie, als er ihr einen Scheck über fünfundzwanzigtausend Pfund reichte, fügte jedoch mit ihrem süßesten Lächeln hinzu: »Ich war fast die Hälfte meines Lebens für ein Ungeheuer tätig, und nach einer Woche mit Ihnen glaube ich nicht, dass ich den Rest meiner Tage für ein anderes arbeiten möchte.«

Nachdem Sally von Sam zum Flugplatz gebracht worden war, hörten sich Townsend und Kate stundenlang die Tonbänder an. Beide waren sich einer Sache sicher: Wollte Keith eine Chance haben, die restlichen Anteile am *Globe* zu erwerben, musste er mit Margaret Sherwood Kontakt aufnehmen, bevor Armstrong es tat.

Margaret Sherwood war der Schlüssel zur hundertprozentigen Kontrolle des Unternehmens.

Nachdem Sally erklärt hatte, weshalb Armstrong bei einer Auktion in Genf eine Millionen Franken für ein Ei geboten hatte, musste Townsend lediglich herausfinden, was für Mrs. Margaret Sherwood das Äquivalent zu einem Peter Carl Fabergé war.

Mitten in der Nacht schwang Kate sich plötzlich aus dem Bett und spielte noch einmal das dritte Tonband ab. Keith hob schläfrig den Kopf vom Kissen, als er die Worte hörte: »Die Geliebte des Senators.«

25

Ocean Times

6. Juni 1967

Willkommen an Bord!

Vier Stunden bevor der Luxusliner anlegen sollte, landete Keith auf dem Flughafen von Kingston. Nachdem er die Zollabfertigung hinter sich hatte, ließ er sich von einem Taxi zum Büro der Cunard-Schifffahrtslinie im Hafen bringen. Ein Mann in eleganter weißer Uniform, der für einen einfachen Angestellten etwas zu viel Goldborte trug, erkundigte sich, ob er ihm behilflich sein könne.

»Ich hätte gern eine Kabine erster Klasse auf der *Queen Elizabeth* für die Fahrt nach New York«, erklärte Townsend. »Meine Tante befindet sich bereits an Bord. Sie macht ihre alljährliche Kreuzfahrt, und ich wüsste gerne, ob ich eine Kabine in ihrer Nähe bekommen könnte.«

»Und wie heißt Ihre Tante?«, erkundigte sich der elegant Uniformierte.

»Mrs. Margaret Sherwood«, antwortete Townsend.

Ein Finger fuhr die Passagierliste hinunter. »Ah, ja. Mrs. Sherwood hat wie üblich die Trafalgar-Suite auf Deck Nummer drei. Hm, wir haben nur noch eine Kabine erster Klasse auf diesem Deck, aber sie ist ganz in der Nähe der Trafalgar-Suite.« Der Mann faltete auf dem Schalter einen Grundriss des Schiffsinneren auf und deutete auf zwei Kästchen, von denen das zweite bedeutend größer war als das erste.

»Könnte nicht besser sein.« Townsend reichte ihm eine seiner Kreditkarten.

»Sollen wir Ihre Tante informieren, dass Sie an Bord kommen?«, fragte der Angestellte hilfsbereit.

»Nein«, entgegnete Townsend, ohne zu zögern. »Es soll eine Überraschung sein.«

»Wenn Sie Ihr Gepäck gleich hierlassen möchten, Sir, sorge ich dafür, dass es in Ihre Kabine gebracht wird, sobald das Schiff anlegt.«

»Gern. Vielen Dank«, sagte Townsend. »Könnten Sie mir bitte beschreiben, wie ich ins Stadtzentrum komme?«

Während Keith aus dem Hafengelände schlenderte, dachte er an Kate und fragte sich, ob es ihr wohl gelungen war, den Artikel in der Bordzeitung unterzubringen.

Auf dem langen Weg in die Stadt betrat er drei Zeitschriftenhandlungen, wo er *Time, Newsweek* und sämtliche Lokalzeitungen kaufte. Dann betrat er das erste Restaurant, das ein American Express-Schild an der Tür hatte, setzte sich an einen ruhigen Ecktisch und machte es sich für einen ausgiebigen Lunch bequem.

Die Zeitungen der Konkurrenz faszinierten Keith immer wieder, doch in diesem Fall wusste er, dass er die Ferieninsel verlassen würde, ohne auch nur das geringste Bedürfnis zu verspüren, neuer Besitzer der *Jamaica Times* zu werden, die anspruchslose Lektüre für höchstens eine viertel Stunde bot. Während er Artikel darüber las, wie die Gattin des Landwirtschaftsministers ihren Tag verbrachte und weshalb die Kricketmannschaft der Insel ein Spiel nach dem anderen verlor, schweiften Keith' Gedanken immer ab und kreisten um

Sallys Information auf dem Tonband. Er konnte kaum glauben, dass Sharon tatsächlich so unfähig war, wie Armstrongs langjährige Sekretärin behauptete – doch falls dies tatsächlich zutraf, musste er auch ihrem Urteil vertrauen, wonach die junge Dame erstaunlich gut im Bett sein musste.

Nachdem er das schauderhafte Essen bezahlt hatte, verließ Townsend das Restaurant und schlenderte in der Stadt herum. Seit seinem Besuch in Berlin als Student war er nirgendwo mehr als Tourist gewesen. Alle paar Minuten schaute er auf die Uhr, aber dadurch verging die Zeit auch nicht schneller. Schließlich hörte er in der Ferne ein Nebelhorn: Endlich lief das große Kreuzfahrtschiff ein. Unverzüglich machte Keith sich auf den Weg zurück zum Hafen. Als er dort eintraf, ließ die Mannschaft gerade die Landungsbrücken herunter. Die Passagiere strömten auf den Kai, sichtlich dankbar, dem Schiff für ein paar Stunden zu entkommen. Townsend stieg die Gangway hinauf und bat einen Steward, ihm den Weg zu seiner Kabine zu zeigen.

Kaum hatte er ausgepackt, machte er sich mit Deck drei vertraut und stellte zu seiner Freude fest, dass Mrs. Sherwoods Suite sich nur wenige Schritte von seiner Kabine entfernt befand. Dennoch unternahm Keith keinen Versuch, sich mit ihr in Verbindung zu setzen. Stattdessen nutzte er die nächste Stunde, um sich auf dem Schiff umzusehen, und landete schließlich im Queen's Grill.

Der Chefsteward musste lächeln beim Anblick des unpassend gekleideten Mannes, der den großen, leeren Speisesaal betrat, in dem für das Abendessen gedeckt wurde. Ganz offenbar hatte sich dieser Passagier aufs falsche Deck verirrt. »Kann ich Ihnen helfen, Sir?«, fragte er, darum bemüht, nicht herablassend zu klingen.

»Das hoffe ich doch«, erwiderte Townsend. »Ich bin erst vor Kurzem an Bord gekommen, und jetzt interessiert mich natürlich, an welchen Tisch Sie mich fürs Dinner platziert haben.«

»Dieses Restaurant ist nur für Passagiere der ersten Klasse, Sir.«

»Dann bin ich ja richtig«, stellte Townsend fest.

Der Steward wirkte nicht sehr überzeugt. »Ihr Name, Sir?«

»Keith Townsend.«

Der Steward überprüfte die Liste der Passagiere der ersten Klasse, die in Kingston zugestiegen waren. »Sie sitzen an Tisch acht, Mr. Townsend.«

»Ist das zufällig auch Mrs. Margaret Sherwoods Tisch?«

Wieder schaute der Steward nach. »Nein, Sir. Mrs. Sherwood sitzt an Tisch drei.«

»Wäre es möglich, dass Sie mich ebenfalls an Tisch drei setzen?«, fragte Townsend.

»Ich fürchte, nein, Sir. Von Tisch drei hat in Kingston niemand das Schiff verlassen.«

Armstrong holte seine Brieftasche hervor und nahm einen Hundertdollarschein heraus.

»Vielleicht … wenn ich den Erzdiakon an den Kapitänstisch setze, wäre das Problem gelöst.«

Townsend lächelte und wandte sich zum Ausgang.

»Verzeihung, Sir. Hatten Sie gehofft, neben Mrs. Sherwood sitzen zu können?«

»Das wäre ausgesprochen günstig«, antwortete Townsend.

»Das könnte sich allerdings, nun ja, als etwas heikel erweisen. Sie müssen wissen, dass Mrs. Sherwood bereits die gesamte Fahrt bei uns ist. Wir mussten sie schon zweimal umplatzieren, weil ihr die Tischnachbarn nicht zusagten.«

Townsend zückte seine Brieftasche ein zweites Mal. Augenblicke später verließ er den Speisesaal mit der Versicherung, dass er neben seiner Beute sitzen würde.

Bis Keith sich wieder zu seiner Kabine begeben hatte, kehrten seine Mitpassagiere allmählich an Bord zurück. Er duschte, zog sich zum Dinner um und las noch einmal den Abriss, den Kate über Mrs. Sherwood zusammengestellt hatte. Kurz vor acht stieg er zum Speisesaal hinunter.

Ein Paar saß bereits an Tisch drei. Der Herr erhob sich sofort und stellte sich als »Dr. Arnold Percival aus Ohio« vor. Er gab Townsend die Hand. »Und das ist meine Frau Jenny – ebenfalls aus Ohio.« Er lachte schallend.

»Keith Townsend«, erwiderte Keith. »Ich bin aus …«

»Australien, wenn ich mich nicht irre, Mr. Townsend«, sagte der Doktor. »Wie schön, dass man Sie an unseren Tisch gesetzt hat. Ich bin erst vor Kurzem in den Ruhestand gegangen, und Jenny und ich haben uns versprochen, einige Jährchen auf Kreuzfahrt zu gehen. Was führt Sie an Bord?« Bevor Townsend antworten konnte, traf ein zweites Paar am Tisch ein. »Das ist Keith Townsend aus Australien«, erklärte Dr. Percival. »Erlauben Sie, dass ich Sie mit Mr. und Mrs. Osborne aus Chicago in Illinois bekannt mache.«

Sie hatten sich eben die Hand gegeben, als der Doktor sagte: »Guten Abend, Mrs. Sherwood. Darf ich Ihnen Keith Townsend vorstellen?«

Keith wusste aus Kates Infomappe, dass Mrs. Sherwood siebenundsechzig war, doch es war offensichtlich, dass sie viel Zeit und Geld darauf verwendet hatte, diese Tatsache zu vertuschen. Keith bezweifelte, dass sie je eine Schönheit gewesen war, aber die Beschreibung »gut erhalten« drängte sich ihm unwillkürlich auf. Ihr Abendkleid war modisch, auch wenn er der Ansicht war, dass es ein paar Zentimeter länger hätte sein dürfen. Er lächelte sie an, als wäre sie fünfundzwanzig Jahre jünger.

Kaum hörte Mrs. Sherwood Townsends Akzent, vermochte sie ihr Missfallen nur mühsam zu verbergen. Dann erschienen kurz hintereinander jedoch zwei weitere Passagiere am Tisch und lenkten die Dame ab. Den Namen des Generals verstand Townsend nicht, doch die Frau stellte sich als Claire Williams vor und setzte sich an die gegenüberliegende Seite des Tisches neben Dr. Percival. Townsend lächelte sie an, die Frau erwiderte das Lächeln jedoch nicht.

Noch bevor Keith sich gesetzt hatte, fragte Mrs. Sherwood unwirsch, weshalb der Erzdiakon offenbar einen anderen Platz bekommen hatte.

»Ich habe ihn am Kapitänstisch gesehen«, sagte Claire.

»Nun, ich hoffe, er wird morgen wieder bei uns sitzen!« Mrs. Sherwood begann sofort ein Gespräch mit Mr. Osborne, der rechts neben ihr saß. Da sie es während des erstes Gangs kategorisch ablehnte, mit Townsend zu reden, unterhielt dieser sich mit Mrs. Percival, während er sich gleichzeitig bemühte, Mrs. Sherwoods Gespräch mitzuhören – was sich als ziemlich schwierig herausstellte.

Als das Geschirr des Hauptgangs abgeräumt wurde, hatte Keith kaum ein Dutzend Worte mit Mrs. Sherwood gewechselt. Beim Kaffee wollte Claire von der gegenüberliegenden Tischseite von Keith wissen, ob er je in England gewesen sei.

»Ja, ich habe kurz nach dem Krieg in Oxford studiert«, gestand Townsend zum ersten Mal seit fünfzehn Jahren.

Mrs. Sherwood schwang zu ihm herum. »An welchem College?«, fragte sie scharf.

»Worcester«, antwortete Keith mit übertriebener Höflichkeit, in der Hoffnung, Margaret Sherwoods Interesse erregt zu haben. Doch es sollte sich als die erste und letzte Frage erweisen, die Mrs. Sherwood Keith an diesem Abend stellte. Er erhob sich höflich, als sie den Tisch verließ, und fragte sich, ob drei Tage für sein Vorhaben ausreichen würden. Er trank seinen Kaffee aus, wünschte Claire und dem General noch einen schönen Abend und kehrte in seine Kabine zurück, um die Sherwood-Akte noch einmal durchzugehen. Von Vorurteilen und Snobismus stand nichts in dem Kurzprofil, andererseits musste man fairerweise sagen, dass Sally Margaret Sherwood ja nie persönlich kennengelernt hatte.

Als Townsend sich zum Frühstück an den Tisch setzte, war nur noch der Platz zu seiner Rechten frei, und obwohl er sich als Letzter vom Tisch erhob, ließ sich Margaret Sherwood nicht blicken. Er schaute auf, als Claire ging, und überlegte, ob er ihr folgen solle, entschied sich jedoch dagegen, da es nicht zum Plan gehörte. Die nächste Stunde schlenderte er an Deck herum, in der Hoffnung, vielleicht Margaret Sherwood über den Weg zu laufen. Doch er bekam sie an diesem Vormittag nicht zu Gesicht.

Mittags kam er ein paar Minuten zu spät zum Lunch und stellte fest, dass Mrs. Sherwood nun an der gegenüberliegenden Tischseite saß, zwischen dem General und Dr. Percival. Sie blickte nicht einmal auf, als Townsend sich setzte. Claire, die wenige Minuten später kam, hatte keine Wahl, als sich neben Townsend zu setzen, begann jedoch sogleich ein Gespräch mit Mr. Osborne.

Townsend versuchte zu verstehen, was Mrs. Sherwood zum General sagte – in der Hoffnung, es würde ihm irgendein Vorwand einfallen, sich an ihrer Unterhaltung zu beteiligen. Doch Mrs. Sherwood erzählte nur, dass dies ihre neunzehnte Kreuzfahrt rund um die Welt sei und sie das Schiff wahrscheinlich ebenso gut kannte wie der Kapitän.

Townsend beschlich allmählich das ungute Gefühl, dass es mit seinem Plan ganz und gar nicht lief. Sollte er das Thema Mrs. Sherwood gegenüber direkt ansprechen? Kate hatte ihm dringend davon abgeraten. »Wir dürfen sie nicht für naiv halten«, hatte sie ihn gewarnt, als sie sich am Flughafen trennten. »Hab Geduld. Es wird sich bestimmt von selbst eine Gelegenheit ergeben.«

Beiläufig wandte Keith sich nach rechts, als er vernahm, wie Dr. Percival sich bei Claire erkundigte, ob sie *Requiem für eine Nonne* gelesen habe.

»Nein«, erwiderte sie. »Ist es gut?«

»Ich habe es gelesen«, meldete sich Mrs. Sherwood von der anderen Tischseite, »und kann nur sagen, dass es bei Weitem nicht zu seinen besten Werken zählt.«

»Tut mir leid, das zu hören, Mrs. Sherwood«, warf Townsend ein wenig zu schnell ein.

»Und weshalb, Mr. Townsend?« Sie konnte ihr Erstaunen nicht verbergen, dass er offenbar wusste, wer der Autor war.

»Weil ich das Privileg habe, Mr. Faulkners Bücher verlegen zu dürfen.«

»Ich hatte ja keine Ahnung, dass Sie Verleger sind!«, rief Dr. Percival. »Wie aufregend! Ich wette, es gibt eine Menge Leute an Bord, die Ihnen eine gute Geschichte erzählen könnten.«

»Vielleicht sogar ein oder zwei Leute an diesem Tisch«,

meinte Townsend und wich Mrs. Sherwoods Blick unauffällig aus.

»Krankenhäuser sind eine nie versiegende Quelle für Stories«, erwärmte sich Dr. Percival. »Ich muss es schließlich wissen.«

»Allerdings«, bestätigte Townsend, der nun Morgenluft witterte. »Aber eine gute Story allein genügt nicht. Man muss auch imstande sein, sie zu Papier zu bringen. Dazu gehört echte Begabung.«

»Für welchen Verlag arbeiten Sie?«, fragte Mrs. Sherwood und gab sich alle Mühe, gleichgültig zu klingen.

Townsend hatte die Angelschnur zum ersten Mal ausgeworfen, und sie hatte sofort nach der Fliege geschnappt. »Schumann & Co. in New York«, antwortete er ebenso gleichgültig. »Ich …«

In diesem Moment legte der General los und erzählte Keith, wie viele Bekannte ihn schon bedrängt hätten, seine Memoiren zu schreiben. Dann gab er allen am Tisch eine Kostprobe, wie sein erstes Kapitel aussehen könnte.

Es verwunderte Keith nicht, dass Mrs. Sherwood zum Dinner erneut mit Claire den Platz getauscht hatte und nun wieder neben ihm saß. Beim Räucherlachs erklärte er Mrs. Sherwood ausführlich, wie ein Buch auf die Bestsellerliste kam.

»Darf ich Sie einmal unterbrechen, Mr. Townsend?«, fragte sie ihn leise, als der Lammbraten aufgetragen wurde.

»Selbstverständlich, Mrs. Sherwood«, versicherte Keith und sah sie an.

»In welcher Abteilung arbeiten Sie bei Schumann?«

»In keiner bestimmten«, antwortete er.

»Ich fürchte, ich verstehe nicht«, sagte Mrs. Sherwood.

»Nun, Sie müssen wissen, dass der Verlag mir gehört.«

»Heißt das, Sie können beispielsweise die Entscheidung eines Lektors aufheben?«, fragte Mrs. Sherwood.

»Ich kann die Entscheidung eines jeden Verlagsmitarbeiters aufheben«, erklärte Townsend.

»Es geht nämlich darum …« Sie zögerte, als wolle sie sich vergewissern, dass niemand am Tisch zuhörte – was allerdings nicht die geringste Rolle gespielt hätte. Townsend wusste, was jetzt kam. »Nun, ja, ich hatte vor einiger Zeit ein Manuskript an Schumann geschickt. Drei Monate später erhielt ich es zurück. Man hatte es abgelehnt – ohne auch nur ein erklärendes Begleitschreiben!«

»Das tut mir leid«, versicherte ihr Townsend und legte eine Pause ein, ehe er seinen nächsten, gut vorbereiteten Satz sagte. »Sie müssen wissen, dass viele der eingesandten Manuskripte gar nicht gelesen werden.«

»Wieso das denn?«, fragte sie ungläubig.

»Nun, jeder größere Verlag bekommt pro Woche bis zu einhundert, vielleicht sogar zweihundert unverlangte Manuskripte. Kein Verleger könnte sich das Personal leisten, sie alle zu lesen. Seien Sie deshalb also nicht zu enttäuscht oder gar niedergeschlagen.«

»Wie bringt dann eine Debütantin wie ich jemanden dazu, sich für ihren ersten Roman zu interessieren?«, flüsterte Mrs. Sherwood.

»Jedem, der mit diesem Problem an mich herangetreten ist, habe ich den Rat erteilt, sich einen guten Agenten zu nehmen – einen Spitzenmann, der genau weiß, bei welchem Verlag welches Manuskript die größten Chancen hat … und der vielleicht sogar weiß, welcher Lektor sich dafür interessieren könnte.«

Keith konzentrierte sich auf seinen Lammbraten und wartete, dass Mrs. Sherwood den Mut aufbrachte, die Frage zu stellen, mit der Keith nun rechnete. Kate hatte gesagt: »Überlass die Gesprächsführung stets ihr, dann gibt es keinen Grund für sie, misstrauisch zu werden.« Keith blickte nicht von seinem Teller auf.

»Vermutlich haben Sie wohl sicher nicht die Zeit«, begann Mrs. Sherwood schüchtern, »mein Manuskript freundlicherweise zu lesen und mir Ihr professionelles Urteil darüber mitzuteilen?«

»Es wäre mir ein Vergnügen«, versicherte Keith. »Sobald wir zurück in New York sind, schicken Sie Ihr Manuskript direkt an mich bei Schumanns. Ich sorge dann dafür, dass einer meiner erfahrensten Lektoren es umgehend liest und eine ausführliche Beurteilung schreibt.«

Mrs. Sherwood spitzte die Lippen. »Aber ich habe das Manuskript dabei. Wissen Sie, meine jährliche Kreuzfahrt gibt mir immer die Gelegenheit, es noch ein wenig zu überarbeiten.«

Townsend hätte ihr gern gesagt, dass er das längst wusste – dank der Köchin ihres Schwagers. Doch er begnügte sich mit der Bemerkung: »Dann bringen Sie es mir doch bei Gelegenheit zu meiner Kabine. Dann kann ich einmal die ersten Kapitel lesen und bekomme eine erste Vorstellung davon.«

»Würden Sie das wirklich tun, Mr. Townsend? Wie außerordentlich freundlich von Ihnen! Mein lieber Gatte sagte immer, man dürfe nicht alle Australier über einen Kamm scheren und davon ausgehen, dass sie von Sträflingen abstammen.«

Townsend lachte, während Claire sich über den Tisch

beugte. »Sind Sie *der* Mr. Townsend, der in dem Artikel in der heutigen *Ocean Times* erwähnt wird?«, fragte sie.

Townsend sah sie scheinbar erstaunt an. »Keine Ahnung. Ich habe das Blatt nicht gesehen.«

»Der Artikel ist über einen gewissen Richard Armstrong…«, keiner bemerkte Mrs. Sherwoods Reaktion, »… der ebenfalls in der Verlagsbranche tätig ist.«

»Richard Armstrong? Der Name ist mir schon mal begegnet«, gestand Townsend. »Also wäre es schon möglich.«

»Hat den Militärverdienstorden verliehen bekommen«, warf der General ein. »Aber das ist auch das einzig Gute, das in dem Artikel über ihn steht. Tja, allerdings kann man auch nicht alles glauben, was in den Zeitungen steht.«

»Da haben Sie allerdings recht«, pflichtete Townsend ihm bei. Mrs. Sherwood erhob sich plötzlich und verließ den Tisch, ohne auch nur »guten Abend« gewünscht zu haben.

Sobald sie gegangen war, begann der General Dr. Percival und Mrs. Osborne mit dem zweiten Kapitel seiner Autobiografie zu beglücken. Claire erhob sich ebenfalls und sagte: »Bitte lassen Sie sich nicht unterbrechen, General, aber ich gehe auch zu Bett.« Townsend blickte nicht einmal in ihre Richtung. Wenige Minuten später – der alte Haudegen wurde soeben von der Küste bei Dünkirchen evakuiert – entschuldigte sich auch Keith und kehrte in seine Kabine zurück.

Er war eben aus der Duschkabine gestiegen, als es an seiner Tür klopfte. Er lächelte, streifte einen der vom Schiff gestellten Frottierbademäntel über und durchquerte gemächlich die Kabine. Wenn Mrs. Sherwood ihr Manuskript jetzt brachte, hätte er zumindest einen guten Grund, für morgen Vormittag eine Besprechung mit ihr zu vereinbaren. Er machte die Kabinentür auf.

Er öffnete schon den Mund, um »Guten Abend, Mrs. Sherwood« zu sagen, als er sah, dass Kate vor ihm stand. Sie machte einen besorgten Eindruck. Rasch schloss sie die Tür, nachdem sie zu Keith in die Kabine gehuscht war.

»Wir hatten doch ausgemacht, uns nicht zu treffen, außer im Notfall«, sagte Keith.

»Das *ist* ein Notfall«, versicherte ihm Kate, »aber ich konnte nicht riskieren, es dir beim Dinner zu sagen.«

»Hast du deshalb vorhin von dem Artikel angefangen, wo du eigentlich das Thema anschneiden solltest, was am Broadway gespielt wird?«

»Ja«, erwiderte Kate. »Du darfst nicht vergessen, dass ich zwei Tage mehr Zeit hatte als du, Mrs. Sherwood kennenzulernen. Sie hat mich gerade in meiner Kabine angerufen, um mich zu fragen, ob ich deine Geschichte glaube, dass du Verleger bist.«

»Und was hast du ihr gesagt? Hast du …« Keith hielt inne, als erneut an die Tür geklopft wurde. Er legte einen Finger auf die Lippen und deutete zur Dusche. Er wartete, bis hörte, wie Kate den Vorhang zuzog, und öffnete dann die Tür.

»Mrs. Sherwood«, sagte Keith. »Wie schön, Sie zu sehen. Ist alles in Ordnung?«

»Ja, danke, Mr. Townsend. Ich dachte, ich bringe es Ihnen gleich.« Sie drückte ihm ein dickes Manuskript in die Hand. »Für den Fall, dass Sie nichts anderes vorhaben und schon heute einen Blick hineinwerfen möchten.«

»Wie zuvorkommend«, entgegnete Keith. »Wie wär's, wenn wir uns morgen nach dem Frühstück zusammensetzen? Dann kann ich Ihnen schon meinen ersten Eindruck mitteilen.«

»Oh, würden Sie das wirklich tun, Mr. Townsend? Ich kann es gar nicht erwarten, Ihre Meinung darüber zu hören.« Sie zögerte. »Ich hoffe, ich habe Sie nicht gestört.«

»Gestört?«, fragte Keith ein wenig verwirrt.

»Ich dachte, ich hätte Stimmen in Ihrer Kabine gehört, als ich den Gang herunterkam.«

»Hm.« Leicht verlegen zuckte Keith die Schultern. »Ich habe unter der Dusche gesungen. Vielleicht war es das?«

»Das wird's wohl gewesen sein«, sagte Mrs. Sherwood. »Nun, ich würde mich freuen, wenn Sie heute tatsächlich noch Zeit fänden, ein paar Seiten aus *Die Geliebte des Senators* zu lesen.«

»Das werde ich ganz bestimmt«, versicherte Keith. »Gute Nacht, Mrs. Sherwood.«

»Oh, sagen Sie doch Margaret zu mir.«

»Ich bin Keith«, sagte er lächelnd.

»Ich weiß. Ich habe gerade den Artikel über Sie und Mr. Armstrong gelesen. Sehr interessant. Kann dieser Armstrong wirklich so hinterhältig sein?«

Keith antwortete nicht, als er die Tür schloss. Er drehte sich um und sah Kate im zweiten Bademantel aus der Dusche steigen.

Als sie auf ihn zuging, fiel die Kordel auf den Boden, und der Mantel klaffte ein Stückchen auf. »Oh, sagen Sie doch Claire zu mir«, sagte sie und legte ihm den Arm um die Taille. Keith zog sie an sich. »Können Sie wirklich so hinterhältig sein?« Sie lachten, während Keith sie durch die Kabine zog.

»Allerdings!«, erwiderte er, als sie aufs Bett fielen.

»Keith«, flüsterte sie, »meinst du nicht, dass du jetzt anfangen solltest, das Manuskript zu lesen?«

Nur Stunden nachdem Sharon nicht nur in seinem Schlafzimmer, sondern auch in seinem Büro präsent war, erkannte Armstrong, dass Sally bezüglich Sharons Fähigkeiten als Sekretärin nicht übertrieben hatte. Aber er war zu stolz, es zuzugeben und Sally anzurufen.

Am Ende der zweiten Woche häuften sich unbeantwortete Briefe auf seinem Schreibtisch und – schlimmer noch – Antwortbriefe, unter die er keinesfalls seine Unterschrift setzen konnte. Nach den vielen Jahren der Zusammenarbeit mit Sally hatte Dick ganz vergessen, dass er sich jeden Tag nur ein paar Minuten Zeit hatte nehmen müssen, ihre Arbeit durchzusehen, bevor er alles unterschrieb, was sie ihm vorlegte. Im Grunde hatte Dick in den ersten beiden Arbeitswochen seiner neuen Sekretärin seine Unterschrift nur unter ein einziges brauchbares Dokument gesetzt: Sharons Anstellungsvertrag, von dem offensichtlich war, dass sie ihn nicht selbst verfasst hatte.

Am Dienstag der dritten Woche begab Armstrong sich ins Unterhaus, um mit dem Gesundheitsminister zu Mittag zu essen – nur um feststellen zu müssen, dass er erst am nächsten Tag erwartet wurde. Zwanzig Minuten später stürmte er wütend in sein Büro.

»Aber ich habe dir doch gesagt, dass du heute mit dem Direktor der NatWest zum Lunch verabredet bist«, behauptete Sharon. »Er hat gerade vom Savoy angerufen und gefragt, wo du bleibst.«

»Dort, wo du mich hingeschickt hast!«, brüllte Dick. »Im Unterhaus!«

»Erwartest du, dass ich mich um *alles* kümmere?«

»Sally hat das jedenfalls irgendwie geschafft«, knirschte Armstrong, der seinen Zorn kaum noch beherrschen konnte.

»Wenn ich den Namen dieser Frau nur noch ein einziges Mal höre, verlasse ich dich, das schwöre ich!«

Armstrong sagte nichts, sondern stürmte aus dem Büro und befahl Benson, ihn so rasch wie möglich zum Savoy zu bringen. Als er den Grill betrat, teilte Mario ihm mit, dass sein Gast gerade gegangen war. Und als er wieder ins Büro kam, erfuhr er, dass Sharon wegen leichter Migräne nach Hause gegangen war.

Armstrong setzte sich an seinen Schreibtisch und wählte Sallys Nummer, doch niemand nahm ab. Von nun an rief er mindestens einmal am Tag bei Sally an, es meldete sich aber nur der Anrufbeantworter. Am Ende der nächsten Woche befahl er Fred, ihr den monatlichen Gehaltsscheck zu senden.

»Aber ich habe ihr bereits die Entlassungspapiere geschickt«, erinnerte ihn der Chefbuchhalter. »So, wie Sie es von mir verlangt haben.«

»Sie sollen nicht mit mir diskutieren, Fred, schicken Sie ihn ihr einfach«, brummte Armstrong.

In der fünften Woche gaben sich tagtäglich neue Aushilfen die Klinke in die Hand. Manche wurden bereits nach wenigen Stunden gefeuert. Doch es war Sharon, die den Brief von Sally öffnete und darin einen zerrissenen Scheck sowie die Zeilen fand: »Ich wurde für mein entgangenes Gehalt bereits großzügig entschädigt.«

Keith erwachte am folgenden Morgen und wunderte sich, Kate in seinem Morgenrock bei der Lektüre von Mrs. Sherwoods Manuskript vorzufinden. Sie beugte sich zu ihm und küsste ihn, bevor sie ihm die ersten sieben Kapitel reichte. Er setzte sich auf, blinzelte einige Male und las den ersten Satz: »Als er aus dem Swimmingpool stieg, begann die Wölbung in seiner Badehose größer zu werden.« Er warf Kate einen Blick zu. Sie sagte: »Lies weiter. Es wird noch heißer.«

Keith hatte etwa vierzig Seiten gelesen, als Kate aus dem Bett sprang und zur Dusche schlenderte. »Du musst nicht weiterlesen«, sagte sie, »ich erzähl dir später, wie es endet.«

Doch als sie aus der Dusche trat, war Keith mitten im dritten Kapitel. Er schaute Kate an und warf die übrigen Seiten auf den Boden. »Was meinst du?«, fragte er.

Kate ging zum Bett, zog die Decke zurück und blickte auf seinen nackten Körper. »Deiner Reaktion nach zu schließen, hättest du mich entweder gern noch ein Weilchen im Bett, oder wir sind hier auf einen Bestseller gestoßen.«

Als sich Keith ungefähr eine Stunde später zum Frühstück begab, saßen nur Kate und Mrs. Sherwood am Tisch. Sie waren in ein Gespräch vertieft, das sie jedoch sofort unterbrachen, sobald er sich zu ihnen gesellte. »Ich nehme nicht an …«, begann Mrs. Sherwood.

»Was nehmen Sie nicht an?«, fragte Keith unschuldig.

Kate musste sich umdrehen, damit Mrs. Sherwood ihre Miene nicht sehen konnte.

»Dass Sie einen Blick in meinen Roman geworfen haben?«

»Einen Blick?« sagte Townsend. »Ich habe ihn von Anfang bis zum Ende gelesen! Und eins steht fest, Mrs. Sherwood. Niemand bei Schumann kann das Manuskript auch nur aufgeschlagen haben, sonst hätte er sofort zugeschnappt!«

»Oh! Halten Sie es wirklich für so gut?«, fragte Mrs. Sherwood.

»Und ob!«, versicherte Townsend. »Und ich kann nur hoffen, dass Sie Schumann trotz unserer unverzeihlichen Nachlässigkeit gestatten, Ihnen ein Angebot zu machen.«

»Aber selbstverständlich!«, rief Mrs. Sherwood begeistert.

»Gut. Allerdings ist hier wohl nicht der richtige Ort, über Geschäftliches zu reden.«

»Ja, natürlich, ich verstehe, Keith. Wie wäre es, wenn Sie etwas später in meine Kabine kommen?« Mrs. Sherwood blickte auf die Uhr. »Sagen wir, gegen halb elf?«

Townsend nickte. »Das passt mir sehr gut.« Er erhob sich, als Mrs. Sherwood ihre Serviette faltete und den Tisch verließ.

»Hast du inzwischen was Neues erfahren?«, fragte er Kate, als Mrs. Sherwood außer Hörweite war.

»Nicht viel.« Sie knabberte an einer Scheibe Rosinenbrottoast. »Aber ich habe das Gefühl, sie hat dir nicht geglaubt, dass du tatsächlich das ganze Manuskript gelesen hast.«

»Wie kommst du darauf?«

»Weil sie mir erzählt hat, dass du vergangene Nacht eine Frau in deiner Kabine hattest.«

»Ach, wirklich?« Townsend machte eine Pause. »Was hatte sie sonst noch zu sagen?«

»Sie hat sich ziemlich ausführlich über den Artikel in der *Ocean Times* ausgelassen und mich gefragt, ob …«

»Morgen, Townsend. Einen schönen guten Morgen, junge Dame«, grüßte der General und setzte sich auf seinen Platz. Kate schenkte ihm ein strahlendes Lächeln und erhob sich.

»Viel Glück«, wünschte sie Keith leise.

»Ich freue mich, dass ich endlich mal die Gelegenheit

habe, ungestört mit Ihnen sprechen zu können, Townsend. Wissen Sie, ich habe den ersten Band meiner Memoiren bereits fertig, und da ich ihn zufällig mit an Bord habe, frage ich mich, ob Sie vielleicht so liebenswürdig wären, ihn zu lesen und mir Ihre professionelle Meinung zu sagen.«

Townsend brauchte zwanzig Minuten, einem Manuskript zu entrinnen, das er nicht lesen, geschweige denn verlegen wollte. Den General abzuwimmeln hatte Keith viel Zeit gekostet, und nun musste er sich mächtig sputen, um sich auf die Besprechung mit Mrs. Sherwood vorzubereiten. Er eilte in seine Kabine zurück und ging ein letztes Mal Kates Notizen durch, bevor er sich zu Mrs. Sherwoods Suite begab. Es war nur Sekunden nach halb elf, als er an die Tür klopfte, die sofort geöffnet wurde.

»Ich mag pünktliche Menschen«, sagte Mrs. Sherwood.

Die Trafalgar-Suite erstreckte sich über zwei Decksebenen und besaß einen eigenen Balkon. Mrs. Sherwood führte ihren Gast zu einem Paar bequemer Sessel in der Mitte des Salons. »Hätten Sie gern eine Tasse Kaffee, Keith?«, fragte sie, bevor sie ihm gegenüber Platz nahm.

»Nein, danke, Margaret, ich habe eben erst gefrühstückt.«

»Ah, ja. Wollen wir dann gleich zum Geschäft kommen?«

»Selbstverständlich. Wie ich Ihnen heute schon sagte, würde Schumann es als Privileg betrachten, Ihren Roman verlegen zu dürfen.«

»Wie aufregend!«, rief Mrs. Sherwood. »Ach, hätte mein lieber Mann das noch erleben dürfen! Er war immer der Ansicht, meine Arbeit würde irgendwann einmal veröffentlicht.«

»Wir wären bereit, Ihnen einen Vorschuss von hunderttausend Dollar zu zahlen«, fuhr Townsend fort. »Überdies würden Sie mit zehn Prozent des Verkaufspreises am Umsatz beteiligt, abzüglich des Vorschusses. Zwölf Monate nach Erscheinen der gebundenen Ausgabe würden Taschenbuchausgaben folgen, und für jede Woche, die Ihr Roman auf der Bestsellerliste der *New York Times* steht, erhalten Sie eine Prämie.«

»Oh! Glauben Sie wirklich, dass mein Roman auf die Bestsellerliste kommen könnte?«

»Ich würde darauf wetten«, versicherte Townsend.

»Wirklich?«

Ein wenig besorgt blickte Townsend zu ihr hinüber und fragte sich, ob er zu weit gegangen war.

»Ich nehme Ihr Angebot mit Freuden an, Mr. Townsend. Ich glaube, das müssen wir begießen!« Sie schenkte ihm ein Glas Champagner aus einer halb leeren Flasche ein, die im Eiskübel neben ihr stand. »Da wir nun eine Vereinbarung bezüglich des Romans getroffen haben«, sagte sie kurz darauf, »darf ich mich da noch in einer anderen Sache an Sie wenden? Vielleicht könnten Sie mich bei einem kleinen Problem beraten, dem ich mich zur Zeit gegenübersehe.«

»Selbstverständlich gern, sofern ich kann.« Townsend blickte auf ein Gemälde, das einen einarmigen, einäugigen Admiral zeigte, der sterbend auf einem Achterdeck lag.

»Ein Artikel, den ich in der *Ocean Times* las und auf den mich … Miss Williams aufmerksam machte, hat mich zutiefst bestürzt«, sagte Mrs. Sherwood. »Es geht dabei um einen gewissen Richard Armstrong.«

»Ich bin nicht sicher, ob ich verstehe.«

»Ich werde es erklären.« Mrs. Sherwood erzählte Townsend eine Geschichte, die er besser kannte als sie. Die alte Dame schloss: »Da Sie im Verlagsgeschäft sind, meinte

Claire, könnten Sie mir vielleicht jemand anderen empfehlen, der meine Anteile kauft.«

»Wie viel erwarten Sie denn für die Anteile zu bekommen?«, fragte Townsend.

»Zwanzig Millionen Dollar. Das ist der Betrag, auf den ich mich mit meinem Schwager Alexander geeinigt habe. Er hat seine Anteile bereits für diese Summe an Richard Armstrong verkauft.«

»Wann treffen Sie sich denn mit Mr. Armstrong?« Das war eine weitere Frage, deren Antwort Townsend bereits kannte.

»Die Besprechung soll am Montag um achtzehn Uhr in meiner Wohnung in New York stattfinden.«

Townsend blickte weiterhin auf das Gemälde und tat so, als würde er eingehend über das Problem nachdenken. »Ich bin sicher, mein Unternehmen könnte bei Armstrongs Angebot mithalten«, meinte er schließlich. »Vor allem, da der Betrag bereits feststeht.« Er hoffte, dass Mrs. Sherwood sein Herz nicht klopfen hörte.

Die alte Dame senkte die Augen und blickte flüchtig auf einen Katalog von Sotheby's – den ihr eine Freundin vergangene Woche aus Genf geschickt hatte. »Welch ein Glücksfall, dass wir uns kennengelernt haben«, sagte sie. »Wie einer dieser Zufälle, die in einem Roman immer so unglaubhaft und lächerlich wirken, nicht wahr?« Sie lachte, hob ihr Glas und sagte schulterzuckend: »Kismet.«

Townsend schwieg.

Mrs. Sherwood stellte ihr Glas ab und sagte: »Ich möchte mir die ganze Sache über Nacht noch einmal durch den Kopf gehen lassen. Ich werde Ihnen meine Entscheidung mitteilen, bevor wir von Bord gehen.«

»Wie Sie meinen«, sagte Townsend und versuchte sich seine Enttäuschung nicht anmerken zu lassen. Er erhob sich, und die alte Dame begleitete ihn zur Tür.

»Ich muss mich für all die Mühe bedanken, die Sie meinetwegen auf sich genommen haben, Keith.«

»Es war mir ein Vergnügen.« Sie schloss die Tür.

Townsend kehrte umgehend zu seiner Kabine zurück, wo Kate auf ihn wartete.

»Wie ist es gelaufen?«, fragte sie gespannt.

»Sie hat sich noch nicht endgültig entschieden. Aber ich glaube, sie zappelt bereits im Netz, weil du sie auf diesen Artikel aufmerksam gemacht hast.«

»Und die Aktien?«

»Der Preis steht ja fest, deshalb ist es ihr offenbar egal, wer die Anteile kauft. Hauptsache, ihr Buch wird veröffentlicht.«

»Aber sie wollte mehr Bedenkzeit.« Kate schwieg eine Zeit lang, ehe sie hinzufüge: »Warum hat sie dich nicht näher befragt, weshalb du die Anteile kaufen möchtest?«

Townsend zuckte die Schultern.

»Ich frage mich allmählich, ob Mrs. Sherwood nicht an Bord saß wie die Spinne im Netz und auf uns gewartet hat – und nicht umgekehrt.«

»Ach, was«, tat Townsend Kates Bemerkung ab. »Sie muss sich schließlich entscheiden, was ihr wichtiger ist: dass ihr Buch veröffentlicht wird oder dass sie es sich mit Alexander verdirbt, der ihr geraten hat, an Armstrong zu verkaufen. Wenn *das* die Wahl ist, die sie treffen muss, haben wir einen Riesenpluspunkt.«

»Und welchen?«, fragte Kate.

»Dank Sally wissen wir genau, wie viele Verlage ihren

Roman in den vergangenen zehn Jahren abgelehnt haben. Und nachdem ich das Buch gelesen habe, kann ich mir nicht vorstellen, dass ihr irgendeiner davon große Hoffnungen gemacht hat.«

»Aber bestimmt weiß Armstrong das auch und wäre bestimmt ebenfalls bereit, ihr Machwerk zu verlegen.«

»Aber dessen kann sie sich nicht sicher sein«, erwiderte Townsend.

»Vielleicht doch – und womöglich ist sie viel gerissener, als wir ihr zutrauen. Gibt es ein Telefon an Bord?«

»Ja. Auf der Brücke. Ich hab' versucht, Tom Spencer in New York anzurufen, damit er sich schon mal daranmacht, den Vertrag zu ändern. Aber mir wurde gesagt, das Telefon dürfe nur in einem Notfall benutzt werden.«

»Und wer entscheidet, was ein Notfall ist?«, fragte Kate.

»Ausschließlich der Kapitän, hat mir der Chefsteward gesagt.«

»Dann kann keiner von uns etwas unternehmen, bevor wir in New York sind.«

Mrs. Sherwood kam zu spät zum Mittagessen und setzte sich neben den General. Es schien ihr nichts auszumachen, eine ausführliche Zusammenfassung des dritten Kapitels seiner Autobiografie über sich ergehen zu lassen, und sie kam nicht ein einziges Mal auf ihren Roman zu sprechen. Nach dem Lunch verschwand sie sofort wieder in ihrer Suite.

Als sie ihre Plätze fürs Dinner einnahmen, stellten die anderen fest, dass Mrs. Sherwood an den Kapitänstisch eingeladen war.

Nach einer schlaflosen Nacht begaben sich Keith und Kate schon zeitig zum Frühstück, in der Hoffnung, Mrs.

Sherwoods Entscheidung zu erfahren. Doch während die Minuten verstrichen und die alte Dame sich nicht sehen ließ, wurde offensichtlich, dass sie es vorgezogen hatte, in ihrer Suite zu frühstücken.

»Sie wird mit dem Packen nicht zurechtgekommen sein«, meinte der stets hilfsbereite Dr. Percival.

Kate sah nicht sehr überzeugt aus.

Keith kehrte in seine Kabine zurück und packte seinen Koffer. Dann schloss er sich Kate an Deck an, während das Schiff auf den Hudson zuhielt.

»Ich hab' das Gefühl, diesmal haben wir den Kürzeren gezogen«, meinte Kate, als sie an der Freiheitsstatue vorüberfuhren.

»Da könntest du recht haben. Es würde mir gar nicht so viel ausmachen, wenn nicht wieder Armstrong als Sieger dastünde!«

»Ist es dir denn so wichtig geworden, ihn zu besiegen?«

»Ja. Du musst wissen …«

»Guten Morgen, Mr. Townsend«, erklang eine Stimme hinter ihnen. Keith fuhr herum und sah Mrs. Sherwood auf sich zukommen. Er hoffte, dass es Kate gelungen war, in der Menge unterzutauchen, bevor Mrs. Sherwood sie gesehen hatte.

»Guten Morgen, Mrs. Sherwood«, erwiderte Keith.

»Nach reiflicher Überlegung«, sagte sie, »bin ich zu einer Entscheidung gelangt.«

Unwillkürlich hielt Keith den Atem an.

»Wenn morgen vor achtzehn Uhr beide Verträge für mich unterzeichnungsbereit sind, haben Sie ›einen Deal gemacht‹ wie die Amerikaner es so vulgär auszudrücken pflegen.«

Keith strahlte sie an.

»Aber«, fuhr sie fort, »sollte mein Buch nicht innerhalb eines Jahres nach Vertragsunterzeichnung erschienen sein, müssen Sie eine Konventionalstrafe von einer Million Dollar an mich entrichten. Und ebenso viel, wenn es nicht auf die Bestsellerliste der *New York Times* kommt.«

»Aber …«

»Als ich Sie wegen der Bestsellerliste fragte, haben Sie selbst gesagt, Sie würden darauf wetten. Oder etwa nicht, Mr. Townsend? Nun, genau diese Chance gebe ich Ihnen jetzt.«

»Aber …«, wiederholte Keith.

»Ich erwarte Sie morgen um siebzehn Uhr in meiner Wohnung, Mr. Townsend. Mein Anwalt hat mir versichert, dass er zugegen sein kann. Sollten Sie nicht kommen, werde ich um achtzehn Uhr den Vertrag mit Mr. Armstrong abschließen.« Sie blickte Keith in die Augen. »Ich habe das Gefühl, er wäre ebenfalls bereit, meinen Roman zu verlegen.«

Ohne ein weiteres Wort schritt sie zur Gangway. Kate stellte sich zu Keith an die Reling, und beide sahen zu, wie Mrs. Sherwood bedächtig hinunterschritt. Als sie auf den Kai trat, fuhren zwei schwarze Rolls-Royce heran. Ein Chauffeur sprang aus dem vorderen Wagen und schwang für die alte Dame die Tür zum Fond auf. Der zweite Wagen wartete auf ihr Gepäck.

»Wie ist es ihr bloß gelungen, mit ihrem Anwalt zu telefonieren?«, fragte sich Keith verwundert. »Ihn wegen ihres Romans anzurufen lässt sich ja nun wirklich nicht als Notfall klassifizieren.«

Kurz bevor Mrs. Sherwood in den Wagen stieg, schaute sie noch einmal zum Schiff hinauf und winkte jemandem zu. Keith und Kate drehten sich um und folgten ihrem Blick zur Brücke.

Dort stand der Kapitän und grüßte zackig.

26

Daily Mail

10. Juni 1967

Ende des Sechstagekrieges:
Nasser gibt auf

Armstrong überprüfte noch einmal die Abflugzeit der Maschine nach New York. Dann suchte er Mrs. Sherwoods Adresse aus dem Telefonbuch von Manhattan heraus und rief sogar persönlich das Pierre an, um sich zu vergewissern, dass die Präsidentensuite auch wirklich für ihn reserviert war. Schließlich ging es diesmal um eine Besprechung, zu der er nicht zu spät oder an einem falschen Tag oder an einen falschen Ort kommen durfte.

Er hatte bereits zwanzig Millionen Dollar in der Chase Manhattan Bank deponiert, war mit seinem PR-Mann noch einmal die Presseerklärung durchgegangen und hatte Peter Wakeham angewiesen, den Vorstand auf eine sensationelle Titelstory vorzubereiten.

Am Abend zuvor hatte Alexander Sherwood angerufen und Dick informiert, er habe mit seiner Schwägerin noch vor deren alljährlicher Kreuzfahrt telefoniert, und sie habe ihm versichert, mit zwanzig Millionen Dollar einverstanden zu sein. Am Tag ihrer Rückkehr erwartete sie Armstrong um achtzehn Uhr in ihrer Wohnung. Als Dick mit Sharon an

Bord des Flugzeugs stieg, war er überzeugt, schon morgen der Alleineigentümer einer überregionalen Zeitung zu sein, deren Verkaufszahlen nur noch vom *Daily Citizen* übertroffen wurden.

Ein paar Stunden bevor die *Queen Elizabeth* am Pier 90 anlegte, landete die Maschine auf dem Flughafen Idlewild. Als Erstes schauten sich Dick und Sharon am Pier um, anschließend gingen sie die dreiundsechzigste Straße entlang, weil Armstrong genau wissen wollte, wo Mrs. Sherwood wohnte. Für ein Trinkgeld von zehn Dollar bestätigte der Portier, man erwarte sie in wenigen Stunden von ihrer Kreuzfahrt zurück.

Beim Dinner an diesem Abend redeten Dick und Sharon kaum ein Wort miteinander. Er fragte sich, warum er sie überhaupt mitgenommen hatte. Als er ins Badezimmer ging, lag sie bereits im Bett, und als er herauskam, schlief sie. Im Bett überlegte er, was zwischen jetzt und morgen um achtzehn Uhr noch alles schiefgehen konnte.

»Ich glaube, sie hat die ganze Zeit gewusst, was wir vorhaben«, sagte Kate und schaute Mrs. Sherwoods Rolls nach.

»Nie und nimmer«, widersprach Townsend. »Aber selbst wenn – sie ist immerhin auf meine Bedingungen eingegangen.«

»Vielleicht waren es ja *ihre* Bedingungen?«, gab Kate leise zu bedenken.

»Was willst du damit sagen?«

»Für meinen Geschmack lief alles ein bisschen zu glatt. Vergiss nicht, sie ist keine Sherwood. Sie war nur so schlau, in die Familie einzuheiraten.«

»Du bist misstrauischer geworden, als gut für dich ist«,

stellte Keith fest. »Denk daran, sie ist nicht Richard Armstrong.«

»Ich bin erst überzeugt, wenn du ihre Unterschrift auf beiden Verträgen hast.«

»Beiden?«

»Sie wird ihr Drittel am *Globe* erst verkaufen, wenn sie völlig sicher sein kann, dass du ihren Roman verlegst.«

»Es dürfte nicht schwierig sein, sie davon zu überzeugen«, meinte Keith. »Vergiss nicht, dass sie keine Hoffnung mehr hatte, ihren Roman jemandem aufschwatzen zu können. Man hatte ihr das Manuskript bereits fünfzehnmal zurückgeschickt, bevor sie über mich gestolpert ist.«

»Gestolpert? Vielleicht hat sie dich ja kommen sehen.«

Townsend blickte zum Kai hinunter, als eine schwarze Pullman-Limousine vor der Gangway hielt. Ein großer, kräftiger Mann mit krausem schwarzem Haar sprang vom Rücksitz und schaute zu den Passagieren an Deck hinauf. »Tom Spencer ist gerade eingetroffen«, sagte Townsend. Er wandte sich wieder Kate zu. »Hör auf, dir Sorgen zu machen. Bis du morgen wieder in Sydney bist, gehören mir dreiunddreißig Prozent des *Globe*. Und das hätte ich ohne dich nie geschafft. Ruf mich sofort an, wenn du auf dem Kingsford Smith gelandet bist, dann bring ich dich auf den aktuellen Stand.« Keith nahm sie in die Arme und küsste sie, bevor sie in ihre jeweiligen Kabinen zurückkehrten.

Keith schnappte sich sein Gepäck und ging rasch zum Kai hinunter. Sein New Yorker Anwalt kam zügig um den Wagen herumgerannt – ein Rückfall in seine aktive Zeit als Querfeldeinläufer, wie er Keith einmal erklärt hatte.

»Wir haben einunddreißig Stunden, Tom«, erklärte Townsend, als sie einander die Hand gaben.

»Also ist Mrs. Sherwood auf Ihren Plan eingegangen«, stellte der Anwalt fest und führte seinen Mandanten zur Limousine.

»Ja, aber sie will zwei Verträge«, erklärte Townsend und setzte sich in den Wagen. »Und bedauerlicherweise ist keiner davon der Vertrag, den ich Sie bat aufzusetzen, als ich von Sydney anrief.«

Tom zog einen gelben Notizblock aus seiner Aktentasche und legte ihn sich auf die Knie. Er wusste längst, dass sein Mandant nichts davon hielt, Zeit mit Small Talk zu vergeuden. Während Townsend ihm die Einzelheiten von Mrs. Sherwoods Bedingungen nannte, notierte er sich alles. Nachdem er gehört hatte, was sich im Laufe der letzten Tage ereignet hatte, stieg unwillkürlich Bewunderung für die alte Dame in ihm auf. Während Tom seinem Mandanten noch verschiedene Fragen stellte, erreichte der Wagen sein Ziel. Keiner der beiden bemerkte, dass sie bereits am Hoteleingang des Carlisle vorfuhren.

Townsend sprang aus dem Wagen, bahnte sich einen Weg durch die Drehtür ins Foyer und stellte fest, dass zwei von Toms Partnern dort bereits warteten.

»Checken Sie doch erst einmal ein, und lassen Sie Ihr Gepäck aufs Zimmer bringen. Ich informiere meine Kollegen inzwischen darüber, was Sie mir bisher mitgeteilt haben. Sie finden uns dann im Versailles Room im dritten Stock.«

Townsend unterschrieb das Registrierungsformular und erhielt den Schlüssel für sein gewohntes Zimmer. Dort packte er einige seiner Sachen aus, ehe er den Lift zum dritten Stock nahm. Im Versailles Room wanderte Tom um den langen Konferenztisch herum und setzte seine beiden Kollegen ins Bild. Townsend ließ sich am Kopfende des Tisches nieder, während Tom weiter seine Runden drehte und nur stehen blieb, wenn er Nachfragen zu Mrs. Sherwoods Bedingungen hatte.

Nachdem Tom auf diese Weise mehrere Meilen zurückgelegt hatte und sie Berge von Sandwiches verzehrt und literweise Kaffee getrunken hatten, waren die Rohentwürfe für beide Verträge fertig.

Kurz nach achtzehn Uhr zog ein Zimmermädchen die Vorhänge zu. Zum ersten Mal an diesem Tag setzte sich Tom und las sich die Rohentwürfe der Verträge bedächtig durch. Nach der letzten Seite stand er wieder auf und sagte: »Mehr können wir vorerst nicht tun, Keith. Wir sollten jetzt zusehen, ins Büro zu kommen und die Verträge unterschriftsreif zu machen. Ich schlage vor, wir treffen uns morgen um vierzehn Uhr, damit Sie unsere endgültige Fassung durchgehen können.«

»Gut. Gibt es sonst noch etwas zu bedenken?«, fragte Townsend.

»Ja«, antwortete Tom. »Sind Sie absolut sicher, dass wir die beiden Klauseln, für die Kate sich so eingesetzt hat, im Buchvertrag weglassen sollten?«

»Absolut. Nach drei Tagen mit Mrs. Sherwood kann ich Ihnen versichern, dass sie nichts davon versteht, wie man Bücher verlegt.«

Tom zuckte die Schultern. »Kate war da anderer Meinung.«

»Kate ist nur übervorsichtig«, entgegnete Townsend. »Mich kann nichts davon abhalten, hunderttausend Exemplare von diesem verdammten Schmöker zu drucken und sie allesamt in einer Lagerhalle im tiefsten New Jersey verrotten zu lassen.«

»Aber was geschieht«, gab Tom zu bedenken, »wenn der Roman nicht auf die Bestsellerliste der *New York Times* kommt?«

»Lesen Sie die entsprechende Klausel, Herr Anwalt. Es wird kein Zeitlimit genannt. Sonst noch irgendwas, worüber Sie sich Gedanken machen?«

»Ja. Sie werden für das Treffen um siebzehn Uhr zwei separate Geldanweisungen brauchen. Bei Mrs. Sherwood möchte ich Schecks nicht riskieren – sie könnten ihr möglicherweise Anlass für eine Ausrede liefern, den endgültigen Vertrag nicht zu unterschreiben. Und Sie können sicher sein, dass Armstrong einen Wechsel über zwanzig Millionen Dollar bei sich hat.«

Townsend nickte. »Ich habe das Geld bereits an dem Tag, als ich Sie über den ursprünglichen Vertrag unterrichtete, von Sydney aus auf die Chase Manhattan Bank überwiesen. Wir können die beiden Zahlungsanweisungen morgen Vormittag abholen.«

»Gut. Dann gehen wir jetzt.«

Zurück in seinem Zimmer ließ Townsend sich erschöpft aufs Bett fallen und schlief sofort ein. Er wachte erst um fünf am nächsten Morgen wieder auf und wunderte sich, dass er vollständig angezogen im Bett lag. Seine ersten Gedanken galten Kate und wo sie in diesem Augenblick wohl sein mochte.

Keith zog sich aus und blieb lange unter der warmen Dusche. Dann überlegte er, ob er sich ein spätes Frühstück oder lieber ein frühes Dinner bestellen sollte. Er studierte die 24-Stunden-Speisekarte und entschied sich für das Frühstück.

Während er auf den Zimmerservice wartete, sah er sich die Frühnachrichten an. Sie wurden von Israels überwältigendem Sieg im Sechstagekrieg beherrscht. Doch offenbar wusste niemand, wo Nasser steckte. In der *Today Show* wurde ein NASA-Sprecher zu Amerikas Chancen befragt, vor den Russen erfolgreich einen Menschen auf den Mond zu schicken. Der Wetterbericht versprach eine Kaltfront in New York. Beim Frühstück las Keith die *New York Times,* danach den *Star.* Er sah sofort, wo er bei diesen beiden Zeitungen Änderungen vornehmen würde, wenn er der Besitzer wäre. Er versuchte, nicht an die US-Aufsichtsbehörde für Presse- und Zeitungswesen zu denken, die ihn ständig mit Fragen über sein expandierendes amerikanisches Medienimperium bedrängte und ihn immer wieder ermahnte, dass Ausländer in den Vereinigten Staaten nur innerhalb enger gesetzlicher Grenzen Firmengründungen und Investitionen vornehmen dürften.

»Für dieses Problem gibt es eine einfache Lösung«, hatte Tom ihn mehrmals auf eine Möglichkeit aufmerksam gemacht, doch jedes Mal hatte Keith kategorisch abgelehnt. Aber was würde er tun, wenn es sich als die einzige Möglichkeit erwies, sollte er jemals den *New York Star* übernehmen können? »Niemals!«, wiederholte er, allerdings nicht mehr ganz so überzeugt.

Die nächste Stunde schaute er sich immer wieder die gleichen Nachrichten an und las erneut dieselben Zeitungen. Und als es halb acht wurde, wusste er über alles Bescheid, was sich auf der Welt zutrug, von Kairo bis Queens und sogar im All. Um neun verließ er das Hotel, schlenderte ein wenig herum und holte dann die Zahlungsanweisungen von der Bank.

Kurz vor vierzehn Uhr kehrte er ins Hotel zurück, wo Tom bereits mit seinen beiden Partnern im Foyer wartete.

»Guten Tag, Keith.« Tom schüttelte seinem Mandanten die Hand, während die beiden anderen Herren sich knapp verbeugten. »Ich habe uns einen ruhigen Tisch in einer Ecke des Cafés reserviert.«

Als vier Tassen Kaffee vor ihnen standen, öffnete Tom seine Aktentasche, entnahm ihr zwei Dokumente und reichte sie seinem Mandanten.

»Wenn Mrs. Sherwood sich einverstanden erklärt, die Papiere zu unterzeichnen«, sagte er, »werden Ihnen 33,3 Prozent des *Globe* gehören sowie die Veröffentlichungsrechte für *Die Geliebte des Senators.*«

Punkt für Punkt wurden Keith die Verträge erläutert, und er erkannte, weshalb die drei Anwälte die ganze Nacht nicht ins Bett gekommen waren, wie Tom beiläufig erwähnt hatte. »Was kommt als Nächstes?« Keith gab Tom die Verträge zurück.

»Die beiden Zahlungsanweisungen haben Sie ja bereits in der Tasche. Jetzt müssen wir nur noch zusehen, dass wir fünf Minuten vor fünf an Mrs. Sherwoods Wohnungstür stehen. Wir werden jede einzelne Minute dieser Stunde brauchen, falls die beiden Verträge unterzeichnet sein sollen, bevor Armstrong erscheint.«

Auch Armstrong las die Morgenzeitungen, kurz nachdem man sie vor die Tür seines Hotelzimmers gelegt hatte. Während er die *New York Times* durchblätterte, sah auch er stets auf den ersten Blick die Änderungen, die er vornehmen würde, sollte er je eine New Yorker Tageszeitung erwerben. Nach der *Times* wandte er sich dem *Star* zu, der ihn jedoch nicht länger zu fesseln vermochte. Er warf die Zeitungen zur Seite, schaltete den Fernseher ein und begann, auf der Suche nach etwas Interessantem von Programm zu Programm zu schalten, bis ein alter Schwarzweißfilm den Sieg über ein Interview mit einem Astronauten davontrug.

Als er ins Badezimmer ging, ließ er den Fernseher laufen, ohne Rücksicht darauf, möglicherweise Sharon zu wecken.

Um sieben war er angekleidet und wurde von Minute zu Minute unruhiger. Er schaltete auf *Good Morning America* um und verfolgte die Erläuterungen des Bürgermeisters, wie dieser mit der Gewerkschaft der Feuerwehrleute umzuspringen gedachte. »Ich werde den Dreckskerlen dort hintreten, wo es am meisten wehtut!«, rief er in die Kamera. Armstrong schaltete den Fernseher aus, nachdem der Wetterbericht einen weiteren heißen, wolkenlosen Tag mit Temperaturen um die dreißig Grad versprochen hatte – in Malibu. Armstrong griff nach Sharons Puderquaste auf dem Toilettentisch, betupfte sich damit die Stirn und schob sich die Quaste in die Jackentasche. Um halb acht nahm er sein Frühstück auf dem Zimmer ein, ohne etwas für Sharon mitbestellt zu haben. Als er um neun die Suite verließ, um sich zu seinem Anwalt zu begeben, hatte Sharon sich noch immer nicht gerührt.

Russel Critchley wartete im Hotelrestaurant auf ihn. Armstrong bestellte sich ein zweites Frühstück, ehe er sich zu ihm setzte. Sein Anwalt zog ein umfangreiches Dokument aus seiner Aktentasche und ging es mit seinem Mandanten durch. Während Critchley an einer Tasse Kaffee nippte, verschlang Armstrong ein Omelette aus drei Eiern, gefolgt von vier dick mit Sirup beschmierten Waffeln.

»Ich kann mir nicht vorstellen, dass sich gravierende Probleme ergeben«, bemerkte Critchley. »Der Vertrag unterscheidet sich im Grund genommen nicht von dem, den Mrs. Sherwoods Schwager in Genf unterzeichnet hat – natürlich abgesehen davon, dass sie kein persönliches Präsent verlangt hat.«

»Und wenn sie sich an die Bedingungen von Sir George Sherwoods Testament halten will, hat sie gar keine andere Wahl, als die zwanzig Millionen anzunehmen und den Mund zu halten.«

»Korrekt«, bestätigte der Anwalt. Er wies auf eine andere Akte, bevor er fortfuhr: »Offenbar mussten alle drei eine bindende Abmachung unterschreiben. Demnach muss, sollten sie die zu erbenden Anteile je veräußern wollen, dies zu einem Preis erfolgen, auf den sich mindestens zwei von ihnen geeinigt haben. Wie Sie wissen, haben sich Alexander und Margaret bereits mit zwanzig Millionen Dollar einverstanden erklärt.«

»Warum haben sie sich auf diese Abmachung eingelassen?«

»Weil sie nach den Bestimmungen in Sir Georges Testament andernfalls gar nichts geerbt hätten. Er wollte offenbar verhindern, dass die drei sich wegen des Preises in die Haare kriegten.«

»Und diese Zweidrittelbedingung gilt nach wie vor?« Armstrong tropfte sich Sirup auf eine weitere Waffel.

»Ja, die betreffende Klausel ist unmissverständlich.« Critchley blätterte durch eine weitere Akte. »Hier ist sie.« Er las vor:

»Erwirbt eine Person oder Gesellschaft das Recht, sich als Eigner von mindestens 66,66 Prozent der ausgegebenen Anteile eintragen zu lassen, ist dieser Person oder Gesellschaft die Option einzuräumen, die übrigen Anteile zu einem Preis pro Anteil zu erwerben, welche diese Person oder

Gesellschaft für ihre bereits erworbenen Anteile bezahlt hat.«

»Verdammte Rechtsverdreher! Was, zum Teufel, soll das heißen?«, fluchte Armstrong.

»Wie ich Ihnen bereits am Telefon erklärte: Sobald Sie Eigentümer von zwei Dritteln der Anteile sind, hat der Besitzer des übrigen Drittels – in diesem Fall Sir Walter Sherwood – keine Wahl, als Ihnen seine Anteile zu dem gleichen Preis zu verkaufen, den Sie für die anderen bezahlt haben.«

»Dann könnte ich also hundert Prozent der Anteile besitzen, bevor Townsend auch nur erfährt, dass der *Globe* zum Verkauf gestanden hat.«

Critchley lächelte, nahm seine Halbbrille ab und sagte: »Wie zuvorkommend es von Alexander Sherwood doch war, Sie auf diese Tatsache aufmerksam zu machen, als Sie ihn in Genf getroffen haben.«

»Sie dürfen nicht vergessen, dass mich diese Information eine Million Franken für ein blödsinniges Ei gekostet hat«, erinnerte Armstrong den Anwalt.

»Ich glaube, das könnte sich als gute Investition erweisen«, meinte Critchley. »Solange Sie eine Zahlungsanweisung über zwanzig Millionen Dollar dabeihaben, ausgestellt auf Mrs. Sherwood …«

»Die kann ich um zehn bei der Bank of New Amsterdam abholen.«

»Dann haben Sie das Recht, Sir Walters Anteildrittel zu genau dem gleichen Preis zu erwerben, da Sie Alexanders Anteile ja bereits besitzen. Und er wird nicht das Geringste dagegen tun können.«

Critchley sah auf seine Uhr. Da Armstrong sich gerade über einen weiteren Teller frisch bestellter Waffeln hermachte und Sirup darübergoss, ließ sich der Anwalt vom wartenden Kellner eine zweite Tasse Kaffee einschenken.

Um exakt sechzehn Uhr fünfundfünfzig hielt Townsends Limousine vor einem gepflegten rotbraunen Sandsteinhaus an der dreiundsechzigsten Straße. Er stieg aus und ging auf die Eingangstür zu, seine drei Anwälte einen Schritt hinter ihm. Der Portier hatte offenbar Gäste für Mrs. Sherwood erwartet; denn als Townsend ihm seinen Namen nannte, sagte er lediglich »im Penthouse« und deutete zum Fahrstuhl.

In der obersten Etage wartete ein Hausmädchen vor der Fahrstuhltür auf die Ankömmlinge. Eine Uhr schlug die volle Stunde, als Mrs. Sherwood auf dem Flur erschien. Sie trug etwas, das Keith' Mutter vermutlich als Cocktailkleid bezeichnet hätte, und wirkte ein wenig überrascht, sich gleich vier Männern gegenüberzusehen. Townsend stellte die Anwälte vor, und Mrs. Sherwood bedeutete ihnen, ihr zum Esszimmer zu folgen.

Als sie unter einem prächtigen Lüster hindurchgingen und zu einem langen Flur voller Louis-Quatorze-Möbel und impressionistischer Gemälde gelangten, erkannte Townsend, wie die Gewinne des *Globe* im Laufe der Jahre angelegt worden waren. Im Speisezimmer erhob sich bei ihrem Eintreten ein distinguierter älterer Herr mit dichtem grauem Haar und einer Hornbrille, der einen eleganten schwarzen Zweireiher trug.

Tom erkannte ihn sofort als Seniorpartner der Anwaltskanzlei Burlingham, Healy & Yablon, und ihn beschlich erstmals das Gefühl, dass sich seine Aufgabe als nicht so einfach erweisen würde, wie er und seine Anwälte angenommen hatten. Die beiden Herren schüttelten sich herzlich die

Hände, dann machte Tom Mr. Yablon mit seinen Partnern bekannt.

Als alle Platz genommen und das Mädchen Tee eingeschenkt hatte, öffnete Tom seine Aktenmappe und überreichte Yablon die zwei Verträge. Da sich Tom ihrer Zeitknappheit bewusst war, legte er Mrs. Sherwoods Anwalt so rasch wie möglich die einzelnen Vertragspunkte dar. Dabei stellte ihm der ältere Herr immer wieder Fragen. Townsend hatte den Eindruck, dass sein Anwalt sie zufriedenstellend beantwortet hatte; denn nachdem sie mit der letzten Seite durch waren, wandte sich Mr. Yablon an seine Mandantin und erklärte: »Ich sehe nichts, was dagegen spräche, dass Sie die beiden Verträge unterschreiben, Mrs. Sherwood. Vorausgesetzt natürlich, die Zahlungsanweisungen sind in Ordnung.«

Townsend warf einen verstohlenen Blick auf die Uhr. Noch siebzehn Minuten bis achtzehn Uhr. Er lächelte, als Tom seine Aktentasche öffnete und die beiden Bankanweisungen hervorholte. Ehe er sie übergeben konnte, wandte sich Mrs. Sherwood an ihren Anwalt und fragte: »Enthält der Buchvertrag die Klausel, dass eine Konventionalstrafe von einer Million Dollar an mich fällig wird, sollte Schumann nicht binnen eines Jahres nach Unterzeichnung dieses Vertrages einhunderttausend Exemplare meines Romans veröffentlicht haben?«

»Ja«, versicherte Yablon.

»Und dass eine weitere Million fällig wird, falls mein Roman nicht auf die Bestsellerliste der *New York Times* kommt?«

»Das steht alles im zweiten Vertrag«, bestätigte Yablon.

Tom versuchte sein Erstaunen zu verbergen. Wie konnten einem Mann mit Yablons Erfahrung zwei so eklatante Unterlassungen entgangen sein? Townsend hatte also recht gehabt – es war ihnen gelungen, die Sache nach ihren Vorstellungen durchzuziehen.

»Und Mr. Townsend kann uns Zahlungsanweisungen über die vollen Beträge übergeben?«, erkundigte sich Mrs. Sherwood. Tom schob die beiden Scheine Yablon zu, der sie an seine Mandantin weitergab, ohne auch nur einen Blick darauf zu werfen.

Townsend wartete auf ein Lächeln von Mrs. Sherwood. Stattdessen runzelte sie die Stirn. »So hatten wir das nicht vereinbart«, sagte sie.

»Ich denke doch«, entgegnete Townsend, der sich die Anweisungen an diesem Vormittag persönlich vom Hauptkassierer der Chase Manhattan Bank hatte aushändigen lassen und sie selbst noch einmal sorgfältig geprüft hatte.

»Dieser hier«, Mrs. Sherwood hielt den Zahlschein über zwanzig Millionen in die Höhe, »ist in Ordnung. Aber der hier ist nicht das, was ich verlangt hatte!«

Verwirrt blickte Townsend sie an. »Aber Sie haben sich doch mit einem Vorschuss von einhunderttausend Dollar für Ihren Roman einverstanden erklärt.« Er spürte, wie ihm der Mund trocken wurde.

»Richtig«, sagte Mrs. Sherwood bestimmt. »Doch meinem Verständnis nach, müsste dieser Scheck auf zwei Millionen und einhunderttausend Dollar ausgestellt sein.«

»Aber die zwei Millionen sollten doch erst später gezahlt werden – und auch nur dann, falls wir Ihre Bedingungen nicht erfüllen, die Veröffentlichung Ihres Romans betreffend«, protestierte Townsend.

»Ich bin nicht bereit, ein solches Risiko einzugehen, Mr. Townsend.« Sie starrte ihn über den Tisch hinweg an.

»Ich verstehe nicht …«

»Dann lassen Sie es mich Ihnen erklären. Ich erwarte, dass Sie Mr. Yablon weitere zwei Millionen Dollar zur Verwaltung auf einem Treuhandkonto überlassen. Er wird in zwölf Monaten darüber bestimmen, wer das Geld erhalten soll.« Sie machte eine Pause. »Wissen Sie, mein Schwager Alexander hat einen Gewinn von einer Million Schweizer Franken in Form eines Fabergé-Eis gemacht, ohne mich auch nur mit einem Wort darüber zu informieren. Ich beabsichtige deshalb, mit meinem Roman einen Gewinn von über zwei Millionen Dollar zu machen, ohne es ihm mitzuteilen.«

Townsend schnappte nach Luft. Mr. Yablon lehnte sich im Sessel zurück, und Tom erkannte, dass er nicht der Einzige gewesen war, der die Nacht durchgearbeitet hatte.

»Sollte sich das Selbstvertrauen Ihres Mandanten in seine Fähigkeiten, als begründet erweisen«, erklärte Mr. Yablon, »werde ich ihm sein Geld in genau zwölf Monaten mit Zinsen zurückgeben.«

»Andererseits«, warf Mrs. Sherwood ein, deren Blick von Townsend zu Tom gewandert war, »falls Ihr Mandant nie ernsthaft die Absicht hatte, meinen Roman zu verlegen und zu einem Bestseller zu machen …«

»Aber das sind nicht die Bedingungen, auf die wir uns gestern geeinigt haben, Sie und ich!« Nun starrte Townsend Mrs. Sherwood an.

Ohne zu erröten, setzte sie ein süßliches Lächeln auf und sagte: »Tut mir leid, Mr. Townsend, ich habe gelogen.«

»Aber Sie lassen meinem Mandanten nur elf Minuten, zwei weitere Millionen zu beschaffen!« Tom blickte auf die tickende Standuhr.

»Es dürften zwölf Minuten sein«, meinte Mr. Yablon. »Ich glaube, diese Uhr geht schon seit Längerem ein wenig vor. Doch diskutieren wir nicht über eine Minute mehr oder weniger. Ich bin sicher, Mrs. Sherwood lässt Sie gern eines Ihrer Telefone benutzen.«

»Selbstverständlich«, versicherte Mrs. Sherwood. »Mein seliger Gemahl pflegte zu sagen: ›Wenn jemand heute nicht bezahlen kann, warum sollte man ihm dann glauben, dass er morgen dazu imstande ist?‹.«

»Aber Sie haben doch meinen Zahlschein über zwanzig Millionen«, erinnerte Townsend sie, »und einen zweiten über hunderttausend. Genügt das denn nicht?«

»Und in zehn Minuten werde ich Mr. Armstrongs Scheck in gleicher Höhe haben, und ich vermute, dass er meinen Roman ebenfalls nur zu gern herausgeben wird, trotz Claires – oder sollte ich sie lieber Kate nennen – wohlplatziertem Artikel.«

Townsend schwieg etwa dreißig Sekunden lang. Er ließ sich durch den Kopf gehen, ob er es darauf ankommen lassen sollte, doch nach einem Blick auf die Uhr, besann er sich rasch anders. Er stand auf und ging zu dem Telefon auf dem Beistelltischchen, warf einen Blick in seinen Taschenkalender und wählte eine siebenstellige Nummer. Nach einer ihm endlos vorkommenden Zeit bat er, zum Hauptkassierer durchgestellt zu werden. Ein Klicken war zu hören, dann meldete sich eine Sekretärin.

»Hier Keith Townsend. Ich muss sofort mit dem Hauptkassierer sprechen.«

»Tut mir leid, Sir, er ist momentan in einer Besprechung und darf die nächste Stunde nicht gestört werden.«

»Gut, dann müssen Sie etwas für mich erledigen. Ich muss

innerhalb von acht Minuten zwei Millionen Dollar auf das Konto eines Mandanten überweisen, wenn das Geschäft nicht platzen soll, über das wir heute früh gesprochen haben.«

Nach kurzem Schweigen versprach die Sekretärin: »Ich hole den Hauptkassierer aus der Besprechung, Mr. Townsend.«

»Dachte ich's mir doch«, murmelte Townsend, der hörte, wie die Sekunden auf der Standuhr hinter ihm tickend verrannen.

Tom beugte sich über den Tisch und wisperte Mr. Yablon etwas zu, der daraufhin nach seinem Füllfederhalter griff und zu schreiben begann. Im darauffolgenden Schweigen konnte Townsend hören, wie die Feder des alten Anwalts über das Papier kratzte.

»Hier Andy Harman«, meldete sich eine Stimme am anderen Ende der Leitung. Aufmerksam hörte der Hauptkassierer zu, als Townsend ihm erklärte, was er brauchte.

»Aber mir bleiben dafür nur sechs Minuten, Mr. Townsend! Und Sie müssen mir erst noch sagen, wohin ich das Geld überweisen soll.«

Townsend drehte sich zu seinem Anwalt um. In diesem Moment hörte Mr. Yablon zu schreiben auf, riss das Blatt aus seinem Notizblock und schob es über den Tisch. Tom griff danach und reichte es seinem Mandanten.

Townsend gab die erforderlichen Angaben über das Treuhandkonto an den Hauptkassierer in Sydney weiter.

»Ich kann nichts versprechen, Mr. Townsend«, sagte dieser, »aber ich werde Sie zurückrufen, so schnell ich kann. Würden Sie mir bitte Ihre Durchwahl geben?«

Townsend las die Nummer vom Telefon vor sich ab und legte dann auf.

Er kehrte zum Tisch zurück und ließ sich in den Sessel sinken. Ihm war, als hätte er gerade seinen letzten Penny ausgegeben. Und hoffte nur, Mrs. Sherwood würde ihm nicht auch noch das Telefonat berechnen.

Niemand am Tisch sprach, während die Sekunden scheinbar unnatürlich laut dahintickten. Townsend ließ den Blick kaum von der Standuhr. Mit jeder verrinnenden Minute schien das Ticken lauter zu werden, und jedes Mal raubte es ihm ein bisschen mehr von seiner Zuversicht.

Jedes Ticken klang inzwischen wie das einer Zeitbombe. Dann schrillte das Telefon. Townsend hastete zum Beistelltischchen und hob ab.

»Hier ist der Portier, Sir. Würden Sie Mrs. Sherwood bitte ausrichten, dass ein Mr. Armstrong sowie ein anderer Herr angekommen und im Fahrstuhl nach oben unterwegs sind?«

Schweiß trat Townsend auf die Stirn, als er erkannte, dass Armstrong ihn wieder einmal geschlagen hatte. Langsam ging er zum Tisch zurück, während das Hausmädchen über den Flur eilte, um Mrs. Sherwoods 18-Uhr-Besucher vom Lift abzuholen. Die Standuhr schlug einmal, zweimal, dreimal, als das Telefon erneut schrillte. Wieder stürzte Townsend zum Apparat und riss den Hörer von der Gabel. Ihm war klar, dass dies seine letzte Chance sein könnte.

Doch der Anrufer wollte mit Mr. Yablon sprechen. Townsend drehte sich um und reichte Mrs. Sherwoods Anwalt den Apparat. Dann schaute er sich verzweifelt um. Es gab doch bestimmt noch einen anderen Weg aus der Wohnung? Man konnte ihm nicht zumuten, einem triumphierenden Armstrong in die Arme zu laufen!

Mr. Yablon legte auf und wandte sich an Mrs. Sherwood. »Das war meine Bank. Man hat mir mitgeteilt, dass soeben zwei Millionen Dollar auf meinem Treuhandkonto eingegangen sind. Wie ich schon seit einiger Zeit sage, Margaret, ich glaube, Ihre Standuhr geht um eine Minute vor.«

Mrs. Sherwood unterzeichnete sofort die beiden Verträge und machte dabei ihre Vertragspartner auf eine Klausel im Testament des verstorbenen Sir George Sherwood aufmerksam, die sowohl Townsend als auch Tom überrumpelte. Schnell verstaute Tom seine sämtlichen Unterlagen in der Aktenmappe, während Mrs. Sherwood sich erhob. »Bitte folgen Sie mir, meine Herren.« Sie führte Townsend und seine Anwälte rasch durch die Küche und zeigte ihnen die Feuertreppe.

»Leben Sie wohl, Mr. Townsend«, sagte sie, als Keith durchs Fenster stieg.

»Leben Sie wohl, Mrs. Sherwood.« Er deutete eine Verneigung an.

»Übrigens …«, fügte sie hinzu.

Besorgt drehte Keith sich um.

»Wissen Sie, Sie sollten die junge Frau – wie auch immer sie heißen mag – wirklich heiraten.«

»Bedaure«, sagte Mr. Yablon gerade, als Mrs. Sherwood ins Esszimmer zurückkehrte, »aber meine Mandantin hat ihre Anteile am *Globe* bereits an Mr. Keith Townsend verkauft, der Ihnen ja bekannt ist, soweit ich weiß.«

Armstrong konnte nicht glauben, was er da hörte. Mit wutverzerrtem Gesicht wandte er sich seinem Anwalt zu.

»Für zwanzig Millionen?«, fragte Russell Critchley seinen älteren Kollegen mit ruhiger Stimme.

»Ja«, erwiderte Yablon. »Genau die Summe, auf die sich

Ihr Mandant mit Mrs. Sherwoods Schwager Anfang des Monats geeinigt hat.«

»Aber Alexander hat mir erst letzte Woche versichert, Mrs. Sherwood hätte sich einverstanden erklärt, ihre Anteile am *Globe* an mich zu verkaufen!«, sagte Armstrong heftig. »Ich bin extra nach New York geflogen ...«

»Es war nicht Ihr Flug nach New York, der meine Entscheidung beeinflusst hat, Mr. Armstrong«, entgegnete die alte Dame fest, »sondern Ihr Flug nach Genf.«

Armstrong starrte sie kurz an, dann drehte er sich um und marschierte zum Aufzug zurück, den er erst vor wenigen Minuten verlassen hatte und dessen Tür noch offen stand. Beim Hinunterfahren fluchte Armstrong mehrmals, bevor er fragte: »Aber wie, zum Teufel, hat Townsend das geschafft?«

»Ich kann nur vermuten, dass er einen Teil der Kreuzfahrt mitgemacht hat und dabei an Mrs. Sherwood herangetreten ist.«

»Und wie kann er überhaupt erfahren haben, dass ich dabei war, den *Globe* zu erwerben?«

»Ich habe das Gefühl, die Antwort auf diese Frage werden Sie nicht auf dieser Seite des Atlantiks bekommen«, meinte Critchley. »Aber noch ist nicht alles verloren.«

»Was soll das schon wieder heißen, zum Teufel?«

»Sie besitzen bereits ein Drittel der Anteile.«

»Genau wie Townsend«, brummte Armstrong.

»Stimmt. Aber wenn Sie Sir Walter Sherwoods Anteile dazubekämen, wären Sie im Besitz von zwei Dritteln der Gesellschaft, und Townsend bliebe keine andere Wahl, als sein Drittel an Sie zu verkaufen – mit einem erheblichen Verlust.«

Armstrong sah seinen Anwalt an, und die Spur eines Lächelns zog über sein aufgeschwemmtes Gesicht.

»Und da Alexander Sherwood Sie auch weiterhin unterstützen wird, ist das Spiel noch lange nicht vorbei.«

27

THE GLOBE

1. Juni 1967

Ihre Entscheidung!

»Können Sie mir umgehend einen Platz für den nächsten Flug nach London buchen?«, blaffte Armstrong, als er mit der Rezeption des Hotels verbunden war.

»Selbstverständlich, Sir.«

Sein nächster Anruf galt seinem Büro in London, wo Pamela, seine neueste Sekretärin, bestätigte, Sir Walter Sherwood hätte sich einverstanden erklärt, ihn morgen um zehn Uhr zu empfangen. Wenn auch nur widerstrebend, aber das behielt Pamela für sich.

»Ich muss auch mit Alexander Sherwood in Paris reden. Und sorgen Sie dafür, dass Reg am Flughafen ist und Stephen Hallet in meinem Büro, sobald ich zurück bin. Es muss alles geklärt sein, bevor Townsend nach London kommt.«

Als Sharon einige Minuten später mit unzähligen Einkaufstüten in die Suite kam, stellte sie erstaunt fest, dass Dick packte.

»Fahren wir irgendwohin?«, fragte sie.

»Wir fliegen sofort ab«, erwiderte er ohne weitere Erklärung. »Pack deine Sachen. Ich zahle inzwischen.«

Ein Page brachte Armstrongs Gepäck zur wartenden

Limousine hinunter, während er sich an der Rezeption die Flugtickets abholte und die Rechnung beglich. Er sah auf die Uhr. Er würde die Maschine gerade noch erreichen und früh am nächsten Morgen in London sein. Da Townsend nichts von der Zweidrittelklausel wusste, konnte es Dick immer noch gelingen, alleiniger Eigentümer der Gesellschaft zu werden. Und selbst, wenn er es wusste – Alexander Sherwood würde sich bei Sir Walter bestimmt für ihn einsetzen.

Sharon saß kaum in der Limousine, als Armstrong dem Chauffeur befahl, sie zum Flughafen zu fahren.

»Aber mein Gepäck wurde noch nicht heruntergebracht!«, protestierte Sharon.

»Dann muss es eben nachgeschickt werden. Ich kann es mir nicht leisten, diesen Flug zu verpassen.«

Auf dem Weg zum Flughafen sprach Sharon kein Wort mehr.

Als sie sich dem Terminal näherten, tastete Armstrong in seiner Jackentasche nach den Tickets, um sich zu vergewissern, dass er sie nicht vergessen hatte. Im Terminal befahl er einem Gepäckträger, sein Gepäck schnellstens in die Direktmaschine nach London zu schaffen; dann rannte er, Sharon im Schlepptau, zur Passkontrolle.

Sie wurden gleich zum Flugsteig dirigiert, wo eine Stewardess die Passagiere bereits eincheckte. »Keine Angst, Sir«, beruhigte sie Armstrong. »Sie können jetzt ein wenig verschnaufen. Sie haben noch ein paar Minuten.«

Armstrong zog die Tickets aus der Jackentasche, warf einen Blick darauf und gab eines davon Sharon. Ein Steward überprüfte Armstrongs Ticket und ließ ihn passieren. Dick eilte den langen Korridor hinunter zur wartenden Maschine.

Nun zeigte Sharon ihr Ticket vor. Der Steward warf ebenfalls einen Blick darauf und sagte dann: »Das Ticket ist nicht für diesen Flug, Madam.«

»Was soll das heißen?«, fragte Sharon scharf. »Ich habe einen gebuchten Platz erster Klasse für diesen Flug, genau wie Mr. Armstrong! Ich bin seine persönliche Assistentin!«

»Das bezweifle ich nicht, Ma'am, aber ich fürchte, dieses Ticket ist für die Touristenklasse im Abendflug von Pan Am ausgestellt. Bis dahin werden Sie leider warten müssen.«

»Von wo rufst du an?«, fragte er.

»Vom Kingsford-Smith-Flughafen«, antwortete sie.

»Dann dreh gleich wieder um, und besorg dir einen Rückflug mit derselben Maschine.«

»Warum? Ist das Geschäft geplatzt?«

»Nein, sie hat unterschrieben – allerdings hat es gekostet! Und es hat sich ein Problem bezüglich ihres Romans ergeben. Ich glaube, du bist die Einzige, die mir da aus der Patsche helfen kann.«

»Könnte ich nicht wenigstens eine Nacht schlafen, Keith? Ich wäre dann übermorgen in New York.«

»Das geht leider nicht«, bedauerte er. »Da ist noch etwas anderes, das wir erledigen müssen, bevor du dich an die Arbeit machst, und ich habe nur einen Nachmittag frei.«

»Und was?«

»Heiraten«, antwortete Keith.

Am anderen Ende der Leitung setzte ein längeres Schweigen ein, bis Kate schließlich sagte: »Keith Townsend, du musst der unromantischste Mann sein, den der liebe Gott je erschaffen hat.«

»Heißt das ›ja‹?« Doch die Leitung war bereits tot. Townsend legte auf und blickte über den Schreibtisch hinweg zu Tom Spencer.

»Hat sie Ihre Bedingungen akzeptiert?« Der Anwalt grinste.

»Ich bin mir nicht ganz sicher«, erwiderte Townsend. »Aber ich möchte trotzdem, dass Sie die Vorbereitungen treffen, wie besprochen.«

»Gut. Dann rufe ich gleich mal im Rathaus an.«

»Und halten Sie sich morgen Nachmittag frei.«

»Warum?« fragte Tom.

»Weil wir einen Trauzeugen brauchen, Herr Anwalt.«

Sir Walter Sherwood hatte an diesem einen Tag schon öfter geflucht als sonst in einem ganzen Monat.

Die erste Verwünschung stieß er nach dem Telefongespräch mit seinem Bruder aus. Alexander hatte ihn kurz vor dem Frühstück aus Paris angerufen, um ihn vom Verkauf seiner *Globe*-Anteile an Richard Armstrong zu unterrichten und ihm den wohlgemeinten Ratschlag zu erteilen, das Gleiche zu tun. Zwanzig Millionen Dollar wären ein Betrag, mit dem sich einiges anfangen ließe.

Doch alles, was Sir Walter über Armstrong gehört hatte, ließ es ihm dringend angeraten erscheinen, von einer solchen Transaktion Abstand zu nehmen. Wenn jemand eine Zeitung, die so britisch war wie Roastbeef oder Yorkshire-Pudding, nicht in die Finger bekommen durfte, dann war es Richard Armstrong.

Nach einem ausgezeichneten Lunch im Turf Club hatte er sich wieder ein wenig beruhigt, bekam dann aber fast einen Herzinfarkt, als ihn seine Schwägerin aus New York anrief und darüber informierte, dass auch sie ihre Anteile verkauft hatte – allerdings nicht an Armstrong, sondern an Keith Townsend, den Sir Walter für jemanden hielt, der mit seiner

Regenbogenpresse die britischen Kolonien in Verruf brachte. Nie würde Sir Walter jene Woche vergessen, als er in Sydney festsaß und die täglichen Tiraden des *Sydney Chronicle* über die »sogenannte Königin von Australien« hatte über sich ergehen lassen müssen. Daraufhin war er auf den *Continent* umgestiegen, nur um feststellen zu müssen, dass dieses Blatt dafür plädierte, Australien solle Republik werden.

Der letzte Anruf des Tages kam von seinem Buchhalter, kurz bevor er sich mit seiner Frau zum Dinner begab. Sir Walter brauchte nicht daran erinnert zu werden, dass die Verkaufszahlen des *Globe* im vergangenen Jahr von Woche zu Woche gesunken waren und er deshalb gut daran täte, ein Angebot von zwanzig Millionen Dollar zu akzeptieren, egal von wem. Nicht zuletzt schon deshalb, weil – wie hatte der unverschämte Kerl es so unfein genannt – »Ihre beiden Verwandten Sie übers Ohr gehauen haben, und je schneller Sie an das Geld herankommen, desto besser«.

»Aber an welchen dieser Lumpen soll ich verkaufen?«, fragte Sir Walter kläglich.

»Ich fürchte, dass ich nicht qualifiziert bin, Sie in dieser Hinsicht zu beraten«, entgegnete der Buchhalter. »Vielleicht an denjenigen, den Sie weniger unsympathisch finden.«

Am nächsten Morgen betrat Sir Walter sein Büro ungewöhnlich früh. Seine Sekretärin brachte ihm sofort zwei dicke Ordner mit Informationen über die beiden Interessenten. Sie berichtete ihm, dass alle beide jeweils von einem Kurier gebracht worden waren, und zwar in einem Abstand von einer Stunde. Sir Walter blätterte sie durch und erkannte rasch, dass sie von den beiden Konkurrenten stammten, die ihn mit Informationen über den jeweils anderen versorgen wollten. Er zögerte die Angelegenheit hinaus, doch als die Tage vergingen, erinnerten ihn sein Prokurist, sein Anwalt und seine Frau immer wieder an die sinkenden Verkaufszahlen, und der einfachste Weg aus dieser Misere lag auf dem Präsentierteller vor ihm.

Schließlich fügte Sir Walter sich ins Unvermeidliche. Er sagte sich, dass es das geringere Übel war, sich entweder mit Armstrong oder mit Townsend abzufinden, solange er weitere vier Jahre Vorstandsvorsitzender bleiben konnte – also bis zu seinem siebzigsten Geburtstag. Sir Walter betrachtete es als überaus wichtig, seinen Freunden vom Golf Club versichern zu können, dass man ihn als Vorsitzenden übernommen hatte.

Am nächsten Morgen bat er seine Sekretärin, die beiden Konkurrenten an zwei aufeinanderfolgenden Tagen zum Lunch im Turf Club einzuladen. Er versprach, ihnen binnen einer Woche seine Entscheidung mitzuteilen.

Doch nachdem Sir Walter mit beiden Rivalen zu Mittag gegessen hatte, war er sich immer noch nicht schlüssig, welcher ihm unsympathischer war. Er bewunderte, dass Armstrong für das Land gekämpft hatte, das er zu seiner neuen Heimat erkoren hatte, und ihm das Viktoriakreuz verliehen worden war. Doch den Gedanken, dass der zukünftige Eigentümer des *Globe* nicht wusste, wie man richtig mit Messer und Gabel umging, konnte er nicht ertragen. Dagegen gefiel ihm zwar die Vorstellung, dass der mögliche zukünftige Besitzer des *Globe* in Oxford studiert hatte, doch wurde ihm jedes Mal fast übel, wenn er sich Townsends Ansichten über die Monarchie ins Gedächtnis rief. Zumindest hatten beide ihm versichert, dass er Vorstandsvorsitzender bleiben dürfe. Als die Woche um war, war er einer Entscheidung jedoch immer noch keinen Deut näher.

Sir Walter fragte jedes Mitglieds des Golfclubs um Rat, einschließlich des Barkeepers, konnte sich aber noch immer nicht entscheiden. Erst als sein Bankier ihn darauf aufmerksam machte, dass das Pfund aufgrund der anhaltenden Schwierigkeiten von Präsident Johnson in Vietnam gegenüber dem Dollar an Kaufkraft zulegte, rang er sich schließlich zu einer Entscheidung durch.

Seltsam, wie ein einzelnes Wort einen ganzen Strom unabhängiger Gedanken auslösen und einen zum Handeln anspornen kann, grübelte Sir Walter. Als er nach dem Gespräch mit seinem Bankier den Hörer auflegte, wusste er genau, wem er es überlassen sollte, die endgültige Entscheidung zu treffen. Doch ihm war auch klar, dass diese Entscheidung selbst vor dem Chefredakteur des *Globe* bis zum letzten Moment geheim gehalten werden musste.

Am Freitagnachmittag flog Armstrong mit Julie, einem Mädchen aus der Anzeigenabteilung, nach Paris. Er erklärte Pamela, dass er nur im Notfall gestört werden dürfe. Das Wort Notfall wiederholte er mehrmals.

Townsend war am Tag zuvor nach New York zurückgeflogen, da er den Tipp bekommen hatte, ein Hauptaktionär des *New York Star* sei möglicherweise endlich bereit, seine Anteile zu verkaufen. Er teilte Heather mit, dass er voraussichtlich in frühestens zwei Wochen nach England zurückkehren würde.

An diesem Freitagabend wurde Sir Walters Geheimnis gelüftet. Die erste Person in Armstrongs Lager, die es erfuhr, rief sofort in dessen Büro an und erhielt die Privatnummer seiner Sekretärin. Nachdem er Pamela erklärt hatte, was Sir Walter vorhatte, bestand für sie nicht der geringste Zweifel, dass es sich hier um einen Notfall handelte. Sie rief sogleich im George V an. Der Hoteldirektor informierte sie, Mr. Armstrong sei mit seiner »Begleiterin« in ein anderes Hotel umgezogen, nachdem er bemerkt hatte, dass mehrere Minister der Labour Party, die in Paris an einer NATO-Konferenz teilnahmen, an der Bar saßen. Pamela verbrachte Stunden damit, systematisch jedes der besseren Hotels in Paris anzurufen. Erst nach Mitternacht hatte sie Armstrong endlich aufgespürt.

Der Nachtportier betonte mehrmals, Mr. Armstrong hätte die Anweisung erteilt, ihn unter keinen Umständen zu stören. Der Mann dachte dabei an das Alter des Mädchens, das sich bei Armstrong befand, und war sicher, dass er sein Trinkgeld in den Wind schreiben konnte, falls er diese Anweisung missachtete. Pamela lag die ganze Nacht wach; um sieben Uhr früh versuchte sie es erneut. Da der Geschäftsführer samstags jedoch erst um neun zum Dienst kam, erhielt sie die gleiche frostige Erwiderung.

Der Erste, der Townsend informierte, war Chris Slater, der stellvertretende Chefredakteur des *Globe*. Slater sagte sich, er könne sich mit diesem Anruf möglicherweise seine Zukunft bei der Zeitung sichern. Allerdings kostete es ihn mehrere Überseetelefonate, bis er Mr. Townsend im Raquets Club in New York erreichte, wo dieser sich mit Tom Spencer einen Zweikampf in Squash lieferte – für tausend Dollar das Spiel.

Keith führte im Entscheidungsspiel mit vier Punkten Vorsprung, als ein Angestellter an die Glastür klopfte und sich erkundigte, ob Mr. Townsend ein dringendes Telefongespräch annehmen könne. Um seine Konzentration nicht zu verlieren, fragte Keith lediglich: »Von wem?« Da ihm der Name Chris Slater nichts sagte, wies er den Angestellten an:

»Lassen Sie sich die Nummer geben, ich rufe später zurück.« Doch kurz bevor er wieder aufschlug, fragte er noch: »Hat er gesagt, von wo er anruft?«

»Nein, Sir«, antwortete der Mann. »Nur, dass er vom *Globe* ist.«

Keith spielte rasch die verschiedenen Möglichkeiten durch, wobei er geistesabwesend den Squashball in seiner Hand zusammenpresste.

Derzeit stand er mit zweitausend Dollar gegen einen Mann im Plus, den er seit Monaten nicht mehr geschlagen hatte; er wusste, dass Tom das Match gewinnen würde, falls er das Spielfeld jetzt verließ, und sei es auch nur für kurze Zeite.

Keith starrte weitere zehn Sekunden auf die Glaswand, bis Tom scharf sagte: »Machen Sie schon!«

»Ist das Ihr Rat, Herr Anwalt?«, fragte Keith.

»Allerdings«, entgegnete Tom. »Machen Sie weiter, oder geben Sie sich geschlagen. Liegt ganz bei Ihnen.« Townsend ließ den Ball fallen, stürmte vom Spielfeld und jagte dem Angestellten nach. Er erreichte den Mann gerade noch, bevor dieser auflegte.

»Ich kann nur hoffen, es ist wirklich wichtig, Mr. Slater«, sagte Townsend in den Hörer, »denn bis jetzt kosten Sie mich bereits zweitausend Dollar.«

Er lauschte ungläubig, als Slater ihm berichtete, Sir Walter Sherwood werde in der morgigen Ausgabe des *Globe* die Leser dazu auffordern zu votieren, wer ihrer Meinung nach der nächste Eigentümer der Zeitung werden solle.

»Von beiden Kandidaten werden jeweils ganzseitige Porträts veröffentlicht«, fuhr Slater fort. »Und am Seitenende befindet sich ein Wahlschein, den man abtrennen kann.«

Dann las er die letzten drei Sätze des geplanten Leitartikels vor.

»Die treuen Leser des *Globe* brauchen nicht um die Zukunft der beliebtesten Zeitung des Königreichs fürchten. Beide Kandidaten haben sich einverstanden erklärt, dass Sir Walter Sherwood Vorstandsvorsitzender bleibt, und garantieren auf diese Weise die Kontinuität, die seit mehr als einem halben Jahrhundert Garant für die redaktionelle Linie der Zeitung ist. Versäumen Sie nicht, Ihre Wahlscheine einzuschicken! Das Ergebnis wird am nächsten Samstag bekanntgegeben.«

Townsend dankte Slater und versicherte ihm, ihn nicht zu vergessen, sollte er der neue Besitzer der Zeitung werden. Nachdem er aufgelegt hatte, galt sein erster Gedanke der Frage, wo Armstrong sein mochte.

Keith kehrte nicht zum Squashspiel zurück, sondern telefonierte sofort mit Ned Brewer, seinem Bürochef in London. Er wies ihn genau an, was er in der Nacht tun solle, und schloss damit, dass er sich sofort nach seiner Landung in Heathrow mit ihm in Verbindung setzen werde. »Und sorgen Sie inzwischen dafür, Ned, dass Sie mindestens zwanzigtausend Pfund Bargeld bereit haben, bis ich ins Büro komme.«

Gleich nach Beendigung des Gesprächs holte Keith sich seine beim Wachdienst deponierte Brieftasche, trat hinaus auf die Fifth Avenue und hielt ein Taxi an. »Zum Flughafen«, wies er den Fahrer an. »Ich gebe Ihnen hundert Dollar, wenn ich rechtzeitig zum nächsten Flug nach London dort ankomme.« Vielleicht hätte er »lebend« hinzufügen sollen.

Während das Taxi sich mit selbstmörderischem Tempo durch das Verkehrsgewühl schlängelte, fiel Keith plötzlich ein, dass Tom noch auf dem Squashfeld auf ihn wartete und dass er am Abend mit Kate hatte ausgehen wollen, damit sie ihm erzählte, wie weit sie inzwischen mit *Die Geliebte des Senators* gekommen war. Inzwischen dankte Keith jeden Tag einem Gott, an den er nicht glaubte, dass Kate von Sydney zurückgeflogen war. Er ahnte, dass er Glück hatte, einen Menschen gefunden zu haben, der seinen unsteten Lebensstil zu tolerieren vermochte – zum Teil deshalb, weil Kate die Situation schon lange vor ihrer geplanten Hochzeit akzeptiert hatte. Nie weckte sie Schuldgefühle in ihm, weder seiner unmöglichen Arbeitszeiten wegen, noch weil er oft zu spät oder überhaupt nicht erschien. Er hoffte nur, dass Tom Kate anrief und ihr Bescheid gab, dass er verschwunden war. »Nein, ich habe nicht die leiseste Ahnung, wohin er gefahren ist«, konnte Keith ihn sagen hören.

Als er am nächsten Morgen in Heathrow eintraf, schien der Taxifahrer der Ansicht zu sein, dass es ihm nicht anstand, seinen Fahrgast zu fragen, weshalb dieser im Trainingsanzug und mit einem Squashschläger in der Hand erschien. Vielleicht waren ja sämtliche Squashplätze in New York ausgebucht.

Vierzig Minuten später erreichte Keith sein Londoner Büro und übernahm von Ned Brewer die Leitung der »Operation *Globe*«. Um zehn war jeder zur Verfügung stehende Angestellte bis in die hintersten Winkel der Hauptstadt unterwegs. Schon am Mittag konnte niemand mehr in einem Umkreis von zwanzig Meilen um Hyde Park Corner ein Exemplar des *Globe* auftreiben, und hätte er noch so viel dafür bezahlt. Um einundzwanzig Uhr befand sich Keith im Besitz von einhundertsechsundzwanzigtausendzweihundertzwölf Exemplaren der Zeitung.

Armstrong landete am Samstagnachmittag in Heathrow, nachdem er den größten Teil des Vormittags damit verbracht hatte, von Paris aus seinen über ganz Großbritannien verteilten Angestellten Befehle zu erteilen. Um neun Uhr früh am Sonntag gehörten ihm dank eines meisterhaften Fischzugs im Gebiet von West Riding neunundsiebzigtausendeinhundertsieben Exemplare des *Globe*.

Er verbrachte den Sonntag damit, die Chefredakteure seiner sämtlichen Regionalzeitungen anzurufen und anzuweisen, Leitartikel für die morgige Ausgabe zu verfassen und darin die Leser aufzufordern, den *Globe* vom Samstag auszugraben und Armstrong zu wählen. Am Montagmorgen präsentierte er sich höchstpersönlich in der *Today Show* und in so vielen Nachrichtensendungen wie möglich. Doch alle Produzenten derselben entschieden, es sei nur fair, Townsend am nächsten Tag die Chance für eine Erwiderung zu geben.

Bereits am Donnerstag war Townsends Personal vom Abtrennen und Ausfüllen der Wahl-Coupons völlig erschöpft, und auch Armstrongs Leute hatten es restlos satt, Umschläge anzulecken. Am Freitagnachmittag riefen beide Männer alle paar Minuten beim *Globe* an und versuchten herauszufinden, wie es mit dem Wahlergebnis aussah. Doch der Wahlreformverband, von dem Sir Walter die Stimmen auszählen ließ, war mehr an Genauigkeit als an Schnelligkeit interessiert, und nicht einmal der Chefredakteur erfuhr das Ergebnis vor Mitternacht.

»DER CLEVERE AUSSIE SCHLÄGT DEN GROSSSPURIGEN TSCHECHEN!«, schrie einem die Schlagzeile der ersten Samstagausgabe des *Globe* entgegen. Der Leitartikel informierte die Leser, dass die Wahl mit 232.712

Stimmen zugunsten des Mannes aus den Kolonien gegenüber 229.847 Stimmen für den Immigranten ausgefallen war.

Townsends Anwalt erschien am Montag um neun Uhr mit einer Zahlungsanweisung über zwanzig Millionen Dollar in der Verwaltung des *Globe*. Sosehr Armstrong auch protestierte, welche Klagen er auch androhte – er konnte Sir Walter nicht davon abhalten, am Nachmittag seine Anteile an Townsend zu verkaufen.

Bei der ersten Sitzung des neuen Vorstands schlug Townsend vor, dass Sir Walter Vorsitzender blieb und ihm sein bisheriges Jahresgehalt von einhunderttausend Pfund weitergezahlt werden solle. Der alte Herr lächelte und hielt eine schmeichelhafte Rede, dass die Leser unzweifelhaft die richtige Wahl getroffen hatten.

Townsend meldete sich erst wieder zu Wort, als es zum Tagesordnungspunkt »Verschiedenes« kam. Er schlug vor, dass alle Angestellten des *Globe* – gemäß seiner Unternehmenspolitik – mit sechzig Jahren automatisch in den Ruhestand gehen sollten. Sir Walter unterstützte diesen Antrag, da er es eilig hatte, zu einer Feier mit seinen Freunden im Turf Club zu kommen. Der Antrag wurde ohne Einwände angenommen.

Erst als Sir Walter an diesem Abend ins Bett ging, machte ihm seine Frau die Bedeutung dieses Beschlusses klar.

28

The Citizen

15. April 1968

Minister tritt zurück

»Einhunderttausend Exemplare des Romans *Die Geliebte des Senators* sind gedruckt und liegen in einem Lagerhaus in New Jersey. Nun warten sie darauf, von Mrs. Sherwood begutachtet zu werden«, sagte Kate und verdrehte die Augen zur Zimmerdecke.

»Das ist schon mal ein guter Anfang«, stellte Townsend fest. »Aber die Schmöker werden mir keinen Penny von meinem Geld zurückbringen, ehe Mrs. Sherwood sie nicht in den Buchhandlungen gesehen hat.«

»Sobald ihr Anwalt die Zahl und den Bruttoeinkaufspreis bestätigt hat, wird er keine Wahl haben, als dir die erste Million Dollar zurückzugeben. Schließlich wurde dieser Teil des Vertrags innerhalb der vereinbarten zwölf Monate erfüllt.«

»Und wie viel haben Mrs. Sherwoods literarische Ergüsse mich bisher schon gekostet?«

»Wenn du Druckkosten und Transport einrechnest, ungefähr dreißigtausend Dollar«, antwortete Kate. »Alles andere wurde innerbetrieblich geregelt oder lässt sich von der Steuer absetzen.«

»Kluges Mädchen. Aber welche Chance habe ich, meine

zweite Million zurückzubekommen? Trotz der Zeit und Mühe, die dich das Umschreiben des Romans gekostet hat, kann ich mir nicht vorstellen, dass der Schinken auf der Bestsellerliste landet.«

»Da bin ich mir nicht so sicher«, entgegnete Kate. »Jeder weiß, dass es nur elfhundert Buchhandlungen sind, die der *New York Times* wöchentlich ihre Verkaufszahlen für die Bestseller-Hochrechnung mitteilen. Wenn du mir diese Liste besorgen kannst, hätte ich eine echte Chance, dafür zu sorgen, dass du auch deine zweite Million zurückkriegst.«

»Aber nur zu wissen, welche Buchhandlungen ihre Verkaufszahlen melden, ist für Kunden kein Grund, irgendwelche Bücher zu kaufen.«

»Das nicht. Aber ich glaube, wir könnten die Leser in die richtige Richtung stupsen.«

»Und wie willst du das anstellen?«

»Zunächst einmal, indem wir das Buch in einem verkaufsschwachen Monat auf den Markt bringen – im Januar oder Februar zum Beispiel –, und dann nur die Buchhandlungen damit beliefern, die in Verbindung mit der *New York Times* stehen.«

»Das veranlasst die Leute immer noch nicht, die Buchhandlungen zu stürmen.«

»Wird es aber, wenn wir den Händlern bei einem Verkaufspreis von umgerechnet 3 Pfund 50 nur fünfzig Pence pro Exemplar berechnen. Der Händler hat also eine Gewinnspanne von siebenhundert Prozent, statt der üblichen einhundert.«

»Aber auch das wird nicht helfen, solange der Roman unsäglicher Schwachsinn ist.«

»In der ersten Woche wird das keine Rolle spielen«, widersprach Kate. »Bei einem solchen Gewinn ist es für die

Händler in ihrem eigenen Interesse, das Buch in die Schaufenster zu stellen und auf den Ladentisch, vor die Kasse, ja, sogar in die Bestsellerregale. Ich habe herausgefunden, dass wir in der ersten Woche lediglich fünfzehntausend Exemplare verkaufen müssen, um auf Platz fünfzehn der Bestsellerliste zu landen, was pro Buchhandlung nicht einmal zehn Exemplare wären.«

»Hm, das könnte uns eine Fünfzig-zu-fünfzig-Chance verschaffen«, murmelte Keith.

»Und ich kann unsere Chancen noch erhöhen. In der Auslieferungswoche können wir unser Zeitungs- und Zeitschriftennetz in den Vereinigten Staaten benutzen, um dafür zu sorgen, dass wir positive Besprechungen und Werbung auf den Titelseiten bekommen. Außerdem sollte mein Artikel über ›Die erstaunliche Mrs. Sherwood‹ in so vielen unserer Zeitschriften wie nur möglich erscheinen.«

»Wenn es mir eine Million Dollar rettet, wird der Artikel in jeder unserer Zeitschriften zu lesen sein«, erklärte Townsend. »Aber ich befürchte, selbst das wird unsere Chance auch nicht viel höher als fifty-fifty steigen lassen.«

»Wenn du mich noch einen Schritt weitergehen lässt, bringe ich die Chance wahrscheinlich sogar noch *viel* höher.«

»Was schlägst du vor? Dass ich die *New York Times* kaufe?«

»So weit brauchst du nun auch wieder nicht zu gehen.« Kate lächelte. »Wie wär's, wenn wir in der Auslieferungswoche von unseren Angestellten fünftausend Bücher kaufen lassen?«

»Fünftausend Exemplare? Da können wir das Geld ja gleich zum Fenster rauswerfen!«

»Nicht unbedingt«, widersprach Kate. »Nachdem wir die

Bücher das Stück für fünfzig Cent an die Buchhandlungen zurückverkauft haben, bleibt uns ein Minus von fünfzehntausend Dollar. Dafür ist uns eine Woche ein Platz auf der Bestsellerliste sicher. Und dann wird Mr. Yablon dir deine zweite Million zurückgeben müssen.«

Townsend nahm Kate in die Arme. »Ja, so könnten wir es vielleicht tatsächlich schaffen!«

»Aber nur, wenn *du* mir die Namen der Buchhandlungen beschaffst, die der *New York Times* ihre Verkaufszahlen melden.«

»Du bist ein verdammt schlaues Mädchen!« Er drückte sie an sich.

Kate lächelte. »Jetzt weiß ich endlich, was dich in Fahrt bringt.«

»Stephen Hallet ist auf Apparat eins und Ray Atkins, der Minister für Handel und Industrie, auf Apparat zwei«, meldete Pamela.

»Ich nehme Atkins. Sagen Sie Stephen, ich rufe gleich zurück.«

Armstrong wartete auf das Klicken seines neuesten Spielzeugs, das dafür sorgen würde, dass das gesamte Gespräch aufgenommen wurde. »Guten Morgen, Herr Minister«, sagte er. »Was kann ich für Sie tun?«

»Es geht um ein persönliches Problem, Dick. Könnten wir uns treffen?«

»Selbstverständlich«, erwiderte Armstrong. »Wie wär's zum Lunch im Savoy nächste Woche?« Er blätterte in seinem Terminkalender.

»Ich fürchte, es ist dringender, Dick. Und ich möchte lieber nicht an einem so öffentlichen Ort gesehen werden.«

Armstrong blickte auf die Seite mit den Terminen des heutigen Tages. »Also gut. Dann schlage ich ein Mittagessen in meinem privaten Speisezimmer vor. Ich war eigentlich mit Don Sharpe zum Essen verabredet, aber wenn Sie es so eilig haben, kann ich das Treffen mit Don verschieben.«

»Das ist wirklich zu freundlich von ihnen, Dick. Sagen wir, so gegen eins?«

»In Ordnung. Ich werde jemanden zum Empfang schicken, der Sie direkt zu mir bringt.« Lächelnd legte Armstrong auf. Er wusste genau, weshalb der Minister ihn sprechen wollte. Schließlich war Dick über all die Jahre hinweg ein loyaler Anhänger der Labour Party geblieben – nicht zuletzt, indem er fünfzig Parteimitgliedern in kleinen, aber nicht unwichtigen Schlüsselpositionen jährlich tausend Pfund zukommen ließ. Diese kleine Investition sicherte ihm fünfzig enge Freunde in der Regierungspartei, mehrere davon Minister, sowie Verbindungen bis in höchste Kabinettskreise, wann immer er sie brauchte. Hätte er den gleichen Einfluss in Amerika ausüben wollen, würde ihn das mehr als eine Million Dollar pro Jahr kosten.

Seine Gedanken wurden durch das Läuten des Telefons unterbrochen. Pamela hatte Stephen Hallet in der Leitung.

»Tut mir leid, dass ich dich warten lassen musste, Stephen, aber ich hatte den jungen Ray Atkins am anderen Apparat. Er sagte, er müsse mich dringend treffen. Ich glaube, wir können beide erraten, worum es geht.«

»Ich dachte, die Entscheidung über den *Citizen* würde frühestens nächsten Monat erwartet.«

»Vielleicht wollen sie es bekannt geben, bevor die Leute irgendwelche Vermutungen anstellen. Vergiss nicht, Atkins war der Minister, der Townsends Angebot für den *Citizen* an die Kartellaufsichtsbehörde verwiesen hat. Ich glaube nicht, dass die Labour Party begeistert wäre, wenn Townsend nach dem *Globe* jetzt auch noch den *Citizen* erwirbt.«

»Es wird letztendlich das Kartellamt sein, das diese Entscheidung trifft, Dick, nicht der Minister.«

»Ich kann mir trotzdem nicht vorstellen, dass die Behörde Townsend die Kontrolle über die halbe Fleet Street zugesteht. Wie auch immer – der *Citizen* ist die Zeitung, von der die Labour Party all die Jahre treu unterstützt wurde, während die anderen Blätter kaum mehr als Tory-Zeitschriften gewesen sind.«

»Aber die Kartellaufsichtsbehörde wird trotzdem zumindest den Anschein erwecken müssen, unparteiisch zu sein.«

»So unparteiisch, wie Townsend bei Wilson und Heath gewesen ist? Der *Globe* ist zu einem täglichen Liebesbrief an Mr. Heath geworden. Würde Townsend auch noch den *Citizen* in die Klauen kriegen, hätte die Labour-Bewegung keine Stimme mehr in diesem Land.«

»Das weißt du, und das weiß ich«, erwiderte Stephen. »Aber das Kartellamt setzt sich nicht nur aus Sozialisten zusammen.«

»Umso schlimmer!«, brummte Armstrong. »Wenn ich den *Citizen* bekäme, würde Townsend zum ersten Mal in seinem Leben erfahren, was echte Konkurrenz ist.«

»Mich brauchst du nicht zu überzeugen, Dick. Ich wünsche dir Glück mit dem Minister. Aber deshalb habe ich nicht angerufen.«

»Jedes Mal, wenn du anrufst, geht es um ein Problem, Stephen. Was ist es diesmal?«

»Ich habe ein langes Schreiben von Sharon Levitts Anwalt erhalten, in dem er mit einer einstweiligen Verfügung droht.«

»Aber ich habe ihr vor Monaten eine Abfindung gezahlt. Sie kann keinen einzigen Penny mehr von mir erwarten!«

»Ich weiß, Dick. Aber diesmal geht es um eine Vaterschaftsklage. Sharon hat einen Sohn zur Welt gebracht und behauptet, dass du der Vater bist.«

»Was! Beim Lebenswandel dieses Weibsbilds könnte jeder der Vater sein!«, stieß Armstrong hervor.

»Möglich«, erwiderte Stephen. »Aber nicht mit diesem Muttermal unter dem rechten Schulterblatt. Und vergiss nicht, im Ausschuss der Kartellaufsichtsbehörde sitzen vier Frauen, und Townsends Frau ist schwanger.«

»Wann wurde der Bastard geboren?« Armstrong blätterte seinen Terminkalender zurück.

»Am 4. Januar.«

»Einen Moment!« Armstrong starrte auf die Eintragung bei dem neun Monate früheren Datum: Alexander Sherwood, Paris. »Dieses verfluchte Weibsstück muss es von Anfang an darauf angelegt haben, als sie vortäuschte, meine Chefsekretärin werden zu wollen. Sie wusste, dass sie auf diese Weise mit gleich zwei Abfindungen rechnen kann! Was rätst du mir?«

»Sharons Anwälte wissen mit Sicherheit vom Kampf um den *Citizen,* und sie wissen auch, dass ein Anruf beim *Globe* genügen würde ...«

Armstrong hob die Stimme. »Das würden sie nicht wagen!«

»Vielleicht nicht«, erwiderte Stephen, »Aber sie vielleicht schon. Ich kann dir nur raten, es mir zu überlassen, die bestmöglichen Bedingungen auszuhandeln.«

»Wenn du meinst«, sagte Armstrong, nun etwas ruhiger. »Aber warne Sharon. Wenn davon auch nur ein Wort durchsickert, ist noch am gleichen Tag Schluss mit den Zahlungen.«

»Ich tu mein Bestes«, versprach Stephen. »Aber ich fürchte, sie hat etwas von dir gelernt.«

»Und das wäre?«

»Dass es sich nicht auszahlt, einen zweitklassigen Anwalt zu nehmen. Ich rufe dich an, sobald wir uns auf die Bedingungen geeinigt haben.«

»Ja, mach das.« Armstrong knallte den Hörer auf die Gabel.

»Pamela!«, brüllte er durch die Tür. »Wählen Sie Don Sharpes Nummer!«

Als der Chefredakteur der *London Evening Post* an den Apparat kam, sagte Armstrong: »Es ist etwas dazwischengekommen. Ich muss unseren Lunch verschieben.« Er legte auf, ehe Sharpe dazu kam, etwas zu sagen. Armstrong hatte schon vor geraumer Zeit beschlossen, dass dieser Redakteur durch einen fähigeren Mann ersetzt werden musste, er hatte sogar bereits den Journalisten angesprochen, den er für diese Stellung vorgesehen hatte. Doch durch den Anruf des Ministers musste diese Sache noch ein paar Tage warten.

Dick machte sich keine allzu großen Sorgen wegen Sharon und ob sie möglicherweise etwas ausplaudern würde. Er hatte Dossiers über alle Redakteure in der Fleet Street und sogar noch umfangreichere über ihre Bosse, außerdem verfügte er über einen fast kompletten Aktenschrank mit Material über Keith Townsend. Seine Gedanken schweiften zu Ray Atkins zurück.

Nachdem Pamela die Morgenpost mit ihm durchgegangen war, bat Dick sie um ein Exemplar von *Dod's Parliamentary Companion*. Er wollte sich noch einmal die Einzelheiten von Atkins' Karriere ansehen, die Ministerialposten, die er bekleidet hatte. Es konnte auch nicht schaden, sich die Namen von Atkins' Frau und Kindern einzuprägen und welche Hobbys der Mann hatte.

Ray Atkins galt allgemein als einer der fähigsten Politiker seiner Generation, was sich bestätigte, als Harold Wilson ihn nach nur fünfzehn Monaten zum Minister in seinem Schattenkabinett machte. Nach der Wahl 1966 wurde Atkins Staatsminister im Ministerium für Handel und Industrie. Es wurde allgemein angenommen, dass Atkins zu den engsten Beratern des Regierungschefs gehören würde, falls die Labour Party die nächsten Wahlen gewann – was Armstrong allerdings nicht für wahrscheinlich hielt. Einige Leute sahen in Ray Atkins sogar schon den zukünftigen Parteiführer.

Als Atkins noch Abgeordneter eines Wahlkreises im Norden des Landes war, in dem Armstrong die Mehrheit an einigen Lokalzeitungen besaß, hatten sich die beiden Männer näher kennengelernt. Sie trafen sich bei Wahlveranstaltungen und gingen zusammen essen. Dann wurde Atkins zum Minister für Handel und Industrie ernannt und war somit bei Fragen von Konzernbildungen die letzte und ausschlaggebende Instanz. Schon deshalb bemühte Armstrong sich noch mehr, ihre Freundschaft – wenn man es so nennen konnte – zu pflegen, in der Hoffnung, Atkins könnte das Zünglein an der Waage sein, wenn es zur Entscheidung kam, wer den *Citizen* erwerben durfte.

Der Absatz des *Globe* blieb auch unter seinem neuen Eigentümer Townsend rückläufig. Townsend hatte vorgehabt, den Chefredakteur an die Luft zu setzen, hatte seine

Pläne jedoch auf Eis gelegt, als wenige Monate später Hugh Tuncliffe starb, der Besitzer des *Citizen*, und seine Witwe ankündigte, sie wolle die Zeitung verkaufen. Townsend verbrachte mehrere Tage damit, seinen Vorstand davon zu überzeugen, dass man ein Angebot für den *Citizen* machen solle – ein Angebot, das die *Financial Times* als zu hoch bezeichnete, auch wenn der *Citizen* sich damit rühmte, die höchste tägliche Auflage in Großbritannien zu haben. Nachdem sämtliche Angebote eingegangen waren, erwies sich Townsends als das bei Weitem höchste. Augenblicklich spuckte die liberale Intelligenzija Gift und Galle, deren strikte Ansichten auf der Titelseite des *Guardian* Verbreitung fanden. Tag um Tag posaunten ausgewählte Kolumnisten ihre Missbilligung hinaus, dass Townsend bald die zwei seriösesten Tageszeitungen des Landes gehören könnten. In bisher noch nie da gewesener Solidarität mit einem anderen Qualitätsblatt donnerte sogar die *Times* in einem Leitartikel für das Establishment, allein die Vorstellung, dass Ausländer »nationale Institutionen erwerben und so gewaltigen Einfluss auf die britische Lebensweise nehmen«, sei »verdammenswert«. Am nächsten Morgen flatterten mehrere Briefe auf den Schreibtisch des Chefredakteurs der *Times* und erinnerten ihn daran, dass der Eigentümer des Blattes Kanadier war. Keiner der Briefe wurde veröffentlicht.

Als Armstrong bekannt gab, dass er ein Angebot in derselben Höhe wie Townsend unterbreiten würde, und versprach, Sir Paul Maitland, den ehemaligen Botschafter in Washington, als Vorstandsvorsitzenden in Amt und Würden zu belassen, hatte die Regierung keine Wahl, als die Angelegenheit der Kartellaufsichtsbehörde zur Entscheidung zu übergeben. Townsend schäumte vor Wut über dieses »sozialistische

Komplott«, wie er es bezeichnete. Es brachte ihm jedoch wenig Sympathien bei denjenigen ein, die im Vorjahr den Niedergang des journalistischen Niveaus beim *Globe* verfolgt hatten. Wobei sich auch nicht allzu viele für Armstrong aussprachen. Im Monat zuvor hatten mehrere Zeitungen in ihren Artikeln das Klischee bemüht, zwischen dem kleineren von zwei Übeln wählen zu müssen.

Diesmal jedoch war Armstrong überzeugt, dass er Townsend schlagen konnte und ihm das begehrteste Objekt der Fleet Street in den Schoß fallen würde. Er konnte es kaum erwarten, sich mit Ray Atkins zum Lunch zu treffen und sich die Neuigkeit offiziell bestätigen zu lassen.

Atkins erschien kurz vor eins. Als Pamela ihn ins Büro brachte, führte Armstrong gerade ein Telefongespräch auf Russisch. Er legte jedoch mitten im Satz auf, um seinen Gast willkommen zu heißen. Dick entging nicht, dass Atkins' Hand feucht war, als er sie schüttelte.

»Was möchten Sie trinken?«, fragte er.

»Einen kleinen Scotch mit viel Soda«, entgegnete der Minister.

Armstrong schenkte den Drink ein und führte Atkins dann ins Nebenzimmer. Er schaltete das Licht an – und damit ein verstecktes Tonbandgerät. Atkins lächelte erleichtert, als er sah, dass an dem langen Esstisch nur für zwei Personen gedeckt war. Armstrong rückte ihm einen Stuhl zurecht.

»Danke, Dick«, sagte Atkins nervös. »Sehr freundlich von Ihnen, sich so schnell für mich Zeit zu nehmen.«

»Ist mir ein Vergnügen, Ray.« Armstrong setzte sich auf seinen Stuhl am Kopf der Tafel. »Ich freue mich immer, jemanden zu treffen, der so unermüdlich für unsere Sache arbeitet. Auf Ihre Zukunft«, er hob sein Glas, »die rosig ist, wie jeder versichert.«

Armstrong bemerkte, wie die Hand des Ministers zitterte, bevor er erwiderte: »Sie tun sehr viel für unsere Partei, Dick.«

»Wie freundlich von Ihnen, dass Sie das sagen.«

Während der beiden ersten Gänge unterhielten sich die Männer über die Chancen der Labour Party, die nächste Wahl zu gewinnen. Beide gestanden, dass sie nicht sehr optimistisch waren.

»Obwohl die Meinungsumfragen jetzt ein wenig besser aussehen«, sagte Atkins, »muss man sich bloß die lokalen Wahlergebnisse ansehen, um zu erkennen, was sich da draußen in den Wahlkreisen wirklich tut.«

»Das sehe ich auch so«, bestätigte Dick. »Nur ein Narr würde sich von Meinungsumfragen beeinflussen lassen, wenn es um die alles entscheidende Wahl geht. Obwohl ich glaube, dass Ted Heath bei der Fragestunde im Unterhaus gegenüber Wilson regelmäßig den Kürzeren zieht.«

»Stimmt, aber das bekommen leider nur ein paar Hundert Abgeordnete mit. Würde das Fernsehen die Unterhaussitzungen übertragen, könnte die ganze Nation miterleben, dass Harold bei Weitem nicht Teds Klasse hat.«

»Daraus wird wohl nichts mehr zu meinen Lebzeiten«, brummte Dick.

Atkins nickte, schwieg jedoch. Nachdem das Geschirr abgeräumt war, wies Dick seinen Butler an, sie allein zu lassen. Er schenkte dem Minister Rotwein nach, doch Atkins spielte nur am Glas herum und wirkte, als überlege er, wie er ein peinliches Thema anschneiden sollte. Als der Butler die Tür hinter sich geschlossen hatte, holte Atkins tief Atem.

»Die ganze Angelegenheit ist mir wirklich peinlich«, begann er zögernd.

»Sagen Sie alles, wonach Ihnen ist, Ray. Von mir wird niemand etwas erfahren. Denken Sie daran, dass wir auf derselben Seite sind.«

»Danke, Dick«, erwiderte der Minister. »Ich wusste gleich, dass Sie der Richtige sind, mit dem ich über mein kleines Problem sprechen kann.« Er drehte weiter sein Glas in der Hand und sagte eine Zeit lang nichts. Dann platzte er plötzlich heraus: »Die *Evening Post* stochert in meinem Privatleben herum, Dick, und gerade jetzt kann ich keinen Skandal gebrauchen.«

»Das tut mir leid.« Armstrong hatte ein ganz anderes Thema erwartet. »Was haben sie denn gemacht, das Sie so beunruhigt?«

»Sie haben mir gedroht.«

»Gedroht?« Armstrong klang verärgert. »Inwiefern?«

»Na ja, ›gedroht‹ ist vielleicht etwas drastisch ausgedrückt. Aber einer Ihrer Reporter hat ständig in meinem Büro angerufen und an den Wochenenden bei mir zu Hause. Manchmal zwei-, dreimal am Tag.«

»Glauben Sie mir, Ray, davon wusste ich nichts«, versicherte Armstrong. »Ich werde mir Don Sharpe vorknöpfen, sofort nachdem Sie gegangen sind. Sie können sich darauf verlassen, dass Sie nicht mehr behelligt werden.«

»Danke, Dick.« Diesmal nahm Atkins einen Schluck Wein. »Aber es sind weniger die Anrufe, die mich beunruhigen, sondern die Story, die sie ausgegraben haben.«

»Wäre es nicht vielleicht besser, Sie erzählen mir, worum es geht, Ray?«

Der Minister starrte auf den Tisch. Eine Weile verging,

ehe er den Kopf hob. »Es ist schon sehr lange her«, begann er, »so lange, dass ich bis vor Kurzem fast vergessen hatte, dass es überhaupt passiert ist.«

Armstrong schwieg und schenkte seinem Gast nach.

»Kurz nachdem ich in den Stadtrat von Bradford gewählt worden war«, Atkins nahm wieder einen Schluck Wein, »lernte ich die Sekretärin des Wohnungsamtsleiters kennen.«

»Waren Sie damals schon mit Jenny verheiratet?«

»Nein. Jenny und ich haben uns erst zwei Jahre später kennengelernt, kurz bevor ich für den Wahlkreis Bradford West gewählt wurde.«

»Wo liegt dann das Problem?«, fragte Armstrong. »Sogar die Labour Party hat nichts gegen eine kleine Affäre vor der Ehe einzuwenden.«

»Sofern eine solche Affäre keine Folgen hat – in einem Land, in dem Abtreibung nun mal verboten ist.«

»Ich verstehe«, sagte Armstrong leise. Und nach einer kurzen Pause: »Weiß Jenny irgendetwas davon?«

»Nein, nichts. Ich habe es ihr nicht erzählt und auch sonst keinem. Die besagte Frau ist die Tochter eines hiesigen Arztes – ein verdammter Tory. Deshalb war die Familie von Anfang an gegen unsere Verbindung. Wenn diese Sache je ans Licht käme, wäre nicht nur mein Ruf in der Öffentlichkeit ruiniert.«

»Dann ist es also das Mädchen, das Ihnen Schwierigkeiten macht?«

»Nein, keineswegs. Rahila ist ein Schatz – obwohl ihre Familie genauso wenig von mir hält wie meine Schwiegereltern. Ich bezahle selbstverständlich den vollen Unterhalt.«

»Ja, natürlich. Aber wenn sie Ihnen keine Schwierigkeiten macht, wo liegt dann das Problem? Keine Zeitung würde es wagen, die Story zu drucken, solange das Mädchen sie nicht bestätigt.«

»Ich weiß. Aber bedauerlicherweise hat der Bruder des Mädchens sich eines Abends in seinem Stammpub einen Rausch angesoffen und mit seinem Wissen geprahlt. Er hatte keine Ahnung, dass ein freier Journalist an der Bar saß, der auch die *Evening Post* beliefert. Der Bruder hat am nächsten Tag zwar alles abgestritten, aber der Journalist, dieser Mistkerl, hört nicht auf zu wühlen. Falls diese Story veröffentlicht wird, bliebe mir nichts anderes übrig, als zurückzutreten. Und weiß Gott, wie Jenny das aufnähme.«

»So weit ist es noch nicht, Ray. Und ich verspreche Ihnen, dass in keiner meiner Zeitungen je auch nur eine Silbe darüber zu finden sein wird, mein Wort darauf. Wie ich schon sagte – sobald Sie gegangen sind, bestelle ich Sharpe zu mir und mache ihm klar, wie ich zu dieser Sache stehe. Keiner wird Sie mehr belästigen, jedenfalls nicht in dieser Angelegenheit.«

»Danke.« Atkins seufzte. »Das ist eine große Erleichterung. Jetzt kann ich nur noch hoffen, dass dieser Journalist die Story nicht an eine andere Zeitung verkauft.«

»Wie heißt der Mann?« fragte Armstrong.

»John Cummins.«

Armstrong kritzelte den Namen auf einen Notizblock. »Ich werde Mr. Cummins eine Stelle bei einer meiner Regionalzeitungen im Norden anbieten, weit weg von Bradford. Ich denke, das wird seinen Eifer dämpfen.«

»Ich weiß gar nicht, wie ich Ihnen danken soll«, sagte der Minister.

»Ich bin sicher, da wird Ihnen irgendwann sicherlich

etwas einfallen.« Armstrong erhob sich, ohne seinem Gast noch Kaffee anzubieten. Er begleitete Atkins aus dem Esszimmer. Die Nervosität des Ministers war inzwischen von dem bei Politikern üblichen Selbstbewusstsein verdrängt worden. Als sie durch Armstrongs Büro kamen, bemerkte Atkins, dass auf dem Bücherregal mehrere Bände des *Wisden Cricketers' Almanack* standen. »Ich wusste gar nicht, dass Sie Kricket-Fan sind, Dick«, staunte er.

»Allerdings«, erwiderte Armstrong. »Schon seit meiner Jugend.«

»Welche Mannschaft?«

»Oxford natürlich«, antwortete Armstrong, als sie den Fahrstuhl erreichten.

Atkins schwieg. Er schüttelte seinem Gastgeber herzlich die Hand. »Noch einmal, vielen Dank, Dick. Vielen, vielen Dank!«

Kaum hatte sich die Aufzugtür geschlossen, kehrte Armstrong in sein Büro zurück. »Don Sharpe soll sofort zu mir kommen«, rief er, als er an Pamelas Schreibtisch vorüberging.

Der Chefredakteur der *Evening Post* erschien wenige Minuten später mit einem dicken Ordner in der Hand. Er wartete, bis Armstrong ein Telefongespräch in einer Sprache beendete, die er nicht kannte.

»Sie wollten mich sprechen«, sagte der Chefredakteur, als Armstrong aufgelegt hatte.

»Ja. Gerade war Ray Atkins bei mir zum Lunch. Er sagt, dass die *Post* ihn belästigt. Es geht um eine Story, der Sie nachgegangen sind.«

»Ja. Ich habe jemanden, der daran arbeitet. Wir versuchen seit Tagen, uns mit dem Minister in Verbindung zu setzen. Wir vermuten, dass er vor einigen Jahren eine Affäre hatte und Vater eines unehelichen Kindes wurde, eines Jungen namens Vengi.«

»Aber er war damals doch noch gar nicht verheiratet.«

»Das stimmt«, gab der Chefredakteur zu. »Aber …«

»Dann verstehe ich offen gesagt nicht, weshalb diese Geschichte von öffentlichem Interesse sein sollte.«

Don Sharpe schien über das ungewöhnliche Feingefühl seines Chefs in dieser Sache ein wenig erstaunt zu sein. Andererseits war ihm bekannt, dass in den nächsten Wochen die Entscheidung der Kartellaufsichtsbehörde über den *Citizen* fallen würde.

»Nun? Stimmen Sie mir zu oder nicht?«, fragte Armstrong.

»Unter normalen Umständen ja«, erwiderte Sharpe. »Aber in diesem Fall hat die Frau ihre Stellung bei der Stadt verloren, wurde von ihrer Familie verstoßen und vegetiert nun in einer Einzimmerwohnung im Wahlkreis des Ministers. Er dagegen lässt sich in einem Jaguar chauffieren und hat ein Zweithaus in Südfrankreich.«

»Aber er bezahlt ihren vollen Unterhalt.«

»Nicht immer pünktlich«, warf der Chefredakteur ein. »Dabei hat ausgerechnet Atkins die staatliche Unterstützung für Alleinerziehende durchgeboxt, als er noch Unterstaatssekretär im Sozialministerium war.«

»Das ist irrelevant, und das wissen Sie genau.«

»Aber da ist noch etwas, das unsere Leser interessieren würde.«

»Und was?«

»Die Frau ist Muslimin. Da sie ein uneheliches Kind zur Welt gebracht hat, hat sie keine Chance, je wieder einen Ehemann zu bekommen. Die Moslems sind in dieser Sache noch wesentlich rigoroser als die anglikanische Kirche.« Der Chefredakteur nahm eine Fotografie aus dem Ordner und legte sie vor Armstrong auf den Schreibtisch. Armstrong betrachtete das Bild einer attraktiven asiatischen Mutter, die einen kleinen Jungen umarmte. Die Ähnlichkeit des Kindes mit dem Vater war nicht zu leugnen.

Armstrong sah wieder Sharpe an. »Woher wussten Sie, dass ich mit Ihnen darüber reden wollte?«

»Ich habe mir gedacht, dass Sie unser Treffen nicht deshalb verschoben haben, weil Sie mit Ray Atkins über die Chancen der Mannschaft von Bradford in der kommenden Spielzeit sprechen wollten.«

»Unterlassen Sie Ihren Sarkasmus, wenn Sie mit mir reden!«, brüllte Armstrong. »Sie werden Ihre Recherchen einstellen und die Story sofort fallen lassen. Und wenn ich je auch nur den geringsten Hinweis darauf in einer meiner anderen Zeitungen sehe, müssen Sie am nächsten Morgen erst gar nicht mehr zur Arbeit kommen!«

»A-aber …«, stammelte der Chefredakteur.

»Und da Sie die Akte schon dabeihaben, können Sie sie gleich hierlassen.«

»Was soll ich?«

Armstrong starrte ihn finster an, bis Sharpe den schweren Aktenordner schließlich auf den Schreibtisch legte und wortlos das Büro verließ.

Armstrong fluchte. Wenn er Sharpe jetzt feuerte, würde dieser mit der Story sofort zum *Globe* gehen. Er hatte eine Entscheidung getroffen, die ihn eine Menge Geld kosten würde – so oder so. Er griff nach dem Telefon. »Pamela, verbinden Sie mich mit Mr. Atkins im Ministerium für Handel und Industrie.«

Augenblicke später kam Atkins an den Apparat. »Ist das eine öffentliche Leitung?«, fragte Armstrong, der wusste, dass Beamte häufig bei den Gesprächen ihrer Minister mithörten, da diese des Öfteren übereilte Zusagen machten, die ihre Untergebenen dann ausbügeln mussten.

»Nein, Sie sind auf meiner Privatleitung«, antwortete Atkins.

»Ich habe mit dem zuständigen Chefredakteur gesprochen«, sagte Armstrong. »Und kann Ihnen versichern, dass Mr. Cummins Sie nicht mehr belästigen wird. Außerdem habe ich den Chefredakteur gewarnt, dass er sich nach einer neuen Stelle umsehen kann, falls ich in einer meiner Zeitung auch nur den geringsten Hinweis auf die Sache entdecke.«

»Danke«, sagte der Minister.

»Vielleicht interessiert es Sie ja auch, Ray, dass ich Cummins' Material über die Geschichte habe und es in den Aktenvernichter geben werde, sobald wir aufgelegt haben. Glauben Sie mir, niemand wird jemals ein Wort davon erfahren.«

»Sie sind ein wahrer Freund, Dick. Wahrscheinlich haben Sie meine Karriere gerettet.«

»Eine Karriere, die es wert ist, gerettet zu werden«, erwiderte Armstrong. »Und vergessen Sie nie, dass ich für Sie da bin, wenn Sie mich brauchen.« Als er auflegte, steckte Pamela den Kopf durch die Tür.

»Stephen hat noch einmal angerufen, während Sie mit dem Minister sprachen. Soll ich ihn zurückrufen?«

»Ja. Und danach möchte ich, dass Sie etwas für mich erledigen.« Pamela nickte und verschwand in ihr eigenes Büro. Einen Augenblick später läutete eins der Telefone auf Armstrongs Schreibtisch. Dick griff nach dem Hörer.

»Wo liegt diesmal das Problem, Stephen?«

»Es gibt kein Problem. Ich habe mich lange mit Sharon Levitts Anwalt unterhalten. Wir haben einige vorläufige Abfindungsvorschläge ausgearbeitet – nun kommt es nur noch darauf an, ob beide Parteien sich einigen können.«

»Klär mich auf«, verlangte Armstrong.

»Es sieht so aus, als hätte Sharon einen Freund in Italien, und …« Armstrong hörte konzentriert zu, während Stephen die Bedingungen erklärte, die er in seinem Namen ausgehandelt hatte. Er lächelte schon lange, bevor der Anwalt zum Ende kam.

»Das klingt alles sehr zufriedenstellend.«

»Ja. Wie ist dein Treffen mit dem Minister verlaufen?«

»Gut. Er sieht sich in etwa dem gleichen Problem gegenüber wie ich, hat aber den Nachteil, dass er niemanden wie dich hat, der die Sache für ihn einrenkt.«

»Ich verstehe kein Wort.«

»Macht nichts«, sagte Armstrong, legte auf und rief seine Sekretärin.

»Pamela, wenn Sie das Gespräch abgetippt haben, das ich heute Mittag mit dem Minister geführt habe, legen Sie eine Kopie davon in diese Akte.« Er deutete auf den dicken Ordner, den Don Sharpe hatte zurücklassen müssen.

»Und was soll ich dann mit dieser Akte machen?«

»Schließen Sie sie im großen Safe ein. Falls ich sie wieder brauche, sage ich es Ihnen.«

Als der Chefredakteur der *London Evening Post* um ein privates Gespräch mit Keith Townsend bat, erhielt er eine sofortige Zusage. In der Fleet Street wusste man, dass Armstrongs Personal jederzeit bei Townsend willkommen war, sofern der Betreffende etwas Interessantes über seinen

Chef zu berichten hatte. Allerdings hatten bisher nur wenige das Angebot genutzt. Denn falls Armstrong die Sache zu Ohren kam, würde der Übeltäter sofort seinen Schreibtisch räumen müssen und nie wieder bei irgendeiner von Dicks Zeitungen arbeiten können.

Es war lange her, dass ein Mann in einer Spitzenposition wie Don Sharpe sich direkt mit Keith Townsend in Verbindung gesetzt hatte. Townsend vermutete, dass Mr. Sharpe bereits wusste, dass seine Tage gezählt waren, und sich sagte, er hätte ohnehin nichts zu verlieren. Aber wie viele andere vor ihm, hatte Sharpe darauf bestanden, dass sie sich auf neutralem Boden trafen.

Bei solchen Anlässen mietete Townsend stets die Fitzalan-Suite im Howard Hotel. Es lag ganz in der Nähe der Fleet Street, trotzdem verirrten sich nur sehr selten neugierige Journalisten dorthin. Ein Anruf von Heather beim Chefportier wurde mit absoluter Diskretion behandelt – wie alles andere auch.

Sharpe erzählte Townsend in allen Einzelheiten von dem Gespräch zwischen ihm und seinem Chef, unmittelbar nach dem gestrigen Lunch Armstrongs mit Ray Atkins. Anschließend wartete Sharpe auf die Reaktion seines Gegenübers.

»Ray Atkins«, murmelte Townsend.

»Ja, der Minister für Industrie.«

»Der Mann, der die endgültige Entscheidung treffen wird, wer den *Citizen* bekommt.«

»Genau. Deshalb dachte ich mir, Sie würden das gern sofort erfahren«, sagte Sharpe.

»Und Armstrong hat den Ordner mit den Recherchen behalten?«

»Ja. Aber ich bräuchte nur ein paar Tage, um Duplikate

sämtlicher Unterlagen zu beschaffen. Wenn Sie die Story auf der Titelseite des *Globe* brächten, wird das Kartellamt Armstrong nicht mehr als zukünftigen Eigentümer des *Citizen* in Erwägung ziehen, da bin ich sicher.«

»Möglich«, sagte Townsend. »Gut. Sobald Sie alles beisammenhaben, schicken Sie es mir. Markieren Sie das Päckchen in der unteren linken Ecke mit K.R.T., dann geht es ungeöffnet direkt an mich.«

Sharpe nickte. »Geben Sie mir eine Woche, im Höchstfall vierzehn Tage.«

»Und sollte ich Eigentümer des *Citizen* werden, können Sie sich darauf verlassen, dass Sie eine Stellung bei der Zeitung bekommen, wann immer Sie möchten.«

Sharpe wollte gerade fragen, welche Art von Stellung Keith sich vorstellte, als dieser hinzufügte: »Bleiben Sie noch zehn Minuten im Hotel.« Als Keith auf die Straße trat, tippte der Chefportier an den Rand seiner Mütze. Keith wurde zur Fleet Street zurückgefahren. Er war nun sicher, dass er den *Citizen* ind die Hände bekommen würde.

Ein junger Portier des Hotels, der die beiden Herren getrennt hatte kommen und nun getrennt hatte gehen sehen, wartete, bis sein Chef in die Pause ging, bevor er einen Anruf machte.

Zehn Tage später kamen zwei Umschläge in Townsends Büro an, auf deren unteren linken Ecke in fetten Buchstaben K.R.T. stand. Heather legte sie ungeöffnet auf den Schreibtisch ihres Chefs. Der erste Umschlag stammte von einem ehemaligen Angestellten der *New York Times*, der die komplette Liste aller Buchhandlungen sandte, die ihre Verkaufszahlen für die Bestsellerliste meldeten. Gut angelegte zweitausend Dollar, ging es Townsend durch den Kopf, als er die Liste zur Seite legte und den zweiten Umschlag öffnete. Der kam von Don Sharpe und enthielt seitenweise Material über die außerberuflichen Aktivitäten des Ministers für Handel und Industrie.

Eine Stunde später war Townsend überzeugt, auch seine zweite Million zurückzubekommen – und dass Armstrong es bitter bereuen würde, das Geheimnis des Ministers nicht an die große Glocke gehängt zu haben. Er griff zum Telefon und erklärte Heather, er habe ein Päckchen, das sofort per Eilpost nach New York geschickt werden müsse. Nachdem Heather das versiegelte Päckchen geholt hatte, rief Townsend den Chefredakteur des *Globe* an und bat ihn umgehend zu sich.

Er schob ihm den zweiten Umschlag über die Tischplatte zu. »Wenn Sie das gelesen haben, werden Sie wissen, wie der morgige Aufmacher aussieht.«

»Aber ich habe schon den Aufmacher für morgen«, entgegnete der Chefredakteur. »Wir haben einen Beweis, dass Marilyn Monroe lebt.«

»Marilyn kann noch einen Tag warten«, bestimmte Townsend. »Die morgige Titelstory gehört unserem Industrieminister. Wir werden unseren Lesern zeigen, wie er verhindern wollte, dass die Geschichte über seine Affäre mit einer Muslimin und über seinen unehelichen Sohn an die Öffentlichkeit dringt. Sorgen Sie dafür, dass der Entwurf für die Titelseite bis heute siebzehn Uhr auf meinem Schreibtisch liegt.«

Wenige Minuten später erhielt Armstrong einen Anruf von Ray Atkins.

»Was kann ich für Sie tun, Ray?«, fragte er, während er auf einen Knopf an der Seite seines Telefons drückte.

»Nichts, Dick. Diesmal bin ich an der Reihe, *Ihnen* einen Gefallen zu erweisen«, entgegnete Atkins. »Auf meinem Schreibtisch ist gerade ein Bericht der Kartellaufsichtsbehörde mit ihren Empfehlung bezüglich des *Citizen* gelandet.«

Jetzt waren es Armstrongs Hände, die sich ein bisschen feucht anfühlten.

»Das Kartellamt empfiehlt mir, mich zu Ihren Gunsten zu entscheiden. Ich rufe aber nur an, um Ihnen mitzuteilen, dass ich dieser Empfehlung folgen werde.«

»Das sind ja großartige Neuigkeiten!«, freute sich Armstrong und stand auf. »Ich danke Ihnen vielmals!«

»Und ich freue mich, dass ich sie Ihnen mitteilen konnte. Wenn Sie einen Scheck über achtundsiebzig Millionen Pfund ausstellen können, gehört der *Citizen* Ihnen.«

Armstrong lachte. »Daran wird es bestimmt nicht scheitern! Wann soll es offiziell bekannt gegeben werden?«

»Die Empfehlung des Kartellamts wird heute Vormittag um elf Uhr dem Kabinett vorgelegt, und ich kann mir nicht vorstellen, dass dort irgendwer dagegen Einwände erhebt«, meinte der Minister. »Um fünfzehn Uhr dreißig soll ich eine Erklärung vor dem Unterhaus abgeben, ich wäre also dankbar, wenn Sie bis dahin nichts darüber verlauten lassen. Schließlich wollen wir der Kartellaufsichtsbehörde ja keinen Grund geben, ihre Entscheidung rückgängig zu machen.«

»Kein Sterbenswort, Ray, das verspreche ich Ihnen.« Armstrong machte eine Pause. »Und denken Sie daran – wenn ich in Zukunft einmal etwas für Sie tun kann, müssen Sie es nur zu sagen.«

Townsend lächelte, als er die Schlagzeile noch einmal las:

DAS GEHEIMNISVOLLE DOPPELLEBEN
EINES MINISTERS

Dann las er den vorläufigen ersten Absatz und versah ihn mit leichten Änderungen.

Am gestrigen Abend verweigerte Ray Atkins, der Minister für Handel und Industrie, jeglichen Kommentar auf die Frage, ob er der Vater des kleinen Vengi Patel sei (linkes Foto). Der Junge ist sieben Jahre alt und lebt mit seiner Mutter in einer schäbigen Einzimmerwohnung im Wahlkreis des Ministers. Die dreiunddreißigjährige Miss Rahila Patel …

Er schaute auf, als seine Sekretärin ins Büro kam. »Was gibt's, Heather?«

»Der politische Redakteur ist am Apparat. Er ruft von der Pressetribüne im Unterhaus an. Es hat dort eine Erklärung zum *Citizen* gegeben.«

»Aber man hat mir doch gesagt, es sei frühestens in einem Monat damit zu rechnen!« Townsend riss den Hörer von der Gabel. Seine Miene wurde immer wütender, als ihm die Einzelheiten der Erklärung vorgelesen wurden, die Ray Atkins soeben vor dem Unterhaus abgegeben hatte.

»Es hätte jetzt wenig Sinn, die geplante Titelstory zu veröffentlichen«, meinte der politische Redakteur.

»Halten wir sie einstweilen zurück«, erwiderte Townsend. »Ich sehe sie mir heute Abend noch mal an.« Er legte auf und starrte düster durchs Fenster. Atkins' Entscheidung bedeutete, dass Armstrong nun die einzige Tageszeitung in Großbritannien übernehmen würde, die eine höhere Auflage hatte als der *Globe*. Von diesem Augenblick an würden er und Armstrong sich im Clinch um dieselbe Leserschaft befinden, und Townsend fragte sich, ob sie beide das überleben konnten.

Innerhalb einer Stunde, nachdem der Minister seine Erklärung im Unterhaus abgegeben hatte, rief Armstrong Alistair McAlvoy, den Chefredakteur des *Citizen,* an und bat ihn, zum Armstrong-Haus herüberzukommen. Außerdem vereinbarte er für den Abend ein Essen mit Sir Paul Maitland, dem Vorstandsvorsitzenden des *Citizen.*

Alistair McAlvoy war seit zehn Jahren Chefredakteur des *Citizen.* Als man ihn über die Entscheidung des Ministers informierte, warnte er seine Kollegen, dass niemand sicher sein konnte – auch nicht er selbst –, nicht von einem Tag auf den anderen vor die Tür gesetzt zu werden. Doch als Armstrong zum zweiten Mal an diesem Nachmittag den Arm um McAlvoys Schultern legte und ihn den bedeutendsten Chefredakteur der Fleet Street nannte, gewann McAlvoy den Eindruck, seinen Posten am Ende doch zu behalten. Nachdem sich die Atmosphäre ein wenig entspannt hatte, erklärte ihm Armstrong, dass es ab sofort zu einem offenen Kampf mit dem *Globe* um jeden einzelnen Leser kommen würde.

»Das befürchte ich auch«, sagte McAlvoy. »Also sollte ich wohl besser an meinen Schreibtisch zurück. Ich rufe Sie an, sobald ich herausgefunden habe, was der *Globe* vorhat, und sehe zu, dass wir eine Möglichkeit finden, ihm Paroli zu bieten.«

McAlvoy verließ Armstrongs Büro, während Pamela mit einer Flasche Sekt hereinkam.

»Wo kommt der denn her?«

»Von Ray Atkins«, antwortete Pamela.

»Machen Sie ihn auf«, wies Armstrong sie an. Der Korken knallte in dem Moment, als das Telefon läutete. Pamela griff nach dem Hörer und lauschte. »Es ist der neue Portier vom Hotel Howard – er sagt, er muss sich beeilen, wenn er nicht am Telefon erwischt werden will.« Sie drückte die Hand auf die Sprechmuschel. »Er wollte Sie schon vor zehn Tagen sprechen, aber ich hab' ihn nicht durchgestellt. Er sagt, es geht um Keith Townsend.«

Armstrong griff nach dem Hörer. Als der Portier ihm berichtete, mit wem Townsend gerade eine Besprechung in der Fitzalan-Suite gehabt hatte, wusste er sofort, wie der Leitartikel der morgigen Ausgabe des *Globe* aussehen würde. Und der junge Mann wollte für diese exklusive Information lediglich fünfzig Pfund.

Armstrong legte auf und brüllte eine Reihe von Befehlen, noch ehe Pamela sein Glas ganz gefüllt hatte. »Und stellen Sie mich zu McAlvoy durch, sobald ich mit Sharpe gesprochen habe.«

Im selben Moment, als Don Sharpe ins Armstrong-Haus zurückkehrte, richtete man ihm aus, dass der Chef ihn sprechen wolle. Sharpe ging geradewegs zu Armstrongs Büro. Die einzigen Worte, die er dort hörte, lauteten: »Sie sind gefeuert!« An der Tür packten zwei Sicherheitsleute Sharpe an den Armen und führten ihn aus dem Gebäude.

Zum Chefredakteur des *Citizen,* mit dem Pamela ihn sofort verbunden hatte, sagte Dick lediglich: »Alistair, ich weiß, was morgen auf der Titelseite des *Globe* stehen wird, und ich bin der Einzige, der das übertrumpfen kann.«

Kaum hatte Armstrong aufgelegt, wies er Pamela an, die Atkins-Akte aus dem Safe zu holen. Er nippte am Sekt, der nicht vom Besten war.

Am folgenden Morgen lautete die Schlagzeile des *Globe*: »Minister auf Abwegen! Ray Atkins' geheimer unehelicher Sohn. Exklusivbericht!« Es folgte ein dreiseitiges Interview mit Miss Patels Bruder, dazu Fotos. Der Artikel war mit »Don Sharpe, Chefreporter« gezeichnet.

Townsend war begeistert, bis er den *Citizen* zur Hand nahm und dessen Schlagzeile las:

DIE LEBENSBEICHTE DES MINISTERS
Ray Atkins und sein geheimes Liebesleben!

Es folgten fünf Seiten mit Bildern sowie Auszüge aus einem mitgeschnittenen Interview, exklusiv für einen nicht namentlich genannten Sonderkorrespondenten der Zeitung.

Die *London Evening Post* schrieb an diesem Abend in ihrem Leitartikel, dass der Premierminister in der Downing Street 10 das Rücktrittsgesuch von Mr. Ray Atkins, Minister für Handel und Industrie, mit großem Bedauern angenommen habe.

29

THE CITIZEN

21. August 1978

Nicht viel los mit dem neuen »Globe«

Als Townsend durch den Zoll war, stieß er vor dem Abfertigungsgebäude auf Sam, der dort wartete, um ihn nach Sydney zu chauffieren. Während der fünfundzwanzigminütigen Fahrt berichtete Sam seinem Chef, was sich in Australien so tat. Er ließ ihn nicht im Zweifel darüber, was er vom neuen Premierminister, Malcolm Fraser, hielt – konservativ und reaktionär – und von Sydneys neuem Opernhaus – hinausgeworfenes Geld und architektonischer Schwachsinn. Doch Sam hatte auch eine durchaus interessante Information zu bieten.

»Woher haben Sie das, Sam?«

»Der Chauffeur des Vorsitzenden hat es mir erzählt.«

»Und was mussten Sie ihm dafür erzählen?«

»Nur, dass Sie auf eine Stippvisite von London herüberkämen«, antwortete Sam, als er vor der Zentrale der Global Corporation in der Pitt Street hielt.

Alle Blicke richteten sich auf Townsend, als er durch die Drehtür kam, durchs Foyer schritt und in einen wartenden Aufzug stieg, der ihn direkt in die oberste Etage brachte. Dort rief er nach dem Chefredakteur, noch bevor Heather die Gelegenheit hatte, ihn zu begrüßen.

Während Townsend wartete, marschierte er in seinem Büro auf und ab und blieb manchmal stehen, um das Opernhaus zu bewundern, das nicht nur von Sam, sondern von allen Zeitungen Townsends heruntergemacht wurde – mit Ausnahme des *Continent*. Nur eine halbe Meile entfernt befand sich die Brücke, das bisherige Wahrzeichen der Stadt. Im Hafen segelten bunte Dingis, deren Masten in der Sonne leuchteten. Obwohl Sydneys Einwohnerzahl sich verdoppelt hatte, kam Townsend die Stadt jetzt schrecklich klein vor – verglichen mit damals, als er den *Chronicle* übernommen hatte. Er hatte das Gefühl, auf eine Lego-Stadt hinunterzuschauen.

»Wie schön, dass du wieder da bist, Keith«, begrüßte ihn Bruce Kelly, der durch die offene Tür trat.

Townsend schwang zu dem Mann herum, den er als Ersten zum Chefredakteur einer seiner Zeitungen gemacht hatte.

»Und es ist schön, wieder zurück zu sein, Bruce. Seit dem letzten Mal ist eine Ewigkeit vergangen.«

Während sie einander die Hand schüttelten, fragte sich Keith, ob er ebenso sehr gealtert war wie dieser kahl werdende, übergewichtige Mann vor ihm.

»Wie geht es Kate?«

»Sie kann London nicht ausstehen und verbringt die meiste Zeit in New York. Aber ich hoffe, sie kommt nächste Woche her. Was tut sich hier?«

»Nun, wie du unseren wöchentlichen Berichten entnehmen konntest, ist unsere Auflage seit dem letzten Jahr leicht gestiegen. Die Werbung bringt mehr ein, und der Gewinn hat Rekordhöhe erreicht. Ich glaube, jetzt kann ich's mir leisten, in den Ruhestand zu gehen.«

»Genau deshalb bin ich zurückgekommen. Ich muss mit dir darüber reden«, sagte Townsend.

Bruce wurde kreidebleich. »Das meinst du doch nicht ernst?«

»Ich habe es nie ernster gemeint.« Townsend blickte seinen Freund an. »Ich brauche dich in London.«

»Wofür, in aller Welt? Der *Globe* ist nun wirklich nicht die Art von Zeitung, für die ich ausgebildet bin. Sie ist viel zu traditionsbewusst und britisch.«

»Genau deshalb geht der Umsatz von Woche zu Woche zurück. Die *Globe*-Leser sind so alt, dass sie buchstäblich wegsterben. Wenn ich Armstrong die Stirn bieten will, brauche ich dich als nächsten Chefredakteur des *Globe*. Die Zeitung muss völlig umgekrempelt werden. Der erste notwendige Schritt ist, den *Globe* zu einem Boulevardblatt zu machen.«

Ungläubig starrte Bruce seinen Chef an. »Aber das werden die Gewerkschaften niemals zulassen!«

»Für die habe ich auch schon Pläne«, erklärte Townsend.

GROSSBRITANNIENS AUFLAGENSTÄRKSTE TAGESZEITUNG!

Armstrong war stolz auf diesen Werbeslogan unter dem Titel des *Citizen*. Doch obwohl der Absatz der Zeitung konstant geblieben war, beschlich ihn das Gefühl, dass Alistair McAlvoy, der dienstälteste Chefredakteur der Fleet Street, doch nicht der richtige Mann war, seine langfristigen Strategien in die Tat umzusetzen.

Armstrong hatte immer noch nicht herausfinden können, weshalb Townsend nach Sydney geflogen war. Er konnte sich nicht vorstellen, dass er untätig zusah, wie die Umsatzzahlen des *Globe* immer tiefer in den Keller gingen. Doch solange der *Citizen* doppelt so viele Exemplare verkaufte wie der *Globe,* erinnerte Armstrong seine treuen Leser mit Vergnügen daran, dass er der Eigentümer der auflagenstärksten Zeitung Großbritanniens war – Armstrong Communications hatte gerade für das abgelaufene Geschäftsjahr einen Gewinn von siebzehn Millionen Pfund angegeben, und jeder wusste, dass der Besitzer und Hauptgeschäftsführer dieses Unternehmens jetzt über den großen Teich nach Westen blickte, um dort seine nächste große Neuanschaffung zu tätigen.

Unzählige Male war Dick von Leuten, die Bescheid zu wissen glaubten, darauf aufmerksam gemacht worden, dass Townsend Anteile am *New York Star* erworben hatte. Was diese Leute nicht wussten: Armstrong hatte genau das Gleiche getan. Sein New Yorker Anwalt, Russell Critchley, hatte ihn allerdings darauf hingewiesen, dass er es nach den Bestimmungen der Börsenaufsichtsbehörde anmelden müsse, sobald er mehr als fünf Prozent der Anteile besaß.

Derzeit gehörten Armstrong knapp über viereinhalb Prozent der Aktien des *Star,* und er vermutete, dass Townsends Beteiligung etwa gleich hoch war. Noch aber gaben sich die beiden Konkurrenten damit zufrieden, in Lauerstellung abzuwarten, bis der andere den nächsten Zug machte. Obwohl Armstrong kürzlich die Milwaukee-Gruppe mit ihren elf Zeitungen erworben hatte, wusste er, dass Townsend in den Vereinigten Staaten immer noch die größere Anzahl lokaler und überregionaler Publikationen besaß. Dass die *New York Times* nie zum Verkauf stehen würde, war beiden klar. In New York würde es demnach darum gehen, den Markt der Boulevardblätter zu kontrollieren.

Während Townsend in Sydney seine Pläne verfolgte,

einem ahnungslosen britischen Publikum den neuen *Globe* zu präsentieren, flog Armstrong nach Manhattan, um seinen Sturmangriff auf den *New York Star* vorzubereiten.

»Aber Bruce Kelly wusste nichts davon«, sagte Townsend, als Sam ihn vom Tullamarine-Flughafen nach Melbourne hineinfuhr.

»Das hätte mich auch gewundert«, entgegnete Sam. »Er hat ja auch nie den Chauffeur des Vorsitzenden kennengelernt.«

»Wollen Sie mir erzählen, dass ein Chauffeur etwas weiß, von dem noch sonst kein Mensch in der Zeitungswelt gehört hat?«

»Nein, der stellvertretende Vorsitzende weiß es ebenfalls; denn er hat auf dem Rücksitz mit dem Vorsitzenden darüber gesprochen.«

»Und der Fahrer hat Ihnen gesagt, dass die Vorstandssitzung heute Vormittag um zehn stattfindet?«

»Richtig, Chef. In diesem Moment fährt mein Kollege den Vorsitzenden dorthin.«

»Und der Preis, auf den sie sich geeinigt haben, war zwölf Dollar die Aktie?«

»Das haben der Vorsitzende und sein Stellvertreter jedenfalls auf dem Rücksitz vereinbart.« Sam fuhr jetzt ins Stadtzentrum.

Townsend fielen keine weiteren Fragen ein, die er Sam hätte stellen können, ohne sich eine Blöße zu geben. »Eine Wette würden Sie wohl nicht darauf abschließen?«, fragte er, als der Wagen in die Flinders Street einbog.

Sam dachte ein Weile über diesen Vorschlag nach und antwortete dann: »Warum eigentlich nicht, Chef? Ich wette hundert Dollar, dass ich recht habe.«

»O nein«, entgegnete Townsend. »Ihr Monatsgehalt, oder wir kehren postwendend zum Flughafen zurück.«

Sam überfuhr eine rote Ampel und konnte gerade noch im letzten Augenblick den Zusammenstoß mit einer Straßenbahn vermeiden. »Einverstanden«, sagte er. »Aber nur, falls Sie Arthur die gleiche Summe zahlen.«

»Wer, zum Teufel, ist Arthur?«

»Der Chauffeur des Vorstandsvorsitzenden.«

»Gut, dann gilt es für Sie und für Arthur.« Sie erreichten den Eingang des *Courier.*

»Wie lange soll ich auf Sie warten?«, erkundigte sich Sam.

»So lange Sie brauchen, um ein Monatsgehalt zu verlieren«, erwiderte Townsend und knallte die Wagentür hinter sich zu.

Er blieb vor dem Gebäude stehen und blickte nachdenklich die Fassade hinauf. Genau hier hatte sein Vater in den zwanziger Jahren seine Karriere als Reporter begonnen, und hier hatte Keith selbst in den Ferien als Volontär gearbeitet. Dann aber war seiner Mutter leider nichts Besseres eingefallen, als die Zeitung an einen Konkurrenten zu verkaufen, ohne sich vorher mit ihm zu beraten. Vom Bürgersteig konnte Keith in der obersten Etage jenes Fenster sehen, hinter dem sein Vater die Geschicke des Verlags geleitet hatte. Konnte es wirklich sein, dass der *Courier* zum Verkauf stand, ohne dass auch nur ein einziger seiner professionellen Berater etwas davon ahnte?

Bevor Keith von Sydney hierhergeflogen war, hatte er sich die Aktienkurse angeschaut: der *Courier* stand bei 8 Dollar 40. Konnte er, nur auf das Wort seines Fahrers hin, so viel riskieren? Er wünschte sich, Kate wäre hier, damit er sie nach ihrer Meinung fragen konnte. Er hatte es allein ihr zu verdanken, dass *Die Geliebte des Senators* von Margaret Sherwood zwei Wochen auf der Bestsellerliste der *New York Times* gestanden hatte, wenn auch auf dem letzten Platz. Jedenfalls hatte Keith seine zweite Million bis auf den letzten Cent zurückbekommen. Zu Kates und seiner Überraschung wurde der Roman auch in Zeitschriften, die ihm nicht gehörten, wohlwollend besprochen. Es hatte Keith sehr erheitert, als er einen Brief von Mrs. Sherwood erhielt, in dem sie anfragte, ob er interessiert sei, drei weitere Bücher von ihr zu verlegen.

Townsend schritt durch die Flügeltür und unter der Uhr am Eingang zum Foyer hindurch. Einen Augenblick blieb er vor der Bronzebüste seines Vaters stehen. Er erinnerte sich, wie er sich als Kind emporgereckt und versucht hatte, an das Haar heranzukommen. Doch diese Reminiszenzen machten ihn nur noch nervöser.

Er durchquerte das Foyer und schloss sich einer kleinen Gruppe Herren an, die in den ersten Fahrstuhl stiegen, der in der Eingangshalle hielt. Die Herren verstummten, als sie Keith erkannten. Er drückte auf den Knopf, und die Tür des Lifts glitt zu. Seit über dreißig Jahren war Keith nicht mehr in diesem Haus gewesen, doch er erinnerte sich noch gut daran, wo sich der Konferenzsaal befand: auf demselben Korridor wie das Büro seines Vaters, nur ein paar Meter weiter.

Die Lifttür glitt in der Vertriebsabteilung auf, dann bei den Kleinanzeigen und auf der Redaktionsetage, bis Keith schließlich allein im Fahrstuhl stand. In der Chefetage angelangt, trat er zögernd auf den Korridor und blickte in beide Richtungen. Niemand war zu sehen. Er wandte sich nach rechts und ging zum Konferenzsaal. Als er am einstigen Büro seines Vaters vorüberkam, ging er etwas langsamer, und je weiter er sich dem Konferenzsaal näherte, desto schleppender wurde sein Schritt.

Er war schon kurz davor umzukehren, das Gebäude zu verlassen und Sam klarzumachen, was er von ihm und seinem Freund Arthur hielt, als er sich an die Wette erinnerte. Wäre Keith nicht ein so schlechter Verlierer, hätte er bestimmt nicht an die Tür geklopft und wäre hineinmarschiert, ohne ein »Herein« abzuwarten.

Sechzehn Gesichter wandten sich ihm zu und starrten ihn an. Keith erwartete, dass der Vorsitzende ihn fragte, was, zum Henker, er hier zu suchen habe, doch niemand sagte auch nur ein Wort. Es war beinahe so, als hätten die Herren auf ihn gewartet. »Herr Vorsitzender«, sagte Keith, »ich bin bereit, zwölf Dollar pro *Courier*-Aktie zu zahlen. Wir müssten das Geschäft allerdings sofort abschließen oder gar nicht, da ich noch heute Abend nach London zurückfliege.«

Sam wartete im Wagen auf die Rückkehr seines Chefs. Nach etwa zweieinhalb Stunden rief er seinen Chauffeurkollegen Arthur an und riet ihm, sein nächstes Monatsgehalt in Aktien des *Melbourne Courier* anzulegen; er solle es aber sofort tun, ehe der Vorstand eine öffentliche Erklärung abgab.

Nachdem Townsend am nächsten Morgen in London eingetroffen war, gab er in einer Pressemitteilung die Ernennung von Bruce Kelly zum Chefredakteur und die Umwandlung des *Globe* in ein Boulevardblatt bekannt. Nur eine Handvoll Insider erkannten die Bedeutung dieser Nachricht. Im Lauf der nächsten Tage erschienen Kurzporträts von Bruce in mehreren überregionalen Zeitungen. Alle berichteten, dass er fünfundzwanzig Jahre als Chefredakteur die Geschicke des *Sydney Chronicle* geleitet und zwei erwachsene Kinder habe, seine Ehe jedoch gescheitert sei. Obwohl man Keith Townsend keine freundschaftlichen Gefühle für einen anderen Menschen zutraute, könne man Bruce Kelly dennoch in gewisser Weise als Townsends Freund betrachten. Nachdem Kelly keine Arbeitserlaubnis in England erhalten hatte schrieb der *Citizen* höhnisch, dass man die Stelle als Chefredakteur des *Globe* ohnehin nicht als Arbeit bezeichnen könne. Ansonsten gab es nicht viele Informationen über den neuesten Immigranten aus Australien. Unter der Überschrift »R. I. P.« versicherte der *Citizen* seinen Lesern, Kelly sei nichts weiter als ein Totengräber, den man nach Großbritannien gebracht habe, um etwas zu beerdigen, das alle anderen schon seit Jahren für tot hielten. Weiter hieß es, dass der *Citizen* inzwischen dreimal so viele Exemplare verkaufte wie der *Globe*. Das tatsächliche Verhältnis belief sich auf 2,3 zu 1; doch Townsend war Armstrongs Übertreibungen gewöhnt, wenn es um Statistiken ging. Er ließ den Leitartikel rahmen und hängte ihn zu Bruce' Begrüßung in dessen neues Büro.

Sobald Bruce in London gelandet war – und noch bevor er eine Wohnung gefunden hatte –, warb er Journalisten von der Boulevardpresse ab. Die meisten schienen nichts von der Warnung des *Citizen* zu halten, dass sich der *Globe* auf Talfahrt befinde und keine Überlebenschance habe, sofern es Townsend nicht gelang, sich mit den Gewerkschaften zu einigen. Der Erste, den Bruce einstellte, war Kevin Rushcliffe, von dem er gehört hatte, dass er sich als stellvertretender Chefredakteur von *People* einen Namen gemacht habe.

Als Rushcliffe seinen Chef zum ersten Mal an dessen freiem Tag vertrat, traf ein Schreiben von Mick Jaggers Anwälten ein, die mit einer einstweiligen Verfügung drohten. Rushcliffe zuckte nur die Schultern und meinte: »Die Story war einsame Spitze. Wozu also weitere Recherchen anstellen?« Nachdem eine beachtliche Entschädigung gezahlt und eine Entschuldigung gedruckt war, wurden die hauseigenen Anwälte angewiesen, Mr. Rushcliffes Artikel in Zukunft sorgfältiger zu überprüfen.

Mehrere erfahrene Journalisten schlossen sich dem Redaktionsteam an. Als man sie fragte, weshalb sie ihre sicheren Jobs aufgegeben hatten, um zum *Globe* zu wechseln, sprachen sie von Dreijahresverträgen und dass ihnen alles andere egal sei.

In den ersten Wochen, nachdem Kelly die Chefredaktion übernommen hatte, sanken die Verkaufszahlen unaufhörlich weiter. Kelly hätte dieses Problem gerne eingehender mit Townsend diskutiert, doch der Chef schien ständig mit den Gewerkschaften zu verhandeln.

An dem Tag, als der *Globe* als Boulevardzeitung erschien, gab Bruce eine Party im Verlag, um mitzuerleben, wie die neue Zeitung aus den Druckerpressen kam. Er war enttäuscht, dass viele der geladenen Politiker und Prominenten dem Fest fernblieben. Später erfuhr er, dass sie an einer Party teilnahmen, die Armstrong zur Feier des fünfundsiebzigsten Geburtstags des *Citizen* gegeben hatte. Ein ehemaliger Angestellter des *Citizen*, der jetzt für den *Globe* arbeitete, wies darauf hin, dass es in Wirklichkeit erst zweiundsiebzig Jahre waren. »Also gut«, sagte Townsend, »dann werden wir Armstrong in drei Jahren wohl daran erinnern müssen.«

Ein paar Minuten nach Mitternacht – die Party neigte sich allmählich ihrem Ende zu – kam ein Bote ins Büro des Chefredakteurs und richtete ihm aus, dass es an den Druckerpressen eine technische Panne gab. Townsend und Bruce eilten zur Druckerei hinunter und stellten fest, dass die Arbeiter bereits ihre Werkzeuge weggeräumt hatten und nach Hause gegangen waren. Die beiden Freunde krempelten die Ärmel hoch und machten sich an die hoffnungslose Arbeit, die Druckerpressen zu reparieren, mussten allerdings schnell feststellen, dass es sich hier eindeutig um einen Sabotageakt handelte. Nur einhunderteinunddreißigtausend Exemplare der Zeitung erschienen am nächsten Tag, von denen nicht eines weiter als bis Birmingham ausgeliefert wurde, da die Lokomotivführer den Streik ihrer Kollegen in der Druckergewerkschaft unterstützten.

NICHT VIEL LOS MIT DEM NEUEN ›GLOBE‹! lautete die Schlagzeile des *Citizen* am folgenden Morgen. Armstrongs Zeitung opferte die komplette Seite fünf, um ihrer Meinung Ausdruck zu verleihen, es sei an der Zeit, den alten *Globe* »wiederzubeleben«. Schließlich habe der »illegale Einwanderer« – wie sie Bruce immer wieder bezeichneten – Rekordverkaufszahlen versprochen, und die hatte er tatsächlich erzielt: Der *Citizen* verkaufte nun dreißig Mal so viele Exemplare wie der *Globe*. Ja, das Verhältnis betrug nun dreißig zu eins!

Auf Seite acht forderte der *Citizen* seine Leser zu einer Wette heraus – mit der sagenhaften Quote von hundert zu eins –, dass der *Globe* keine sechs Monate überleben würde. Townsend stellte sofort einen Scheck über tausend Pfund aus und ließ ihn durch einen Boten zu Armstrongs Büro bringen; eine Quittung bekam er jedoch nicht. Ein Anruf von Bruce beim Presseverband sorgte dafür, dass diese Story für alle Zeitungen freigegeben wurde.

Am nächsten Morgen gab Armstrong auf der Titelseite des *Citizen* bekannt, dass er Townsends Scheck über eintausend Pfund eingelöst habe; er selbst werde eine Spende in Höhe von fünfzigtausend Pfund an den Hilfsfond der Presse leisten, da der *Globe* keine Chance habe, die sechs Monate zu überleben, sowie weitere fünfzigtausend Pfund für eine Wohltätigkeitsorganisation zur Verfügung stellen, deren Wahl er er Mr. Townsend überließe. Bis zum Ende der Woche hatte Keith mehr als hundert Zuschriften von Wohltätigkeitsvereinen erhalten, die ihm erklärten, weshalb er gerade sie auswählen solle.

In den nächsten Wochen schaffte es der *Globe* nur selten, eine Auflagenhöhe von dreihunderttausend Exemplaren zu überschreiten – eine Tatsache, auf die Armstrong seine Leser bei jeder passenden und unpassenden Gelegenheit aufmerksam machte. In den darauffolgenden Monaten sah Townsend ein, dass ihm nichts anderes übrig blieb, als sich die Gewerkschaften vorzuknöpfen – ein, wie er wusste, aussichtsloses Unterfangen, solange die Labour Party an der Macht blieb.

30

The Globe

4. Mai 1979

Triumph für Maggie!

Townsend ließ den Fernseher in seinem Büro die ganze Nacht laufen, um keines der Ergebnisse zu versäumen, die von einem Wahlkreis nach dem anderen durchgegeben wurden. Eins stand bereits fest: Margaret Thatcher würde in die Downing Street 10 einziehen. Hastig schrieb Townsend einen Leitartikel, in dem er den Lesern versicherte, dass für Großbritannien eine aufregende neue Epoche beginnen würde. Der Artikel endete mit den Worten: »Schnallen Sie sich an!«

Als er um vier Uhr früh erschöpft mit Bruce das Gebäude verließ, sagte Townsend zum Abschied: »Du weißt doch, was das bedeutet, nicht wahr?«

Am folgenden Nachmittag arrangierte Townsend im Hotel Howard ein privates Treffen mit Eric Harrison, dem Generalsekretär der abgespaltenen Druckergewerkschaft. Nach Beendigung des Gesprächs klopfte der Chefportier an die Tür und bat Townsend, ihn kurz unter vier Augen sprechen zu dürfen. Der Chefportier erzählte, was er seinen Untergebenen am Telefon habe sagen hören, als er etwas früher als sonst aus seiner Pause zurückgekehrt war. Niemand musste Townsend sagen, wer höchstwahrscheinlich am anderen Ende der Leitung gewesen war.

»Ich werde ihn auf der Stelle feuern«, versprach der Chefportier. »Seien Sie versichert, dass so etwas nie wieder vorkommt.«

»Nein, nein«, hielt Townsend ihn zurück. »Lassen Sie den Mann, wo er ist. Und keinen Ton, dass Sie ihm dahintergekommen sind! Ich muss meine wichtigen Gespräche jetzt zwar woanders führen, kann mich hier aber mit unbedeutenden Leuten treffen und Armstrong damit in die Irre führen.«

Bei der monatlichen Vorstandssitzung von Armstrong Communications lag der wöchentliche Verlust des *Globe* nach Schätzung des Finanzdirektors immer noch bei einhunderttausend Pfund. So prall Townsends Säckel auch gefüllt sein mochte – wenn es so weiterging, war die Pleite nur noch eine Frage der Zeit.

Armstrong lächelte, schwieg jedoch, bis Sir Paul Maitland zum zweiten Punkt der Tagesordnung kam und Dick aufforderte, dem Vorstand von seiner letzten Amerikareise zu berichten. Armstrong informierte die Anwesenden über den letzten Stand seiner Verhandlungen in New York und fügte hinzu, er beabsichtige, in naher Zukunft einen weiteren Flug über den Atlantik zu unternehmen, da er glaube, es würde nicht mehr lange dauern, bis Armstrong Communications ein offizielles Angebot für den *New York Star* abgeben könne.

Sir Paul verlieh seiner Besorgnis über die schiere Dimension einer solchen Übernahme Ausdruck und verlangte, endgültige Zusagen nur mit Zustimmung des Vorstands zu machen. Armstrong versicherte ihm, es habe nie in seiner Absicht gelegen, dies anders zu handhaben.

Peter Wakeham wies seine Vorstandskollegen auf einen Artikel in der *Financial Times* hin, wonach Keith Townsend vor Kurzem einen großen Komplex von Lagerhäusern auf der Isle of Dogs gekauft habe und ganze Kolonnen von Lastwagen ohne Aufschrift nächtliche Lieferungen dorthin brachten.

»Hat jemand eine Ahnung, worum es dabei geht?« Sir Paul ließ den Blick über die Anwesenden schweifen.

»Wir wissen«, antwortete Armstrong, »dass Townsend beim Erwerb des *Globe* auch in den Besitz einer Transportfirma für den Direktvertrieb der Zeitungen kam. Vielleicht muss er sich ja als Spediteur betätigen, weil es seinen Zeitungen so mies geht.«

Einige Vorstandsmitglieder lachten ein wenig gezwungen, doch Sir Pauls Miene bleib ernst. »Das würde aber nicht erklären, weshalb Townsend den Komplex so scharf bewachen lässt«, gab er zu bedenken. »Wachmänner, Hunde, elektrisch gesicherte Tore, Stacheldraht auf den Mauern – er führt irgendwas im Schilde!«

Armstrong zuckte die Schultern und blickte gelangweilt drein, weshalb Sir Paul, wenngleich widerstrebend, die Sitzung beendete.

Drei Tage später bekam Armstrong einen Anruf aus dem Hotel Howard und erfuhr von dem jungen Portier, dass Townsend den ganzen Nachmittag in der Fitzalan-Suite verbracht hatte, um mit drei führenden Mitgliedern der Druckergewerkschaft über eine neue Arbeitszeitregelung und eine höhere Bezahlung von Überstunden zu verhandeln.

Am nächsten Morgen flog Armstrong in die Vereinigten Staaten. Da er Townsend mit seinen Problemen in London abgelenkt wähnte, hielt er nun den richtigen Zeitpunkt für gekommen, ein Übernahmeangebot für den *New York Star* zu einzureichen.

Als Townsend eine Konferenz sämtlicher Journalisten einberief, die für den *Globe* arbeiteten, vermuteten die meisten, der Eigentümer wäre endlich zu einer Einigung mit den Druckergewerkschaften gekommen, und dieses Treffen nicht viel mehr als eine PR-Show, um zu beweisen, dass die Gewerkschaften den Kürzeren gezogen hatten.

Um sechzehn Uhr warteten mehr als siebenhundert Journalisten dicht gedrängt in der Reaktionsetage. Alle verstummten, als Townsend und Bruce Kelly hereinkamen, und machten Platz, damit ihr oberster Boss zur Mitte des riesigen Raums gelangen konnte, wo er auf einen Tisch stieg. Townsend schaute hinunter auf die Menschenansammlung, die nun über sein Schicksal befinden würde.

»In den letzten Monaten«, begann er bedächtig, »haben Bruce Kelly und ich uns mit einem Plan befasst, von dem ich glaube, dass er unser aller Leben und möglicherweise auch die Ansichten über den Journalismus in diesem Lande verändern wird. Zeitungen haben in Zukunft keine Überlebenschance, wenn sie weiterhin so geführt werden wie in den vergangenen hundert Jahren. Jemand muss dem etwas entgegensetzen, und dieser Jemand bin ich. Und jetzt ist der Zeitpunkt für die erforderlichen Änderungen gekommen. Von Mitternacht am kommenden Sonntag an beabsichtige ich, meinen gesamten Druckerei- und Verlagsbetrieb auf die Isle of Dogs zu verlegen.«

Atemlose Stille.

»Ich bin vor Kurzem zu einer Einigung mit Eric Harrison gekommen, dem Generalsekretär der Druckergewerkschaft. Diese Einigung gibt uns die Chance, uns ein für alle Mal aus dem Würgegriff der Gewerkschaften zu befreien.« Einige begannen zu applaudieren, andere wirkten unsicher und wieder andere geradezu wütend.

Townsend fuhr fort, den Journalisten die Logistik einer derart gewaltigen Operation zu erläutern. »Das Problem des Vertriebs werden wir mit unserem eigenen Wagenpark lösen. Das wird uns in Zukunft unabhängig von den Transportarbeitergewerkschaften machen, die uns aus Solidarität mit ihren Kollegen aus der Druckerbranche zweifellos ebenfalls bestreiken würden. Ich kann nur hoffen, dass Sie alle mich bei diesem Unternehmen unterstützen. Irgendwelche Fragen?« Im ganzen Raum schossen Hände in die Höhe. Townsend deutete auf einen Mann, der unmittelbar vor ihm stand.

»Rechnen Sie damit, dass die Gewerkschaften Streikposten um das neue Gebäude aufstellen? Und wenn ja, welche Maßnahmen gedenken Sie dagegen zu ergreifen?«

»Die Antwort auf den ersten Teil Ihrer Frage lautet Ja«, antwortete Townsend. »Was den zweiten Teil betrifft, hat die Polizei mir geraten, keine Einzelheiten über ihre Einsatzpläne verlauten zu lassen. Aber ich kann Ihnen versichern, dass ich für die gesamte Operation die Unterstützung der Premierministerin und des Kabinetts habe.«

Da und dort im Saal war ein Raunen zu vernehmen. Townsend drehte sich um und deutete auf eine andere erhobene Hand.

»Wird es eine Abfindung für diejenigen von uns geben, die sich auf dieses verrückte Vorhaben nicht einlassen wollen?«

Das war eine Frage, auf die Townsend gewartet hatte.

»Ich kann Ihnen nur raten, Ihre Verträge sorgfältig zu lesen«, erwiderte er. »Darin finden Sie die genaue Antwort auf die Frage, welche Abfindung Sie erhalten, wenn ich die Zeitung dichtmachen muss.«

Allgemeines Stimmengewirr setzte ein.

»Wollen Sie uns drohen?«, fragte derselbe Journalist.

Townsend wandte sich wieder dem Mann zu und erwiderte heftig: »Nein, das will ich nicht. Aber wenn Sie mich in dieser Sache nicht unterstützen, bedrohen Sie die Existenzgrundlage von jedem, der für den *Globe* arbeitet!«

Ein ganzer Wald aus Händen schoss in die Höhe. Townsend deutete auf eine Frau, die ziemlich weit hinten stand.

»Wie viele andere Gewerkschaften haben sich einverstanden erklärt, Sie zu unterstützen?«

»Nicht eine«, antwortete Townsend. »Um ehrlich zu sein, rechne ich damit, dass die übrigen Gewerkschaften zum Streik aufrufen, sobald diese Zusammenkunft hier zu Ende ist.« Er deutete auf einen anderen Mitarbeiter und beantwortete über eine Stunde lang weitere Fragen. Als er schließlich vom Tisch hinunterstieg, war es offensichtlich, dass sich unter den Journalisten zwei Lager gebildet hatten. Die einen waren dafür, Townsends Plan zu unterstützen, die anderen plädierten für einen sofortigen Generalstreik.

Später an diesem Abend berichtete ihm Bruce, dass der Journalistenverband eine Presseerklärung abgegeben und zu einer Betriebsversammlung aufgerufen hatte, bei der die Antwort auf Townsends Forderungen beschlossen werden sollte. Eine Stunde später gab Townsend seine eigene Presseerklärung ab.

Keith verbrachte eine schlaflose Nacht, in der er sich

fragte, ob er sich auf ein waghalsiges Glücksspiel eingelassen hatte, das mit der Zeit sein gesamtes Zeitungsimperium in die Knie zwingen würde. Dass sein jüngster Sohn Graham, der sich mit Kate in New York aufhielt, sein erstes Wort gesprochen hatte, war die einzige gute Nachricht im vergangenen Monat gewesen – und es hatte nicht »Zeitung« gelautet. Keith war bei der Geburt des Kindes zwar dabei gewesen, hatte sich drei Stunden später aber schon wieder auf den Weg nach London gemacht. Manchmal fragte er sich wirklich, ob es die ganze Sache überhaupt wert war.

Am nächsten Morgen saß er bereits um sieben Uhr an seinem Schreibtisch und wartete auf den Ausgang der Betriebsversammlung. Sollten sich die Journalisten auf einen Streik geeinigt haben, wäre er geschlagen. Nach seiner Presseerklärung zu seinen Plänen waren die Global-Corp-Aktien über Nacht um vier Pence gefallen, während die von Armstrong Communications – dem offensichtlichen Nutznießer, falls sich das Unternehmen als Pleite für Townsend erweisen sollte – um zwei Pence gestiegen waren.

Wenige Minuten nach dreizehn Uhr stürmte Bruce ohne anzuklopfen in Keith' Büro. »Sie haben sich für dich entschieden!«, rief er. Townsend sah auf, und das Blut schoss in seine bleichen Wangen zurück. »Aber es war verdammt knapp. Dreihundertdreiundvierzig zu dreihundertundeiner Stimme für den Umzug. Ich glaube, deine Drohung, die Zeitung einzustellen, falls sie dich nicht unterstützen, hat letztendlich den Ausschlag gegeben.«

Wenige Minuten später rief Townsend in der Downing Street Nummer zehn an, um die Premierministerin zu warnen, dass es wahrscheinlich zu einer blutigen Konfrontation kommen würde, die mehrere Wochen andauern könnte.

Mrs. Thatcher sagte Keith ihre volle Unterstützung zu. Schon in den nächsten Tagen wurde deutlich, dass er nicht übertrieben hatte: Sowohl Journalisten wie Drucker mussten von bewaffneten Polizisten in und aus dem neuen Komplex geleitet werden; Townsend und Bruce Kelly standen rund um die Uhr unter Personenschutz, seit sie anonyme Morddrohungen erhalten hatten.

Doch das erwies sich nicht als ihr einziges Problem. Obwohl die neue Anlage auf der Isle of Dogs zweifellos die modernste der Welt war, beschwerten sich einige Journalisten über die unerträglichen Zustände dort. Sie verwiesen darauf, dass in ihren Verträgen nichts darüber stand, Beschimpfungen von Hunderten von Gewerkschaftern über sich ergehen oder sich häufig sogar mit Steinen bewerfen lassen zu müssen, wenn sie am Morgen die »Festung Townsend« betraten und sie abends oder nachts wieder verließen.

Doch damit endeten die Beschwerden der Journalisten noch nicht. Sie protestierten gegen die Fließband-Atmosphäre im Inneren des Komplexes, schimpften auf die modernen Computer und Kommunikationssysteme, die ihre alten Schreibmaschinen ersetzt hatten, und liefen vor allem gegen das strikte Alkoholverbot im Hause Sturm. Es wäre alles womöglich ein wenig leichter für sie gewesen, wären sie nicht so weit entfernt von ihren vertrauten Kneipen in der Fleet Street gestrandet.

Im ersten Monat nach dem Umzug auf die Isle of Dogs kündigten dreiundsechzig Journalisten, und der Umsatz des *Globe* sank Woche um Woche weiter. Die Streikposten wurden zunehmend gewalttätiger, und der Finanzdirektor warnte Townsend, dass auch die Mittel von Global Corporation bald erschöpft wären, sollte der derzeitige Ausnahmezustand noch länger andauern. Er schloss mit der Frage: »Lohnt es sich wirklich, den Bankrott heraufzubeschwören, nur um etwas zu beweisen?«

Armstrong verfolgte das Geschehen von der anderen Seite des Atlantiks aus. Die Verkaufszahlen des *Citizen* stiegen ebenso steil wie seine Aktiennotierungen. Aber Dick wusste: Falls es Townsend gelingen sollte, das Blatt zu wenden, würde er rasch nach London zurückkehren und ein ähnliches Unternehmen in Gang setzen müssen.

Doch niemand hatte vorhersehen können, was als Nächstes geschah.

31

THE SUN

4. Mai 1982

Ätsch!

In einer Freitagnacht im April 1982, als die Briten tief und fest schliefen, überfielen argentinische Truppen die Falkland-Inseln. Zum ersten Mal seit vierzig Jahren tagte das Parlament an einem Samstag, und die Volksvertreter stimmten dafür, unverzüglich eine Spezialeinheit abzukommandieren, um die Inseln zurückzuerobern.

Alistair McAlvoy setzte sich mit Armstrong in New York in Verbindung und redete ihm zu, der *Citizen* müsse unbedingt die Politik der Labour Party vertreten, wonach eine hurrapatriotische Reaktion auf die Ereignisse keine Lösung sei und die Vereinten Nationen, nicht die Presse, eine solche finden sollte. Armstrong blieb skeptisch, bis McAlvoy hinzufügte: »Das ist ein unverantwortliches Abenteuer, das den Sturz Maggie Thatchers herbeiführen wird. Glauben Sie mir, schon in wenigen Wochen ist die Labour Party wieder an der Macht.«

Townsend dagegen wusste sehr genau, dass er Mrs. Thatcher unterstützen und den Union Jack deutlich sichtbar über dem *Globe* wehen lassen sollte. »Nicht reden, sondern handeln!« lautete denn auch die Schlagzeile der Montagsausgabe, illustriert mit einer Karikatur des argentinischen Generals Galtieri als säbelschwingender Pirat. Als die Spezialeinheit aus Portsmouth auslief und in Richtung Südatlantik steuerte, erreichte die Auflage des *Globe* zum ersten Mal seit Monaten dreihunderttausend Exemplare. Während der ersten Tage der Kampfhandlungen wurde sogar Prinz Andrew für seinen »furchtlosen und heldenhaften Einsatz« als Hubschrauberpilot gelobt. Nachdem das britische U-Boot *HMS Conqueror* am 2. Mai die *General Belgrano* versenkt hatte, titelte der *Globe:* »VOLLTREFFER!«, und die Auflage stieg erneut. Als die britischen Truppen Port Stanley zurückeroberten, wurden täglich mehr als fünfhunderttausend Exemplare des *Globe* verkauft, während der *Citizen* zum ersten Mal, seit Armstrong ihn übernommen hatte, Auflagenverluste verzeichnen musste. Peter Wakeham rief Armstrong in New York an, um ihm die letzten Verkaufszahlen mitzuteilen, woraufhin sein Chef sofort die nächste Maschine nach London nahm.

Als die siegreichen britischen Truppen in die Heimat zurückkehrten, war der *Globe* bereits bei einer täglichen Auflage von einer Million Exemplare angelangt, während der *Citizen* zum ersten Mal seit fünfundzwanzig Jahren weniger als vier Millionen auslieferte. Mit dem Einlaufen der Flotte in Portsmouth startete der *Globe* eine Spendenkampagne für die Witwen, deren tapfere Ehemänner ihr Leben für das Vaterland geopfert hatten. Tag für Tag veröffentlichte Bruce Kelly Storys über Heldentum und Ehre, bebildert mit Fotos der Kinder und Witwen – die sich allesamt als Leser des *Globe* herausstellten.

Am Tag nach dem Gedächtnisgottesdienst in der St.-Pauls-Kathedrale berief Armstrong in der Chefetage einen

Kriegsrat ein. Völlig unnötigerweise wurde er von seinem Vertriebsleiter darauf hingewiesen, dass das Umsatzplus beim *Globe* ein Minus beim *Citizen* nach sich gezogen hatte. Alistair McAlvoy riet Armstrong noch immer, keinesfalls in Panik zu geraten. Schließlich war der *Globe* inzwischen ein Revolverblatt, während der *Citizen* eine seriöse Zeitung von gutem Ruf geblieben war. »Es wäre dumm, unser journalistisches Niveau zu senken, nur um mit einem Emporkömmling Schritt zu halten, dessen Zeitung es nicht einmal wert ist, dass ein Imbiss, der sich auch nur einen Rest von Selbstachtung bewahrt hat, seine Fish 'n' Chips darin einwickelt«, sagte er. »Können Sie sich vorstellen, dass sich der *Citizen* je auf Bingo-Wettbewerbe einlässt? Noch so einer von Kevin Rushcliffes vulgären Einfällen.«

Armstrong notierte sich diesen Namen. Das Bingo-Spiel hatte den Umsatz des *Globe* um weitere hunderttausend Exemplare täglich steigen lassen, und Dick sah keinen Grund, weshalb er so etwas nicht auch im *Citizen* machen sollte. Er wusste jedoch auch, dass das Team, das McAlvoy sich im Laufe der letzten zehn Jahre aufgebaut hatte, voll hinter seinem Chefredakteur stand.

»Aber schauen Sie sich doch den heutigen Aufmacher des *Globe* an!«, rief Armstrong in einem letzten verzweifelten Versuch, seinen Standpunkt deutlich zu machen. »Warum bekommen *wir* keine solchen Storys?«

»Weil Freddie Starr nicht einmal etwas für Seite elf des *Citizen* hergäbe. Wer interessiert sich schon für die Essgewohnheiten eines Fernsehkomikers? Solche Sachen werden uns jeden Tag angeboten. Und weil wir sie ablehnen, bleibt uns das halbe Dutzend gerichtlicher Verfügungen erspart, die mit einer Veröffentlichung gewöhnlich einhergehen.« McAlvoy und sein Team verließen die Sitzung in dem Glauben, sie hätten Armstrong überzeugen können, nicht den gleichen Weg einzuschlagen wie der *Globe*.

Ihre Überzeugung hielt jedoch nur so lange an, bis die Auflagenzahlen des nächsten Quartals auf Armstrongs Schreibtisch landeten. Ohne sich zuvor mit jemandem zu beraten, griff Dick zum Telefon und verabredete sich mit Kevin Rushcliffe, dem stellvertretenden Chefredakteur des *Globe*.

Rushcliffe traf noch am selben Nachmittag bei Armstrong Communications ein. Der Unterschied zwischen ihm und Alistair McAlvoy hätte größer nicht sein können. Gleich bei ihrer ersten Begegnung redete ihn Rushcliffe mit Dick an, als wären sie alte Freunde. Seine Worte ratterte er wie Maschinengewehrsalven heraus, sodass ihn Armstrong kaum verstehen konnte. Rushcliffe erklärte ihm, was er umgehend ändern würde, wäre er der Chefredakteur des *Citizen*. »Die Leitartikel sind viel zu nichtssagend. Man muss den Lesern mit ein, zwei Zeilen seine Gefühle zeigen. Keine Wörter mit mehr als drei Silben, und keine Sätze mit mehr als zehn Worten. Versuchen Sie nie, die Leser zu beeinflussen. Glauben Sie mir – die Leute wollen nur vorgesetzt bekommen, was sie schon kennen.« Ein ungewöhnlich kleinlauter Armstrong erklärte dem jungen Mann, er müsse als stellvertretender Chefredakteur beim *Citizen* anfangen, »denn McAlvoys Vertrag läuft noch sieben Monate«.

Beinahe hätte Dick seinen Entschluss, Rushcliffe einzustellen, allerdings doch noch zurückgenommen, als ihm der junge Mann nämlich aufzählte, was er neben seinem Gehalt außerdem noch erwartete. Dick hätte diesen Forderungen bestimmt nicht so ohne Weiteres nachgegeben, hätte er

Rushcliffes Vertragskonditionen beim *Globe* gekannt oder gewusst, dass Bruce Kelly nicht die Absicht hatte, diesen Vertrag nach dessen Ablaufen Ende des Jahres zu verlängern. Drei Tage später schickte Dick eine Notiz in McAlvoys Büro und teilte ihm mit, dass er Kevin Rushcliffe als seinen Stellvertreter eingestellt hatte.

McAlvoy erwog, dagegen zu protestieren, dass man ihm einfach den ehemaligen stellvertretenden Chefredakteur des *Globe* zuteilte, bis seine Frau ihn daran erinnerte, dass seine Pensionierung in sieben Monaten bei vollem Ruhegeld fällig wurde und nun wirklich nicht der rechte Zeitpunkt war, seinen Job auf dem Altar der Prinzipien zu opfern. Als McAlvoy am nächsten Morgen in sein Büro kam, ignorierte er einfach seinen neuen Stellvertreter und dessen »Eine-Idee-pro-Minute« für die morgige Titelseite.

Nach Veröffentlichung einer nackten Schönheit auf Seite drei des *Globe* wurden zum ersten Mal zwei Millionen Exemplare verkauft. McAlvoy erklärte bei der morgendlichen Redaktionskonferenz: »So was nur über meine Leiche!« Niemand wollte ihn darauf aufmerksam machen, dass kürzlich bereits zwei oder drei seiner besten Reporter den *Citizen* verlassen hatten und zum *Globe* übergewechselt waren, während nur Rushcliffe den umgekehrten Weg eingeschlagen hatte.

Da Armstrong weiterhin viel Zeit damit zubringen musste, sich auf einen Übernahmekampf in New York vorzubereiten, hielt er sich, wenn auch widerstrebend, an McAlvoys Urteil – vor allem deshalb, weil er seinen erfahrensten Redakteur nicht wenige Wochen vor den Parlamentswahlen feuern wollte.

Als Margaret Thatcher mit einer Mehrheit von einhundertvierundvierzig Stimmen ins Unterhaus zurückkehrte, verbuchte der *Globe* den Sieg für sich und erklärte, dies werde den Niedergang des *Citizen* mit Sicherheit beschleunigen. Einigen Kommentatoren entging die Ironie dieser Aussage nicht, und so war da und dort vom »Niedergang des mündigen Staatsbürgers« zu lesen oder zu hören.

Gleich nachdem Armstrong aus New York zurückgekehrt war, um in der folgenden Woche an der monatlichen Vorstandssitzung teilzunehmen, wies Sir Paul auf die noch immer sinkenden Verkaufszahlen der Zeitung hin.

»Während die Auflage des *Globe* von Monat zu Monat steigt«, warf Peter Wakeham vom anderen Ende des Konferenztisches ein.

»Und was sollen wir dagegen unternehmen?«, fragte der Vorsitzende und blickte den Hauptgeschäftsführer an.

»Ich habe bereits einige Pläne in Arbeit«, antwortete Armstrong.

»Und dürften wir sie erfahren?«, erkundigte sich Sir Paul.

»Ich werde sie dem Vorstand bei unserer nächsten Sitzung vorlegen«, versprach Armstrong.

Sir Paul schien damit zwar nicht zufrieden zu sein, sagte aber nichts mehr.

Am nächsten Tag rief Armstrong McAlvoy zu sich, ohne den Vorstand zu konsultieren. Als der Chefredakteur des *Citizen* das Büro betrat, stand Armstrong weder auf, um ihn zu begrüßen, noch bot er ihm einen Stuhl an.

»Ich bin sicher, Sie können sich denken, weshalb ich Sie herbestellt habe«, sagte er.

»Nein, Dick, ich habe nicht die leiseste Ahnung«, erwiderte McAlvoy arglos.

»Tja, ich hab' mir gerade die Zahlen für den vergangenen

Monat angesehen. Wenn es in diesem Tempo weitergeht, wird der *Globe* bis Ende des Jahres mehr Exemplare verkaufen als wir.«

»Und Sie werden immer noch der Eigentümer einer großartigen überregionalen Zeitung sein, während Townsend weiterhin ein lächerliches Boulevardblatt herausgibt.«

»Das mag ja sein. Aber ich muss an den Vorstand und die Aktionäre denken.«

McAlvoy konnte sich nicht erinnern, dass Armstrong bisher je einmal den Vorstand oder die Aktionäre erwähnt hatte. »Die letzte Zuflucht eines Eigentümers«, wollte McAlvoy schon erwidern, erinnerte sich dann aber an die Warnung seines Anwalts, dass sein Vertrag nur noch fünf Monate lief und es unklug wäre, Armstrong zu provozieren.

»Ich vermute, Sie haben die Schlagzeile des heutigen *Globe* schon gelesen?« Armstrong hielt die Zeitung seines Konkurrenten in die Höhe.

»Selbstverständlich«, versicherte McAlvoy und warf einen Blick auf die fetten Lettern: »SKANDAL: POPSTAR MIT DROGEN ERWISCHT!«

»Und unsere Schlagzeile lautet: ›ZUSATZVERGÜTUNG FÜR KRANKENSCHWESTERN‹.«

»Unsere Leser lieben Krankenschwestern«, entgegnete McAlvoy.

»Das mag ja sein!«, fuhr Armstrong auf und blätterte die Seiten durch. »Aber falls Sie es noch nicht bemerkt haben, der *Globe* bringt die gleiche Meldung auf Seite sieben. Auch wenn das bei Ihnen offenbar nicht der Fall zu sein scheint – mir ist jedenfalls klar, dass die meisten unserer Leser sich mehr für Popstars und Drogenskandale interessieren.«

»Dem fraglichen Popstar«, konterte McAlvoy, »ist es noch

nie gelungen, mit einem Song in die Hitparade zu kommen. Der Mann hatte ganz privat in seinen eigenen vier Wänden einen Joint geraucht. Wäre er tatsächlich so berühmt, hätte der *Globe* seinen Namen in der Schlagzeile genannt. Ich habe einen ganzen Aktenschrank von solchem Müll, aber ich beleidige unsere Leser nicht, indem ich ihn veröffentliche.«

»Vielleicht wird es Zeit, dass Sie damit anfangen!« Armstrongs Stimme wurde mit jedem Wort lauter. »Versuchen wir zur Abwechslung doch einmal, den *Globe* mit seinen eigenen Waffen zu schlagen. Dafür müsste ich mir allerdings einen neuen Chefredakteur suchen …«

McAlvoy war einen Moment lang sprachlos. »Darf ich Ihren Worten entnehmen, dass ich gefeuert bin?«, fragte er schließlich.

»Wenigstens das haben Sie kapiert«, antwortete Armstrong. »Jawohl, Sie sind gefeuert. Der Name Ihres Nachfolgers wird am Montag bekannt gegeben. Sorgen Sie dafür, dass Ihr Schreibtisch bis zum Abend geräumt ist.«

»Darf ich davon ausgehen, dass ich nach zehn Jahren als Chefredakteur dieser Zeitung mein volle Rente bekommen werde?«

»Sie bekommen nicht mehr und nicht weniger, als Ihnen zusteht!«, brüllte Armstrong. »Und jetzt raus aus meinem Büro!« Er funkelte McAlvoy an und wartete auf eine von dessen legendären Tiraden. Doch der entlassene Chefredakteur drehte sich lediglich um und verließ wortlos das Büro. Er knallte nicht einmal die Tür hinter sich zu.

Armstrong trat ins Nebenzimmer, trocknete sich ab und zog ein frisches Oberhemd an. Es hatte genau dieselbe Farbe wie das vorherige, also würde niemandem etwas auffallen.

Als McAlvoy wieder an seinem Schreibtisch war, unterrichtete er umgehend eine Handvoll seiner engsten Mitarbeiter über das Gespräch mit Armstrong und dessen Pläne. Einige Minuten später nahm er ein letztes Mal an der Redaktionskonferenz für die Nachtausgabe teil. McAlvoy überflog die Liste der Themen, die für die Titelseite in Frage kamen.

»Ich hab' schon den Knüller für morgen, Alistair«, ertönte eine Stimme. McAlvoy blickte zu seinem politischen Redakteur.

»Und worum geht es, Campbell?«, erkundigte er sich.

»Eine Stadträtin der Labour Party in Lambeth ist in Hungerstreik getreten, um auf die Ungerechtigkeit der Wohnungspolitik unserer Regierung aufmerksam zu machen. Die Frau ist schwarz und arbeitslos.«

»Nicht übel«, sagte McAlvoy. »Hat sonst noch jemand Vorschläge für den morgigen Aufmacher?« Niemand sagte etwas, während McAlvoy den Blick langsam über die Anwesenden schweifen ließ. Schließlich musterte er Kevin Rushcliffe, mit dem er seit über einen Monat kein Wort gewechselt hatte.

»Was ist mit Ihnen, Kevin?«

Der stellvertretende Chefredakteur blickte von seinem Platz in der Ecke des Zimmers auf und blinzelte ungläubig, dass sich sein Vorgesetzter an ihn gewandt hatte. »Na ja, ich gehe seit ein paar Wochen einem Hinweis über das Privatleben des Außenministers nach. Aber es ist schwierig, hieb- und stichfeste Beweise aufzutreiben.«

»Wie wär's, wenn Sie fünfzehnhundert Anschläge über dieses Thema schreiben? Dann lassen wir unsere Anwälte entscheiden, ob wir damit durchkommen.«

Einige der älteren Kollegen rutschten nervös auf ihren Stühlen.

»Was ist aus dieser Story über den Architekten geworden?«, fragte McAlvoy, immer noch an seinen Stellvertreter gewandt.

Überrascht starrte Rushcliffe ihn an. »Die haben Sie doch abgelehnt!«

»Ich fand sie ein bisschen langweilig. Könnten Sie die Sache ein bisschen aufmotzen?«

»Wenn Sie möchten«, entgegnete Rushcliffe und wirkte inzwischen völlig verwirrt.

Da McAlvoy nie auch nur einen Schluck Alkohol trank, bevor er die Morgenausgabe sorgfältig von vorn bis hinten gelesen hatte, fragten sich einige Anwesende, ob ihr Chef sich nicht wohlfühlte.

»Gut, das wäre dann geklärt. Kevin bekommt die Titelseite und Campbell den Leitartikel auf Seite zwei.« Er machte eine Pause. »Und da ich heute Abend mit meiner Frau ein Pavarotti-Konzert besuche, werde ich nun alles weitere Kevin überlassen. Ist Ihnen das recht?«, wandte er sich wieder an seinen Stellvertreter.

»Selbstverständlich«, versicherte Rushcliffe, erfreut, dass er endlich ernst genommen wurde.

»Tja, das wär's dann«, sagte McAlvoy. »Also, zurück an die Arbeit.«

Während die Journalisten das Redaktionsbüro verließen, trat Rushcliffe an McAlvoys Schreibtisch und dankte dem Chefredakteur.

»Nichts zu danken«, entgegnete sein Vorgesetzter. »Ihnen ist doch klar, dass das Ihre große Chance werden könnte, Kevin? Bestimmt wissen Sie schon, dass ich mich am frühen

Nachmittag mit dem Eigentümer dieses Blattes unterhalten habe. Er möchte, dass unsere Zeitung den *Globe* mit seinen eigenen Waffen schlägt. Genau das waren seine Worte. Also sollten Sie unbedingt dafür sorgen, dass der *Citizen* Ihre Handschrift trägt, wenn Mr. Armstrong ihn morgen liest. Ich werde nicht ewig in diesem Sessel sitzen, wissen Sie.«

»Ich werde mein Bestes tun«, versprach Rushcliffe, bevor er das Büro verließ. Wäre er nur einen Augenblick länger geblieben, hätte er dem Chefredakteur helfen können, dessen Schreibtisch zu räumen.

Am Spätnachmittag verließ McAlvoy gemächlich das Gebäude. Mit jedem Redaktionsangehörigen, dem er begegnete, wechselte er noch ein paar Worte. Er erzählte allen, wie sehr seine Frau und er sich auf Pavarotti freuten. Wenn Mitarbeiter ihn fragten, wer denn die heutige Abendausgabe redaktionell betreute, sagte McAlvoy es ihnen, auch dem Portier. McAlvoy stellte sogar einen Uhrenvergleich mit ihm an, ehe er zur nächsten U-Bahn-Station marschierte, denn er war sicher, dass man ihm seinen Dienstwagen bereits gesperrt hatte.

Kevin Rushcliffe versuchte sich auf seine Titelstory zu konzentrieren, wurde aber ständig von Journalisten unterbrochen, die sein Okay für ihre Texte wollten. Rushcliffe genehmigte mehrere Seiten, die er aus Zeitmangel nicht sorgfältig lesen konnte. Als er schließlich seinen eigenen Artikel abgab, beschwerten sich die Drucker, dass heute alles so schrecklich spät käme. Rushcliffe fiel ein Stein vom Herzen, als das erste Exemplar wenige Minuten vor dreiundzwanzig Uhr aus den Druckmaschinen lief.

Zwei Stunden später griff Armstrong nach dem Telefon neben seinem Bett, das plötzlich losgeschrillt hatte. Er hörte zu, während Stephen Hallet ihm die Titelseite vorlas. »Warum, zum Teufel, hast du das nicht verhindert?«, fragte Armstrong heftig, als Hallet geendet hatte.

»Ich habe die Titelseite erst gesehen, als die erste Auflage schon auf den Straßen war«, erwiderte Stephen. »Bei der zweiten hatten wir dann als Aufmacher bereits den Artikel über eine Stadträtin in Lambeth, die in Hungerstreik getreten ist. Die Frau ist schwarz und …«

»Ist mir scheißegal, welche Farbe sie hat!«, brüllte Armstrong. »Was hat McAlvoy sich dabei gedacht …?«

»McAlvoy hat die Nachtausgabe nicht redaktionell betreut.«

»Wer dann, verdammt?«

»Kevin Rushcliffe«, antwortete der Anwalt.

In dieser Nacht kam Armstrong nicht mehr zum Schlafen – wie die meisten anderen in der Fleet Street auch, die verzweifelt versuchten, sich mit dem Außenminister sowie dem Starlet und Model in Verbindung zu setzen. Bis schließlich ihre letzten Ausgaben herauskamen, hatten die meisten bestätigt, dass der Politiker Miss Sodawasser-Syphon von 1983 nie begegnet war.

Diese Story wurde am nächsten Morgen so stark diskutiert, dass nur wenigen Lesern des *Citizen* ein winziger Artikel auf Seite sieben mit der Überschrift »Ziegel, aber kein Mörtel« auffiel, in dem behauptet wurde, einer der führenden Architekten Großbritanniens baute Sozialwohnblöcke, die allesamt einstürzten. Ein per Kurier zugestelltes Schreiben eines ebenso führenden Anwalts erklärte, dass Sir Angus nie in seinem Leben Sozialwohnungen gebaut habe. Dem Schreiben lag eine Entschuldigung bei, deren Veröffentlichung der Anwalt am nächsten Tag auf der Titelseite verlangte, sowie ein Brief, in dem die Höhe der Spende stand, die an eine von Sir Angus zu bestimmende Hilfsorganisation überwiesen werden sollte.

Im Lokalteil der Zeitung wurde ein renommiertes Restaurant beschuldigt, einen Gast pro Tag zu vergiften, während im Reiseteil ein Reisebüro genannt wurde, das die meisten seiner Kunden nach Spanien gelockt habe, wo das Unternehmen nicht einmal Hotelzimmer für sie gebucht hatte. Und auf der letzten Seite war die angebliche Aussage des Trainers der englischen Fußballnationalmannschaft zu lesen, dass …

McAlvoy erklärte jedem, der ihn an diesem Vormittag zu Hause anrief, dass er am Tag zuvor von Armstrong gefeuert und ihm befohlen worden war, sofort seinen Schreibtisch zu räumen. Er hatte das Verlagsgebäude um sechzehn Uhr neunzehn verlassen, von diesem Moment an sei alles Sache des stellvertretenden Chefredakteurs gewesen. »Er heißt Rushcliffe, mit e am Ende«, fügte McAlvoy hilfsbereit hinzu.

Jedes Redaktionsmitglied, das man befragte, bestätigte McAlvoys Aussage.

Stephen Hallet rief Armstrong an diesem Tag fünfmal an. Jedes Mal unterrichtete er ihn über eine neuerliche gerichtliche Verfügung und empfahl ihm, bei jeder einzulenken, und zwar umgehend.

Der *Globe* berichtete auf Seite zwei von dem traurigen Abgang Alistair McAlvoys nach zehn Jahren aufopfernder Arbeit für den *Citizen*. Er beschrieb ihn als den Nestor der Fleet-Street-Redakteure, den alle echten Profis sehr vermissen würden.

Als der *Globe* zum ersten Mal drei Millionen Exemplare verkaufte, gab Townsend eine Party. Diesmal nahmen die meisten führenden Politiker und Medienpersönlichkeiten daran teil – und das trotz Armstrongs Gegenveranstaltung zum achtzigjährigen Bestehen des *Citizen*.

»Zumindest stimmt diesmal das Datum«, meinte Townsend.

»Wenn wir schon Datum reden«, sagte Bruce, »wann darf ich eigentlich endlich nach Australien zurück? Es ist dir wahrscheinlich gar nicht aufgefallen, aber ich war schon seit fünf Jahren nicht mehr zu Hause.«

»Du darfst erst heim, wenn die Worte ›Großbritanniens auflagenstärkste Tageszeitung‹ aus dem Impressum des *Citizen* verschwunden sind«, erwiderte Keith.

Erst nach fünfzehn weiteren Monaten buchte Bruce Kelly einen Flug nach Sydney, nachdem die Prüfungskommission bekannt gegeben hatte, dass die tägliche Auflage des Vormonats im Durchschnitt bei drei Millionen sechshundertzwölftausend Exemplaren gelegen hatte, gegenüber drei Millionen sechshundertzehntausend des *Citizen*. *»Weg damit!«* lautete am folgenden Morgen die Schlagzeile des *Globe* – über einem Bild des hundertvierzig Kilo schweren Armstrong in Boxershorts.

Da der prahlerische Untertitel des *Citizen* unerschütterlich an Ort und Stelle blieb, ließ der *Globe* »die am besten informierten Leser der Welt« wissen, dass der Eigentümer des *Citizen* seine Wettschulden von hunderttausend Pfund noch immer nicht beglichen habe und »nicht nur ein schlechter Verlierer, sondern obendrein ein Betrüger ist«.

Armstrong verklagte Townsend am Tag darauf wegen übler Nachrede. Sogar der *Times* war diese Angelegenheit einen Kommentar wert: »Nur die Anwälte werden davon profitieren«, schloss die Renommierzeitung.

Der Fall erreichte achtzehn Monate später den obersten Gerichtshof, wurde drei Wochen lang verhandelt und machte durchgehend Schlagzeilen in allen Zeitungen – mit Ausnahme des *Independent.* Mr. Michael Beloff, der Anwalt des *Globe,* argumentierte, die offiziellen Zahlen der Prüfungskommission gäben seinem Mandanten recht. Dagegen wies Mr. Anthony Grabinar, der Anwalt des *Citizen,* darauf hin, dass diese Zahlen den *Scottish Citizen* nicht mit einschlossen, der in Verbindung mit dem *Daily* die Gesamtauflage durchaus über der des *Globe* hielte.

Die Geschworenen berieten fünf Stunden lang und urteilten dann mit zehn zu zwei Stimmen für Armstrong. Als der Richter fragte, welche Entschädigung die Geschworenen vorschlugen, erhob sich ihr Sprecher und erklärte ohne Zögern: »Zwölf Pence, Mylord – der Preis für ein Exemplar des *Citizen.*«

Der Richter erklärte den Anwälten, er sei der Meinung, dass unter diesen Umständen beide Parteien ihre Prozesskosten selbst übernehmen sollten, die nach seiner vorsichtigen Schätzung bei jeweils einer Million Pfund lagen. Die Anwälte nickten zustimmend und machten sich daran, ihre Unterlagen einzupacken.

Am nächsten Tag prophezeite die *Financial Times* in einem langen Artikel über die beiden Zeitungsbarone, dass irgendwann einer der beiden den Untergang des anderen herbeiführen müsse. Doch wie dem auch sei, fuhr der Reporter fort, der Prozess hatte geholfen, die Auflagenhöhe beider Zeitungen zu steigern, wobei sie im Fall des *Globe* erstmals die Viermillionengrenze überschritten hatte.

Am Tag darauf stiegen die Aktien beider Unternehmensgruppen um je einen Penny.

Während Armstrong in unzähligen Berichten zur Verhandlung über sich selbst las, konzentrierte sich Townsend auf einen Artikel in der *New York Times,* den Tom Spencer ihm gefaxt hatte.

Obwohl Keith nie zuvor etwas von Lloyd Summer oder der Kunstgalerie gehört hatte, deren Pachtvertrag auslief, verstand er, als er zur letzten Zeile gelangt war, weshalb Tom dick darauf vermerkt hatte: *Sofort lesen!*

Nachdem Townsend es ein zweites Mal getan hatte, bat er Heather, ihn mit Tom zu verbinden und ihm anschließend den nächstmöglichen Flug nach New York zu buchen.

Es erstaunte Tom nicht, dass sein Mandant ihn binnen Minuten nach Erhalt des Faxes zurückrief. Immerhin wartete Townsend ja seit mehr als einem Jahrzehnt auf eine Möglichkeit, ein größeres Aktienpaket am *New York Star* zu erwerben.

Townsend hörte gespannt zu, während Tom ihm alles erzählte, was er über Mr. Lloyd Summers in Erfahrung gebracht hatte und weshalb Summers für seine Kunstgalerie neue Räumlichkeiten suchte. Nachdem Townsend auf alle seine Fragen eine Antwort bekommen hatte, bat er seinen Anwalt, so schnell wie möglich ein Treffen mit Summers zu arrangieren. »Ich fliege gleich morgen früh nach New York«, erklärte er.

»Unnötig, dass Sie selbst den weiten Weg machen, Keith. Schließlich kann ich ja für Sie mit Summers verhandeln.«

»Nein«, erwiderte Townsend. »Wenn es um den *Star* geht, betrachte ich es als persönliche Angelegenheit. Dieses spezielle Geschäft möchte ich selbst abschließen.«

»Ihnen ist klar, Keith, dass Sie im Erfolgsfall amerikanischer Staatsbürger werden müssen«, erinnerte ihn Tom.

»Das kommt überhaupt nicht in Frage, Tom! Wie oft habe ich Ihnen das nun schon gesagt!«

Keith legte auf und machte sich ein paar Notizen. Sobald er ungefähr ausgerechnet hatte, wie viel er zu bieten bereit war, fragte er Heather, wann sein Flug ging. Falls Armstrong nicht ebenfalls in dieser Maschine saß, konnte er sein Geschäft mit Summers abschließen, ehe jemand auch nur ahnte, dass die Pacht einer Kunstgalerie in Soho der Schlüssel sein konnte, Keith Townsend zum Eigentümer des *New York Star* zu machen.

»Ich wette, dass Townsend den ersten Flug nach New York nimmt«, meinte Armstrong, nachdem Russell Critchley ihm den Artikel vorgelesen hatte.

»Dann rate ich Ihnen dringend, die gleiche Maschine zu nehmen«, erwiderte sein New Yorker Anwalt, der auf seiner Bettkante saß.

»Auf gar keinen Fall«, wehrte Armstrong ab. »Warum sollte ich den Bastard darauf aufmerksam machen, dass wir genauso viel wissen wie er? Nein, wir werden zuzuschlagen, noch bevor sein Flugzeug gelandet ist. Treffen Sie sich so schnell wie möglich mit Summers!«

»Ich bezweifle, dass die Galerie vor zehn öffnet.«

»Dann sorgen Sie dafür, dass Sie um fünf vor zehn vor dem Laden stehen und Summers erwarten!«

»Wie weit kann ich mit dem Gebot gehen?«

»Geben Sie ihm, was er will«, antwortete Armstrong. »Machen Sie dem Mann das Angebot, ihm eine neue Galerie zu kaufen. Aber was immer Sie tun, lassen Sie auf gar keinen Fall Townsend in seine Nähe kommen! Wenn wir Summers auf unsere Seite bringen, öffnet uns das die Tür zu seiner Mutter.«

»Verstanden.« Critchley schlüpfte in eine Socke. »Dann mach ich mich mal besser auf den Weg.«

»Hauptsache, Sie stehen vor der Galerie, bevor sie aufmacht.« Nach einer winzigen Pause fügte Armstrong hinzu: »Und falls Townsends Anwalt vor Ihnen dort stehen sollte, schlagen Sie ihn zusammen.«

Critchley hätte gelacht, wäre er sicher gewesen, dass sein Mandant es nicht ernst meinte.

Tom wartete vor der Zollabfertigungshalle, als sein Mandant durch die Flügeltür kam.

»Leider keine gute Neuigkeit, Keith«, waren seine ersten Worte nach der Begrüßung.

»Was soll das heißen?«, fragte Townsend, während sie nebeneinander zum Ausgang eilten. »Armstrong kann unmöglich vor mir in New York eingetroffen sein. Ich weiß, dass er noch an seinem Schreibtisch saß, als ich von Heathrow abgeflogen bin.«

»Da mag er jetzt immer noch sitzen«, entgegnete Tom, »aber Russell Critchley, sein New Yorker Anwalt, hatte gleich heute früh einen Termin mit Summers!«

Townsend blieb mitten auf der Straße stehen, ohne auf kreischende Bremsen und die Kakofonie hupender Taxis zu achten.

»Haben die beiden einen Vertrag abgeschlossen?«

»Keine Ahnung«, antwortete Tom. »Ich weiß nur, dass ich eine Nachricht von Summers' Sekretärin auf dem Anrufbeantworter hatte, als ich in mein Büro kam. Sie müsse Ihre Verabredung mit Mr. Summers leider absagen.«

»Verdammt! Dann müssen wir als Erstes zur Galerie«, stieß Townsend hervor und stieg endlich von der Straße auf den Bürgersteig. »Die beiden können unmöglich schon einen Vertrag unterzeichnet haben, verdammt! Verdammt«, wiederholte er, »ich hätte es doch Ihnen überlassen sollen!«

»Er hat sich einverstanden erklärt, Ihnen seine fünf Prozent am *Star* zu überlassen, sofern Sie ihm das Geld für eine neue Galerie geben«, sagte Critchley.

Armstrong legte für einen Moment seine Gabel ab. »Und was wird mich das kosten?«

»Er hat noch nicht das richtige Gebäude gefunden, aber er rechnet mit etwa drei Millionen.«

»Wie bitte?«

»Sie würden natürlich die Miete für das Gebäude bekommen ...«

»Natürlich.«

»... und da die Galerie als gemeinnütziges Unternehmen eingetragen ist, gibt es einige Steuervorteile.«

Am anderen Ende der Leitung trat ein längeres Schweigen ein. Dann fragte Armstrong: »Und wie sind Sie verblieben?«

»Nachdem Summers mich zum dritten Mal daran erinnerte, dass er noch an diesem Vormittag eine Verabredung mit Townsend hätte, sagte ich Ja, vorbehaltlich des Vertrags.«

»Haben Sie irgendetwas unterschrieben?«

»Nein. Ich habe Summers gesagt, Sie wären auf dem Weg von London hierher und ich hätte nicht die Vollmacht dazu.«

»Sehr gut. Dann bleibt uns immer noch ein bisschen Zeit, um ...«

»Das bezweifle ich«, unterbrach Russell ihn. »Summers weiß nur zu gut, dass er Sie am Haken hat.«

»Gerade, wenn die Leute glauben, dass sie mich am Haken haben, lege ich sie am liebsten flach.«

32

Wall Street Journal

12. September 1986

New Yorker Aktien auf Rekordtief von 86,61 Punkten

»Meine Damen und Herren«, begann Armstrong. »Ich habe diese Pressekonferenz einberufen, um Ihnen bekannt zu geben, dass ich die Börsenaufsichtsbehörde über meinen Wunsch informiert habe, ein Übernahmeangebot für den *New York Star* zu unterbreiten. Es ist mir eine besondere Freude, Sie darauf aufmerksam machen zu dürfen, dass eine Hauptaktionärin der Zeitung, Mrs. Nancy Summers, ihre Aktien zu einem Preis von vier Dollar und zehn Cent das Stück an Armstrong Communications verkauft hat.«

Einige Journalisten schrieben zwar weiterhin jedes Wort Armstrongs mit, aber diese Meldung war in den meisten Zeitungen bereits seit über einer Woche breitgetreten worden. Die meisten der anwesenden Journalisten ließen ihre Bleistifte noch ruhen und warteten auf die wirkliche Neuigkeit.

»Vor allem aber erfüllt es mich mit Stolz, Ihnen heute mitteilen zu können, dass Mrs. Nancy Summers' Sohn, Mr. Lloyd Summers – der Direktor der Stiftung, die den Namen seiner Mutter trägt – fest zugesagt hat, die fünf Prozent des Unternehmens, die er als Treuhänder verwaltet, ebenfalls an mich zu verkaufen. Es dürfte Sie auch nicht überraschen, dass ich beabsichtige, die überragende Arbeit der Summers-Stiftung fortzuführen und junge Maler und Bildhauer zu fördern, die normalerweise nicht die Chance hätten, in einer renommierten Galerie auszustellen. Wie vielen von Ihnen bekannt ist, bin ich schon mein Leben lang ein Bewunderer der schönen Künste und habe mich vor allem für junge Künstler eingesetzt.«

Keiner der anwesenden Journalisten erinnerte sich auch nur an eine einzige Ausstellung oder Vernissage, an der Armstrong teilgenommen oder die er gar gefördert hätte. Die meisten Bleistifte blieben ruhen.

»Dank Mr. Summers' Unterstützung besitze ich nun neunzehn Prozent der Anteile des *Star*, und ich erwarte, in absehbarer Zukunft der Hauptaktionär zu werden.«

Armstrong schaute von der Erklärung auf, die Russell Critchley für ihn vorbereitet hatte, und blickte lächelnd auf das Meer von Gesichtern. »Und nun, meine Damen und Herren, stehe ich Ihnen gern zur Beantwortung Ihrer Fragen zur Verfügung.«

Russell fand, dass Dick mit den ersten Fragen gut zurechtkam. Dann aber deutete er auf eine Frau in der dritten Reihe.

»Janet Brewer, *Washington Post*. Mr. Armstrong, darf ich Sie nach Ihrer Reaktion auf die heutige Pressemitteilung von Keith Townsend fragen?«

»Ich lese Mr. Townsends Presseinformationen nie«, entgegnete Armstrong. »Sie sind ungefähr so glaubhaft wie seine Zeitungen.«

»Dann gestatten Sie mir, dass ich Sie über den Inhalt unterrichte.« Sie blickte auf ein Blatt Papier in ihrer Hand. »Es sieht ganz so aus, als habe Mr. Townsend die Unterstützung der Bank J. P. Grenville, die ihm elf Prozent ihrer Anteile für sein Übernahmeangebot des *Star* zugesagt hat. Nimmt man Townsends eigene Aktien hinzu, ergibt das mehr als fünfzehn Prozent.«

Armstrong blickte der Reporterin direkt ins Gesicht. »Als Vorstandsvorsitzender des *Star* freue ich mich darauf, Mr. Townsend im nächsten Monat bei der Jahreshauptversammlung begrüßen zu dürfen – als Minderaktionär.«

Diesmal schrieben die Bleistifte jedes seiner Worte mit.

Armstrong saß in seinem neu erstandenen Apartment im siebenunddreißigsten Stock des Trump Tower und las noch einmal Townsends Pressemitteilung. Er grinste, als er zu dem Absatz gelangte, in dem Townsend die Arbeit der Summers-Stiftung pries. »Zu spät«, sagte er laut. »Diese fünf Prozent gehören bereits mir.«

Er erteilte seinen Börsenmaklern sofort die Anweisung, sämtliche *Star*-Aktien zu kaufen, die auf den Markt kamen, ungeachtet des Preises. Dieser kletterte rasch, als deutlich wurde, dass Townsend seinen Maklern den gleichen Auftrag erteilt hatte. Einige Finanzexperten ließen durchblicken, dass die beiden Männer aufgrund einer starken persönlichen Animosität weit mehr als den tatsächlichen Wert bezahlten.

Die nächsten vier Wochen verbrachten Armstrong und Townsend – jeder in Begleitung einer wahren Heerschar von Anwälten und Finanzexperten – fast jeden Tag in Flugzeugen, Eisenbahnen und Autos, mit denen sie kreuz und quer durch die Vereinigten Staaten jagten und Banken, Fördervereine, Interessensvertretungen, Treuhänder, ja, sogar die eine oder andere reiche Witwe davon zu überzeugen versuchten, sie in ihrem Kampf um die Übernahme des *Star* zu unterstützen.

Der Vorstandsvorsitzende des *Star*, Cornelius J. Adams IV., gab bekannt, bei der bevorstehenden Jahreshauptversammlung demjenigen der beiden Konkurrenten die Zügel zu überlassen, der im Besitz von mindestens einundfünfzig Prozent der Anteile war. Zwei Wochen vor der Jahreshauptversammlung des *Star* wussten allerdings nicht einmal die Wirtschaftsredakteure, wer inzwischen die meisten Anteile an ihrer Zeitung besaß. Townsend gab bekannt, inzwischen über sechsundvierzig Prozent zu verfügen, während Armstrong behauptete, einundvierzig Prozent zu besitzen. Als Sieger aus dem Kampf würde – jedenfalls nach Auffassung der Analysten – derjenige hervorgehen, dem es gelang, die zehn Prozent Anteile zu ergattern, die noch der Applebaum Corporation gehörten.

Vic Applebaum war entschlossen, seine fünfzehn Minuten des Ruhmes zu genießen. Er erklärte jedem, der es wissen wollte, dass er die Absicht habe, sich erst einmal beide Konkurrenten anzuschauen, bevor er eine endgültige Entscheidung traf. Applebaum wählte den Dienstag vor der Jahreshauptversammlung für die Gespräche, die darüber entscheiden sollten, wer sein Votum bekam.

Die gegnerischen Anwälte trafen sich auf neutralem Boden und vereinbarten, dass Armstrong als Erster mit Applebaum verhandeln dürfe. Was ein taktischer Fehler sei, wie Tom Spencer seinem Mandanten versicherte. Townsend erklärte sich mit dieser Reihenfolge einverstanden – bis Armstrong mit den Aktienzertifikaten in der Hand aus der Besprechung kam, was bewies, dass er sich jetzt im Besitz von Applebaums zehn Prozent befand.

»Wie hat er *das* denn geschafft?«, fragte ein fassungsloser Townsend.

Tom hatte keine Antwort darauf, bis er am nächsten Morgen die erste Ausgabe der *New York Times* in die Hand bekam. Auf der Wirtschaftsseite konnte man lesen, dass Armstrong nicht viel Zeit damit vergeudet hatte, mit Mr. Applebaum über den *Star* zu reden. Vielmehr war Dick schnell ins Jiddische verfallen, um ihm vom Verlust seiner Familie im Holocaust zu erzählen, den er nie überwunden habe. Deshalb sei es ein Höhepunkt in seinem Leben gewesen, als ihn der Premierminister des Staates Israel persönlich damit beauftragt hatte, sich in der UdSSR für die Juden einzusetzen, die in ihre neue Heimat auswandern wollten. An diesem Punkt war Applebaum offenbar in Tränen ausgebrochen, hatte Armstrong das Aktienpaket überreicht und sich geweigert, Townsend überhaupt noch zu empfangen.

Armstrong gab bekannt, dass er nun im Besitz von einundfünfzig Prozent der Gesellschaftsanteile und deshalb der neue Eigentümer des *New York Star* sei. Das *Wall Street Journal* bestätigte diese Aussage und erklärte, die Jahreshauptversammlung des *Star* sei jetzt eigentlich nichts weiter als eine Krönungszeremonie. Allerdings fügte das Wirtschaftsfachblatt ein Postskriptum hinzu: Keith Townsend müsse nicht allzu deprimiert sein, dass er die Zeitung an seinen Hauptkonkurrenten verloren hatte, schließlich würde er aufgrund des gewaltigen Anstiegs der Aktien einen Gewinn von mehr als zwanzig Millionen Dollar machen.

Das Feuilleton der *New York Times* erinnerte seine Leser daran, dass die Summers-Stiftung am kommenden Donnerstagabend eine Avantgarde-Ausstellung eröffnen würde. Nach den Beteuerungen der rivalisierenden Pressebarone, Lloyd

Summers und die Arbeit der Stiftung zu unterstützen, werde es interessant sein zu sehen, ob sich auch nur einer der beiden Kontrahenten sehen ließe.

Tom Spencer riet Townsend, zumindest eine halbe Stunde für einen kurzen Besuch abzuzweigen, da Armstrong ganz gewiss dort erscheinen würde – außerdem könne man nie wissen, was sich bei solchen Gelegenheiten so alles erfahren ließe.

Schon Sekunden nach seinem Eintreffen bedauerte Townsend seinen Entschluss, die Ausstellung zu besuchen. Er machte einen Rundgang durch die Galerie, ließ den Blick über die Bilder wandern, die vom Stiftungsrat ausgewählt worden waren, und fand, dass sie ausnahmslos das waren, was Kate als »prätentiösen Kitsch« bezeichnet hätte. Er beschloss, sich so schnell wie möglich wieder zu verdrücken und hatte auch schon einen unauffälligen Weg zum Ausgang entdeckt, als Summers auf ein Mikrofon tupfte und um Ruhe bat. Dann erklärte der Direktor, jetzt »ein paar Worte zu sagen«. Townsend schaute auf seine Uhr. Als er wieder aufblickte, sah er Armstrong, der neben Summers stand, einen dicken Katalog umklammert hielt und die Anwesenden anstrahlte.

Summers begann den Gästen voller Bedauern mitzuteilen, dass seine Mutter aufgrund einer bereits länger anhaltenden Krankheit leider nicht anwesend sein könne. Dann ließ er eine lange Rede vom Stapel, in der er die Künstler würdigte, deren Arbeiten er ausgewählt hatte. Zwanzig endlose Minuten später erklärte Summers, wie erfreut er sei, dass der neue Eigentümer des *New York Star* Zeit gefunden hatte, »an einer unserer kleinen Soireen« teilzunehmen.

Gedämpfter Applaus erhob sich, behindert durch die

Weingläser, die alle Gäste in der Hand hielten, und Armstrong strahlte erneut. Townsend ging davon aus, dass Summers endlich zum Ende seiner Rede gelangt war, und wandte sich zum Gehen. Doch da fuhr Summers fort: »Bedauerlicherweise wird dies die letzte Ausstellung in diesen Räumen sein. Wie Sie sicher alle wissen, wurde unser Pachtvertrag nicht verlängert und endet somit im Dezember.« Allgemeines Seufzen ringsum, doch Summers hob beschwichtigend die Hände. »Keine Angst, meine Freunde. Ich bin ziemlich sicher, dass ich nach einer langen Suche die geeigneten Räumlichkeiten für die Stiftung gefunden habe. Ich hoffe, wir alle werden uns dort zu unserer nächsten Ausstellung treffen.«

»Obwohl nur einer oder zwei von uns wirklich wissen, weshalb gerade diese Räumlichkeiten ausgewählt wurden«, murmelte jemand kaum hörbar in Townsends Rücken. Keith schaute rasch über die Schulter und sah eine schlanke Frau Mitte dreißig mit sehr kurz geschnittenem kastanienbraunem Haar, die eine weiße Bluse und einen geblümten Rock trug. Das kleine Namensschild an ihrer Bluse wies sie als »Ms Angela Humphries, stellvertretende Direktorin«, aus.

»Und es wäre ein wundervoller Neubeginn«, fuhr Summers fort, »wenn die erste Vernissage in unseren neuen Räumlichkeiten vom neuen Eigentümer des *Star* eröffnet würde, der uns so großzügig seine weitere Unterstützung für die Stiftung versprochen hat.«

Armstrong strahlte unentwegt und nickte gönnerhaft.

»Wenn der Kerl nur einen Funken Verstand hat, wird er es lassen«, meinte die Frau hinter Townsend. Er trat einen Schritt zurück, sodass er direkt neben Miss Angela Humphries stand, die an einem Glas spanischem Sekt nippte.

»Ich danke Ihnen, meine lieben Freunde«, beendete Summers seine Rede. »Und jetzt genießen Sie bitte weiterhin diese Ausstellung.« Neuerlicher Beifall kam auf, nachdem Dick dem Direktor herzlich die Hand schüttelte. Dann mischte sich Summers unter die Gäste und stellte diejenigen, die er für wichtig hielt, Armstrong vor.

Townsend wandte sich Angela Humphrey zu, als diese ihr Glas geleert hatte. Rasch griff er nach einer Flasche Sekt auf dem Tisch hinter ihnen und schenkte ihr nach.

»Danke«, sagte sie und blickte ihn zum ersten Mal an. »Wie Sie sehen, bin ich Angela Humphries. Und wer sind Sie?«

»Ich bin nicht von hier.« Keith zögerte. »Bin nur auf Geschäftsreise in New York.«

Angela nahm einen Schluck, bevor sie fragte: »Welcher Art sind Ihre Geschäfte?«

»Transportwesen. Hauptsächlich Flugzeuge und Lastwagen. Allerdings besitze ich auch zwei Kohlegruben.«

»Die meisten dieser Bilder hier wären wohl auch besser in einer Kohlegrube aufgehoben«, bemerkte Angela.

»Da bin ich ganz Ihrer Meinung«, versicherte ihr Townsend.

»Was hat Sie dann veranlasst hierherzukommen?«

»Ich bin alleine in New York und habe in der *Times* über die Ausstellung gelesen.«

»Und welche Art von Bildern ziehen Sie vor?«

Townsend verkniff es sich, ›Boyd, Nolan und Williams‹ zu antworten, welche die Wände seines Hauses am Darling Point zierten, und erklärte stattdessen: »Bonnard, Camoir und Vuillard« – Künstler, deren Werke Kate seit einigen Jahren sammelte.

»Nun, die konnten wirklich malen!«, sagte Angela. »Wenn Sie diese Künstler bewundern, fallen mir mehrere Ausstellungen ein, für die es sich *wirklich* gelohnt hätte, einen Abend zu opfern.«

»Tja, wenn man weiß, wo. Aber als Fremder, und so ganz allein …«

Sie zog eine Braue hoch. »Sind Sie verheiratet?«

»Nein«, antwortete er und hoffte, dass sie ihm glaubte. »Und Sie?«

»Geschieden. Ich war mit einem Maler verheiratet, der sich ernsthaft einbildete, nur Giovanni Bellini wäre besser gewesen als er.«

»Und wie gut war er wirklich?«, fragte Keith.

»Für diese Ausstellung hier wurde er jedenfalls nicht ausgewählt, was Ihnen vielleicht einen Hinweis geben dürfte.«

Townsend lachte. Allmählich strömten immer mehr Besucher dem Ausgang zu, und Armstrong befand sich mit Summers nur wenige Schritte entfernt. Während Townsend Angelas Glas noch einmal nachfüllte, stand Armstrong ihm plötzlich gegenüber. Die beiden Männer starrten sich kurz an, dann packte Armstrong Summers am Arm und zog ihn rasch in die Mitte des Raums zurück.

»Ist Ihnen auch aufgefallen, dass Mr. Summers mich dem neuen Besitzer des *Star* nicht vorstellen wollte?«, sagte Angela düster.

Townsend sparte sich, ihr zu erklären, dass Armstrong wohl eher eine Begegnung zwischen ihm und dem Direktor hatte vermeiden wollen.

»War nett, Sie kennengelernt zu haben, Mr. …?«

»Haben Sie heute Abend schon etwas vor?«

Sie zögerte kurz. »Nein, eigentlich nicht. Aber ich muss morgen schon sehr früh raus.«

»Genau wie ich«, entgegnete er. »Wie wär's, wenn wir eine Kleinigkeit essen gehen?«

»Okay. Ich hole nur meinen Mantel, dann können wir los.«

Während Angela sich in Richtung Garderobe entfernte, ließ Townsend den Blick durch den Raum wandern. Armstrong, mit Summers im Schlepptau, war nun von einer Schar Bewunderer umringt. Keith musste nicht in Hörweite sein, um zu wissen, dass Armstrong ihnen von seinen aufregenden Plänen für die Zukunft der Stiftung erzählte.

Einen Augenblick später kam Angela zurück. Sie trug nun einen schweren Wintermantel, der ihr bis an die Knöchel reichte. »Wo würden Sie gern essen?«, fragte Townsend, während sie die breite Treppe hinaufstiegen, die von der Galerie, die im Souterrain lag, zur Straße führte.

»In den meisten halbwegs annehmbaren Restaurants bekommen wir ohne Reservierung keinen Tisch«, meinte Angela. »Wo sind Sie denn abgestiegen?«

»Im Carlyle.«

»Dort habe ich noch nie gegessen. Das wäre mal was anderes.«

Keith hielt Angela die Tür auf. Ein für New York typischer eisiger Wind empfing sie, und Keith musste seine Begleiterin beinahe stützen.

Der Fahrer von Townsends wartendem BMW beobachtete erstaunt, dass Keith ein Taxi anhielt. Noch mehr verwunderte ihn, seinen Chef in Gesellschaft einer Frau zu sehen, die er nie und nimmer für Townsends Typ gehalten hätte. Der Fahrer drehte den Zündschlüssel und fuhr hinter dem

Taxi her zum Carlyle zurück. In der Madison Avenue stiegen die beiden aus und verschwanden durch die Drehtür im Hotel.

Townsend führte Angela direkt zum Restaurant im ersten Stock und hoffte, dass sich der Ober nicht an seinen Namen erinnerte.

»Guten Abend, Sir«, begrüßte dieser ihn an der Tür. »Haben Sie einen Tisch reserviert?«

»Nein«, antwortete Townsend, »aber ich bin Hotelgast.«

Der Ober runzelte die Stirn. »Tut mir leid, Sir, aber es wird mindestens eine halbe Stunde dauern, bevor ein Tisch frei wird. Sie könnten natürlich den Zimmerservice in Anspruch nehmen, wenn Sie möchten.«

»Nein, wir warten an der Bar«, wehrte Townsend ab.

»Ich habe morgen wirklich einen sehr frühen Termin«, warf Angela ein. »Und kann es mir nicht leisten, zu spät zu kommen.«

»Sollen wir unser Glück in einem anderen Restaurant versuchen?«

»Ich habe nichts dagegen, auf Ihrem Zimmer zu essen. Nur muss ich unbedingt vor elf Uhr wieder gehen.«

»Ist mir recht«, sagte Townsend. Er wandte sich wieder an den Ober: »Wir werden in meiner Suite speisen.«

Der Mann verbeugte sich knapp. »Ich werde sofort jemanden zu Ihnen schicken. Welche Zimmernummer, Sir?«

»Siebenhundertzwölf«, antwortete Townsend. Er führte Angela aus dem Restaurant. Als sie über den Korridor gingen, kamen sie an einem Raum vorbei, in dem Bobby Schultz spielte.

»Er hat wirklich Talent«, sagte Angela bewundernd. Townsend nickte und lächelte. Sie stiegen in einen bereits fast vollen Fahrstuhl, gerade noch, bevor die Tür sich schloss. Townsend drückte auf den Knopf für den siebten Stock. Als sie ausstiegen, lächelte Angela ihn nervös an. Keith hätte ihr am liebsten gesagt, dass es nicht ihr Körper war, für den er sich interessierte.

Er steckte den Schlüssel ins Schloss und schob die Tür auf, um Angela hineinzulassen. Erleichtert sah er, dass die Flasche Sekt, die das Haus spendiert und die er nicht angerührt hatte, noch auf dem Tisch in der Zimmermitte stand. Angela zog ihren Mantel aus und legte ihn über den nächsten Sessel, dann öffnete sie die Flasche und füllte zwei Gläser bis zum Rand.

»Ich darf nicht mehr allzu viel trinken«, sagte sie bedauernd. »Ich hatte schon in der Galerie einige Gläschen.« Keith prostete ihr zu. Im selben Moment klopfte jemand an die Tür. Es war der Kellner mit der Speisekarte.

»Dover-Seezunge mit grünem Salat«, bestellte Angela, ohne auch nur einen Blick auf die Karte zu werfen.

»Im Ganzen, Ma'am, oder entgrätet?« erkundigte sich der Kellner.

»Entgrätet, bitte.«

»Für mich das Gleiche«, sagte Townsend. Dann ließ er sich Zeit, zwei Flaschen französischen Wein auszusuchen, wobei er auf seinen geliebten australischen Chardonnay verzichtete.

Als sie Platz genommen hatten, sprach Angela über andere Künstler, die in New York ausstellten. Ihre Begeisterung und Fachkenntnisse ließen Townsend fast vergessen, warum er sie ursprünglich zum Dinner eingeladen hatte. Während sie auf das Essen warteten, lenkte Keith das Gespräch langsam auf ihre Arbeit in der Galerie. Er pflichtete ihrer Beurteilung der derzeitigen Ausstellung bei und erkundigte sich, weshalb sie – als stellvertretende Direktorin – nichts dagegen unternommen hatte.

»Ein klangvoller Titel, damit hat es sich aber auch schon.« Sie seufzte und sah zu, wie Keith ihr nachschenkte.

»Also trifft Summers sämtliche Entscheidungen?«

»Allerdings. Ich würde das Geld der Stiftung nicht für diesen pseudointellektuellen Müll vergeuden. Es gibt so viele echte Talente da draußen. Wenn sich doch nur jemand die Mühe machte, nach denen Ausschau zu halten!«

»Immerhin waren die Bilder gut gehängt«, sagte Townsend, um sie noch ein wenig anzustacheln.

»Gut gehängt?«, entgegnete Angela ungläubig. »Ich rede hier nicht übers Hängen – oder über die Beleuchtung oder die Rahmen. Ich meine allein die Qualität der Bilder. Es gibt nur ein einziges in der Galerie, das dort wirklich einen Platz verdient hat.«

Erneut ertönte ein Klopfen. Townsend stand auf und machte Platz für den Kellner, der ein vollbeladenes Wägelchen hereinschob. Er stellte einen Tisch in der Mitte des Zimmers auf, deckte für zwei Personen und erklärte, dass der Fisch sich in der Wärmeschublade befand. Townsend unterschrieb die Rechnung und gab dem Ober einen Zehndollarschein als Trinkgeld. »Soll ich später wiederkommen und abräumen, Sir?«, fragte er höflich. Townsend antwortete mit einem leichten, aber entschiedenen Kopfschütteln.

Angela stocherte bereits in ihrem Salat, als Keith sich ihr gegenübersetzte. Er entkorkte den Wein und schenkte beide Gläser ein. »Sie haben also das Gefühl, dass Summers mehr für die Ausstellung ausgegeben hat, als wirklich erforderlich war?«, hakte er nach.

»Als wirklich erforderlich war?« Angela kostete den Weißwein. »Er verschleudert jedes Jahr mehr als eine Million Dollar Stiftungsgelder. Und was haben wir dafür vorzuweisen? Lediglich ein paar Partys, die Summers großspurig als Soireen bezeichnet und deren einziger Zweck darin besteht, seine Eitelkeit zu befriedigen.«

»Wie schafft er es denn, jährlich eine Million auszugeben?« Townsend tat so, als würde er sich auf seinen Salat konzentrieren.

»Na ja, nehmen wir mal die heutige Ausstellung als Beispiel. Sie allein kostet die Stiftung eine Viertelmillion. Dann hat Summers noch sein Spesenkonto, und das ist kaum schlechter bestückt als das eines Politikers.«

»Wie kommt er damit bloß durch?« Townsend füllte Angelas Glas nach. Seines hatte er kaum angerührt, und er hoffte, dass sie es nicht bemerkte.

»Weil nie jemand nachprüft, was er tut«, erwiderte Angela. »Schließlich ist seine Mutter die Chefin der Stiftung, und sie verwaltet die Finanzen – na ja, zumindest bis zur Jahreshauptversammlung.«

»Mrs. Summers?« Townsend war entschlossen, Angelas Redefluss nicht versiegen zu lassen.

»Keine Geringere«, bestätigte Angela.

»Warum unternimmt sie dann nichts dagegen?«

»Wie denn? Die arme Frau ist seit zwei Jahren bettlägerig, und der einzige Mensch, der sie besucht – täglich, sollte ich vielleicht hinzufügen –, ist ihr treu ergebener Sohn.«

»Ich habe das Gefühl, dass sich das rasch ändern kann, sobald Armstrong das Sagen hat.«

»Wie kommen Sie darauf? Kennen Sie ihn?«

»Nein«, entgegnete Keith rasch und bemühte sich, seinen Schnitzer auszubügeln. »Aber nach allem, was ich über ihn gelesen habe, hat er nicht viel für Schmarotzer übrig.«

»Ich kann nur hoffen, dass das zutrifft«, sagte Angela und schenkte sich nun selbst Wein nach. »Denn das gäbe mir vielleicht die Chance, endlich mal zu zeigen, was ich für die Stiftung tun könnte.«

»Vielleicht war das der Grund dafür, dass Summers heute Abend nicht von Armstrongs Seite gewichen ist.«

»Er hat mich ihm nicht einmal vorgestellt! Wie Ihnen bestimmt nicht entgangen ist. Man darf Lloyd nicht unterschätzen. Er gibt seinen Lebensstil ganz bestimmt nicht kampflos auf.« Sie stach ihre Gabel in ein Stück Zucchini. »Und wenn er Armstrong dazu kriegt, die Miete für die neuen Räumlichkeiten noch vor der Jahreshauptversammlung zu bezahlen, wird er auch keinen Grund dazu haben. – Der Wein ist übrigens ausgezeichnet!« Sie setzte ihr leeres Glas ab. Townsend schenkte ihr nach und zog den Korken aus der zweiten Flasche.

»Wollen Sie, dass ich einen Schwips kriege?« Sie lachte.

»Wie kommen Sie darauf?« Townsend erhob sich, nahm die zwei Teller aus der Wärmeschublade und stellte sie auf den Tisch. »Freuen Sie sich schon auf den Umzug?«, fragte er.

»Umzug?« Angela löffelte ein wenig Sauce Hollandaise auf den Rand ihres Tellers.

Keith hob sein Glas. »Auf Ihre neuen Räumlichkeiten!« sagte er. »Offenbar hat Lloyd die absolut perfekte Lage gefunden.«

»Perfekt?«, echote Angela. »Für drei Millionen Dollar darf man das wohl auch erwarten. Die Frage ist nur – perfekt für wen?« Sie griff nach dem Fischbesteck.

»Summers Worten nach zu urteilen, hatte die Stiftung nicht gerade die große Auswahl.«

»Das dürfte wohl eher für den Vorstand gelten. Lloyd hat die Sache so dargestellt, als gäbe es keine Alternative.«

»Aber der Mietvertrag für die derzeitigen Galerieräume lief doch aus, wie ich hörte.«

»Ja, aber Lloyd hat in seiner Rede verschwiegen, dass der Hausbesitzer den Mietvertrag sehr gern um weitere zehn Jahre verlängert hätte – und ohne jede Mieterhöhung.« Angela griff nach ihrem Weinglas. »Ich sollte wirklich nichts mehr trinken, aber nach diesem Gesöff in der Galerie ist dieser Wein hier einfach ein Genuss.«

»Warum hat Summers es dann nicht getan?«, fragte Keith.

»Was nicht getan?«

»Den Mietvertrag verlängert.«

»Weil er ein Gebäude gefunden hat, zu dem zufällig ein Penthouse gehört.« Angela stellte das Weinglas ab und konzentrierte sich auf ihren Fisch.

»Was ist daran so Besonderes? Es steht ihm doch zu, im selben Gebäude zu wohnen. Schließlich ist er der Direktor«, meinte Keith verwundert.

»Stimmt, aber das gibt ihm noch lange nicht das Recht, einen separaten Mietvertrag für die Wohnung abzuschließen, damit man ihn nicht ohne eine beträchtliche Entschädigungszahlung rausschmeißen kann, wenn er irgendwann beschließt, in den Ruhestand zu gehen. Er hat das alles ganz genau durchdacht.« Ihre Zunge wurde allmählich schwer.

»Woher wissen Sie das alles?«

»Wir hatten eine Zeit lang denselben Liebhaber«, antwortete sie betrübt.

Townsend füllte rasch ihr Glas nach. »Und wo ist dieses famose Gebäude?«

»Warum sind Sie so scharf darauf, alles über das neue Gebäude zu erfahren?« Zum ersten Mal klang sie ein wenig misstrauisch.

»Ich möchte Sie dort gern besuchen, wenn ich wieder einmal nach New York komme«, antwortete Keith ohne Zögern.

Angela legte das Besteck auf den Teller, schob ihren Stuhl zurück und fragte: »Sie haben nicht zufällig einen Kognak? Nur einen ganz kleinen, bevor ich mich auf dem Heimweg diesem Blizzard da draußen stellen muss.«

»Kognak? Das nehme ich doch an«, erwiderte Townsend. Er ging zu dem kleinen Getränkekühlschrank und brachte vier Miniflaschen Weinbrand verschiedener Herkunft zum Vorschein. Er goss den Inhalt sämtlicher Fläschchen in einen großen Schwenker.

»Nehmen Sie keinen?«, fragte Angela.

»Nein, danke. Ich habe meinen Wein noch nicht ausgetrunken.« Er hob sein erstes Glas, das noch so gut wie unberührt war. »Außerdem brauche ich mich nicht dem Blizzard zu stellen. Erzählen Sie mir – wie sind Sie eigentlich stellvertretende Direktorin geworden?«

»Nachdem in den vergangenen vier Jahren fünf Leute das Handtuch geworfen hatten, war ich vermutlich die Einzige, die sich um den Job beworben hat.«

»Es wundert mich, dass Summers überhaupt einen Stellvertreter akzeptiert.«

»Muss er.« Angela nahm einen Schluck Weinbrand. »Steht in den Statuten.«

»Sie müssen ja hoch qualifiziert sein, dass man Ihnen

diese Stellung angeboten hat«, änderte Townsend rasch das Thema.

»Ich hab' in Yale Kunstgeschichte studiert und meinen Doktor der Philosophie gemacht, Über die Renaissance von 1527–1590 an der Accademia in Venedig.«

»Caravaggio, Luini und Michelangelo, da müssen die Ausstellungen in der Galerie natürlich eine ziemliche Enttäuschung für Sie sein«, meinte Townsend.

»Der Schrott, der da als Kunst präsentiert wird, hätte mir nicht mal viel ausgemacht. Aber ich bin jetzt seit fast zwei Jahren stellvertretende Direktorin und durfte nicht eine einzige Ausstellung selbst ausrichten. Wenn Lloyd mir nur die Chance gäbe, würde ich etwas auf die Beine stellen, auf das die Stiftung wirklich stolz sein könnte – und das für ein Zehntel dessen, was Lloyd für seinen Müll ausgibt.« Wieder trank sie einen Schluck Kognak.

»Wenn Ihnen das alles so zu schaffen macht, wundert es mich, dass Sie bleiben«, sagte Townsend.

»Nicht mehr lange«, entgegnete sie. »Wenn ich Armstrong nicht dazu bewegen kann, die künstlerische Linie der Galerie zu ändern, werf ich das Handtuch. Aber so, wie Lloyd seinen neuen Gönner offenbar an der Nase herumführt, bezweifle ich sehr, dass ich bei der nächsten Ausstellung noch da bin.« Sie machte eine kurze Pause und nahm einen weiteren Schluck. »Das habe ich noch nicht mal meiner Mutter gesagt«, gestand sie. »Aber manchmal fällt es einem leichter, sich Fremden anzuvertrauen.« Wieder trank sie einen Schluck. »Sie haben beruflich nicht zufällig mit Kunst und Künstlern zu tun, oder?«

»Nein. Wie ich schon sagte, ich bin im Transport- und Kohlegeschäft.«

»Und was machen Sie da tatsächlich? Fahren oder abbauen?« Sie starrte ihn über den Tisch an, leerte ihr Glas und versuchte es noch einmal. »Was ich meine, ist …«

»Ja?«

»Nun, ich meine – was transportieren Sie und wohin?« Sie griff nach ihrem Glas, hielt einen Moment inne; und glitt langsam vom Stuhl auf den Teppich, wobei sie etwas über fossile Brennstoffe im Rom der Renaissance murmelte. Innerhalb von Sekunden lag sie zusammengerollt auf dem Boden und schnurrte wie eine zufriedene Katze. Townsend hob sie behutsam auf und trug sie ins Schlafzimmer. Er schlug die Decke zurück, legte sie aufs Bett und deckte die schmächtige Gestalt zu. Er konnte seine Bewunderung nicht verhehlen, wie lange sie bei diesem Alkoholkonsum durchgehalten hatte. Sie wog bestimmt nicht einmal fünfzig Kilo.

Keith kehrte in den Wohnraum seiner Suite zurück, schloss die Schlafzimmertür leise hinter sich und suchte nach der Akte, in der die Statuten des *New York Star* standen. Als er sie ganz unten in seinem Aktenkoffer gefunden hatte, setzte er sich damit auf die Couch und las bedächtig die Gesellschaftssatzung. Er war auf Seite siebenundvierzig, ehe er einnickte.

Armstrong fiel keine gute Ausrede ein, als Summers vorschlug, nach der Ausstellung gemeinsam zu Abend zu essen. Erleichtert stellte er fest, dass sein Anwalt noch nicht nach Hause gegangen war. »Russell, Sie kommen doch mit zum Dinner?«, donnerte er, und es hörte sich mehr wie nach einem Befehl als nach einer Einladung an.

Vertraulich hatte sich Armstrong Russell gegenüber bereits sehr abfällig über die Ausstellung geäußert, und es war ihm nur mit Mühe gelungen, seine Meinung vor Summers zu verbergen. Von dem Moment an, als Summers erklärt hatte, er habe das perfekte Gebäude für die Stiftung gefunden, hatte Armstrong versucht, eine Begegnung zu vermeiden. Doch Summers wurde ungehalten und ließ ihm über Russell sogar die Drohung ausrichten: »Vergessen Sie nicht, ich habe immer noch eine Alternative.«

Armstrong musste zugeben, dass das von Summers ausgewählte Restaurant an Exklusivität bestimmt nicht leicht zu überbieten war, doch im Laufe des vergangenen Monats hatte er sich an den extravaganten Geschmack des Mannes gewöhnt. Nach dem Hauptgang betonte Summers, wie wichtig es sei, den Mietvertrag für das neue Gebäude so schnell wie möglich zu unterzeichnen, wenn die Stiftung nicht auf der Straße stehen wollte. »Ich habe gleich am ersten Tag klargemacht, Dick, dass ich Ihnen diese Anteile nur überlasse, wenn Sie für die Stiftung eine neue Galerie einrichten.«

»Das ist nach wie vor meine Absicht«, versicherte ihm Armstrong.

»Und noch vor der Jahreshauptversammlung.« Die beiden Männer blickten sich über den Tisch hinweg an. »Ich schlage vor, Sie setzen den Vertrag sofort auf, damit er am Montag unterschrieben werden kann.« Summers griff nach einem Kognakschwenker und leerte ihn. »Denn ich kenne jemanden, der nur zu gern unterschreiben würde, sollten Sie es nicht tun.«

»Nein, nein, ich lasse den Vertrag sofort aufsetzen«, versprach Armstrong.

»Gut. Dann zeige ich Ihnen morgen Vormittag die Räumlichkeiten.«

»Morgen Vormittag?« Armstrong blickte ihn an. »Ich bin sicher, das kann ich einrichten.«

»Gut. Sagen wir, um neun?« Summers nahm einen Schluck von seinem koffeinfreien Kaffee.

Armstrong leerte rasch seine Tasse. »Neun ist mir recht«, sagte er schließlich, ehe er um die Rechnung bat. Er bezahlte, warf seine Serviette auf den Tisch und erhob sich. Der Direktor der Stiftung und Russell standen ebenfalls auf und begleiteten Dick schweigend zu seiner wartenden Stretch-Limousine.

»Dann sehen wir uns morgen früh um neun Uhr«, wiederholte Summers, als Armstrong in den Wagen stieg.

»Ganz sicher«, murmelte Armstrong, ohne sich nach ihm umzudrehen.

Auf dem Weg zum Pierre Hotel erklärte Armstrong seinem Anwalt, er brauche Antworten auf drei Fragen. Russell zog ein kleines, ledernes Notizbuch aus der Brusttasche.

»Erstens, wer steht der Stiftung vor? Zweitens, wie viel vom Gewinn des *Star* verschlingt sie jährlich? Und drittens, besteht eine rechtliche Verpflichtung, dass ich drei Millionen Dollar für dieses neue Gebäude ausgebe, mit dem der Kerl mich so bedrängt?«

Russell kritzelte in sein Notizbüchlein.

»Und ich hätte die Antworten gern gleich morgen früh!«

Die Limousine hielt unmittelbar vor dem Hoteleingang. Armstrong wünschte Russell eine gute Nacht, stieg aus und machte noch einen Spaziergang um den Block. An der Ecke Einundsechzigste Straße und Madison erstand er ein Exemplar des *New York Star.* Er lächelte, als er auf der Titelseite ein riesiges Foto von sich sah, mit der Überschrift: »Der neue Mann an der Spitze«. Weniger gefiel ihm, dass auch

Townsends Bild sich auf derselben Seite befand – wenngleich um etliches kleiner. Die Schlagzeile darüber lautete: »Zwanzig Millionen Dollar Gewinn?«

Armstrong klemmte sich die Zeitung unter den Arm. Im Hotel stieg er in den wartenden Aufzug und sagte zu dem Fahrstuhlführer: »Was sind schon zwanzig Millionen Dollar, wenn man Eigentümer des *Star* ist?«

»Wie bitte, Sir?«, fragte der verdutzte Page.

»Na, was hätten Sie lieber? Den *New York Star* oder zwanzig Millionen Dollar?«

Der Page blickte zu dem Riesen von Mann empor, der völlig nüchtern zu sein schien, und antwortete hoffnungsvoll: »Zwanzig Millionen Dollar, Sir.«

Als Townsend am nächsten Morgen erwachte, hatte er einen steifen Hals. Er stand auf und streckte sich. Dann, sah er die Statuten des *New York Star* vor sich auf dem Boden liegen und erinnerte sich.

Er durchquerte das Zimmer und öffnete vorsichtig die Schlafzimmertür. Angela schlief noch tief und fest. Er machte die Tür leise wieder zu, ließ sich mit dem Zimmerservice verbinden, bestellte Frühstück und fünf Zeitungen und bat, den Dinnertisch wegzuräumen.

Als sich die Schlafzimmertür an diesem Morgen zum zweiten Mal öffnete, trat Angela heraus. Sie bewegte sich, als ginge sie auf rohen Eiern. Sie fand Townsend das *Wall Street Journal* lesend und an einer Tasse Kaffee nippend vor. Und stellte ihm die gleiche Frage wie am Abend zuvor in der Galerie: »Wer sind Sie?« Keith gab ihr die gleiche Antwort. Sie lächelte.

»Darf ich Ihnen Frühstück bestellen?«

»Nein, danke, aber Sie könnten mir von Ihrem Kaffee

einschenken, viel und schwarz. Ich bin gleich wieder da.« Die Schlafzimmertür schloss sich und wurde erst zwanzig Minuten später wieder geöffnet. Als Angela sich in den Sessel gegenüber Townsend setzte, wirkte sie sehr nervös. Er schenkte ihr den Kaffee ein, und Angela sagte erst etwas, als sie mehrere große Schlucke getrunken hatte.

»Habe ich letzte Nacht irgendeine Dummheit gemacht?«, fragte sie schließlich.

»Nein«, versicherte Keith ihr lächelnd.

»Es ist nur, ich bin nie …«

»Machen Sie sich keine Gedanken«, beruhigte er sie. »Sie sind eingeschlafen, und ich habe Sie ins Bett gelegt.« Nach einer kurzen Pause fügte er hinzu: »Voll bekleidet.«

»Da bin ich aber froh.« Sie blickte auf die Uhr. »Großer Gott! Ist es wirklich schon so spät, oder habe ich die Uhr verkehrt herum am Arm?«

»Es ist zwanzig nach acht«, sagte Townsend.

»Dann muss ich zusehen, dass ich sofort ein Taxi bekomme. Ich soll den künftigen Vorsitzenden um neun Uhr in Soho treffen, um ihm das neue Gebäude zu zeigen. Ich muss unbedingt einen guten Eindruck machen! Wenn er sich weigert, das neue Gebäude zu kaufen, könnte das meine große Chance sein.«

»Vergessen Sie das Taxi«, sagte Townsend. »Mein Chauffeur kann Sie fahren, wohin Sie wollen. Sie finden ihn in einem weißen BMW auf dem Hotelparkplatz.«

»Danke! Das ist wirklich sehr großzügig von Ihnen.«

Hastig trank sie den Kaffee aus. »Das war ein großartiges Dinner gestern Abend«, bedankte sie sich, »und Sie waren sehr aufmerksam.« Sie stand auf. »Aber wenn ich vor Mr. Armstrong am Ziel sein will, muss ich sofort los.«

»Ja, natürlich.« Townsend stand auf und half ihr in den Mantel. An der Tür wandte Angela sich noch einmal zu ihm um. »Wenn ich gestern Nacht schon keine Dummheit gemacht habe – könnte es vielleicht sein, dass ich etwas *gesagt* habe, das ich bedauern müsste?«

»Nein, ich glaube nicht. Sie haben nur von Ihrer Arbeit bei der Stiftung geplaudert.« Keith öffnete ihr die Tür.

»Es war sehr nett von Ihnen, mir zuzuhören. Ich hoffe, wir begegnen uns mal wieder.«

»Ich habe so das Gefühl, das werden wir«, erwiderte Townsend.

Sie beugte sich vor und hauchte ihm einen Kuss auf die Wange. »Übrigens, Sie haben mir gar nicht gesagt, wie Sie heißen.«

»Keith Townsend.«

»Ach du Scheiße!«, sagte sie, als sich die Tür hinter ihr schloss.

Als Armstrong am Morgen vor der Hausnummer 147 am Lower Broadway eintraf, erwartete ihn der Anblick von Lloyd Summers, der auf der obersten Eingangsstufe neben einer ziemlich dünnen, gelehrt aussehenden Frau stand, die entweder sehr müde war oder einfach nur gelangweilt.

»Guten Morgen, Mr. Armstrong«, rief Summers, als Dick aus dem Wagen stieg.

»Guten Morgen«, erwiderte er und zwang sich zu einem Lächeln, als er dem Direktor die Hand gab.

»Das ist Angela Humphries, meine Stellvertreterin. Vielleicht sind Sie sich gestern bei der Ausstellung begegnet.«

Armstrong erinnerte sich vage an Angelas Gesicht, aber nicht daran, dass sie miteinander bekannt gemacht worden wären. Er nickte knapp.

»Angela ist Spezialistin für die Kunst der Renaissance.« Summers öffnete die Tür und trat zur Seite.

»Wie interessant«, murmelte Armstrong, gab sich jedoch keine Mühe, auch interessiert zu klingen.

»Tja, dann wollen wir Sie mal herumführen«, sagte der Direktor, während sie einen großen, leeren Raum im Erdgeschoss betraten. Armstrong schob eine Hand in die Jackentasche und drückte auf einen Einschaltknopf.

»Sehen Sie nur! So viele wundervolle leere Wände zum Bilderaufhängen!«, schwärmte der Direktor.

Armstrong versuchte, sich angemessen fasziniert von dem Gebäude zu zeigen, das er keinesfalls zu erwerben gedachte. Wobei er natürlich wusste, dass er dies nicht zugeben durfte, bevor er nicht am Montag als Vorstandsvorsitzender des *Star* bestätigt worden war – und dazu würde es ohne Summers' Fünf-Prozent-Anteil nicht kommen. Irgendwie gelang es Dick, in den überschwänglichen Monolog des Direktors hin und wieder Worte wie »großartig«, »ideal«, »perfekt«, »da pflichte ich Ihnen bei« einzuwerfen und sogar: »Wirklich tüchtig von Ihnen, dass Sie es entdeckt haben«, während sie von Zimmer zu Zimmer gingen.

Als Summers seinen Gönner am Arm nahm und zurück zum Parterre führen wollte, deutete Armstrong auf die Treppe, die weiter hinauf führte. »Und was ist dort oben?«, erkundigte er sich misstrauisch.

»Bloß ein Dachboden«, antwortete Summers. »Vielleicht benutzen wir den später als Lagerraum. Zu etwas anderem taugt er nicht.« Angela schwieg und versuchte sich zu erinnern, ob sie Mr. Townsend erzählt hatte, was sich wirklich da oben befand.

Als sie schließlich wieder im Erdgeschoss waren, konnte

Dick es kaum erwarten, endlich wegzukommen. Auf dem Bürgersteig dozierte Summers derweil stolz: »Nun werden Sie gewiss verstehen, Dick, weshalb ich dieses Gebäude als ideal für die Fortsetzung der Stiftungsarbeit bis weit ins nächste Jahrhundert erachte.«

»Ja, vollkommen«, sagte Armstrong. »Es ist schlichtweg ideal.« Er lächelte erleichtert, als er sah, wer auf dem Rücksitz der Limousine auf ihn wartete. »Ich kümmere mich um den nötigen Papierkram, sobald ich in meinem Büro bin.«

»Ich bin den ganzen Tag in der Galerie zu erreichen«, versicherte Summers.

»Dann werde ich Ihnen am Nachmittag die Papiere zum Unterzeichnen rüberschicken.«

»Jederzeit – Hauptsache, heute.« Summers streckte ihm die Hand hin.

Armstrong schüttelte sie. Ohne sich von Angela zu verabschieden, stieg er in den Wagen. Russell hatte einen großen, gelben Notizblock aufgeschlagen auf den Knien und hielt einen Kugelschreiber in der Hand. »Haben Sie sämtliche Antworten?«, erkundigte sich Armstrong, bevor der Chauffeur auch nur den Schlüssel im Zündschloss gedreht hatte. Dick drehte sich noch einmal um und winkte Summers zu, als der Wagen vom Bordstein fuhr.

»Ja«, erwiderte Russell und sah auf seinen Block. »Erstens, Mrs. Summers ist derzeit Präsidentin der Stiftung. Ihren Sohn hat sie vor sechs Jahren zum Direktor ernannt.« Armstrong nickte. »Zweitens, im vergangenen Jahr hat die Stiftung gut eine Million Dollar der Gewinne des *Star* ausgegeben.«

Armstrong umklammerte die Armlehne. »Wie, in drei Teufels Namen, haben sie *das denn* geschafft?«

»Tja, Summers bezieht ein Jahresgehalt von hundertfünfzigtausend Dollar.« Russell hob den Blick von seinen Notizen. »Interessanter ist allerdings, dass es ihm irgendwie gelungen ist, sein Spesenkonto mit zweihundertvierzigtausend Dollar zu belasten – jedes einzelne Jahr seit vier Jahren.«

Armstrong spürte, wie sein Pulsschlag in die Höhe schnellte. »Wie kommt der Kerl damit bloß durch?« murmelte er, als sie einen weißen BMW überholten. Er hätte schwören können, den Wagen schon mal irgendwo gesehen zu haben. Er drehte sich um und starrte den Wagen an.

»Ich vermute, dass Summers' Mutter nicht allzu viele Fragen stellt.«

»Wie bitte?«

»Ich vermute, dass seine Mutter nicht allzu viele Fragen stellt«, wiederholte Russell.

»Aber was ist mit dem Vorstand des *Star*? Der hat diesbezüglich doch sicher eine Kontrollpflicht. Von den Aktionären ganz zu schweigen.«

»Irgendwer hat die Sache auf der letztjährigen Hauptversammlung zur Sprache gebracht.« Russell konsultierte seine Notizen. »Aber der Vorsitzende versicherte – ich zitiere wörtlich – dass ›die Leser des *Star* uneingeschränkt befürworten, dass sich die Zeitung für die Kulturförderung in unserer großartigen Stadt engagiert‹.«

»Der Förderung der was?«, fragte Armstrong.

»Der Kultur«, wiederholte Russell.

»Und was ist mit dem Gebäude?« Armstrong deutete aus dem Rückfenster.

»Kein neues Management ist dazu verpflichtet, ein anderes Gebäude zu erwerben, sobald der Mietvertrag für das alte ausläuft – was am 31. Dezember zum Beginn des neuen Quartals der Fall ist.«

Zum ersten Mal an diesem Morgen lächelte Armstrong.

»Ich muss Sie allerdings warnen«, sagte Russell. »Ich glaube, Summers wird noch vor der Hauptversammlung am Montag davon überzeugt werden müssen, dass Sie das Haus gekauft haben. Denn als Treuhänder könnte er seine fünf Prozent selbst im letzten Moment noch jemand anderem überlassen.«

»Dann schicken Sie ihm zwei Kopien eines Vertrags, die nur noch unterschrieben werden müssen. Das wird ihn bis Montag früh bei Laune halten.«

Russell wirkte nicht sehr überzeugt.

Als der BMW zum Carlyle zurückkam, wartete Townsend bereits auf dem Bürgersteig. Er setzte sich neben den Chauffeur und fragte: »Wohin haben Sie die junge Frau gebracht?«

»Nach Soho am Lower Broadway«, antwortete der Chauffeur.

»Dann fahren Sie mich ebenfalls dorthin.« Der Chauffeur fädelte den Wagen in den Verkehr auf der Fifth Avenue ein und fragte sich immer noch, was Mr. Townsend an dieser Frau fand. Zwischen den beiden musste irgendetwas laufen, von dem er keine Ahnung hatte. Vielleicht war sie ja eine reiche Erbin.

Als der BMW zum Lower Broadway abbog, entging Townsend natürlich nicht der Anblick der Stretch-Limousine, die vor einem Gebäude stand, das – wie ein großes Schild im Schaufenster verkündete – zu verkaufen war. »Parken Sie auf dieser Straßenseite etwa fünfzig Meter vor dem Haus, an dem Sie die Dame aussteigen ließen«, befahl Townsend.

Als der Chauffeur die Handbremse zog, spähte Townsend über die Schulter und fragte: »Können Sie die Telefonnummern auf den Schildern lesen?«

»Es sind zwei Schilder, Sir, mit verschiedenen Nummern.«

»Ich brauche beide«, sagte Townsend. Der Chauffeur las die Nummern vor, und Keith notierte sie sich auf der Rückseite eines Fünfdollarscheins. Dann griff er nach dem Autotelefon und wählte die erste Nummer.

Eine Stimme meldete sich mit: »Guten Morgen. Hier Wood, Knight und Levy. Wie kann ich Ihnen behilflich sein?« Townsend erklärte, er sei an Einzelheiten des Objekts Nummer 147 am Lower Broadway interessiert.

»Ich verbinde Sie mit den Büros, Sir.« Ein Klicken folgte, und eine zweite Stimme erkundigte sich: »Was kann ich für Sie tun?« Townsend wiederholte seine Anfrage und wurde zu einer dritten Stimme durchgestellt.

»Nummer 147 Lower Broadway? Ich fürchte, wir haben bereits einen ernsthaften Interessenten für dieses Objekt, Sir. Wir wurden angewiesen, einen Kaufvertrag aufzusetzen, der am Montag unterzeichnet werden soll. Es gäbe jedoch noch weitere Objekte ganz in der Nähe.«

Townsend beendete das Gespräch ohne ein weiteres Wort. Nur in New York würde sich niemand über derart schlechte Manieren wundern. Sofort wählte er die zweite Nummer. Während er darauf wartete, verbunden zu werden, zog ein Taxi, das vor dem Haus hielt, seine Blicke auf sich. Ein hochgewachsener, eleganter Herr mittleren Alters sprang heraus und ging zu der Stretch-Limousine hinüber. Er sagte irgendetwas zu dem Chauffeur und stieg ein, gerade als sich eine Stimme am Telefon meldete.

»Wenn Sie an Nummer 147 interessiert sind, müssen Sie

schnell handeln«, mahnte der Makler, »denn ich weiß, dass die andere Firma, die dieses Objekt anbietet, bereits einen Interessenten hat, der unterschreiben will und im Augenblick das Gebäude besichtigt. Ich könnte es Ihnen also nicht vor zehn Uhr zeigen.«

»Zehn Uhr passt mir gut«, entgegnete Townsend. »Ich werde vor dem Haus auf Sie warten.«

Es dauerte nur wenige Minuten, bis Armstrong, Summers und Angela aus dem Gebäude traten. Nach einem kurzen Wortwechsel und einem knappen Händedruck stieg Armstrong in seine Limousine, wobei es ihn sichtlich nicht überraschte, dass darin jemand auf ihn wartete. Summers winkte der Limousine fröhlich nach. Angela stand einen Schritt hinter ihm und wirkte deprimiert. Townsend duckte sich, als die Limousine am BMW vorbeifuhr, und als er zurückblickte, beobachtete er, wie Summers ein Taxi anhielt. Er und Angela stiegen ein, und Keith schaute ihnen nach, als sie in die entgegengesetzte Richtung davonfuhren.

Sobald das gelbe Taxi um die Ecke gebogen war, stieg Keith aus seinem Wagen, überquerte die Straße und betrachtete das Gebäude von außen. Anschließend ging er ein Stück weiter den Bürgersteig entlang und stellte fest, dass in unmittelbarer Nähe ein ähnliches Objekt zum Verkauf stand. Auch die hier angegebene Nummer notierte er sich auf der Rückseite des Fünfdollarscheins und ging wieder zu seinem BMW zurück.

Nach einem weiteren Anruf wusste Keith, dass der Preis für das Haus Nummer 171 zwei Komma fünf Millionen Dollar betrug. Summers bekam nicht nur eine Wohnung ohne Aufpreis dazu, sondern strich nebenher offenbar auch noch einen ordentlichen Gewinn ein.

Der Chauffeur klopfte an die Trennscheibe und deutete zu Nummer 147. Keith blickte auf und sah einen jungen Mann die Eingangsstufen hinaufsteigen. Er legte das Telefon ab und stieg aus, um sich zu ihm zu gesellen.

Nachdem Townsend alle fünf Stockwerke eingehend besichtigt hatte, pflichtete er Angela bei, dass dieses Gebäude für drei Millionen tatsächlich perfekt war – allerdings nur für eine bestimmte Person. »Welchen Mindestbetrag muss ich als Anzahlung leisten?«

»Zehn Prozent, die nicht rückzahlbar sind«, antwortete der junge Mann.

»Mit der üblichen 30-Tage-Frist für die Begleichung des Restbetrages, nehme ich an?«

»Ja, Sir.«

»Gut. Dann stellen Sie mir doch am besten gleich einen Vertrag aus.« Townsend reichte ihm seine Karte. »Schicken Sie ihn mir ins Carlyle.«

»Selbstverständlich, Sir. Ich werde dafür sorgen, dass Sie den Vertrag noch heute Nachmittag bekommen.«

Schließlich zog Townsend einen Geldschein aus der Brieftasche und hielt ihn so, dass der junge Mann am darauf abgebildeten Präsidenten sehen konnte, welchen Wert er hatte: einhundert Dollar. »Außerdem hätte ich gerne, dass der andere Makler, der dieses Objekt zu verkaufen versucht, erfährt, dass ich als Erstes am Montagmorgen eine Anzahlung leisten werde.«

Der junge Mann steckte den Hundertdollarschein ein und nickte.

Als Townsend wieder in seiner Suite im Carlyle war, rief er unverzüglich Tom in dessen Büro an. »Was haben Sie fürs Wochenende geplant?«, fragte er seinen Anwalt.

»Eine Runde Golf, ein bisschen Gartenarbeit«, erwiderte Tom. »Und ich hatte gehofft, mir anschauen zu können, wie mein Jüngster in seiner Highschool-Mannschaft spielt. Aber so, wie Sie Ihre Frage formuliert haben, Keith, hab ich das Gefühl, dass ich nicht mal den Zug nach Greenwich nehmen werde, der mich nach Hause bringt.«

»Ihr Gefühl trügt Sie nicht, Tom. Bis Montagmorgen haben wir sehr viel zu tun, wenn ich der nächste Eigentümer des *New York Star* werden möchte.«

»Womit fange ich an?«

»Mit einem Kaufvertrag, der genau überprüft werden muss, bevor ich ihn unterschreibe. Dann hätte ich gern, dass Sie ein Geschäft mit der Person abschließen, die das alles ermöglichen kann …« Nachdem Keith schließlich aufgelegt hatte, lehnte er sich in seinem Sessel zurück und blickte auf das kleine rote Buch, das ihn die vergangene Nacht wachgehalten hatte. Kurz darauf bückte er sich danach und schlug Seite siebenundvierzig auf.

Zum ersten Mal in seinem Leben war Keith für seine Ausbildung in Oxford dankbar.

33

NEW YORK TIMES

11. Oktober 1986

Star Wars

Armstrong unterzeichnete den Kaufvertrag, anschließend wurde seine Unterschrift von Russell beglaubigt.

Lloyd Summers hatte nicht aufgehört zu grinsen, seit er am Morgen im Trump Tower eingetroffen war. Jetzt sprang er fast aus seinem Sessel, als auch Russell seinen Namen unter den Vertrag für das Haus Nummer 147 am Lower Broadway setzte. Summers streckte Armstrong die Hand entgegen. »Ich danke Ihnen, Herr Vorsitzender. Ich freue mich ungemein darauf, mit Ihnen zusammenzuarbeiten.«

»Und ich freue mich auf die Zusammenarbeit mit Ihnen«, entgegnete Armstrong und schüttelte ihm die Hand.

Summers machte eine tiefe Verbeugung in Armstrongs Richtung und dann eine nicht ganz so tiefe vor Russell. Er steckte den Vertrag und den Scheck über dreihunderttausend Dollar ein und ging zur Tür. Bevor er sie aufmachte, drehte er sich noch einmal um und sagte: »Sie werden es nie bereuen.«

Kaum war die Tür geschlossen, brummte Russell: »Ich fürchte, das werden Sie sehr wohl, Dick. Weshalb haben Sie Ihren Entschluss geändert?«

»Mir blieb keine Wahl, nachdem ich herausgefunden habe, was Townsend im Schilde führt.«

»Drei Millionen zum Fenster hinausgeworfen!«, brummte der Anwalt.

»Dreihunderttausend«, berichtigte Armstrong.

»Ich verstehe nicht.«

»Ich mag ja die Anzahlung geleistet haben, aber ich habe keineswegs die Absicht, das verdammte Gebäude zu kaufen.«

»Aber Summers wird Sie verklagen, wenn Sie den Vertrag nicht innerhalb von dreißig Tagen erfüllen.«

»Das bezweifle ich«, entgegnete Armstrong.

»Was macht Sie da so sicher?«

»Weil Sie in zwei Wochen Summers' Anwalt anrufen und ihm mitteilen werden, wie entsetzt ich war, als ich herausfand, dass sein Mandant einen separaten Mietvertrag für ein Penthouseappartement über der Galerie unterschrieben hatte, das er mir gegenüber als Dachboden bezeichnet hat.«

»Das können wir unmöglich beweisen!«

Armstrong zog eine kleine Tonbandkassette aus der Brusttasche und reichte sie Russell. »Es wird sich vielleicht als einfacher herausstellen, als Sie glauben.«

»Aber die Gerichte werden die Kassette möglicherweise nicht als Beweismittel anerkennen.«

»Dann werden Sie wohl nachfragen müssen, was mit den sechshunderttausend Dollar geschehen sollte, welche die Makler Summers zusätzlich zum eigentlichen Kaufpreis zahlen wollten.«

»Das wird er abstreiten, vor allem, wenn Sie den Vertrag nicht einhalten.«

Armstrong rieb sich das Kinn. »Na ja, dann gibt es immer

noch eine letzte Möglichkeit.« Er öffnete eine Lade seines Schreibtischs und zog eine Mustertitelseite des *Star* heraus. Die Schlagzeile lautete: *»Lloyd Summers wegen Betrugs angeklagt.«*

»Er wird nur eine weitere gerichtliche Verfügung erwirken!«

»Wenn er die Innenseiten gelesen hat, nicht mehr.«

»Aber bis es zur Verhandlung kommt, ist das längst Schnee von gestern.«

»Nicht, solange ich Eigentümer des *Star* bin!«

»Wie lange wird das alles dauern?«, fragte Townsend.

»Ich schätze, so zwanzig Minuten«, antwortete Tom.

»Und wie viele Leute haben Sie dafür verpflichtet?«

»Etwas über zweihundert.«

»Wird das genügen?«

»Hoffen wir's. Zu mehr hat die Zeit nicht gereicht.«

»Wissen die Leute, was man von ihnen erwartet?«

»Ganz sicher. Ich habe gestern Abend mehrere Probedurchläufe mit ihnen gemacht. Trotzdem möchte ich, dass Sie vor Beginn der Versammlung eine Rede vor den Leuten halten.«

»Und was ist mit der Hauptdarstellerin? Hat sie auch geprobt?«, fragte Townsend.

»Das war nicht nötig«, erwiderte Tom. »Es ist fast so, als hätte sie nur auf diese Rolle gewartet. Sie kennt sie in- und auswendig.«

»Hat sie sich mit meinen Bedingungen einverstanden erklärt?«

»Sie hatte nichts daran auszusetzen.«

»Was ist mit dem Kaufvertrag für das Gebäude? Gab es da Unvorhergesehenes?«

»Nein. Es war genau, wie sie sagte.«

Townsend stand auf, schritt zum Fenster und blickte auf den Central Park hinunter. »Werden Sie den Antrag selbst stellen?«

»Nein. Ich habe Andrew Fraser gebeten, das zu übernehmen. Ich bleibe bei Ihnen.«

»Wieso ausgerechnet Fraser?«

»Er ist der Seniorpartner. Das wird dem Vorstandsvorsitzenden beweisen, wie ernst wir es meinen.«

Townsend schwang zu seinem Anwalt herum. »Tja, was könnte da noch schiefgehen?«

Als Armstrong in Begleitung des Seniorpartners aus der Anwaltskanzlei Keating, Gould & Critchley trat, sah er sich einer beeindruckenden Schar von Kameramännern, Fotografen und Journalisten gegenüber, die allesamt hofften, dieselben Fragen beantwortet zu bekommen. »Welche Änderungen wollen Sie vornehmen, sobald Sie Chef des *Star* sind, Mr. Armstrong?«

»Warum sollte man an einer so großartigen Institution etwas ändern?«, erwiderte er. »Außerdem«, fügte er hinzu, während er den langen Flur hinunter und hinaus auf den Bürgersteig marschierte, »gehöre ich nicht zu den Verlegern, die sich in die alltägliche Zeitungsarbeit einmischen. Fragen Sie meine Redakteure. Sie werden es Ihnen bestätigen.«

Einige der Journalisten, die Armstrong noch hinterherliefen, hatten das bereits getan, doch Dick hatte die Zuflucht seiner Limousine erreicht, ehe sie ihn mit weiteren Fragen löchern konnten.

»Verdammtes Reporterpack!«, fluchte er, als der Wagen Richtung Plaza-Hotel fuhr, in dem die Jahreshauptversammlung stattfand. »Nicht einmal die eigenen Schreiberlinge kann man in Schach halten.«

Russell schwieg. Während sie die Fifth Avenue entlangfuhren, schaute Armstrong immer wieder auf die Armbanduhr. Scheinbar jede Ampel, der sie sich näherten, sprang prompt auf Rot. Oder fällt einem so was nur auf, wenn man in Eile ist, fragte sich Armstrong, als der Wagen wieder einmal hielt. Er blickte auf den belebten Bürgersteig und betrachtete die Bewohner von Manhattan, die in einem Tempo darauf hin und her strömten, das er sich inzwischen ebenfalls angewöhnt hatte. Als die Ampel auf Grün schaltete, tippte Dick auf seine Brusttasche, um sich zu vergewissern, dass er den Zettel mit seiner Ansprache auch wirklich eingesteckt hatte. Er hatte einmal gelesen, dass Margaret Thatcher die Manuskripte ihrer Reden stets bei sich trug, weil sie schreckliche Angst hatte, sie könne plötzlich ohne schriftliche Vorlage auf der Rednertribüne stehen. Jetzt verstand Dick diese Angst.

Das nervöse Gespräch zwischen Armstrong und seinem Anwalt stockte kurz, als sie am General-Motors-Gebäude vorüberfuhren. Russell starrte weiterhin aus dem Fenster.

»Also, was könnte schiefgehen?«, fragte Armstrong zum zehnten Mal.

»Nichts«, erwiderte Russell und tippte auf die Ledermappe auf seinen Knien. »Ich habe Aktien und bindende Zusagen für ein Mehrheitspaket von insgesamt einundfünfzig Prozent, und Townsend besitzt nur sechsundvierzig Prozent, wie wir wissen. Entspannen Sie sich.«

Weitere Kameraleute, Fotografen und Journalisten warteten auf der Freitreppe des Plaza, als die Limousine vorfuhr. Russell blickte zu seinem Mandanten hinüber, der jeden

Augenblick genoss, derart im Mittelpunkt zu stehen, wenngleich er es bestritt. Als Armstrong aus dem Wagen stieg, kam der Geschäftsführer des Plaza herbeigeeilt, um ihn zu begrüßen, als wäre er ein Staatsoberhaupt. Er führte die beiden Herren durchs Foyer und weiter zum Lincoln Room. Armstrong bemerkte nicht, dass Keith Townsend und der Seniorpartner einer anderen renommierten Anwaltskanzlei aus einem Fahrstuhl stiegen, an dem er und sein Begleiter mit dem Geschäftsführer vorbeikamen.

Townsend war eine Stunde vor der geplanten Hauptversammlung im Plaza eingetroffen. Ohne die Aufmerksamkeit des Hotelgeschäftsführers zu erregen, war es ihm gelungen, sich in dem Saal umzuschauen, in dem die Versammlung stattfinden sollte. Anschließend begab er sich zur State Suite, wo Tom ein Team arbeitsloser Schauspieler um sich geschart hatte. Keith erklärte ihnen noch einmal die Rollen, die sie spielen sollten, und weshalb es erforderlich war, dass sie so viele Übertragungsformulare unterschrieben. Vierzig Minuten später kehrte Townsend ins Foyer zurück.

Von dort aus begaben sich er und sein Anwalt im Kielwasser von Armstrong langsam zum Lincoln Room. Man hätte sie leicht für zwei seiner Lakaien halten können.

»Was ist, wenn sie nicht kommt?«, fragte Townsend.

»Dann haben eine Menge Leute viel Zeit und Geld vergeudet«, antwortete Tom, als sie den Lincoln Room betraten.

Townsend staunte, wie überfüllt der Saal war. Er hatte angenommen, dass die fünfhundert Stühle, die er das Hotelpersonal etwas früher hatte dort aufstellen sehen, weit mehr sein würden, als benötigt wurden. Da hatte er sich gründlich getäuscht, den bereits jetzt standen viele Leute hinten im

Saal. Das vordere Drittel war mit einer roten Kordel abgetrennt, denn in den zwanzig Stuhlreihen vor der Bühne durften nur Aktionäre sitzen. Reporter, Angestellte der Zeitung und neugierige Zuschauer drängten sich im hinteren Teil des Saals.

Townsend und sein Anwalt schritten langsam den Mittelgang hinunter, hin und wieder von Blitzlicht beleuchtet, bis sie zu der roten Kordel gelangten, wo sie nachweisen mussten, dass sie Aktionäre der Gesellschaft waren beziehungsweise solche vertraten. Der Finger einer sehr tüchtig aussehenden Frau huschte eine endlos lange Namensliste hinunter. Sie machte zwei Häkchen, lächelte die beiden Herren an und öffnete die Kordel für sie.

Als Erstes fiel Townsend auf, welche Aufmerksamkeit die Medien Armstrong und seinem Gefolge zollten, die den größten Teil der beiden vordersten Reihen beanspruchten. Tom bemerkte die zwei als Erster. Er tippte Townsend an den Ellbogen. »Ungefähr zehnte Reihe, links, ziemlich weit außen.« Townsend blickte in die angegebene Richtung und stieß einen Seufzer der Erleichterung aus, als er Lloyd Summers und seine Stellvertreterin entdeckte, die nebeneinandersaßen.

Tom führte Townsend zur anderen Seite des Saales, wo sie ziemlich weit hinten Platz nahmen. Townsend schaute sich nervös um. Plötzlich deutete Tom mit einem Kopfnicken auf einen Herrn, der den Mittelgang hinunterschritt. Andrew Fraser, der Seniorpartner von Toms Anwaltskanzlei, nahm zwei Reihen hinter Armstrong Platz.

Townsend wandte seine Aufmerksamkeit jetzt der Bühne zu, wo er einige Direktoren des *Star* erkannte, denen er in den vergangenen sechs Wochen begegnet war. Sie standen noch hinter einem langen Konferenztisch mit grünem Filzbelag, auf dem in großen, roten Buchstaben *»The New York Star« zu* lesen war. Einigen dieser Direktoren hatte Armstrong versprochen, sie im Vorstand zu behalten, falls er Vorsitzender würde. Keiner von ihnen glaubte es ihm.

Die Wanduhr hinter ihnen zeigte fünf vor zwölf. Townsend schaute über die Schulter und sah, dass der Saal so voll war, dass bald niemand auch nur einen Stehplatz finden würde. Er flüsterte Tom zu, der ebenfalls nach hinten schaute und die Stirn runzelte: »Falls es immer noch problematisch ist, wenn sie hereinkommen, kümmere ich mich persönlich darum.«

Townsend drehte sich wieder zur Bühne um und sah zu, wie die Vorstandsmitglieder allmählich ihre Plätze hinter dem langen Konferenztisch einnahmen. Als Letzter tat dies der Vorsitzende, Cornelius J. Adams IV., wie ein elegantes Schildchen vor ihm diejenigen informierte, die ihn nicht kannten. Kaum hatte Adams sich niedergelassen, schwenkten die Kameras von der ersten Reihe des Publikums zur Bühne. Das Gemurmel im Saal wurde deutlich leiser. Um Punkt zwölf Uhr schlug der Vorsitzende so lange mit dem Hämmerchen auf den Tisch, bis endlich absolute Ruhe eintrat.

»Guten Tag, meine Damen und Herren. Ich bin Cornelius Adams, der Vorstandsvorsitzende des *New York Star.*« Er machte eine Pause. »Na ja, jedenfalls bin ich es noch für ein paar Minuten.« Er blickte in Armstrongs Richtung und erntete für diesen gewiss gut geprobten Satz leises Lachen im Saal. »Hiermit eröffne ich die Jahreshauptversammlung der größten Zeitung Amerikas.« Diese Erklärung rief bei den Aktionären begeisterten Applaus hervor, während die meisten Zuschauer hinter der roten Kordel sie mit schweigender Gleichgültigkeit quittierten.

»Unser heutiges Hauptanliegen«, fuhr Adams fort, »ist die Berufung eines neuen Vorstandsvorsitzenden, der die Verantwortung haben wird, den *Star* ins nächste Jahrhundert zu führen. Ich bin sicher, Sie alle wissen, dass Mr. Richard Armstrong von Armstrong Communications bereits vor Monaten bekannt gab, ein Übernahmeangebot zu machen. Am selben Tag unterbreitete uns Mr. Keith Townsend von Global Corporation ein Gegenangebot. Meine erste Aufgabe heute Nachmittag besteht darin, für einen reibungslosen Ablauf des Eignerwechsels zu sorgen.

Ich kann bestätigen, dass die beiden genannten Parteien mir durch ihre renommierten Anwälte die Nachweise zukommen ließen, dass sie Anspruch auf – oder die Kontrolle über – das Aktienkapital des Unternehmens haben. Unsere Finanzfachleute haben diese Angaben genauestens überprüft und sie für korrekt befunden. Die Prüfungen ergaben ...« Er griff nach einem Klemmbrett, das vor ihm lag, »dass Mr. Richard Armstrong sich im Besitz von einundfünfzig Prozent des Aktienkapitals der Gesellschaft befindet, während Mr. Keith Townsend Eigentümer von sechsundvierzig Prozent ist. Drei Prozent der Aktionäre haben ihre Präferenzen noch nicht bekannt gegeben.

Demzufolge kontrolliert Mr. Armstrong als Mehrheitsaktionär die Gesellschaft. Ich habe deshalb gar keine andere Wahl, als ihm den Vorsitz zu übergeben – es sei denn, wie es in der Trauungszeremonie heißt, ›jemand möge jetzt sprechen oder fortan für immer schweigen.« Er lächelte ins Publikum wie ein Priester, der vor dem Brautpaar steht, und schwieg.

Sofort sprang eine Frau in der dritten Reihe auf. »Beide Männer, die das Übernahmeangebot für den *Star* gemacht haben, sind Ausländer! Was kann ich tun, wenn ich weder den einen noch den anderen als Vorsitzenden haben möchte?«

Das war eine Frage, mit der die Anwälte der Gesellschaft gerechnet und auf die Adams eine Antwort parat hatte. »Gar nichts, Madam«, erwiderte er sofort. »Andernfalls wäre jede Gruppe von Aktionären in der Lage, amerikanische Direktoren britischer und australischer Unternehmen auf der ganzen Welt von ihren Posten zu entfernen.« Der Vorsitzende war froh, dass er der Frau so höflich und wirkungsvoll hatte Bescheid geben können.

Die Fragestellerin war da offenbar anderer Meinung. Sie drehte sich um und verließ den Saal, gefolgt von einem CNN-Kameramann und einem Fotografen.

Es wurden weitere Fragen dieser Art gestellt. Russell hatte Armstrong vorgewarnt, dass sie wahrscheinlich kämen. »Das sind nun mal Aktionäre, die auf ihre gottverdammten Rechte pochen«, hatte er ihm erklärt.

Während eine Frage nach der anderen beantwortet wurde, blickte Townsend mit wachsender Besorgnis zur Tür, vor der sich immer mehr Leute drängten. Tom entging die wachsende Nervosität seines Mandanten nicht, deshalb begab er sich zur rückwärtigen Seite des Saales, um mit dem Chef der Platzanweiser zu reden. Als der Vorsitzende überzeugt war, jede Frage aus dem Publikum beantwortet zu haben – manche sogar mehrmals –, war Tom wieder an seinen Platz zurückgekehrt. »Keine Angst, Keith«, beruhigte er ihn, »es läuft alles wie geplant.«

»Aber wann wird Andrew …«

»Geduld«, mahnte Tom.

Jetzt sagte der Vorsitzende: »Falls es keine weiteren Fragen aus dem Saal mehr gibt, habe ich nur noch die erfreuliche Pflicht, Mr. Richard Armstrong zu bitten …« Er hätte den Satz beendet, wäre nicht Andrew Fraser von seinem Platz zwei Reihen hinter Armstrong aufgesprungen und hätte auf diese Weise bekundet, dass er etwas sagen wolle.

Cornelius J. Adams runzelte die Stirn, nickte jedoch, als er sah, wer da eine Frage stellen wollte.

»Herr Vorsitzender«, begann Fraser, während im Saal da und dort ein Stöhnen laut wurde.

»Ja?«, fragte Adams, der seinen Unmut kaum verhehlen konnte.

Wieder sah Townsend zum Eingang zurück. Diesmal sah er gruppenweise Leute durch den Mittelgang zu den Aktionärsplätzen nach vorne kommen. Jeder, der die rote Kordelbarriere erreichte, wurde von der tüchtig aussehenden Frau aufgehalten, die den Namen auf der langen Liste suchte, ihn abhakte und dem Betreffenden gestattete, sich auf einen der noch freien Plätze zu setzen.

»Ich möchte Sie auf Paragraf 7B der Gesellschaftssatzung aufmerksam machen«, fuhr Toms Kollege fort. Gedämpftes Stimmengewirr erhob sich. Nur wenige Personen, sowohl auf der einen wie auf der anderen Seite der Kordel, hatten je die Gesellschaftssatzung gelesen, und nicht einer der Anwesenden wusste, was Paragraf 7B besagte. Der Vorsitzende beugte sich hinunter, um sich vom Verwaltungschef des Unternehmens den Wortlaut der Seite siebenundvierzig des selten konsultierten roten Lederbüchleins ins Ohr flüstern zu lassen. Es war eine Frage, mit der auch der Vorstandsvorsitzende nicht gerechnet und auf die er keine Antwort vorbereitet hatte.

Townsend entnahm der Hektik in der vordersten Reihe, dass der Herr, den er zum ersten Mal gesehen hatte, als er vor dem Haus Nummer 147 am Lower Broadway in die Stretch-Limousine gestiegen war, seinem Mandanten die Bedeutung des Paragrafen 7B zu erklären versuchte.

Andrew Fraser wartete, bis sich die Aufregung einigermaßen gelegt hatte, ehe er versuchte fortzufahren. Auf diese Weise gab er dem steten Strom von Neuankömmlingen mehr Zeit, ihre Plätze innerhalb der Absperrung einzunehmen. Dem Vorsitzenden blieb nichts anderes übrig, als mehrmals auf den Tisch zu hämmern, bevor es leise genug war, dass er verkünden konnte: »Paragraf 7B gestattet jedem Aktionär, der an der Jahreshauptversammlung teilnimmt«, er las nun direkt aus dem kleinen roten Buch ab: »›einen Kandidaten für jegliche Position innerhalb der Gesellschaft vorzuschlagen‹. Ist das der Paragraf, auf den Sie verweisen, Sir?« Adams blickte Andrew Fraser fest an.

»Ja«, antwortete der erfahrene Anwalt. Der Verwaltungschef – noch immer in die Statuten vertieft – zupfte am Ärmel des Vorstandsvorsitzenden. Wieder beugte Adams sich hinunter und hörte dem Verwaltungschef zu. Andrew Fraser blieb ruhig stehen. Augenblicke später richtete sich der Vorstandsvorsitzende zu seiner vollen Größe auf und blickte Fraser durchdringend an. »Sie sind sich doch sicher bewusst, Sir, dass ein Alternativkandidat für das Amt des Vorstandsvorsitzenden schriftlich vorgeschlagen werden muss, und dies mindestens dreißig Tage vor der Jahreshauptversammlung? Paragraf 7B, Absatz eins«, sagte er nicht ohne Befriedigung.

»Dessen *bin* ich mir bewusst, Sir«, antwortete Fraser, der immer noch stand. »Allerdings habe ich nicht die Absicht, einen anderen Kandidaten für das Amt des Vorstandsvorsitzenden vorzuschlagen.«

Jetzt brach Aufruhr im Saal aus. Wieder musste Adams mehrmals mit dem Hammer auf den Tisch schlagen, bevor Fraser fortfahren konnte.

»Ich möchte einen Kandidaten für das Amt des Direktors der Summers-Stiftung vorschlagen.«

Townsend wandte den Blick nicht von Lloyd Summers, der kreidebleich geworden war. Er starrte Andrew Fraser an und betupfte sich die Stirn mit einem roten Seidentüchlein.

»Aber mit Mr. Summers haben wir bereits einen ausgezeichneten Direktor!«, wandte der Vorstandsvorsitzende ein. »Oder möchten Sie ihn lediglich in seinem Amt bestätigt sehen? Falls dies der Fall ist, kann ich Ihnen versichern, dass Mr. Armstrong beabsichtigt …«

»Nein, Sir. Ich beantrage, dass Mr. Summers von Miss Angela Humphries abgelöst wird, die derzeit das Amt der stellvertretenden Direktorin bekleidet.«

Erneut beugte sich der Vorsitzende zu seinem Verwaltungschef hinunter, um sich von diesem bestätigen zu lassen, dass dieser Antrag zulässig war. Tom Spencer erhob sich von seinem Stuhl und überprüfte, ob sich seine Rekruten auch allesamt vor der roten Kordelabsperrung befanden. Townsend sah, dass nun sämtliche Plätze belegt waren und mehrere Spätankömmlinge sich entweder an die Seiten der Stuhlreihen gestellt oder in den Mittelgang gesetzt hatten.

Nachdem man Adams versichert hatte, dass der Antrag statthaft sei, fragte er: »Unterstützt jemand diesen Antrag?« Zu seiner Überraschung schossen mehrere Hände in die Höhe. Adams wies auf eine Frau in der fünften Reihe. »Dürfte ich um Ihren Namen für das Protokoll bitten?«

»Mrs. Roscoe.«

Der Verwaltungschef blätterte in dem roten Büchlein, schlug die betreffende Seite auf und reichte es dem Vorsitzenden.

»Es ist meine Pflicht, Sie darüber in Kenntnis zu setzen, dass nach den Bestimmungen von Paragraf 7B nun eine Wahl stattfinden muss, die es jedem anwesenden Aktionär gestattet, seine Stimme abzugeben.« Er las jetzt direkt aus dem Büchlein. »Gemäß den Statuten werden Stimmzettel verteilt ...« Er blickte auf. »Kreuzen Sie bitte eines der vorgesehenen Kästchen an, und geben Sie damit bekannt, ob Sie für oder gegen den Antrag sind, Mr. Lloyd Summers, den Direktor der Summers-Stiftung, durch Ms. Angela Humphries abzulösen.« Er machte eine Pause. »Ich halte es für angemessen, Sie zu diesem Zeitpunkt darüber zu informieren, dass der Vorstand diesen Antrag einstimmig ablehnen wird, da wir alle der Meinung sind, dass die Stiftung durch ihren derzeitigen Direktor, Mr. Summers, gut verwaltet wurde, sodass er in seinem Amt verbleiben sollte.« Summers warf Adams einen nervösen Blick zu, beruhigte sich jedoch sichtlich, als sämtliche Vorstandsmitglieder bestätigend nickten.

Nun eilten Angestellte durch die Gänge und verteilten Stimmzettel. Armstrong kreuzte das Kästchen »DAGEGEN« an, Townsend das Kästchen »DAFÜR«, und beide steckten ihre Stimmzettel in die herumgereichte Wahlurne.

Da die Abstimmung zeitraubend war, erhoben sich einige der Aktionäre, die ihre Stimme bereits abgegeben hatten, und streckten sich. Lloyd Summers blieb zusammengesunken auf seinem Stuhl sitzen und wischte sich immer wieder mit dem roten Tüchlein die Stirn ab. Angela Humphries blickte kein einziges Mal in seine Richtung.

Russell riet seinem Mandanten, gelassen zu bleiben und die Zeit zu nutzen, sich auf seine große Antrittsrede vorzubereiten. Nach dem eindeutigen Votum des Vorstands werde der Antrag sicher mit klarer Mehrheit abgelehnt.

»Aber sollten Sie nicht mit Miss Humphries reden – nur für den Fall, dass er Antrag doch durchgeht?«, flüsterte Armstrong.

»Das halte ich unter den gegebenen Umständen für außerordentlich unklug«, erwiderte Russell, »allein schon, wenn man bedenkt, neben wem sie sitzt.«

Armstrong schaute in Angelas Richtung und machte ein finsteres Gesicht. Townsend konnte doch nicht etwa …

Während die Stimmen hinter der Bühne ausgezählt wurden, stellte Lloyd Summers seiner Stellvertreterin sichtlich wütend eine Frage. Sie sah ihn an und lächelte süß.

»Meine Damen und Herren«, begann Cornelius Adams, nachdem er sich wieder von seinem Stuhl erhoben hatte. »Darf ich Sie bitten, auf Ihre Plätze zurückzukehren, da die Stimmen nun ausgezählt sind!« Alle, die sich auf den Gängen unterhalten hatten, nahmen rasch wieder ihre Plätze ein und warteten auf die Verkündung des Wahlergebnisses. Der Vorsitzende öffnete einen zusammengefalteten Zettel. Doch wie ein guter Richter ließ er sich nicht anmerken, wie das Urteil ausgefallen war.

»Für den Antrag«, verkündete er in staatsmännischem Ton, »dreihundertsiebzehn Stimmen.«

Townsend holte tief Luft. »Reicht das?«, fragte er Tom und versuchte abzuschätzen, wie viele Personen vor der roten Kordel saßen.

»Werden wir gleich erfahren«, entgegnete Tom ruhig.

»Gegen den Antrag, zweihundertsechsundachtzig Stimmen. Hiermit erkläre ich den Antrag mit einer Mehrheit von einunddreißig Stimmen für angenommen.« Er machte eine Pause. »Und Miss Angela Humphries zur neuen leitenden Direktorin der Stiftung.«

Aufgeregtes Stimmengewirr setzte ein, da offenbar jeder im Saal seine Meinung kundtun wollte.

»Knapper, als ich erwartet hatte«, rief Townsend.

»Aber Sie haben gesiegt, und nur das zählt«, erwiderte Tom.

Townsend hatte den Blick auf Angela gerichtet. »Noch nicht«, meinte er.

Die Leute schauten sich nun im Saal um, um festzustellen, wo Miss Humphries saß, obwohl nur wenige überhaupt wussten, wie sie aussah. Nur einer blieb die Gelassenheit in Person.

Auf der Bühne konsultierte der Vorsitzende erneut den Verwaltungschef, der ihm erneut aus dem roten Büchlein vorlas. Schließlich nickte er, wandte sich wieder dem Publikum zu und schlug mit dem Hammer auf den Tisch.

Er wartete, bis einigermaßen Ruhe eingekehrt war. Den Blick auf Fraser gerichtet, fragte er schließlich: »Haben Sie die Absicht, einen weiteren Antrag zu stellen, Mr. Fraser?« Adams versuchte nicht, den Sarkasmus in seiner Stimme zu unterdrücken.

»Nein, Sir. Aber ich würde gerne wissen, wen die neu gewählte Direktorin mit den fünf Prozent der Stiftungsanteile an der Gesellschaft unterstützen wird. Von diesen fünf Prozent hängt schließlich ab, wer der nächste Vorstandsvorsitzende wird.«

Zum zweiten Mal sprach alles im Saal durcheinander, wobei einige immer noch Ausschau nach der neuen Direktorin hielten. Mr. Fraser setzte sich, und Angela stand auf, als säße sie am anderen Ende einer Wippe.

Der Vorsitzende richtete seine Aufmerksamkeit nun auf sie. »Miss Humphries«, sagte er, »da Sie nun die Verfügungsberechtigung über fünf Prozent der Gesellschaftsanteile haben, ist es meine Pflicht, Sie zu fragen, wen Sie als Vorsitzenden unterstützen werden.«

Lloyd Summers wischte sich immer noch die Stirn, blickte jedoch nicht in Angelas Richtung. Sie wirkte erstaunlich ruhig und gefasst und wartete, bis vollkommene Stille herrschte.

»Herr Vorsitzender, es wird Sie nicht überraschen, dass ich den Mann unterstützen möchte, der sich meiner Meinung nach am besten für die Stiftung einsetzen wird.« Sie hielt inne, als Armstrong sich erhob und ihr zuwinkte, doch die Lichter der Fernsehteams blendeten sie zu sehr, als dass sie ihn hätte erkennen können. Der Vorsitzende schien sich zu entspannen.

»Die Treuhänderin der Stiftung wird mit ihren fünf Prozent…« Sie legte wieder eine kurze Pause ein und schien offenbar jede Sekunde zu genießen. »…Mr. Keith Townsend unterstützen.«

Ein vielstimmiges, erstauntes Raunen erklang. Zum ersten Mal an diesem Tag war der Vorsitzende sprachlos. Er ließ sein Hämmerchen zu Boden fallen und starrte Angela mit offenem Mund an. Dann bückte er sich rasch nach dem Hammer, gewann seine Fassung wieder und rief die Versammelten zur Ordnung. Als er den Eindruck hatte, dass man ihn hören konnte, fragte er: »Miss Humphries, sind Sie sich der Konsequenzen bewusst, die diese im letzten Moment geänderte Entscheidung der Stiftungsleitung nach sich zieht?«

»Durchaus, Herr Vorsitzender«, versicherte sie.

Eine ganze Schar von Armstrongs Anwälten war bereits protestierend aufgesprungen. Erneut hämmerte der Vorsitzende wie wild auf den Tisch, bis sich der Lärm halbwegs gelegt hatte. Dann verkündete er, dass er nach Paragraf 11A, Absatz d, keine andere Wahl habe, als Mr. Keith Townsend zum neuen Vorstandsvorsitzenden des *New York Star* zu erklären, da Mr. Townsend durch die ihm von Miss Humphries zugesagten fünf Prozent Stiftungsanteile nunmehr über einundfünfzig Prozent des Aktienkapitals verfüge, gegenüber sechsundvierzig Prozent aufseiten Mr. Armstrongs.

Die zweihundert Aktionäre, die verspätet eingetroffen waren, erhoben sich und applaudierten wie gut einstudierte Komparsen, während sich Townsend zur Bühne begab. Armstrong stürmte aus dem Saal und überließ es seinen Anwälten, ihren Proteststurm fortzusetzen.

Townsend begann, Cornelius Adams, dem bisherigen Vorstandsvorsitzenden, sowie jedem einzelnen Vorstandsmitglied die Hand zu schütteln, obwohl nicht einer sonderlich erfreut darüber zu sein schien.

Dann setzte er sich auf den bereitstehenden Platz vorn an der Bühne und blickte auf den Tumult im Saal hinunter. »Herr Vorsitzender, meine Damen und Herren.« Er tupfte auf das Mikrofon. »Ich möchte damit beginnen, Ihnen, Mr. Adams, und dem Vorstand des *Star* für die hervorragenden Dienste und die ausgezeichnete Führung zu danken, die Sie alle im Laufe der Jahre der Gesellschaft haben angedeihen lassen. Und ich möchte jedem von Ihnen viel Erfolg für Ihre zukünftigen Tätigkeiten wünschen.«

Tom war froh, dass Townsend die Mienen der hinter ihm sitzenden Männer nicht sehen konnte.

»Den Aktionären dieser großartigen Zeitung möchte ich

versichern, dass ich die guten alten Traditionen des *Star* fortführen werde. Sie haben mein Wort, dass ich die redaktionelle Integrität der Zeitung unangetastet lasse. Ich will nur jeden Journalisten an die Worte des großen Chefredakteurs des *Manchester Guardian,* Charles Prestwich Scott, erinnern, die mir während meines gesamten Berufslebens ein Leitfaden waren: ›Die Meinung ist frei, doch Fakten sind heilig.‹«

Erneut erhoben sich die Schauspieler von ihren Plätzen und begannen auf ihr Stichwort hin zu klatschen. Als der Beifall schließlich verstummte, endete Townsend mit den Worten: »Ich freue mich darauf, Sie alle in einem Jahr wiederzusehen.« Er benutzte kurz den Hammer und erklärte die Jahreshauptversammlung für beendet.

Mehrere Personen in der vorderen Reihe sprangen auf, um ihren Protest fortzusetzen, während zweihundert andere ihren Anweisungen folgten. Sie erhoben sich und machten sich auf den Weg zum Ausgang, in angeregte, laute Gespräche vertieft. Binnen weniger Minuten befand sich nur noch eine Handvoll Personen im Raum, die vor einer leeren Bühne protestierten.

Beim Verlassen des Saales war Townsends erste Frage an seinen Anwalt: »Haben Sie einen neuen Pacht- und Nutzungsvertrag für die bisherigen Räumlichkeiten der Stiftung aufgesetzt, Tom?«

»Ja, er liegt in meinem Büro. Sie brauchen ihn nur noch zu unterschreiben.«

»Und es wurde keine Mieterhöhung verlangt?«

»Nein, die Miete bleibt für die nächsten zehn Jahre unverändert – genau, wie Miss Humphries es mir versichert hatte«, beruhigte Tom ihn.

»Und Miss Humphries' Vertrag?«

»Läuft ebenfalls für zehn Jahre, aber zu einem Drittel von Lloyd Summers' Gehalt.«

Als die beiden Männer aus dem Hotel traten, sah Townsend seinen Anwalt an und sagte: »Nun muss ich mir nur noch überlegen, ob ich unterschreiben soll oder nicht.«

»Aber ich habe bereits eine mündliche Vereinbarung mit Miss Humphries!«, erinnerte Tom seinen Mandanten.

Townsend grinste den Anwalt an, als der Hoteldirektor und mehrere Kameraleute, Fotografen und Journalisten sie zu ihrem wartenden Wagen verfolgten.

»Jetzt möchte ich Ihnen mal eine Frage stellen«, sagte Tom und setzte sich zu Townsend auf den Rücksitz des BMW.

»Fragen Sie.«

»Jetzt, da alles vorbei ist, würde es mich brennend interessieren, wann Ihnen die Idee zu diesem Meisterstreich gekommen ist, mit dem Sie Armstrong geschlagen haben.«

»Vor ungefähr vierzig Jahren.«

»Ich fürchte, ich verstehe nicht.« Der Anwalt blickte ihn verdutzt an.

»Wie sollten Sie auch, Genosse Tom? Sie waren ja nicht Mitglied im Labour Club der Universität Oxford, als ich nur deshalb nicht zum neuen Vorsitzenden ernannt wurde, weil ich versäumt hatte, die Statuten zu lesen.«

34

The Sun

12. Juni 1987

Maggie packt's zum dritten Mal!
Tories siegen locker mit 110 Sitzen Vorsprung

Enttäuscht und wütend stürmte Armstrong aus dem Lincoln Room. Er wollte sich der Demütigung nicht aussetzen, während Townsends Ansprache sitzen zu bleiben. Kaum ein Medienvertreter schien es als lohnend zu erachten, ihm zu folgen – ganz im Gegensatz zu zwei Herren, die aus Chicago angereist waren. Die Anweisungen ihres Mandanten hätten nicht klarer sein können: »Machen Sie demjenigen, der den Kürzeren zieht, das Angebot, Vorstandsvorsitzender der *Tribune* zu werden.«

Armstrong stand allein auf dem Bürgersteig, nachdem er einen seiner teuren Anwälte losgeschickt hatte, seine Limousine zu suchen. Der Hoteldirektor war nicht mehr zu sehen. »Wo ist mein verdammter Wagen?«, brüllte Armstrong und starrte zu dem weißen BMW hinüber, der auf der gegenüberliegenden Straßenseite parkte.

»Er wird gleich hier sein«, versicherte Russell, als er sich neben Dick stellte.

»Wie, in aller Welt, ist es Townsend gelungen, die Wahl zu manipulieren?«, wollte Armstrong wissen.

»Er muss in den letzten vierundzwanzig Stunden eine Menge Aktionäre aus dem Hut gezaubert haben, die frühestens in zwei Wochen im Register erscheinen.«

»Und warum durften sie dann an der Versammlung teilnehmen?«

»Sie mussten der Mitarbeiterin, die die Namensliste überprüfte, lediglich den Besitz des erforderlichen Minimums an Anteilen nachweisen und ihren Namen zu nennen. Hundert Anteile für, sagen wir, etwa zweihundert von diesen Neuaktionären. Mehr war nicht erforderlich. Die Leute könnten die Aktien bei jedem Makler an der Wall Street gekauft haben, oder Townsend hat heute Morgen zwanzigtausend seiner eigenen Aktien an sie verteilt.«

»Und das ist legal?«

»Na ja, sagen wir, es hält sich im gesetzlichen Rahmen«, antwortete Russell. »Wir könnten die Sache vor Gericht anfechten, aber bis zu einem Urteilsspruch vergehen erfahrungsgemäß zwei Jahre, und es lässt sich nicht vorhersagen, wem die Richter recht geben würden. Ich rate Ihnen, Ihre Aktien zu verkaufen. Freuen Sie sich über den beachtlichen Gewinn!«

»Das ist genau der Rat, den ich von Ihnen erwartet habe«, brummte Armstrong. »Und ich habe nicht vor, ihn zu befolgen. Ich werde drei Sitze im Vorstand fordern und dem verdammten Kerl sein Leben lang die Hölle heiß machen!«

Zwei hochgewachsene, elegant gekleidete Herren in langen, schwarzen Mänteln standen nur wenige Meter von ihnen entfernt und schienen dem Gespräch aufmerksam zu lauschen. Armstrong nahm an, dass sie zu Critchleys Team gehörten. »Und wie viel kosten mich diese beiden?«, fragte er heftig.

Russell warf einen Blick auf die Männer. »Ich habe sie noch nie gesehen.«

Wie auf ein Stichwort kamen die beiden Herren einen Schritt näher. »Mr. Armstrong?«

Dick wollte gerade darauf antworten, als Russell vortrat. »Ich bin Russell Critchley, Mr. Armstrongs New Yorker Rechtsbeistand. Kann ich irgendwie behilflich sein?«

Der Größere der beiden Herren lächelte verbindlich. »Guten Tag, Mr. Critchley. Ich bin Earl Withers von Spender, Dickson & Withers aus Chicago. Ich glaube, wir hatten bereits das Vergnügen, mit Ihrer Kanzlei zusammenzuarbeiten.«

»Ja, bei vielen Gelegenheiten.« Zum ersten Mal lächelte Russell.

»Worum geht es denn?«, fragte Armstrong barsch.

Ohne ihn zu beachten, sagte der etwas kleinere Herr zu Russell: »Unsere Kanzlei hat die Ehre, die Chicagoer News Group zu vertreten. Mein Kollege und ich möchten Ihrem Mandanten einen geschäftlichen Vorschlag unterbreiten.«

»Rufen Sie doch einfach morgen Vormittag in meinem Büro an«, schlug Russell vor, als die Limousine vorfuhr.

»Was für einen Vorschlag, zum Donnerwetter?«, fragte Armstrong. Sein Chauffeur sprang aus dem Wagen und öffnete ihm die Tür.

»Wir haben den Auftrag und die Vollmacht, Ihnen die Möglichkeit anzubieten, die *New York Tribune* zu erwerben«, sagte der kleinere Mann.

»Wie ich bereits sagte, wäre morgen Vormittag …«, versuchte Russell es erneut.

»Kommen Sie in fünfzehn Minuten in mein Apartment im Trump Tower!«, erklärte Armstrong und stieg in die Limousine. Withers nickte bestätigend, während Russell um den Wagen herumrannte und sich neben seinen Mandanten setzte. Er schlug die Tür zu, drückte auf einen Knopf und schwieg, bis die gläserne Trennwand zwischen ihnen und dem Chauffeur emporgeglitten war.

»Dick, ich kann unter gar keinen Umständen empfehlen …«, begann der Anwalt.

»Warum nicht?«, fragte Armstrong schroff.

»Ganz einfach«, erklärte Russell. »Jeder weiß, dass die *Tribune* mit zweihundert Millionen in der Kreide steht und pro Woche eine Million verliert. Ganz zu schweigen davon, dass sie in einen permanenten Streit mit den Gewerkschaften verstrickt ist. Sie dürfen mir glauben, Dick – niemand ist imstande, diese Zeitung wieder auf die Beine zu bringen.«

»Townsend hat es mit dem *Globe* geschafft«, wandte Armstrong ein. »Sehr zu meinem Schaden.«

»Das war eine völlig andere Situation«, entgegnete Russell, in dessen Stimme sich allmählich ein Anflug von Verzweiflung schlich sich.

»Und ich wette, das schafft der Mistkerl jetzt auch mit dem *Star.*«

»Aber die wirtschaftliche Basis des *Star* ist sehr viel solider! Nur deshalb habe ich Ihnen überhaupt erst geraten, ein Übernahmeangebot zu machen.«

»Ja, und das ist gründlich in die Hose gegangen«, brummte Armstrong. »Ich wüsste jedenfalls keinen Grund, weshalb wir die Herren nicht wenigstens anhören sollten.«

Die Limousine hielt vor dem Trump Tower. Die beiden Anwälte aus Chicago warteten bereits vor dem Eingang. »Wie konnten die Burschen so schnell hier sein?«, wunderte sich Armstrong und stemmte sich aus dem Wagen auf den Bürgersteig.

»Ich vermute, sie sind zu Fuß gegangen«, meinte Russell.

»Kommen Sie«, forderte Armstrong die beiden Herren auf, während er zu den Fahrstühlen marschierte. Niemand sprach ein Wort, bis sie das Penthouse-Apartment erreicht hatten. Armstrong erkundigte sich nicht, ob die Herren ihre Mäntel ablegen oder sich setzen wollten, und bot ihnen auch keine Drinks an. »Mein Anwalt hat mich gewarnt, dass Ihre Zeitung bankrott ist und dass es höchst unklug von mir wäre, auch nur mit Ihnen zu reden.«

»Mr. Critchleys Rat mag sich als richtig erweisen. Aber das ändert nichts an der Tatsache, dass die *Tribune* die einzige Konkurrenz des *New York Star* ist«, gab Withers zu bedenken, der offenbar die Rolle des Wortführers übernahm. »Und ungeachtet ihrer derzeitigen Probleme hat die *Tribune* immer noch eine weit höhere Auflage als der *Star.*«

»Aber nur, wenn sie überhaupt auf die Straße kommt«, warf Russell ein.

Withers nickte. Er sagte zwar nichts, hegte jedoch die offensichtliche Hoffnung, dass sie zu einer weiteren Frage übergehen würden.

»Und ist es wahr, dass die Zeitung zweihundert Millionen Dollar Schulden hat?«, fragte Armstrong.

»Zweihundertundsieben Millionen, um genau zu sein«, berichtigte Withers.

»Und sie setzt mehr als eine Million Dollar pro Woche in den Sand?«

»Ungefähr eine Million dreihunderttausend.«

»Und die Gewerkschaften haben Sie an den Eiern gepackt?«

»Nun ja, in Chicago würde man sagen, die Gewerkschaften haben uns nicht an den Eiern gepackt, sondern bereits fest zugedrückt, Mr. Armstrong. Genau das ist der Grund, weshalb wir uns an Sie wenden. Im Gegensatz zu Ihnen haben meine Mandanten keine große Erfahrung im Umgang mit Gewerkschaften.«

Russell hoffte, dass seinem Mandanten klar war, dass Withers nur zu gern den Namen Armstrong gegen Townsend ausgetauscht hätte, wäre die Wahl vor einer knappen Stunde anders ausgegangen. Während er Dick aufmerksam beobachtete, keimte in ihm die Befürchtung auf, dass sein Mandant drauf und dran war, sich von den beiden Herren aus Chicago verleiten zu lassen.

»Weshalb sollte gerade ich schaffen, was Ihnen in all den Jahren bedauerlicherweise nicht gelungen ist?« Armstrong blickte aus dem Erkerfenster auf das Panorama Manhattans.

»Mein Mandant hat den Kampf gegen die Gewerkschaften aufgegeben. Und dass sich die Redaktion der *Tribune* hier in New York, die Verlagszentrale sowie einige andere Publikationen der Mediengruppe dagegen in Chicago befinden, ist auch nicht gerade von Nutzen. Wir brauchen einen starken Mann, wie Sie es sind. Jemanden, der imstande ist, sich gegen die Gewerkschaften zur Wehr zu setzen, wie Mr. Townsend es in Großbritannien so erfolgreich praktiziert hat.«

Russell wartete auf Armstrongs Reaktion. Er war überzeugt, dass sein Mandant auf eine derart plumpe Schmeichelei nicht hereinfiel. Jeden Moment würde er die beiden Kerle hinauswerfen.

»Und wenn ich nicht kaufe, was wäre dann Ihre Alternative?«, fragte Armstrong.

Russell beugte sich im Sessel vor, legte den Kopf in die Hände und seufzte laut.

»Dann können wir nur noch die Hoffnung und damit die Zeitung aufgeben und tatenlos zusehen, wie Townsend sein Monopol in dieser Stadt genießt.«

Armstrong schwieg, starrte jedoch weiterhin die beiden Fremden an, die ihre Mäntel immer noch nicht abgelegt hatten.

»Wie viel erwarten Sie zu bekommen?«

»Wir sind offen für Angebote.«

»Das kann ich mir denken«, brummte Armstrong.

Russell hätte Dick am liebsten per Telepathie ein Angebot eingegeben, das sie ablehnen *mussten*.

»Na schön.« Armstrong wich dem ungläubigen Blick seines Anwalts aus. »Also, hier mein Angebot: Ich kaufe Ihnen die Zeitung für fünfundzwanzig Cent ab, den derzeitigen Verkaufspreis für ein Exemplar.« Er lachte laut. Die Chicagoer Anwälte lächelten zum ersten Mal, und Russell vergrub das Gesicht noch tiefer in den Händen.

»Aber die Schulden über zweihundertundsieben Millionen Dollar werden Sie weiterhin in Ihrer eigenen Bilanz führen. Und solange Sie nicht bereit sind, rigorose Einsparungsmaßnahmen vorzunehmen, gehen die täglichen Verluste nach wie vor zu Ihren Lasten.« Er drehte sich zu Russell um. »Bitte, bieten Sie unseren beiden Freunden einen Drink an, bei dem sie sich meinen Vorschlag durch den Kopf gehen lassen können.«

Armstrong fragte sich, wie lange es wohl dauern würde, bis seine Besucher zu feilschen anfingen. Er konnte ja nicht wissen, dass Mr. Withers' Auftrag lautete, die Zeitung für einen Dollar zu verkaufen. Der Anwalt würde seinen Mandanten also berichten müssen, dass sie bei dem Handel fünfundsiebzig Cent verloren hatten.

»Wir werden nach Chicago zurückkehren, um uns mit dem Vorstand zu beraten«, war alles, was Withers sagte.

Sobald die beiden Anwälte gegangen waren, verbrachte Russell den Rest des Nachmittags damit, seinen Mandanten davon zu überzeugen, welcher Fehler es wäre, die *Tribune* zu kaufen, gleichgültig zu welchen Bedingungen.

Als Armstrong um achtzehn Uhr den Trump Tower verließ – nach dem längsten Lunch seines Lebens –, hatten sie sich darauf geeinigt, doch lieber die Finger von der Sache zu lassen, ganz gleich, welche Reaktion aus Chicago kommen sollte.

Als Withers am nächsten Morgen anrief, um Bescheid zu geben, dass seine Mandanten mit dem Angebot einverstanden wären, teilte Armstrong ihm mit, er habe es sich anders überlegt.

»Schauen Sie sich doch erst einmal das Verlagsgebäude an, bevor Sie sich endgültig entscheiden«, schlug Withers vor.

Armstrong fand, dass ein Besuch nichts schaden konnte, sondern ihm sogar das Nein erleichtern würde. Russell bestand darauf, ihn zu begleiten. Nach der Besichtigung würde er dann in Chicago anrufen und erklären, sein Mandant habe kein Interesse mehr.

Vor dem Gebäude der *New York Tribune* angelangt, blickte Armstrong den Art déco-Wolkenkratzer empor. Es war Liebe auf den ersten Blick. Im Foyer, vor der Erdkugel mit mehr als fünf Meter Durchmesser, auf der die Entfernungen zu den Hauptstädten der Welt in Meilen angegeben waren – darunter die nach London, Moskau und Jerusalem –, machte Dick seinen Antrag. Und als die gesamte Belegschaft der *Tribune*, die sich in die Eingangshalle gedrängt hatte, um Armstrong zu begrüßen, in Jubel ausbrach, war die Heirat vollzogen. Sosehr Dicks Trauzeuge auch versuchte, ihm die Ehe auszureden, er konnte die Unterzeichnungszeremonie nicht verhindern.

Sechs Wochen später war Armstrong Eigentümer der *New York Tribune*. An diesem Nachmittag verkündete die Schlagzeile der Titelseite den New Yorkern: »DICK ÜBERNIMMT!«

Townsend erfuhr von Armstrongs Angebot, die *Tribune* für fünfundzwanzig Cent zu kaufen, aus der Today Show, als er gerade unter die Dusche wollte. Er blieb stehen und starrte auf seinen Konkurrenten, der eine rote Baseballkappe mit der Aufschrift *The N.Y. Tribune* trug.

»Ich werde dafür sorgen, dass New Yorks größte Zeitung weiterhin auf den Straßen bleibt«, sagte Armstrong zu Barbara Walters, »was immer es mich kostet.«

»Der *Star ist* bereits auf den Straßen«, sagte Townsend, als befände Armstrong sich im Zimmer.

»Denn ich möchte, dass die besten Journalisten Amerikas ihre Jobs behalten.«

»Die arbeiten bereits für den *Star.*«

»Und wenn ich Glück habe, mache ich vielleicht sogar ein bisschen Gewinn«, fügte Armstrong lachend hinzu.

»Da musst du aber schon verdammt viel Glück haben«, murmelte Townsend. »Frag ihn jetzt, was er gegen die Gewerkschaften unternehmen will«, fügte er hinzu und starrte Barbara Walters hypnotisierend an.

»Aber ist ein viel zu hoher Personalstand nicht ein Problem, das der *Tribune* schon seit drei Jahrzehnten zu schaffen macht?«

Townsend ließ das Wasser laufen, während er auf Dicks Antwort wartete. »Das mag bisher der Fall gewesen sein,

Barbara«, antwortete Armstrong. »Aber ich habe allen betreffenden Gewerkschaften mehr als deutlich gemacht, dass mir nichts anderes übrig bleibt, als die Zeitung ein für alle Mal einzustellen, falls sie die von mir vorgeschlagenen Personalkürzungen nicht akzeptieren.«

»Wie viel Zeit wirst du ihnen geben?«, fragte Townsend.

»Und wie lange sind Sie bereit, weiterhin über eine Million Dollar pro Woche zu verlieren, bevor Sie Ihre Drohung wahr machen?«

Townsend blickte unverwandt auf den Bildschirm.

»Bei den Gesprächen mit den Gewerkschaftsführern habe ich meine Haltung in dieser Frage klipp und klar deutlich gemacht«, erklärte Armstrong bestimmt. »Sechs Wochen im Höchstfall.«

»Dann wünsche ich Ihnen viel Glück, Mr. Armstrong.« Barbara Walters sah ihn an. »Und ich würde sagen, wir sehen uns in sechs Wochen hier wieder.«

»Das ist eine Einladung, die ich gern annehme, Barbara.« Armstrong tippte an den Schirm seiner Baseballmütze. Townsend schaltete den Fernseher aus, schlüpfte aus seinem Bademantel und stieg in die Dusche.

Von diesem Moment an brauchte er niemanden mehr, der für ihn herausfand, was Armstrong vorhatte. Für gerade mal fünfundzwanzig Cent am Tag blieb er stets auf dem neuesten Stand – indem er die *Tribune* las. Woody Allen meinte in einer Talkshow, es bräuchte schon einen Flugzeugabsturz mitten in Queens, um Armstrong von der Titelseite der Zeitung zu vertreiben – und selbst dann müsste es mindestens eine Concorde sein.

Auch Townsend hatte seine Probleme mit den Gewerkschaften. Als der *Star* bestreikt wurde, verdoppelte die *Tri-*

bune über Nacht ihre Auflage. Armstrong war mittlerweile Dauergast bei allen Fernsehsendern, die ihn haben wollten, und erklärte dort den New Yorkern: »Wenn man mit den Gewerkschaften umzugehen versteht, werden Streiks überflüssig.« Die Gewerkschaftsführer witterten schnell, wie sehr Armstrong es genoss, sich so oft wie möglich auf der Titelseite seiner Zeitung und auf dem Bildschirm zu bewundern, und sie vermuteten nicht zu Unrecht, dass er die *Tribune* nur höchst ungern einstellen oder zugeben würde, dass er gescheitert war.

Als Townsend sich endlich mit den Gewerkschaften einigte, hatte der *Star* bereits zwei Monate nicht mehr erscheinen können und dadurch mehrere Millionen Dollar eingebüßt. Es kostete Townsend viel Zeit und Mühe, den Vertrieb wieder anzukurbeln.

Allerdings steigerte es auch den Absatz der *Tribune* nicht, dass seine Schlagzeilen den New Yorkern verkündeten: »DICK BEISST IN DEN BIG APPLE«, »DICK TRIFFT FÜR DIE YANKEES INS SCHWARZE« und: »MAGIC DICK WIRFT KORB FÜR DIE NICKS«. Das alles wirkte noch ziemlich bescheiden im Vergleich zu dem Großereignis, als die Truppen aus dem Golfkrieg zurückkamen und New York für die heimkehrenden Helden entlang der gesamten Fifth Avenue eine Konfettiparade veranstaltete. Die Titelseite der *Tribune* zeigte ein fast ganzseitiges Bild Armstrongs, wie er auf dem Podium zwischen General Schwarzkopf und Bürgermeister Dinkins stand. Die Story auf der Innenseite berichtete in allen Einzelheiten über dieses denkwürdige Ereignis, und auf nicht weniger als vier verschiedenen Seiten konnte man nachlesen, dass Captain Armstrong Träger des Militärverdienstkreuzes war.

Doch als die Wochen ins Land zogen, fand Townsend, sooft er die *Tribune* durchblätterte, nie irgendwo etwas darüber, dass Armstrong eine Einigung mit der Druckergewerkschaft erzielt hätte.

Als Barbara Walters, wie angekündigt, Dick sechs Wochen später erneut in ihre Show einlud, teilte Armstrongs PR-Manager ihr mit, dass sein Boss nichts lieber getan hätte, als in der Show aufzutreten; bedauerlicherweise halte er sich aber gerade zu diesem Zeitpunkt in London auf, um an einer Vorstandssitzung der Muttergesellschaft teilzunehmen.

Das zumindest stimmte – aber nur, weil Peter Wakeham Dick angerufen und gewarnt hatte, dass Sir Paul sich auf dem Kriegspfad befand und wissen wollte, wie lange Armstrong die *New York Tribune* eigentlich noch »durchfüttern« wollte, wo die Zeitung immer noch Woche für Woche mehr als eine Million Dollar Verlust machte.

»Was bildet der Kerl sich eigentlich ein?«, brauste Armstrong auf. »Wem verdankt er es denn, dass er immer noch Vorstandsvorsitzender ist?«

»Ich bin ja völlig deiner Meinung«, versicherte ihm Peter, »aber ich dachte, du solltest wissen, was er herumerzählt.«

»Dann wird mir wohl nichts anderes übrig bleiben, als nach Hause zu fliegen und Sir Paul ein paar Dinge klarzumachen.«

Der weiße BMW hielt kurz vor zehn Uhr dreißig vor dem Bezirksgericht in Lower Manhattan. Townsend stieg in Begleitung seines Anwalts aus und eilte die Freitreppe hinauf.

Tom Spencer war bereits am Tag zuvor hier gewesen, hatte sich um sämtliche Formalitäten gekümmert und wusste deshalb genau, wohin sein Mandant sich in diesem Labyrinth aus Korridoren begeben musste. Gleich nach Betreten des Gerichtssaals zwängten sie sich auf eine der überfüllten hinteren Stuhlreihen und warteten geduldig. Der Saal war voll mit Menschen, die sich in den verschiedensten Sprachen unterhielten. Townsend und Tom saßen stumm zwischen zwei Kubanern, und in Keith stiegen Zweifel auf, ob er die richtige Entscheidung getroffen hatte. Immer wieder hatte ihm Tom in den Ohren gelegen, dass ihm gar keine andere Wahl bliebe, wenn er sein Imperium vergrößern wollte, doch Keith wusste, dass er von seinen Landsleuten – ganz zu schweigen vom britischen Establishment – ätzende Kritik zu erwarten hatte. Wie sollte er ihnen auch erklären, dass er durch und durch Australier war und nichts auf der Welt etwas daran ändern konnte, nicht einmal ein amerikanischer Pass.

Zwanzig Minuten später betrat ein Richter in langem schwarzem Talar den Saal. Alle Anwesenden erhoben sich. Als der Richter Platz genommen hatte, trat ein Beamter der Einwanderungsbehörde vor und sagte: »Euer Ehren, darf ich um die Erlaubnis bitten, Ihnen einhundertzweiundsiebzig Immigranten vorzustellen, die Bürger der Vereinigten Staaten von Amerika werden möchten.«

»Sind die gesetzlichen Voraussetzungen bei allen erfüllt?«

»Jawohl, Euer Ehren«, antwortete der Beamte.

»Dann lassen Sie sie jetzt den Treueschwur leisten.«

Townsend und einhunderteinundsiebzig zukünftige amerikanische Staatsbürger sprachen im Chor die Worte, die Keith im Wagen auf dem Weg zum Gericht zum ersten Mal gelesen hatte.

»Ich erkläre hiermit unter Eid, dass ich jeglicher Untertanenpflicht und Treue gegenüber dem ausländischen Fürsten, Potentaten, Staat oder Herrschaftsbereich, dessen Untertan oder Bürger ich bisher war, absolut und vollkommen entsage; dass ich die Verfassung und Gesetze der Vereinigten Staaten von Amerika achten und gegen alle Feinde von außen und innen verteidigen werde; dass ich ihnen gegenüber wahre Treue und Loyalität walten lasse; dass ich für die Vereinigten Staaten zu den Waffen greifen werde, wenn das Gesetz es verlangt; dass ich Zivildienst in den Streitkräften der Vereinigten Staaten leisten werde, wenn das Gesetz es verlangt; und dass ich dieser Verpflichtung vorbehaltlos im Denken und Handeln nachkommen werde: So wahr mir Gott helfe.«

Der Richter lächelte zu den glücklichen Gesichtern hinunter. »Lassen Sie mich der Erste sein, der Sie als vollwertige Staatsbürger der Vereinigten Staaten von Amerika willkommen heißt.«

Als die Glocke elf Uhr schlug, hüstelte Sir Paul Maitland und erklärte, es würde Zeit, die Sitzung zu eröffnen. »Ich möchte damit beginnen, unseren Geschäftsführer willkommen zu heißen, der aus New York zurück ist.« Er blickte nach rechts. Beifälliges Gemurmel erhob sich am Vorstandstisch. »Aber ich würde meiner Sorgepflicht als Vorsitzender nicht nachkommen, würde ich einige besorgniserregende Berichte aus dieser Stadt nicht zur Sprache bringen.«

Das Gemurmel setzte wieder ein – diesmal lauter als zuvor.

»Wir haben Sie unterstützt, Dick, als Sie die *New York Tribune* für fünfundzwanzig Cent gekauft haben, ohne das Einverständnis des Vorstands einzuholen«, fuhr Sir Paul fort. »Seither ist jedoch einige Zeit vergangen, und wir würden gerne wissen, wie lange Sie noch bereit sind, Verluste in

Höhe von nahezu anderthalb Millionen Dollar die Woche hinzunehmen. Denn unsere derzeitige Lage«, er blickte auf eine Reihe von Zahlen auf einem Zettel, der vor ihm lag, »stellt sich so dar, dass die Gewinne unserer Unternehmensgruppe in London gerade noch die Verluste in New York decken. In wenigen Wochen müssen wir bei der Jahreshauptversammlung unseren Aktionären Rede und Antwort stehen ...«, er blickte die Vorstandsmitglieder am Tisch an, »... und sie werden unsere Methode der Vermögensverwaltung nicht billigen, sofern diese Situation noch länger anhält. Wie Sie alle wissen, ist der Kurs unserer Aktien im vergangenen Monat von drei Pfund zehn auf zwei Pfund siebzig gefallen.« Sir Paul lehnte sich im Stuhl zurück, blickte Armstrong an und signalisierte damit, dass er nun bereit war, sich Dicks Erklärung anzuhören.

Bedächtig musterte Armstrong die um den Vorstandstisch Versammelten, wohlwissend, dass fast jeder von ihnen es ihm zu verdanken hatte, dass er hier saß.

»Ich kann dem Vorstand mitteilen, Herr Vorsitzender«, begann er, »dass meine Verhandlungen mit den New Yorker Gewerkschaften – die mich viele schlaflose Nächte gekostet haben, wie ich zugeben muss – endlich vor dem Abschluss stehen.« Er machte eine Pause, als einige Vorstandsmitglieder ein Lächeln wagten.

»Siebenhundertzwanzig Mitglieder der Druckergewerkschaft haben sich inzwischen bereit erklärt, in den vorzeitigen Ruhestand zu gehen oder eine Abfindung zu akzeptieren. Das werde ich bekannt geben, sobald ich wieder in New York bin.«

»Aber nach Schätzungen des *Wall Street Journal* ...« Sir Paul verwies auf einen Artikel, den er aus seiner Aktentasche gezogen hatte,»… müssen wir den Personalstand noch um weitere tausend bis fünfzehnhundert Mitarbeiter verringern.«

»Was wissen diese Burschen in ihren luxuriösen Büros mit Klimaanlage denn schon?«, entgegnete Armstrong. »*Ich* bin derjenige, der mit diesen Leuten direkt zu tun hat!«

»Trotzdem …«

»Die zweite Entlassungswelle wird in den nächsten Wochen folgen«, fuhr Armstrong fort. »Ich bin ziemlich sicher, dass ich die entsprechenden Verhandlungen noch vor der nächsten Vorstandssitzung abgeschlossen habe.«

»Und was meinen Sie, wie viele Wochen es dauern wird, bis wir die positiven Auswirkungen dieser Verhandlungen spüren?«

Armstrong zögerte. »Sechs. Maximal acht, Herr Vorsitzender. Selbstverständlich werde ich alles in meiner Macht Stehende tun, um den Vorgang zu beschleunigen.«

»Und wie viel wird dieses letzte Verhandlungspaket unsere Gesellschaft kosten?«, fragte Sir Paul und blickte auf ein maschinengeschriebenes Blatt Papier. Armstrong sah, dass er seine Fragen darauf eine nach der anderen abhakte.

»Eine genaue Zahl kann ich im Augenblick nicht nennen, Herr Vorsitzender«, erwiderte Dick.

»Für hier und jetzt würde ich mich auch mit einem ungefähren Betrag begnügen.«

»Zweihundert Millionen. Höchstenfalls zweihundertdreißig«, erklärte Armstrong, obwohl seine New Yorker Finanzberater ihn bereits gewarnt hatten, dass dreihundert Millionen wahrscheinlicher wären. Niemand am Tisch sagte etwas, doch einige notierten sich diese Summen.

»Vielleicht ist es Ihrer Aufmerksamkeit entgangen, Herr

Vorsitzender«, fügte Armstrong hinzu, »dass das Gebäude der *New York Tribune* auf uns eingetragen ist. Nach niedrigen Schätzungen beträgt sein Wert einhundertfünfzig Millionen Dollar.«

»Als Verlagsgebäude, ja«, wandte Sir Paul ein und blätterte durch eine Glanzpapierbroschüre, die ihm die Chicagoer Anwaltskanzlei Spender, Dickson & Withers zugesandt hatte. »Aber wie ich aus zuverlässiger Quelle erfahren habe, ist das Gebäude nach einer Betriebsschließung im Höchstfall noch fünfzig Millionen wert.«

»Wir schließen den Betrieb aber nicht«, erklärte Armstrong. »Im Gegenteil, wir werden expandieren.«

»Ich kann nur hoffen, dass Sie recht haben«, sagte Sir Paul leise.

Armstrong schwieg, während der Rest der Tagesordnung Punkt für Punkt durchgegangen wurde. Dick fragte sich, warum er in seinem eigenen Land so schlecht behandelt wurde, während man ihn in den Staaten als Held bejubelte. Seine Gedanken konzentrierten sich wieder auf die Tagesordnung, als er Eric Chapman, den Verwaltungsleiter, sagen hörte: »... wir haben derzeit einen hinreichenden Überschuss auf diesem Konto, Herr Vorsitzender.«

»Wie es sich auch gehört«, erwiderte Sir Paul. »Wenn Sie so liebenswürdig wären, uns die genauen Zahlen zu nennen, Mr. Chapman.«

Der Verwaltungsleiter der Gesellschaft bückte sich und hob ein altmodisches, ledergebundenes Hauptbuch auf den Tisch, in dem er bedächtig blätterte. »Der Pensionsfonds«, begann er, »wird durch Gemeinschaftsbeiträge finanziert, wie dem Vorstand bekannt ist. Von den Angestellten und Arbeitern werden für den Fonds vier Prozent vom Lohn oder

Gehalt einbehalten, und die Geschäftsführung zahlt den gleichen Betrag hinzu. Im Vergleich zum Vorjahr zahlen wir unseren pensionierten Mitarbeitern derzeit vierunddreißig Millionen Pfund, während wir vom aktiven Personal einundfünfzig Millionen hereinbekommen. Dabei ist – zumindest teilweise – einem klugen Anlageprogramm unserer Hausbank zu verdanken, dass der momentane Stand des Kontos knapp über sechshunderteinunddreißig Millionen Pfund liegt, während unsere rechtlichen Verpflichtungen ehemaligen Arbeitern und Angestellten gegenüber sich auf vierhundert Millionen Pfund belaufen.«

»Außerordentlich zufriedenstellend«, freute sich Sir Paul. Armstrong hörte weiterhin aufmerksam zu.

»In diesem Zusammenhang muss ich den Vorstand darauf hinweisen«, fuhr Chapman fort, »dass ich einen versicherungsmathematischen Rat eingeholt habe. Zwar verfügen wir auf dem Papier über einen hohen Überschuss, nach Meinung der Experten ist dieser angesichts der ständig steigenden Lebenserwartung jedoch nicht mehr als eine unbedingt erforderliche Rücklage.«

»Wir verstehen, was Sie meinen«, versicherte Sir Paul. »Noch weitere Punkte?«

Niemand meldete sich zu Wort. Die Direktoren begannen ihre Kugelschreiber einzustecken, Ordner zu schließen und Aktentaschen zu öffnen.

»Gut«, sagte Sir Paul. »Dann erkläre ich die Sitzung für geschlossen. Wir können uns nun zum Lunch begeben.«

Als sie den Konferenzraum verließen und den Speisesaal betraten, übernahm Armstrong die Führung. Er marschierte geradewegs zum Kopf des Tisches, setzte sich und stürzte sich auf den ersten Gang, noch ehe jemand anders Platz genommen hatte. Als Eric Chapman den Saal betrat, winkte Armstrong ihm zu und bedeutete ihm, sich zu seiner Rechten zu setzen, während Peter Wakeham den Platz links von Dick nahm. Sir Paul fand in der Mitte der rechten Tischseite noch einen freien Platz.

Armstrong ließ den Sermon des Verwaltungsleiters über seine Erfolge auf dem Golfplatz, die Schwächen der Regierung und die zurückhaltende Investitionsbereitschaft der Wirtschaft über sich ergehen. Er interessierte sich auch nicht sonderlich für Chapmans Ansichten über bestimmte Golfprofis, Labour-Politiker oder Ökonomen. Doch als Chapman auf sein Lieblingsthema zu sprechen kam, den Pensionsfonds, ließ er sich kein Wort entgehen.

»Um ehrlich zu sein, Dick, sind Sie es, dem wir das alles zu verdanken haben«, gestand Chapman. »Sie haben erkannt, welche Goldmine man uns da übergeben hat. Natürlich gehört sie uns nicht wirklich. Aber in der Bilanz lesen die Überschüsse sich immer gut – ganz zu schweigen von den geprüften Abschlüssen, die bei der Jahreshauptversammlung vorgelegt werden müssen.«

Nachdem fünf Scheiben erstklassiges Roastbeef auf Armstrongs Teller gelegt worden waren und Dick sie mit Soße übergossen hatte, wandte er seine Aufmerksamkeit Peter Wakeham zu, der ihm gegenüber noch immer die gleiche sklavische Ergebenheit an den Tag legte wie damals, als sie zusammen in Berlin bei der Army gewesen waren.

»Wie wär's, Peter, wenn du auf ein paar Tage zu mir nach New York fliegst?«, schlug Armstrong vor, während eine Kellnerin Kartoffeln auf seinen Beilagenteller häufte. »Dann könntest du aus erster Hand erleben, wie mir die Gewerkschaften zusetzen. Aber vor allem könntest du dir ein Bild davon machen, was ich schon erreicht habe. Und sollte ich aus irgendwelchen Gründen nächsten Monat nicht zu unserer Vorstandssitzung hier kommen können, könntest du dem Vorstand an meiner Stelle berichten.«

»Wenn du meinst.« Peter gefiel zwar der Gedanke an einen Besuch in New York, doch insgeheim hoffte er, dass Dick den Bericht selbst übernehmen konnte.

»Dann flieg nächsten Montag mit der Concorde«, fuhr Armstrong fort. »Am Montagnachmittag habe ich eine Besprechung mit Sean O'Reilly, einem für die Zeitung wichtigen Gewerkschaftsboss. Ich hätte gern, dass du mit eigenen Augen siehst, wie ich mit dem Burschen umgehe.«

Nach dem Lunch kehrte Armstrong in sein Büro zurück, wo ihn auf seinem Schreibtisch ein Berg von Post erwartete. Er beachtete die Schreiben gar nicht, sondern griff gleich nach dem Telefon, um sich mit der Buchhaltung verbinden zu lassen. »Fred, wären Sie so nett, mir ein Scheckbuch auszustellen? Ich bin nur ein paar Stunden in England und ...«

»Hier ist nicht Fred, Sir«, berichtigte ihn der Sprecher am anderen Ende der Leitung. »Ich bin Mark Tenby.«

»Dann stellen Sie mich zu Fred durch.«

»Fred ist vor drei Monaten in Rente gegangen, Sir«, erklärte der Mann. »Sir Paul hat mich zum neuen Prokuristen ernannt.«

Armstrong wollte schon erwidern: »Mit welcher Befugnis?«, überlegte es sich dann aber anders. »Gut«, sagte er stattdessen. »Vielleicht würden *Sie* mir dann umgehend ein Scheckbuch heraufschicken? Ich fliege bereits in zwei Stunden in die Staaten zurück.«

»Selbstverständlich, Mr. Armstrong. Soll es auf Sie persönlich oder auf die Gesellschaft ausgestellt sein?«

»Auf das Konto des Pensionsfonds. Ich werde die ein oder andere Investition für die Gesellschaft tätigen, während ich in den Staaten bin.«

Ein längeres Schweigen folgte, genau wie Armstrong erwartet hatte. »Jawohl, Sir«, sagte der Prokurist schließlich. »Aber Ihnen ist gewiss bekannt, dass Sie für dieses Konto die Unterschrift eines zweiten Direktors benötigen. Außerdem muss ich Sie daran erinnern, Mr. Armstrong, dass es gegen unsere Statuten verstößt, Gelder aus dem Pensionsfonds in irgendeine Gesellschaft zu investieren, bei der wir bereits Mehrheitsaktionäre sind.«

»Ich brauche keine Belehrung über unser Unternehmensrecht von Ihnen, junger Mann!«, brüllte Armstrong und knallte den Hörer auf die Gabel. »So ein unverschämter Fatzke!«, sagte er ins leere Büro. »Was glaubt der Kerl eigentlich, wer sein Gehalt bezahlt?«

Sobald das Scheckbuch heraufgeschickt worden war, legte Armstrong die Post beiseite, die er lustlos durchgesehen hatte, verließ sein Büro, ohne sich von Pamela zu verabschieden, nahm den Lift zum Dach und befahl seinem Hubschrauberpiloten, ihn nach Heathrow zu bringen. Als er auf London hinunterblickte, regte sich keine Spur von der Zuneigung, die er inzwischen für New York empfand.

Zwanzig Minuten später landete Armstrong am Flughafen Heathrow und begab sich rasch zur Executive Lounge. Während er dort darauf wartete, dass sein Flug aufgerufen wurde, kamen einige Amerikaner zu ihm, die ihm die Hand schüttelten und sich dafür bedankten, was er »für die Bürger von New York tat«. Armstrong lächelte und fragte sich, welchen Verlauf sein Leben wohl genommen hätte, wenn das Schiff, auf dem er vor so vielen Jahren den Nazis entkommen war, nicht Liverpool angelaufen hätte, sondern Ellis Island.

Sein Flug wurde aufgerufen, und er nahm vorn in der Maschine Platz. Nach einer unbefriedigenden Mahlzeit döste er zwei Stunden mit mehreren Unterbrechungen. Je näher er der Ostküste der Vereinigten Staaten kam, desto zuversichtlicher wurde Dick, dass er es doch noch schaffen würde. Heute in einem Jahr würde die *Tribune* nicht nur höhere Verkaufszahlen haben als der *Star* – die Zeitung würde einen Gewinn erwirtschaften, von dem sogar Sir Paul Maitland zugeben müsste, dass er ganz alleine Dicks Verdienst war. Und da die Aussicht bestand, dass eine Labour-Regierung an die Macht kam – wer konnte da schon sagen, was er noch alles erreichen würde? Er kritzelte »Sir Richard Armstrong« auf die Speisekarte, strich es wieder durch und schrieb darunter: »Lord Armstrong of Headley«.

Als die Maschine auf der Landebahn des Kennedy-Flughafens aufsetzte, fühlte Dick sich wieder wie ein junger Mann und konnte es kaum erwarten, in sein Büro zu kommen. An der Zollabfertigung deuteten Fluggäste auf ihn, und er hörte leise Ausrufe wie: »Sieh mal, das ist doch Dick Armstrong!« Manche winkten ihm sogar zu. Dick tat, als würde er es nicht bemerken, doch sein zuversichtliches Lächeln blieb. Auf dem VIP-Parkplatz wartete bereits seine Limousine und startete zügig mit ihm in Richtung Manhattan. Dick machte es sich auf dem Rücksitz bequem, schaltete den Fernseher ein und sprang von Programm zu Programm, bis plötzlich ein bekanntes Gesicht seine Aufmerksamkeit weckte.

»Ich halte es für an der Zeit, mich zurückzuziehen und ganz auf die Arbeit für meine Stiftung zu konzentrieren«, erklärte Henry Sinclair, der Vorstandsvorsitzende von Multi Media, des größten Medienimperiums der Welt. Armstrong hörte ihm weiter zu und fragte sich, zu welchem Preis Sinclair wohl verkaufen würde, als die Limousine vor dem Gebäude der *Tribune* hielt.

Armstrong wuchtete sich aus dem Wagen und überquerte den Bürgersteig. Nachdem er sich durch die Drehtür geschoben hatte, applaudierten ihm auf seinem Weg zum Fahrstuhl die Leute im Foyer. Er lächelte seine Bewunderer an, als würde ihm das überall so gehen. Ein Gewerkschaftsfunktionär beobachtete, wie sich die Fahrstuhltür hinter Dick schloss. Er fragte sich, ob Armstrong je herausfinden würde, dass sämtliche Gewerkschaftsmitglieder die Anweisung hatten zu applaudieren, wann und wo auch immer Dick auftauchte. »Behandelt ihn, als wäre er der Präsident. Dann wird er irgendwann glauben, er *wäre* es«, hatte Sean O'Reilly den Gewerkschaftern auf einer brechend vollen Versammlung geraten. »Applaudiert so lange, bis ihm das Geld ausgeht.«

In jedem Stockwerk, in dem die Fahrstuhltür sich öffnete, brandete aufs Neue Applaus auf. Als Armstrong die einundzwanzigste Etage erreichte, wartete seine Sekretärin vor der Tür des Lifts. »Willkommen zu Hause, Sir«, begrüßte sie ihn.

»Sie haben recht«, erwiderte Armstrong und stieg aus. »Hier bin ich wirklich zu Hause. Ich wollte, ich wäre in Amerika geboren. Dann wäre ich inzwischen Präsident.«

»Mr. Critchley ist ein paar Minuten vor Ihnen eingetroffen, Sir. Er wartet in Ihrem Büro«, informierte ihn die Sekretärin, als sie über den Flur schritten.

»Gut«, erwiderte Armstrong und betrat den größten Raum

im Gebäude. »Schön, Sie wiederzusehen, Russell«, sagte er, als sein Anwalt sich erhob, um ihn zu begrüßen. »Haben Sie das Problem mit den Gewerkschaften für mich gelöst?«

»Ich fürchte nein, Dick.« Die Männer schüttelten sich die Hand. »Offen gestanden, habe ich keine guten Neuigkeiten. Wir müssen noch einmal von vorn anfangen.«

»Was soll das heißen, noch einmal von vorn anfangen?«

»Während Sie in England waren, haben die Gewerkschaften Ihren Vorschlag abgelehnt, ihnen eine Pauschale zweihundertdreißig Millionen für die Entlassungen zu zahlen. Sie verlangen jetzt eine Abfindungszahlung von dreihundertsiebzig Millionen.«

Armstrong ließ sich in seinen Sessel fallen. »Ich brauche nur ein paar Tage fort zu sein, und schon lassen Sie alles den Bach runtergehen!«, brüllte er. Er blickte zur Tür, durch die seine Sekretärin hereinkam. Sie legte ihm die erste Ausgabe der *Tribune* auf den Schreibtisch. Er warf einen Blick auf die Schlagzeile: »*Willkommen daheim, Dick!*«

35

New York Tribune

4. Februar 1991

Captain Dick hat das Kommando

»Armstrong hat ein Angebot über zwei Milliarden Dollar für Multi Media unterbreitet«, sagte Townsend.

»Wie bitte? Der Mann verhält sich ja wie ein Politiker, der nur deshalb einen Krieg erklärt, weil er nicht will, dass die Leute merken, welche Probleme er zu Hause hat«, meinte Tom.

»Möglich. Andererseits ist es auch genau wie bei diesen Politikern: Wenn er die Sache durchzieht, könnte das seine Probleme zu Hause lösen.«

»Das bezweifle ich. Nachdem ich mir übers Wochenende diese Zahlen einmal angesehen habe, wage ich zu behaupten, dass sein Feldzug in einer weiteren Katastrophe endet – falls es ihm überhaupt gelingt, zwei Milliarden Dollar aufzutreiben.«

»Multi Media ist viel mehr wert als zwei Milliarden. Die besitzen vierzehn Zeitungen von Maine bis runter nach New Mexico. Dazu kommen neun Fernsehsender und *TV News*, die meistverkaufte Zeitschrift der Welt. Allein ihr Umsatz lag im vergangenen Jahr bei einer Milliarde Dollar, und das Gesamtunternehmen hat einen Gewinn von mehr als einhundert Millionen Dollar erklärt. Multi Media ist der reinste Goldesel.«

»Für den Sinclair als Gegenwert vermutlich das Tischlein-deck-dich erwartet«, gab Tom zu bedenken. »Ich kann mir nicht vorstellen, wie Armstrong darauf hoffen kann, bei einem Kaufpreis von zwei Milliarden Profit zu machen – erst recht, wenn er Riesenkredite aufnehmen muss, um sich das Kapital zu beschaffen.«

»Ganz einfach: indem er weitere liquide Mittel erwirtschaftet«, erwiderte Townsend. »Multi Media läuft ja seit Jahren quasi auf Autopilot. Um an die notwendigen Aktiva zu kommen, würde ich beispielsweise einige nicht so einträgliche Tochtergesellschaften abstoßen und den Verkaufserlös in gewinnbringendere Unternehmen investieren. Mit einem solchen Konzept könnte man auch private Kapitalanleger für diese Transaktion gewinnen.«

»Aber Sie müssen sich momentan um mehr als genug andere Dinge kümmern, als dass Sie an eine weitere Übernahme denken könnten«, mahnte Tom. »Sie haben eben erst den Streik beim *New York Star* beigelegt. Und vergessen Sie nicht, dass die Bank Ihnen geraten hat, erst einmal abzuwarten, bis sich Ihre wirtschaftliche Lage gefestigt hat.«

»Sie wissen, was ich von Bankern halte«, brummte Townsend. »Der *Globe,* der *Star* und meine sämtlichen australischen Unternehmen machen Gewinn, und eine Gelegenheit wie diese bekomme ich vielleicht nie wieder. Das werden Sie doch einsehen, Tom – auch wenn die Bank es anders sieht.«

Tom schwieg eine Weile. Er bewunderte Townsends Elan und Innovationsgeist, doch im Vergleich zu Multi Media waren alle seine bisherigen Unternehmen kleine Fische.

Und so sehr er sich bemühte und immer wieder nachrechnete – am Ergebnis änderte sich nichts. »Ich könnte mir nur eine Möglichkeit vorstellen, wie es sich vielleicht machen ließe«, sagte er schließlich.

»Und die wäre?«, fragte Townsend.

»Indem wir Sinclair Vorzugsaktien anbieten – unser Aktienkapital im Austausch gegen seines.«

»Darauf würde er sich nie einlassen. Vor allem, wenn Armstrong ihm bereits zwei Milliarden in bar angeboten hat.«

»Wenn er das wirklich getan hat, weiß Gott allein, wo er das Geld hernimmt«, sagte Tom. »Wie wär's, wenn ich mal mit den Media-Anwälten spreche? Vielleicht kann ich dabei herausfinden, ob Armstrong ihnen wirklich ein Barangebot gemacht hat.«

»Nein, das wäre nicht die richtige Vorgehensweise. Vergessen Sie nicht, dass Sinclair der Alleineigentümer der gesamten Gesellschaft ist. Deshalb erscheint es mir angebrachter, direkt mit ihm persönlich zu verhandeln. Genau das hat Armstrong wahrscheinlich auch getan.«

»Aber so gehen Sie normalerweise doch gar nicht vor.«

»Natürlich nicht. Ich hatte ja auch seit langer Zeit nicht mehr die Gelegenheit, mit jemandem zu verhandeln, der alleiniger Besitzer eines Unternehmens ist.«

Tom zuckte die Schultern. »Und was wissen Sie über Sinclair?«

»Er ist siebzig«, sagte Townsend, »deshalb zieht er sich ja auch zurück, nachdem er den größten, in Privatbesitz befindlichen Medienkonzern der Welt aufgebaut hat. Während der Präsidentschaft seines Freundes Nixon war Sinclair Botschafter in Großbritannien. Nebenbei betätigte er sich als

Kunstsammler. Inzwischen hortet er auf seinem feudalen Landsitz mehr Impressionisten als die Nationalgalerie. Außerdem ist er Vorsitzender einer Stiftung, die sich um die Förderung begabter, aber mittelloser Studenten kümmert. Und irgendwie findet der Mann sogar noch Zeit, Golf zu spielen.«

»Und was, glauben Sie, weiß Sinclair über Sie?«

»Dass ich gebürtiger Australier bin, das zweitgrößte Medienunternehmen der Welt leite, Nolan lieber mag als Renoir und nicht Golf spiele.«

»Und wie wollen Sie bei ihm vorgehen?«

»Indem ich direkt zur Sache komme und ihm ein Angebot mache. Dann brauche ich mir jedenfalls nicht jahrelang die Frage stellen, ob ich es vielleicht geschafft hätte.« Townsend sah seinen Anwalt an, doch Tom schwieg.

Townsend griff nach dem Telefon. »Heather, verbinden Sie mich mit der Zentrale von Multi Media in Colorado. Sobald Sie dort jemanden am Apparat haben, stellen Sie zu mir durch.« Er legte auf.

»Glauben Sie wirklich, Armstrong hat Sinclair ein Angebot über zwei Milliarden gemacht?,« fragte Tom.

Townsend dachte eine Weile über diese Frage nach und sagte dann: »Ja.«

»Aber wo will Armstrong diese Wahnsinnssumme hernehmen?«

»Aus der gleichen Quelle, aus der er das Geld zur Abfindung der Gewerkschaften genommen hat, würde ich sagen.«

»Und wie viel werden Sie Sinclair bieten?«

Der Apparat auf dem Schreibtisch klingelte, bevor Townsend antworten konnte.

»Spreche ich mit Multi Media?«

»Ja, Sir«, antwortete eine tiefe Stimme mit unüberhörbarem Südstaatenakzent.

»Hier ist Keith Townsend. Ich würde gern mit Mr. Sinclair sprechen.«

»Kennt Botschafter Sinclair Sie, Sir?«

»Ich hoffe es, andernfalls würde ich meine Zeit verschwenden.«

»Ich verbinde Sie mit seinem Büro.«

Townsend bedeutete seinem Anwalt, am Nebenanschluss mitzuhören. Tom nahm den Hörer des Apparats auf dem Tischchen beim Fenster ab.

»Botschafter Sinclairs Büro«, meldete sich auch diesmal eine Südstaatenstimme.

»Hier Keith Townsend. Ich würde gerne mit Mr. Sinclair sprechen.«

»Der Herr Botschafter ist auf seiner Ranch, Mr. Townsend, und wird sich in etwa zwanzig Minuten zum Country Club begeben, um dort seine wöchentlichen Golfstunde zu nehmen. Aber ich werde versuchen, ihn vorher noch zu erreichen.«

Tom legte die Hand auf die Sprechmuschel und sagte leise: »Sprechen Sie ihn mit Herr Botschafter an. Offenbar tun das alle.«

Townsend nickte. In diesem Moment ertönte eine Stimme durch die Leitung. »Guten Morgen, Mr. Townsend. Hier Henry Sinclair. Was kann ich für Sie tun?«

»Guten Morgen, Herr Botschafter«, erwiderte Townsend und bemühte sich um Gelassenheit. »Ich würde gern persönlich mit Ihnen sprechen, um nicht unnötig Zeit mit Rechtsberatern zu vergeuden.«

»Ganz zu schweigen von unnötigen Ausgaben«, meinte

Sinclair. »Worüber möchten Sie denn mit mir reden, Mr. Townsend?«

Einen Moment lang wünschte sich Townsend, er hätte sich etwas mehr Zeit genommen, die Taktik mit Tom zu besprechen.

»Ich möchte Ihnen ein Angebot für Multi Media unterbreiten«, antwortete er schließlich, »und es erschien mir vernünftig, mich direkt an Sie zu wenden.«

»Das weiß ich zu schätzen, Mr. Townsend«, entgegnete Sinclair. »Aber Sie müssen wissen, dass mir Mr. Armstrong – mit dem Sie, wie ich glaube, bekannt sind – bereits ein Angebot gemacht hat, das ich abgelehnt hatte.«

»Das weiß ich, Herr Botschafter«, behauptete Townsend und fragte sich, wie viel Armstrong ihm wirklich geboten hatte. Er machte eine Pause, blickte jedoch nicht in Toms Richtung.

»Dürfte ich mich erkundigen, welche Summe Ihnen vorschwebt, Mr. Townsend?«

Als Keith antwortete, hätte Tom beinahe den Hörer fallen lassen.

»Und wie beabsichtigen Sie, die Finanzierung zu handhaben?«, fragte Sinclair.

»In bar«, erwiderte Townsend, ohne die geringste Ahnung zu haben, wo das Geld herkommen sollte.

»Wenn Sie innerhalb von dreißig Tagen mit diesem Betrag in bar aufwarten können, sind wir im Geschäft. In diesem Fall würde ich Sie bitten, so freundlich zu sein, Ihre Anwälte zu beauftragen, sich mit meinen Rechtsvertretern in Verbindung zu setzen.«

»Und die Namen Ihrer Anwälte …?«

»Verzeihen Sie, dass ich dieses Gespräch nun beenden

muss, Mr. Townsend, aber ich werde in zehn Minuten auf dem Abschlagplatz erwartet, und mein Golftrainer berechnet für jede angefangene Stunde den Preis einer vollen.«

»Selbstverständlich, Herr Botschafter«, versicherte Townsend, der froh war, dass Sinclair seinen fassungslosen Gesichtsausdruck nicht sehen konnte. Er legte auf und sah zu Tom hinüber.

»Wissen Sie, was Sie da gerade gemacht haben, Keith?«, sagte dieser.

»Das größte Geschäft meines Lebens«, antwortete Townsend.

»Und bei drei Milliarden Dollar möglicherweise auch Ihr letztes«, meinte Tom.

»Ich mache diesen verdammten Zeitungsladen dicht!«, brüllte Armstrong und hämmerte die Faust auf die Schreibtischplatte.

Russell Critchley, der einen Schritt hinter seinem Mandanten stand, war der Ansicht, diese Worte würden überzeugender klingen, hätte Sean O'Reilly sie in den letzten drei Monaten nicht tagtäglich gehört.

»Es wird Sie noch viel mehr kosten, wenn Sie das tun«, entgegnete O'Reilly, der Armstrong gegenüberstand, in ruhigem, beinahe sanftem Ton.

»Was soll das schon wieder heißen?«, schrie Armstrong, dessen Stimme sich fast überschlug.

»Dass es vielleicht nichts mehr gibt, was einen Interessenten dann noch zum Kauf reizen könnte.«

»Wollen Sie mir drohen?«

»Na ja, ich würde sagen, Sie könnten es so auslegen.«

Armstrong erhob sich aus seinem Sessel, stemmte die Hände auf den Schreibtisch und lehnte sich vor, bis sich sein

Gesicht dicht vor dem des Gewerkschaftsführers befand. Doch O'Reilly zuckte nicht einmal mit der Wimper. »Sie erwarten eine Abfindung von dreihundertzwanzig Millionen, obwohl ich erst gestern Abend die Namen von achtzehn Leuten auf der Anwesenheitsliste gefunden habe, die allesamt in Rente sind? Einer davon sogar schon seit über zehn Jahren!«

»Ich weiß.« O'Reilly nickte. »Die Leute hängen eben so sehr an diesem Verlag, dass er sie geradezu magisch anzieht.« Er bemühte sich um eine unbewegte Miene.

»Für fünfhundert Dollar die Nacht!«, tobte Armstrong. »Das wundert mich nicht!«

»Deshalb biete ich Ihnen ja einen Ausweg an«, erwiderte O'Reilly.

Armstrong verzog das Gesicht, als er auf die letzten Arbeitsblätter blickte. »Und was ist mit Bugs Bunny, Jimmy Carter und O. J. Simpson? Ganz zu schweigen von den achtundvierzig weiteren bekannten Persönlichkeiten, die hier auf der gestrigen Spätschichtliste stehen? Ich wette, diese Aasgeier haben die ganze Nacht nur den Finger gerührt, um beim Kartenspielen ihren Kaffee umzurühren! Und Sie erwarten, dass ich bereit bin, Ihnen eine Pauschalabfindung zu zahlen, wenn diese Namen – einschließlich der von George Bush –, auf der Anwesenheitsliste stehen?«

»Ja. Es ist nur unsere Art, ihm Spenden für seine Wahlkampagne zukommen zu lassen.«

Armstrong blickte Russell und Peter verzweifelt an und hoffte auf ein wenig Unterstützung von ihnen, doch aus unterschiedlichen Gründen machte keiner der beiden den Mund auf. Dick wandte sich wieder O'Reilly zu. »Ich teile Ihnen meine Entscheidung später mit«, schrie er. »Verschwinden Sie jetzt!«

»Hegen Sie immer noch die Hoffnung, dass die Zeitung heute Nacht in den Vertrieb kommt?«, fragte O'Reilly mit Unschuldsmiene.

»Ist das schon wieder eine Drohung?«, knirschte Armstrong.

»Allerdings«, erwiderte O'Reilly, »denn wenn Ihre Hoffnung sich erfüllen soll, kann ich Ihnen nur dringend raten, den Abfindungsvertrag zu unterzeichnen, bevor um siebzehn Uhr die Abendschicht beginnt. Denn meinen Männern ist es ziemlich egal, ob sie dafür bezahlt werden, dass sie arbeiten oder es lassen.«

»Raus!«, brüllte Armstrong in voller Lautstärke.

»Ganz wie Sie meinen, Mr. Armstrong. Sie sind der Boss.« O'Reilly nickte Russell zu und wandte sich zum Gehen.

Sobald die Tür hinter dem Gewerkschaftsführer zugegangen war, drehte sich Armstrong zu Peter um. »Jetzt hast du mal gesehen, womit ich es hier zu tun habe! Was erwarten diese Mistkerle eigentlich von mir?« Er schrie immer noch.

»Dass Sie die Zeitung dichtmachen«, antwortete Russell ruhig. »Wie Sie es bereits am ersten Tag der siebten Woche hätten tun sollen. Inzwischen wären sie mit ihren Forderungen weit heruntergegangen.«

»Aber wenn ich Ihrem Rat gefolgt wäre, hätten wir keine Zeitung mehr.«

»Und würden endlich wieder mal ruhig schlafen können.«

»Wenn Sie schlafen wollen, dann machen Sie das«, brummte Armstrong. »Ich weiß, dass wir mit O'Reilly fertig werden. Am Ende knickt er ein, da bin ich mir ganz sicher. Das siehst du doch auch so, Peter?«

Peter Wakeham schwieg, bis Armstrong ihn durchdringend anstarrte, und nickte dann eifrig.

»Aber woher wollen Sie weitere dreihundertzwanzig Millionen Dollar nehmen?«, fragte Russell.

»Lassen Sie das meine Sorge sein«, antwortete Armstrong.

»Aber meine ist es ebenfalls. Ich brauche das Geld sofort, nachdem O'Reilly die Vereinbarung unterzeichnet hat. Sonst kommt es gleich vor der nächsten Ausgabe wieder zum Streik.«

»Sie kriegen das Geld«, versicherte ihm Armstrong.

»Dick, noch ist es nicht zu spät ...«, sagte Russell.

»Führen Sie meine Anweisungen aus, und zwar sofort!«, brüllte Armstrong.

Russell nickte widerstrebend und verließ das Büro. Armstrong griff nach dem Telefon, das ihn direkt mit dem Chefredakteur verband. »Barney, eine gute Neuigkeit«, donnerte er. »Es ist mir gelungen, die Gewerkschaften zur Vernunft zu bringen. Wir schließen einen Vergleich zu meinen Bedingungen. Ich will eine Titelseitenstory, die auf den Sieg des gesunden Menschenverstands abhebt, und einen Leitartikel darüber, dass mir etwas gelungen ist, was noch keiner geschafft hat.«

»Klar, wenn Sie wollen, Boss. Möchten Sie, dass ich die Einzelheiten des Vergleichs anführe?«

»Vergessen Sie die Einzelheiten. Die Bedingungen sind so kompliziert, dass nicht mal eingefleischte Leser des *Wall Street Journal* sie verstehen könnten. Außerdem wäre es unklug, die Gewerkschaften in Verlegenheit zu bringen.« Er legte auf.

»Gut gemacht, Dick«, lobte Peter. »Aber ich hatte sowieso nie daran gezweifelt, dass du aus dieser Schlacht als Sieger hervorgehen würdest.«

»Allerdings nicht ganz ungerupft.« Armstrong zog die oberste Lade seines Schreibtischs heraus.

»Halb so wild, Dick. O'Reilly hat in dem Moment nachgegeben, als du gedroht hast, die Zeitung zu schließen. Das hast du großartig gemacht!«

»Peter, ich muss ein paar Schecks unterschrieben haben. Da du – von mir einmal abgesehen – zur Zeit der einzige Direktor des Unternehmens hier in New York bist ...«

»Selbstverständlich. Das mach' ich doch gern«, versicherte Peter.

Armstrong legte das Scheckbuch des Pensionsfonds vor sich auf die Schreibtischplatte und schlug es auf. »Wann fliegst du nach London zurück?«, erkundigte er sich, während er Peter winkte, sich in seinen Schreibtischsessel zu setzen.

»Morgen, mit der Concorde«, erwiderte Peter lächelnd.

»Dann wirst du Sir Paul wohl erklären müssen, weshalb ich an der Vorstandssitzung am Mittwoch nicht teilnehmen kann, so gern ich es auch täte. Sag ihm, ich hätte eine Vereinbarung mit ausgezeichneten Bedingungen aushandeln können, und dass ich kommenden Monat bei der nächsten Vorstandssitzung bereits mit einer positiven Bilanz aufwarten kann.« Er legte Peter eine Hand auf die Schulter.

»Mit Vergnügen, Dick. Wie viele von diesen Schecks möchtest du unterschrieben haben?«

»Am besten gleich alle, wenn du schon dabei bist.«

»Das ganze Scheckbuch?« Unbehaglich rutschte Peter auf die Sesselkante.

»Ja«, antwortete Armstrong und gab ihm seinen Füllfederhalter. »Die Schecks sind bei mir vollkommen sicher. Schließlich kann niemand sie einlösen, ohne dass ich sie gegenzeichne.«

Mit einem nervösen Lachen schraubte Peter die Kappe des Füllfederhalters ab. Er zögerte, bis sich Armstrongs Finger fest um seine Schulter legten.

»Dein Vertrag als stellvertretender Vorsitzender läuft in einigen Wochen aus und muss verlängert werden, nicht wahr?«, sagte Armstrong.

Peter unterzeichnete die ersten drei Schecks.

»Und Paul Maitland lebt nicht ewig. Irgendjemand wird seine Nachfolge als Vorstandsvorsitzender antreten müssen.«

Peter unterschrieb weiter.

36

Daily Express

8. Februar 1991

Kabinett entgeht IRA-Bombenanschlag
in Garten von Downing Street Nr. 10

»Gründlich übernommen«, lautete die Überschrift des Artikels in der *Financial Times.* Sir Paul Maitland, der vor dem Kamin seines Hauses in Epsom saß, und Tom Spencer, der in einem Pendlerzug von Greenwich, Connecticut, nach New York fuhr, lasen den Artikel beide ein zweites Mal, obwohl sie nur die Hälfte davon wirklich interessierte:

Die Zeitungsmagnaten Keith Townsend und Richard Armstrong haben offenbar beide den klassischen Fehler begangen, einen in Anbetracht ihrer Aktiva viel zu hohen Kredit aufzunehmen. Es hat den Anschein, als wären beide dazu prädestiniert, Fallstudien für zukünftige Studenten der Harvard Business School zu werden.

Analysten waren sich stets einig darin, dass es ursprünglich danach aussah, als hätte Armstrong mit dem Erwerb der *New York Tribune* für lediglich fünfundzwanzig Cent einen Coup gelandet, da sämtliche Passiva dieser Zeitung zu Lasten der bisherigen Besitzer gingen. Der Coup hätte sich in einen Triumph verwandeln können, hätte Armstrong seine

Drohung wahr gemacht, die Zeitung zu schließen, falls die Gewerkschaften nicht binnen sechs Wochen nach Kaufdatum eine bindende Vereinbarung unterzeichneten. Doch Armstrong versäumte diesen Schritt – und verschlimmerte seinen Fehler anschließend noch, indem er eine derartig großzügige Abfindungspauschale zahlte, dass ihn die Gewerkschaftsbosse nicht mehr »Captain Dick«, sondern »Captain Weihnachtsmann« nannten.

Trotz dieser Zahlung macht die Zeitung noch immer wöchentliche Verluste von mehr als einer Million Dollar, auch wenn eine Vereinbarung über ein zweites Sozialpaket sowie eine Vorruhestandsregelung vor der Unterzeichnung steht.

Doch angesichts weiterhin steigender Zinsen und in Anbetracht der Tatsache, dass der Einzelverkaufspreis von Zeitungen sinkt, kann es nicht lange dauern, bis die Gewinne des *Citizen* und der übrigen Produkte von Armstrong Communications die Verluste ihrer amerikanischen Tochtergesellschaft nicht mehr wettmachen können.

Mr. Armstrong hat seine Aktionäre bisher noch nicht darüber informiert, wie er die zweite Abfindungspauschale von 320 Millionen Dollar, auf die er sich kürzlich mit den New Yorker Druckergewerkschaften geeinigt hat, finanzieren will. Seine einzige Stellungnahme zu dieser Frage findet sich in der *Tribune*: »Da die Gewerkschaften nunmehr das zweite Sozialpaket akzeptiert haben, gibt es keinen Grund zu der Annahme, dass die Umsatzentwicklung der *Tribune* negativ ausfallen sollte.«

Die Wall Street blieb skeptisch gegenüber dieser Behauptung, und die Aktien von Armstrong Communications fielen um weitere neun Pence auf 2 Pfund 42.

Keith Townsends Fehler …

Das Telefon läutete. Sir Paul legte die Zeitung zur Seite, erhob sich aus dem Sessel und ging in sein Arbeitszimmer, um das Gespräch dort zu führen. Als er Eric Chapmans Stimme vernahm, bat er ihn, einen Augenblick zu warten, bis er die Tür geschlossen habe. Was im Grunde unnötig war, da sich außer Sir Paul momentan niemand im Haus aufhielt. Aber wenn man vier Jahre britischer Botschafter in Peking gewesen war, konnte man sich gewisse Dinge nur schwer abgewöhnen.

»Ich glaube, wir sollten uns sofort treffen«, sagte Chapman.

»Wegen des Artikels in der *Financial Times?*«, fragte Sir Paul.

»Nein. Ich fürchte, es geht um etwas, was uns noch näher an den Rand des Abgrunds bringt. Aber ich möchte lieber nicht am Telefon darüber reden.«

»Verstehe«, erwiderte Sir Paul. »Soll ich Peter Wakeham bitten, ebenfalls zu kommen?«

»Wenn Sie möchten, dass die Sache vertraulich bleibt, lassen Sie's lieber.«

»Sie haben recht«, meinte Sir Paul. »Wo sollen wir uns treffen?«

»Ich könnte nach Epsom kommen und in etwa einer Stunde bei Ihnen sein.«

Tom Spencer überflog die erste Hälfte des Artikels, während sein Zug an Mamaroneck vorüberfuhr. Er konzentrierte sich erst voll darauf, als er zu dem Abschnitt über seinen Mandanten gelangte.

Keith Townsends Fehler bestand in einem übersteigerten Besitzwunsch, der ihn dazu brachte, die einfachsten geschäftlichen Grundregeln zu missachten. Jeder Junge, der einen Beutel Tonmurmeln gegen eine schillernde Glasmurmel eintauschen möchte, weiß ganz genau, dass er sich seinen Wunsch nicht anmerken lassen darf und dass er kein Angebot machen sollte. Vielmehr muss er warten, bis der andere von sich aus sagt, was er verlangt. Doch Townsend war offenbar so versessen auf Multi Media, dass seine Gier auf dieses Unternehmen unverkennbar war. Ohne auch nur zu fragen, zu welchem Preis Henry Sinclair Multi Media veräußert hätte, machte Townsend ihm unaufgefordert ein Angebot von über drei Milliarden Dollar. Und verschlimmerte seine Probleme noch, indem er sich einverstanden erklärte, die volle Summe in bar zu bezahlen.

So, wie die Druckergewerkschaften in New York Mr. Armstrong »Captain Weihnachtsmann« nennen, könnte Mr. Sinclair Mr. Townsend als ein verfrühtes Weihnachtsgeschenk betrachten, insbesondere angesichts der Tatsache, dass Sinclair kurz davor stand, das Geschäft mit Armstrong abzuschließen – für zwei Milliarden Dollar, was ebenfalls ein viel zu hoher Preis für Multi Media gewesen wäre, wie man jetzt weiß.

Nachdem Townsend sich mit den Bedingungen einverstanden erklärt hatte, musste er feststellen, dass es außerordentlich schwierig war, das Geld binnen der Dreißigtagefrist zu beschaffen, die Mr. Sinclair sich ausbedungen hatte. Und als Townsend es schließlich aufbrachte, hatte er sich auf dermaßen unverschämte Bedingungen eingelassen, dass sich die Rückzahlungsvereinbarungen als das Ende von Global International erweisen könnten. Sein Leben lang war Mr. Townsend ein Spieler. Mit diesem Geschäft hat er bewiesen, dass er bereit ist, alles auf eine Karte zu setzen.

Als Global gestern seine Halbjahresprognose bekannt gab,

fielen die Aktien des Unternehmens um weitere acht Pence auf 3 Pfund 19.

Zu all den Problemen, denen sich die beiden Zeitungsmagnaten derzeit gegenübersehen, kommen noch die steigenden Papierpreise und der niedrige Wechselkurs des Dollar gegenüber dem Pfund. Sollte sich die Verkettung dieser Umstände noch länger fortsetzen, wird selbst den Melkkühen dieser beiden Pressezare bald die Milch ausgehen.

Die Zukunft ihrer beider Konzerne liegt nun in den Händen ihrer Bankiers, die sich – wie die Gläubiger eines Landes der Dritten Welt – fragen müssen, ob sie je auch nur ihre Zinsen sehen werden, von der Rückzahlung der langfristigen Kredite ganz zu schweigen. Die Alternative der Banken, ihre Verluste zu mindern, besteht darin, sich am größten Notverkauf der Geschichte zu beteiligen. Die Ironie des Ganzen liegt darin, dass schon eine einzige Bank diese Kreditkette zum Zerreißen bringen kann, und das gesamte, kunstvoll zusammengefügte Gebäude stürzt ein.

Gestern kommentierte ein Insider die Lage mit folgenden Worten: »Würde einer der beiden einen Scheck ausstellen, würde seine Bank ihn platzen lassen.«

Tom stieg als Erster aus dem Zug, als er in die Grand Central Station einfuhr. Er rannte zur nächsten Telefonzelle und wählte Townsends Nummer. Heather stellte ihn sofort durch. Diesmal hörte Keith sich den Rat seines Anwalts aufmerksam an.

Als Armstrong den Artikel gelesen hatte, griff er nach einem Haustelefon und wies seine Sekretärin an: »Falls Paul Maitland aus London anruft, sagen Sie ihm, ich bin nicht zu Hause.« Kaum hatte er aufgelegt, klingelte eins der anderen Telefone.

»Mr. Armstrong, ich habe den leitenden Effektenmakler der Bank of New Amsterdam am Apparat. Er möchte dringend mit Ihnen persönlich sprechen.«

»Dann stellen Sie ihn durch«, sagte Armstrong.

»Der Markt wird mit Verkaufsaufträgen für Aktien von Armstrong Communications überschwemmt«, ließ der Makler ihn wissen. »Der Aktienpreis ist auf zwei Dollar einunddreißig gefallen. Ich wollte mich nur erkundigen, ob Sie irgendwelche Aufträge haben.«

»Kaufen Sie weiter«, erwiderte Armstrong ohne Zögern.

Nach einer Pause sagte der Effektenmakler: »Ich muss Sie darauf aufmerksam machen, dass Sie jedes Mal siebenhunderttausend Dollar verlieren, wenn die Aktien um einen Cent fallen.« Er überprüfte noch einmal rasch, wie viele Aktien an diesem Vormittag bereits gehandelt worden waren.

»Ist mir egal, was es kostet«, entgegnete Armstrong. »Das ist nun mal eine kurzfristige Notwendigkeit. Sobald der Markt sich beruhigt hat, können Sie die Anteile freigeben und die Verluste nach und nach wieder reinholen.«

»Aber wenn die Kurse immer weiter fallen …?«

»Kaufen Sie einfach weiter«, befahl Armstrong. »Irgendwann *muss* es einen Umschwung geben.« Er knallte den Hörer auf die Gabel und starrte sein Bild auf der Titelseite der *Financial Times* an. Es war nicht gerade schmeichelhaft.

Kaum hatte Townsend den Artikel gelesen, befolgte er Toms Rat und setzte sich mit seiner Handelsbank in Verbindung, bevor diese ihn anrief. David Grenville, der Geschäftsführer der Bank, bestätigte Keith, dass die Global-Aktien an diesem Vormittag weiter gefallen waren. Er hielt es für angebracht, sich so schnell wie möglich zusammenzusetzen. Townsend erklärte sich einverstanden, einige Termine zu verschieben, um ein Treffen um vierzehn Uhr zu ermöglichen. »Sie sollten vielleicht Ihren Anwalt mitbringen«, fügte Grenville Unheil verkündend hinzu.

Townsend wies Heather an, sämtliche Nachmittagstermine abzusagen. Den Rest des Vormittags verbrachte er damit, sich mit den Einzelheiten eines Seminars vertraut zu machen, das die Gesellschaft in etwa einem Monat veranstalten würde. Henry Kissinger und Sir James Goldsmith hatten sich bereit erklärt, Grundsatzreferate zu halten. Es war Townsends Idee gewesen, sämtliche über die ganze Welt verstreuten leitenden Angestellten seines Konzerns nach Honolulu zu beordern, um dort über die Zukunftsperspektiven der Gesellschaft zu diskutieren und darüber, wie Multi Media sich in das Gesamtunternehmen integrieren und sich die Neuerwerbung gewinnbringend nutzen ließ. Ob es so weit kommt, dass wir das Seminar absagen müssen, fragte er sich. Oder wird es zu einer Totenmesse werden?

Es hatte siebenundzwanzig hektische Tage gedauert, das Finanzpaket für den Erwerb von Multi Media zusammenzubekommen, und es hatte Keith noch viel mehr schlaflose Nächte gekostet, über die Frage nachzugrübeln, ob diese Transaktion nicht ein katastrophaler Fehler gewesen war. Jetzt sah es ganz so aus, als wären seine schlimmsten Befürchtungen von einem Schmierfink der *Financial Times* bestätigt worden. Er hätte von Anfang an lieber auf Toms Rat hören sollen!

Wenige Minuten vor vierzehn Uhr bog Townsends Fahrer in die Wall Street ein und hielt vor dem Büro von J. P. Grenville. Als Keith auf den Bürgersteig trat, erinnerte er sich daran, wie nervös er gewesen war, als sein Schuldirektor ihn vor fast fünfzig Jahren zu sich beordert hatte. Die riesige

Panzerglastür wurde von einem Mann in blauer Livree geöffnet. Er legte zur Begrüßung die Fingerspitzen an die Krempe seines Zylinders, als er den Besucher erkannte. Townsend fragte sich, wie lange er das wohl noch tun würde.

Er nickte ihm zu und ging zum Empfang, wo David Grenville in ein Gespräch mit Tom Spencer vertieft war. Als sie Keith bemerkten, blickten sie ihm lächelnd entgegen. Offenbar waren beide überzeugt gewesen, dass er sich zu *diesem* Termin einmal nicht verspäten würde.

»Schön, Sie zu sehen, Keith«, begrüßte ihn Grenville, und die Männer gaben einander die Hand. »Und danke, dass Sie so pünktlich sind.« Townsend lächelte. Er konnte sich nicht erinnern, dass sein Schuldirektor das jemals gesagt hatte. Tom legte seinem Mandanten einen Arm um die Schulter und ging mit ihm zu einem wartenden Fahrstuhl.

»Wie geht es Kate?«, erkundigte sich Grenville. »Als ich sie das letzte Mal sah, war sie gerade damit beschäftigt, einen Roman zu redigieren.«

»Der zu einem so großen Erfolg wurde, dass Kate jetzt an einem eigenen arbeitet«, erwiderte Townsend. »Wenn's für mich nicht gut läuft, könnte es leicht dazu kommen, dass ich von ihren Tantiemen leben muss.« Keiner seiner beiden Begleiter äußerte sich zu Keiths Galgenhumor.

Im fünfzehnten Stock glitt die Fahrstuhltür auf, und sie gingen über den Flur zum Büro des Geschäftsführers. Grenville bot den beiden Herren bequeme Sessel an, dann nahm er hinter seinem Schreibtisch Platz und schlug einen dicken Ordner auf. »Ich möchte Ihnen zunächst einmal danken, dass Sie sich so kurzfristig Zeit für diese Besprechung genommen haben«, begann er.

Townsend und sein Anwalt nickten. Beide wussten nur zu gut, dass sie gar keine andere Wahl gehabt hatten.

»Wir hatten das Privileg«, Grenville wandte sich Townsend zu, »über mehr als ein Vierteljahrhundert hinweg die Interessen Ihrer Gesellschaft zu vertreten, und ich würde es sehr bedauern, müsste diese Verbindung beendet werden.«

Townsends Mund wurde trocken, er machte jedoch keine Anstalten, Grenville zu unterbrechen.

»Es wäre aber leichtfertig, würde auch nur einer von uns den Ernst der Lage unterschätzen. Schon bei einer flüchtigen Prüfung der Situation hat sich für uns das Bild ergeben, dass Ihre Kreditverpflichtungen, Keith, Ihre Aktiva weit überschreiten, sodass Sie möglicherweise zahlungsunfähig sind. Falls Sie Wert darauf legen, uns als Ihre Investitionsbank zu behalten, müssen Sie uns Ihre volle Kooperation bei der Lösung Ihres derzeitigen Dilemmas garantieren.«

»Und was verstehen Sie unter ›voller Kooperation‹?«, fragte Tom.

»Dass Ihr Unternehmen von einem Team versierter Finanzexperten beaufsichtigt wird, und zwar unter der Leitung einer unserer fähigsten Kräfte, welche die uneingeschränkte – und zwar *völlig* uneingeschränkte – Vollmacht bekäme, jeden Aspekt Ihrer Geschäfte zu untersuchen, den wir für das Überleben Ihres Unternehmens als notwendig erachten.«

»Und wenn diese Untersuchung beendet ist?«, erkundigte sich Tom und zog die Brauen hoch.

»Würde unser Vertreter Empfehlungen aussprechen, die Sie genau befolgen werden.«

»Wann kann ich mit ihm sprechen?«, fragte Townsend.

»Mit ihr, nicht mit ihm«, korrigierte der Geschäftsführer

der Bank. »Und Sie können sofort mit ihr sprechen, denn Mrs. Beresford wartet bereits in ihrem Büro eine Etage unter uns darauf, Sie kennenzulernen.«

»Dann packen wir's an«, sagte Townsend.

»Zunächst muss ich wissen, ob Sie sich mit unseren Bedingungen einverstanden erklären.«

»Ich glaube, Sie können davon ausgehen, dass mein Mandant diese Entscheidung bereits getroffen hat«, warf Tom ein.

»Gut, dann bringe ich Sie hinunter zu E.B., damit sie Ihnen erklärt, wie es weitergeht.«

Grenville stand auf und führte die beiden Herren die Treppe hinunter zum vierzehnten Stock. Vor Mrs. Beresfords Büro blieb er stehen und klopfte beinahe ehrerbietig an.

»Herein!«, rief eine Frauenstimme. Der Geschäftsführer machte die Tür auf und führte die Besucher in ein großes, komfortabel möbliertes Büro mit Fenstern zur Wall Street. Der Raum erweckte auf Anhieb den Eindruck, dass er von einer außerordentlich tüchtigen und dynamischen Person benutzt wurde.

Eine Dame – Keith schätzte sie auf etwa vierzig bis fünfundvierzig – kam hinter ihrem Schreibtisch hervor, um die Besucher zu begrüßen. Sie besaß etwa Keiths Größe, hatte kurz geschnittenes, dunkles Haar und ein herbes Gesicht, von dem aufgrund einer großen, dunklen Brille jedoch nicht allzu viel zu sehen war. Mrs. Beresford trug ein dunkelblaues Schneiderkostüm mit cremefarbener Bluse.

»Guten Tag.« Sie hielt Keith die Hand hin. »Ich bin Elizabeth Beresford.«

»Keith Townsend.« Er schüttelte ihr die Hand. »Das ist mein Rechtsberater, Tom Spencer.«

»Ich lasse Sie jetzt allein«, sagte David Grenville. »Aber schauen Sie doch noch kurz bei mir vorbei, bevor Sie das Haus verlassen, Keith.« Er machte eine Pause. »Falls Ihnen dann noch danach ist.«

»Danke.« Townsend nickte. Grenville verließ das Zimmer und zog leise die Tür hinter sich zu.

»Bitte, setzen Sie sich doch.« Mrs. Beresford bot den beiden Herren bequeme Sessel an. Während sie zu ihrem Platz hinter dem Schreibtisch zurückkehrte, starrte Townsend auf mindestens ein Dutzend bereit gelegter Aktenordner.

»Möchten Sie eine Tasse Kaffee?«, fragte Mrs. Beresford.

»Nein, danke«, sagte Townsend, dem es nur darauf ankam, dass die Frau gleich zur Sache kam. Tom lehnte ebenfalls ab.

»Ich bin eine Art … Firmenarzt«, erklärte Mrs. Beresford, »und meine Aufgabe, Mr. Townsend, besteht schlicht und einfach darin, die Global Corporation vor einem zu frühen Tod zu bewahren.« Sie lehnte sich in ihrem Sessel zurück und drückte die Fingerspitzen aneinander. »Wie jeder Arzt, der einen Tumor diagnostiziert, muss ich zuerst einmal herausfinden, ob er gut- oder bösartig ist. Und ich muss Sie von vornherein darauf aufmerksam machen, dass meine Erfolgschancen bei derartigen Operation etwa eins zu vier stehen. Außerdem sollte ich hinzufügen, dass dies mein bisher schwierigster Auftrag ist.«

»Danke, Mrs. Beresford«, murmelte Townsend. »Das ist sehr beruhigend.«

Sie ging nicht darauf ein, sondern beugte sich vor und öffnete einen der Ordner auf ihrem Schreibtisch.

»Obwohl ich heute Vormittag, unterstützt von meinem äußerst kompetenten Finanzteam, mehrere Stunden über

Ihren Bilanzen gesessen habe, kann ich immer noch nicht beurteilen, ob die Kritik der *Financial Times* an Ihrem Unternehmen in dieser Form berechtigt ist. Die Zeitung hat sich mit einer oberflächlichen Schätzung begnügt, wonach Ihre Schulden höher sind als Ihre Sicherheiten. Meine Aufgabe besteht darin, dies sehr viel genauer zu eruieren. Darüber hinaus habe ich mir einige zusätzliche Informationen über Sie besorgt, Mr. Townsend, und nach weiterer Durchsicht Ihrer Akten bin ich zu zwei Schlussfolgerungen gelangt. Erstens leiden Sie an einer Krankheit, die unter Selfmade-Männern weit verbreitet ist: Wenn Sie ein Geschäft abschließen, fasziniert Sie daran der ferne Horizont – solange Sie es anderen überlassen können, sich darum zu kümmern, wie man ihn erreicht.«

Tom unterdrückte ein Lächeln.

»Zweitens: Sie haben offenbar den klassischen Fehler begangen, den die Japaner drolligerweise als ›das Archimedes-Prinzip‹ bezeichnen. Damit ist gemeint, dass der jeweils letzte Geschäftsabschluss häufig größer ist als die Summe sämtlicher anderen davor zusammengenommen. Genauer gesagt – Sie haben sich drei Milliarden Dollar von verschiedenen Banken und Einrichtungen geliehen, um die Multi Media-Gruppe zu übernehmen, ohne auch nur einen Gedanken daran zu verschwenden, ob die anderen Unternehmen Ihres Konzerns überhaupt das Kapital erwirtschaften können, um einen derart gewaltigen Kredit zurückzuzahlen.« Sie machte eine Pause und drückte erneut die Fingerspitzen aneinander. »Es fällt mir schwer zu glauben, dass Sie bei dieser Transaktion professionellen Rat eingeholt haben.«

»Ich habe mir durchaus professionellen Rat eingeholt«, entgegnete Townsend, »und Mr. Spencer hat versucht, mir die Sache auszureden.« Er blickte zu seinem Anwalt, der sich jedoch nicht einmischte.

»So ist das also«, sagte Mrs. Beresford. »Tja, falls ich kein Glück habe, ist der risikobereite Spieler, der in Ihnen steckt, der Grund für Ihren Ruin. Als ich vergangene Nacht bis in die frühen Morgenstunden Ihre Akten las, bin ich zu der Ansicht gelangt, dass Sie bisher nur überlebt haben, weil Sie im Lauf der Jahre immer gerade ein bisschen mehr gewonnen als verloren haben. Ein weiterer Grund ist darin zu sehen, dass Ihre Bankiers – obwohl des Öfteren bis an den Rand des Wahnsinns getrieben und manchmal wider besseres Wissen – das Vertrauen in Sie nicht verloren haben.«

»Gibt es auch die eine oder andere positive Nachricht?«, fragte Townsend.

Sie beachtete die Frage gar nicht, sondern fuhr fort: »Meine erste Aufgabe wird darin bestehen, Ihre Bücher unter die sprichwörtliche Lupe zu nehmen. Anschließend werde ich jedes Ihrer Unternehmen sowie deren Verpflichtungen durchleuchten – gleich welcher Größe, in welchem Land und in welcher Währung – und versuchen, mir ein Gesamtbild zu verschaffen. Sollte ich danach zu dem Schluss gelangen, dass die Global Corporation im rechtlichen Sinne des Wortes noch solvent ist, werde ich zum zweiten Schritt übergehen, der zweifellos zum Verkauf einiger der Renommierobjekte Ihrer Gesellschaft führen wird, an denen Sie persönlich hängen, wie ich vermute.«

Townsend wollte lieber nicht darüber nachdenken, an welche Renommierobjekte sie dabei dachte. Er saß nur da und hörte sich ihre Leichenbestatterdiagnose an.

»Selbst unter der Voraussetzung, dass dieses Verfahren zufriedenstellend abgeschlossen wird, müssen wir vorsorglich eine Presseerklärung vorbereiten, weshalb die Global Corporation eine freiwillige Liquidation anstrebt. Sollte sich diese als notwendig erweisen, würde ich die Mitteilung umgehend direkt an die Nachrichtenagentur Reuters übermitteln.«

Townsend schluckte.

»Doch falls sich dieser Schritt als unnötig erweist und wir weiter zusammenarbeiten, werde ich zum dritten Schritt übergehen und sämtliche Banken und Geldinstitute aufsuchen, mit denen Sie zu tun haben, um sie zu veranlassen, Ihnen noch etwas Zeit für die Rückzahlung Ihrer Kredite zu geben. Obwohl ich sagen muss: Wäre ich an ihrer Stelle, würde ich Ihnen keinen Tag länger geben.«

Sie schwieg kurz und beugte sich erneut vor, um einen weiteren Ordner aufzuschlagen. »Es sieht ganz so aus, als müsste ich …«, sie blickte auf einen handgeschriebenen Zettel, »siebenunddreißig Banken und elf weitere Institutionen auf vier Kontinenten aufsuchen, von denen die meisten sich heute Vormittag bereits mit mir in Verbindung gesetzt haben. Ich hoffe nur, sie alle lange genug hinhalten zu können, bis ich das alles hier durchschaue.« Ihre Hand wischte in einer Geste über die Akten auf ihrem Schreibtisch hinweg. »Sollten alle drei Schritte wie durch ein Wunder vollzogen werden können, wird meine letzte – und bei Weitem schwierigste – Aufgabe darin bestehen, diese Banken und Institutionen, die sich zur Zeit die allergrößten Sorgen um Ihre Zukunft machen, davon zu überzeugen, dass es in ihrem eigenen Interesse ist, Ihnen ein Finanzierungspaket zuzugestehen, das Ihrer Gesellschaft ein Überleben auf Dauer gestattet. Diese vierte Stufe werde ich jedoch nur erreichen, wenn ich den Banken mit Hilfe der Zahlen neutraler Wirtschaftsprüfer beweisen kann, dass die Kredite von

Ihrer Seite durch tatsächliche Aktiva und reale Gewinne abgesichert sind. Es wird Sie gewiss nicht verwundern, dass auch *ich* in dieser Beziehung erst noch überzeugt werden muss. Und bilden Sie sich nicht einen Moment lang ein, Sie könnten sich entspannen, falls wir diese vierte Stufe tatsächlich erreichen! Weit gefehlt, denn dann ist nämlich der Zeitpunkt gekommen, Sie über die Einzelheiten der fünften Stufe zu informieren.«

Townsend spürte, wie ihm der Schweiß über die Nase perlte.

»In einer Hinsicht hatte die *Financial Times* recht«, fuhr sie fort. »Falls auch nur eine der Banken querschießt, dann, ich zitiere: ›... stürzt das gesamte, kunstvoll zusammengefügte Gebäude ein‹. Sollte es dazu kommen, werde ich Ihren Fall an einen Kollegen weitergeben, der ein Stockwerk unter diesem arbeitet und auf Konkurse spezialisiert ist.

Das wäre es fürs Erste, Mr. Townsend. Falls Sie dem Schicksal Ihrer Landsleute Mr. Alan Bond und Mr. Christopher Skase entgehen wollen – die, wie Sie sicher wissen, nach ihren spektakulären Bankrotten im Gefängnis landeten beziehungsweise fliehen mussten – müssen Sie sich nicht nur damit einverstanden erklären, vorbehaltlos mit mir zusammenzuarbeiten, Sie müssen mir überdies verbindlich zusagen, dass Sie von dem Moment an, in dem Sie mein Büro verlassen, keinen Scheck mehr ausstellen und keine Gelder von irgendeinem Ihrer Konten transferieren, es sei denn, dieser Transfer ist zur Deckung Ihrer täglichen Ausgaben unbedingt erforderlich. Und selbst diese Summen dürfen ohne mein Wissen zweitausend Dollar unter keinen Umständen überschreiten.« Sie blickte auf und wartete auf Keiths Antwort.

»Zweitausend Dollar?«, wiederholte er.

»Ja«, bestätigte Mrs. Beresford. »Sie können mich jederzeit, Tag und Nacht, erreichen und werden nie länger als eine Stunde auf meine Entscheidung warten müssen. Sollten Sie sich jedoch außerstande sehen, sich an diese Bedingungen zu halten«, sie klappte den Ordner zu, »bin ich nicht bereit, Sie weiterhin zu vertreten und werde die Zusammenarbeit aufkündigen – was dieses Bankhaus mit einschließt, dessen Ruf ebenso auf dem Spiel steht, wie ich wohl nicht zu erwähnen brauche. Ich hoffe, ich habe Ihnen meine Position deutlich gemacht, Mr. Townsend.«

»Überdeutlich«, versicherte Keith, der sich vorkam, als hätte er zehn Runden mit einem Schwergewichtsboxer hinter sich.

Elizabeth Beresford lehnte sich in ihrem Sessel zurück. »Sie möchten sich vielleicht erst professionellen Rat einholen«, sagte sie. »In diesem Fall stelle ich Ihnen gern eines unserer Sitzungszimmer zur Verfügung.«

»Das wird nicht nötig sein«, entgegnete Townsend. »Wäre mein Rechtsberater mit irgendeinem Teil Ihrer Ausführungen nicht einverstanden gewesen, hätte er es längst gesagt.«

Tom erlaubte sich ein Lächeln.

»Ich werde vollumfänglich kooperieren und mich völlig Ihren Empfehlungen beugen.« Townsend warf einen Blick auf Tom, der bestätigend nickte.

»Gut«, sagte Mrs. Beresford. »Dann könnten Sie vielleicht damit anfangen, mir Ihre Kreditkarten auszuhändigen.«

Drei Stunden später erhob sich Keith aus dem Sessel, schüttelte Elizabeth Beresford die Hand und überließ sie ihren Akten. Tom machte sich auf den Weg zurück in sein

Büro, während Townsend mit unsicheren Schritten die Treppe hoch ins nächste Stockwerk stieg und den Korridor entlang zum Büro des Geschäftsführers schlurfte. Er wollte gerade klopfen, als die Tür aufschwang und David Grenville vor ihm stand, einen doppelten Whisky in der Hand.

»Ich hab' mir gedacht, den könnten Sie jetzt gebrauchen.« Er reichte Townsend das Glas. »Aber verraten Sie mir zuerst, ob Sie die erste Runde mit E. B. überlebt haben?«

»Ich bin mir nicht sicher«, antwortete Keith. »Aber ich muss mich die nächsten zwei Wochen jeden Tag von fünfzehn bis achtzehn Uhr zur Verfügung halten, sogar an den Wochenenden.« Er nahm einen tiefen Schluck Whisky und fügte hinzu: »Sie hat mir sogar die Kreditkarten weggenommen.«

»Das ist ein gutes Zeichen«, meinte Grenville. »Es bedeutet, dass E. B. Sie nicht aufgegeben hat. Manchmal schickt sie gleich nach der ersten Besprechung mit einem Mandanten die Akten ein Stockwerk tiefer.«

»Soll ich etwa dankbar sein?«, fragte Keith, nachdem er sein Glas geleert hatte.

»Nein, nur vorläufig erleichtert«, antwortete Grenville. »Hätten Sie Lust, am Bankiers-Dinner heute Abend teilzunehmen?«, fragte er, während er Keith noch einmal nachschenkte.

»Ich hatte gehofft, mich Ihnen anschließen zu können«, erwiderte Keith. »Aber sie«, er deutete nach unten, »hat mir dermaßen viele Hausaufgaben aufgebrummt, die ich bis morgen um fünfzehn Uhr fertig haben muss, dass …«

»Ich glaube, es wäre trotzdem besser, Sie würden sich heute Abend zeigen, Keith. Unter den derzeitigen Umständen könnte Ihr Fernbleiben falsch ausgelegt werden.«

»Kann sein. Aber wird mich Mrs. Beresford nicht nach Hause schicken, noch bevor die Vorspeise serviert wurde?«

»Ich glaube nicht, denn ich habe Sie rechts von ihr platziert. Das gehört alles zu meiner Strategie, die anderen Bankiers davon zu überzeugen, dass wir voll und ganz hinter Ihnen stehen.«

»Auch du heiliger Strohsack! Wie macht sie sich so als Tischdame?«

Der Geschäftsführer überlegte nur kurz, ehe er antwortete: »Nun, ich muss zugeben, E. B. hält nicht viel von Small Talk.«

37

Daily Mail

2. Juli 1991

Charles und Diana: »Grund zur Sorge«

»Ein Anruf aus der Schweiz auf Apparat eins, Mr. Armstrong«, meldete die Aushilfssekretärin, deren Namen Dick sich nicht merken konnte. »Ein gewisser Jacques Lacroix. Außerdem habe ich einen Anruf aus London auf Apparat zwei für Sie.«

»Wer ist der Londoner Anrufer?«, fragte Armstrong.

»Ein Mr. Peter Wakeham.«

»Bitten Sie ihn, am Apparat zu bleiben, und stellen Sie den Anruf aus der Schweiz durch.«

»Sind Sie das, Dick?«

»Ja, Jacques. Wie geht es Ihnen, alter Freund?«, dröhnte Armstrong jovial.

»Ich bin ein wenig besorgt, Dick«, antwortete die sanfte Stimme aus Genf.

»Warum?«, erkundigte sich Armstrong. »Ich habe Ihrer New Yorker Zweigstelle einen Scheck über fünfzig Millionen Dollar übergeben. Darüber habe ich sogar eine Quittung.«

»Ich weiß, dass Sie den Scheck eingereicht haben«, entgegnete Lacroix. »Deshalb rufe ich ja an. Ich wollte Ihnen mitteilen, dass er heute zurückkam – mit dem Vermerk ›Mangels Deckung nicht eingelöst‹.«

»Das muss ein Irrtum sein«, meinte Armstrong. »Ich weiß genau, dass auf diesem Konto mehr als genug ist, um diese Summe zu decken.«

»Das mag ja sein. Trotzdem weigert sich irgendjemand, uns auch nur einen Cent davon auszuzahlen. Man hat uns sogar über die üblichen Kanäle klargemacht, dass in Zukunft keine Schecks mehr anerkannt werden, die auf dieses Konto ausgestellt sind.«

»Ich werde sofort anrufen«, versprach Armstrong, »und mich umgehend wieder bei Ihnen melden.«

»Ich wäre Ihnen sehr verbunden«, sagte Lacroix.

Armstrong legte auf und bemerkte, dass das Lämpchen des anderen Apparats blinkte. Ihm fiel ein, dass Peter Wakeham ja immer noch wartete. Er nahm den Hörer ab. »Was, zum Teufel, ist denn da drüben los, Peter?«

»Das weiß ich selbst nicht so genau«, gestand Wakeham. »Ich kann dir nur sagen, dass Paul Maitland und Eric Chapman mich gestern am späten Abend zu Hause aufgesucht und gefragt haben, ob ich irgendwelche Schecks vom Konto des Pensionsfonds unterschrieben hätte. Ich sagte genau, was du mir aufgetragen hast, aber ich hatte den Eindruck, dass Maitland jetzt den Auftrag erteilt hat, keine Schecks mit meiner Unterschrift mehr einzulösen.«

»Was bilden die sich eigentlich ein, wer sie sind?«, brüllte Armstrong. »Es ist immer noch meine Gesellschaft, und ich tue, was *ich* für richtig halte!«

»Sir Paul sagt, dass er schon die ganze Woche versucht hat, dich zu erreichen, aber du hättest ihn nicht zurückgerufen. Bei der letzten Sitzung des Finanzausschusses vorige

Woche hat er bekannt gegeben, ihm bleibe keine andere Wahl, als zurückzutreten, falls du nicht zur nächsten monatlichen Vorstandssitzung erscheinst.«

»Soll er doch! Sobald er weg vom Fenster ist, kann ich jemand anderen zum Vorsitzenden ernennen.«

»Natürlich kannst du das«, bestätigte Peter. »Aber ich dachte, es interessiert dich, dass Maitlands Sekretärin mir gesagt hat, er hätte die letzten Tage damit verbracht, an einer Pressemitteilung herumzufeilen. Die will er am Tag seines Rücktritts an die Medien geben.«

»Na und?«, brummte Armstrong. »Kein Mensch wird sich sonderlich dafür interessieren.«

»Da bin ich mir nicht so sicher«, widersprach Peter.

»Wieso?«

»Nachdem seine Sekretärin an jenem Abend heimgegangen war, bin ich noch eine Zeit lang geblieben und hab' Maitlands Pressemitteilung tatsächlich auf ihrem Schreibtisch finden können.«

»Und was steht drin?«

»Unter anderem, dass er die Börse auffordern wird, unsere Aktien auszusetzen, bis eine gründliche Untersuchung durchgeführt werden konnte.«

»Dazu hat er gar nicht das Recht!«, erregte sich Armstrong. »Das erfordert das Einverständnis des Vorstandes!«

»Ich glaube, darum will er bei der nächsten Vorstandssitzung bitten«, meinte Peter.

»Dann richte ihm aus, dass ich bei dieser Sitzung anwesend sein werde!«, brüllte Armstrong. »Und dass die einzige Pressemitteilung, die herausgegeben werden wird, von mir kommt und die Gründe darlegt, weshalb Sir Paul Maitland als Vorstandsvorsitzender abgelöst werden musste.«

»Vielleicht wäre es besser, das sagst du ihm selbst«, entgegnete Peter leise. »Ich werde ihm nur mitteilen, dass du an der Sitzung teilnehmen möchtest.«

»Sag ihm, was du willst, solange du dafür sorgst, dass keine Erklärungen an die Presse gehen, bevor ich Ende des Monats zurück bin.«

»Ich werde mein Bestes tun, Dick, aber …« Peter hörte nur noch das Klicken am anderen Ende der Leitung.

Armstrong versuchte seine Gedanken zu ordnen. Sir Paul konnte warten. Das Wichtigste war, irgendwie an fünfzig Millionen heranzukommen, bevor Jacques Lacroix der ganzen Welt sein Geheimnis auf die Nase band. Trotz aller Bemühungen Armstrongs war die *Tribune* noch immer nicht über den Berg. Selbst nachdem die Gewerkschaften das zweite Sozialpaket angenommen hatten, wies das Unternehmen eine katastrophale Bilanz auf. Ohne Wissen des Vorstands hatte Armstrong bereits dreihundert Millionen Pfund aus dem Pensionsfonds entnommen, um sich endlich die Gewerkschaften vom Hals zu schaffen. Darüber hinaus hatte er große Aktienpakete seines eigenen Unternehmens aufgekauft, um den Aktienpreis so stabil wie möglich zu halten. Doch er wusste, dass es zu einem weiteren Kursverfall kommen würde, sollte es ihm in den nächsten Tagen nicht gelingen, das Geld an die Schweizer zurückzuzahlen – und diesmal hatte er keine so bequeme Geldquelle mehr, mit der er die Aktienpreise stützen konnte.

Dick sah auf die Weltzeituhr hinter seinem Schreibtisch, um festzustellen, wie spät es in Moskau war. Kurz nach achtzehn Uhr. Der Mann, mit dem er reden wollte, würde jedoch vermutlich noch in seinem Büro sein. Er wies seine Sekretärin an, ihn mit einer Nummer in Moskau zu verbinden.

Als Marschall Tulpanow zum Leiter des KGB ernannt worden war, hatten sich nur wenige Menschen so sehr darüber gefreut wie Armstrong. Seither war er mehrmals nach Moskau gereist und hatte in Osteuropa viele lukrative Geschäftsabschlüsse an Land gezogen. Doch er hatte das Gefühl, dass Tulpanow seit einiger Zeit nicht mehr so leicht zu erreichen war.

Armstrong brach der Schweiß aus, während er darauf wartete, den Marschall an den Apparat zu bekommen. Im Laufe der Jahre hatte er mehrere Begegnungen mit Michail Gorbatschow gehabt, der offensichtlich sehr empfänglich für seine Ideen gewesen war. Nachdem Boris Jelzin an die Macht gekommen war, hatte Tulpanow ihn mit dem neuen ersten Mann in Moskau bekannt gemacht, doch Armstrong war auch jetzt noch der Meinung, dass weder Gorbatschow noch Jelzin seine Bedeutung zu würdigen wussten.

Um sich die aufreibende Wartezeit zu verkürzen, blätterte Dick durch die Seiten seines Adressbüchleins, um irgendwen zu finden, der ihm aus seiner gegenwärtigen Zwangslage helfen könnte. Er war bis zum Buchstaben C gelangt – Carr, Sally –, als seine Sekretärin das Gespräch durchstellte. Armstrong griff nach dem Hörer und hörte eine Stimme, die ihn auf Russisch fragte, wer mit Marschall Tulpanow sprechen wolle.

»Lubji, Sektor London«, antwortete Armstrong. Nach einem Klicken ertönte die vertraute Stimme des KGB-Bosses.

»Was kann ich für Sie tun, Lubji?«, fragte Tulpanow.

»Ich bräuchte ein wenig Hilfe, Sergei«, begann Armstrong. Die Reaktion ließ eine Weile auf sich warten.

»Und welcher Art soll diese Hilfe sein?«, erkundigte Tulpanow sich schließlich verhalten.

»Ich brauche einen kurzfristigen Kredit von fünfzig Millionen Dollar. Ich kann dafür garantieren, dass Sie das Geld binnen eines Monats zurückbekommen.«

»Aber, Genosse«, entgegnete der Leiter des KGB, »Sie haben bereits sieben Millionen Dollar von unserem Geld. Einige meiner Parteifreunde haben sich schon nach den Honoraren für unser neuestes Buch erkundigt, die sie immer noch nicht erhalten haben.«

Armstrong bekam einen trockenen Mund. »Ich weiß, ich weiß, Sergei. Aber ich brauche noch ein kleines bisschen mehr Zeit, dann kann ich Ihnen alles auf einen Schlag überweisen!«, sagte er flehend.

»Ich glaube nicht, dass ich dieses Risiko eingehen möchte«, erwiderte Tulpanow nach einer weiteren längeren Pause. »Es gibt da ein Sprichwort von einem Fass ohne Boden. Und Sie dürfen nicht meinen, Lubji, die *Financial Times* würde nur in London und New York gelesen. Die gibt es auch hier bei uns. Ich sollte warten, bis meine sieben Millionen auf die Ihnen bekannten Konten eingezahlt sind, ehe ich mir überlege, ob ich Ihnen einen weiteren Kredit einräume. Habe ich mich verständlich ausgedrückt?«

»Ja«, erwiderte Armstrong leise.

»Gut. Ich gebe Ihnen Zeit bis Monatsende, Ihren Verpflichtungen nachzukommen. Dann, fürchte ich, werden wir möglicherweise eine weniger subtile Vorgehensweise in Betracht ziehen müssen. Ich glaube, ich habe Sie vor vielen Jahren einmal darauf aufmerksam gemacht, Lubji, dass Sie sich irgendwann entscheiden müssen, auf welcher Seite Sie stehen. Ich erinnere Sie nur deshalb daran, weil Sie die Kerze offenbar an zwei Enden angezündet haben, um ein weiteres Sprichwort zu zitieren.«

»Das ist nicht fair!«, protestierte Armstrong. »Ich bin auf Ihrer Seite, Sergei! Das war ich schon immer!«

»Ich nehme Ihre Worte zur Kenntnis, Lubji. Trotzdem werde ich Ihnen nicht helfen können, falls das Geld nicht bis Ende des Monats bei uns eingegangen ist. Und das wäre nach einer so langen Freundschaft höchst bedauerlich. Ich bin sicher, Sie sehen ein, in welche Lage Sie mich gebracht haben.«

Armstrong hörte, wie aufgelegt wurde. Ihm tropfte der Schweiß von der Stirn und ihm war übel. Er legte auf, zog eine Puderquaste aus der Tasche und tupfte sich damit Stirn und Wangen ab. Er versuchte sich zu konzentrieren. Schließlich wies er seine Sekretärin an, ihn mit dem israelischen Premierminister zu verbinden.

»Ist das eine Manhattaner Nummer?«, fragte die Aushilfskraft.

»Verdammt, bin ich denn der Einzige in diesem Laden, der imstande ist, eine Aufgabe zu erledigen, die jeder Idiot übernehmen kann?«

»Entschuldigen Sie«, stammelte die Sekretärin.

»Lassen Sie's! Ich mach's selbst!«, brüllte Armstrong.

Wieder schlug er sein Adressbüchlein auf, suchte die Nummer heraus und wählte. Während er darauf wartete, verbunden zu werden, blätterte er weiter in dem kleinen Buch. Er hatte den Buchstaben H erreicht – Hahn, Julius –, als sich eine Stimme meldete: »Büro des Premierministers.«

»Hier Dick Armstrong. Ich muss dringend mit dem Premierminister sprechen.«

»Ich werde sehen, ob ich ihn erreichen kann, Sir.«

Ein neuerliches Klicken, ein paar weitere umgeblätterte Seiten. Dick war bei L angelangt – Levitt, Sharon.

»Dick, sind Sie das?«, fragte Premierminister Shamir.

»Ja, Yitzhak.«

»Wie geht es Ihnen, alter Freund?«

»Danke, gut«, antwortete Armstrong. »Und Ihnen?«

»Ebenfalls gut, danke.« Er machte eine Pause. »Natürlich haben wir die üblichen Probleme, aber zumindest kann ich gesundheitlich nicht klagen. Wie geht's Charlotte?«

»Charlotte? Ebenfalls gut. Sehr gut.« Armstrong konnte sich nicht einmal erinnern, wann er sie das letzte Mal gesehen hatte. »Sie ist in Oxford und kümmert sich um die Enkel.«

»Wie viele haben Sie denn jetzt?«, fragte Shamir.

Armstrong musste kurz überlegen. »Drei«, sagte er und hätte um ein Haar hinzugefügt: »Oder sind es vier?«

»Sie Glücklicher. Und sorgen Sie immer noch für die New Yorker Juden?«

»Darauf können Sie sich stets verlassen!«

»Das weiß ich, alter Freund«, versicherte ihm der Premierminister. »So, aber jetzt sagen Sie mir, was ich für Sie tun kann.«

»Es geht um etwas Persönliches, Yitzhak. Vielleicht können Sie mir einen Rat geben.«

»Ich werde alles tun, um Ihnen zu helfen. Sie haben so viel für unser Volk getan – Israel wird immer in Ihrer Schuld stehen, Dick. Erzählen Sie mir, alter Freund, wie ich Ihnen behilflich sein kann.«

»Das ist schnell gesagt«, antwortete Armstrong. »Ich brauche einen kurzfristigen Kredit über fünfzig Millionen Dollar, den ich innerhalb eines Monats zurückzahlen werde. Da habe ich mich gefragt, ob Sie mir vielleicht irgendwie helfen könnten …«

Nach einer längeren Pause antwortete der Premierminister: »Die Regierung beschäftigt sich natürlich nicht mit Krediten. Aber ich könnte den Direktor des Bankhauses Leumi fragen, wenn Sie meinen, dass Ihnen das helfen könnte.«

Armstrong beschloss, dem Premierminister lieber nicht zu gestehen, dass er vom Bankhaus Leumi bereits einen – noch ungetilgten – Kredit von zwanzig Millionen Dollar erhalten hatte und keinen Cent mehr bekommen würde, wie man ihm unmissverständlich klargemacht hatte.

»Das ist eine gute Idee, Yitzhak. Aber Sie müssen sich nicht selbst die Mühe machen. Ich kann mich direkt an die Bank wenden.« Er versuchte heiter dabei zu klingen.

»Übrigens, Dick, da ich Sie gerade am Apparat habe, wegen Ihrer Bitte …«

»Ja?« fragte Armstrong hastig, in dem neue Hoffnung aufkeimte.

»Ich möchte nicht, dass Sie das missverstehen, aber die Knesset hat sich vergangene Woche damit einverstanden erklärt, dass Sie auf dem Ölberg beerdigt werden – ein Privileg, wie Sie wissen, das nur Juden gewährt wird, die dem Staat Israel große Dienste erwiesen haben. Nicht einmal jeder Premierminister kann damit rechnen.« Er lachte. »Ich denke allerdings nicht, dass Sie so schnell Gebrauch davon machen werden.«

»Hoffen wir, dass Sie recht haben«, entgegnete Armstrong.

»Dann werde ich Sie und Charlotte also nächsten Monat beim Bankett in der Guildhall wiedersehen?«

»Ja, wir freuen uns schon darauf«, erwiderte Armstrong. »Aber jetzt möchte ich Ihnen nicht noch mehr von Ihrer kostbaren Zeit stehlen, Herr Premierminister.«

Armstrong legte auf. Er merkte plötzlich, dass ihm sein Hemd schweißnass am Körper klebte. Er stemmte sich aus dem Sessel und ging zum angrenzenden Badezimmer, Jacke und Hemd knöpfte er unterwegs auf. Nachdem er die Tür hinter sich geschlossen hatte, trocknete er sich ab und schlüpfte in sein drittes Hemd an diesem Tag.

Dann kehrte er an seinen Schreibtisch zurück und blätterte weiter durch sein Adressbüchlein, bis er den Buchstaben S erreichte – Schultz, Arno. Er bat die Sekretärin, ihn mit seinem Anwalt zu verbinden.

»Haben Sie seine Nummer?«, fragte sie.

Nach einer heftigen Verwünschung wählte er Russells Nummer selbst. Automatisch blätterte Armstrong weiter im Adressbüchlein, bis er die Stimme seines Anwalts am anderen Ende der Leitung hörte. »Habe ich irgendwo auf der Welt fünfzig Millionen Dollar in Reserve?«, erkundigte er sich.

»Wozu benötigen Sie das Geld?«, fragte Russell.

»Die Schweizer drohen mir.«

»Ich dachte, Sie hätten letzte Woche mit Ihnen abgerechnet.«

»Das dachte ich auch.«

»Was ist aus dieser unerschöpflichen Geldquelle geworden?«

»Die ist versiegt.«

»Verstehe. Wie viel, sagten Sie?«

»Fünfzig Millionen.«

»Nun, ich wüsste schon eine Möglichkeit, wenigstens an diesen Betrag heranzukommen.«

»Wie?«, fragte Armstrong und versuchte nicht verzweifelt zu klingen.

Russell zögerte. »Sie könnten jederzeit Ihre sechsundvierzig Prozent am *New York Star* verkaufen.«

»Aber wer könnte kurzfristig so viel Geld beschaffen?«

»Keith Townsend.« Russell hielt sich den Hörer vom Ohr weg und wartete darauf, dass das Wort »Niemals!« herausdröhnte. Doch als nichts geschah, fuhr er fort: »Ich glaube, er würde sogar mehr als den Tageswert bezahlen, weil es ihm die vollständige Kontrolle über das Unternehmen garantieren würde.«

Wieder hielt Russell den Hörer weit weg. Mit Sicherheit würde diesmal eine Schimpfkanonade erfolgen. Doch Armstrong sagte: »Wie wär's, wenn Sie mit seinen Anwälten sprechen?«

»Ich weiß nicht, ob das die richtige Vorgehensweise wäre«, entgegnete Russell. »Wenn ich die Anwälte aus heiterem Himmel anrufe, würde Townsend daraus schließen, dass Sie in Geldnöten stecken.«

»So ist es aber nicht!«, brüllte Armstrong.

»Das behauptet ja auch niemand«, beruhigte Russell ihn. »Werden Sie heute Abend am Bankiers-Dinner im Four Seasons teilnehmen?«

»Bankiers-Dinner? Welches Bankiers-Dinner?«

»Das alljährliche Treffen der Hauptakteure in der Finanzwelt und ihrer Gäste. Ich weiß, dass Sie eingeladen wurden, denn ich habe in der *Tribune* gelesen, dass Sie zwischen dem Gouverneur und dem Bürgermeister sitzen sollen.«

Armstrong blickte auf das Blatt mit seinen Terminen des heutigen Tages, das vor ihm auf dem Schreibtisch lag. »Sie haben recht, ich sollte wohl hingehen. Aber weshalb fragen Sie?«

»Ich glaube, dass Townsend sich dort sehen lassen wird –

und sei es nur, um der Finanzwelt zu zeigen, dass es auch ihn nach diesem unglückseligen Artikel in der *Financial Times* immer noch gibt.«

»Ich nehme an, das Gleiche könnte auf mich zutreffen«, meinte Armstrong ungewohnt missmutig.

»Es könnte sich als die ideale Gelegenheit erweisen, das Thema unauffällig anzuschneiden, um festzustellen, welche Reaktion es auslöst.«

Eins der anderen Telefone begann zu läuten.

»Bleiben Sie am Apparat, Russell«, bat Armstrong, während er abhob. Seine Sekretärin war am anderen Ende. »Was wollen Sie?«, schrie Armstrong so laut, dass Russell sich für einen Moment fragte, ob sein Mandant immer noch mit ihm sprach.

»Tut mir leid, dass ich Sie stören muss, Mr. Armstrong«, entschuldigte sich die Sekretärin, »aber der Mann aus der Schweiz ist wieder am anderen Apparat.«

»Sagen Sie ihm, ich rufe gleich zurück.«

»Er besteht darauf, Sie umgehend zu sprechen, Sir. Darf ich ihn durchstellen?«

»Ich rufe Sie gleich noch einmal an, Russell«, sagte Armstrong und griff nach dem anderen Apparat; dabei blickte er auf sein Adressbüchlein, das jetzt bei T aufgeschlagen war.

»Jacques, ich glaube, ich habe unser kleines Problem vielleicht gelöst.«

38

New York Star

20. August 1991

Bürgermeister zu Polizeichef: »Die Kassen sind leer«

Townsend schauderte bei dem Gedanken, seine Anteile am *Star* zu verkaufen – erst recht an Richard Armstrong. Er begutachtete vor dem Spiegel seine Fliege und fluchte wieder einmal laut, denn er wusste, dass alle Forderungen, die Elizabeth Beresford an diesem Nachmittag gestellt hatte, wahrscheinlich seine einzige Überlebenschance waren.

Vielleicht erschien Armstrong gar nicht zu diesem Dinner? Das würde es ihm, Keith, zumindest ermöglichen, noch ein paar Tage zu bluffen. Wie könnte E. B. je verstehen, dass sein Herz – vom *Melbourne Courier* einmal abgesehen – am meisten am *Star* hing? Er wollte lieber gar nicht erst darüber nachdenken, dass Mrs. Beresford ihm noch nicht gesagt hatte, welche seiner Aktivposten er ihrer Ansicht nach in Australien verkaufen musste.

Townsend kramte in der untersten Schublade nach einem Frackhemd und atmete erleichtert auf, als er noch eines in Originalverpackung fand. Er schlüpfte hinein. Verdammt! Der oberste Knopf sprang ab, als er ihn schließen wollte. Wieder fluchte Keith lauthals, denn er erinnerte sich, dass Kate erst in einer Woche aus Sydney zurückkommen würde.

Er zog die Fliege über den Kragen und hoffte, sie würde das Problem überdecken. Der Spiegel zeigte ihm jedoch, dass dies nicht der Fall war. Als noch schlimmer erwies sich, dass der Kragen seiner Smokingjacke glänzte, was ihm das Aussehen eines Bandleaders aus den Fünfzigern verlieh. Kate hatte ihn seit Jahren ermahnt, sich eine neue zuzulegen. Vielleicht war jetzt die Zeit gekommen, ihren Rat zu befolgen. Nur … er hatte ja keine Kreditkarten mehr.

Als Keith an diesem Abend sein Apartment verließ und den Fahrstuhl hinunter zum wartenden Wagen nahm, fiel ihm zum ersten Mal auf, dass sein Chauffeur einen Anzug trug, der schicker war als alles, was im Kleiderschrank seines Chefs hing. Während der BMW seine langsame Fahrt zum Four Seasons aufnahm, lehnte Keith sich zurück und überlegte, wie er das Gespräch auf den Verkauf seiner *Star*-Aktien lenken sollte, sollte sich eine Gelegenheit ergeben, unter vier Augen mit Dick Armstrong zu reden.

Der Vorteil einer maßgeschneiderten, zweireihigen Smokingjacke bestand nach Dick Armstrongs Meinung darin, dass sie das Übergewicht zu übertünchen half. Er hatte an diesem Abend eine gute Stunde damit zugebracht, sich von seinem Butler das Haar färben und von einem Hausmädchen die Hände maniküren zu lassen. Als er sich jetzt im Spiegel betrachtete, war er sicher, dass nur wenige Gäste des Dinners glauben würden, dass er auf die siebzig zuging.

Kurz bevor Dick das Büro verließ, hatte Russell ihn angerufen und ihm mitgeteilt, dass er den Wert der *Star*-Aktien auf sechzig bis siebzig Millionen Dollar schätzte und dass er überzeugt sei, Townsend würde sich bereit erklären, noch etwas draufzulegen, wenn er die Anteile im Paket bekommen konnte.

Alles, was Armstrong derzeit brauchte, waren siebenundfünfzig Millionen Dollar. Damit hätte er die Schweizer, die Russen und sogar Sir Paul vom Hals.

Als seine Limousine vor dem Four Seasons hielt, kam ein rot livrierter junger Mann herbeigerannt und öffnete Armstrong die Wagentür. Nachdem er erkannt hatte, wer da versuchte, sich aus dem Sitz zu stemmen, tippte er an seine Mütze und sagte: »Guten Abend, Mr. Armstrong.«

»Guten Abend«, erwiderte Dick und reichte ihm einen Zehndollarschein. Wenigstens gibt es jetzt einen Menschen heute Abend, dachte er, der mich noch für einen Multimillionär hält. Inmitten eines Stromes anderer Ehrengäste stieg Dick die breite Treppe zum Bankettsaal hinauf. Einige drehten sich ihm zu und schenkten ihm ein Lächeln, andere zeigten nur flüchtig mit den Fingern auf ihn und tuschelten. Dick fragte sich, was die Leute sich wohl zuflüsterten. Prophezeiten sie seinen Sturz, oder unterhielten sie sich darüber, was für ein Genie er sei? Dick erwiderte jedes Lächeln.

Am Kopfende der Treppe wartete Russell auf ihn. Auf dem Weg zum Bankettsaal flüsterte er Armstrong zu: »Townsend ist bereits hier. Er sitzt an Tisch vierzehn als Gast von J. P. Grenville.« Armstrong nickte. Er wusste, dass Grenville seit über fünfundzwanzig Jahren Townsends Handelsbank war. Er betrat den Bankettsaal, zündete sich eine dicke Havanna an und bahnte sich einen Weg zwischen den besetzten Tischen hindurch. Hin und wieder blieb er stehen, um eine ausgestreckte Hand zu schütteln oder um sich kurz mit jemandem zu unterhalten, von dem er wusste, dass er Millionensummen zu verleihen imstande war.

Townsend stand hinter seinem Stuhl an Tisch vierzehn und beobachtete Armstrong, wie dieser sich allmählich dem Honoratiorentisch näherte und seinen Platz zwischen Gouverneur Cuomo und Bürgermeister Dinkins einnahm. Armstrong lächelte jedes Mal, wenn jemand in ihre Richtung winkte, offenbar in der Annahme, dies gelte immer ihm.

»Der heutige Abend könnte sich durchaus als Ihre beste Chance erweisen«, meinte Elizabeth Beresford, die ebenfalls zum Honoratiorentisch blickte.

Townsend nickte. »Aber es wird wahrscheinlich nicht so einfach sein, privat mit ihm zu sprechen.«

»Wäre ich auf seine Aktien scharf, würde ich sehr schnell irgendeine Möglichkeit finden.«

Warum musste diese verdammte Frau immer recht haben?

Der Zeremonienmeister musste ein paarmal mit einem Hämmerchen auf den Tisch klopfen, ehe es still genug wurde, dass der Rabbi ein Gebet sprechen konnte. Mehr als die Hälfte der Anwesenden setzen sich eine Kippa auf, sogar Armstrong – was nicht nur Townsend ihn bei einem öffentlichen Auftritt in London nie zuvor hatte tun sehen.

Nachdem die Gäste sich gesetzt hatten, begann eine Schar Kellner die Suppe zu servieren. Townsend brauchte nicht lange, um zu erkennen, dass David Grenville mit seiner Einschätzung von E.B.s Verhältnis zu Small Talk recht hatte: Er war längst beendet, bevor Keith auch nur den ersten Gang zu sich genommen hatte. Gleich nach dem Hauptgang machte sie sich daran, Keith mit gedämpfter Stimme eine Reihe von Fragen über seine australischen Unternehmen und Vermögenswerte zu stellen. Er beantwortete sie so gut er konnte, denn ihm war klar, dass E.B. selbst die geringste Unstimmigkeit bemerken und gegen ihn verwenden würde. Sie nahm keinerlei Rücksicht darauf, dass es sich bei dem Dinner um ein gesellschaftliches Ereignis handelte, vielmehr fragte sie ihn unumwunden, wie Keith vorgehen wollte, Armstrong auf einen Erwerb von dessen Anteilen am *Star* anzusprechen.

Die erste Gelegenheit, E. B.s Inquisition zu entgehen – Townsends Antworten füllten bereits die Rückseiten von zwei Speisekarten –, ergab sich, als ein Kellner sich zwischen sie stellte, um ihre Weingläser nachzufüllen. Sofort wandte sich Keith Carol Grenville zu, der Gemahlin des Geschäftsführers der Bank, die zu seiner Linken saß. Die einzigen Fragen, auf die Carol eine Antwort wollte, lauteten: »Wie geht es Kate und den Kindern?« und »Haben Sie die Neuinszenierung von *Guys and Dolls* gesehen?«

»Haben Sie die Neuinszenierung von *Guys and Dolls* gesehen, Dick?«, fragte der Gouverneur.

»Leider nein, Mario«, antwortete Armstrong. »Die beiden auflagenstärksten Zeitungen von New York und London zu führen lässt mir keine Zeit für Theaterbesuche. Um ehrlich zu sein, wundert es mich, dass *Sie* die Zeit dafür finden, wo doch Wahlen vor der Tür stehen.«

»Sie dürfen nie vergessen, Dick, dass auch Wähler ins Theater gehen«, erwiderte der Gouverneur. »Und wenn man in der fünften Reihe im Parkett sitzt, sehen einen dreitausend Wähler auf einmal. Und die freuen sich immer, wenn sie feststellen, dass man den gleichen Geschmack hat wie sie.«

Armstrong lachte. »Ich würde nie einen guten Politiker abgeben.« Er hob eine Hand. Augenblicke später erschien ein Kellner neben ihm. »Darf ich um einen kleinen Nachschlag bitten?«, flüsterte Armstrong.

»Selbstverständlich, Sir«, versicherte ihm der für den Honoratiorentisch zuständige Kellner, obwohl er hätte schwören können, dass er Mr. Armstrong bereits einmal nachgereicht hatte.

Armstrong schaute nach rechts zu David Dinkins hinüber und bemerkte, dass dieser lediglich auf seinem Teller herumstocherte – eine Angewohnheit, die unter Menschen verbreitet war, die nach dem Essen eine Rede halten mussten, wie Dick mit der Zeit herausgefunden hatte. Der Bürgermeister las mit gesenktem Kopf den getippten Text und nahm hier und da Änderungen mit einem Four Seasons-Kugelschreiber vor.

Armstrong dachte gar nicht daran, ihn zu stören. Er bemerkte, dass Dinkins mit einer Handbewegung abwehrte, als der Kellner ihm eine Crème brûlée anbot. Armstrong bedeutete dem Mann, sie auf den Tisch zu stellen, falls der Bürgermeister es sich anders überlegte. Bis Dinkins mit der nochmaligen Durchsicht seiner Rede fertig war, hatte Armstrong sein Dessert verschlungen und sah erfreut, dass eine Platte mit Petits Fours zwischen sie gestellt wurde, gleich nachdem der Kellner den Kaffee eingeschenkt hatte.

Während der darauffolgenden Reden begannen Armstrongs Gedanken abzuschweifen, wobei er jedoch versuchte, nicht an seine derzeitigen Probleme zu denken. Nachdem der Präsident der Bankiersvereinigung seine Danksagungen heruntergeleiert hatte, wurde Armstrong klar, dass er sich an kaum etwas erinnern konnte, das gesagt worden war.

»Die Ansprachen waren brillant, finden Sie nicht?«, sagte David Grenville über den Tisch. »Ich bezweifle, dass in New York in diesem Jahr eine erlesenere Schar von Gästen Reden halten wird.«

»Da haben Sie wahrscheinlich recht«, erwiderte Townsend. Er dachte momentan an nichts anderes als daran, wie lange er noch hier herumsitzen musste, bevor Mrs. Beresford ihm erlaubte, nach Hause zu gehen. Ein Blick auf sie zeigte ihm, dass sie aufmerksam den Honoratiorentisch fixierte.

»Keith«, ertönte eine Stimme hinter ihm. Er drehte sich um und fand sich in der heftigen Umarmung wieder, für die der Bürgermeister von New York bekannt war. Townsend fügte sich in das Schicksal, dass es einige Nachteile mit sich brachte, Eigentümer des *Star* zu sein.

»Guten Abend, Herr Bürgermeister«, sagte er. »Wie schön, Sie wiederzusehen. Darf ich Sie zu Ihrer brillanten Rede beglückwünschen?«

»Danke, Keith. Aber das ist nicht der Grund, weshalb ich mit Ihnen sprechen möchte.« Er tippte mit einem Finger auf Townsends Brust. »Warum habe ich das Gefühl, dass Ihr Chefredakteur etwas gegen mich hat? Ich weiß, dass er Ire ist, aber ich möchte Sie bitten, den Mann doch einmal zu fragen, wie ich eine weitere Gehaltserhöhung für die New Yorker Polizei ermöglichen soll, wo die Stadt bereits jetzt das ganze Geld für dieses Jahr ausgegeben hat. Will er eine neue Steuererhöhung? Oder bloß, dass New York bankrottgeht?«

Townsend hätte dem Bürgermeister gern vorgeschlagen, sein Problem mit der Polizei von E. B. lösen zu lassen, doch als David Dinkins endlich verstummte, versprach Keith dem Bürgermeister, sich gleich am nächsten Morgen mit dem Chefredakteur zu unterhalten. Er versäumte jedoch nicht, Dinkins darauf hinzuweisen, dass es stets seine goldene Regel gewesen sei, sich nicht in die redaktionellen Belange seiner Zeitungen einzumischen.

E. B. zog eine Braue hoch, was Keith verriet, wie gründlich sie seine Akten studiert haben musste.

»Ich bin Ihnen sehr dankbar, Keith«, sagte der Bürgermeister. »Ich war sicher, dass Sie meine Lage verstehen, sobald ich Ihnen erst einmal erklärt habe, womit ich mich herumschlagen muss – obwohl man natürlich nicht von Ihnen erwartet zu wissen, wie es sich anfühlt, wenn man am Monatsende seine Rechnungen nicht bezahlen kann.«

Der Bürgermeister blickte über Townsends Schulter und verkündete mit lauter Stimme: »Also, da ist mal ein Mann, der mir nie irgendwelche Schwierigkeiten macht!«

Townsend und E. B. drehten sich um und sahen, wen Dinkins meinte. Er deutete auf Armstrong.

»Ich nehme an, Sie sind alte Freunde«, sagte er und streckte die Arme nach Armstrong und Townsend aus. Einer der beiden hätte darauf vielleicht etwas geantwortet, wäre Dinkins nicht bereits weitergegangen, um seine Wahlkampfrunde fortzusetzen. E. B. zog sich diskret ein Stückchen zurück – aber nicht so weit, als dass sie nicht jedes ihrer Worte hätte hören können.

»Wie geht es Ihnen, Dick?«, fragte Townsend, den Armstrongs Wohlergehen nicht im Mindesten interessierte.

»Könnte nicht besser sein.« Armstrong drehte den Kopf ein wenig und blies einen Schwall Rauch in Elizabeths Richtung.

»Es dürfte eine große Erleichterung für Sie sein, dass Sie sich endlich mit den Gewerkschaften einigen konnten.«

»Sie hatten letztendlich keine Wahl«, behauptete Armstrong. »Wären sie nicht auf meine Bedingungen eingegangen, hätte ich die Zeitung dichtgemacht.«

Russell kam leise zu ihnen herüber und stellte sich hinter sie.

»Aber diese enormen Kosten!«, sagte Townsend.

»Kann ich mir durchaus leisten«, versicherte Armstrong. »Jetzt erst recht, wo die Zeitung von Woche zu Woche mehr Gewinn macht. Ich hoffe für Sie, dass Sie das mit Multi Media irgendwann auch mal schaffen.«

»Gewinn zu machen war für Multi Media von Anfang an kein Problem«, log Townsend. »Die Unternehmensgruppe erwirtschaftet so viel, dass meine größte Sorge darin besteht, genügend Personal zu haben, um das Geld auf die Bank zu bringen.«

»Ich muss zugeben, dass Sie wirklich Eier bewiesen haben, als Sie für dieses Cowboy-Unternehmen die drei Milliarden ausgespuckt haben. Ich hatte Henry Sinclair nur anderthalb angeboten – und auch das erst, nachdem meine Finanzexperten die Bücher gründlichst durchgegangen waren.«

Unter anderen Umständen hätte Townsend seinen Konkurrenten vielleicht daran erinnert, dass dieser ihm im vergangenen Jahr beim Bankett des Oberbürgermeisters in der Guildhall einen Betrag von zweieinhalb Milliarden genannt hatte – wobei von einem Einblick in die Bilanzen keine Rede gewesen war. Doch solange E. B. sich nur zwei Schritte entfernt befand, hielt Keith lieber den Mund.

Armstrong nahm einen tiefen Zug an seiner Zigarre, ehe er seinen nächsten, wohlgeprobten Satz zum Besten gab: »Haben Sie immer noch Zeit genug, um darauf zu achten, dass meine Anteile am *Star* guten Gewinn bringen?«

»Mehr als genug, danke«, erwiderte Townsend. »Auch wenn der *Star* nicht die Auflagenhöhe der *Tribune* hat – ich bin sicher, angesichts der Gewinne des *Star* würden Sie die *Tribune* liebend gern dagegen tauschen.«

»Ich kann Ihnen versichern«, entgegnete Armstrong,

»dass die *Tribune* heute in einem Jahr den *Star* in beidem überrundet haben wird.«

Jetzt war es Russell, der eine Braue hochzog.

»Nun, dann wollen wir heute in einem Jahr den Vergleich anstellen. Bis dahin dürfte der Stand der Dinge offensichtlich sein«, meinte Townsend.

»Solange mir hundert Prozent der *Tribune* und sechsundvierzig des *Star* gehören, muss ich so oder so gewinnen«, trumpfte Armstrong auf.

Elizabeth runzelte die Stirn.

»Falls Multi Media tatsächlich drei Milliarden Dollar wert ist«, fuhr Armstrong fort, »müssen meine *Star*-Aktien mindestens hundert Millionen einbringen.«

»Wenn das der Fall ist«, hakte Townsend ein wenig zu schnell nach, »müssen meine Anteile einiges über hundert Millionen wert sein.«

»Dann wäre jetzt vielleicht der richtige Zeitpunkt für einen von uns beiden, den anderen aufzukaufen«, sagte Armstrong.

Beide Männer verstummten. Russell und Elizabeth wechselten einen Blick.

»Und wie haben Sie sich das vorgestellt?«, fragte Townsend schließlich.

Russell wandte seine Aufmerksamkeit wieder seinem Mandanten zu, unschlüssig, wie er reagieren würde. Auf diese Frage hatten sie keine Antwort geprobt.

»Na ja, ich würde meine sechsundvierzig Prozent am *Star* für – sagen wir, hundert Millionen Dollar veräußern«, erklärte Armstrong.

E. B. fragte sich, was Townsend auf ein solches Angebot erwidert hätte, wäre sie nicht hier gewesen.

»Kein Interesse«, entgegnete Keith. »Aber wissen Sie was? Wenn Sie den Wert Ihrer Anteile auf einhundert Millionen schätzen, überlasse ich Ihnen die meinen für dieselbe Summe. Das ist doch ein faires Angebot.«

Drei Menschen versuchten nicht mit der Wimper zu zucken, während sie auf Armstrongs Reaktion warteten. Dick nahm noch einen Zug an der Zigarre, dann beugte er sich vor und drückte sie in E.B.s Crème brûlée aus. »Nein«, sagte er schließlich und zündete sich eine neue Zigarre an. Er paffte einige Sekunden, ehe er hinzufügte: »Ich warte gern so lange, bis Sie Ihre Aktien auf den Markt werfen. Dann bekomme ich sie für ein Drittel dieses Preises. Auf diese Weise werde ich die beiden großen Zeitungen dieser Stadt kontrollieren. Und ich setze keinen Preis dafür aus zu erraten, welche der beiden Zeitungen ich als Erste einstelle.« Er lachte und wandte sich nun zum ersten Mal seinem Anwalt zu. »Kommen Sie, Russell. Zeit zu gehen.«

Townsend konnte sich nur noch mit Mühe beherrschen.

»Geben Sie mir Bescheid, wenn Sie es sich anders überlegen«, sagte Armstrong laut und begab sich zum Ausgang.

Kaum war Armstrong sicher, außer Hörweite zu sein, sagte er zu seinem Anwalt: »Dieser Kerl ist dermaßen scharf auf Bares, dass er versucht hat, mir seine Anteile anzudrehen!«

»Es hatte tatsächlich den Anschein.« Russell nickte. »Ich muss gestehen, damit hatte ich nicht gerechnet.«

»Welche Chance habe ich jetzt, mein *Star*-Aktienpaket zu verkaufen?«

»Kaum eine«, erwiderte Russell. »Nach diesem Gespräch wird es nicht lange dauern, bis die ganze Stadt weiß, dass Townsend verkaufen will. Dann wird jeder andere potenzielle Käufer annehmen, dass Sie beide versuchen Ihre Aktien an den Mann zu bringen, bevor es dem anderen gelingt.«

»Und wenn ich meine Aktien auf den Markt werfe – wie viel würden sie einbringen? Was meinen Sie?«

»Wenn Sie so viele Wertpapiere auf einmal in Verkehr bringen, würde jeder vermuten, Sie wollten die Aktien aus irgendeinem Grund loswerden. In dem Fall könnten Sie von Glück reden, wenn Sie zwanzig Million dafür bekämen. Zu einem erfolgreichen Verkauf braucht es einen willigen Käufer und einen widerwilligen Verkäufer. Derzeit sieht es aber ganz so aus, als gäbe es bei diesem Deal nur zwei verzweifelte Verkäufer.«

»Welche anderen Möglichkeiten habe ich dann noch?«, fragte Armstrong, während sie zur Limousine gingen.

»Er hat uns so gut wie keine Alternative gelassen«, erklärte E. B. »Ich muss einen Dritten finden, der bereit ist, Ihre Anteile am *Star* zu kaufen – und das möglichst bevor Armstrong sich gezwungen sieht, seine Aktien auf den Markt zu werfen.«

»Warum?«, fragte Townsend.

»Weil ich das Gefühl habe, dass Mr. Armstrong sich in noch größeren Schwierigkeiten befindet als Sie.«

»Wie kommen Sie darauf?«

»Ich habe Armstrong keine Sekunde aus den Augen gelassen. Kaum waren die Reden beendet, konnte er gar nicht schnell genug an unseren Tisch kommen.«

»Und was beweist das?«

»Dass er nur einen Gedanken hatte: Ihnen seine *Star*-Aktien anzudrehen.«

Ein dünnes Lächeln flog über Townsends Züge. »Kaufen

wir sie doch«, schlug er vor. »Wenn ich seine Anteile in die Hände bekäme, könnte ich …«

»Mr. Townsend, denken Sie nicht einmal daran!«

39

Financial Times

1. November 1991

Aktien der Zeitungskonzerne im freien Fall

Townsend stieg in die Maschine nach Honolulu, als Elizabeth Beresford bereits den halben Atlantik überflogen hatte. Während der vergangenen drei Wochen war Townsend den schlimmsten Prüfungen seines Lebens unterzogen worden – und wie bei allen Prüfungen würde es noch eine Zeit dauern, bis die Ergebnisse bekannt gegeben wurden.

E. B. hatte Keith zu jedem einzelnen Deal in seinem gesamten Geschäftsleben befragt und jeden aufs Gründlichste geprüft und durchleuchtet. Sie wusste inzwischen mehr über Keith als seine Mutter, seine Frau, seine Kinder und das Finanzamt zusammen. Tatsächlich fragte sich Keith, ob es irgendetwas gab, was E. B. nicht über ihn wusste – von seinen Erlebnissen im Schulpavillon mit der Tochter des Direktors einmal abgesehen. Und falls er dafür hätte aufkommen müssen, hätte E. B. zweifellos darauf bestanden, die genauen Einzelheiten auch dieser Transaktion zu erfahren.

Wenn er am Abend völlig erschöpft in seine Wohnung kam, ging er mit Kate die aktuelle Lage durch. »Ich bin mir nur in einer Sache sicher«, wiederholte er mehrmals. »Ob ich überlebe oder nicht, liegt jetzt völlig in den Händen dieser Frau.«

Sie hatten den ersten Schritt abgeschlossen: E. B. hatte festgestellt, dass Keiths Unternehmen grundsätzlich solvent war. Anschließend war sie unverzüglich zum zweiten Schritt übergegangen: dem Verkauf von Aktiva. Als sie Townsend mitteilte, dass Mrs. Summers ihre Anteile am *New York Star* zurückerwerben wollte, hatte er sich, wenngleich widerstrebend, damit einverstanden erklärt. Aber zumindest gestattete E. B. ihm, im Besitz der Aktienmehrheit des *Melbourne Courier* und der *Adelaide Gazette* zu bleiben. Dafür musste er jedoch den *Perth Sunday Monitor* und den *Continent* abstoßen, um den *Sydney Chronicle* behalten zu können. Auch seine Minderheitsbeteiligung an seinen australischen Fernsehkanälen – sowie alle Tochtergesellschaften von Multi Media, die keine Gewinne versprachen – musste er aufgeben, um weiterhin die *TV News* herausgeben zu können.

Gegen Ende der dritten Woche hatte E. B. den Striptease beendet, und Keith stand nun fast nackt da. Und das alles wegen eines einzigen Anrufs. Er fragte sich, wie lange diese Worte ihn noch verfolgen würden:

»Dürfte ich mich erkundigen, welche Summe Ihnen vorschwebt, Mr. Townsend?«

»Ja, Herr Botschafter. Drei Milliarden Dollar.«

E. B. musste Keith nicht daran erinnern, dass sie sich erst noch mit dem Notfallplan – der Pressemitteilung – befassen mussten, ehe sie zum dritten Schritt übergehen konnte.

Sooft sie diese Pressemitteilung auch formulierten und wieder überarbeiteten, am Ergebnis änderte sich nichts. Global Corporation musste gemäß Abschnitt 11 des Insolvenzrechts Konkurs anmelden und das Liquidationsverfahren einleiten. Townsend hatte in seinem Leben kaum unangenehmere zwei Stunden verbracht. Er sah bereits die Schlagzeile des *Citizen* vor sich: »*Townsend bankrott!*«

Als sie sich schließlich auf den Wortlaut der Pressemitteilung geeinigt hatten, war E. B. bereit, sich dem nächsten Schritt zuzuwenden. Sie fragte Townsend, von welchen Banken er seiner Meinung nach am ehesten Verständnis für seine Lage erwarten konnte. Keith zählte sogleich sechs Kreditinstitute auf und nannte dann noch weitere fünf, mit denen die langjährige Zusammenarbeit stets freundschaftlich gewesen war. Mit den restlichen Banken, warnte er E. B., hatte er nie etwas zu tun gehabt, bevor er den Kredit für den Multi Media-Deal aufgenommen hatte, und eine dieser Banken hatte bereits ihr Geld zurückverlangt, »komme, was wolle«.

»Dann warten wir mit dieser Bank bis zum Schluss«, meinte E. B.

Als Erstes konsultierte sie den Kreditchef der Bank, bei der Keith das höchste Darlehen aufgenommen hatte. Sie berichtete ihm in allen Einzelheiten von den rigorosen Maßnahmen, die sie Townsend verordnet hatte. Der Kreditchef war beeindruckt und erklärte sich bereit, E. B.s Vorhaben zu unterstützen – aber nur, wenn alle anderen betroffenen Banken ebenfalls bei diesem Sanierungsplan mitmachten. Die nächsten fünf Bankiers brauchten etwas länger, bis sie ihr Einverständnis erklärten. Doch sobald E. B. sich auch deren Kooperationsbereitschaft versichert hatte, nahm sie sich nacheinander die restlichen Banken vor und konnte stets wahrheitsgemäß darauf verweisen, dass jedes Kreditinstitut, mit dem sie bisher verhandelt hatte, sich am Sanierungsplan beteiligen würde. In London hatte sie Termine bei Barclays, Midland Montagu und Rothschild. Von dort wollte sie nach Paris weiterreisen, um mit der Crédit Lyonnais zu verhandeln, anschließend hatte sie Flüge nach Frankfurt, Bonn und Zürich gebucht.

Sie hatte Townsend versprochen, ihn umgehend anzurufen, falls sie in London erfolgreich wäre. Sollte sie jedoch zu irgendeinem Zeitpunkt scheitern, würde sie den nächsten Flug nach Honolulu nehmen, um dort vor den versammelten Global-Repräsentanten zu sprechen – nicht über die langfristige Zukunft des Unternehmens, sondern über die Gründe, weshalb sie sich nach Rückkehr in ihre jeweiligen Heimatländer einen neue Job suchen mussten.

E. B. flog am Abend nach London – mit einem Koffer voller Ordner, einem Heftchen Flugtickets und einer Liste mit Telefonnummern, die es ihr ermöglichten, Townsend rund um die Uhr zu kontaktieren. Sie beabsichtigte, in den nächsten vier Tagen sämtliche Banken und Geldinstitute aufzusuchen, die über das Schicksal der Global Corporation entscheiden würden. Keith wusste, dass E. B. umgehend nach New York zurückkehren und seine Ordner in den dreizehnten Stock hinunterschicken würde, sollte auch nur eine einzige Verhandlung fehlschlagen. Das einzige Zugeständnis, auf das sie sich eingelassen hatte, bestand darin, Keith mit einer Stunde Vorlauf zu benachrichtigen, bevor sie die Mitteilung an die Presse gab.

»Wenn Sie in Honolulu sind, werden Sie wenigstens nicht von der Weltpresse belagert«, hatte sie kurz vor ihrem Abflug nach Europa gesagt.

Townsend hatte sie schief angelächelt. »Wenn Sie die Mitteilung an die Presse geben, wird es keine Rolle spielen, wo ich bin. Die werden mich finden.«

Townsends Gulfstream landete bei Sonnenuntergang in Honolulu. Er wurde am Flughafen abgeholt und zum Hotel gebracht. Am Empfang wurde ihm eine Nachricht überreicht. »Alle drei Banken in London haben sich mit dem Sanierungsplan einverstanden erklärt. Fliege jetzt nach Paris. E. B.«

Townsend packte seine Reisetasche aus, nahm eine Dusche und gesellte sich zum Abendessen zu seinen Direktoren, die aus aller Welt zu einem Treffen angereist waren, das ursprünglich als Gedankenaustausch über die Weiterentwicklung des Unternehmens in den nächsten zehn Jahren geplant war. Jetzt sah es ganz so aus, als könnte es dazu kommen, dass die Direktoren über dessen Abwicklung in den nächsten zehn Tagen sprechen mussten.

Jeder am Tisch tat sein Möglichstes, unbeschwert zu erscheinen, obwohl die meisten in den vergangenen Wochen zu E. B. zitiert worden waren. Und nachdem Mrs. Beresford die Herren entlassen hatte, gaben sie sofort jegliche Hoffnung auf eine mögliche Expansion des Unternehmens auf. Während dieser Kreuzverhöre war das optimistischste Wort, das E. B. über die Lippen kam, »Fusion« gewesen. Sie hatte den Verwaltungschef der Gesellschaft und den Finanzleiter des Konzerns gebeten, einen provisorischen Plan für die Aussetzung der Konzernaktien und einen Antrag auf Gesellschaftsauflösung auszuarbeiten. Es war den Herren dabei ungemein schwergefallen, gleichmütig zu wirken.

Nach dem Abendessen begab sich Townsend sofort zu Bett und verbrachte eine weitere schlaflose Nacht, wofür er nicht dem Jetlag die Schuld geben konnte. Um drei Uhr früh hörte er, wie eine Nachricht unter der Tür hindurchgeschoben wurde. Sofort sprang er aus dem Bett und riss nervös den Umschlag auf. »Die Franzosen haben sich einverstanden erklärt, wenn auch nach langem Zögern. Fliege jetzt nach Frankfurt. E. B.«

Um sieben Uhr kam Bruce Kelly zum gemeinsamen Frühstück. Bruce war vor Kurzem nach London zurückgekehrt, um geschäftsführender Direktor und Vorsitzender des Vorstandsgremiums von Global TV zu werden. Augenblicklich begann er Townsend sein Leid zu klagen, dass sein größtes Problem darin bestehe, die skeptischen Briten dazu zu bringen, die einhunderttausend Satellitenschüsseln zu kaufen, die derzeit in einem Lagerhaus in Watford darauf warteten, vom Einzelhandel bestellt zu werden. Seine neueste Idee war, die Schüsseln an die *Globe*-Leser zu verschenken. Townsend nickte nur, während er seinen Tee trank. Keiner der beiden erwähnte das Thema, das ihnen auf der Seele brannte.

Nach dem Frühstück begaben sie sich gemeinsam zum Restaurant hinunter, und Townsend ging von Tisch zu Tisch und plauderte mit seinen Verwaltungsleitern aus aller Herren Länder. Nach seiner Runde war er zu der Ansicht gelangt, dass sie alle entweder sehr gute Schauspieler waren oder keine Ahnung hatten, wie prekär die Lage wirklich war. Er hoffte, dass Letzteres der Fall war.

Den Einführungsvortrag übernahm Henry Kissinger. Er sprach über Kommunikationstechnologien und die Macht der neuen Medien. Townsend saß in der ersten Reihe. Er wünschte sich, sein Vater würde noch leben und hier sein, um hören zu können, wie der ehemalige US-Außenminister über Möglichkeiten sprach, die vor zehn Jahren noch unvorstellbar gewesen wären. Jetzt aber begann die Zukunft, in der die Global eine entscheidende Rolle spielen sollte.

Townsends Gedanken schweiften zu seiner Mutter ab, die inzwischen über neunzig war, und er dachte an ihre Worte, als er vor vierzig Jahren zum ersten Mal aus England heim nach Australien gekommen war. »Schulden, gleich welcher Art, waren mir schon immer ein Gräuel.« Sogar an ihren Tonfall konnte Keith sich noch erinnern.

Im Laufe des Tages ließ er sich bei so vielen Seminaren sehen, wie er zeitlich einrichten konnte, und verließ jedes mit den Worten »Arbeitseinsatz«, »Vision« und »Expansion« in den Ohren. Ehe er an diesem Abend ins Bett stieg, wurde ihm die neueste Nachricht von E. B. ausgehändigt. »Frankfurt und Bonn haben sich ebenfalls einverstanden erklärt, aber zu äußerst schwierigen Bedingungen. Bin unterwegs nach Zürich. Rufe Sie an, sobald ich die dortige Entscheidung kenne.« Keith verbrachte eine weitere schlaflose Nacht, in der er auf das Läuten des Telefons wartete.

Ursprünglich hatte er vorgeschlagen, E. B. solle von Zürich aus direkt nach Honolulu fliegen, um ihn persönlich über ihre Verhandlungen zu unterrichten. Doch sie hatte das für keine gute Idee gehalten. »Schließlich«, hatte sie Townsend erinnert, »wird es wohl kaum die Moral der Delegierten heben, wenn ich mit ihnen über meine Tätigkeitsbeschreibung plaudere.«

»Vielleicht würden die Herren Sie für meine Geliebte halten«, meinte Townsend.

Sie lachte nicht.

Nach dem Mittagessen am dritten Tag war Sir James Goldsmith an der Reihe, einen Vortrag zu halten. Doch kaum wurden die Lichter im Saal gedämpft, blickte Townsend immer wieder auf die Uhr und fragte sich besorgt, wann E. B. endlich anrief.

Von stürmischem Applaus begleitet, stieg Sir James auf die Bühne und legte sein Manuskript aufs Rednerpult. Dann sah er auf die Anwesenden hinunter, die er im Halbdunkel gar nicht mehr sehen konnte, und begann mit den Worten: »Es ist mir eine große Freude, zu einer Personengruppe sprechen zu dürfen, die für eines der erfolgreichsten Unternehmen der Welt arbeitet.« Aufmerksam hörte sich Townsend Sir James' Ansichten über die Zukunft der Europäischen Gemeinschaft an sowie die Gründe für seinen Entschluss, für das Europaparlament zu kandidieren. »Als gewähltes Mitglied werde ich die Möglichkeit haben ...«

»Entschuldigen Sie, Sir.« Townsend blickte auf und sah den Hoteldirektor neben sich stehen. »Sie haben einen Anruf aus Zürich. Die Dame sagt, es sei sehr dringend.« Townsend nickte und folgte dem Direktor rasch aus dem verdunkelten Saal auf den Korridor.

»Möchten Sie in meinem Büro mit der Dame reden?«

»Nein«, erwiderte Townsend. »Stellen Sie den Anruf bitte auf meine Suite durch.«

»Selbstverständlich, Sir«, sagte der Hoteldirektor, und Townsend stürmte zum nächsten Fahrstuhl.

Auf dem Korridor kam er an einem seiner Verwaltungsleiter vorüber, der sich offensichtlich wunderte, dass sein Chef den Saal bei Sir James' Vortrag verlassen hatte, da er doch anschließend eine Dankesrede halten sollte.

Als Townsend seine Suite betrat, läutete bereits das Telefon. Er war froh, dass E. B. nicht sehen konnte, wie nervös er war, als er den Hörer abhob.

»Keith Townsend«, meldete er sich.

»Die Bank von Zürich hat sich mit dem Plan einverstanden erklärt.«

»Dem Himmel sei Dank!«

»Nicht so voreilig. Hören Sie sich erst mal an, zu welchem Preis. Sie verlangen drei Punkte über dem regulären Zinssatz, und zwar für die gesamte Laufzeit von zehn Jahren. Das wird die Global weitere siebzehneinhalb Millionen kosten.«

»Und was haben Sie dazu gesagt?«

»Ich habe diese Bedingungen akzeptiert. Die Schweizer waren clever. Sie konnten sich denken, dass sie zu den Letzten gehörten, an die ich mich wandte, deshalb konnte ich mir jedes Gefeilsche sparen.«

Keith nahm sich Zeit, bevor er die nächste Frage stellte. »Wie stehen meine Überlebenschancen jetzt?«

»Immer noch nicht besser als fifity-fifty-fifity-fifty. Also wetten Sie kein Geld darauf.«

»Ich habe ja gar keins«, erwiderte Townsend. »Sogar meine Kreditkarten haben Sie mir weggenommen! Erinnern Sie sich?«

E. B. schwieg.

»Kann ich noch irgendetwas tun?«

»Ja. Wenn Sie heute Abend Ihre Abschlussrede halten, sorgen Sie auf jeden Fall dafür, unmissverständlich klarzumachen, dass Sie der Chef des erfolgreichsten Medienkonzerns der Welt sind. Erwähnen Sie mit keinem Wort, dass Sie vielleicht schon wenige Stunden später Konkurs anmelden müssen.«

»Und wann erfahre ich, was denn nun zutrifft?«

»Irgendwann im Laufe des morgigen Tages, würde ich sagen«, erwiderte E. B. »Ich rufe Sie sofort an, wenn ich mit Austin Pierson gesprochen habe.« Sie legte auf.

Armstrong wurde von Reg abgeholt und durch den

Schneeregen von Heathrow nach London chauffiert. Er ärgerte sich auch jetzt wieder darüber, dass die zivile Flugbehörde ihm nicht erlaubte, nach Einbruch der Dunkelheit seinen privaten Hubschrauber über dem Stadtgebiet zu benutzen. Im Armstrong-Haus angelangt, fuhr Dick mit dem Aufzug direkt zum Penthouse, weckte seinen Koch und befahl ihm, ihm etwas zu essen zu machen. Dick ließ sich Zeit, als er eine heiße Dusche nahm, und begab sich dreißig Minuten später im Morgenrock und mit einer Zigarre zwischen den Lippen ins Esszimmer.

Ein gehäufter Teller Kaviar stand bereit. Noch bevor er saß, hatte er sich bereits mit den Fingern etwas davon in den Mund gestopft. Während er weiteraß, nahm er ein Blatt Papier aus seinem Ordnerkoffer, legte es vor sich auf den Tisch und las es: die Tagesordnung für die morgige Vorstandssitzung. Bei der Lektüre löffelte er weiter mit den Fingern seinen Kaviar und trank ein Glas Champagner nach dem anderen.

Nach einigen Minuten schob er die Unterlagen zur Seite. Wenn er den ersten Punkt überstanden hatte – da war er ganz zuversichtlich –, würde er überzeugende Antworten auf alle Fragen haben, mit denen Sir Paul aufwarten konnte. Er schleppte sich ins Schlafzimmer, setzte sich, von mehreren Kissen gestützt, ins Bett und schaltete den Fernseher ein. Nachdem er auf der Suche nach irgendeinem Programm, das ihn ablenken konnte, durch die Sender gezappt hatte, schlief er über einem Dick-und-Doof-Film schließlich ein.

Townsend nahm das Manuskript seiner Rede vom Beistelltisch, verließ die Suite und ging zum Fahrstuhl. Im Parterre angelangt, begab er sich rasch zum Konferenzzentrum.

Lange ehe er den Ballsaal erreichte, konnte er das entspannte Geplauder der wartenden Delegierten hören. Bei Keiths Eintreten verstummten die gut tausend leitenden Angestellten und erhoben sich von ihren Plätzen. Keith schritt durch den Mittelgang zur Bühne und legte sein Manuskript aufs Rednerpult. Dann blickte er hinunter auf die Anwesenden – eine Ansammlung der fähigsten Männer und Frauen der Medienwelt, von denen manche bereits seit mehr als dreißig Jahren für ihn arbeiteten.

»Meine Damen und Herren, lassen Sie mich mit der Feststellung beginnen, dass die Global gar nicht besser für die Herausforderungen des einundzwanzigsten Jahrhunderts gerüstet sein könnte. Wir besitzen derzeit die Mehrheit an einundvierzig Fernseh- und Radiosendern, einhundertsiebenunddreißig Zeitungen und zweihundertneunundvierzig Zeitschriften. Und erst kürzlich haben wir ein neues Juwel in unsere Krone eingefügt: die *TV News,* die auflagenstärkste Zeitschrift der Welt. Mit einem solchen Portefeuille ist die Global zum mächtigsten Kommunikationsimperium der Welt geworden. Unsere Aufgabe besteht nun darin, der führende Medienkonzern der Welt zu bleiben«, Keith machte eine bedeutungsvolle Pause, »und ich sehe ein Team von Männern und Frauen vor mir, die sich voll und ganz dafür einsetzen werden, der Global den Spitzenplatz in der Kommunikationsbranche zu erhalten. Im Laufe des nächsten Jahrzehnts …« Townsend sprach weitere vierzig Minuten über die Zukunft des Konzerns und die Rollen, die sie alle darin spielen würden, und schloss mit den Worten: »Es war ein Rekordjahr für die Global. Wenn wir uns nächstes Jahr wiedertreffen, werden wir unsere Kritiker mit einem *noch* besseren Ergebnis zum Schweigen bringen!«

Alle standen auf und klatschten. Doch als der Applaus

allmählich verebbte, musste Keith an ein anderes Treffen denken, das am nächsten Morgen in Cleveland stattfinden und bei dem nur eine einzige Frage beantwortet werden würde – ganz gewiss ohne anschließende Jubelstürme.

Während die Delegierten sich erhoben, schlenderte Keith noch ein wenig im Saal herum und bemühte sich, entspannt zu wirken, während er sich von dem einen oder anderen seiner Geschäftsführer verabschiedete. Er konnte nur hoffen, dass die Damen und Herren bei der Heimkehr nicht von Journalisten der Konkurrenz empfangen wurden, die sie fragten, weshalb sie Pleite gemacht hatten. Und das alles, weil ein Bankier aus Ohio gesagt hatte: »Nein, Mr. Townsend, die fünfzig Millionen Dollar müssen termingerecht zurückbezahlt werden. Falls nicht, bleibt mir keine andere Wahl, als die Angelegenheit unserer Rechtsabteilung zu übergeben.«

Sobald er sich loseisen konnte, kehrte Keith in seine Suite zurück und packte. Ein Chauffeur fuhr ihn zum Flugplatz, wo seine Gulfstream startbereit wartete. Würde er vielleicht schon morgen in der Touristenklasse fliegen? Keith war sich nicht bewusst gewesen, was ihm die Konferenz abverlangt hatte, doch fiel er nur Augenblicke, nachdem er sich angegurtet hatte, in tiefen Schlaf.

Armstrong hatte sich vorgenommen, früh aufzustehen, damit ihm genügend Zeit blieb, verschiedene Unterlagen zu vernichten, die noch in seinem Safe lagen, doch er wurde erst kurz vor den 7-Uhr-Fernsehnachrichten durch das Läuten von Big Ben geweckt. Er verfluchte den Jetlag und plagte sich aus dem Bett. Bei dem Gedanken daran, was er noch alles erledigen musste, brach ihm schon jetzt der Schweiß aus.

Er zog sich an und ging ins Esszimmer, wo bereits der Frühstückstisch für ihn gedeckt war: Speck, Würstchen, Blutwurst und vier Spiegeleier. Dick spülte die Mahlzeit mit einem halben Dutzend Tassen schwarzem Kaffee hinunter.

Um sieben Uhr fünfunddreißig verließ er das Penthouse und fuhr hinunter in den elften Stock. Er schaltete die Lichter ein, eilte durch den Korridor, vorbei am Schreibtisch seiner Sekretärin, und gab seinen Code ein. Als das Lämpchen von Rot auf Grün umsprang, schob er die Tür auf.

Dick ignorierte den Stapel Post, der ihn auf seinem Schreibtisch erwartete, sondern ging direkt zu dem massiven Safe in der hinteren Ecke des Büros. Hier musste er einen längeren und komplizierteren Code eingeben, ehe er die schwere Tür öffnen konnte.

Der erste Ordner, den er herausnahm, trug die Aufschrift *Liechtenstein*. Er ging damit zum Reißwolf und steckte seinen Inhalt Seite um Seite hinein. Dann kehrte er zum Safe zurück, holte den Ordner *Russland (Buchverträge)* heraus, mit dem er ebenso verfuhr. Dick hatte gerade die Hälfte des Ordners *Vertriebsgebiete* durch den Reißwolf gejagt, als eine Stimme hinter ihm sagte: »Was, zum Teufel, tun Sie da?« Armstrong schwang herum und blickte in den grellen Strahl der Taschenlampe eines Security-Mitarbeiters ins Gesicht.

»Verschwinden Sie auf der Stelle, Sie verdammter Idiot!«, brüllte Dick. »Und machen Sie die Tür hinter sich zu!«

»Tut mir leid, Sir«, entschuldigte sich der Security-Mann. »Niemand hat mir gesagt, dass Sie im Hause sind.« Als sich die Tür hinter dem Mann geschlossen hatte, beschäftigte Armstrong sich weitere vierzig Minuten damit, Unterlagen in den Reißwolf zu stecken, bis er seine Sekretärin kommen hörte.

Sie klopfte an die Tür. »Guten Morgen, Mr. Armstrong«, rief sie fröhlich. »Ich bin's, Pamela. Brauchen Sie Hilfe?«

»Nein!«, brüllte er über den Lärm des Reißwolfs hinweg. »Ich komme gleich zu Ihnen raus.« Doch es dauerte noch weitere fünfundzwanzig Minuten, bis Dick schließlich die Tür öffnete. »Wie viel Zeit habe ich noch bis zur Vorstandssitzung?«, fragte er.

»Etwas über eine halbe Stunde«, antwortete Pamela.

»Rufen Sie Mr. Wakeham an, und sagen Sie ihm, er soll sofort zu mir kommen.«

»Der stellvertretende Vorsitzende ist heute verhindert, Sir«, erwiderte Pamela.

»Verhindert? Wieso denn?«, brüllte Armstrong.

»Er hat sich die Grippe geholt, die zurzeit bei uns grassiert. Mr. Wakeham hat sich auch schon beim Geschäftsführer entschuldigt, dass er heute nicht kommen kann.«

Armstrong trat an seinen Schreibtisch, blätterte in seinem Adressbuch nach Peters Telefonnummer und wählte. Es klingelte mehrmals, bevor sich eine Frauenstimme meldete.

»Ist Peter da?«, polterte Armstrong.

»Ja, aber er liegt im Bett. Es geht ihm nicht gut. Der Arzt sagt, er muss ein paar Tage im Bett bleiben.«

»Holen Sie ihn ans Telefon!«

Nach einer ganzen Weile sagte eine kratzige, schwache Stimme: »Bist du das, Dick?«

»Allerdings. Was, zum Teufel, soll das, dass du an einer so wichtigen Vorstandssitzung nicht teilnimmst?«

»Tut mir leid, Dick, aber die Grippe hat mich ziemlich schwer erwischt, und mein Arzt hat mir ein paar Tage Bettruhe verordnet.«

»Ist mir scheißegal, was dein Arzt dir verordnet hat!«,

fluchte Armstrong. »Ich will, dass du bei dieser Vorstandssitzung dabei bist! Ich brauche jede Unterstützung, die ich kriegen kann!«

»Na ja … wenn du es für so wichtig hältst«, entgegnete Peter.

»Allerdings. Sieh also zu, dass du herkommst, und zwar schleunig!«

Die Geräusche aus den anderen Büros draußen verrieten, dass es im Gebäude lebendig wurde. Armstrong sah auf die Uhr: nur noch zehn Minuten bis zum Beginn der Sitzung, doch noch kein einziger Direktor hatte zu ihm hereingeschaut, um wie sonst davor noch ein wenig mit ihm zu plaudern oder sich zu vergewissern, dass sie mit Armstrongs Unterstützung ihrer jeweiligen Vorschläge rechnen konnten. Aber vielleicht wussten sie auch nur nicht, dass er schon zurück war.

Sichtlich nervös betrat Pamela Dicks Büro, und legte ihm einen dicken Ordner mit den Unterlagen für die heutige Sitzung auf den Schreibtisch. Wie Dick bereits in der Nacht gelesen hatte, lautete der erste Punkt der Tagesordnung »Der Pensionsfonds«. Er war jedoch mit keinerlei erläuternden Notizen für die Direktoren versehen, anders als der zweite Tagesordnungspunkt: die sinkende Auflagenzahl des *Citizen*, nachdem der *Globe* seinen Preis auf zehn Pence pro Exemplar gesenkt hatte.

Armstrong las weiter im Ordner, bis Pamela ihn darauf aufmerksam machte, dass es zwei Minuten vor zehn sei. Er stemmte sich aus dem Sessel, klemmte sich den Ordner unter den Arm und trat zuversichtlich auf den Flur. Auf dem Weg zur Sitzungskammer begrüßten ihn mehrere Angestellte, die ihm entgegenkamen, mit einem respektvollen »Guten Morgen«. Dick dankte jedes Mal mit einem freundlichen Lächeln und erwiderte den Gruß, obwohl er die Namen der Betreffenden nicht immer kannte.

Die Tür des Sitzungsraums stand offen, deshalb konnte Dick beim Näherkommen die Direktoren miteinander flüstern hören. Doch kaum betrat er den Raum, setzte eine geradezu gespenstische Stille ein, als hätte sein Erscheinen die Anwesenden verstummen lassen.

Townsend wurde von der Stewardess geweckt, als die Gulfstream zum Anflug auf den Kennedy Airport ansetzte.

»Eine Mrs. Beresford ruft aus Cleveland an. Sie sagt, Sie warten auf Ihren Rückruf.«

»Ich komme soeben aus der Besprechung mit Pierson«, begann E. B. »Sie hat über eine Stunde gedauert, aber als ich ging, hatte er sich immer noch nicht entschieden.«

»Sich nicht entschieden?«

»Nein. Er muss erst noch den Finanzausschuss der Bank konsultieren, bevor er eine endgültigen Entscheidung treffen kann.«

»Aber jetzt, da alle anderen Banken sich einverstanden erklärt haben, kann Pierson doch nicht ...«

»Er kann, und vielleicht wird er auch. Bedenken Sie, dass er Direktor einer kleinen Bank in Ohio ist. Die Entscheidungen anderer Banken interessieren ihn nicht. Und angesichts der schlechten Presse, die Sie in den letzten Wochen hatten, hat er nur noch einen Gedanken.«

»Nämlich?«

»Sich abzusichern.«

»Ist ihm denn nicht klar, dass alle anderen Banken abspringen werden, wenn er nicht mitmacht?«

»Doch. Aber als ich ihm das zu bedenken gab, zuckte er

nur die Schultern und sagte: ›In diesem Fall werde ich eben mitsamt den anderen das Risiko eingehen müssen.‹«

Townsend fluchte los.

»Eins hat er mir allerdings versprochen«, unterbrach sie ihn.

»Was?«

»Dass er sofort anruft, wenn der Ausschuss eine Entscheidung getroffen hat.«

»Wie zuvorkommend von ihm. Also, was soll ich tun, wenn die Entscheidung gegen mich ausfällt?«

»Die Presseerklärung abgeben, auf die wir uns geeinigt haben«, erwiderte E. B.

Townsend verspürte Übelkeit in sich aufsteigen.

Zwanzig Minuten später stürmte er aus dem Flughafengebäude. Der BMW wartete bereits auf ihn. Keith stieg ein, noch bevor der Chauffeur Zeit gefunden hätte, ihm die Tür zu öffnen. Als Erstes schnappte er sich das Autotelefon, um seine Wohnung in Manhattan anzurufen. Kate musste neben dem Apparat gewartet haben, denn sie meldete sich augenblicklich.

Ihre ersten Worte waren: »Hast du schon was aus Cleveland gehört?«

»Ja. E. B. war bei Pierson, aber der ist sich immer noch nicht schlüssig«, erwiderte Keith, als der Wagen sich in den dichten Verkehr am Queen's Boulevard einfädelte.

»Wie stehen die Chancen, dass er den Kredit verlängert?«, wollte Kate wissen.

»Genau dieselbe Frage habe ich E. B. gestern auch gestellt, und ihre Antwort lautet ›fifty-fifty‹«

»Ich wünschte, Pierson würde uns aus dieser Ungewissheit befreien!«

»Das wird er unweigerlich – so oder so.«

»Denk daran, dass du mich als Erste anrufst, sobald du von ihm gehört hast! Egal, wie es ausgeht.«

»Natürlich bist du die Erste, der ich Bescheid gebe«, versprach Keith und legte auf.

Dann rief er Tom Spencer an, gerade als der BMW über die Queensboro Bridge fuhr. Auch Tom hatte nichts Neues gehört. »Ich würde allerdings auch nicht damit rechnen, bevor E. B. Sie nicht informiert hat«, sagte er. »Das wäre nicht ihr Stil.«

»Sobald ich Piersons Entscheidung kenne«, erklärte Keith, »sollten wir uns zusammensetzen und besprechen, was als Nächstes zu tun ist.«

»Machen wir«, erwiderte Tom. »Sie brauchen mich nur anzurufen, sobald Sie etwas erfahren haben. Ich komme dann sofort zu Ihnen.«

Der Chauffeur bog in die Madison Avenue ein, lenkte den BMW vorsichtig auf die rechte Fahrbahn und hielt vor dem Verwaltungsgebäude der Global International. Er staunte, als Mr. Townsend sich nach vorn beugte und ihm zum ersten Mal seit zwanzig Jahren dankte. Doch als der Chauffeur ihm die Tür öffnete und sein Chef auch noch »Auf Wiedersehen« sagte, war er geradezu fassungslos.

Der Vorstandsvorsitzende der Global International eilte zum Eingang. Er begab sich direkt zu den Fahrstühlen und stieg in den ersten, der kam. Obwohl es im Foyer von Global-Angestellten nur so wimmelte, versuchte keiner, sich Keith anzuschließen, außer einem Pagen, der nach ihm in den Lift sprang und einen Schlüssel im Schloss neben dem obersten Knopf drehte. Die Tür glitt zu, und der Fahrstuhl beschleunigte auf seinem Weg in den siebenundvierzigsten Stock.

Als die Fahrstuhltür sich wieder öffnete, trat Townsend hinaus auf den flauschigen Teppichboden des Korridors der Chefetage und ging am Empfang vorüber. Das Mädchen hinter dem Tresen blickte auf und lächelte ihn an. Sie wollte schon »Guten Morgen, Mr. Townsend« sagen, als sie seine grimmige Miene sah und es vorzog, den Mund zu halten.

Townsends Schritt stockte nicht, als die Glastür zu seinem Bürobereich zurückglitt.

»Irgendwelche Nachrichten?«, war alles, was er sagte, als er am Schreibtisch seiner Sekretärin vorbei auf sein Büro zusteuerte.

40

The Globe

5. November 1991

Suche nach vermisstem Pressemagnaten

»Guten Morgen, meine Herren«, grüßte Armstrong lautstark und munter, doch sein Gruß wurde lediglich von vereinzeltem Murmeln erwidert. Sir Paul Maitland nickte knapp, als Armstrong sich auf den leeren Platz rechts von ihm setzte. Bedächtig ließ Dick seinen Blick über die Versammelten schweifen. Alle Plätze am Vorstandstisch waren belegt, außer dem des stellvertretenden Vorsitzenden.

Sir Paul blickte auf seine Taschenuhr. »Da alle anwesend sind, mit Ausnahme von Mr. Wakeham, der sich bereits beim Verwaltungsvorstand für sein Fehlen entschuldigt hat, schlage ich vor, dass wir beginnen. Darf ich fragen, ob alle Anwesenden das Protokoll der Vorstandssitzung des vergangenen Monats als wahrheitsgetreu und korrekt anerkennen?«

Alle nickten, nur Armstrong nicht.

»Gut. Beim ersten Punkt der heutigen Tagesordnung geht es um ein Problem, das wir auf unserer kürzlich stattgefundenen Finanzausschusssitzung eingehend erörtert haben«, fuhr Sir Paul fort, »nämlich die derzeitige Lage unseres Pensionsfonds. Bei dieser Gelegenheit hat Mr. Wakeham sein

Bestes getan, uns über seinen kurzen Besuch in New York zu unterrichten. Ich fürchte jedoch, mehrere Fragen sind immer noch unbeantwortet. Wir sind zu dem Schluss gelangt, dass nur der Konzernleiter uns genau darüber unterrichten kann, was tatsächlich in New York vor sich gegangen ist. Ich bin erleichtert, dass Mr. Armstrong die Zeit gefunden hat, heute bei uns zu sein. Deshalb sollte ich vielleicht damit beginnen …«

»Nein, ich glaube, ich bin es, der beginnen sollte«, wurde er von Armstrong unterbrochen. »Und zwar indem ich Ihnen umfassend erkläre, weshalb es mir unmöglich war, an der Vorstandssitzung letzten Monat teilzunehmen.« Sir Paul presste die Lippen aufeinander, verschränkte die Arme vor der Brust und starrte auf den freien Stuhl am anderen Ende des Tisches.

»Ich bin an meinem Schreibtisch in New York geblieben, meine Herren«, fuhr Armstrong fort, »weil ich der Einzige war, mit dem die dortigen Druckergewerkschaften zu verhandeln bereit waren – und ich bin sicher, dass Peter Wakeham dies bei der Vorstandssitzung im vergangenen Monat bestätigt hat. Deshalb konnte ich zuwege bringen, was einige Berichterstatter als Wunder bezeichnet haben.« Sir Paul blickte auf einen vor ihm liegenden Leitartikel in der *New York Tribune* aus der vergangenen Woche, in dem tatsächlich das Wort »Wunder« vorkam. »Darüber hinaus kann ich dem Vorstand inzwischen noch etwas anderes bestätigen, das Mr. Wakeham Ihnen auf meine Bitte hin mitteilen sollte: nämlich, dass die *Tribune* endlich über den Berg ist und bereits im vergangenen Monat einen positiven Beitrag zu unserer Gewinn- und Verlustbilanz geleistet hat.« Armstrong legte eine kleine Pause ein, bevor er hinzufügte: »Und das zum ersten Mal, seit wir diese Zeitung übernommen haben.« Mehrere Vorstandsmitglieder fühlten sich offenbar außerstande, in Armstrongs Richtung zu blicken. Die Mienen anderer, die es taten, drückten keineswegs Billigung aus. »Ich finde, ich verdiene ein bisschen Lob für diese gewaltige Leistung«, sagte Armstrong, »statt der ständigen nörgelnden Kritik eines Vorsitzenden, dessen Vorstellung von Unternehmen darin besteht, in Epsom Downs die Enten zu füttern.«

Sir Paul schien protestieren zu wollen, doch Armstrong hob eine Hand und sagte mit lauter Stimme: »Gestatten Sie mir bitte, zu Ende zu reden.« Der Vorsitzende setzte sich stocksteif auf, umklammerte die Armlehnen seines Stuhls und blickte starr geradeaus.

»Nun, was den Pensionsfonds betrifft«, fuhr Armstrong fort, »der Geschäftsführer der Gesellschaft kann Ihnen besser als ich bestätigen, dass wir einen beachtlichen Überschuss auf diesem Konto haben, von dem ich eine kleine Summe – völlig legal – für Investitionen in den Vereinigten Staaten genutzt habe. Es dürfte den Vorstand auch interessieren, dass ich vor Kurzem vertrauliche Verhandlungen mit Keith Townsend führte, bei denen es um die Übernahme des *New York Star* ging.« Die meisten Direktoren wirkten bei dieser Erklärung wie vom Schlag getroffen, und diesmal wandten sich alle Blicke Armstrong zu.

»Es ist ein offenes Geheimnis«, fuhr Dick fort, »dass Townsend sich seit seiner tollkühnen Übernahme von Multi Media – für die er drei Milliarden Dollar bezahlte – in großen finanziellen Schwierigkeiten befindet. Der Vorstand erinnert sich gewiss, dass ich im vergangenen Jahr empfohlen habe, für diesen Konzern nicht mehr als anderthalb Milliarden zu bieten. Im Nachhinein stellt sich nun heraus, dass meine Einschätzung zutreffend war. Ich war nun imstande, mir den katastrophalen Fehler Townsends zunutze zu machen und ihm ein Angebot für seine Anteile am *Star* zu unterbreiten, was man noch vor sechs Monaten für unmöglich gehalten hätte.«

Jetzt hatte Dick die volle Aufmerksamkeit von allen.

»Dieser Coup wird Armstrong Communications zum mächtigsten Medienverbund an der Ostküste Amerikas machen.« Er machte eine Kunstpause, um seine Worte wirken zu lassen. »Dies wird zudem einen größeren Beitrag zu unserer Gewinnbilanz leisten als der, dessen wir uns derzeit von unseren Unternehmen hier in Großbritannien erfreuen können.«

Einige der Gesichter um den Tisch hellten sich auf, doch das des Vorsitzenden war nicht darunter. »Soll das heißen, dass dieser Deal mit Townsend bereits abgeschlossen wurde?«, erkundigte er sich mit ruhiger Stimme.

»Er befindet sich in einer Vorabschlussphase, Herr Vorsitzender«, erwiderte Armstrong. »Doch ich würde nicht im Entferntesten daran denken, eine so weitreichende Entscheidung ohne vorherige Zustimmung des Vorstands zu treffen.«

»Und was, genau, bedeutet ›Vorabschlussphase‹?«, fragte Sir Paul.

»Townsend und ich hatten ein zwangloses Treffen mit unseren beiden Rechtsberatern auf neutralem Boden. Wir haben uns auf einen Betrag geeinigt, der für beide Seiten annehmbar ist, sodass unsere Anwälte nur noch die Verträge zum Unterzeichnen ausstellen müssten.«

»Dann haben wir also nichts Schriftliches?«

»Noch nicht«, erwiderte Armstrong. »Aber ich bin zuversichtlich, dass ich bis zur nächsten Vorstandssitzung alle nötigen Unterlagen zusammenhabe.«

»Verstehe«, sagte Sir Paul trocken. Er öffnete einen Ordner, der vor ihm lag. »Dennoch schlage ich vor, dass wir jetzt zu Punkt eins der heutigen Tagesordnung zurückkommen, insbesondere auf den derzeitigen Kontostand des Pensionsfonds.« Er warf einen Blick auf seine Notizen und fügte hinzu: »Von dem in der letzten Zeit Abbuchungen in einer Gesamthöhe von über vierhundertund …«

»Und ich kann Ihnen versichern, dass dieses Geld gut angelegt wurde.« Wieder ließ Armstrong den Vorsitzenden nicht ausreden.

»Und in was, wenn ich fragen darf?«, erkundigte sich Sir Paul.

»Im Moment habe ich die genauen Einzelheiten nicht schriftlich zur Hand«, entgegnete Armstrong. »Aber ich habe unsere Finanzabteilung in New York bereits damit beauftragt, einen detaillierten und umfassenden Bericht darüber anzufertigen, damit die Vorstandsmitglieder sich noch vor der nächsten Sitzung ein exaktes Bild der Lage machen können.«

»Wie interessant«, meinte Sir Paul. »Als ich bei unserer Finanzabteilung in New York anfragte – und zwar erst gestern Abend –, hatte man dort keine Ahnung, wovon ich überhaupt rede.«

»Das liegt daran, dass ein kleines, internes Team mit dieser Aufgabe betraut wurde. Es wurde angewiesen – aufgrund der Brisanz einiger meiner laufenden Geschäftsabschlüsse –, keinerlei Einzelheiten nach außen dringen zu lassen. Deshalb kann ich …«

»Verdammt!« Sir Pauls Stimme hob sich beachtlich. »Ich bin der Vorstandsvorsitzende dieses Unternehmens und habe das Recht, über jede Entwicklung informiert zu werden, die die Zukunft unserer Gesellschaft betreffen könnte.«

»Nicht, wenn dies meine Chancen beeinträchtigt, ein wichtiges und lohnendes Geschäft an Land zu ziehen!«

»Ich bin nicht Ihr Erfüllungsgehilfe!«, empörte sich Sir Paul und sah Armstrong zum ersten Mal direkt an.

»Das habe ich auch nicht angenommen, Herr Vorsitzender. Aber es gibt Zeiten, in denen Entscheidungen anfallen, während Sie leider gerade in Ihrem Bett liegen und tief und fest schlafen!«

»Ich hätte absolut nichts dagegen, in einem solchen Fall geweckt zu werden!« Sir Paul blickte Armstrong noch direkt an. »So, wie ich beispielsweise vergangene Nacht von einem gewissen Monsieur Jacques Lacroix aus Genf geweckt wurde. Er hat mich darauf aufmerksam gemacht, dass er die Angelegenheit in die Hände der Anwälte seiner Bank legen müsse, sollte bis heute Abend vor Geschäftsschluss ein Kredit über fünfzig Millionen Dollar nicht zurückgezahlt werden!«

Mehrere Direktoren senkten die Köpfe.

»Lacroix wird das Geld vor heute Abend bekommen«, behauptete Armstrong ungerührt. »Das versichere ich Ihnen!«

»Und woher wollen Sie es diesmal nehmen?«, fragte Sir Paul. »Denn ich habe die unmissverständliche Anweisung erteilt, dass dem Pensionsfond kein Cent mehr entnommen werden darf, solange ich Vorstandsvorsitzender bin! Unsere Anwälte haben mich darauf aufmerksam gemacht, dass sich jedes einzelne Vorstandsmitglied strafbar gemacht hätte, wäre dieser Scheck über fünfzig Millionen Dollar ausgezahlt worden.«

»Das war lediglich ein Versehen eines unserer neuen Angestellten, der den Scheck der falschen Bank vorlegte. Der Mann wurde noch am selben Tag gefeuert.«

»Aber Monsieur Lacroix hat mich darüber informiert, dass Sie den Scheck höchstpersönlich vorlegten. Als Beweis habe er eine unterschriebene Quittung!«

»Glauben Sie wirklich, ich hätte in New York nichts Besseres zu tun, als irgendwo Schecks zu deponieren?«

»Um ganz ehrlich zu sein, ich habe keine Ahnung, was Sie tun, wenn Sie in New York sind – allerdings sollte ich nicht verschweigen, dass Peter Wakehams Erklärung bei der letzten Sitzung schlicht nicht glaubhaft war.«

»Was für eine Erklärung?«, fragte Armstrong.

»Auf welche Weise Gelder aus dem Pensionsfonds auf Konten der Bank of New Amsterdam und der Chase Manhattan Bank gelangt sind.«

»Was wollen Sie damit andeuten?«, brüllte Armstrong.

»Mr. Armstrong, wir wissen beide, dass die Chase Manhattan die Bank der Druckergewerkschaften in New York ist und dass die Bank of New Amsterdam im Laufe des vergangenen Monats nach und nach die Anweisungen von Ihnen erhielt, unsere Anteile aufzukaufen. Inzwischen für mehr als siebzig Millionen Dollar! Und das, obwohl Mark Tenby, unser Prokurist, Sie darauf hingewiesen hat, dass der Erwerb von Wertpapieren einer unserer eigenen Firmen strafbar ist. Tenby sagte es Ihnen, als er Sie mit einem Scheckbuch des Pensionsfonds ausstattete.«

»Er hat nichts dergleichen gesagt!«, schrie Armstrong.

»Ist das etwa ein weiteres Beispiel von ›Versehen‹, das zweifellos mit der Kündigung des Prokuristen gelöst werden kann?«

»Das ist absolut lachhaft!«, knurrte Armstrong »Die New Amsterdam kann diese Aktien für Gott weiß welche ihrer anderen Kunden erstanden haben!«

»Leider nicht«, widersprach Sir Paul und blickte in einen anderen Ordner. »Der Makler, der so freundlich war, meinen Anruf entgegenzunehmen, hat bestätigt, dass Sie ihm die eindeutige Anweisung zum Kauf erteilt haben, um den Aktienpreis zu stützen, weil – mit Ihren eigenen Worten – Sie es sich ›nicht leisten können, dass die Aktienkurse noch tiefer fallen‹. Als er Sie warnte, wie teuer das kommen könnte, haben Sie offenbar zu ihm gesagt …« Wieder konsultierte Sir Paul seine Notizen. »… ›es ist mir scheißegal, was es kostet!‹«

»Dann steht sein Wort gegen meins!«, stieß Armstrong hervor. »Wenn dieser Mann bei seiner Behauptung bleibt, werde ich Verleumdungsklage gegen ihn anstrengen.« Nach einer kurzen Pause fügte er hinzu: »In beiden Ländern.«

»Das wäre nicht besonders klug«, meinte Sir Paul, »denn jeder Anruf, der in dieser Abteilung der New Amsterdam eingeht, wird aufgezeichnet und gespeichert, und ich habe gebeten, mir eine Abschrift der Gespräche zu schicken.«

»Bezichtigen Sie mich etwa der Lüge?«, donnerte Armstrong.

»Gesetzt den Fall, ich würde es – würden Sie dann auch eine Verleumdungsklage gegen mich anstrengen?«

Einen Moment lang war Armstrong sprachlos.

»Ich sehe schon, dass Sie nicht die Absicht haben, irgendeine meiner Fragen offen und ehrlich zu beantworten«, fuhr Sir Paul fort, »deshalb sehe ich mich gezwungen, als Vorstandsvorsitzender zurückzutreten.«

»Nein, nein!«, protestierten einige Vorstandsmitglieder am Tisch.

Armstrong musste einsehen, dass er zu weit gegangen war. Wenn Sir Paul jetzt zurücktrat, würde binnen weniger Tage die ganze Welt von der prekären Finanzlage des Konzerns erfahren. »Ich hoffe aufrichtig, dass Sie es ermöglichen können, bis zur Jahreshauptversammlung im April Ihr Amt weiterzuführen«, sagte Armstrong leise, »damit wir zumindest eine ordentliche Übergabe vornehmen können.«

»Ich fürchte, dafür ist es bereits zu spät«, entgegnete Sir Paul.

Als er sich von seinem Platz erhob, sah Armstrong auf. »Erwarten Sie, dass ich Sie auf den Knien anflehe?«

»Nein, Sir. Sie sind dazu ebenso wenig imstande, wie die Wahrheit zu sagen.«

Armstrong sprang auf. Die beiden Männer fixierten sich eine Zeit lang, bis Sir Paul sich umdrehte und aus dem Zimmer ging. Seine Unterlagen ließ er auf dem Tisch zurück.

Armstrong ging zum Platz des Vorstandsvorsitzenden, sagte jedoch eine geraume Weile nichts, während sein Blick langsam über die Anwesenden glitt. »Falls noch jemand gehen möchte«, sagte er schließlich, »ist jetzt die beste Gelegenheit dazu.«

Einige Herren raschelten nervös mit ihren Unterlagen, andere rutschten unbehaglich auf ihren Stühlen herum oder starrten auf ihre Hände, doch keiner machte Anstalten zu gehen.

»Gut«, sagte Armstrong. »Solange wir uns jetzt alle wie Erwachsene benehmen, wird Ihnen rasch deutlich, dass Sir Paul ohne tatsächliche Kenntnis der Lage voreilige Schlüsse gezogen hat.«

Nicht jeder am Tisch schien das ernsthaft zu glauben.

Eric Chapman, der Verwaltungschef, gehörte zu jenen, die den Kopf gesenkt hielten.

»Punkt zwei der Tagesordnung«, sagte Armstrong fest. Der Vertriebsleiter brauchte einige Zeit, um zu erklären, weshalb die Absatzzahlen des *Citizen* im vergangenen Monat so stark gesunken waren, was sich seiner Ansicht nach unmittelbar auf die Anzeigenerlöse auswirken werde. »Da der *Globe* den Einzelpreis auf zehn Pence gesenkt hat, kann ich dem Vorstand nur raten, sich dafür auszusprechen, das Gleiche zu tun.«

»Aber wenn wir das tun«, gab Chapman zu bedenken, »sinken die Erträge doch noch weiter.«

»Richtig ...«, begann der Vertriebsleiter.

»Wir müssen ganz einfach die Nerven behalten und abwarten«, fiel ihm Armstrong ins Wort. »Ich würde sagen, dass Townsend in einem Monat nicht mehr auf der Bildfläche ist. Dann können wir die Scherben aufsammeln und unsere Chance nutzen.«

Zwar nickten einige Direktoren, die meisten waren jedoch schon lange genug im Vorstand, um sich daran zu erinnern, was das letzte Mal geschehen war, als Armstrong etwas Ähnliches ausgemalt hatte.

Es dauerte noch etwa eine Stunde, die übrigen Punkte der Tagesordnung durchzugehen, und von Minute zu Minute wurde deutlicher, dass keiner der Männer am Tisch bereit war, sich direkt gegen den Präsidenten der Gesellschaft zu stellen. Als Armstrong schließlich fragte, ob es sonst noch etwas gebe, rührte sich niemand.

»Vielen Dank, meine Herren«, sagte er, stand auf, sammelte Sir Pauls Unterlagen ein und verließ rasch den Raum. Auf dem Weg zum Fahrstuhl sah er Peter Wakeham, den stellvertretenden Vorstandsvorsitzenden auf sich zukommen. Er erreicht ihn in dem Moment, als Armstrong in die Kabine stieg. »Wenn du nur ein paar Minuten früher gekommen wärst, Peter«, sagte Armstrong und blickte zu ihm hinunter, »hätte ich dich zum Vorstandsvorsitzenden machen können.« Während die Fahrstuhltür zuglitt, lächelte er Peter noch einmal an.

Er drückte auf den obersten Knopf und wurde rasch zum Dach gebracht, wo sein Pilot an der Brüstung lehnte und sich eine Zigarette gönnte. »Heathrow!«, brüllte Armstrong, ohne auch nur einen Gedanken an die Starterlaubnis zu verschwenden oder ob überhaupt ein Landeplatz frei war. Hastig drückte der Pilot die Zigarette aus und rannte zum Hubschrauber. Während sie über London flogen, dachte Armstrong über die Reihenfolge der bevorstehenden Ereignisse nach, falls in den nächsten paar Stunden nicht doch noch wie durch ein Wunder von irgendwo die fünfzig Millionen Dollar auftauchten.

Fünfzehn Minuten später landete der Hubschrauber vor dem Hangar. Vorsichtig duckte sich Armstrong hinaus und ging gemächlich zu seinem Privatjet.

Ein anderer Pilot, der oben auf der Treppe stand, begrüßte ihn, wartete auf Armstrongs Anweisung und erkundigte sich nach seinem Befinden.

»Danke, gut«, sagte Armstrong lediglich und ging nach hinten in die Maschine. Der Pilot nahm an, dass »Captain Dick« auf seine Jacht in Monte Carlo wollte, um sich ein paar Tage zu erholen, und verschwand im Cockpit.

Die Gulfstream flog nach Süden. Während des zweistündigen Fluges tätigte Armstrong nur einen Anruf: Jacques Lacroix in Genf. Doch so sehr er ihn auch bat und zu überreden versuchte – die Antwort blieb: »Sie haben noch bis zum heutigen Geschäftsschluss Zeit, die fünfzig Millionen zurückzuzahlen. Mr. Armstrong. Falls Sie dazu nicht in der Lage sind, bleibt mir keine Wahl, als die Angelegenheit unserer Rechtsabteilung zu übergeben.«

41

New York Star

6. November 1991

Platsch!

»Ich habe den Präsidenten der Vereinigten Staaten auf Leitung eins und einen Mr. Austin Pierson aus Cleveland, Ohio, auf Leitung zwei. Mit wem möchten Sie zuerst sprechen?«

Townsend sagte Heather, welchen Anruf sie als Ersten durchstellen sollte. Nervös griff er nach dem Hörer und vernahm eine ihm unbekannte Stimme.

»Guten Morgen, Mr. Pierson. Wie freundlich von Ihnen, mich anzurufen«, sagte Keith. Dann hörte er angespannt zu.

»Ja, Mr. Pierson«, sagte er schließlich. »Selbstverständlich. Ich verstehe Ihre Lage vollkommen. Ich bin sicher, ich hätte unter diesen Umständen auch nicht anders gehandelt.« Dann hörte er sich noch aufmerksam die Gründe an, aus denen Pierson zu seiner Entscheidung gelangt war.

»Ich verstehe Ihr Dilemma und weiß es zu schätzen, dass Sie sich die Mühe gemacht haben, mich persönlich anzurufen.« Er machte eine kurze Pause. »Ich kann nur hoffen, dass Sie es nicht bedauern müssen. Auf Wiederhören, Mr. Pierson.« Er legte auf und vergrub das Gesicht in den Händen. Plötzlich fühlte er sich vollkommen ruhig.

Als Heather von dem Schrei aufgeschreckt wurde, hörte sie auf zu tippen, sprang hoch und flitzte in Townsends Büro, wo ihr Chef wie ein Verrückter durchs Zimmer sprang und rief: »Er hat zugestimmt! Er hat zugestimmt!«

»Bedeutet das, dass ich Ihnen endlich eine neue Smokingjacke bestellen darf?«, fragte Heather.

»Ein halbes Dutzend, wenn Sie möchten«, sagte er und umarmte sie. »Aber zuerst müssen Sie mir meine Kreditkarten wiederbeschaffen.« Heather lachte, und dann hopsten beide durchs Zimmer.

Weder sie noch Keith bemerkten, dass Elizabeth Beresford das Büro betrat.

»Darf ich annehmen, dass dies eine Art kultisches Ritual ist, wie es in eher abgelegenen Regionen dieser Welt praktiziert wird?«, erkundigte sie sich. »Oder könnte es eine einfachere Erklärung geben, die etwas mit der Entscheidung eines Bankiers in einem US-Bundesstaat des mittleren Westens zu tun hat?«

Abrupt blieben beide stehen und blickten E. B. an. »Es ist ein Ritual«, sagte Townsend, »und Sie sind die Göttin.«

E. B. lächelte. »Das freut mich zu hören«, sagte sie. »Heather, könnte ich vielleicht kurz allein mit Mr. Townsend sprechen?«

»Selbstverständlich«, erwiderte Heather. Sie schlüpfte wieder in ihre Schuhe, verließ das Büro und schloss leise die Tür hinter sich.

Townsend fuhr sich mit der Hand durchs Haar, kehrte rasch zu seinem Bürosessel zurück, nahm Platz und versuchte sich zu beruhigen.

»Ich möchte, dass Sie mir zuhören, Keith, und zwar genau«, begann E. B., als auch sie sich gesetzt hatte. »Sie haben unwahrscheinliches Glück, denn Sie waren um Haaresbreite daran, alles zu verlieren.«

»Das ist mir bewusst«, erwiderte Townsend leise.

»Ich möchte, dass Sie mir versprechen, nie wieder für irgendetwas ein Kaufangebot zu machen, bevor Sie sich nicht mit der Bank beraten haben – und mit der Bank meine ich mich.«

»Darauf gebe ich Ihnen mein heiliges Ehrenwort.«

»Gut. Denn Sie haben jetzt zehn Jahre Zeit, um die Global auf eine solide Basis zu stellen und sie zu einem der seriösesten und am meisten respektierten Branchenunternehmen der Welt zu machen. Vergessen Sie nicht, dass dies der fünfte Schritt unserer ursprünglichen Vereinbarung ist.«

»Wie könnte ich das je vergessen«, erwiderte Keith. »Und ich werde Ihnen für immer und alle Zeiten dankbar sein, Elizabeth, weil Sie nicht nur mein Unternehmen gerettet haben, sondern mich gleich dazu.«

»Es war mir ein Vergnügen zu helfen«, erwiderte E. B., »aber ich werde meine Aufgabe erst als beendet betrachten, wenn ich höre, dass Ihre Aktien, vor allem von Ihren Kritikern, als Spitzenwerte erachtet werden, als Blue Chip.«

Keith nickte ernst, als sie sich zu ihrem Aktenkoffer hinunterbeugte, einen Stapel Kreditkarten herausnahm und sie ihm reichte.

»Danke«, sagte er.

Ein Lächeln huschte über ihre Lippen. Sie erhob sich aus ihrem Sessel und reichte ihm über den Tisch hinweg die Hand. Townsend schüttelte sie. »Ich hoffe, wir sehen uns bald wieder«, sagte er, als er sie zur Tür begleitete.

»Ich hoffe nicht«, entgegnete sie. »Ich möchte nicht noch

einmal so durch die Mangel gedreht werden wie in Ihrem Fall.«

In Heathers Büro drehte sie sich noch einmal zu ihm um. Einen Augenblick überlegte Keith, ob er sie auf die Wange küssen sollte, unterließ es dann aber lieber. Er blieb an Heathers Schreibtisch stehen, als E. B. seiner Sekretärin auf die gleiche förmliche Weise die Hand schüttelte. Dann warf sie ihm noch einen Blick zu, nickte und ging ohne ein weiteres Wort.

»Was für eine Frau!«, sagte Townsend und starrte auf die geschlossene Tür.

»So viel steht fest«, meinte Heather mit wehmütigem Unterton. »Sie hat mir sogar noch einiges über Sie beigebracht.«

Townsend wollte gerade fragen, worum es sich dabei handelte, als Heather wissen wollte: »Soll ich jetzt das Weiße Haus zurückrufen?«

»Ja, bitte gleich. Das hatte ich komplett vergessen. Und wenn ich fertig bin, wählen Sie doch bitte Kates Nummer für mich – nein, lassen Sie's, das mache ich selbst.«

Während Keith in sein Büro zurückkehrte, stand Elizabeth auf dem Flur und wartete auf einen der sechs Fahrstühle. Sie hatte es eilig, in die Bank zu kommen und ihren Schreibtisch aufzuräumen – im letzten Monat hatte sie nicht ein Wochenende zu Hause verbracht und ihrem Mann versprochen, rechtzeitig zurück zu sein, um sich zusammen mit ihm die Schulaufführung anzusehen, in der ihre Tochter mitspielte. Als endlich ein Fahrstuhl die Chefetage erreichte, stieg sie ein und drückte in dem Moment auf den Knopf für das Parterre, als sich auf der anderen Seite des Korridors eine weitere Aufzugstür öffnete. Ihre eigene schloss sich jedoch zu schnell, als dass Elizabeth hätte erkennen können, wer herausgesprungen und in die Richtung von Townsends Büro gelaufen war.

In der einundvierzigsten Etage hielt der Aufzug und drei junge Männer stiegen zu, die ihr lebhaftes Gespräch fortsetzten, als wären sie allein. Als einer von ihnen Armstrongs Namen erwähnte, horchte Elizabeth auf. Sie konnte nicht glauben, was sie da hörte. Jedes Mal, wenn der Fahrstuhl hielt und weitere Personen in die Kabine kamen, schnappte Elizabeth weitere Informationen auf.

Ein atemloser Tom Spencer kam in Heathers Büro gestürmt. Er fragte nur: »Ist er da?«

»Ja, Mr. Spencer«, antwortete Heather. »Er hat soeben ein Gespräch mit dem Präsidenten beendet. Gehen Sie ruhig hinein.«

Tom ging zur Chefsuite und riss die Tür in dem Augenblick auf, als Townsend eine Nummer auf seinem Privattelefon gewählt hatte. »Haben Sie schon die Neuigkeit gehört?«, stieß Tom keuchend hervor.

»Ja«, erwiderte Keith und blickte auf. »Ich will gerade Kate anrufen und ihr sagen, dass Pierson sich einverstanden erklärt hat, die Laufzeit des Kredits zu verlängern.«

»Das freut mich zwar sehr, aber das ist keine Neuigkeit, sondern bereits Geschichte.« Tom ließ sich in den Sessel fallen, aus dem E. B. sich erst vor wenigen Minuten erhoben hatte.

»Was meinen Sie damit?«, fragte Keith. »Ich habe es doch selbst gerade erst erfahren.«

Aus dem Hörer erklang eine Stimme: »Hallo? Hier Kate Townsend.«

»Ich meine, ob Sie das von Armstrong gehört haben?«

»Armstrong? Nein, was führt er denn jetzt schon wieder im Schilde?«, fragte Keith, ohne auf das Telefon zu achten.

»Hallo!«, rief Kate erneut. »Ist da jemand?«

»Er hat Selbstmord begangen!«, sagte Tom.

»Bist du das, Keith?«, rief Kate.

»*Was* hat er?« Townsend ließ den Hörer auf die Gabel fallen.

»Er war offenbar mehrere Stunden auf dem Meer vermisst, und gerade haben ein paar Fischer seine Leiche vor der Küste Sardiniens rausgezogen.«

»Armstrong … tot?« Townsend drehte sich mit seinem Sessel um und starrte eine Weile wortlos aus dem Fenster über der Fifth Avenue. »Wenn man bedenkt, dass meine Mutter ihn überlebt hat«, murmelte er schließlich.

Tom sah ihn verwundert an.

»Ich glaube nicht, dass es Selbstmord war«, sagte Townsend.

»Wie kommen Sie darauf?«, fragte Tom.

»Das ist einfach nicht sein Stil. Der verdammte Kerl hat immer geglaubt, alles überstehen zu können.«

»Was immer es gewesen ist – in London geht alles drunter und drüber. Offenbar stammte Armstrongs schier endloser Nachschub an flüssigen Mitteln aus der Pensionskasse des Unternehmens. Er hat die Kasse nicht nur dazu benutzt, seine eigenen Anteile aufzukaufen, sondern auch, um die Gewerkschaften in New York auszuzahlen.«

»Die Pensionskasse des Unternehmens? Wovon reden Sie eigentlich?«, fragte Townsend.

»Offenbar hat Armstrong entdeckt, dass viel mehr Geld auf dem Konto dieses Fonds war, als rechtlich erforderlich ist. Also machte er sich daran, das Geld abzuschöpfen, immer ein paar Milliönchen auf einmal, bis der Vorstandsvorsitzende dahinterkam und sein Amt niederlegte.«

Townsend griff nach einem internen Telefon und drückte auf drei Tasten.

»Was machen Sie da?«, fragte Tom.

»Pssst!« Townsend legte einen Finger auf die Lippen. Als er eine Stimme am anderen Ende der Leitung hörte, fragte er: »Ist dort die Buchhaltung?«

»Ja, Sir«, antwortete jemand, der sofort den australischen Akzent des Anrufers erkannte. »Ich bin Hank Turner, der stellvertretende Prokurist.«

»Sie sind genau der Mann, den ich brauche, Hank. Aber sagen Sie mir zuerst einmal: Hat die Global ein gesondertes Konto für den Pensionsfond?«

»Selbstverständlich, Sir.«

»Und wie hoch ist der derzeitige Kontostand?«

Townsend wartete, während Hank Turner nachsah. E. B.s Fahrstuhl hatte den neunten Stock auf dem Weg zurück hinauf erreicht, als der stellvertretende Prokurist Townsend informierte: »Der Stand dieses Kontos betrug heute um neun Uhr früh siebenhundertdreiundzwanzig Millionen Dollar.«

»Und wie viel müssen wir dem Gesetz nach auf diesem Konto haben, um unseren Rentenverpflichtungen nachkommen zu können?«

»Etwas über vierhundert Millionen Dollar«, antwortete Hank. »Aber dank der geschickten Investitionsvorschläge unseres Anlageberaters sind wir der Inflation um einige Millionen voraus.«

»Demnach haben wir gut dreihundert Millionen Dollar mehr auf dem Konto, als in den Statuten festgelegt ist?«

»Das ist richtig, Sir, aber nach der Rechtslage sind wir verpflichtet, jederzeit …«

Townsend legte auf und merkte, dass ihn sein Anwalt ungläubig anstarrte.

E. B. trat aus dem Fahrstuhl auf den Korridor.

»Ich hoffe, Sie denken nicht, was ich glaube, dass Sie denken«, sagte Tom in dem Augenblick, da E. B. Heathers Büro betrat.

»Ich muss dringend mit Mr. Townsend sprechen«, sagte sie.

»Um Gottes willen! Sagen Sie bloß nicht, Pierson hat es sich noch einmal anders überlegt!« Heather blickte E. B. erschrocken an.

»Nein, es hat nichts mit Pierson zu tun. Es geht um Richard Armstrong.«

»Armstrong?«

»Ja. Seine Leiche wurde im Mittelmeer gefunden. Den ersten Berichten nach soll er Selbstmord begangen haben.«

»Großer Gott! Gehen Sie nur schnell hinein, Mrs. Beresford. Tom Spencer ist gerade bei Mr. Townsend.«

E. B. ging zu Townsends Büro. Tom hatte die Tür offen stehen lassen, als er hineingestürmt war, weshalb E. B. eine hitzige Diskussion zwischen den beiden Männern hören konnte. Als sie das Wort »Pensionsfonds« vernahm, blieb sie wie angewurzelt stehen und belauschte ungläubig das Gespräch zwischen Townsend und seinem Anwalt.

»Jetzt lassen Sie mich doch erst einmal ausreden, Tom«, sagte Townsend. »Was mir vorschwebt, hält sich durchaus innerhalb aller gesetzlichen Verpflichtungen.«

»Ich hoffe, Sie gestatten *mir* diese Entscheidung«, rief Tom.

»Angenommen, der Handel mit den Aktien der Armstrong Communications wird erst später am Nachmittag eingestellt …«

»Das ist anzunehmen.« Tom nickte.

»Also wäre es dumm, wenn ich jetzt versuchen würde, diese Aktien zu kaufen. Derzeit wissen wir lediglich, dass Armstrong das Konto des Pensionsfonds geplündert hat. Wenn die Aktien demnach wieder auf den Markt kommen, wird ihr Kurs so tief im Keller sein wie nie zuvor.«

»Ich sehe trotzdem nicht, wie Ihnen das helfen könnte«, sagte Tom.

»Weil ich wie einer der Kreuzritter aus den guten alten Zeiten in der Rüstung der Rechtschaffenheit herangaloppieren und das Unternehmen retten werde.«

»Und wie wollen Sie das anstellen?«

»Indem ich die beiden Gesellschaften fusioniere.«

»Aber damit würden die Verantwortlichen sich niemals einverstanden erklären! Schon deshalb nicht, weil die Treuhänder des *Citizen*-Pensionsfonds kein weiteres Risiko eingehen …«

»Vielleicht doch, wenn sie erfahren, dass der Überschuss in unserem Pensionsfonds die Verluste des ihren mehr als decken würde. Damit wären mühelos zwei Probleme auf einen Schlag gelöst. Erstens würde die britische Regierung ihre Nase nicht in ihr Rücklagenkonto stecken …« Er machte eine Kunstpause.

»Und zweitens?«, fragte Tom, der immer noch höchst skeptisch war.

»Zweitens könnten die Rentner unbeschwert in der sicheren Gewissheit schlafen, dass sie auch für den Rest ihres Lebens nicht am Hungertuch nagen müssen.«

»Aber die MMC, die britische Kartellaufsichtsbehörde, würde nie zulassen, dass Ihnen die zwei größten Zeitungen Großbritanniens gehören!«, wandte Tom ein.

»Das mag ja sein, aber die Kartellaufsicht könnte nichts dagegen einwenden, wenn ich sämtliche regionalen Zeitungen Armstrongs übernehme – die mir ursprünglich sowieso hätten gehören sollen.«

»Das würde die MMC vielleicht hinnehmen«, meinte Tom, »aber die Aktionäre würden …«

»… würden sich nicht im Geringsten um Armstrongs sechsundvierzig Prozent am *New York Star* scheren.«

»Sich darüber Gedanken zu machen kommt etwas verspätet«, sagte Tom. »Sie haben die Gesamtkontrolle über diese Zeitung bereits verloren.«

»Nein, noch nicht«, widersprach Townsend. »Wir gehen die Sache noch einmal durch. Ich bin ja nicht verpflichtet, die Papiere vor Montag zu unterzeichnen.«

»Aber was ist mit der *New York Tribune*?«, fragte Tom. »Armstrong mag ja tot sein, aber Sie würden nur alle seine Probleme erben. Auch wenn er vehement das Gegenteil behauptet hat – die Zeitung macht einen wöchentlichen Verlust von mehr als einer Million Dollar.«

»Nicht, wenn ich tue, was Armstrong von Anfang an hätte tun sollen: die Zeitung dichtmachen!«, entgegnete Townsend. »Auf diese Weise schaffe ich ein Monopol in dieser Stadt, das nie jemand anfechten könnte!«

»Aber selbst wenn Sie mit der britischen Regierung und der Kartellaufsichtsbehörde einig würden – wieso glauben Sie, dass der Vorstand von Armstrong Communications bei Ihrem netten kleinen Plan mitmacht?«

»Weil ich nicht nur ihren Pensionsfonds auffüllen, sondern dem Management weiterhin die Kontrolle über den *Citizen* überlassen würde. Und wir würden auch das Gesetz nicht brechen, da der Überschuss in unserem Pensionsfonds das Defizit in ihrem mehr als deckt.«

»Trotzdem glaube ich immer noch, dass sie ihre Übernahme mit allen Mitteln verhindern werden.«

»Nicht, wenn der *Globe* die fünfunddreißigtausend ehemaligen Angestellten des *Citizen* jeden Morgen darauf hinweist, dass es für ihr Rentenproblem eine einfache Lösung gibt. Sie werden binnen weniger Tage vor dem Armstrong-Haus demonstrieren und verlangen, dass der Vorstand sich mit der Fusion einverstanden erklärt.«

»Aber das setzt voraus, dass das Parlament mitmacht«, wandte Tom ein. »Denken Sie doch bloß an diese Labour-Abgeordneten, die Keith Townsend sogar noch mehr verabscheuen, als sie Armstrong verabscheut haben.«

»Dann muss ich mich eben dahinterklemmen, dass diese Abgeordneten säckeweise Briefe von ihren Wählern bekommen, in denen sie daran erinnert werden, dass die nächste Wahl bereits in wenigen Monaten stattfindet und dass sie, so sie denn wiedergewählt werden möchten …«

Keith blickte auf und sah E. B. in der Tür stehen. Sie starrte ihn auf die gleiche Weise an wie am ersten Tag ihrer Bekanntschaft.

»Mr. Townsend«, sagte sie, »vor weniger als einer Viertelstunde haben wir eine Abmachung geschlossen – eine Abmachung, auf die Sie mir Ihr feierliches Ehrenwort gaben! Oder reicht Ihr Gedächtnis nicht einmal *so* weit zurück?«

Keiths errötete leicht, dann trat langsam ein Lächeln auf sein Gesicht.

»Tut mir leid, E. B.«, sagte er. »Ich habe gelogen.«